ANTHOLOGIE DE LA LITTÉRATURE FRANCO-ONTARIENNE DES ORIGINES À NOS JOURS

tome 1
les origines françaises (1610-1760)
les origines franco-ontariennes (1760-1865)

DU MÊME AUTEUR

Antoine Gérin-Lajoie, homme de lettres, Sherbrooke, Naaman, 1978, 435 p. (Prix littéraire Champlain.)

Bibliographie de la littérature outaouaise et franco-ontarienne, Ottawa, CRCCF, 1978, 91 p.; 2ᵉ éd. révisée et augmentée, 1981, viii, 284 p.

La Patrie littéraire, 1760-1895, Montréal, La Presse, 1978, xii, 516 p.; avec Gabrielle Poulin, *L'Âge de l'interrogation, 1937-1952*, 1979, vii, 463 p. [Tomes 2 et 4 de l'*Anthologie de la littérature québécoise* sous la direction de Gilles Marcotte.] (Prix littéraire La Presse.); 2ᵉ éd. révisée, Montréal, l'Hexagone, 1994, t. 1, pp. 299-813 et t. 2, pp. 489-960.

Répertoire des professeurs et chercheurs (littérature québécoise ou canadienne-française), Ottawa, CRCCF, 1978, 120 p.; 2ᵉ éd. revue et augmentée, Sherbrooke, Naaman, 1980, 119 p.

La Littérature canadienne de langue française/Canadian Literature in French, Ottawa, Secrétariat d'État du Canada/Department of the Secretary of State of Canada, 1988, [viii], 35/[viii], 31 p.

Anthologie de la poésie franco-ontarienne, des origines à nos jours, Sudbury, Prise de parole, 1991, 223 p.

La Littérature régionale aux confins de l'histoire et de la géographie, Sudbury, Société historique du Nouvel Ontario, 1993, 88[1] p.; Sudbury, Prise de parole, 1993.

(Édit.) *Propos littéraires*, Ottawa, Éditions de l'Université d'Ottawa, 1973, 128 p.

(Édit.) Antoine Gérin-Lajoie, *Jean Rivard*, Montréal, Hurtubise HMH, 1977, 400 p.

(Dir.) *Situation de l'édition et de la recherche*, Ottawa, CRCCF, 1978, 182 p.

(Dir.) *Propos sur la littérature outaouaise et franco-ontarienne*, 4 vol., Ottawa, CRCCF (vol. 1, 3 et 4) et Société des écrivains canadiens (vol. 2), 1978-1983.

(Dir.) *Quatre Siècles d'identité canadienne*, Montréal, Éditions Bellarmin, 1983, 176 p.

(Dir.) *Le Québécois et sa littérature*, Sherbrooke, Naaman, et Paris, Agence de coopération culturelle et technique, 1984, 462 p.

(Dir.) *Revue d'histoire littéraire du Québec et du Canada français*, Montréal, Bellarmin, 1979-1982, vol. 1-4, et Ottawa, les Presses de l'Université d'Ottawa, 1983-1987, vol. 5-14.

Avec Pierre Cantin, *Bibliographie de la critique de la littérature québécoise et canadienne-française dans les revues canadiennes (1974-1978)*, Ottawa, les Presses de l'Université d'Ottawa, 1988, [ix], 480 p.

Avec Pierre Cantin, *Bibliographie de la critique de la littérature québécoise et canadienne-française dans les revues canadiennes (1979-1982)*, Ottawa, les Presses de l'Université d'Ottawa,1991, [vii], 493 p.

Avec Pierre Cantin, *Bibliographie de la critique de la littérature québécoise et canadienne-française dans les revues canadiennes (1760-1899)*, Ottawa, les Presses de l'Université d'Ottawa,1992, [vii], 308 p.

Avec Pierre Cantin, *Bibliographie de la critique de la littérature québécoise et canadienne-française dans les revues canadiennes (1983-1984)*, Ottawa, les Presses de l'Université d'Ottawa, 1994, [vii], 328 p.

Avec Pierre Cantin, *Bibliographie de la critique de la littérature française et étrangère dans les revues canadiennes (1760-1899)*, (à paraître).

RENÉ DIONNE

ANTHOLOGIE DE LA LITTÉRATURE FRANCO-ONTARIENNE DES ORIGINES À NOS JOURS

tome 1

les origines françaises (1610-1760)
les origines franco-ontariennes (1760-1865)

Collection
Histoire de la littérature franco-ontarienne

PRISE DE PAROLE
SUDBURY
1997

Données de catalogage avant publication (Canada)

Vedette principale au titre:

Anthologie de la littérature franco-ontarienne des origines à nos jours

Tome 1. Les origines françaises (1610-1760); les origines franco-ontariennes (1760-1865).
Comprend des références bibliographiques.
ISBN 2-89423-083-4 (t. 1)

1. Littérature canadienne-française — Ontario. I. Dionne, René, 1929-

PS8255.O5A58	1997	C840.8'09713	C97-931777-0
PQ3917.O6A58	1997		

En distribution au Québec:
Diffusion Prologue
1650, boul. Lionel-Bertrand
Boisbriand (QC) J7H 1N7
514-434-0306

PRISE DE PAROLE

La maison d'édition Prise de parole se veut animatrice des arts littéraires chez les francophones de l'Ontario; elle se met donc au service des créatrices et créateurs littéraires franco-ontariens.

Cette publication a bénéficié de l'appui financier du Conseil des Arts de l'Ontario, du Conseil des Arts du Canada, du Patrimoine canadien et de la Ville de Sudbury, ainsi que d'une contribution de la Fondation franco-ontarienne.

Conception de la page couverture et de la mise en page: Max Gray, Gray Universe

ISBN 2-89423-083-4

À Gabrielle Poulin
À mes collègues de la Société Charlevoix

RECONNAISSANCE

Les recherches qui ont abouti à la publication de cette *Anthologie de la littérature franco-ontarienne, des origines à nos jours* ont été subventionnées par le ministère de l'Éducation de l'Ontario, le Patrimoine Canada, l'Université d'Ottawa (le Centre de recherche en civilisation canadienne-française et le Département des lettres françaises) et le Conseil des arts de l'Ontario.

Nous disons notre reconnaissance à notre épouse, Gabrielle Poulin, pour son appui et pour l'attention avec laquelle elle a lu notre texte plus d'une fois;

à nos collègues historiens, Pierre Savard, de l'Université d'Ottawa, et Gaétan Gervais, de l'Université Laurentienne, qui ont accepté, malgré leurs lourdes charges de travail, de réviser la version finale de notre texte;

aux jésuites Robert Toupin, conservateur des Archives de la Compagnie de Jésus du Canada français à Saint-Jérôme (Québec), qui nous a bien accueilli et a facilité nos recherches; Lucien Campeau, qui nous a fourni de précieux renseignements sur les missionnaires de la Huronie et sur ceux du dix-neuvième siècle en Ontario; le regretté Georges-Émile Giguère, décédé en 1996, nous avait donné des renseignements très utiles, sur les éditions du père Félix Martin;

à Luc Ainsley, qui a fait pour nous des recherches en bibliothèque;

à Lyne Bossé, qui a révisé les textes cités;

à l'Institut canadien de microreproductions historiques et à toutes les maisons d'édition, ainsi qu'à tous les détenteurs de droits d'auteur et de reproduction qui nous ont permis de reproduire les textes que nous publions.

L'eau coule quelle bénédiction
ce pays n'est pas si sec après tout.

Gabrielle Poulin
Petites Fugues pour une saison sèche, p. 69

L'avenir, le présent même ne se possèdent, ne s'inventent,
que sur la base solide d'une continuité, d'une tradition.

Georges-André Vachon
dans *Études françaises*, août 1968, p. 250

Rassembler des textes anciens dans un livre nouveau,
c'est vouloir interroger le temps,
le solliciter de donner sa réponse
aux fragments qui viennent du passé.

Roland Barthes
dans *Essais critiques*, p. 9

SIGLES ET ABRÉVIATIONS

ICMH	Institut canadien de microreproductions historiques
Id. ou *id.*	Le même auteur
Ibid. ou *ibid.*	Le même lieu (livre, chapitre ou page, selon le cas)
S:	Source d'où est tiré le texte qui précède immédiatement

REMARQUES

*   Placé après le titre d'un texte choisi, l'astérisque indique que ce titre est de nous, tandis que l'absence de l'astérisque indique que le titre est de l'auteur du texte.

[ ]   Les mots et les lettres entre ces crochets sont de nous ou de l'éditeur du texte; après un nom de lieu, ils encadrent soit la désignation de la situation géographique de ce lieu, soit le nom actuel d'un lieu désigné par son nom ancien dans le texte.

AVANT-PROPOS

Cet ouvrage est le premier d'une série de quatre dans lesquels nous avons l'intention de reproduire au moins un texte de chacun des auteurs dont nous considérons les écrits comme constitutifs du corpus littéraire franco-ontarien. Ce faisant, nous visons deux objectifs.

L'objectif premier

Notre premier objectif est de fournir un compagnon à chacun des quatre livres de notre *Histoire de la littérature franco-ontarienne, des origines à nos jours*. Dans ces livres qui présentent brièvement, à partir d'une lecture personnelle, les œuvres du corpus littéraire franco-ontarien, nous n'avons cité que quelques passages de ces œuvres en espérant qu'ils donneraient, aux professeurs, enseignants, étudiants et autres lecteurs curieux, l'envie d'en lire davantage, afin de pouvoir mieux apprécier les œuvres de leurs auteurs. Nous avons aussi indiqué des pistes de recherche que ces lecteurs pourraient avoir le goût ou la curiosité de suivre afin d'approfondir leur connaissance des auteurs et de leurs écrits. Le compagnon anthologique se présente donc comme un complément utile, à portée de la main, dans une salle de cours.

L'objectif second

Notre second objectif est d'offrir aux lecteurs, amateurs ou curieux, un livre facilement accessible sur le marché ou dans les bibliothèques, qui leur permettrait d'avoir une idée d'ouvrages anciens, souvent considérables, que l'on ne peut lire qu'en bibliothèque, où on les trouve la plupart du temps sous forme de microfilms.

Pour bien situer et définir le contenu, le plan et la forme des quatre tomes qui composeront notre *Anthologie de la littérature franco-ontarienne, des origines à nos jours*, il importe de préciser les points suivants comme nous l'avons fait dans l'avant-propos du premier tome de notre *Histoire*.

Le corpus littéraire franco-ontarien

Pour nous, font partie du corpus littéraire franco-ontarien

I. les œuvres publiées en français par des *écrivains*

1) qui sont nés en Ontario autrement que fortuitement, même s'ils ont quitté la province;

   exemple: Jean Éthier-Blais, qui est né à Sturgeon Falls (Ontario) en 1925, mais a habité à Montréal (Québec) de 1962 à sa mort en 1995, est un écrivain franco-ontarien;

2) qui, peu importe où ils sont nés, résident en Ontario (ou y sont décédés après y avoir vécu), sauf si leur installation est (ou était) provisoire comme dans le cas de ceux qui n'habitent la province que pour le temps de leurs études ou de la réalisation d'un contrat de courte durée;

   exemple: Gérard Bessette, qui est né à Sabrevois (Québec) en 1920 et s'est établi à Kingston (Ontario) en 1958, est un écrivain franco-ontarien;

3) qui, peu importe le lieu de leur naissance, ont écrit toutes leurs œuvres ou la plupart d'entre elles pendant qu'ils habitaient en Ontario;

   exemple: Claire Martin, née à Québec en 1914, a composé tous ses ouvrages de fiction pendant qu'elle habitait Ottawa (1945-1972); par la suite, elle n'a publié que des traductions et une anthologie de ses propres textes;

II. les *œuvres littéraires* publiées en français qui ont pour sujet ou pour cadre l'Ontario tel que le délimitent ses frontières actuelles[1], quels que soient les lieux de naissance et de résidence de leurs auteurs;

   exemple: *l'Appel de la race* du Québécois Lionel Groulx, roman qui a pour sujet la lutte menée par des Franco-Ontariens d'Ottawa pour la défense de la langue française à la suite du Règlement 17, qui réduisait à peu de chose l'enseignement du français dans les écoles[2].

---

[1] Nous avons cependant tenu compte du fait que des villes frontières, telles Détroit et les deux Sault-Sainte-Marie (l'américaine et la canadienne d'aujourd'hui), furent canadiennes jusqu'en 1783, voire jusqu'en 1796, année où les britanniques quittèrent Détroit et Michillimackinac. Voir G. Gervais, «L'Ontario français en Amérique française: le long terme», dans les *Cahiers Charlevoix, 1. Études franco-ontariennes*, pp. 132-134. — Peut-être est-il bon de rappeler ici que les frontières de l'Ontario actuel ne datent que de 1912 et que cette province, créée en 1791, ne porte ce nom que depuis 1867. Pour l'histoire de ses frontières anciennes et de ses divers noms, voir Robert Choquette, *L'Ontario français, historique*, Montréal, Éditions Études vivantes, «L'Ontario français», 1980, p. 79.

[2] Pour la justification de ces critères, voir le chapitre intitulé «la Littérature régionale:

Les divisions périodiques du corpus

Nous divisons l'histoire de la littérature franco-ontarienne en sept périodes:

1. *les origines françaises (1610-1760)*, c'est-à-dire depuis l'arrivée du premier Français, Étienne Brûlé, en Ontario, jusqu'à la conquête du Canada par les Britanniques;

2. *les origines franco-ontariennes (1760-1865)*, période qui marque les débuts de la communauté franco-ontarienne, laquelle se compose d'abord de voyageurs, commerçants et colons qui décident de demeurer sur place et s'adaptent à la situation nouvelle, puis d'immigrants francophones venus principalement du Québec, mais aussi des États-Unis et de la France[3];

3. *la littérature des fonctionnaires (1865-1910)*, ainsi nommée parce que l'installation du Parlement du Canada-Uni à Ottawa en 1865 va non seulement contribuer à transformer ce petit bourg en ville, mais aussi à créer, grâce aux fonctionnaires et à maints parlementaires, un milieu culturel dans lequel les écrivains et les amateurs de littérature joueront un rôle important[4];

4. *l'affirmation de l'identité collective (1910-1927)*, qui débute avec le congrès de fondation de l'Association canadienne-française d'éducation d'Ontario et se poursuit durant dix-sept ans dans une littérature de combat que l'on trouve surtout dans les discours des chefs de la collectivité et les articles des journalistes, ceux-ci comme ceux-là se faisant avec vigueur les défenseurs des droits linguistiques de leurs compatriotes;

5. *les tenants de la langue et de la culture (1928-1959)*; à la suite des luttes menées avec succès durant la période précédente, la langue et la culture française deviennent des joyaux que l'on s'efforce de faire briller à tous les niveaux d'enseignement, surtout dans les collèges[5] et les

---

essai de définition» (pp. 11-35) dans notre ouvrage *la Littérature régionale aux confins de l'histoire et de la géographie*, Sudbury, Prise de parole, «Ancrages», 1993, 87[2] p.

[3]Voir au sujet de cette population C. J. Jaenen, «L'Ancien Régime au pays d'en haut», dans *les Franco-Ontariens*, pp. 31-38: «Conquête et révolutions», et G. Gervais, «L'Ontario français (1821-1910)», dans *ibid.*, pp. 50-56: «Les premiers foyers de peuplement» et «Le commerce du bois».

[4]Voir *id., ibid.*, pp. 56-59: «Les débuts d'Ottawa».

[5]Juniorat du Sacré-Cœur (Ottawa, 1895), Collège du Sacré-Cœur (Sudbury, 1913), Petit Séminaire d'Ottawa (1925), Collège de Cornwall (1949), Séminaire de Hearst

universités[6]; les écrivains soignent de plus en plus leur langue, plusieurs font montre d'une grande culture, et leur nombre augmente régulièrement à partir des années de guerre (1939-1945); c'est en quelque sorte une époque classique et l'âge d'or de la littérature franco-ontarienne;

6. *la littérature des universitaires (1960-1972)*; durant cette période, les départements de français se développent dans les universités, les professeurs publient beaucoup et les étudiants les imitent;

7. *la littérature contemporaine (depuis 1973)*; nous avons montré dans l'*Histoire* que le nationalisme québécois provoqua chez les jeunes Franco-Ontariens du Nord une réaction qui s'exprima dans les arts et la littérature; elle dure encore en 1997.

Le plan des quatre tomes

Les trois premiers tomes se diviseront en deux parties, chacune portant sur une période, tandis que le quatrième ne sera consacré qu'à la littérature contemporaine. Chaque tome débutera par un avant-propos. Chaque partie contiendra un ou plusieurs morceaux choisis de chacun des auteurs lus et présentés dans la partie correspondant à celle du tome historique; elle se terminera par une bibliographie qui comprendra une liste d'une ou plusieurs éditions des œuvres citées ainsi qu'une liste des sources biographiques utilisées. Les pièces de chaque auteur seront précédées d'une biographie (dans l'*Histoire*, nous n'avons fait que référer aux sources biographiques après en avoir tiré seulement les données nécessaires à la présentation du texte), d'une brève présentation des ouvrages ou des morceaux choisis, de l'identification de l'édition utilisée ainsi que de la description des changements qui ont été apportés au texte, s'il y a lieu. Les pièces choisies seront assez nombreuses ou assez longues pour que les lecteurs puissent se faire une idée de la façon de penser des auteurs et de la qualité orthographique, grammaticale ou littéraire des œuvres ainsi que de l'état de la vie et de l'espace ontarien de l'époque. La source de ces pièces choisies sera indiquée après chacune.

(1953), Collège Bruyère (Ottawa).
[6]L'Université d'Ottawa (fondée en 1848), le Collège dominicain de philosophie et de théologie (Ottawa, 1900) et l'Université de Sudbury (fondée en 1957).

La méthode

Notre façon de faire a été dictée par les deux objectifs que nous avons énoncés plus haut et les diverses catégories de destinataires auxquels nous avons dit nous adresser. De même que la lecture et la présentation des œuvres ont été personnelles, c'est-à-dire guidées par nos goûts, comme nous l'avons écrit dans l'avant-propos du premier tome de l'*Histoire*, le choix des pièces l'a été aussi. Ces goûts nous étaient inspirés par le besoin et le désir que nous avions de connaître davantage notre province d'adoption et l'histoire de la collectivité franco-ontarienne à laquelle nous essayons de nous intégrer depuis 1970. De plus, nous avions le dessein de contribuer à la promotion de la littérature franco-ontarienne. Pour enraciner cette littérature dans la culture franco-ontarienne et la préserver de l'amnésie contemporaine, il nous fallait remonter et rappeler le cours de son existence, depuis les premiers écrits des découvreurs et explorateurs de ce qui est aujourd'hui l'Ontario jusqu'à la floraison littéraire des trois dernières décennies.

Qu'avons-nous trouvé d'intéressant dans les écrits de la cinquantaine d'auteurs qui ont vécu en Ontario entre 1610 et 1865? En premier lieu, des descriptions d'un pays que nos ancêtres français, puis canadiens, découvrent, exploitent, défendent et transforment, puis perdent aux mains des Anglais, sans cesser cependant de l'habiter et de contribuer à son développement. En second lieu, des portraits de l'Amérindien qui occupe d'abord en maître tout le territoire, puis devient progressivement le serviteur de l'exploitant envahisseur qui, à défaut de pouvoir l'assimiler, en fait un exclu condamné à la misère dans des réserves de peau de chagrin. En troisième lieu, des relations ou des lettres de missionnaires catholiques qui arrivent difficilement à convertir au christianisme l'Amérindien enraciné dans sa terre et instruit dans la tradition de ses pères, car ce primitif religieux, dont la culture est incomprise ou mal jugée, refuse les cultes et les cultures de ceux qui se disent civilisés. En quatrième lieu, des récits de voyageurs et de commerçants de fourrures, Canadiens pour la plupart, qui donnent de l'expansion aux premières découvertes et explorations françaises en plus de contribuer à la vie économique de leur pays. En cinquième lieu, des journaux de voyages et des correspondances dans lesquels les auteurs révèlent des parcelles de leur intimité. En sixième lieu, — à cause de leur petit nombre

13

—, des textes amérindiens, traduits par des missionnaires qui connaissaient bien les langues des tribus; ces textes laissent transparaître la rhétorique imagée et éloquente de l'Amérindien. Les pièces anthologiques que nous avons choisies sont une illustration de ce contenu intéressant.

Et la littérature? Elle n'est pas toujours aussi présente qu'on le voudrait, mais on peut dire qu'elle n'est jamais absente complètement, car presque tous ces écrits, comme nous venons de le voir, se présentent sous des formes littéraires qui existent encore aujourd'hui[7]. La langue est bien française, mais la typographie, la graphie et la grammaire changent au cours des décennies et des siècles; croyant que certains lecteurs aimeraient en constater l'évolution, nous avons emprunté les pièces choisies à des éditions de différents siècles. Il ne faudra pas oublier que la régularisation de l'orthographe française contemporaine n'a été réalisée que dans la seconde moitié du dix-neuvième siècle et que les textes choisis ont été écrits avant 1865, et que la façon de rééditer ces textes a, elle aussi, varié avec le temps. Les formes littéraires sont en quelque sorte des structures qui soutiennent et encadrent le dire, tandis que la langue, réservoir de mots, est un outil qui permet à l'écrivain de s'exprimer. Formes et langues appartiennent donc à la littérature; elles la servent. L'essence de l'œuvre littéraire, quant à elle, sourd plutôt d'une vision du monde originale, réaliste ou imaginaire, créée par un être humain dont l'âme sensible réussit à communiquer d'une manière personnelle, c'est-à-dire dans un style qui lui est propre, ce qui l'étonne ou la fait vibrer. Si l'on accepte cette définition du littéraire, il n'y a pas de doute pour nous que plusieurs des auteurs cités dans la présente anthologie se révèlent des écrivains de grande qualité dans l'ensemble de leurs textes; nous pensons surtout à Jean de Brébeuf, Gabriel Sagard, Louis-Armand de Lom d'Arce de Lahontan, Nicolas Frémiot, qui projettent tous leur personnalité forte dans les mondes qu'ils décrivent. Au contraire, l'historien Pierre-François-Xavier de Charlevoix, dont la langue est tout aussi bonne que la leur et plus moderne, n'atteint pas à la même qualité; son monde, fabriqué à force de

---

[7]Pour une présentation plus détaillée des diverses formes littéraire utilisées par les auteurs du présent tome anthologique, voir les pages que nous leur avons consacrées dans l'introduction de chaque partie du premier tome de notre *Histoire...*, et les pages 435-462 de notre article sur les *Lettres des nouvelles missions du Canada, 1843-1852*, publié dans les *Cahiers Charlevoix, 2. Études franco-ontariennes*, Sudbury, La Société Charlevoix et Prise de parole, 1997, pp. 389-486.

lectures, révèle le savant, mais l'homme échappe au lecteur. À l'opposé, Pierre-Esprit Radisson, qui écrit au son, et Jean-Baptiste Perrault, dont l'éditeur a légèrement modernisé le texte original, vivent et nous font vivre dans les deux mondes de commerçants de fourrures qu'ils habitent et ouvrent devant nous. Nous laissons aux lecteurs le soin de faire leur choix parmi les nombreux autres auteurs et parmi leurs textes; il devrait y en avoir pour plusieurs goûts ou intérêts.

Nous avons présenté ce tome anthologique comme un compagnon du tome historique correspondant; inversement, celui-ci est un compagnon utile à celui-là. Les lecteurs y trouveront des présentations plus développées des œuvres, des citations brèves, des pistes de lectures et de recherches, un avant-propos et deux introductions qui contiennent des éléments d'histoire et de brefs aperçus de l'ensemble des œuvres propres à chaque période.

PREMIÈRE PARTIE
LES ORIGINES FRANÇAISES
(1610-1760)

SAMUEL DE CHAMPLAIN
(vers 1570-1635)

Samuel de Champlain naît à Brouage [département de la Charente-Maritime, dans le Bassin aquitain], entre 1567 et 1570, de parents dont on ignore la condition et la religion; on connaît aussi peu de chose de sa jeunesse et de sa vie privée. Il serait devenu marin très jeune. Son premier séjour en Nouvelle-France date de 1603; géographe au service de la Compagnie du sieur de Chaste, il explore le Saguenay, le Richelieu, et le Saint-Laurent jusqu'aux rapides de Lachine. À son retour en France, il publie *Des Sauvages ou Voyage de Samuel de Champlain*. De 1604 à 1607, sous le commandement du sieur de Monts, il explore les côtes de l'Acadie et du Maine; il dessine la première carte française du littoral atlantique, depuis le Cap-Breton jusqu'au cap Blanc. En 1608, il fonde Québec; l'année suivante, il va à la découverte du pays des Iroquois avec les Amérindiens alliés des Français (Hurons, Algonquins et Montagnais); le 30 juillet, à Ticonderoga [Crown Point, New York], il s'avance à la tête de ses alliés, tue deux chefs Iroquois avec son arquebuse et voit fuir ses opposants lorsqu'ils entendent un autre coup tiré dans le bois par un de ses compagnons. En 1610, avec ses alliés, il livre un autre combat victorieux aux Iroquois, à l'embouchure du Richelieu cette fois; il confie aux Algonquins le jeune Étienne Brûlé, qui sera le premier Français à habiter en Ontario. Rentré en France, Champlain épouse, le 30 décembre, en l'église de Saint-Germain-l'Auxerrois, à Paris, Hélène Boullé, qui n'a que douze ans; elle ne pourra devenir sa compagne qu'après avoir atteint, selon la loi de l'époque, l'âge nubile de quatorze ans. En 1613, Champlain remonte la rivière des Outaouais jusqu'à l'Île-aux-Allumettes; la même année paraissent en France *les Voyages* [1604-1612] *du Sieur de Champlain Xaintongeois, Capitaine ordinaire pour le Roy en la marine*. Deux ans plus tard, l'explorateur se rend en Huronie, accompagne ses alliés dans une expédition guerrière infructueuse au pays des Iroquois, puis, revenu en Huronie le 23 décembre, il passe l'hiver parmi les Hurons; il en profite pour étudier les mœurs et coutumes des Hurons et se rendre chez deux autres nations: les Pétuns et les Cheveux-Relevés. En 1619, il publie à Paris *Voyages et Descouvertures faites en la Nouvelle France depuis l'année 1615 jusques à la fin de l'année 1618 par le sieur de Champlain, Capitaine ordinaire pour le Roy en la mer du Ponant.* Dix ans plus tard, Champlain doit céder Québec aux troupes anglaises des Kirke. En 1632, il publie à Paris *les Voyages de la Nouvelle France Occidentale, dicte Canada, faits par le Sr. de Champlain, Xaintongeois, Capitaine pour le Roy en la Marine du Ponant, et toutes les Descouvertes qu'il a faites en ce païs depuis l'an 1603, jusques en l'an 1629.* La même année, il rentre à Québec; il y décède le 25 décembre 1635.

Explorateur consciencieux au service d'entrepreneurs ou du gouvernement français, l'homme d'action qu'est Champlain n'écrit ni en lettré, comme Lescarbot qui fut en Acadie avec lui, ni en humaniste, comme les jésuites qu'il a emmenés en Nouvelle-France. Géographe tenu d'observer avec attention la topographie du pays et cartographe habitué à dessiner avec précision, c'est avec minutie qu'il enregistre ses observations dans un journal et raconte ce qu'il a vécu en remontant, premier Européen à le faire, la rivière des Outaouais. Grâce à cette écriture documentaire, le lecteur le suit avec facilité non seulement tout au long de cette narration, mais aussi dans la description de la chasse au cerf à la façon amérindienne; c'est le même style sans apprêt qui le donne à voir, croyant et courageux, durant les trois jours qu'il passe égaré dans les bois. Humain, il constate avec peine la pauvre qualité de vie des Hurons, qu'il juge quand même heureux, puisqu'ils n'ont d'autre «ambition que de vivre et de se conserver»; chrétien, il les trouve licencieux, mais charitable, il ne les condamne pas. Curieux et lucide, il a si bien décrit les mœurs, coutumes et façons de vivre des Hurons que sa narration a échappé à l'usure du temps et qu'on a vu en lui une sorte d'ethnologue primitif.

Nous avons emprunté les pièces qui suivent à l'édition la plus accessible des œuvres de l'auteur; publiée à Montréal en 1973 par les Éditions du Jour, elle est une reproduction de la première édition canadienne, préparée par l'abbé Charles-Honoré Laverdière de l'Université Laval et imprimée à Québec en 1870 par George-Édouard Desbarats. — Pour faciliter la lecture, nous avons remplacé par leurs équivalents modernes les anciens caractères typographiques suivants: ∫ par s; j par i et vice versa; u par v et vice versa.

Du Long Sault au lac du Rat musqué*

Le samedy I. de Juin nous passasmes encor deux autres Sauts: le premier contenant demie lieuë de long, & le second une lieuë, où nous eusmes bien de la peine; car la rapidité du courant est si grande, qu'elle faict un bruict effroyable, & descendant de degré en degré, faict une escume si blanche par tout, que l'eau ne paroist aucunement: ce Saut est parsemé de rochers & quelques isles qui sont çà & là, couvertes de pins & cedres blancs: Ce fut là, où nous eusmes de la peine: car ne pouvans porter nos Canots par terre à cause de l'espaisseur du bois, il nous les failloit tirer dans l'eau avec des cordes, & en tirant le mien, je me pensay perdre, à cause qu'il traversa dans un des bouillons; & si je ne fusse tombé favorablement entre deux rochers, le Canot m'entraisnoit; d'autant que je ne peus d'effaire assez à temps la corde qui estoit entortillée à l'entour de ma main, qui me l'offença fort, & me la pensa coupper. En ce danger je m'escriay à Dieu, & commençay à tirer mon Canot, qui me fut renvoyé par le remouil de l'eau qui se faict en ces Sauts, & lors estant eschappé je loüay Dieu, le priant nous preserver. Nostre Sauvage vint aprés pour me secourir, mais j'estois hors de danger; & ne se faut estonner si j'estois curieux de conserver nostre Canot: car s'il eut esté perdu, il falloit faire estat de demeurer, ou attendre que quelques Sauvages passassent par là, qui est une pauvre attente à ceux qui n'ont de quoy disner, & qui ne sont accoustumés à telle fatigue. Pour nos François ils n'en eurent pas meilleur marché, & par plusieurs fois pensoient estre perdus: mais la Divine bonté nous preserva tous. Le reste de la journée nous nous reposasmes, ayans assés travaillé.

Nous rencontrasmes le lendemain 15. Canots de Sauvages appellés Quenongebin, dans une riviere, ayant passé un petit lac long de 4. lieuës, & large de 2. lesquels avoient esté advertis de ma venue par ceux qui avoient passé au Saut S. Louys venans de la guerre des Yroquois: Je fus fort aise de leur rencontre, & eux aussi, qui s'estonnoient de me voir avec si peu de gens en ce païs, & avec un seul Sauvage. Ainsi aprés nous estre salués à la mode du païs, je les priay de ne passer outre pour leur declarer ma volonté, ce qu'ils firent, & fusmes cabaner dans une isle.

Le lendemain je leur fis entendre que j'estois allé en leurs pays pour les voir, & pour m'acquitter de la promesse que je leur avois par cy devant faicte; & que s'ils estoient resolus d'aller à la guerre, cela m'agreroit fort, d'autant que j'avois amené des gens à ceste intention, dequoy ils furent fort satisfaits: & leur ayant dict que je voulois passer outre pour advertir les autres peuples, ils m'en voulurent destourner, disans, qu'il y avoit un meschant chemin, & que nous n'avions rien veu jusques alors; & pource je les priay de me donner un de leurs gens pour gouverner nostre deuxiesme Canot, & aussi pour nous guider, car nos conducteurs n'y cognoissoient plus rien: ils le firent volontiers, & en recompense je leur fis un present, & leur baillay un de nos François, le moins necessaire, lequel je renvoyois au Saut avec une feuille de tablette, dans laquelle, à faute de papier, je faisois scavoir de mes nouvelles.

Ainsi nous nous separasmes: & continuant nostre route à mont ladicte riviere, en trouvasmes une autre fort belle & spatieuse, qui vient d'une nation appelée Ouescharini, lesquels se tiennent au Nord d'icelle, & à 4. journées de l'entrée. Ceste riviere [la Petite-Nation] est fort plaisante, à cause des belles isles qu'elle contient, & des terres garnies de beaux bois clairs qui la bordent; la terre est bonne pour le labourage.

Le quatriesme nous passasmes proche d'une autre riviere [la Gatineau] qui vient du Nord, où se tiennent des peuples appellés Algoumequins, laquelle va (joindre dans les terres une autre rivière [le Saint-Maurice], qui va) tomber dans le grand fleuve sainct Laurens (30.) lieuës aval le Saut S. Louys, qui faict une grande isle contenant prés de 40. lieuës, laquelle [la Gatineau] n'est pas large, mais remplie d'un nombre infini de Sauts, qui sont fort difficiles à passer: Et quelquesfois ces peuples passent par ceste riviere pour éviter les rencontres de leurs ennemis, sçachans qu'ils ne les recherchent en lieux de si difficile accés.

A l'emboucheure d'icelle il y en a une autre qui vient du Sud [la Rideau], où à son entrée il y a une cheute d'eau admirable: car elle tombe d'une telle impetuosité de 20. ou 25. brasses de haut, qu'elle faict une arcade, ayant de largeur prés de 400. pas. Les sauvages passent dessous par plaisir sans se mouiller que du poudrin que fait ladite eau. Il y a une isle au milieu de la dicte riviere, qui est comme tout le terroir d'alentour, remplie de pins & cedres blancs: Quand les Sauvages veulent entrer dans la riviere, ils montent la montagne en portant leurs Canots, & font demye lieuë par terre. Les terres des environs sont remplies de toute sorte de chasse, qui faict que les Sauvages s'y arrestent plus tost; les Yroquois y viennent aussi quelquesfois les surprendre au passage.

Nous passasmes un Saut à une lieuë de là, qui est large de

demie lieue, & descend de 6. à 7. brasses de haut. Il y a quantité de petites isles qui ne sont que rochers aspres & difficiles, couverts de meschans petits bois. L'eau tombe à un endroit de telle impetuosité sur un rocher, qu'il s'y est cavé par succession de temps un large & profond bassin: si bien que l'eau courant là dedans circulairement, & au milieu y faisant de gros bouillons, a faict que les Sauvages l'appellent Asticou, qui veut dire chaudiere [entre Ottawa et Hull]. Ceste cheute d'eau meine un tel bruit dans ce bassin, que l'on l'entend de plus de deux lieuës. Les Sauvages passants par là, font une ceremonie que nous dirons en son lieu. Nous eusmes beaucoup de peine à monter contre un grand courant, à force de rames, pour parvenir au pied dudict Saut, où les Sauvages prirent les Canots, & nos François & moy, nos armes, vivres & autres commodités pour passer par l'aspreté des rochers environ un quart de lieuë que contient le Saut, & aussi tost nous fallut embarquer, puis derechef mettre pied à terre pour passer par des taillis environ 300. pas, aprés se mettre en l'eau pour faire passer nos Canots par dessus les rochers aigus, avec autant de peine que l'on sçauroit s'imaginer. Je prins la hauteur du lieu & trouvay 45. degrés 38. minutes, de latitude.

Aprés midy nous entrasmes dans un lac ayant 5. lieuës de long, & 2. de large, où il y a de fort belles isles remplies de vignes, noyers & autres arbres aggreables, 10. ou 12. lieuës de là amont la riviere nous passasmes par quelques isles remplies de Pins; La terre est sablonneuse, & s'y trouve une racine qui teint en couleur cramoysie, de laquelle les Sauvages se peindent le visage, & de petits affiquets à leur usage. Il y a aussi une coste de montagnes du long de ceste riviere, & le païs des environs semble assés fascheux. Le reste du jour nous le passasmes dans une isle fort aggreable.

Le lendemain [5 juin] nous continuasmes nostre chemin jusques à un grand Saut [le rapide des Chats], qui contient prés de 3. lieuës de large, où l'eau descend comme de 10. ou 12. brasses de haut en talus, & faict un merveilleux bruit. Il est rempli d'une infinité d'isles, couvertes de Pins & de Cedres: & pour le passer il nous fallut resoudre de quitter nostre Maïs ou bled d'Inde, & peu d'autres vivres que nous avions, avec les hardes moins necessaires, reservans seulement nos armes & filets, pour nous donner à vivre selon les lieux & l'heur de la chasse. Ainsi allegés nous passasmes tant à l'aviron, que par terre, en portant nos Canots & armes par ledict Saut, qui a une lieuë & demie de long, où nos Sauvages qui sont infatigables à ce travail, & accoustumés à endurer telles necessités, nous soulagerent beaucoup.

Poursuivans nostre route nous passasmes deux autres Sauts [partie du rapide des Chats], l'un par terre, l'autre à la rame & avec des perches en deboutant, puis entrasmes dans un lac [le lac des Chats] ayant 6. ou 7. lieuës de long, où se descharge une riviere venant du Sud [la Madawaska], où à cinq journées de l'autre riviere [le Saint-Laurent] il y a des peuples qui y habitent appelés Matou-oüescarini. Les terres d'environ ledit lac sont sablonneuses, & couvertes de pins, qui ont esté presque tous bruslés par les sauvages. Il y a quelques isles, dans l'une des-quelles nous reposasmes, & vismes plusieurs beaux cyprés rouges, les premiers que j'eusse veus en ce païs, desquels je fis une croix, que je plantay à un bout de l'isle, en lieu eminent, & en veuë, avec les armes de France, comme j'ay faict aux autres lieux où nous avions posé. Je nommay ceste isle, l'isle saincte Croix.

Le 6. nous partismes de ceste isle saincte croix, où la riviere est large d'une lieue & demie, & ayant faict 8. ou 10. lieuës, nous passasmes un petit Saut à la rame, & quantité d'isles de differentes grandeurs. Icy nos sauvages laisserent leurs sacs avec leurs vivres, & les choses moins necessaires afin d'estre plus legers pour aller par terre, & eviter plusieurs Sauts qu'il falloit passer. Il y eut une grande contestation entre nos sauvages & nostre imposteur, qui affermoit qu'il n'y avoit aucun danger par les Sauts, & qu'il y falloit passer: Nos sauvages luy disoient tu es lassé de vivre; & à moy, que je ne le devois croire, & qu'il ne disoit pas verité. Ainsi ayant remarqué plusieurs fois qu'il n'avoit aucune cognoissance desdits lieux, je suivis l'advis des sauvages, dont bien il m'en prit, car il cherchoit des difficultez pour me perdre, ou pour me degouter de l'entreprise, comme il a con-fessé depuis (dequoy sera parlé cy aprés.) Nous traversames donc à l'ouest la riviere qui couroit au Nord, & pris la hauteur de ce lieu qui estoit par 46 2/3 de latitude. Nous eusmes beaucoup de peine à faire ce chemin par terre, estant chargé seulement pour ma part de trois arquebuses, autant d'avirons, de mon capot, & quelques petites bagatelles; j'encourageois nos gens qui estoient quelque peu plus chargés, & plus grevés des mousquites que de leur charges. Ainsi aprés avoir passé 4. petits estangs, & cheminé deux lieuës & demie, nous estions tant fatigués qu'il nous estoit impossible de passer outre, à cause qu'il y avoit prés de 24. heures que n'avions mangé qu'un peu de poisson rosti, sans autre sauce, car nous avions laissé nos vivres, comme j'ay dit cy dessus. Ainsi nous posasmes sur le bord d'un estang, qui estoit assez aggreable, & fismes du feu pour chasser les Mousquites qui nous molestoient fort, l'importunité desquelles est si estrange qu'il est impossible d'en pouvoir faire la description. Nous tendismes nos filets pour prendre quelques poissons.

Le lendemain nous passasmes cet estang qui pouvoit contenir une lieuë de long, & puis par terre cheminasmes 3. lieuës par des païs difficiles plus que n'avions encor veu, à cause que les vents avoient abatu des pins, les uns sur les autres, qui n'est pas petite incommodité, car il faut passer tantost dessus & tantost dessous ces arbres, ainsi nous parvinsmes à un lac [le lac du Rat-Musqué], ayant 6. lieuës de long, & 2. de large, fort abondant en poisson, aussi les peuples des environs y font leur pescherie. Prés de ce lac y a une habitation de Sauvages qui cultivent la terre, & recuillent du Maïs: le chef se nomme Nibachis, lequel nous vint voir avec sa troupe, esmerveillé comment nous avions peu passer les Sauts & mauvais chemins qu'il y avoit pour parvenir à eux. Et aprés nous avoir presenté du petun selon leur mode, il commença à haranguer ses compagnons, leur disant, Qu'il falloit que fussions tombés des nues, ne sachant comment nous avions peu passer, & qu'eux demeurans au païs avoient beaucoup de peine à traverser ces mauvais passages, leur faisant entendre que je venois à bout de tout ce que mon esprit vouloit: bref qu'il croyoit de moy ce que les autres sauvages luy en avoient dict. Et scachans que nous avions faim, ils nous donnerent du poisson, que nous mangeasmes, & aprés disné je leur fis entendre par Thomas mon truchement, l'aise que j'avois de les avoir rencontrés; que j'estois en ce pays pour les assister en leurs guerres, & que je desirois aller plus avant voir quelques autres capitaines pour mesme effect, dequoy ils furent joyeux, & me promirent assistance. Ils me monstrerent leurs jardinages & champs, où il y avoit du Maïs. Leur terroir est sablonneux, & pource s'adonnent plus à la chasse qu'au labour, au contraire des Ochataiguins. Quand ils veulent rendre un terroir labourable, ils bruslent les arbres, & ce fort aysément, car ce ne sont que pins chargés de resine. Le bois bruslé ils remuent un peu la terre, & plantent leur Maïs grain à grain, comme ceux de la Floride: il n'avoit pour lors que 4. doigts de haut.

S: *Quatriesme Voyage du Sr de Champlain, capitaine ordinaire pour le Roy en la Marine, et lieutenant de Monseigneur le Prince de Condé en la Nouvelle-France, fait en l'année 1613*, dans *Œuvres de Champlain*, présenté par Georges-Émile Giguère, Montréal, Éditions du Jour, 1973, vol. 1, pp. 445-453.

Le passage de la Chaudière*

En continuant nostre chemin, nous parvinsmes au Saut de la chaudiere, où les sauvages firent la ceremonie accoustumée, qui est telle. Aprés avoir porté leurs Canots au bas du Saut, ils s'assemblent en un lieu, où un d'entr'eux avec un plat de bois va faire la queste, & chacun d'eux met dans ce plat un morceau de petun; la queste faicte, le plat est mis au milieu de la troupe, & tous dansent à l'entour, en chantant à leur mode; puis un des Capitaines faict une harangue, remonstrant que dés long temps ils ont accoustumé de faire telle offrande, & que par ce moyen ils sont garantis de leurs ennemis, qu'autrement il leur arriveroit du malheur, ainsi que leur persuade le diable, & vivent en ceste superstition, comme en plusieurs autres, comme nous avons dict en d'autres lieux. Cela faict, le harangueur prent le plat, & va jetter le petun au milieu de la chaudiere, & font un grand cry tous ensemble. Ces pauvres gens sont si superstitieux, qu'ils ne croiroient pas faire bon voyage, s'ils n'avoient faict ceste ceremonie en ce lieu, d'autant que leurs ennemis les attendent à ce passage, n'osans pas aller plus avant, à cause des mauvais chemins, & les surprennent là: ce qu'ils ont quelquesfois faict.
S: id., ibid., vol. 1, pp. 469-470.

La chasse au cerf*

Le lendemain vingt-huictiesme dudit mois, chacun commença à se preparer les uns pour aller à la chasse des Cerfs, les autres aux Ours Castors, autres à la pesche du poisson, autres à se retirer en leurs Villages, & pour ma retraite & logement il y eut un appellé Durantal, l'un des principaux chefs, avec lequel j'avois desja quelque familiarité, me fist offre de sa cabanne, vivres, & commoditez, lequel prit aussi le chemin de la chasse du Cerf, qui est tenuë pour la plus noble entr'eux, & en la plus grande quantité. Et aprés avoir traversé le bout du lac de laditte isle [l'une des îles aux Galops?], nous entrasmes dans une riviere [la Cataracoui?] qui a quelque douze lieuës, puis ils porterent leurs canaux par terre quelque demie lieuë, au bout de laquelle nous entrasmes en un lac qui a d'estenduë environ dix à douze lieuës de circuit, où il y avoit grande quantité de gibier, comme Cygnes, gruës blanches, houstardes, canarts, sarcelles, mauvis, allouëttes, beccassines, oyes, & plusieurs autres sortes de vollatilles que l'on ne peut nombrer, dont j'en tuay bon nombre, qui nous servit bien, attendant la prinse de quelque Cerf, auquel lieu nous fusmes en un certain endroict eslongné de quelque dix lieuës, où nos Sauvages jugeoient qu'il y avoit des Cerfs en quantité. Ils s'assemblerent quelques vingt-cinq Sauvages, & se mirent à bastir deux ou trois cabannes de pièces de bois, accommodées l'une sur l'autre, & les calfestrerent avec de la mousse pour empescher que l'air n'y entrast, les couvrant d'escorces d'arbres: ce qu'estant faict ils furent dans le bois, proche d'une petite sapiniere, où ils firent un clos en forme de triangle, fermé des deux costez, ouvert par l'un d'iceux. Ce clos fait de grandes pallissades de bois fort pressé, de la hauteur de huict à 9. pieds, & de long de chacun costé prés de mil cinq cent pas, au bout duquel triangle y a un petit clos, qui va tousjours en diminuant, couvert en partie de branchage, y laissant seulement une ouverture de cinq pieds, comme la largeur d'un moyen portail, par où les Cerfs debvoient entrer: Ils firent si bien, qu'en moins de dix jours ils mirent leur clos en estat, cependant d'autres sauvages alloient à la pesche du poisson, comme truittes & brochets de grandeur monstrueuse, qui ne nous manquerent en aucune façon. Toutes choses estant faites, ils partirent demie heure devant le jour, pour aller dans le bois, à quelque demie lieuë de leurdit clos, s'esloignant les uns des autres de quelque quatre-vingt pas, ayant chacun deux bastons, desquels ils frappent l'un sur l'autre, marchant au petit pas en cét ordre, jusques à ce qu'ils arrivent à leur clos. Les Cerfs oyant ce bruit s'enfuyent devant eux, jusques à ce qu'ils arrivent au clos où les sauvages les pressent d'aller, & se joignant peu à peu vers la baye & ouverture de leur triangle, où lesdits Cerfs coulent le long desdites pallissades jusques à ce qu'ils arrivent au bout, où les Sauvages les poursuivent vivement, ayant l'arc & la flesche en main, prests à descocher, & estant au bout de leurdit triangle ils commencent à crier, & contrefaire les loups, dont y a quantité, qui mangent les Cerfs, lesquels Cerfs oyant ce bruict effroyable, sont contraincts d'entrer en la retraicte par la petite ouverture, où ils sont poursuivis fort vivement à coups de fléche, où estans entrez ils sont pris aysément en ceste retraicte, qui est si bien close & fermée, qu'ils n'en peuvent sortir aucunement. Je vous asseure qu'il y a un singulier plaisir en ceste chasse, qui se faisoit de deux jours en deux jours, & firent si bien qu'en trente-huit jours [du 28 octobre au 4 décembre] que nous y fusmes ils prirent six-vingts Cerfs, desquels ils se donnent bonne curée, reservant la graisse pour l'hyver, en usant d'icelle comme nous faisons du beurre, & quelque peu de chair qu'ils emportent à leurs maisons, pour faire des festins entr'eux. Ils ont d'autres inventions à prendre le Cerf, comme au piege, dont ils en font mourir beaucoup. Vous voyez cy-devant dépaint la forme de leur chasse, clost & piege, & des peaux ils en font des habits. Voila comme nous passasmes le temps attendant la gelée, pour retourner plus aysément, d'autant que le païs est marescageux. Au commencement que l'on estoit sorty pour aller chasser, je m'engagis tellement dans les bois pour poursuivre un certain oyseau qui me sembloit estrange ayant le bec approchant d'un perroquet, & de la grosseur d'une poulle, le tout jaune, fors la teste rouge, & les aisles bluës, & alloit de vol en vol comme une perdrix. Le desir que j'avois de le tuër me fist le poursuivre d'arbre en arbre fort longtemps, jusques à ce qu'il s'envolla à bon escient, & en perdant toute esperance je voulus retourner sur mes brisées, où je ne trouvay aucun de nos chasseurs, qui avoient tousjours gaigné païs, jusques à leur clos, & taschant les attrapper, allant ce me sembloit droict où estoit ledict clos, je me treuvay égaré parmy les forests, allant tantost d'un costé, tantost d'un autre, sans me pouvoir recognoistre, & la nuit venant me contraignit de la passer au pied d'un grand arbre, jusques au lendemain, où je commençay à faire chemin jusques sur les trois heures du soir, où je rencontray un petit estang dormant, où j'aperçeus du gibier que je fus gyboyer, & tuay trois ou quatre oyseaux qui me firent grand bien, d'autant que je n'avois mangé aucune chose. Et le mal pour moy qui durant trois jours il n'avoit fait aucun soleil, que pluye, & temps couvert, qui m'augmentoit mon desplaisir. Las & recreu, je commençay à me reposer, & faire cuire de ces oyseaux pour assouvir la faim qui commançoit à m'assaillir cruellement, si Dieu n'y eust remedié: mon repas pris, je commençay à songer en moy ce que je debvois faire, & prier Dieu qu'il me donnast l'esprit, & le courage, de pouvoir supporter patiemment mon infortune, s'il falloit que je demeurasse abandonné dans ces deserts, sans conseil, ny consolation, que de la bonté & misericorde Divine, & neantmoins m'évertuër de retourner à nos chasseurs. Et ainsi remettant le tout en sa misericorde, je repris courage plus que devant allant çà & là tout le jour, sans m'apperçevoir d'aucune trace, ou sentier, que celuy des bestes sauvages, dont j'en voyois ordinairement en bon nombre. Je fus contrainct de passer icelle nuict, & le mal pour moy estoit que j'avois oublié apporter sur moy un petit cadran qui m'eust remis en mon chemin, à peu prés. L'aube du jour venu, aprés avoir repeu un peu, je commençay à m'acheminer jusques à ce que je peusse rencontrer quelque ruisseau, &

costoyer iceluy, jugeant qu'il falloit de necessité qu'il allast descharger en la riviere, ou sur le bord, où estoient cabanez nos chasseurs. Ceste resolution prise, je l'executay, si bien, que sur le midy je me treuvay sur le bord d'un petit lac, comme de lieuë & demie, où j'y tuay quelque gibier, qui m'accommodoit fort à ma necessité, & avois encore quelque huict à dix charges de poudre, qui me consoloit fort. Je suivay le long de la rive de ce lac, pour voir où il deschargoit, & trouvay un ruisseau assez spacieux que je commançay à suivre, jusques sur les cinq heures du soir, que j'entendis un grand bruict, & prestant l'oreille, je ne pouvois bonnement comprendre ce que c'estoit, jusques à ce que j'entendis le bruict plus clairement & jugay que c'estoit un sault d'eau de la riviere que je cherchois: je m'acheminay de plus prest, & apperçeus un eclasie, où estant parvenu je me rancontray en un grand pré, & spacieux, où il y avoit grand nombre de bestes Sauvages & regardant à la main droite, j'apperçeus la riviere, large & spacieuse: je commançay à regarder si je ne pourrois recognoistre cét endroit, & marchant en ce pré j'apperçeut un petit sentier, qui estoit par où les Sauvages portoient leurs canaux, & en fin aprés avoir bien consideré, je recognus que c'estoit la mesme riviere, & que j'avois passé par là, & passay encore la nuict avec plus de contentement que je n'avois fait, & ne laissay de souper de si peu que j'avois. Le matin venu, je reconsideray le lieu où j'estois, & recognus de certaines montagnes qui estoient sur le bord de ladite riviere, que je ne m'estois point trompé, & que nos chasseurs devoient estre au dessoubs de moy, de quatre ou cinq bonne lieuës que je fis à mon aise, costoyant le bord de ladite riviere, jusques à ce que j'apperçeus la fumée de nosdits chasseurs, auquel lieu j'arrivay avec beaucoup de contentement tant de moy que d'eux qui estoient encore en queste à me chercher, & avois perdu comme esperance de me revoir, me priant de ne m'écarter plus d'eux ou tousjours porter avec moy mon cadran, & ne l'oublier: & me disoient si tu ne fusse venu, & que nous n'eussions peu te trouver, nous ne serions plus allez aux François, de peur que ils ne nous eussent accusez de t'avoir fait mourir. Depuis il [Darontal] étoit fort soigneux de moy quand j'allois à la chasse, me donnant tousjours un Sauvage pour ma compagnie, qui sçavoit si bien retrouver le lieu d'où il partoit, que c'est chose estrange à voir. Pour retourner à mon propos, ils ont une certaine resverie en ceste chasse, telle, qu'ils croyent que s'ils faisoient rostir d'icelle viande, prise en ceste façon, ou qu'il tombast de la graisse dans le feu, ou que quelques os y fussent jettez, qu'ils ne pourroient plus prendre de Cerfs, me priant fort de n'en point faire rostir, mais je me riois de cela, & de leur façon de faire: mais pour ne les scandaliser, je m'en déportois volontiers, du moins estant devant eux, mais en arriere j'en prenois du meilleur, que je faisois rostir, n'adjoustant foy en leurs superstitions, & puis leur ayans dict, ils ne me vouloient croire, disant que si cela eust esté ils n'auroient pris aucuns Cerfs, depuis que telle chose auroit esté commise.

S: *Voyages et descouvertures faites en la Nouvelle France, depuis l'année 1615 jusques à la fin de l'année 1618,* dans Œuvres de Champlain, présenté par Georges-Émile Giguère, Montréal, Éditions du Jour, 1973, vol. 2, pp. 537-543.

L'alimentation des Hurons*

Leur vie est miserable au regard de la nostre, mais heureuse entr'eux qui n'en ont pas gousté de meilleure, croyant qu'il ne s'en trouve pas de plus excellente. Leur principal manger, & ordinaire vivre, est le bled d'Inde, & febves du bresil qu'ils accommodent en plusieurs façons, ils en pillent en des mortiers de bois, le reduisent en farine, de laquelle ils prennent la fleur par le moyen de certains vants, faits d'escorce d'arbres, & d'icelle farine font du pain avec des febves, qu'ils font premierement boüillir, comme le bled d'Inde un boüillon, pour estre plus aysé à battre, mettent le tout ensemble, quelquesfois y mettent des blüës, ou des framboises seiches, autrefois y mettent des morceaux de graisse de Cerf, mais ce n'est pas souvent, leur estant fort rare, puis aprés ayant le tout destrampé avec eau tiede ils en font des pains en forme de gallettes ou tourteaux, qu'ils font cuire soubs les cendres, & estant cuittes, ils les lavent, & en font assez souvent d'autres, ils les enveloppent de feüilles de bled d'inde, qu'ils attachent, & mettent, en l'eauë boüillante, mais ce n'est pas leur ordinaire, ains ils en font d'une autre sorte qu'ils appellent Migan [ou Michan], à sçavoir, ils prennent le bled d'inde pillé, sans oster la fleur, duquel ils mettent deux ou trois poignées dans un pot de terre plein d'eau, le font boüillir, en le remüant de fois à autre, de peur qu'il ne brusle, ou qu'il ne se prenne au pot, puis mettent en ce pot un peu de poisson frais, ou sec, selon la saison, pour donner goust audit Migan, qui est le nom qu'ils luy donnent, & en font fort souvent, encores que ce soit chose mal odorante, principalemeut en hyver, pour ne le sçavoir accommoder, ou pour n'en vouloir prendre la peine: Ils en font de deux especes, & l'accommodent assez bien quand ils veulent, & lors qu'il y a de ce poisson ledit

Migan ne sent pas mauvais, ains seulement à la venaison. Le tout estant cuit ils tirent le poisson, & l'escrasent bien menu, ne regardant de si prés à oster les arrestes, les escailles, ny les trippes, comme nous faisons, mettant le tout ensemble dedans ledit pot, qui cause le plus souvent le mauvais goust, puis estant ainsi fait, le despartent à chacun quelque portion: Ce Migan est fort clair, & non de grande substance, comme on peut bien juger: Pour le regard du boire, il n'est point de besoing estant ledit Migan assez clair de soymesme. Ils ont une autre sorte de Migan, à sçavoir, ils font greller du bled nouveau, premier qu'il soit à maturité, lequel ils conservent, & le font cuire entier avec du poisson, ou de la chair, quand ils en ont: une autre façon, ils prennent le bled d'Inde bien sec le font greller dans les cendres, puis le pilent, & le reduisent en farine, comme l'autre cy-devant, lequel ils conservent pour les voyages qu'ils entreprennent, tant d'une part que d'autre, lequel Migan faict de ceste façon est le meilleur, à mon goust. En la figure H. [dessin non reproduit ici] se voit comme les femmes pilent leurs bleds d'Inde. Et pour le faire, ils font cuire force poisson, & viande, qu'ils découppent par morceaux, puis la mettent dans de grandes chaudieres qu'ils emplissent d'eau, la faisant fort boüillir: ce faict, ils recueillent avec une cuillier la graisse de dessus, qui provient de la chair, & poisson, puis mettent d'icelle farine grullée dedans, en la mouvant tous-jours, jusques à ce que ledit Migan soit cuit, & rendu espois comme boüillie. Ils en donnent & despartent à chacun un plat, avec une cuillerée de la dite graisse, ce qu'ils ont de coustume de faire aux festins & non pas ordinairement, mais peu souvent: or est-il que ledict bled nouveau grullé, comme est cy-dessus, est grandement estimé entr'eux. Ils mangent aussi des febves qu'ils font boüillir avec le gros de la farine grullée, y meslant un peu de graisse, & poisson. Les Chiens sont de requeste en leurs festins qu'ils font souvent les uns & les autres, principallement durant l'hyver qu'ils sont à loisir: Que s'ils vont à la chasse aux Cerfs, ou au poisson, ils le reservent pour faire ces festins, ne leur demeurant rien en leurs cabannes que le Migan clair pour ordinaire, lequel ressemble à de la brannée, que l'on donne à manger aux pourceaux. Ils ont une autre maniere de manger le bled d'Inde, & pour l'accommoder ils le prennent par espics, & le mettent dans l'eau, sous la bourbe, le laissant deux ou trois mois en cét estat, & jusques à ce qu'ils jugent qu'il soit pourry, puis ils l'ostent de là & le font boüillir avec la viande ou poisson, puis le mangent, aussi le font-ils gruller, & est meilleur en ceste façon que boüilly, mais je vous asseure qu'il n'y a rien qui sente si mauvais, comme fait cedit bled sortant de l'eau tout boüeux: neantmoins les femmes, & enfans, le prennent & le suççent comme on faict les cannes de succre, n'y ayant autre chose qui leur semble de meilleur goust, ainsi qu'ils en font la demonstration, leur ordinaire n'est que de faire deux repas par jour: Quant à nous autres, nous y avons jeusné le Karesme entier, & plus pour les esmouvoir à quelque exemple, mais c'estoit perdre temps: Ils engraissent aussi des Ours, qu'ils gardent deux ou trois ans, pour faire des festins entr'eux: J'ay recognu que si ces peuples avoient du bestail, ils en seroient curieux, & le conserveroient fort bien, leur ayant montré la façon de le nourrir, chose qui leur seroit aisée, attendu qu'ils ont de bons pasturages, & en grande quantité en leur païs, pour toute sorte de bestail, soit chevaux, bœufs, vaches, mouttons, porcs, & autres especes, à faute desquels bestiaux on les juge miserables comme il y a de l'apparance: Neantmoins avec toutes leurs miseres je les estime heureux entr'eux, d'autant qu'ils n'ont autre ambition que de vivre, & de se conserver, & sont plus asseurez que ceux qui sont errants par les forests, comme bestes bruttes: aussi mangent-ils force sitroüilles, qu'il font boüillir, & rostir soubs les cendres.

S: id., ibid., vol. 2, pp. 563-567.

JOSEPH LE CARON
(1585 ou 1586-1632)

Joseph Le Caron, premier apôtre de la Huronie, naît aux environs de Paris en 1585 ou 1586. Une fois prêtre, il devient aumônier et précepteur du duc d'Orléans. En 1610, il entre chez les Récollets (Capucins) et y fait profession l'année suivante. Le 24 avril 1615, il s'embarque avec Champlain à Honfleur. À peine arrivé à Tadoussac, il s'empresse de monter au saut Saint-Louis, afin de s'entendre avec les Hurons qui vont regagner leur pays; il réussit, revient à Québec se chercher une pierre d'autel et finit par convaincre Champlain de le laisser partir pour la nation de l'Ours en Huronie. Vers le 23 juin, il rejoint les Hurons à la Rivière-des-Prairies; peu après, il part pour la Huronie avec une douzaine de Français et les Hurons qui s'étaient lassés d'attendre Champlain. Celui-ci le trouve installé à Carhagouha le 12 août, puis le quitte pour accompagner ses alliés qui vont faire la guerre aux Iroquois. Le 5 janvier 1616, il le retrouve à Carhagouha, puis se l'adjoint, dix jours plus tard, pour aller visiter les Pétuns et sept villages alliés. Le 20 mai, tous deux entreprennent la descente vers Québec; ils y arrivent le 11 juillet et s'embarquent pour la France le 14. Le 11 avril 1617, le père Le Caron quitte la France pour Québec, où il passe une année comme commissaire provincial de sa communauté. L'année suivante et jusqu'en 1619, puis de 1621 à 1623, il est missionnaire et maître d'école chez les Montagnais de Tadoussac. Le 16 juillet de cette dernière année, il remonte en Huronie. En juin 1624, il est de retour à Québec et, à la fin d'août 1625, en France. Le 15 avril 1626, la mission ecclésiastique qu'on lui avait confiée étant terminée, il repart pour la Nouvelle-France. Il débarque à Québec le 4 juillet et y fait du ministère paroissial jusqu'au 9 septembre 1629, jour où, prisonniers des Kirke, le père et ses confrères récollets quittent la ville qui vient de passer aux mains des Anglais; le 29 octobre, les pères sont en France. En 1631, le père Le Caron est nommé supérieur de l'hospice Sainte-Marguerite, dans le village de Trie, près de Gisors [département de l'Eure, dans le nord-ouest de la France]; le 29 mars 1632, atteint de la peste qui passe sur le village, il décède.

Durant son second séjour à Carhagouha en 1623-1624 ou après son retour à Québec en juin 1624, le père Le Caron écrit deux relations. En juillet suivant, il les confie à son confrère Gabriel Sagard qui s'embarque pour la France. Une seule a été conservée. Venant du fondateur de la première mission en Huronie et d'un homme très cultivé, elle ne manque pas d'intérêt. Elle porte tout entière sur la conversion des Amérindiens. Le père est assez clairvoyant pour se rendre compte d'emblée qu'il ne sera pas facile de christianiser ces peuples. Il sait discerner les principaux obstacles qui ralentiront leur conversion. Mais il ne désespère pas, car si leurs croyances religieuses sont confuses, ils ne laissent pas de manifester beaucoup de bon sens et de savoir-faire quand il s'agit de l'intérêt commun. Le père fait montre d'une grande lucidité quand il affirme, l'un des premiers, que les Amérindiens ne sont pas hommes à martyriser les missionnaires par haine de la foi catholique. Intelligent, le père a composé une synthèse bien structurée dans un langage clair qui accuse la limpidité de sa pensée. Humain, il a su esquisser des Amérindiens un portrait qui révèle à la fois leurs qualités et leurs défauts sans jamais en faire, comme certains de ses con-temporains, des brutes.

Nous avons emprunté les pièces qui suivent à l'édition la plus ancienne dont nous pouvions disposer, celle du récollet Chrestien Le Clercq, qui a reproduit la relation de son confrère dans *Premier Établissement de la Foy dans la Nouvelle France*, publié chez Amable Auroy, à Paris, en 1691. — Le seul changement que nous avons fait au texte a été le remplacement du caractère typographique ancien ſ par son équivalent moderne s.

Des nations religieuses*

Je ne vous satisferai pas beaucoup par le grand nombre de conversions des ames. On en fait peu de veritables parmy nos Sauvages: le temps de la grace n'est pas encore arrivé, quoyqu'on n'épargne rien pour les disposer à la Foi: il faut esperer qu'à mesure que la Colonie se peuplera, nous humaniserons les Barbares; ce qui est premierement necessaire, leur esprit s'ouvrira & le bon sens dont ils ont le fonds: on les policera par les loix & les manieres de vivre à la Françoise, afin de les rendre capables d'entendre raison sur des Mysteres si élevez. Car tout ce qui regarde la vie humaine & civile, sont des Mysteres pour nos Barbares dans l'état present, & il faudra plus de dépense & plus de travaux pour les rendre hommes, qu'il n'en a fallu pour faire Chrestiens des Peuples entiers: il ne s'ensuit pas qu'il faille abandonner l'ouvrage, bien au contraire il faut s'y attacher davantage & attendre le fruit en patience.

Il faut donc esperer de Dieu la rosée, & la benediction de sa grace, que tant de saintes ames de l'ancienne, & de la Nouvelle France avanceront peut-estre par leurs prieres, & cependant travailler, à lever les obstacles qui se presentent de la part de nos Sauvages, à leur conversion: nous ne laissons pas d'envoyer au Ciel grand nombre d'enfans, & quelques adultes moribons, que Dieu touche dans ces extremitez, & qu'on baptise sans difficulté: mais pour le reste, il y a peu de fruit à faire. Quand donc vous demandez des relations; à Dieu ne plaise, que pour satisfaire vostre pieté, je vous produise un nombreux Christianisme, qui ne subsiste encore que dans nos desirs, & dans la semence de la parole Evangelique qui ne germe que foiblement: Dieu ne seroit pas glorifié du mensonge & de l'imposture: on sçait bien, que le succés de l'ouvrage dépend de luy, & non de nous: nostre Eglise ne fait encore que le petit troupeau de l'Evangile, *pusillus grex*: mais à l'égard de la multitude de ces nations barbares, vous ne serez pas surpris, que l'on avance peu, si vous estes instruit des obstacles presque invincibles, qui sont de leur part à l'Evangile: je ne vous en donneray qu'un abbregé, en ayant déja envoyé tant de Memoires en France.

Nous avons parcouru à present, plus de six cens lieuës dans les terres, & même hyvernè plusieurs années chez les principales nations. Elles ne manquent pas de bon sens, en ce qui regarde l'interest public, & particulier de la nation: ils vont à leur fin; ils prennent même des mesures & des moyens assez justes, & c'est le sujet de ma surprise, qu'estant assez éclairez pour leurs petites affaires, ils n'ayent rien que d'extravagant, & de ridicule, quand il s'agit, ou de dogme de Religion, ou de regle de mœurs, de loix, & de maximes. Nous avons visité de même, huit à dix nations differentes dans le bas du Fleuve du côté de Tadoussac, & nous avons reconnu que presque universellement tous les Sauvages de la Nouvelle France ne reconnoissent aucune Divinité, & sont mêmes incapables des raisonnemens ordinaires, naturels & communs sur cette matiere: tant leur esprit est materiel & obscurci de tenebres: l'on entrevoit neanmoins à travers de leur aveuglement quelques sentimens confus de Divinité; les uns reconnoissent le Soleil, d'autres un genie qui domine en l'air, quelques uns regardent le Ciel comme une Divinité, d'autres un Monitou bon & mauvais: les nations du haut du Fleuve paroissent avoir un esprit universel qui domine par tout, ils s'imaginent communement qu'il y a un esprit en chaque chose, même dans celles qui sont inanimées & ils s'y addressent quelquefois pour le conjurer. Cependant ces nations ne reconnoissent aucune espece de Divinité par esprit de Religion: mais seulement par maniere de fable, par prevention de caprice & par entestement: ils n'ont même à l'exterieur aucune ceremonie de leur culte, ny Sacrifice, ny Temple, ny Prestre, ny autre marque de Religion.

Les songes leur tiennent lieu de Prophetie, d'inspiration, de loix, de commandemens & de regle dans leurs entreprises de guerre, de paix, de traite, de pesche, de chasse & même c'est une espece d'Oracle: vous diriez qu'ils sont de la secte des Illuminez: cette idée leur imprime une espece de necessité, croyant que c'est un esprit universel qui les commande, jusque là même, que s'il leur ordonne de tuer un homme, ou de commettre quelque autre mauvaise action, ils l'executent en même temps. Les parens songent pour leurs enfans, les Capitaines pour les Villages, ils ont aussi des gens qui interpretent leurs songes & les expliquent.

S: «Fragmens des Memoires du pere Joseph le Caron addressez en France, touchant le genie, l'humeur, les superstitions, les bonnes & mauvaises dispositions des Sauvages», dans Chrestien Le Clercq, *Premier Etablissement de la Foy dans la Nouvelle France*, [...], tome 1, A Paris, Chez Amable Auroy, 1691, pp. 263-270.

Les obstacles à la conversion*

Il semble que leurs pechez ayent repandu dans leurs ames un aveuglement & une insensibilité pour toutes sortes de Religions, que les Historiens ne remarquent point dans tous les autres peuples du monde. Car parmy une infinité de superstitions, on ne voit rien à quoy ils s'attachent par principe de Religion: ce n'est qu'une fantaisie toute pure: quand on les pousse un peu sur leurs réveries, ils ne répondent rien; leur esprit demeure comme stupide & hebeté: si on les presse sur nos Mysteres, ils écoutent cela avec autant d'indifference, que s'ils vous racontoient leurs chimeres; j'en vois plusieurs qui semblent se rendre à cette verité qu'il y a un principe qui a tout fait: mais cela ne fait qu'effleurer leur esprit, qui retombe au même moment dans l'assoupissement & dans sa premiere insensibilité.

De là vient que communement ils ne se soucient pas d'estre instruits: ils ne viennent & ne s'attachent à nous que par fantaisie & par inclination naturelle, ou par l'accüeil, & les flatteries qu'on leur fait par les secours que nous rendons à leurs malades, ou par interest de recevoir quelque chose de nous, enfin par ce que nous sommes François, & qu'ils ont alliance avec nous contre leurs ennemis: on leur apprend les Prieres & ils les recitent comme des chansons sans aucun discernement de Foi, & ceux là même qu'on a long-temps cathechisé, à la reserve d'un tres-petit nombre sont fort chancelans, pour peu qu'ils retournent dans les bois.

Je ne sçais si leurs Ancestres ont connu quelque Divinitè, mais il est vray que leur Langue assez naturelle pour toute autre chose, est tellement sterile en ce point, qu'on n'y trouve point de termes pour exprimer la Divinité ni aucuns de nos Mysteres, non pas même les plus communs: c'est un de nos plus grands embaras.

Un des grands obstacles à leur conversion, c'est que la pluspart ont plusieurs femmes, & qu'ils en changent quand ils leur plaist, ne comprenant pas qu'on puisse s'assujetir à l'indissolubilité du Mariage: Vois tu pas bien, nous disent-ils que tu n'as pas d'esprit: ma femme ne s'accommode pas de moy, & je ne m'accommode pas d'elle; elle s'accordera bien avec un tel qui ne s'accorde pas avec sa femme, pourquoy donc veux tu que nous soyons quatre malheureux le reste de nos jours.

Un autre empeschement que vous pouvez conjecturer de ce que j'ay dit, est l'opinion où ils sont qu'on ne doit contredire personne, & qu'il faut laisser chacun dans sa pensée. Ils croiront tout ce que vous voudrez, ou du moins ils ne vous contrediront pas, & ils vous laissent aussi croire tout ce que vous voulez. C'est une insensibilité & une indifference profonde, sur tout en matiere de Religion, dont ils ne se mettent pas en peine.

Il ne faut pas venir icy dans l'esperance de souffrir le Martyre, si nous prenons le Martyre dans la rigueur de la Theologie: car nous ne sommes pas dans un païs où les Sauvages font mourir les Chrestiens pour fait de Religion: ils laissent chacun dans sa croyance: ils aiment même ce qu'il y a d'exterieur dans nos ceremonies, & cette barbarie ne fait la guerre que pour les interests de la nation, ils ne tuent les gens que pour des querelles particulieres, ou par yvrognerie, ou par brutalité, par vengeance, par un songe, ou une vision extravagante. Et ils sont incapables de le faire en haine de la Foi.

Tout est brutal dans leurs inclinations, ils sont naturellement gourmands, ne connoissant point d'autre beatitude dans la vie, que de boire & de manger. On remarque cette brutalité jusques dans leurs jeux & leurs divertissemens qui sont toûjours precedez & suivis de festins. Il y a des festins d'adieu, de remerciment, de guerre, de paix, de mort, de santé & de Mariage. Ils passent dans leurs regales les jours & les nuits, principalement quand ils font des festins qu'ils appellent à tout manger, car on ne permet point de sortir que l'on n'ait tout avallé.

L'opposition est grande au Christianisme du côté de la vengeance quoy qu'ils ayent beaucoup de douceur, à l'égard de leur nation, mais ils sont cruels & vindicatifs au de là de l'imagination envers leurs ennemis: ils sont naturellement inconstants, moqueurs, medisans, impudiques, enfin parmy une infinité de vices, où ils sont absorbez: on ne remarque aucun principe de Religion, ni de vertu morale ou payenne, ce qui est un grand éloignement à leur conversion.

Il faudroit pour les convertir les familiariser & les habituer parmy nous. Et c'est ce qu'on ne peut faire si-tost, à moins que la Colonie ne soit multipliée, & répanduë par tout, encore quand ils ont passé un mois avec nous il faut qu'ils aillent en guerre, à la chasse, ou à la pesche pour trouver de quoy vivre; & cela les débauche étrangement, il faudra donc les fixer, & les porter à défricher & à cultiver les terres, à travailler de differens métiers, comme les François, aprés cela peu à peu on les civilisera entre eux & avec nous.

S: id., ibid., pp. 279-286.

JOSEPH DE LA ROCHE DAILLON
(?-1656)

Du père récollet Joseph de La Roche Daillon, premier missionnaire chez les Neutres, nous savons qu'il était fils de Jacques de La Roche, seigneur de Daillon, en Anjou [France], mais nous ignorons la date de sa naisance et ne connaissons que ses années de séjour au Canada. Le 24 avril 1625, il s'embarque à Dieppe et débarque à Québec le 19 juin. Il entreprend la montée vers la Huronie, mais s'arrête à Trois-Rivières et revient à Québec lorsqu'il apprend que son confrère, le père Nicolas Viel, qu'il devait aider en Huronie, a été massacré et jeté à l'eau au dernier saut de la rivière des Prairies [appelé depuis le Sault-au-Récollet] par les trois Amérindiens de son canot. Le 14 juillet 1626, il repart pour la Huronie en compagnie des jésuites Jean de Brébeuf et Anne de Nouë et s'établit avec eux à Toanché [ou Toanchain ou Toanchen]. Le 18 octobre suivant, sur l'ordre du père Joseph Le Caron, il se rend chez les Neutres. Pendant trois mois, il étudie leur langue ainsi que leurs mœurs et leurs coutumes, puis, tout à coup, il est accusé de tous les maux par les Hurons qui ne lui pardonnent pas l'intention qu'il a d'amener les Neutres à traiter directement avec les Français, ce qui les priverait de leurs profits d'intermédiaires commerciaux entre les deux nations. Le père devient l'objet de mauvais traitements et la rumeur se répand jusqu'à Toanché qu'il a été tué. Les deux jésuites de l'endroit envoient un éclaireur, qui le trouve vivant et le ramène auprès d'eux. À l'automne de 1628, il est de retour à Québec. Lors de la capitulation de la ville, en juillet 1629, il sert d'interprète à Champlain auprès des Kirke, qui connaissent mieux le latin que le français. Le 9 septembre, prisonnier comme ses confrères, il commence le voyage qui l'emmènera à Douvres [Dover, Angleterre] le 29 octobre 1629, puis à Paris. De la phase suivante de sa vie, on ne connaît que la date de son décès en France, le 16 juillet 1656.

C'est lors de son second séjour à Toanché que le père La Roche Daillon écrit la relation que nous tenons de lui et qu'il signe le 18 juillet 1627. Elle est adressée à un ami d'Angers [département du Maine-et-Loire dans l'ouest de la France]; on la trouve intéressante au point qu'on la publie d'emblée. Elle comprend deux parties. La première contient le récit du voyage et du séjour du père chez les Neutres; la seconde est une description du pays de cette nation. Le narrateur dégage bien les traits distinctifs des Neutres ainsi que les particularités de leurs mœurs et coutumes, qu'il est le premier à faire connaître, tandis que le descripteur du pays en vante la beauté et les ressources et s'étonne que les trafiquants de fourrures français n'aient pas encore jugé bon de s'installer dans ce pays qui se situe sur les bords du lac Érié et, ainsi, donne un accès facile au fleuve Saint-Laurent, voie commerciale qui serait préférérable, parce que plus courte, à celle de l'Outaouais, pour descendre vers Montréal et Québec.

Nous avons emprunté les pièces qui suivent à l'*Histoire du Canada et Voyages que les Frères mineurs Recollects y ont faicts pour la conversion des infidèles depuis l'an 1615*, de Gabriel Sagard, publiée à Paris par Edwin Tross en 1866; reproduction de la première édition, publiée Chez Claude Sonnius à Paris en 1636, elle contient l'édition la plus complète de la relation du père La Roche Daillon. — Pour faciliter la lecture, nous avons remplacé par leurs équivalents modernes les anciens caractères typographiques suivants: ſ par s; i par j; et u par v.

Trois mois chez les Neutres*

Trois mois durant j'eus toutes les occasions du monde de me contenter de mes gens. Mais les Hurons ayant descouvert que je parlois de les mener à la traicte, firent courir par tous les villages où ils passoient de fort mauvais bruits de moy, que j'estois un grand Magicien, que j'avois empesté l'air en leur pays, & empoisonné plusieurs, que s'ils ne m'assommoient bientost, je mettrois le feu dans leurs villages, ferois mourir tous les enfans, enfin j'estois à leur dire un grand Atatanite, c'est leur mot pour signifier celuy qui faict les sortileges qu'ils ont le plus en horreur, & en passant sçachez qu'il y a icy force sorciers, & qui se meslent de guarir les maladies par marmoteries & autres fantasies, enfin ces Hurons leur ont tousjours dit tant de mal des François qu'ils se sont pû adviser pour les divertir de traicter avec eux, que les François estoient inacostables, rudes, tristes & melancoliques, gens qui ne vivent que de serpens & venins, que nous mangions le tonnerre, qu'ils s'imaginent estre une chimere nompareille, faisans des contes estranges là-dessus, que nous avons tous une queuë comme les animaux, & les femmes n'ont qu'une mamelle, située au milieu du sein, qu'elles portent cinq

40

ou six enfans à la fois, & y adjoustent mille autres sottises pour nous faire hayr d'eux.

Et en effet ces bonnes gens qui sont fort faciles à persuader, me prindrent en grand soupçon, si tost qu'il y avoit un malade, ils me venoient demander s'il estoit pas vray que je l'eusse empoisonné, qu'on me tueroit asseurement si je ne le guarissois. J'avois bien de la peine à m'excuser & deffendre, enfin dix hommes du dernier village, appellé Ouaroronon, à une journée des Hiroquois, leurs parens & amis, venans traicter à nostre village, me vindrent visiter & me convierent de leur rendre le reciproque en leur village, je leur promis de n'y pas manquer lors que les neiges seroient fonduës, & de leur donner à tous quelques bagatelles, de quoy ils se monstrerent contents, là-dessus ils sortirent de la cabane où je logeois, couvant tousjours leur mauvais dessein sur moy, & voyant qu'il se faisoit tard me revindrent trouver, & brusquement me firent une querelle d'Allemand, l'un me renverse d'un coup de poing, & l'autre prist une hache, & m'en pensant fendre la teste, Dieu qui luy destourna la main, porta le coup sur une borne qui estoit là auprés de moy, je receus encores plusieurs autres mauvais traictemens, mais c'est ce que nous venons chercher en ces pays. S'appaisans un peu, ils deschargerent leur cholere sur le peu de hardes qui nous restoient, ils prindent nostre escritoire, couverture, breviaire, & nostre sac, où il y avoit quelques jambettes, esguilles, alaines & autres petites choses de pareille estoffe, & m'ayant ainsi devalisé, ils s'en allerent toute la nuict fort joyeux de leur emploite, & arrivez en leur village, faisans reveuë sur leurs despoüilles, touchez peut estre d'un repentir venu du Tres-Haut, ils me renvoyerent nostre breviaire, cadran, escritoire, couverture, & le sac, mais tout vuide.

Lors de leur arrivée en mon village, appellé Ounontisaston, il n'y avoit que des femmes, les hommes estans allez à la chasse du cerf, à leur retour ils me tesmoignerent estre marris du desastre qui m'estoit arrivé, puis n'en fut plus parlé.

Le bruit courut incontinent aux Hurons que j'avois esté tué, dont les bons Peres Brebeuf & de Noue qui y estoient restez m'envoyerent promptement Grenolle pour en sçavoir la verité, avec ordre que si j'estois encore en vie de me ramener, à quoy me convioit aussi la lettre qu'ils m'avoient escrite avec la plume de leur bonne volonté, & ne voulus leur contredire, puis que tel estoit leur advis & celuy de tous les François, qui apprehendoient plus de disgraces en ma mort que de profit, & m'en revins ainsi au pays de nos Hurons, où je suis à present tout admirant les divins effects du Ciel.

S: «Coppie ou abbregé d'une lettre du V. Pere Joseph de la Roche Daillon, Mineur Recollect, escrite du pays des Hurons à un sien amy, touchant son voyage fait en la Contrée des Neutres, où il fait mention du pays, & des disgraces qu'il y encourut», dans *Histoire du Canada et Voyages que les Frères mineurs Recollects y ont faicts pour la conversion des infidèles depuis l'an 1615*, par Gabriel Sagard Theodat, avec un dictionnaire de la langue huronne, nouvelle édition, publiée par M. Edwin Tross, Paris, Librairie Tross, 1866, vol. 4, pp. 803-805.

Le pays des Neutres*

Le pays de cette Nation Neutre est incomparablement plus grand, plus beau & meilleur qu'aucun autre de tous ces pays, il y a un nombre incroyable de cerfs, lesquels ils ne prennent un à un comme on fait par deça, mais faisans trois hayes en une place spacieuse, ils les courent tout de front, tant qu'ils les reduient en ce lieu, où ils les prennent, & ont cette maxime pour toutes sortes d'animaux, soit qu'ils en ayent besoin ou non, qu'ils tuent tout ce qu'ils rencontrent, de crainte, à ce qu'ils disent, que s'ils ne les prenoient, que les bestes iroient raconter aux autres comme elles auroient esté courues, & qu'en suitte ils n'en trouveroient plus en leur necessité. Il s'y trouve aussi grande abondance d'orignas, ou eslans, castors, chats sauvages & des escurieus noirs plus grands que ceux de France, grande quantité d'outardes, coqs d'Inde, gruës & autres animaux, qui y sont tout l'Hyver, qui n'est pas long ny rigoureux comme au Canada, & n'y avoit encores tombé aucunes neiges le vingt-deuxiesme Novembre, lesquelles ne furent tout au plus que de deux pieds de haut & commencerent à se fondre dés le 26. Janvier, le huictiesme Mars, il n'y en avoit plus du tout aux lieux descouvers, mais bien en restoit-il un peu dans les bois. Le sejour y est assez recreatif & commode, les rivieres fournissent quantité de poissons & tres-bons, la terre donne de bons bleds, plus que pour leur necessité. Il y a des citroüilles, saisoles & autres legumes à foison, & de tres-bonne huile, qu'ils appellent à Touronton, tellement que je ne doute point qu'on devroit plus tost s'y habituer qu'ailleurs, & sans doute avec un plus long sejour y auroit esperance d'y advancer la gloire de Dieu, ce qu'on doit plus rechercher qu'autre chose, & leur conversion est plus à esperer pour la foy que non pas des Hurons, & me suis estonné comme la compagnie des marchands, depuis le temps qu'ils viennent en ces contrées, n'ont faict hyverner audit païs quelque François; je dis asseurement qu'il seroit fort facile de les mener à la traicte, qui seroit un grand bien pour aller & venir par un chemin si court & facile comme je vous ay ja dit, car d'aller de la traicte aux Hurons parmy tous les sauts si difficiles & tousjours en danger de se noyer, il n'y a guere d'apparence, & puis des Hurons s'acheminer en ce païs six journées, traversant les terres par des chemins effroyables & espouventables comme j'ay veu, ce sont des travaux insupportables, & seul le sçait qui s'y est rencontré.

Donc je dis que Messieurs les associez devroient (à mon advis) envoyer hyverner des François dans le païs des Neutres moins esloignez que celuy des Hurons, car ils se peuvent rendre par le lac des Hiroquois au lieu où l'on traicte tout au plus en dix journées, ce lac est le leur aussi, les uns sont sur un bord & les autres sur l'autre, mais j'y vois un empeschement qui est qu'ils n'entendent gueres à mener des canots, principallement dans les sauts, bien qu'il n'y en aye que deux, mais ils sont longs & dangereux, leur vray mestier est la chasse & la guerre, hors de là sont de grands paresseux, que vous voyez comme les gueux de France, quand ils sont saouls, couchez le ventre au Soleil, leur vie comme celle des Hurons fort impudique, & leurs coustumes & mœurs tout de mesme; le langage est differant neantmoins, mais ils s'entendent comme font les Algoumequins & Montagnais. D'habits ne leur en cherchez pas, car mesme ils n'ont pas de brayers, ce qui est fort estrange & qui ne se treuve guere dans les Nations les plus sauvagines. Et pour vous dire au vray, il seroit expedient qu'il ne passast icy toutes sortes de personnes, car la mauvaise vie de quelques François leur est un pernicieux exemple, & en tout ces païs les peuples quoy que sauvages nous en font des reproches, disans que nous leur enseignons des choses contraires à celles que nos François pratiquent. Pensez, Monsieur, de quel poix peuvent estre apres nos parolles: il est à esperer pourtant de mieux, car ce qui me consola à mon retour fut de voir que nos compatriotes avoient fait leur paix avec Nostre Seigneur, s'estoient confessez & communiez à Pasques & avoient chassé leurs femmes, & depuis ont esté plus retenus.

Il faut que je vous die qu'on a traicté nos Peres si rudement que mesmes deux hommes desquels les Peres Jesuites s'estoient privez pour les accommoder, ont esté retirez par force, & ne leur ont voulu donner vivres quelconques, pour nourrir & entretenir quelques petits Sauvages qui souhaittoient de demeurer avec nous, bien qu'ils leur promissent de leur faire satisfaire par quelqu'uns de nos bienfaicteurs. Il est cruel d'estre traicté de la sorte par ceux mesmes de sa Nation, mais puis que nous sommes Freres, Mineurs, nostre condition est de souffrir & prier Dieu qu'il nous donne la patience.

S: id., ibid., pp. 806-808.

GABRIEL SAGARD
(fin du XVIe s.-après 1637)

Du frère récollet Gabriel Sagard, on ne connaît ni l'endroit ni la date de naissance; on sait seulement qu'il aurait été baptisé Théodat et que, d'après une allusion à un confrère décédé en 1604, il était probablement récollet cette année-là. À la fin de 1614, secrétaire privé du provincial des récollets de Saint-Denis, il réside auprès de lui à Paris. Le 18 mars 1623, le père Nicolas Viel et lui quittent Paris pour s'embarquer à Dieppe en direction du Canada. Le 28 juin, ils sont à Québec; dès le 16 juillet, tous deux partent avec le père Joseph Le Caron pour Sorel, lieu de traite de l'année; le 2 août, les trois récollets entreprennent, dans des canots différents, la montée vers la Huronie. Après un voyage pénible, Sagard aperçoit le lac Huron le 20 août, puis, le 22, s'installe à Quieuindohian; le père Viel l'y retrouve plus tard et tous deux rejoignent le père Le Caron à Carhagouha où ils vont vivre dans une cabane d'«environ vingt pieds de longueur et dix ou douze de large, faite en la forme d'un berceau de jardin». En mai 1624, Sagard et Le Caron se joignent aux Hurons qui descendent dans la vallée du Saint-Laurent pour la traite; ils arrivent à Québec le 16 juillet. Sur l'ordre du provincial de Paris, Sagard doit rentrer en France. En août 1632, il publie *le Grand Voyage du pays des Hurons [...]. Avec un Dictionnaire de la langue huronne [...]*, et, en septembre 1636, une *Histoire du Canada et Voyages que les Frères mineurs Recollects y ont faicts pour la conversion des infidelles*, dans laquelle il insère une version augmentée du *Grand Voyage du pays des Hurons*. La même année, Sagard passe chez les Cordeliers; sa communauté essaie de le réintégrer, même en 1638, après qu'il eut obtenu le droit, en novembre 1637, de demeurer chez les Cordeliers. On ne peut que supposer qu'il est décédé chez ces derniers à une date que l'on ignore.

Gabriel Sagard n'a passé que huit mois en Huronie, mais huit mois de contact continu et d'observation ébahie. On l'a dit naïf, et il l'était, mais d'une naïveté à la François d'Assise, c'est-à-dire faite d'étonnement devant les beautés de la nature et de regard charitable à l'endroit des êtres humains quels qu'ils soient, même lorsqu'ils vivent dans un monde de ténèbres et de misère. Frère convers, il n'aurait pas dû être instruit, mais il l'était; sa culture transparaît à travers des réflexions philosophiques qu'il a tirées d'œuvres anciennes ou de son gros bon sens. Champlain était curieux, mais ne s'étonnait guère; Sagard l'est lui aussi, mais avec un ébahissement qui se rapproche plutôt de celui de Jacques Cartier, et son recours au «je», pour raconter ou décrire en laissant parler son cœur et filtrer ses impressions, imbibe son écriture d'une subjectivité qui touche le lecteur et le fait participer à l'action du narrateur ou à l'émerveillement du descripteur. On le lit avec plaisir tout autant qu'avec curiosité.

Nous avons emprunté les pièces qui suivent à l'édition la plus récente du *Grand Voyage du pays des Hurons*, texte établi par Réal Ouellet et Jack Warwick sur l'exemplaire de l'édition originale conservée à la Bibliothèque Sainte-Geneviève de Paris, sous la cote G 337 imp. 3166 Rés. Cette édition a été publiée à Montréal, dans la collection «Bibliothèque québécoise», par les Éditions Leméac. — Pour «rendre le texte accessible à un public très large», les éditeurs Ouellet et Warwick ont modernisé «l'orthographe en résistant à la tentation de conserver des graphies curieuses ou désuètes»; ils ont aussi modernisé l'accentuation, la graphie de certains mots, éliminé certains redoublements, «corrigé les fautes de typographie», «rectifié pour les rendre compréhensibles quelques phrases incohérentes», «éliminé presque toutes les majuscules qu'on ne trouverait pas en français contemporain» et, «tout en restant assez près de la ponctuation originale», ils ont transformé «tout ce qui risquerait de provoquer contresens ou de gêner considérablement la lecture. (Pour plus de détails sur cette modernisation, voir les pages 47 et 48 de leur livre.)

Le feu*

La manière et l'invention qu'ils avaient à tirer du feu, et laquelle est pratiquée par tous les peuples sauvages, est telle: ils prenaient deux bâtons de bois de saule, tilleul ou d'autre espèce, secs et légers, puis en accommodaient un d'environ la longueur d'une coudée, ou un peu moins, et épais d'un doigt ou environ; et ayant sur le bord de sa largeur un peu cavé, de la pointe d'un couteau ou de la dent d'un castor, une petite fossette avec un petit cran à côté, pour faire tomber à bas sur quelque bout de mèche ou chose propre à prendre feu, la poudre réduite en feu, qui devait tomber du trou, ils mettaient la pointe d'un autre bâton du même bois, gros comme le petit doigt, ou un peu moins, dans ce trou ainsi commencé, et étant contre terre le genou sur le bout du bâton large, ils tournaient l'autre entre les deux mains si soudainement et si longtemps que les deux bois, étant bien échauffés, la poudre qui en sortait, à cause de cette continuelle agitation, se convertissait en feu, duquel ils allumaient un bout de leur corde sèche, qui conserve le feu comme mèche d'arquebuse; puis après avec un peu de menu bois sec ils faisaient du feu pour faire chaudière. Mais il faut noter que tout bois n'est propre à en tirer du feu, mais de particulier que les sauvages savent choisir. Or quand ils avaient de la difficulté d'en tirer, ils déminçaient dans ce trou un peu de charbon ou un peu de bois sec en poudre, qu'ils prenaient à quelque souche; s'ils n'avaient un bâton large, comme j'ai dit, ils en prenaient deux ronds et les liaient ensemble par les deux bouts et, étant couchés le genou dessus pour les tenir, mettaient entre deux la pointe d'un autre bâton de ce bois, fait de la façon d'une navette de tissier, et le tournaient par l'autre bout entre les deux mains, comme j'ai dit.

S: Gabriel Sagard, *Le Grand Voyage du pays des Hurons*, texte établi par Réal Ouellet, introduction et notes par Réal Ouellet et Jack Warwick, [Montréal], BQ, 1990, pp.126-127.

Le pays et les cabanes des Hurons*

Mais, pour parler en général du pays des Hurons, de sa situation, des mœurs de ses habitants et de leurs principales cérémonies et façons de faire, disons, premièrement, qu'il est situé sous la hauteur de quarante-quatre degrés et demi de latitude et deux cents trente lieues de longitude à l'Occident, et dix de latitude: pays fort déserté, beau et agréable et traversé de ruisseaux qui se dégorgent dans le grand lac. On n'y voit point une face hideuse de grands rochers et montagnes stériles, comme on voit en beaucoup d'autres endroits dans les contrées canadiennes et algoumequines.

Le pays est plein de belles collines, campagnes et de très belles et grandes prairies qui portent quantité de bon foin, qui ne sert qu'à y mettre le feu par plaisir quand il sec; et en plusieurs endroits il y a quantité de froment sauvage, qui a l'épi comme seigle et le grain comme de l'avoine; j'y fus trompé, pensant, au commencement que j'en vis, que ce fussent champs qui avaient été ensemencés de bon grain; je fus de même trompé aux pois sauvages, où il y en a en divers endroits aussi épais que s'ils y avaient été semés et cultivés; et pour montrer la bonté de la terre, un sauvage de Toenchen, ayant planté un peu de pois qu'il avait apporté de la traite, ils rendirent leurs fruits deux fois plus gros qu'à l'ordinaire, de quoi je m'étonnai, n'en ayant point vu de si gros, ni en France ni en Canada.

Il y a de belles forêts, peuplées de gros chênes, fouteaux, érables, cèdres, sapins, ifs et autres sortes de bois beaucoup plus beaux, sans comparaison, qu'aux autres provinces de Canada que nous ayons vues: aussi le pays est-il plus chaud et plus beau, et plus grasses et meilleures sont les terres plus on avance tirant au sud, car du côté du nord les terres y sont plus pierreuses et sablonneuses, ainsi que je vis allant sur la mer Douce pour la pêche du grand poisson.

Il y a plusieurs contrées ou provinces au pays de nos Hurons qui portent divers noms, ausis bien que les diverses provinces de France, car celle où commandait le grand capitaine *Atironta*, s'appelle *Henarhonon*, celle d'*Entrauaque* s'appelle *Atigagnongucha*, et la nation des Ours, qui est celle où nous demeurions, sous le grand capitaine *Auoindaon*, s'appelle *Atingyahointan*; et en cette étendue de pays, il y a environ vingt-cinq tant villes que villages, dont une partie ne sont point clos ni fermés, et les autres sont fortifiés de fortes palissades de bois à triples rangs, entrelacées les uns dans les autres et redoublées par dedans de grandes et grosses écorces, à la hauteur de huit à neuf pieds, et par-dessous il y a de grands arbres posés de leur long, sur de fortes et courtes fourchettes de troncs d'arbres; puis au-dessus de ces palissades il y a des galeries ou guérites, qu'ils appellent *Ondaqua*, qu'ils garnissent de pierres en temps de guerre pour ruer sur l'ennemi et d'eau pour éteindre le feu qu'on pourrait appliquer contre leurs palissades; nos Hurons y montent par une échelle assez mal façonnée et difficile et ils défendent leurs remparts avec beaucoup de courage et d'industrie.

Ces vingt-cinq villes et villages peuvent être peuplés de deux ou trois mille hommes de guerre, au plus, sans y comprendre le commun, qui peut faire en nombre environ trente ou quarante mille âmes en tout. La principale ville avait autrefois deux cents grandes cabanes, pleines chacune de quantité de ménages; mais depuis peu, en raison que les bois leur manquaient et que les terres commençaient à s'amaigrir, elle est diminuée de grandeur, séparée en deux et bâtie en un autre lieu plus commode.

Leurs villes frontières et plus proches des ennemis sont toujours les mieux fortifiées, tant en leurs enceintes et murailles, hautes de deux lances ou environ, et les portes et entrées qui ferment à barres, par lesquelles on est contraint de passer de côté et non de plein saut, qu'en l'assiette des lieux qu'ils savent assez bien choisir et aviser: que ce soit joignant quelque bon ruisseau, en lieu un peu élevé et environné d'un fossé naturel, s'il se peut, et que l'enceinte et les murailles soient bâties en rond et la ville bien ramassée, laissant néanmoins un grand espace vide entre les cabanes et les murailles pour pouvoir mieux combattre et se défendre contre les ennemis qui les attaqueraient sans laisser de faire des sorties aux occasions.

Il y a de certaines contrées où ils changent leurs villes et villages, de dix, quinze ou trente ans, plus ou moins, et ils le font seulement lorsqu'ils se trouvent trop éloignés des bois, qu'il faut qu'ils portent sur leur dos, attaché et lié avec un collier, qui pend et tient sur le front; mais en hiver ils ont accoutumé de faire de certaines traînées, qu'ils appellent *Arocha*, faites de longues planchettes de bois de cèdre blanc, sur lesquelles ils mettent leur charge, et ayant des raquettes attachées sous leurs pieds, ils traînent leur fardeau par-dessus les neiges, sans aucune difficulté. Ils changent leur ville ou village lorsque par succession de temps les terres sont tellement fatiguées qu'elles ne peuvent plus porter leur blé avec la perfection ordinaire, faute de fumier et pour ne savoir cultiver la terre, ni semer dans d'autres lieux que dans les trous ordinaires.

Leurs cabanes, qu'ils appellent *ganonchia*, sont faites, comme j'ai dit, en façon de tonnelles ou berceaux de jardins, couvertes d'écorces d'arbres, de la longueur de vingt-cinq à trente toises, plus ou moins (car elles ne sont pas toutes égales en longueur), et six de large, laissant par le milieu une allée de dix à douze pieds de large qui va d'un bout à l'autre; aux deux côtés il y a une manière d'établi de la hauteur de quatre ou cinq pieds, qui prend d'un bout de la cabane à l'autre, où ils couchent en été pour éviter l'importunité des puces dont ils ont grande quantité, tant à cause de leurs chiens qui leur en fournissent à bon escient, que pour l'eau que les enfants y font; et en hiver ils couchent en bas sur des nattes proches du feu, pour être plus chaudement, et ils sont arrangés les uns proches des autres, les enfants au lieu plus chaud et éminent, pour l'ordinaire, et les père et mère après; et il n'y a point d'entre-deux ou de séparation, ni de pied ni de chevet, non plus en haut qu'en bas, et ils ne font autre chose pour dormir que de se coucher en la même place où ils sont assis et de s'affubler la tête avec leur robe, sans autre couverture ni lit.

Ils emplissent de bois sec, pour brûler en hiver, tout le dessous de ces établis, qu'ils appellent *garihagueu* et *eindichaguet*. Mais pour les gros troncs ou tisons appelés *aneincuny*, qui servent à entretenir le feu, élevés un peu en haut par un des bouts, ils en font des piles devant leurs cabanes où les serrent au-dedans des porches, qu'ils appellent *aque*. Toutes les femmes s'aident à faire cette provision de bois, qui se fait dès le mois de mars et d'avril, et avec cet ordre en peu de jours chaque ménage est fourni de ce qui lui est nécessaire.

Ils ne se servent que de très bon bois, aimant mieux l'aller chercher bien loin que d'en prendre du vert ou qui fasse fumée; c'est pourquoi ils entretiennent toujours un feu clair avec peu de bois; que s'ils ne rencontrent point d'arbres bien secs, ils en abattent de ceux qui ont les branches sèches, lesquelles ils mettent par éclats et coupent d'une égale longueur, comme les cotrets de Paris. Ils ne se servent point du fagotage non plus que du tronc des plus gros arbres qu'ils abattent, car ils les laissent là pourrir sur la terre, parce qu'ils n'ont point de scie pour les scier, ni l'industrie de les mettre en pièces avant qu'ils ne soient secs et pourris. Pour nous qui n'y prenions pas garde de si près, nous nous contentions de celui qui était plus proche de notre cabane, pour ne pas employer tout notre temps à cette occupation.

En une cabane il y a plusieurs feux, et à chaque feu il y a deux ménages, l'un d'un côté, l'autre de l'autre; et telle cabane aura jusqu'à huit, dix ou douze feux, qui font vingt-quatre ménages, et les autres moins, selon qu'elles sont longues ou petites, et où il fume à bon escient, ce qui fait que plusieurs en reçoivent de très grandes incommodités aux yeux, n'y ayant fenêtre ni aucune ouverture que celle qui est au-dessus de leur cabane par où la fumée sort. Aux deux bouts il y a à chacun un porche, et ces porches leur servent principalement à mettre leurs grandes cuves ou tonnes d'écorce, dans quoi ils serrent leur blé d'Inde après qu'il est bien sec et égrené. Au milieu de leur logement il y deux grosses perches suspendues, qu'ils appellent *oüaronta*, où ils pendent leur crémaillère et mettent leurs habits, vivres et autres choses, de peur des souris et pour tenir les choses sèchement. Mais pour le poisson duquel ils font provision pour leur hiver, après qu'il est boucané, ils le serrent en des tonneaux d'écorce, qu'ils appellent *acha*, excepté *leinchataon*, qui est un poisson qu'ils n'éventrent point et lequel ils pendent au haut de leur cabane, attaché avec des cordelettes, parce qu'enfermé en quelque tonneau il sentirait trop mauvais et pourrirait incontinent.

Par crainte du feu, auquel ils sont assez sujets, ils serrent souvent en des tonneaux ce qu'ils ont de plus précieux et les enterrent en des fosses profondes qu'ils font dans leurs cabanes, puis les couvrent de la même terre, et cela les conserve non seulement du feu, mais aussi de la main des larrons, pour n'avoir autre coffre ni armoire en tout leur ménage que ces petits tonneaux. Il est vrai qu'ils se font peu souvent du tort les uns aux autres; mais encore s'y en trouve-t-il parfois de méchants, qui leur font du déplaisir quand ils ne pensent pas être découverts et que ce soit principalement quelque chose à manger.

S: id., ibid., pp. 159-164.

Naissance et soin des jeunes enfants*

Nonobstant que les femmes se donnent carrière avec d'autres qu'avec leurs maris, et les maris avec d'autres qu'avec leurs femmes, pourtant ils aiment tous grandement leurs enfants, gardant cette loi, que la nature a entée en les cœurs de tous les animaux, d'en avoir le soin. Or ce qui fait qu'ils aiment leurs enfants plus qu'on ne fait par deçà (quoique vicieux et sans respect) c'est qu'ils sont le support des pères en leur vieillesse, soit pour les aider à vivre, ou bien pour les défendre de leurs ennemis; et la nature conserve en eux son droit tout entier pour ce regard: à cause de quoi ce qu'ils souhaitent le plus, c'est d'avoir nombre d'enfants, pour être d'autant plus forts et assurés de support au temps de la vieillesse; et néanmoins les femmes n'y sont pas si fécondes que par deçà, peut-être tant à cause de leur lubricité que du choix de tant d'hommes.

La femme étant accouchée, suivant la coutume du pays, elle perce les oreilles de son enfant avec une alêne, ou un os de poisson, puis y met un tuyau de plume ou autre chose, pour entretenir le trou et y prendre par après des patenôtres de porcelaine, ou autre bagatelle, et pareillement à son col, quelque petit qu'il soit. Il y en a aussi qui leur font encore avaler de la graisse ou de l'huile, sitôt qu'ils sont sortis du ventre de leur mère; je ne sais à quel dessein ni pourquoi, sinon que le diable (singe des œuvres de Dieu) leur ait voulu donner cette invention pour contrefaire en quelque chose le saint baptême ou quelque autre sacrement de l'Église.

Pour l'imposition des noms, ils les donnent par tradition, c'est-à-dire qu'ils ont des noms en grande quantité, lesquels ils choisissent et imposent à leur enfants: certains noms sont sans signification et les autres avec signification, comme *Yocoisse*, le vent, *Ongyata*, signifie la gorge, *Tochingo*, grue, *Sondaqua*, aigle, *Scouta*, la tête, *Tonra*, le ventre, *Taïhy*, un arbre, etc. J'en ai vu un qui s'appelait Joseph, mais je n'ai pu savoir qui lui avait imposé ce nom-là, et peut-être que parmi un si grand nombre de noms qu'ils ont il s'y en peut trouver quelques-uns approchant des nôtres.

Les anciennes femmes d'Allemagne sont louées par Tacite, d'autant que chacune nourrissait ses enfants de ses propres mamelles et n'eussent voulu qu'une autre qu'elles les eût allaités. Nos sauvagesses, avec leurs propres mamelles, allaitent et nourrissent aussi les leurs, et n'ayant point l'usage ni la commodité de la bouillie, elles leur baillent encore des mêmes viandes desquelles elles usent, après les avoir bien mâchées, et ainsi peu à peu les élèvent. Que si la mère vient à mourir avant que l'enfant soit sevré, le père prend de l'eau, dans laquelle aura très bien bouilli du blé d'Inde, et en emplit sa bouche et, joignant celle de l'enfant contre la sienne, lui fait recevoir et avaler cette eau; et c'est pour suppléer au défaut de la mamelle et de la bouillie, ainsi que j'ai vu pratiquer au mari de notre sauvagesse baptisée. De la même invention se servent aussi les sauvagesses pour nourrir les petits chiens que les chiennes leur donnent, ce que je trouvais fort maussade et vilain, de joindre ainsi à leur bouche le museau des petits chiens qui ne sont pas souvent trop nets.

Durant le jour ils emmaillotent leurs enfants sur une petite planchette de bois, où il y a à quelques-unes un arrêt ou petit ais plié en demi-rond au-dessous des pieds, et ils la dressent debout contre le plancher de la cabane; s'ils ne les portent promener avec cette planchette derrière leur dos, attachée avec un collier qui leur pend sur le front, ou que hors du maillot ils ne les portent enfermés dans leur robe ceinte devant eux, ou derrière leur dos presque tout droit, la tête de l'enfant dehors, qui regarde d'un côté et d'autre par-dessus les épaules de celle qui le porte.

L'enfant étant emmaillotté sur cette planchette, ordinairement enjolivée de petits matachias et chapelets de porcelaine, ils lui laissent une ouverture devant la nature par où il fait son eau; et si c'est une fille, ils y ajoutent une feuille de blé d'Inde renversée qui sert à porter l'eau dehors sans que l'enfant soit gâté de ses eaux; et au lieu de lange (car ils n'en ont point), ils mettent sous eux du duvet fort doux de certains roseaux, sur lesquels ils sont couchés fort mollement, et ils les nettoient du même duvet; et la nuit ils les couchent souvent tout nus entre le père et la mère, sans qu'il en arrive que très rarement, d'accident. J'ai vu en d'autres nations que, pour bercer et faire dormir l'enfant, ils le mettent tout emmaillotté dans une peau, qui est suspendue en l'air par les quatre coins, aux bois et perches de la cabane, à la façon dont sont les lits de roseau des matelots sous le tillac des navires; et voulant bercer l'enfant ils n'ont que fois à autre à donner un branle à cette peau ainsi suspendue.

Les Cimbes mettaient leurs enfants nouveau-nés parmi les neiges, pour les endurcir au mal, et nos sauvages n'en font pas moins, car ils les laissent non seulement nus parmi les cabanes, mais même grandelets ils se vautrent, courent et se jouent dans les neiges, et parmi les plus grandes ardeurs de l'été, sans en recevoir aucune incommodité, comme j'ai vu en plusieurs, admirant que ces petits corps tendrelets puissent supporter (sans en être malades) tant de froid et tant de chaud, selon le temps et la saison. Et de là vient qu'ils s'endurcissent tellement au mal et à la peine, qu'étant devenus grands, vieux et chenus, ils restent toujours forts et robustes, et ne ressentent presque aucune incommodité ni indisposition; et même les femmes enceintes sont tellement fortes qu'elles s'accouchent d'elles-mêmes et n'en gardent point la chambre pour la plupart. J'en ai vu arriver de la forêt, chargées d'un gros faisceau de bois, qui accouchaient aussitôt qu'elles étaient arrivées, puis au même instant sur pieds, à leur ordinaire exercice.

Et parce que les enfants d'un tel mariage ne se peuvent assurer légitimes, ils ont cette coutume entre eux, aussi bien qu'en plusieurs autres endroits des Indes occidentales, que les enfants ne succèdent pas aux biens de leur père; mais ils font successeurs et héritiers les enfants de leurs propres sœurs, desquels ils sont assurés être de leur sang et parentage, et néanmoins encore les aiment-ils grandement nonobstant le doute qu'ils soient à eux et que ce soient de très mauvais enfants pour la plupart et qu'ils leur portent fort peu de respect et guère plus d'obéissance, car le malheur est, en ces pays-là, qu'il n'y a point de respect des jeunes envers les vieux, ni d'obéissance des enfants aux pères et mères; aussi n'y a-t-il point de châtiment pour faute aucune; c'est pourquoi tout le monde y vit en liberté et chacun fait comme il l'entend; et les pères et mères, faute de châtier leurs enfants, sont souvent contraints souffrir d'être injuriés par eux et parfois battus et éventés au nez. Chose trop indigne et qui ne sent rien moins que la bête brute; le mauvais exemple et la mauvaise nourriture, sans châtiment et correction, est cause de tout ce désordre.

S: *id.*, *ibid.*, pp. 205-209.

Les cheveux et les ornements du corps*

Les Canadiens et Montagnais, tant hommes que femmes, portent tous longue chevelure qui leur tombe et bat sur les épaules et à côté de la face, sans être noués ni attachés, et ils n'en coupent qu'un bien peu devant, à cause que cela empêcherait de voir en courant. Les femmes et filles algoumequines mipartissent leur longue chevelure en trois: les deux parts leur pendent de côté et d'autre sur les oreilles et à côté des joues, et l'autre partie est accommodée par derrière en tresse, en la forme d'un marteau pendant, couché sur le dos. Mais les Huronnes et Pétuneuses ne font qu'une tresse de tous leurs cheveux, qui leur bat de même sur le dos, liés et accommodés avec des lanières de peaux fort sales. Pour les hommes, ils portent deux grandes moustaches sur les oreilles, et quelques-uns n'en portent qu'une, qu'ils tressent et cordèlent assez souvent avec des plumes et autres bagatelles; le reste des cheveux est coupé court ou bien par compartiments, couronnes, cléricales et en tout autre manière qu'il leur plaît; j'ai vu de certains vieillards qui avaient déjà, par manière de dire, un pied dans la fosse, être autant ou plus curieux de ces petites parures et d'y accommoder du duvet de plumes et autres ornements que les plus jeunes d'entre eux. Pour les Cheveux Relevés, ils portent et entretiennent leurs cheveux sur le front, fort droits et relevés, plus que ne sont ceux de nos dames de par deçà, coupés de mesure, allant toujours en diminuant de dessus le front au derrière de la tête.

Généralement tous les sauvages, et particulièrement les femmes et filles, sont grandement curieuses d'huiler leurs cheveux; et les hommes de peindre leur face et le reste du corps lorsqu'ils doivent assister à quelque festin ou à des assemblées publiques: que s'ils ont des matachias et porcelaines ils ne les oublient point, non plus que les rassades, patenôtres et autres bagatelles que les Français leur traitent. Leurs porcelaines sont diversement enfilées, les unes en colliers, larges de trois ou quatre doigts, faits comme une sangle de cheval qui en aurait ses ficelles toutes couvertes et enfilées, et ces colliers ont environ trois pieds et demi de tour ou plus, qu'elles mettent en quantité à leur col, selon leur moyen et richesse, puis d'autres enfilées comme nos patenôtres, attachées et pendues à leurs oreilles, et des chaînes de grains gros comme noix, de la même porcelaine qu'elles attachent sur les deux hanches et qui viennent par devant arrangées de haut en bas, par-dessus les cuisses ou braies qu'elles portent; et j'en ai vu d'autres qui en portaient encore des bracelets aux bras et de grandes plaques par devant leur estomac et d'autres par derrière, accommodées en rond et comme une carde à carder la laine, attachées à leurs tresses de cheveux; quelques-unes d'entre elles ont aussi des ceintures et autres parures, faites de poil de porc-épic, teintes en rouge cramoisi et fort proprement tissées, puis les plumes et les peintures ne manquent point et sont à la dévotion d'un chacun.

Pour les jeunes hommes, ils sont aussi curieux de s'accommoder et farder comme les filles: ils huilent leurs cheveux et y appliquent des plumes, et d'autres se font des petites fraises de duvet de plumes à l'entour du col; quelques-uns ont des fronteaux de peaux de serpents qui leur pendent par derrière, de la longueur de deux aulnes de France. Ils se peignent le corps et la face de diverses couleurs: de noir, vert, rouge, violet, et en plusieurs autres façons; d'autres ont le corps et la face gravée en compartiments, avec des figures de serpents, lézards, écureuils et autres animaux, et particulièrement ceux de la nation du Pétun, qui ont tous, presque, les corps ainsi figurés, ce qui les rend effroyables et hideux à ceux qui n'y sont pas accoutumés: cela est piqué et fait de même que sont faites et gravées, dans la superficie de la chair, les croix qu'ont aux bras ceux qui reviennent de Jérusalem, et c'est pour jamais; mais on les accommode à diverses reprises, parce que ces piqûres leur causent de grandes douleurs, et ils en tombent souvent malades, jusqu'à en avoir la fièvre et perdre l'appétit, et pour tout cela ils ne désistent point et font continuer jusqu'à ce que tout soit achevé, et comme ils le désirent, sans témoigner aucune impatience ou dépit dans l'excès de la douleur; et ce qui m'a plus fait admirer en cela, a été de voir quelques femmes, mais peu, accommodées de la même façon. J'ai aussi vu des sauvages d'une autre nation, qui avaient tous le milieu des narines percées, auxquelles pendoit une assez grosse patenôtre bleue qui leur tombait sur la lèvre d'en haut.
S: id., ibid., pp. 223-225.

Quelques oiseaux*

Premièrement, je commencerai par l'oiseau le plus beau, le plus rare et le plus petit qui soit, peut-être, au monde, qui est le vicilin ou oiseau-mouche, que les Indiens appellent en leur langue ressuscité. Cet oiseau, en corps, n'est pas plus gros qu'un grillon, il a le bec long et très délié, de la grosseur de la pointe d'une aiguille, et ses cuisses et ses pieds aussi menus que la ligne d'une écriture; l'on a autrefois pesé son nid avec les oiseaux et trouvé qu'il ne pèse davantage que vingt-quatre grains; il se nourrit de la rosée et de l'odeur des fleurs sans se poser sur celles-ci, mais seulement en voltigeant par-dessus. Sa plume est aussi déliée que duvet et est très plaisante et belle à voir pour la diversité de ses couleurs. Cet oiseau (à ce qu'on dit) se meurt, ou pour mieux dire s'endort, au mois d'octobre, demeurant attaché à quelque petite branchette d'arbre par les pieds, et il se réveille au mois d'avril, quand les fleurs sont en abondance, et quelquefois plus tard, et pour cette cause est appelé, en langue mexicaine, ressuscité. Il en vint quantité en notre jardin de Québec lorsque les fleurs et les pois y sont fleuris, et je prenais plaisir de les y voir; mais ils vont si vite que n'était qu'on en peut parfois approcher de fort près, à peine les prendrait-on pour oiseaux mais pour papillons; mais y prenant garde de près, on les discerne et reconnaît à leur bec, à leurs ailes, plumes et à tout le reste de leur petit corps bien formé. Ils sont fort difficiles à prendre, à cause de leur petitesse et pour n'avoir aucun repos; mais quand on les veut avoir, il se faut approcher des fleurs et se tenir coi, avec une longue poignée de verges, de laquelle il les faut frapper si on peut, et c'est l'invention et la manière la plus aisée pour les prendre. Nos religieux en avaient un en vie, enfermé dans un coffre; mais il ne faisait que bourdonner là-dedans et quelques jours après il mourut, n'y ayant moyen aucun d'en pouvoir nourrir ni conserver longtemps en vie.

Il venait aussi quantité de chardonnerets manger les semences et graines de notre jardin; leur chant me semblait plus doux et agréable que de ceux d'ici, et même leur plumage plus beau et beaucoup mieux doré, ce qui me donnait la curiosité de les comtempler souvent et louer Dieu en leur beauté et doux ramage. Il y a une autre espèce d'oiseau un peu plus gros qu'un moineau, qui a le plumage entièrement blanc, et le chant duquel n'est point à mépriser; il se nourrit aussi en cage comme le chardonneret. Les geais que nous avons vus aux Hurons, qu'ils appellent *tintian*, sont plus petits presque de moitié que ceux que nous avons par deçà et d'un plumage aussi beaucoup plus beau.

Ils ont aussi des oiseaux de plumage entièrement rouge ou incarnat, qu'ils appellent *stinondoa*, et d'autres qui n'ont que le col et la tête rouge et incarnat, et tout le reste d'un très beau blanc et noir; ils sont de la grosseur d'un merle et se nomment

oüaiera; un sauvage m'en donna un en vie un peu avant de partir, mais il n'y a pas eu moyen de l'apporter ici, non plus que quatre autres d'une autre espèce et peu plus grossets, lesquels avaient partout sous le ventre, sous la gorge et sous les ailes, des soleils bien faits de diverses couleurs, et le reste du corps était d'un jaune mêlé de gris; j'eusse bien désiré en pouvoir apporter en vie par deçà, pour la beauté et rareté que j'y trouvais; mais il n'y avait aucun moyen, pour le très pénible et long chemin qu'il y a des Hurons en Canada, et de Canada en France. J'y vis aussi plusieurs autres espèces d'oiseaux qu'il me semble n'avoir point vus ailleurs; mais comme je ne me suis point informé des noms et que la chose en soi est d'assez petite conséquence, je me contente d'admirer et louer Dieu qu'en toute contrée il y a quelque chose de particulier qui ne se trouve point en d'autres.
S: id., ibid., pp. 301-303.

Le castor et le rat musqué*

Le castor est un animal à peu près de la grosseur d'un mouton tondu ou un peu moins; la couleur de son poil est châtaignée et il y en a peu de bien noirs. Il a les pieds courts, ceux de devant faits à ongles, et ceux de derrière en nageoires comme les oies; la queue est comme écaillée, de la forme presque d'une sole; toutefois l'écaille ne se lève point. Quant à la tête, elle est courte et presque ronde, ayant au devant quatre grandes dents tranchantes, l'une auprès de l'autre, deux en haut et deux en bas. De ces dents, il coupe des petits arbres et des perches en plusieurs pièces, dont il bâtit sa maison, et même par succession de temps il en coupe parfois de bien gros, quand il s'y en trouve qui l'empêchent de dresser son petit bâtiment, lequel est fait de sorte (chose admirable) qu'il n'y entre nul vent, d'autant que tout est couvert et fermé, sinon un trou qui conduit sous l'eau, et par là il se va promener où il veut; puis une autre sortie en une autre part, hors la rivière ou le lac par où il va à terre et trompe le chasseur. Et en cela, comme en toute autre chose, se voit apertement reluire la divine providence, qui donne, jusqu'aux moindres animaux de la terre, l'instinct naturel et le moyen de leur conservation.

Or, ces animaux, voulant bâtir leurs petites cavernes, s'assemblent par troupes dans les forêts sombres et épaisses; s'étant assemblés, ils s'en vont couper des rameaux d'arbres à belles dents, qui leur servent à cet effet de cognée, et ils les traînent jusqu'au lieu où ils bâtissent et continuent de le faire jusqu'à ce qu'ils en aient assez pour achever leur ouvrage. Quelques-uns tiennent que ces petits animaux ont une invention admirable pour charrier le bois et disent qu'ils choisissent celui de leur troupe qui est le plus fainéant ou accablé de vieillesse, et, le faisant coucher sur son dos, ils vous disposent fort bien des rameaux entre ses jambes, puis le traînent comme un chariot jusqu'au lieu destiné, et continuent le même exercice tant qu'il y en ait à suffisance. J'ai vu quelques-unes de ces cabanes sur le bord de la grande rivière, au pays des Algoumequins; elles me semblaient admirables et telles que la main de l'homme n'y pourrait rien ajouter: le dessus semblait un couvercle à lessive, et le dedans était départi en deux ou trois étages, au plus haut desquels les castors se tiennent ordinairement, en tant qu'ils craignent l'inondation et la pluie.

La chasse du castor se fait ordinairement en hiver, parce que principalement il se tient dans sa cabane et que son poil tient en cette saison-là et vaut fort peu en été. Les sauvages, voulant donc prendre le castor, occupent premièrement tous les passages par où il se peut échapper, puis percent la glace du lac gelé, à l'endroit de sa cabane, puis l'un deux met le bras dans le trou, attendant sa venue, tandis qu'un autre va par-dessus cette glace frappant avec un bâton sur celle-ci pour l'étonner et le faire retourner à son gîte; alors il faut être habile à le prendre au collet, car si on le happe par quelque endroit où il puisse mordre, il fera une mauvaise blessure. Ils le prennent aussi en été, en tendant des filets avec des pieux fichés dans l'eau, dans lesquels, sortant de leurs cabanes, ils sont pris et tués, puis mangés frais ou boucanés, à la volonté des sauvages. La chair ou poisson, comme on voudra l'appeler, m'en semblait très bonne, particulièrement la queue, de laquelle les sauvages font état comme d'un manger très excellent, comme de fait elle l'est, et les pattes aussi. Pour la peau ils la passent assez bien, comme toutes les autres, qu'ils traitent par après aux Français, ou s'en servent à se couvrir; et des quatre grandes dents ils en polissent leurs écuelles, qu'ils font avec des nœuds de bois.

Ils ont aussi des rats musqués, appelés *ondathra*, desquels ils mangent la chair et conservent les peaux et rognons musqués: ils ont le poil court et doux comme une taupe, et les yeux fort petits; ils mangent avec leurs deux pattes de devant, debout comme écureuils, ils paissent l'herbe sur terre et le blanc des joncs au fond des lacs et rivières. Il y a plaisir à les voir manger et faire leurs petits tours pendant qu'ils sont jeunes, car, quand

ils sont à leur entière et parfaite grandeur, qui approche celle d'un grand lapin, ils ont une longue queue comme le singe, qui ne les rend point agréables. J'en avais un très joli, de la grandeur des nôtres, que j'apportais de la Petite Nation en Canada; je le nourrissais du blanc des joncs et d'une certaine herbe ressemblant au chiendent, que je cueillais sur les chemins, et je faisais de ce petit animal tout ce que je voulais, sans qu'il me mordît aucunement, aussi n'y sont-ils pas sujets; mais il était si coquin qu'il voulait toujours coucher la nuit dans l'une des manches de mon habit, et cela fut la cause de sa mort, car, ayant un jour cabané dans une sapinière et porté la nuit loin de moi ce petit animal, pour la crainte que j'avais de l'étouffer — car nous étions couchés sur un côteau fort penchant, où à peine nous pouvions nous tenir (le mauvais temps nous ayant contraints de cabaner en si fâcheux lieu) — cette bestiole, après avoir mangé ce que je lui avais donné, me vint retrouver à mon premier sommeil et, ne pouvant trouver nos manches, il se mit dans les replis de notre habit, où je le trouvai mort le lendemain matin, et il servit pour le commencement du déjeuner de notre aigle.
S: *id.*, *ibid.*, pp. 318-321.

JEAN DE BRÉBEUF
(1593-1649)

Jean de Brébeuf naît à Condé-sur-Vire [département de la Manche, dans le nord-ouest de la France] le 25 mars 1593. Il entre chez les jésuites à Rouen [département de la Seine-Maritime, dans le nord-ouest de la France] le 8 novembre 1617. Son noviciat terminé, il enseigne au collège de Rouen de 1619 à 1621. En février 1622, il est ordonné prêtre à Pontoise. De 1623 à 1625, il est procureur au collège de Rouen. Le 26 avril 1625, il entreprend la traversée de l'Atlantique à Dieppe et débarque à Québec le 19 juin. Du 20 octobre de la même année au 27 mars de l'année suivante, il hiverne chez des Montagnais nomades dans la région de Québec. Le 25 juillet 1626, il monte en Huronie avec le père Anne de Noüe et le récollet Joseph de La Roche Daillon. En juin 1629, il descend à Québec et y arrive le 17 juillet; à la suite de la capitulation de la ville, le 19 juillet, aux mains des frères Kirke, il retourne en Europe sur un bateau qui part le 15 septembre et arrive à Douvres [Dover, Angleterre] le 27 octobre. De retour en France peu après, il est prédicateur et confesseur au collège de Rouen en 1629-1630, puis économe, confesseur, consulteur et préfet de santé au collège d'Eu [département de la Seine-Maritime] de 1631 à 1633. Le 23 mars de cette dernière année, il part pour la Nouvelle-France; arrivé à Québec le 23 mai, il y enseigne le huron jusqu'au 1er juillet 1634, jour où il part pour Trois-Rivières, endroit où il se joindra aux Hurons, le 7 juillet, pour monter en leur pays; arrivé le 5 août, il s'établit le 19 septembre à Ihonatiria (Saint-Joseph I), village voisin de Toanché, où il avait séjourné de 1626 à 1629. Du 20 octobre au 15 décembre 1634, il est en voyage chez les Pétuns. Le 19 septembre 1637, il quitte Ihonatiria pour s'installer à Ossossané. En 1638 il fonde la mission de Saint-Joseph II (ou Téanaostaiaé). Le 26 août 1638, le père Jérôme Lalemant le remplace comme supérieur de la mission huronne et Brébeuf devient supérieur de la mission Saint-Joseph II qui sera son principal lieu de résidence jusqu'au printemps de 1641, sauf du 2 novembre 1640 au 19 mars 1641, alors qu'il est en mission chez les Neutres. Le 20 mai, il se brise la clavicule gauche en tombant sur la glace d'un lac. Envoyé à Québec, il est procureur de la mission huronne dans cette ville en 1642, et en 1643, à la fois à Québec et à Trois-Rivières. Le 7 septembre 1644, il est de retour en Huronie; assigné à Sainte-Marie I, il s'occupe de plusieurs villages hurons jusqu'au moment où il est fait prisonnier avec son compagnon, le père Gabriel Lalemant, à Saint-Louis, le 16 mars 1649; amenés à Saint-Ignace II, ils sont torturés, puis soumis au supplice du feu. Le père de Brébeuf décède le même jour, vers les quatre heures de l'après-midi, tandis que le père Gabriel Lalemant rend l'âme à l'aube du 17 mars.

Le père de Brébeuf est l'auteur des deux premières *Relations* des jésuites de la Huronie. Comme on pourra le constater en lisant les pièces que nous avons choisies, c'est un excellent écrivain. Sa langue est celle de la première moitié du dix-septième siècle, une langue vigoureuse, dépouillée de toute préciosité. Brébeuf en connaît bien les ressources et il les utilise avec habileté et facilité. Dans la *Relation de 1635*, le récit de la montée chez les Hurons, que nous n'avons pas reproduit ci-après, mais qui est bien connu, l'emporte en qualité sur les narrations de ses devanciers, et c'est peut-être grâce à l'intériorité que l'humaniste Brébeuf y a coulée en toute simplicité dans des phrases d'une grande clarté, qui se lisent aisément. Toutefois, c'est dans la *Relation de 1636*, l'une des plus longues des *Relations des jésuites de la Nouvelle-France,* que l'écrivain atteint le sommet de son talent, et particulièrement dans les trois chapitres que nous reproduisons ci-après. L'«avertissement d'importance qu'il adresse à ceux qu'il plairait à Dieu d'appeler en la Nouvelle-France et principalement au pays des Hurons» est, comme nous l'avons écrit ailleurs, «une sorte d'exhortation soutenue par un lyrisme pascalien; la phrase se déploie avec autant d'ampleur et d'élégance oratoire que chez Bossuet». Les descriptions des mœurs des Hurons valent à la fois par leur contenu et leur écriture; certaines d'entre elles, dont la longue description de la fête solennelle des morts, sont devenues des classiques de la littérature et des sources documentaires fiables pour les historiens et les ethnologues.

Nous avons emprunté les pièces qui suivent à l'édition des *Relations des jésuites de la Nouvelle-France* (1602-1672) que le père Lucien Campeau a commencé de publier à Québec et à Rome, en 1967, et qu'il est sur le point d'achever. La série a un titre latin: *Monumenta Novæ Franciæ*, mais chaque volume a un sous-titre français; les textes de Brébeuf sont tirés du troisième volume: *fondation de la mission huronne (1635-1637).*

Avertissement d'importance*

1. Nous avons appris que le salut de tant d'âmes innocentes, lavées et blanchies dans le sang du Fils de Dieu, touche bien sensiblement le cœur de plusieurs et y allume de nouveaux désirs de quitter l'ancienne France, pour se transporter en la nouvelle. Dieu soit bény à jamais, qui nous fait paroistre par là qu'il a enfin ouvert à ces peuples les entrailles de son infinie miséricorde. Je ne suis pas pour refroidir ceste généreuse résolution. Hélas! ce sont ces cœurs selon le cœur de Dieu que nous attendons, mais je désire seulement leur donner un mot d'advis.

2. Il est vray que «fortis ut mors dilectio»; l'amour de Dieu a la force de faire ce que fait la mort, c'est-à-dire de nous détacher entièrement des créatures et de nous-mesmes. Néantmoins, ces désirs que nous sentons de coopérer au salut des infidèles ne sont pas tousjours des marques asseurées de cet amour épuré. Il peut y avoir quelquesfois un peu d'amour-propre et de recherche de nous-mesme, si nous regardons seulement le bien et le contentement qu'il y a de mettre des âmes dans le ciel, sans considérer meurement les peines, les travaux et les difficultez qui sont inséparables de ces fonctions évangéliques.

3. Doncques, afin que personne ne soit abusé en ce point, «ostendam illi quanta hic oporteat pro nomine Iesu pati». Il est vray que les deux derniers venus, les Pères Mercier et Pijart, n'ont pas eu tant de peine en leur voyage, mais en comparaison de nous qui estions montez l'année précédente; ils n'ont point ramé, leurs gens n'ont point esté malades comme les nostres; il ne leur a point fallu porter de pesantes charges. Or nonobstant cela, pour facile que puisse estre la traversée des sauvages, il y a tousjours assez de quoy abbatre bien fort un cœur qui ne seroit pas bien mortifié. La facilité des sauvages n'accourcit pas le chemin, n'applanit pas les roches, n'esloigne pas les dangers. Soyés avec qui que voudrez, il faut vous attendre à estre trois ou quatre semaines par les chemins tout au moins, de n'avoir pour compagnie que des personnes que vous n'avez jamais veu, d'estre dans un canot d'escorce en une posture assez incommode, sans avoir la liberté de vous tourner d'un costé ou d'autre, en danger cinquante fois le jour de verser ou de briser sur les roches. Pendant le jour, le soleil vous brusle; pendant la nuict, vous courez risque d'estre le proye des maringoins. Vous montez quelquesfois cinq ou six saults en un jour et n'avez le

soir pour tout réconfort qu'un peu de bled battu entre deux pierres et cuit avec de belle eau claire; pour lit, la terre et bien souvent des roches inégales et raboteuses; d'ordinaire, point d'autre abry que les estoiles et tout cela dans un silence perpétuel. Si vous vous blessez à quelque rencontre, si vous tombez malade, n'attendez de ces barbares d'assistance, car où la prendroient-ils? Et si la maladie est dangereuse et que vous soyez éloignez des villages, qui y sont fort rares, je ne voudrois pas vous asseurer que si vous ne vous pouvez ayder vous-mesme pour les suivre, ils ne vous abandonnent.

4. Quand vous arriverez aux Hurons, vous trouverez à la vérité des cœurs pleins de charité; nous vous recevrons à bras ouverts comme un ange du paradis; nous aurons toutes les bonnes volontez du monde de vous faire du bien; mais nous sommes quasi dans l'impossible de le faire; nous vous recevrons dans une si chétive cabane que je n'en trouve point quasi en France d'assez misérables pour vous pouvoir dire: voilà comment vous serez logé. Tout harassé et fatigué que vous serez, nous ne pouvons vous donner qu'une pauvre natte et tout au plus quelque peau pour vous servir de lict; et de plus vous arriverez en une saison où de misérables petites bestioles, que nous appelons icy ta8hac, et pulces en bon françois, vous empescheront quasi les nuits entières de fermer l'oeil. Car elles sont en ces pays-cy incomparablement plus importunes qu'en France; la poussière de la cabane les nourrit; les sauvages nous les apportent; nous les allons quérir chez eux et ce petit martyre, sans parler des maringoins, mousquites et autre semblable engeance, dure d'ordinaire les trois ou quatre mois de l'esté.

5. Il faut faire estat, pour grand maistre et grand théologien que vous ayez esté en France, d'estre icy petit escolier et encor, ô bon Dieu, de quels maistres! Des femmes, des petits enfans, de tous les sauvages, et d'estre exposé à leur risée. La langue huronne sera vostre sainct Thomas et vostre Aristote, et tout habile homme que vous estes et bien disant parmy des personnes doctes et capables, il vous faut résoudre d'estre assez longtemps muet parmy des barbares. Ce sera beaucoup pour vous, quand vous commencerez à bégayer au bout de quelque temps.

6. Et puis comment penseriez-vous passer icy l'hyver? Après avoir ouy tout ce qu'on endure hyvernant avec les sauvages montagnets, je puis dire que c'est à peu près la vie que nous menons icy parmy les Hurons. Je le dis sans exaggération. Les

cinq ou six mois de l'hyver se passent sans ces incommoditez presque continuelles: les froidures excessives, la fumée et l'importunité des sauvages. Nous avons une cabane bastie de simples écorces, mais si bien jointes que nous n'avons que faire de sortir dehors pour sçavoir quel temps il fait. La fumée est bien souvent si espaisse, si aigre et si opiniastre que les cinq et six jours entiers, si vous n'estes tout à fait à l'espreuve, c'est bien tout ce que vous pouvez faire que de cognoistre quelque chose dans vostre bréviaire. Avec cela, nous avons depuis le matin jusques au soir nostre foyer quasi toujours assiégé de sauvages; surtout, ils ne manquent guères à l'heure du repas. Que s'il arrive que vous ayez quelque chose d'extraordinaire, si peu que ce soit, il faut faire estat que la pluspart de ces messieurs sont de la maison; si vous ne leur en faites part, vous passerez pour un vilain. Pour la nourriture, elle n'est pas si misérable, bien que nous nous passions d'ordinaire d'un peu de bled avec un morceau de poisson sec et fumé, outre quelques fruicts, dont je parleray icy bas.

7. Au reste, jusques à présent nous n'avons eu que des roses. D'oresnavant que nous avons des chrestiens quasi en tous les villages, il faut bien faire estat d'y faire des courses en quelque saison de l'année que ce soit et d'y demeurer selon les occurrences les quinze jours et les trois semaines entières, dans des incommoditez qui ne se peuvent dire. Adjoustez à tout cela que nostre vie ne tient quasi qu'à un filet; et si en quelque lieu du monde que nous soyons, nous devons attendre la mort à toute heure et avoir tousjours nostre âme entre nos mains, c'est particulièrement en ce pays. Car outre que vostre cabane n'est que comme de paille et que le feu y peut prendre à tout moment, nonobstant le soin que vous apportez pour destourner ces accidens, la malice des sauvages vous donne sujet de ce costé-là d'estre dans des craintes quasi perpétuelles; un mescontant vous peut brusler ou fendre la teste à l'escart. Et puis vous estes responsable de la stérilité ou fécondité de la terre, sous peine de la vie; vous estes la cause des sécheresses; si vous ne faites plouvoir, on ne parle pas moins que de se défaire de vous. Je n'ay que faire de parler du danger qu'il y a du costé des ennemis. C'est assez de dire que le treiziesme de ce mois de juin, ils ont tué douze de nos Hurons auprès du village de Contarrea, qui n'est qu'à une journée de nous; que peu de temps auparavant, à quatre lieues du nostre, on descouvrit dans les champs quelques Iroquois en embuscade, qui n'espioient

que l'occasion de faire un coup aux despens de la vie de quelque passant. Ceste nation est fort craintive; ils ne se tiennent pas sur leur garde; ils n'ont pas quasi le soin de préparer des armes et de fermer de pieux leurs villages. Leurs recours ordinaire, principalement quand l'ennemy est puissant, est à la fuite. Dans ces alarmes de tout le pays, je vous laisse à penser si nous avons sujet, nous autres, de nous tenir en asseurance.

S: Jean de Brébeuf, «Relation de 1636», dans Lucien Campeau, *Monumenta Novæ Franciæ, III: fondation de la mission huronne (1635-1637)*, Roma, Apud «Monumenta Historica Societatis Iesu», et Québec, les Presses de l'Université Laval, 1987, pp. 334-336.

Un gouvernement civilisé*

1. Je ne prétends pas icy mettre nos sauvages en parallèle avec les Chinois, Japonnois et autres nations parfaitement civilisées, mais seulement les tirer de la condition des bestes, où l'opinion de quelques-uns les a réduits, leur donner rang parmy les hommes et faire paroistre qu'il y a mesme parmy eux quelque espèce de vie politique et civile.

2. C'est déjà beaucoup, à mon advis, de dire qu'ils vivent assemblez dans les villages, quelquefois jusques à cinquante, soixante et cent cabanes, c'est-à-dire trois cens et quatre cens ménages; qu'ils cultivent des champs, d'où ils tirent à suffisance pour leur nourriture de toute l'année et qu'ils s'entretiennent en paix et amitié les uns avec les autres. Il est vray que je ne pense pas qu'il y ayt peut-estre nation souz le ciel plus recommandable en ce point qu'est la nation des Ours. Ostez quelques mauvais esprits qui se rencontrent quasi partout, ils ont une douceur et une affabilité quasi incroyable pour des sauvages. Ils ne se picquent pas aisément; et encor, s'ils croyent avoir receu quelque tort de quelqu'un, ils dissimulent souvent le ressentiment qu'ils en ont; au moins en trouve-[t]-on icy fort peu qui s'échapent en public pour la colère et la vengeance. Ils se maintiennent dans cette si parfaite intelligence par les fréquentes visites, les secours qu'ils se donnent mutuellement dans leurs maladies, par les festins et les alliance. Si leurs champs, la pesche, la chasse ou la traitte ne les occupe, ils sont moins en leurs cabanes que chez leurs amis. S'ils tombent malades et qu'ils désirent quelque chose pour leur santé, c'est à qui se monstrera le plus obligeant. S'ils ont un bon morceau, je l'ay déjà dit, ils en font festin à leurs amis et ne le mangent quasi jamais en leur particulier.

3. Dans leurs mariages, il y a cecy de remarquable qu'ils ne se marient jamais dans la parenté en quelque degré que ce soit, ou

direct, ou collatéral, mais font tousjours de nouvelles alliances, ce qui n'est pas un petit avantage pour maintenir l'amitié.

4. Davantage, en cette fréquentation si ordinaire, comme ils ont la pluspart l'esprit assez bon, ils s'éveillent et se façonnent merveilleusement, de sorte qu'il n'y en a quasi point qui ne soit capable d'entretien et ne raisonne fort bien et en bons termes, sur les choses dont il a la cognoissance. Ce qui les forme encor dans le discours sont les conseils qui se tiennent quasi tous les jours dans les villages en toutes occurrences. Et quoyque les anciens y tiennent le haut bout et que ce soit de leur jugement que dépende la décision des affaires, néantmoins s'y trouve qui veut et chacun a droit d'y dire son advis. Adjoutez mesme que l'honnesteté, la courtoisie et la civilité, qui est comme la fleur et l'aggréement de la conversation ordinaire et humaine, ne laisse pas encor de se remarquer parmy ces peuples. Ils appellent un homme civil aienda8asti. A la vérité, vous n'y voyez pas tous ces baise-mains, ces complimens et ces vaines offres de service, qui ne passent pas le bout des lèvres; mais néantmoins, ils se rendent de certains devoirs les uns aux autres et gardent par bien-scéance de certaines coustumes en leurs visites, danses et festins, ausquelles si quelqu'un avoit manqué, il ne manqueroit pas d'estre relevé sur l'heure; et s'il faisoit souvent de semblables pas de clerc, il passeroit bientost en proverbe par le village et perdroit tout à fait son crédit. A la rencontre, pour toute saluade, ils s'appellent chacun de leur nom, ou disent: «Mon amy, mon camarade, mon oncle», si c'est un ancien. Si un sauvage se trouve en vostre cabane lorsque vous mangez et que vous luy présentiez vostre plat, n'y ayant encor guières touché, il se contentera d'en gouster et vous le rendra. Que si vous luy présentez un plat en particulier, il n'y portera pas la main, qu'il n'en ait fait part à ses compagnons, et ceux-cy se contentent d'ordinaire d'en prendre une cuillérée. Ce sont petites choses, à la vérité, mais qui monstrent néantmoins que ces peuples ne sont pas tout à fait si rudes et mal polis que quelqu'un se pourroit bien figurer.

5. En outre, si les loix sont comme la maistresse roue qui règle les communautez, ou pour mieux dire l'âme des républiques, il me semble que j'ay droit, eu égard à cette si parfaite intelligence qu'ils ont entr'eux, de maintenir qu'ils ne sont pas sans loix. Ils punissent les meurtriers, les larrons, les traistres et les sorciers. Et pour les meurtriers, quoyqu'ils ne tiennent pas la sévérité que faisoient jadis leurs ancestres, néantmoins le peu de désordre

qu'il y a en ce point me fait juger que leur procédure n'est guières moins efficace qu'est ailleurs le supplice de la mort. Car les parens du défunct ne poursuivent pas seulement celuy qui a fait le meurtre, mais s'addressent à tout le village, qui en doit faire raison et fournir au plus tost, pour cet effet, jusques à soixante présens, dont les moindres doivent estre de la valeur d'une robbe neufve de castor. Le capitaine les présente luy-mesme en personne et fait une longue harangue à chaque présent qu'il offre, de façon que les journées entières se passent quelquefois dans cette cérémonie.

6. Il y a deux sortes de présens; les uns, tels que sont les neuf premiers qu'ils appellent andaonhaan, se mettent entre les mains des parens, pour faire la paix et oster de leur cœur toute l'aigreur et les désirs de vengeance qu'ils pourroient avoir contre la personne du meurtrier; les autres se mettent sur une perche qui est étendue au-dessus de la teste du mort, et les appellent andaerraehaan, c'est-à-dire qui se mettent sur la perche. Or chacun de ces présens a son nom particulier. Voicy ceux des neuf premiers, qui sont les plus considérables et quelque fois chacun de mille grains de pourcelaine. Le capitaine parlant et haussant sa voix au nom du coulpable et tenant en sa main le premier présent, comme si la hache estoit encor dans la playe du mort: «Condayee onsahach8ta8as»; voilà, dit-il, de quoy il retire la hache de la playe et la fait tomber des mains de celuy qui voudroit venger cette injure. Au second présent: «Condayee oscota8eanon»; voilà de quoy il essuie le sang de la playe de sa teste. Par ces deux présens, il témoigne le regret qu'il a de l'avoir tué et qu'il seroit tout prest de luy rendre la vie, s'il estoit possible. Toutefois, comme si le coup avoit reja[i]lly sur la patrie et comme si le païs avoit receu la plus grande playe, il adjouste au troisième présent en disant: «Condayee onsahondechari»; voilà pour remettre le païs en estat. «Condayee onsahond8aronti, etotonh8entsiai»; voilà pour mettre une pierre dessus l'ouverture et la division de la terre qui s'estoit faite par ce meurtre. Les métaphores sont grandement en usage parmy ces peuples; si vous ne vous y faites, vous n'entendez rien dans leurs conseils, où ils ne parlent quasi que par métaphores. Ils prétendent par ce présent réunir les cœurs et les volontez et mesmes les villages entiers qui avoient esté comme divisez. Car ce n'est pas icy comme en France et ailleurs, où le public et toute une ville entière n'épouse pas ordinairement la querelle d'un particulier. Icy, vous n'y sçauriez outrager qui que ce soit que tout le païs ne

s'en ressente et ne se porte contre vous; et mesme contre tout un village. C'est de là que naissent les guerres et c'est un sujet plus que suffisant de prendre les armes contre quelque village, quand il refuse de satisfaire par les présens ordonnez pour celuy qui vous auroit tué quelqu'un des vostres. Le cinquième se fait pour applanir les chemins et en oster les brossailles: «Condayee onsa hannonkiai»; c'est-à-dire afin qu'on puisse aller doresnavant en toute seureté par les chemins et de village en village. Les quatre autres s'adressent immédiatement aux parens, pour les consoler en leur affliction et essuyer leurs larmes: «Condayee onsa hoheronti»; voilà, dit-il, pour luy donner à pétuner, parlant de son père, de sa mère, ou de celuy qui seroit pour venger sa mort. Ils ont cette créance, qu'il n'y a rien si propre que le pétun pour appaiser les passions. C'est pourquoy ils ne se trouvent jamais aux conseils que la pippe ou calumet à la bouche. Cette fumée qu'ils prennent leur donne, disent-ils, de l'esprit et leur fait voir clair dans les affaires les plus embrouillées. Aussi, en suitte de ce présent, on en fait un autre pour remettre tout à fait l'esprit à la personne offensée: «Condayee onsa hondionroenkhra». Le huictiesme est pour donner un breuvage à la mère du défunct et la guérir comme estant grièvement malade à l'occasion de la mort de son fils: «Condayee onsa a8eannonc8a d'oc8eton». Enfin, le neufième est comme pour luy mettre et étendre une natte sur laquelle elle se repose et se couche durant le temps de son deuil: «Condayee onsa hohiendaen». Voilà les principaux présens. Les autres sont comme un surcroist de consolation et représentent toutes les choses dont se servoit le mort pendant sa vie: l'un s'appellera sa robbe, l'autre son collier, l'autre son canot, l'autre son aviron, sa rets, son arc, ses flèches, et ainsi des autres. Après cela, les parens du défunt se tiennent plainement satisfaits. Autrefois, les parties ne s'accordoient pas si aisément et à si peu de frais, car outre que le public payoit tous ces présens, la personne coupable estoit obligée de subir une honte et une peine que quelques-uns n'estimeroient peut-estre guères moins insupportable que la mort mesme. On étendoit le mort sur des perches et le meurtrier estoit contraint de se tenir dessous et recevoir dessus soy le pus qui alloit dégoûtant de ce cadavre; on luy metoit auprès de luy un plat pour son manger, qui estoit incontinent plein de l'ordure et du sang pourry qui peu à peu en tomboit; et pour obtenir seulement que le plat fust tant soit peu reculé, il luy en coustoit un présent de sept cens grains de pourcelaine, qu'ils appelloient hassaendista. Pour luy, il demeuroit en cet estat tant et si long temps qu'il plaisoit aux parens du défunct; et encore après cela, pour en sortir, luy falloit-il faire un riche présent qu'ils appelloient akhiataendista. Que si les parens du mort se vengeoient de cette injure par la mort de celuy qui avoit fait le coup, toute la peine retomboit de leur costé. C'estoit aussi à eux de faire des présens à ceux mesmes qui avoient tué les premiers, sans que ceux-cy fussent obligez a aucune satisfaction, pour montrer combien ils estiment que la vengeance est détestable, puisque les crimes les plus noirs, tel qu'est le meurtre, ne paroissent quasi rien en sa présence, qu'elle les abolit et attire dessus soy toute la peine qu'ils méritent. Voilà pour ce qui est du meurtre. Les blessures à sang ne se guérissent aussi qu'à force de présens: de colliers, de haches, selon que la playe est plus ou moins notable.

7. Ils punissent aussi sévèrement les sorciers, c'est-à-dire ceux qui se meslent d'empoisonner et faire mourir par sort; et cette peine est authorisée du consentement de tout le païs, de sorte que quiconque les prend sur le fait, il a tout droit de leur fendre la teste et en défaire le monde, sans crainte d'en estre recherché ou obligé de faire aucune satisfaction.

8. Pour les larrons, quoyque le païs en soit remply, ils ne sont pas pourtant tolérez. Si vous trouvez quelqu'un saisi de quelque chose qui vous appartienne, vous pouvez en bonne conscience jouer au roy dépouillé et prendre ce qui est vostre et, avec cela, le mettre nud comme la main: si c'est à la pesche, luy enlever son canot, ses rets, son poisson, sa robbe, tout ce qu'il a. Il est vray qu'en cette occasion le plus fort l'emporte. Tant y a que voilà la coustume du païs, qui ne laisse pas d'en tenir plusieurs en leur devoir.

9. Or s'ils ont quelque espèce de loix, qui les maintiennent entre eux, il y a aussi quelque ordre estably pour ce qui regarde les peuples estrangers. Et premièrement, pour le commerce. Plusieurs familles ont leurs traittes particulières et celuy-là est censé maistre d'une traitte qui en a fait le premier la découverte. Les enfans entrent dans le droict de leurs parens pour ce regard et ceux qui portent le mesme nom. Personne n'y va sans son congé, qui ne se donne qu'à force de présens. Il en associe tant et si peu qu'il veut. S'il a beaucoup de marchandise, c'est son advantage d'y aller en fort petite compagnie, car ainsi, il enlève tout ce qu'il veut dans le païs. C'est en cecy que consiste le plus beau de leurs richesses. Que si quelqu'un estoit si hardy que d'aller à une traitte sans le congé de celuy qui en est le maistre,

il peut bien faire ses affaires en secret et à la desrobée; car s'il est surpris par le chemin, on ne luy fera pas meilleur traittement qu'à un larron et il ne rapportera que son corps à la maison; ou il faut qu'il soit en bonne compagnie. Que s'il retourne bagues sauves, on se contente de s'en plaindre, sans en faire autre poursuitte.

10. Dans les guerres mesmes, où règne souvent la confusion, ils ne laissent pas d'y tenir quelque ordre. Ils n'en entreprennent point sans sujet et le sujet le plus ordinaire qu'ils ayent de prendre les armes est lorsque quelque nation refuse de satisfaire pour quelque mort et de fournir les présens que requièrent les conventions faites entre eux. Ils prennent ce refus pour un acte d'hostilité et tout le païs mesme espouse cette querelle. Surtout les parens du mort s'estiment obligez, par honneur, de s'en ressentir et font une levée pour leur courir sus. Je ne parle point de la conduite qu'ils tiennent en leurs guerres et de leur discipline militaire, cela vient mieux à monsieur de Champlain, qui s'y est trouvé en personne et y a commandé. Aussi en a-t-il parlé amplement et fort pertinemment, comme de tout ce qui regarde les mœurs de ces nations barbares.

11. Je diray seulement que si Dieu leur faisoit la grâce d'embrasser la foy, je trouverois à réformer en quelques-unes de leurs procédures. Car premièrement, il y en a tel qui lèvera une trouppe de jeunes gens délibérez plustost, ce semble, pour venger une querelle particulière et la mort d'un amy que pour l'honneur et la conservation de la patrie. Et puis, quand ils peuvent tenir quelques-uns de leurs ennemis, ils les traittent avec toute la cruauté qu'ils se peuvent imaginer. Les cinq ou six jours se passeront quelquefois à assouvir leur rage et les brûler à petit feu et ne se contentent pas de leur voir la peau toute grillée. Ils leur ouvrent les jambes, les cuisses, les bras et les parties les plus charnues et y fourrent des tisons ardens ou des haches toutes rouges. Quelquefois, au milieu de ces tourmens, ils les obligent à chanter; et ceux qui ont du courage le font et vomissent mille imprécations contre ceux qui les tourmentent. Le jour de leur mort, il faut encor qu'ils passent par là, s'ils ont les forces. Et quelquefois, la chaudière dans laquelle on les doit mettre bouillir sera sur le feu, que ces pauvres misérables chanteront encore à pleine teste. Cette inhumanité est tout à fait intolérable. Aussi plusieurs ne se trouvent pas volontiers à ces funestes banquets. Après les avoir enfin assommé, s'ils estoient vaillans hommes, ils leur arrachent le cœur, le font griller sur les

charbons et le distribuent en pièces à la jeunesse. Ils estiment que cela les rend courageux. D'autres leur font une incision au-dessus du col et y font couler de leur sang, qui a, disent-ils, cette vertu que depuis qu'ils l'ont ainsi meslé avec le leur, ils ne peuvent jamais estre surpris de l'ennemy et ont tousjours connoissance de ses approches, pour secretes qu'elles puissent estre. On les met par morceaux en la chaudière et quoy qu'aux autres festins la teste, soit d'un ours, soit d'un chien, d'un cerf ou d'un grand poisson, est le morceau du capitaine, en cetuy-cy la teste se donne au plus malotru de la compagnie. En effet, quelques-uns ne goustent de ce mets, non plus que de tout le reste du corps, qu'avec beaucoup d'horreur. Il y en a qui en mangent avec plaisir. J'ay veu des sauvages en nostre cabane parler avec appétit de la chair d'un Iroquois et louer sa bonté, en mesmes termes que l'on feroit la chair d'un cerf ou d'un orignac. C'est estre bien cruel, mais nous espérons, avec l'assistance du ciel, que le cognoissance du vray Dieu bannira tout à fait de ce païs cette barbarie.

12. Au reste, pour la garde du païs, ils entourent les princi-paux villages d'une forte pallissade de pieux, pour soustenir un siège. Ils entretiennent des pensionnaires dans les nations neu-tres, ou mesmes parmy les ennemis, par le moyen desquels ils sont advertis souz main de toutes leurs menées. Ils sont bien si advisez et circonspects en ce poinct que s'il y a quelque peuple avec qui ils n'ayent pas entièrement rompu, ils leur donnent en effet la liberté d'aller et venir dans le païs; mais néantmoins, pour plus grande asseurance, on leur assigne des cabanes particulières, où ils se doivent retirer. Si on les trouvoit ailleurs, on leur feroit un mauvais party.

13. Pour ce qui regarde l'autorité de commander, voicy ce que j'en ay remarqué. Toutes les affaires des Hurons se rapportent à deux chefs. Les unes sont comme les affaires d'estat, soit qu'elles concernent ou les citoyens ou les estrangers, le public ou les particuliers du village, pour ce qui est des festins, danses, jeux, crosses et ordre des funérailles. Les autres sont des affaires de guerre. Or il se trouve autant de sortes de capitaines que d'affaires. Dans les plus grands villages, il y aura quelquefois plusieurs capitaines, tant de la police que de la guerre, lesquels divisent entre eux les familles du village, comme en autant de capitaineries; on y void mesme parfois des capitaines à qui tous ces gouvernemens se rapportent, à cause de leur esprit, faveur, richesses et autres qualitez, qui les rendent considérables dans

le pays. Il n'y en a point qui, en vertu de leur élection, soient plus grands les uns que les autres. Ceux-là tiennent le premier rang, qui se le sont acquis par leur esprit, éloquence, magnificence, courage et sage conduite, de sorte que les affaires du village s'addressent principalement à celuy des capitaines qui a en luy ces qualitez; et de mesme en est-il des affaires de tout le pays, où les plus grands esprits sont les plus grands capitaines, et d'ordinaire, il n'y en a qu'un qui porte le faix de tous. C'est en son nom que se passent les traictez de paix avec les peuples estrangers. Le pays mesme porte son nom. Et maintenant, par exemple, quand on parle d'Anenkhiondic dans les conseils des estrangers, on entend la nation des Ours. Autrefois, il n'y avoit que les braves hommes qui fussent capitaines et pour cela, on les appelloit Enondecha, du mesme nom qu'ils appellent le pays, nation, terre, comme si un bon capitaine et le pays estoient une mesme chose. Mais aujourd'huy, ils n'ont pas un tel égard en l'élection de leurs capitaines; aussi ne leur donnent-ils plus ce nom-là, quoyqu'ils l'appellent encor ati8arontas, ati8anens, ondakhienhai, les grosses pierres, les anciens, les sédentaires. Cependant, ceux-là ne laissent pas de tenir, comme j'ay dit, le premier rang, tant dans les affaires particulières des villages que de tout le pays, qui sont les plus grands en mérite et en esprit. Leurs parens sont comme autant de lieutenans et de conseillers.

14. Ils arrivent à ce degré d'honneur, partie par succession, partie par élection. Leurs enfans ne leur succèdent pas d'ordinaire, mais bien leurs neveux et petits-fils. Et ceux-cy encor ne viennent pas à la succession de ces petites royautez comme les dauphins en France ou les enfans en l'héritage de leurs pères, mais en tant qu'ils ont les qualitez convenables et qu'ils les acceptent et sont acceptez de tout le pays. Il s'en trouve qui refusent ces honneurs, tant parce qu'ils n'ont pas le discours en main, ny assez de retenue, ny de patience, que pource qu'ils ayment le repos; car ces charges sont plustost de servitudes qu'autre chose. Il faut qu'un capitaine fasse estat d'estre quasi toujours en campagne. Si on tient conseil à cinq ou six lieues pour les affaires de tout le pays, hyver ou esté, en quelque saison que ce soit, il faut marcher; s'il se fait une assemblée dans le village, c'est en la cabane du capitaine; s'il y a quelque chose à publier, c'est à luy à le faire; et puis, le peu d'authorité qu'il a d'ordinaire sur ses sujets n'est pas un puissant attrait pour accepter ceste charge. Ces capitaines icy ne gouvernent pas leurs sujets par voye d'empire et de puissance absolue; ils n'ont

point de force en main, pour les ranger à leur devoir. Leur gouvernement n'est que civil; ils représentent seulement ce qu'il est question de faire pour le bien du village ou de tout le pays. Après cela, se remue qui veut. Il y en a néantmoins qui sçavent bien se faire obéyr, principalement quand ils ont l'affection de leurs sujets. Quelques-uns sont aussi reculez de ces charges pour la mémoire de leurs ancestres, qui ont déservy la patrie. Que s'ils y sont receus, c'est à force de présens, que les anciens acceptent en leur assemblée et mettent dans les coffres du public. Tous les ans, environ le printemps, se font ces résurrections de capitaines, si quelques cas particuliers ne retardent ou n'advancent l'affaire. Je demanderois volontiers icy à ceux qui ont peu d'opinion de nos sauvages, ce qu'il leur semble de cette conduite.

S: id., ibid., pp. 371-378.

La fête des morts*

1. La feste des morts est la cérémonie la plus célèbre qui soit parmy les Hurons. Ils luy donnent le nom de festin, d'autant que, comme je diray tout maintenant, les corps estans tirez des cimetières, chaque capitaine fait un festin des âmes dans son village. Le plus considérable et le plus magnifique est celuy du maistre de la feste, qui est, pour cette raison, appelé par excellence le maistre du festin.

2. Cette feste est toute pleine de cérémonies, mais vous diriez que la principale est celle de la chaudière. Cette-cy étouffe toutes les autres et on ne parle quasi de la feste des morts, mesmes dans les conseils les plus sérieux, que sous le nom de chaudière. Ils y approprient tous les termes de cuisine, de sorte que pour dire avancer ou retarder la feste des morts, ils diront détiser ou attiser le feu dessous la chaudière; et quand on est sur ces termes, qui diroit la chaudière est renversée, ce seroit à dire il n'y a point de feste des morts.

3. Or il n'y a d'ordinaire qu'une seule feste dans chaque nation. Tous les corps se mettent en une mesme fosse. Je dis d'ordinaire, car cette année que c'est faite la feste des morts, la chaudière a esté divisée et cinq villages de cette pointe où nous sommes ont fait bande à part et ont mis leurs morts dans une fosse particulière. Celuy qui estoit capitaine de la feste précédente et qui est comme le chef de cette pointe a pris pour prétexte que sa chaudière et son festin avoit esté gasté et qu'il estoit obligé d'en refaire un autre; mais en effet, ce n'estoit qu'un

prétexte. La principale cause de ce divorce est que les grosses testes de ce village se plaignent, il y a longtemps, de ce que les autres tirent tout à eux, qu'ils n'entrent pas comme ils voudroient bien dans la cognoissance des affaires du païs et qu'on ne les appelle pas aux conseils les plus secrets et les plus importans et au partage des présens. Cette division a esté suivie de défiance de part et d'autre. Dieu vueille qu'elle n'apporte point d'empeschement à la publication du sainct évangile. Mais il faut que je touche briefvement l'ordre et les circonstances de cette feste et que je finisse.

4. Les douze ans ou environ estant expirez, les anciens et les notables du païs s'assemblent pour délibérer précisément de la saison en laquelle se fera la feste, au contentement de tout le païs et des nations estrangères qui y seront invitées. La résolution prise, comme tous les corps se doivent transporter au village où est la fosse commune, chaque famille donne ordre à ses morts, mais avec un soin et une affection qui ne se peut dire. S'ils ont des parens morts en quelque endroit du païs que ce soit, ils n'épargnent point leur peine pour les aller quérir. Ils les enlèvent des cimetières, les chargent sur leurs propres épaules et les couvrent des plus belles robes qu'ils ayent. Dans chaque village, ils choisissent un beau jour, se transportent au cimetière, où chacun de ceux qu'ils appellent aiheonde, qui ont eu le soin de la sépulture, tirent les corps du tombeau en présence des parens, qui renouvellent leurs pleurs et entrent dans les premiers sentimens qu'ils avoient le jour des funérailles. Je me trouvay à ce spectacle et y invitay volontiers tous nos domestiques, car je ne pense pas qu'il se puisse voir au monde une plus vive image et une plus parfaite représentation de ce que c'est que l'homme. Il est vray qu'en France nos cimetières preschent puissamment et que tous ces os entassez les uns sur les autres, sans discrétion des pauvres d'avec les riches ou des petits d'avec les grands, sont autant de voix qui nous crient continuellement la pensée de la mort, la vanité des choses du monde et le mépris de la vie présente. Mais il me semble que ce que font nos sauvages à cette occasion touche encor davantage et nous fait voir de plus près et appréhender plus sensiblement nostre misère. Car après avoir fait ouverture des tombeaux, ils vous étallent sur la place toutes ces carcasses et les laissent assez longtemps ainsi découvertes, donnant tout loisir aux spectateurs d'apprendre une bonne fois ce qu'ils seront quelque jour. Les unes sont toutes décharnées et n'ont qu'un parchemin sur les os; les autres ne sont que comme

recuites et boucannées, sans monstrer quasi aucune apparence de pourriture; et les autres sont encor toutes grouillantes de vers. Les parens, s'estant suffisamment contentez de cette veue, les couvrent de belles robes de castor toutes neufves. Enfin, au bout de quelque temps, ils les décharnent et en enlèvent la peau et la chair qu'ils jettent dans le feu avec les robes et les nattes dont ils ont esté ensevelis. Pour les corps entiers de ceux qui sont nouvellement morts, ils les laissent en mesme estat et se contentent seulement de les couvrir de robes neufves. Ils ne touchèrent qu'à un vieillard, dont j'ay parlé cy-devant, qui estoit mort cette automne au retour de la pesche. Ce gros corps n'avoit commencé à se pourrir que depuis un mois, à l'occasion des premières chaleurs du printemps; les vers fourmilloient de toutes parts et le pus et l'ordure qui en sortoit rendoit une puanteur presque intolérable. Cependant, ils eurent bien le courage de le tirer de la robbe où il estoit enveloppé, le nettoyèrent le mieux qu'ils peurent, le prirent à belles mains et le mirent dans une natte et une robbe toute neufve, et tout cela sans faire paroistre aucune horreur de cette pourriture. Ne voilà pas un bel exemple pour animer les chrestiens, qui doivent avoir des pensées bien plus relevées aux actions de charité et aux œuvres de miséricorde envers le prochain? Après cela, qui aura horreur de la puanteur d'un hospital et qui ne prendra un singulier plaisir de se voir aux pieds d'un malade tout couvert de playes, dans la personne duquel il considère le Fils de Dieu? Comme ils estoient à décharner toutes ces carcasses, ils trouvèrent dans le corps de deux une espèce de sort, l'un que je vis de mes yeux estoit un œuf de tortue avec une courroye de cuir; et l'autre que nos Pères manièrent estoit une petite tortue de la grosseur d'une noix, ce qui fit croire qu'ils avoient esté ensorcelez et qu'il y avoit des sorciers en nostre village, d'où vint la résolution à quelques-uns de le quitter au plus tost. En effet, deux ou trois jours après, un des plus riches, craignant qu'il ne luy arrivast quelque malheur, transporta sa cabane à deux lieues de nous au village d'Arontaen.

5. Or les os estans bien nettoyez, ils les mirent partie dans des sacs, partie en des robbes, les chargèrent sur leurs épaules et couvrirent ces pacquets d'une autre belle robbe pendante. Pour les corps entiers, ils les mirent sur une espèce de brancart et les portèrent avec tous les autres chacun en sa cabane, où chaque famille fit un festin à ses morts.

6. Retournant de ceste feste avec un capitaine qui a l'esprit fort bon et est pour estre quelque jour bien avant dans les

affaires du païs, je luy demanday pourquoy ils appelloient les os des morts atisken. Il me répondit du meilleur sens qu'il eust et je recueilly de son discours que plusieurs s'imaginent que nous avons deux âmes, toutes deux divisibles et matérielles et cependant toutes deux raisonnables. L'une se sépare du corps à la mort et demeure néantmoins dans le cimetière jusques à la feste des morts, après laquelle, ou elle se change en tourterelle, ou selon la plus commune opinion, elle s'en va droit au village des âmes. L'autre est comme attachée au corps et informe pour ainsi dire le cadavre et demeure en la fosse des morts après la feste et n'en sort jamais, si ce n'est que quelqu'un l'enfante de rechef. Il m'apporta pour preuve de cette métempsychose la parfaite ressemblance qu'ont quelques-uns avec quelques personnes défuntes. Voilà une belle philosophie. Tant y a que voilà pourquoy ils appellent les os des morts, atisken, les âmes.

7. Un jour ou deux auparavant que de partir pour la feste, ils portèrent toutes ces âmes dans une des plus grandes cabanes du village, où elles furent une partie attachée aux perches de la cabane et l'autre estallée par la cabane; et le capitaine les traita et leur fit un festin magnifique au nom d'un capitaine défunct dont il porte le nom. Je me trouvay à ce festin des âmes et y remarquay quatre choses particulières. Premièrement, les présens que faisoient les parens pour la feste, qui consistoient en robbes, colliers de pourcelaine et chaudières, estoient étendus sur des perches tout le long de la cabane, de part et d'autre. Secondement, le capitaine chanta la chanson du capitaine défunct, selon le désir que luy-mesme avoit témoigné avant sa mort, qu'elle fust chantée en cette occasion. Tiercement, tous les conviez eurent la liberté de se faire part les uns aux autres de ce qu'ils avoient de bon et mesmes d'en emporter chez eux, contre la coustume des festins ordinaires. Quatriesmement, à la fin du festin, pour tout compliment à celuy qui les avoit traitez, ils imitèrent, comme ils disent, le cry des âmes et sortirent de la cabane en criant: haéé, haé.

8. Le maistre du festin, et mesme Anenkhiondic, capitaine général de tout le païs, nous envoya inviter plusieurs fois avec beaucoup d'instance. Vous eussiez dit que la feste n'eust pas esté bonne sans nous. J'y envoyay deux de nos Pères quelque jours auparavant, pour voir les préparatifs et sçavoir au vray le jour de la feste. Anenkhiondic leur fit très bon accueil et, à leur départ, les conduisit luy-mesme à un quart de lieue de là où estoit la fosse et leur monstra, avec grand témoignage d'affection, tout

l'appareil de la feste.

9. La feste se devoit faire le samedy de la Pentecoste, mais quelques affaires qui survindrent et l'incertitude du temps la fit remettre au lundy. Les sept ou huict jours de devant la feste se passèrent à assembler tant les âmes, que les estrangers qui y furent invitez. Cependant, depuis le matin jusques au soir, ce n'estoit que largesse que faisoient les vivans à la jeunesse, en considération des défuncts. D'un costé, les femmes tiroient de l'arc à qui auroit le prix, qui estoit quelque ceinture de porc-épic, ou quelque collier ou chaisne de pourcelaine. De l'autre costé, en plusieurs endroits du village, les jeunes hommes tiroient au baston à qui l'emporteroit. Le prix de cette victoire estoit une hache, quelques cousteaux, ou mesme une robbe de castor. De jour à autre arrivoient les âmes. Il y a du contente-ment de voir ces convois, qui sont quelquefois de deux et trois cens personnes. Chacun porte ses âmes, c'est-à-dire ses ossemens empacquetez sur son dos, à la façon que j'ay dit, souz une belle robbe. Quelques-uns avoient accommodé leurs pacquets en figure d'homme ornez de colliers de pourcelaine, avec une belle guirlande de grand poil rouge. A la sortie de leur village, toute la troupe crioit: Haéé, haé; et réitéroient ce cry des âmes par le chemin. Ce cry, disent-ils, les soulage grandement; autrement, ce fardeau, quoyque d'âmes, leur pèseroit bien fort sur le dos et leur causeroit un mal de costé pour toute leur vie. Ils vont à petites journées. Nostre village fut trois jours à faire quatre lieues et à aller à Ossossané, que nous appellons La Rochelle, où se doivent faire toutes les cérémonies. Aussitost qu'ils arrivent auprès de quelque village, ils crient encor leur haéé, haé. Tout le village leur vient au-devant; il se fait encor à cette occasion force largesses. Chacun a son rendez-vous dans quelqu'une des cabanes. Tous sçavent où ils doivent loger leurs âmes; cela se fait sans confusion. En mesme temps, les capitaines tiennent conseil pour délibérer combien de temps la troupe séjournera dans le village.

10. Toutes les âmes de huict ou neuf villages s'estoient rendus à La Rochelle dès le samedy de la Pentecoste, mais la crainte du mauvais temps obligea, comme j'ay dit, de remettre la cérémo-nie au lundy. Nous estions logez à un quart de lieue de là, au vieux village, dans une cabane où il y avoit bien cent âmes pendues et attachées à des perches, dont quelques-unes sentoient un peu plus fort que le musq.

11. Le lundy, sur le midy on vint avertir qu'on se tinst prest,

qu'on alloit commencer la cérémonie. On détache en mesme temps ces pacquets d'âmes; les parens les développent derechef pour dire les derniers adieux. Les pleurs recommencèrent de nouveau. J'admiray la tendresse d'une femme envers son père et ses enfans; elle est fille d'un capitaine, qui est mort fort âgé et a esté autrefois fort considérable dans le païs. Elle luy peignoit sa chevelure; elle manioit ses os les uns après les autres, avec la mesme affection que si elle luy eust voulu rendre la vie. Elle luy mit auprès de luy son atsatone8ai, c'est-à-dire son pacquet de buchettes de conseil, qui sont tous les livres et papiers du païs. Pour ses petits enfans, elle leur mit des brasselets de pourcelaine et de rassade aux bras et baigna leur os de ses larmes; on ne l'en pouvoit quasi séparer, mais on pressoit et il fallut incontinent partir. Celuy qui portoit le corps de ce vieux capitaine marchoit à la teste; les hommes suivoient et puis les femmes; ils marchoient en cet ordre jusques à ce qu'ils arrivèrent à la fosse.

12. Voicy la disposition de cette place: elle estoit environ de la grandeur de la Place Royale à Paris. Il y avoit au milieu une grande fosse d'environ dix pieds de profondeur et cinq brasses de diamètre. Tout autour, un échaffaut et une espèce de théâtre, assez bien fait, de neuf à dix brasses de diamettre et de dix à neuf pieds de hauteur. Au-dessus du théâtre, il y avoit quantité de perches dressées et bien arrangées et d'autres en travers pour y pendre et attacher tous ces pacquets d'âmes. Les corps entiers, comme ils devoient estre mis au fond de la fosse, estoient dès le jour précédent souz l'échaffaut, étendus sur des écorces ou des nattes dressées sur des pieux de la hauteur d'un homme, aux environs de la fosse.

13. Tout la compagnie arriva avec ses corps environ à une heure après midy et se départirent en divers cantons, selon les familles et les villages, et déchargèrent à terre leurs paquets d'âmes, à peu près comme on fait les pots de terre à ces foires de villages. Ils déployèrent aussi leurs pacquets de robbes et tous les présens qu'ils avoient apporté et les étendirent sur des perches, qui estoient de 5 à 600 toises d'étendue; aussi y avoit-il jusques à douze cens présens, qui demeurèrent ainsi en parade deux bonnes heures, pour donner loisir aux estrangers de voir les richesses et la magnificence du païs. Je ne trouvay pas que la compagnie fust grande comme je m'estois figuré; s'il y avoit deux mille personnes, c'estoit quasi tout. Environ les trois heures, chacun serra ses pièces et plia ses robbes.

14. Sur ces entrefaites, chaque capitaine, par ordre, donna le

signal, et tout incontinent, chargez de leurs pacquets d'âme, courans comme à l'assaut d'une ville, montèrent sur ce théâtre à la faveur des échelles qui estoient tout autour et les pendirent aux perches: chaque village y avoit son département. Cela fait, on osta toutes les échelles et quelques capitaines y demeurèrent et passèrent tout le reste de l'après-dînée jusques à sept heures à publier des présens qu'ils faisoient au nom des défuncts à quelques personnes particulières.

15. «Voilà, disoient-ils, ce qu'un tel défunct donne à un tel, son parent». Environ les cinq à six heures, ils pavèrent le fond de la fosse et la bordèrent de belles grandes robes neufves de dix castors, en telle façon qu'elles s'estendoient plus d'un pied au dehors de la fosse. Comme ils préparoient les robbes qui devoient estre employées à cet usage, quelques-uns descendirent au fond et en apportèrent leurs mains pleines de sable. Je m'enquis que vouloit dire cette cérémonie et appris qu'ils ont cette créance que ce sable les rend heureux au jeu. De ces douze cens présents, qui avoient esté étallez sur la place, quarante-huit robbes servirent à paver et border la fosse, et chaque corps entier, outre la robbe dont il estoit enveloppé, en avoit encor une, et quelques-uns jusques à deux, dont ils furent couverts. Voilà tout, de sorte que je ne pense pas que chaque corps eust la sienne, l'un portant l'autre, qui est bien le moins qu'il peust avoir pour sa sépulture, car ce que sont les draps et les linceux en France sont icy les robbes de castor. Mais que devient donc le reste? Je le diray tout maintenant.

16. Sur les sept heures, ils descendoient les corps entiers dans la fosse. Nous eusmes toutes les peines du monde d'en aborder; jamais rien ne m'a mieux figuré la confusion qui est parmy les damnez. Vous eussiez veu décharger de tous costez des corps à demy pourris; et de tous costez, on entendoit un horrible tinta-marre de voix confuses de personnes qui parloient et ne s'entendoient pas. Dix ou douze estoient en la fosse et les arrangeoient tout autour les uns auprès les autres. Ils mirent tout au beau milieu trois grandes chaudières, qui n'estoient bonnes que pour les âmes; l'une estoit percée, l'autre n'avoit point d'anse et la troisième ne valloit guères mieux. J'y vis fort peu de colliers de pourcelaine. Il est vray qu'ils en mettent beaucoup dans les corps. Voilà tout ce qui se fit cette journée.

17. Tout le monde passa la nuit sur la place. Ils allumèrent force feux et firent chaudière. Nous autres, nous nous retirasmes au vieux village avec résolution de retourner le lendemain au

poinct du jour, qu'ils devoient jetter les os dans la fosse, mais nous ne peusmes quasi arriver assez à temps, nonobstant toute la diligence que nous apportasmes, à raison d'un accident qui arriva. Une de ces âmes, qui n'estoit pas bien attachée, ou peut-estre trop pesante pour la corde qui la portoit, tomba d'elle-mesme en la fosse. Ce bruit éveilla la compagnie, qui courut et monta incontinent à la foule sur l'échaffaut et vuida sans ordre chaque paquet dans la fosse, réservant néantmoins les robbes desquelles elles estoient enveloppées. Nous sortions pour lors du village, mais le bruit estoit si grand qu'il nous sembloit quasi que nous y estions. Approchans, nous vismes tout à fait une image de l'enfer: cette grande place estoit toute remplie de feux et de flammes et l'air retentissoit de toutes parts des voix confuses de ces barbares. Ce bruit néantmoins cessa pour quelque temps; et se mirent à chanter, mais d'un ton si lamentable et si lugubre qu'il nous représentoit l'horrible tristesse et l'abysme du désespoir dans lequel sont plongées pour jamais ces âmes malheureuses.

18. Tout estoit presque jetté quand nous arrivasmes; car cela se fit quasi en un tour de main. Chacun s'estoit pressé, croyant qu'il n'y eust pas assez de place pour toutes ces âmes. Nous en vismes néantmoins encore assez pour juger du reste. Ils estoient cinq ou six dans la fosse avec des perches à arranger ces os. La fosse fut pleine à deux pieds près. Ils renversèrent par-dessus les robbes qui la débordoient tout autour et couvrirent tout le reste de nattes et d'écorces. Pour la fosse, ils la comblèrent de sable, de perches et de pieux de bois, qu'ils y jettèrent sans ordre. Quelques femmes y apportèrent quelques plats de bled; et le mesme jour et les suivants, plusieurs cabanes du village en fournirent des manes toutes pleines, qui furent jettées sur la fosse.

19. Nous avons quinze ou vingt chrestiens enterrez avec ces infidèles. Nous dismes pour leurs âmes un De profundis, avec une ferme espérance que si la divine bonté n'arreste le cours de ses bénédictions sur ces peuples, cette feste ne se fera plus, ou ne sera que pour les chrestiens et se fera avec des cérémonies aussi sainctes que celles-là sont sottes et inutiles. Aussi commençent-elles à leur estre à charge, pour les excez et dé-penses superflues qui s'y font.

20. Toute la matinée se passa en largesses et la pluspart des robbes, dans lesquelles avoient esté toutes ces âmes, furent coupées par pièces et jettées du haut du théâtre au milieu de l'assemblée, à qui les emporteroit. C'estoit un plaisir, quand ils se trouvoient deux ou trois sur une peau de castor, car pour

s'accorder il falloit la couper en autant de pièces; et ainsi ils se trouvoient quasi les mains vuides, car ce lambeau ne valloit pas quasi le ramasser. J'admiray icy l'industrie d'un sauvage; il ne se pressoit pas bien fort pour courir après ces pièces volantes, mais comme il n'y a rien eu de si précieux cette année dans le païs que le pétun, il en tenoit quelque morceau dans ses mains, qu'il présentoit incontinent à ceux qui disputoient à qui auroit la peau et en convenoit ainsi à son profit.

21. Avant que de sortir de la place, nous apprîmes que la nuict qu'on avoit fait des présens aux nations estrangères de la part du maistre du festin, on nous avoit aussi nommez; et de fait, comme nous nous en allions, Anenkhiondic nous vint présenter une robbe neufve de dix castors, en considération du collier dont je leur avois fait présent en plain conseil, pour leur faire le chemin du ciel. Il[s] s'estoient trouvez si fort obligez de ce présent qu'ils en avoient voulu témoigner quelque recognoissance en une si belle assemblée. Je ne l'acceptay pas néantmoins, luy disant que comme nous ne leur avions fait ce présent que pour les porter à embrasser nostre foy, ils ne nous pouvoient obliger davantage qu'en nous écoutant volontiers et en croyant en celuy qui a tout fait. Il me demanda ce que je désirois donc qu'il fist de la robbe; je luy répondis qu'il en disposast comme bon luy sembleroit, dequoy il demeura parfaictement satisfaict.

22. Pour le reste des douze présens, quarante-huict robbes furent employées à parer la fosse. Chaque corps entier emporta sa robbe et quelques-uns deux ou trois. On en donna vingt au maistre du festin, pour remercier les nations qui avoient assisté à la feste. Les défuncts en distribuèrent quantité, par les mains des capitaines, à leurs amis vivans. Une partie ne servit que de parade et fut retirée de ceux qui les avoient exposées. Les anciens et les grosses testes du païs, qui en avoient l'administration et le maniment, en tirèrent aussi souz-main une assez bonne quantité, et le reste fut coupé en pièces, comme j'ay dit, et jetté par magnificence au milieu de l'assemblée. Cependant, il n'y a que les riches qui ne perdent rien ou fort peu à cette feste. Les médions et les pauvres y apportent et y laissent ce qu'ils avoient de plus précieux et souffrent beaucoup, pour ne point paroistre moins que les autres en cette célébrité. Tout le monde se picque d'honneur.

23. Au reste, il ne s'en est presque rien fallu que nous n'ayons aussi esté de la feste. Dès cet hyver, le capitaine Aenons, dont j'ay parlé cy-devant, nous en vint faire ouverture de la part des

anciens de tout le païs. Pour lors, la chaudière n'estoit pas encor divisée. Il nous proposa donc si nous serions contens de lever les corps des deux François qui sont morts en ce païs, sçavoir est de Guillaume Chaudron et Estienne Bruslé, qui fut tué il y a quatre ans, et que leurs os fussent mis dans la fosse commune de leurs morts. Nous luy répondismes d'abord que cela ne se pouvoit faire, que cela nous estoit défendu, que comme ils avoient esté baptisez et estoient, comme nous espérions, dans le ciel, nous respections trop leurs os pour permettre qu'ils fussent meslez avec les os de ceux qui n'ont point esté baptisez; et puis, que ce n'estoit pas nostre coustume de relever les corps.

24. Nous adjoustasmes néantmoins après tout cela que, comme ils estoient enterrez dans les bois et puisqu'ils le désiroient si fort, nous serions contens de lever leurs os, à condition qu'ils nous accordassent de les mettre en une fosse particulière avec les os de tous ceux que nous avions baptisez dans le païs.

S: id., ibid., pp. 392-401.

FRANÇOIS-JOSEPH LE MERCIER
(1604-1690)

François Le Mercier naît à Paris le 3 octobre 1604. Le 22 octobre 1622, il entre au noviciat des jésuites à Paris. Il étudie la philosophie et la théologie au collège de Clermont et y enseigne durant quatre années. En 1633, il est ordonné prêtre. Deux ans plus tard, il s'embarque pour la Nouvelle-France et arrive à Québec le 20 juillet 1635. Dès le 23, il part pour la Huronie; le 13 août, il est à Ihonatiria [Saint-Joseph I]. En 1637, il est supérieur à Ossassané; deux ans plus tard, il est ministre et procureur à Sainte-Marie I [Midland]. Au printemps de 1648, il accompagne les Hurons qui émigrent à l'île Saint-Joseph [Christian Island] et y participe à la construction de Sainte-Marie II. En 1650, il descend à Québec avec les Hurons qui y cherchent refuge. En 1652, il est à Trois-Rivières; le 6 août 1653, il est recteur du collège de Québec et supérieur des jésuites du Canada. En 1656, il participe à une excursion missionnaire chez les Iroquois. De retour à Québec le 1er juin 1657, il repart pour Montréal le 27, puis redescend à Québec. Le 6 août 1665, il est nommé recteur et supérieur général des missions jésuites du Canada. En 1671, il devient préfet du collège de Québec, puis il est rappelé en France au cours de l'été de 1672. Le général de la Compagnie de Jésus voulait le charger de la réorganisation des missions de jésuites français aux Antilles. Il entre en fonction le 17 décembre 1673, résout les problèmes et devient supérieur général de ces missions le 12 octobre 1674; il le sera jusqu'au 26 mars 1681, puis de 1682 au 12 juin 1690, jour de son décès en Martinique.

Le père François-Joseph Le Mercier est l'auteur de deux relations de la Huronie, celles de 1637 et 1638. Chacune contient au moins un texte remarquable par son contenu et son écriture. Dans la première, la plus longue de toutes celles de la Huronie, le père décrit en détail le supplice d'un prisonnier iroquois que les pères auraient voulu arracher à la cruauté amérindienne, mais ne réussirent qu'à convertir. Dans la seconde relation, le père fait en quelque sorte la biographie d'un converti, Joseph Chi8atenh8a [8 = ou]; il en raconte d'abord la conversion, puis la vie édifiante de Huron chrétien. Ce sont ces deux textes que l'on trouvera ci-après. Il sont d'un fin observateur qui décrit avec précision et d'un narrateur humain qui donne à voir et à sentir les réalités de la vie et des choses à travers une langue simple et des phrases limpides.

Nous avons emprunté les pièces qui suivent à l'édition que le père Lucien Campeau a publiée des *Relations des jésuites de la Nouvelle-France* (1602-1672), sous le titre *Monumenta Novæ Franciæ*; le premier texte est tiré du troisième volume: *fondation de la mission huronne (1635-1637)*, et le second, du quatrième: *les grandes épreuves (1638-1640)*.

Le supplice d'un guerrier iroquois*

1. Le 2 de septembre, nous aprismes qu'on avoit amené au bourg d'Onnentisati un prisonnier iroquois et qu'on se disposoit à le faire mourir. Ce sauvage avoit esté pris, luy huictiesme, au lac des Iroquois, où ils estoient 25 ou 30 à la pesche. Le reste s'estoit sauvé à la fuite. Pas un, dit-on, n'eust eschappé, si nos Hurons ne se fussent point si fort précipitez. Ils n'en amenèrent que sept. Pour le huictiesme, ils se contentèrent d'en appporter la teste. Ils ne furent pas si tost hors des prises de l'ennemy que, selon leur coustume, toute la troupe s'assembla et tinrent conseil, où il fust résolu que six seroient donnez aux Atignenonghac et aux Arendarrhonons, et le septiesme à ceste pointe où nous sommes. Ils en disposèrent de la sorte, d'autant que leur bande estoit composée de ces trois nations. Quand les prisonniers furent arrivez dans le pays, les anciens, ausquels les jeunes gens au retour de la guerre laissent la disposition de leur proye, firent une autre assemblée, pour aviser entr'eux, du bourg où chaque prisonnier en particulier seroit bruslé et mis à mort et des personnes qui en seroient gratifiées. Car c'est l'ordinaire que, lorsque quelque personne notable a perdu en guerre quelqu'un de ses parens, on luy fasse présent de quelque captif pris sur les ennemis, pour essuyer ses larmes et appaiser une partie de ses regrets. Cestuy-cy donc, qui avoit esté destiné pour ceste pointe, fut amené par le capitaine Enditsacone au bourg d'Onnentisati, où les chefs de guerre tinrent conseil et résolurent que ce prisonnier seroit donné à Saouandaouascouay, qui est une des grosses testes du pays, en considération d'un sien neveu, qui avoit esté pris par les Iroquois. La résolution prise, il fut mené à Arontaen, qui est un bourg esloigné de nous environ deux lieues.

2. D'abord, nous avions quelque horreur d'assister à ce spectacle. Néantmoins, tout bien considéré, nous jugeasmes à propos de nous y trouver, ne désespérans pas de pouvoir

gaigner ceste âme à Dieu. La charité fait passer par-dessus beaucoup de considérations. Nous partismes donc, en compagnie du Père Supérieur, le Père Garnier et moy. Nous arrivasmes à Arontaen un peu auparavant le prisonnier. Nous vismes venir de loin ce pauvre misérable, chantant au milieu de 30 ou 40 sauvages qui le conduisoient. Il estoit revestu d'une belle robbe de castor. Il avoit au col un collier de pourcelleine et un autre en forme de couronne autour de la teste. Il se fit un grand concours à son arrivée. On le fit seoir à l'entrée du bourg. Ce fut à qui le feroit chanter. Je diray icy que jusques à l'heure de son supplice, nous ne vismes exercer en son endroit que des traicts d'humanité; aussi avoit-il dèsjà esté assez mal mené dès lors de sa prise. Il avoit une main toute brisée d'un caillou et un doigt non coupé, mais arraché par violence. Pour l'autre main, il en avoit le poulce et le doigt d'auprès emporté d'un coup de hache, et pour tout emplastre quelques feuilles liées avec des escorces. Il avoit les joinctures des bras toutes bruslées, et en l'un une grande incision. Nous nous approchasmes pour le considérer de plus près. Il leva les yeux et nous regarda fort attentivement, mais il ne sçavoit pas encor le bonheur que le ciel luy préparoit par nostre moyen au milieu de ses ennemis. On invita le Père Supérieur à le faire chanter, mais il fit entendre que ce n'estoit pas ce qui l'avoit amené, qu'il n'estoit venu que pour luy apprendre ce qu'il devoit faire pour aller au ciel et estre bienheureux à jamais après la mort. Il s'approcha de luy et luy tesmoigna que nous luy portions tous beaucoup de compassion. Cependant, on luy apportoit à manger de tous costez, qui du sagamité, qui des citrouilles et des fruicts, et ne le traittoient que de frère et amy. De temps entemps, on luy commandoit de chanter, ce qu'il faisoit avec tant de vigueur et une telle contention de voix, que, veu son aage, car il paroissoit avoir plus de 50 ans, nous nous estonnions comment il y pouvoit suffire, veu mesme qu'il n'avoit quasi faict autre chose nuict et jour depuis sa prise et nommément depuis son arrivée dans le pays. Sur ces entrefaites, un capitaine, haussant sa voix de mesme ton que font en France ceux qui proclament quelque chose par les places publiques, luy addressa ces paroles: «Mon neveu, tu as bonne raison de chanter, car personne ne te faict mal. Te voilà maintenant parmy tes parens et tes amis». Bon Dieu, quel compliment! Tous ceux qui estoient autour de luy avec leur douceur estudiée et leurs belles paroles estoient autant de bourreaux, qui ne luy faisoient bon visage que pour le traitter par après avec plus de cruauté.

Partout où il avoit passé, on luy avoit donné de quoy faire festin. On ne manqua pas icy à ceste courtoisie. On mist incontinent un chien en la chaudière; il n'estoit pas encor demy cuit qu'il fut mené dans la cabane où il devoit faire l'assemblée pour le banquet. Il fit dire au Père Supérieur qu'il le suivist et qu'il estoit bien aise de le voir; sans doute cela luy avoit touché le coeur de trouver, parmy ces barbares que la seule cruauté rendoit affables et humains, des personnes qui avoient un véritable ressentiment de sa misère.

3. Nous commençasmes dès lors à bien espérer de sa conversion. Nous entrasmes donc et nous mismes auprès de luy. Le Père Supérieur prist occasion de luy dire qu'il eust bon courage, qu'il estoit à la vérité pour estre misérable le peu de vie qui luy restoit, mais que, s'il le vouloit escouter et croire ce qu'il avoit à luy dire, il l'asseuroit d'un bonheur éternel dans le ciel après la mort. Il luy parla amplement de l'immortalité de l'âme, des contentements dont jouyssent les bienheureux dans le paradis et du malheureux estat des damnez dans l'enfer. Cependant, le Père Garnier et moy, pour contribuer quelque chose à la conversion de ce pauvre sauvage, nous fismes un vœu de dire quatre messes en l'honneur de la bienheureuse Vierge, afin qu'il plust à Dieu luy faire miséricorde et luy donner la grâce d'estre baptisé. Vostre Révérence eust eu de la consolation de voir avec quelle attention il escouta ce discours. Il y prist tant de plaisir et le comprist si bien qu'il le répéta en peu de mots et tesmoigna un grand désir d'aller au ciel. Tous ceux qui estoient auprès de luy conspiroient, ce sembloit, avec nous dans le dessein de l'instruire, entr'autres un jeune homme, lequel quoyque sans aucune nécessité faisoit le devoir de truchement et luy répétoit ce que le Père Supérieur luy avoit expliqué. Mais je devois avoir dit à Vostre Révérence que ce prisonnier n'estoit pas proprement du pays des ennemis. Il estoit natif de Sonontouan. Néantmoins, d'autant que depuis quelques années les Sonontouanhrronon avoient fait la paix avec les Hurons, cestuy-cy, n'ayant pas agréé cet accord, s'estoit marié parmy les Onontaehronon, afin d'avoir tousjours la liberté de porter les armes contre eux. Voilà comme la sage providence de Dieu a conduit ce pauvre sauvage dans les voyes du salut. Peut-estre que, demeurant à Sonontouan, il fust aussi demeuré jusques à la mort dans l'ignorance de son Créateur.

4. Mais retournons au festin qui se préparoit. Aussitost que le chien fut cuit, on en tira un bon morceau, qu'on luy fit manger;

car il luy falloit mettre jusques dans la bouche, estant incapable de se servir de ses mains. Il en fit part à ceux qui estoient auprès de luy. A voir le traittement qu'on luy faisoit, vous eussiez quasi jugé qu'il estoit le frère et le parent de tous ceux qui luy parloient. Ses pauvres mains luy causoient de grandes douleurs et luy cuisoient si fort qu'il demanda de sortir de la cabane pour prendre un peu d'air. Il luy fut accordé incontinent. Il se fit développer ses mains; on luy apporta de l'eau pour les rafraichir. Elles estoient demy pourries et toutes grouillantes de vers. La puanteur qui en sortoit estoit quasi insupportable. Il pria qu'on luy tirast ces vers, qui luy rongeoient jusques aux mouelles et luy faisoient, disoit-il, ressentir la mesme douleur que si on y eust appliqué le feu. On fit tout ce que l'on put pour le soulager, mais en vain, car ils paroissoient et se retiroient au-dedans comme on se mettoit en devoir de les tirer. Cependant, il ne laissoit pas de chanter à diverses reprises et on luy donnoit tousjours quelque chose à manger, comme quelques fruicts ou citrouilles.

5. Voyant que l'heure du festin s'approchoit, nous nous retirasmes dans la cabane où nous avions pris logis. Car nous ne jugions pas à propos de demeurer en la cabane du prisonnier, n'espérans pas trouver la commodité de luy parler davantage jusques au lendemain. Mais Dieu, qui avoit dessein de luy faire miséricorde, nous l'amena et nous fusmes bien estonnez et bien resjouys quand on nous vint dire qu'il venoit loger avec nous; et encor plus par après, lorsque, en un temps auquel il y avoit tout sujet de craindre que la confusion et l'insolence de la jeunesse amassée de tous les bourgs circonvoisins ne nous interrompît en nostre dessein, le Père Supérieur se trouva là dans une belle occasion de luy parler et eut tout loisir de l'instruire de nos mystères, en un mot de le disposer au sainct baptesme. Une bonne troupe de sauvages, qui estoient là présens, non seulement ne l'interrompoient point, mais mesme l'escoutèrent avec beaucoup d'attention, où il prist sujet de les entretenir sur la bonté de Dieu, qui ayme universellement tous les hommes, les Iroquois aussi bien que les Hurons, les captifs aussi bien que ceux qui sont en liberté, les pauvres et les misérables à l'esgal des riches, pourveu qu'ils croyent en luy et gardent ses saincts commandemens. Que c'est un grand avantage d'avoir la langue en maniment, d'estre aymé de ces peuples et en crédit parmy eux! Vous eussiez dit que tout ce monde se fust assemblé, non pour passer le temps autour du prisonnier, mais pour entendre

la parole de Dieu. Je ne pense pas que les véritez chrestiennes ayent esté jamais preschées dans ce pays en une occasion si favorable, car il y en avoit quasi là de toutes les nations qui parlent la langue huronne. Le Père Supérieur le trouva si bien disposé qu'il ne jugea pas à propos de différer plus longtemps son baptesme. Il fut nommé Joseph.

6. Il estoit bien raisonnable que le premier baptisé de ceste nation fust en la protection de ce sainct patriarche; nous avons dèsjà reçeu de Dieu tant de faveurs par son entremise que nous espérons que quelque jour et, peut-estre plus tost que nous ne pensons, il nous moyennera auprès de ceste infinie miséricorde l'entrée dans ces nations barbares pour y prescher courageusement le sainct évangile. Cela faict, nous nous retirasmes d'auprès de luy, bien consolez, pour prendre un peu de repos. Pour moy, il me fut impossible de clorre quasi l'œil et remarquay autant que je puis entendre qu'une grande partie de la nuict les anciens du bourg et quelques capitaines qui le gardoient l'entretindrent sur les affaires de son pays et le suject de sa prise, mais avec des tesmoignages de bienveillance qui ne se peuvent dire. Le matin, le Père Supérieur trouva encor moyen de luy dire un bon mot, de luy remettre en mémoire la faveur qu'il avoit receue du ciel et le disposer à la patience dans ses tourmens. Et puis, il fallut partir pour aller à Tondakhra, qui est à une lieue d'Arontaen. Il se mit en chemin, bien accompagné et chantant à son ordinaire. Nous prismes donc occasion, nous autres, de faire un tour chez nous pour dire la messe et faire part des bonnes nouvelles à nos Pères. Le mesme jour, nous allasmes à Tondakhra, où par une providence particulière nous nous logeasmes, sans le sçavoir, dans la cabane qu'on avoit destinée pour le prisonnier. Le soir, il fit festin où il chanta et dança à la mode du pays une bonne partie de la nuict.

7. Le Père l'instruisit plus particulièrement de tout ce qui touche le devoir d'un chrestien et nommément sur les saincts commandemens de Dieu. Il y avoit une bonne compagnie et tous tesmoignoient prendre un singulier plaisir à cet entretien, ce qui donna suject au Père, à l'occasion du sixième commande-ment, de leur faire entendre jusques à quel poinct Dieu faisoit estat de la chasteté et que, pour cette considération, nous nous estions obligez par vœu de cultiver cette vertu inviolablement jusques à la mort. Ils furent bien estonnez d'apprendre que parmy les chrestiens, il se trouve tant de personnes de l'un et l'autre sexe, qui se privent volontairement, pour toute leur vie,

des voluptez sensuelles, ausquelles ils mettent toute leur félicité. Ils firent mesme plusieurs questions; entre autres, quelqu'un demanda pourquoy les hommes avoient honte de se voir nuds les uns les autres et surtout nous autres, pourquoy nous ne pouvions supporter qu'ils fussent sans brayès. Le Père leur respondit que c'estoit un effect du péché du premier homme; qu'auparavant qu'il eût transgressé la loy de Dieu et que sa volonté se fust déréglée, ny luy, ny Eve, sa femme, ne s'appercevoient pas de leur nudité, que leur désobéyssance leur avoit ouvert les yeux et leur avoit fait chercher de quoy se couvrir. Je ne touche icy qu'en deux mots les longs et beaux discours que le Père Supérieur leur fit en telles et semblables occasions. Un autre luy demanda d'où nous sçavions qu'il y avoit un enfer et d'où nous tenions tout ce que nous disions de l'estat des damnez. Le Père dit là-dessus que nous en avions des asseurances indubitables, que nous le tenions par révélation divine. Que le Sainct-Esprit avoit luy-mesme dicté ces véritez à des personnages et à nos ancestres, qui nous les ont laissées par escrit, que nous en conservions encor précieusement les livres. Mais nostre histoire ira trop loin, si je ne trenche ces discours.

8. Le lendemain matin, qui fut le 4 de septembre, le prisonnier confirma encor la volonté qu'il avoit de mourir chrestien et son désir d'aller au ciel; et mesme, il promit au Père qu'il se souviendroit dans les tourmens de dire: «Iesus, taitenr»; Jésus ayez pitié de moy. On attendoit encor le capitaine Saouandaouascouay, qui estoit allé en traitte, pour arrester le jour et le lieu de son supplice, car ce captif estoit tout à fait en sa disposition. Il arriva un peu après et dès leur première entreveue, nostre Joseph, au lieu de se troubler dans la crainte et l'appréhension de la mort prochaine et d'une telle mort, luy dit en nostre présence que le Père l'avoit baptisé: «haiatachondi». Il usa de ce terme, tesmoignant en estre bien aise. Le Père le consola encor, luy disant que les tourmens qu'il alloit souffrir seroient de peu de durée, mais que les contentemens qui l'attendoient dans le ciel n'auroient point d'autre terme que l'éternité.

9. Saouandaouascouay luy fit bon visage et le traicta avec une douceur incroyable. Voicy le sommaire du discours qu'il luy fit: «Mon neveu, il faut que tu sçache qu'à la première nouvelle que je receus que tu estois en ma disposition, je fus merveilleusement joyeux, m'imaginant que celuy que j'ay perdu en guerre estoit comme resuscité et retournoit en son païs. Je pris en mesme

temps résolution de te donner la vie. Je pensois dèsjà à te préparer une place dans ma cabane et faisois estat que tu passerois doucement avec moy le reste de tes jours, mais maintenant que je te vois en cet estat, les doigts emportez et les mains à demy pourries, je change d'avis et je m'asseure que tu aurois toy-mesme regret maintenant de vivre plus longtemps. Je t'obligeray plus de te dire que tu te dispose à mourir; n'est-il pas vray? Ce sont les Tohontaenras qui t'ont si mal traitté, qui sont aussi la cause de ta mort. Sus donc, mon neveu, aye courage. Prépare-toy à ce soir et ne te laisse point abbattre par la crainte des tourmens». Là-dessus, Joseph luy demanda d'un maintien ferme et asseuré quel seroit le genre de son supplice. A quoy Saouandaouscouay respondit qu'il mourroit par le feu. «Voilà qui va bien, répliqua Joseph; voilà qui va bien». Tandis que ce capitaine l'entretenoit, une femme qui estoit la sœur du deffunct luy apportoit à manger avec un soin remarquable. Vous eussiez quasi dit que c'eust esté son propre fils; et je ne sçay si cet object ne luy représentoit point celuy qu'elle avoit perdu. Mais elle estoit d'un visage fort triste et avoit les yeux comme tous bagnez de larmes. Ce capitaine luy mettoit souvent son pétunoir à la bouche, luy essuyoit de ses mains la sueur qui luy couloit sur le visage et le rafraischissoit d'un esventail de plumes.

10. Environ sur le midy, il fit son astataion, c'est-à-dire festin d'adieu, selon la coustume de ceux qui sont sur le poinct de mourir. On n'y invita personne en particulier. Chacun avoit la liberté de s'y trouver. On y estoit les uns sur les autres. Avant qu'on commençast à manger, il passa au milieu de la cabane et dist d'une voix haute et asseurée: «Mes frères, je m'en vay mourir; au reste, jouez-vous hardiment autour de moy. Je ne crains point les tourmens ny la mort». Incontinent, il se mist à chanter et à danser tout le long de la cabane. Quelques autres chantèrent aussi et dansèrent à leur tour. Puis on donna à manger à ceux qui avoient des plats. Ceux qui n'en avoient point regardoient faire les autres. Nous estions de ceux-cy; aussi n'estions-nous pas là pour manger. Le festin achevé, on le remena à Arontaen pour y mourir. Nous le suivismes pour l'assister et luy rendre tout le service que nous pouvions. Estant arrivé, aussitost qu'il vist le Père Supérieur, il l'invita à se seoir auprès de luy et luy demanda quand il le disposeroit pour le ciel, pensant peut-estre qu'il le deust baptiser encor une fois. Et d'autant que le Père n'entendoit pas bien ce qu'il vouloit dire, luy ayant respondu que ce ne seroit pas encor si tost; «Enonske,

dit-il; fais-le au plus tost». Il fit instance et luy demanda s'il iroit
au ciel. Le Père luy respondit qu'il ne devoit point en douter,
puisqu'il estoit baptisé. Il luy répéta encores que les tourmens
qu'il alloit souffrir finiroient bientost et que, sans la grâce du
sainct baptesme, il eust esté tourmenté à jamais dans les flammes
éternelles. Il prist de là suject de luy expliquer comme Dieu
hayssoit le péché et avec quelle rigueur il punissoit les pécheurs, que tous les hommes estoient sujects au péché, que la
miséricorde de Dieu nous avoit néantmoins laissé un moyen
très facile et très efficace pour retourner en grâce et le disposa
à faire un acte de contrition.

11. Ceux qui estoient là présens avoient des pensées bien
différentes. Les uns nous considéroient et s'estonnoient de nous
voir si fort attachez à luy, de voir que nous le suivions partout,
que nous ne perdions point d'occasions de luy parler et luy dire
quelque mot de consolation. D'autres ne songeoient, ce semble,
qu'à luy faire du bien. Plusieurs s'arrestoient à sa condition et
considéroient l'extrémité de sa misère. Entr'autres, une femme,
pensant comme il est à présumer que ce pauvre patient seroit
bienheureux et espargneroit beaucoup de ses peines, s'il pouvoit
se tuer et prévenir l'insolence et la cruauté de la jeunesse,
demanda au Père s'il y auroit du mal en ceste action. C'est ainsi
que la divine bonté donnoit tousjours de nouvelles ouvertures
pour faire cognoistre et expliquer sa saincte loy à ce peuple
barbare. Le Père les instruisit amplement sur ce poinct et leur fit
entendre qu'il n'y avoit que Dieu qui fût le maistre de nos vies
et qu'il n'appartenoit qu'à luy d'en disposer. Que ceux qui
s'empoisonnoient ou deffaisoient eux-mesmes par violence
péchoient griefvement et que Saouandanoncoua, parlant de
nostre Joseph, perdroit le fruict de son baptesme et n'iroit jamais
au ciel, s'il avançoit d'un seul moment l'heure de sa mort.

12. Cependant, le soleil qui baissoit fort nous advertit de nous
retirer au lieu où se devoit achever ceste cruelle tragédie. Ce fut
en la cabane d'un nommé Atsan, qui est le grand capitaine de
guerre. Aussi est-elle appellée «Otinontsiskiai ondaon», c'est-à-
dire la maison des testes couppées. C'est là où se tiennent tous
les conseils de guerre. Pour la cabane où se traittent les affaires
du pays et qui ne regardent que la police, elle s'appelle «endionrra
ondaon», la maison du conseil. Nous nous mismes donc en lieu
où nous peussions estre auprès du patient et luy dire un bon
mot, si l'occasion s'en présentoit. Sur les huit heures du soir, on
alluma onze feux tout le long de la cabane, esloignez les uns des

autres environ d'une brasse. Incontinent, le monde s'assembla; les vieillards se placèrent en haut, comme sur une manière d'échaffauts qui règnent de part et d'autre tout le long des cabanes; les jeunes gens estoient en bas, mais tellement pressez qu'ils estoient quasi les uns sur les autres, de sorte qu'à peine y avoit-il passage le long des feux. Tout retentissoit de cris d'allégresse. Chacun luy préparoit qui un tison, qui une escorce pour brusler le patient. Avant qu'on l'eût amené, le capitaine Aénons encouragea toute la troupe à faire son devoir, leur représentant l'importance de ceste action, qui estoit regardée, disoit-il, du soleil et du dieu de la guerre. Il ordonna que du commencement, qu'on ne le bruslast qu'aux jambes, afin qu'il pust durer jusques au poinct du jour; au reste, que pour ceste nuict on n'allast point folastrer dans les bois. Il n'avoit pas quasi achevé que le patient entre. Je vous laisse à penser de quel effroy il fut saisi à la veue de cet appareil. Les cris redoublèrent à son arrivée. On le faict seoir sur une natte. On luy lie les mains, puis il se lève et fait un tour par la cabane, chantant et dansant. Personne ne le brusle pour ceste fois. Mais aussi est-ce le terme de son repos; on ne sçauroit quasi dire ce qu'il endurera jusques à ce qu'on luy coupe la teste. Il ne fut pas si tost retourné en sa place que le capitaine de guerre prist sa robbe, disant: «Oteiondi, parlant d'un capitaine, le despouillera de la robbe que je tiens»; et adjousta: «Les Ataconchronons luy coupperont la teste, qui sera donnée à Ondessoné avec un bras et le foye pour en faire festin». Voilà sa sentence prononcée. Cela faict, chacun s'arma d'un tison ou d'une escorce allumée; et luy commença à marcher ou plustost à courir autour de ces feux. C'estoit à qui le brusleroit au passage; cependant, il crioit comme une âme darmée. Toute la troupe contrefaisoit ses cris, ou plustost les estouffoit avec des esclats de voix effroyables. Il falloit estre là pour voir une vive image de l'enfer. Toute la cabane paroissoit comme en feu et, au travers de ses flammes et ceste espaisse fumée qui en sortoit, ces barbares entassez les uns sur les autres, hurlans à pleine teste, avec des tisons en main, les yeux estincellans de rage et de furie, sembloient autant de démons, qui ne donnoient aucune trève à ce pauvre misérable. Souvent, ils l'arrestoient à l'autre bout de la cabane et les uns luy prenoient les mains et luy brisoient les os à vive force; les autres luy perçoient les oreilles avec des bastons qu'ils y laissoient. D'autres luy lioyent les poignets avec des cordes qu'ils estreignoient rudement, tirant les uns contre les autres à force de bras. Avoit-il achevé le tour, pour prendre un peu d'haleine, on le faisoit reposer sur des cendres chaudes et des charbons ardens. J'ay horreur d'escrire tout cecy à Vostre Révérence, mais il est vray que nous eusmes une peine indicible à en souffrir la veue; et je ne sçay pas ce que nous fussions devenus, n'eust esté la consolation que nous avions de le considérer, non plus comme un sauvage du commun, mais comme un enfant de l'Eglise et, en ceste qualité, demander à Dieu pour luy la patience et la faveur de mourir en sa saincte grâce Pour moy, je me vis réduit à tel poinct, que je ne pouvois quasi me résoudre à lever les yeux pour considérer ce qui se passoit. Et encor je ne sçay si nous n'eussions point faict nos efforts pour nous tirer de ceste presse et sortir, si ces cruautez n'eussent eu quelque remise. Mais Dieu permist qu'au septiesme tour de la cabane, les forces luy manquèrent. Après s'estre reposé quelque peu de temps sur la braise, on voulut le faire lever à l'ordinaire, mais il ne bougea et un de ces bourreaux luy ayant appliqué un tison aux reins, il tomba en foiblesse. Il n'en fust jamais relevé, si on eust laissé faire les jeunes gens. Ils commençoient dèsjà à attiser le feu sur luy comme pour le brusler, mais les capitaines les empeschèrent de passer outre. Ils ordonnèrent qu'on cessast de le tourmenter, disans qu'il estoit d'importance qu'il vist le jour. Ils le firent porter sur une natte. On esteignit la pluspart des feux et une grande partie du monde se dissipa. Voilà un peu de trèves pour nostre patient et quelque consolation pour nous. Que nous eussions souhaitté que ceste pasmoison eust duré toute la nuict! Car de modérer par une autre voye ces excez de cruauté, ce n'estoit pas chose qui nous fust possible. Tandis qu'il fut en cet estat, on ne pensa qu'à luy faire revenir les esprits. On luy donna force breuvages, qui n'estoient composez que d'eau toute pure. Au bout d'une heure, il commença un peu à respirer et à ouvrir les yeux. On luy commanda incontinent de chanter; il le fit au commencement d'une voix cassé et comme mourante, mais enfin, il chanta si haut qu'il se fit entendre hors la cabane. La jeunesse se rassemble; on l'entretient; on le fait mettre à son séant; en un mot, on recommence à faire pis qu'auparavant. De dire en particulier tout ce qu'il endura le reste de la nuict, c'est ce qui me seroit quasi impossible. Nous eusmes assez de peine à gaigner sur nous d'en voir une partie; du reste, nous en jugeâmes de leur discours. Et la fumée qui sortoit de sa chair toute rostie nous faisoit connoistre ce dont nous n'eussions peu souffrir la veue. Une chose, à mon advis, accroissoit de beaucoup le sentiment de ses peines, en ce que la colère et la rage ne paroissoit pas sur le visage de ceux qui le tourmentoient, mais plustost la douceur et l'humanité. Leurs paroles n'estoient que railleries ou des tesmoignages d'amitié et de bienvueillance. Ils ne se pressoient point à qui le brusleroit; chacun y alloit à son tour. Ainsi, ils se donnoient le loisir de méditer quelque nouvelle invention pour luy faire sentir plus vivement le feu. Ils ne le bruslèrent quasi qu'aux jambes, mais il est vray qu'ils le mirent en pauvre estat et tout en lambeaux. Quelques-uns y appliquoyent des tisons ardens et ne les retiroyent point qu'ils ne jettast les hauts cris; et aussitost qu'il cessoit de crier, ils recommençoient à le brusler, jusques à sept et huict fois, allumans souvent de leur souffle le feu qu'ils tenoient collé contre la chair. D'autres l'entouroient de cordes, puis y mettoient le feu qui le brusloit ainsi lentement et luy causoit une douleur très sensible. Il y en avoit qui luy faisoient mettre les pieds sur des haches toutes rouges et appuyoient encor par-dessus. Vous eussiez ouy griller sa chair et veu monter jusques au haut de la cabane la fumée qui en sortoit. On luy donnoit des coups de bastons par la teste; on luy en passoit de plus menus au travers les oreilles. On luy rompoit le reste de ses doigts. On luy attisoit du feu tout autour des pieds. Personne ne s'espargnoit et chacun s'efforçoit de surmonter son compagnon en cruauté. Mais comme j'ay dit, ce qui estoit capable parmy tout cela de le mettre au désespoir, c'estoit leurs railleries et les complimens qu'ils luy faisoient, quand ils s'approchoient de luy pour le brusler. Cestuy-cy luy disoit: «Ça, mon oncle. Il faut que je te brusle»; et estant après, cet oncle se trouvoit changé en un canot: «Ça, disoit-il, que je braye et que je poisse mon canot; c'est un beau canot neuf que je traictay naguères. Il faut bien boucher toutes les voyes d'eau»; et cependant, luy pourmenoit le tison tout le long des jambes. Cestuy-là luy demandoit: «Çà, mon oncle; où avez-vous pour aggréable que je vous brusle?» Et il falloit que ce pauvre patient luy désignast un endroit particulier. Un autre venoit là-dessus et disoit: «Pour moy, je n'entends rien à brusler et c'est un mestier que je ne fis jamais»; et cependant faisoit pis que les autres. Parmy ces ardeurs, il y en avoit qui vouloient luy faire croire qu'il avoit froid: «Ah! cela n'est pas bien, disoit l'un, que mon oncle ait froid; il faut que je te réchauffe». Un autre adjoustoit: «Mais puisque mon oncle a bien daigné venir mourir aux Hurons, il faut que je luy face quelque présent. Il faut que je luy donne une hache»; et en mesme temps, tout en gaussant, luy appliquoit aux pieds une hache toute rouge. Un autre luy fit tout de mesme une paire de chausse de vieilles nippes, auxquelles il mist par après le feu. Souvent, après l'avoir bien fait crier, il luy demandoient: «Et bien, mon oncle, est-ce assez?» Et luy ayant répondu: «Onna chouatan, onna»; ouy mon neveu, c'est assez, c'est assez; ces barbares répliquoient: «Non, ce n'est pas assez». Et continuoient encor à le brusler à diverses reprises; luy demandoient tousjours à chaque fois si c'estoit assez. Ils ne laissoient pas de temps en temps de le faire manger et luy verser de l'eau dans la bouche, pour le faire durer jusques au matin. Et vous eussiez veu tout ensemble des espics verds qui rôtissoient au feu et auprès, des haches toutes rouges; et quelques-fois quasi en mesme temps qu'on luy faisoit manger les espics, on luy mettoit les haches sur les pieds. S'il refusoit de manger: «Et quoy, luy disoit-on, pense-tu estre icy le maistre?» Et quelques-uns adjoustoient: «Pour moy, je croy qu'il ny avoit que toy de capitaine dans ton pays. Mais viens ça; n'estois-tu pas bien cruel à l'endroit des prisonniers? Dis-nous un peu, n'avois-tu pas bonne grâce à les brusler? Tu ne pensois pas qu'on te deust traitter de la sorte? Mais peut-estre pensois-tu avoir tué tous les Hurons?»

13. Voilà en partie comme se passa la nuict qui fut tout à fait douloureuse à nostre nouveau chrestien et merveilleusement ennuyeuse à nous, qui compatissions de coeur à toutes ses souffrances. Néantmoins, une âme bien unie avec Dieu eust eu là une belle occasion de méditer sur les mystères adorables de la passion de Nostre-Seigneur, dont nous avions quelque image devant nos yeux. Une chose nous consola de voir la patience avec laquelle il supporta toutes ces peines. Parmy ces brocards et ses risées, jamais il ne luy eschappa aucune parole injurieuse ou d'impatience. Outre cela, Dieu fit naistre trois ou quatre belles occasions au Père Supérieur de prescher son sainct nom à ces barbares et leur expliquer les véritez chrestiennes. Car quelqu'un luy ayant demandé si nous portions compassion au prisonnier, il luy tesmoigna qu'ouy et que nous souhaittions grandement qu'il en fut bientost délivré et allast au ciel pour y estre à jamais bienheureux. De là il prist sujet de leur parler des joyes du paradis et des griefves peines de l'enfer et leur monstra que s'ils estoient cruels à l'endroit de ce pauvre misérable, les diables l'estoient encor plus à l'endroit des réprouvez. Que ce qu'ils luy faisoient endurer n'estoit qu'une peinture fort grossière des tourmens que souffroient les damnez dans l'enfer, soit

qu'ils en considérassent la multitude ou la grandeur et l'estendue de leur durée. Que ce que nous avions baptisé Sauandanoncoua n'estoit que pour l'affranchir de ces supplices et afin qu'il pust aller au ciel après la mort. «Et comment? répartirent quelques-uns, il est de nos ennemis; il n'importe pas qu'il aille en enfer et qu'il y soit bruslé à jamais?» Le Père leur répartit fort à propos que Dieu estoit Dieu des Hiroquois aussi bien que des Hurons, et de tous les hommes qui sont sur la terre; qu'il ne mesprisoit personne, fust-il laid ou pauvre; que ce qui gagnoit le coeur de Dieu n'estoit pas la beauté du corps, la gentillesse de l'esprit ou l'affluence des richesses, mais bien une exacte observance de sa saincte loy; que les flammes de l'enfer n'estoient allumées et ne brusloyent que pour les pécheurs de quelque nation qu'ils fussent; qu'à l'article de la mort et au départ de l'âme d'avec le corps, celuy qui se trouvoit avec un péché mortel y estoit condamné pour un jamais, fust-il Iroquois ou Huron. Que pour eux, c'estoit bien tout ce qu'ils pouvoient faire de brusler et tourmenter ce captif jusques à la mort, que jusques-là il estoit en leur disposition, qu'après la mort il tomboit entre les mains et en la puissance de celuy qui seul avoit le pouvoir de l'envoyer aux enfers ou paradis. «Mais penses-tu, dit un autre, que pour ce que tu dis là et pour ce que tu fais à cestuy-cy, les Iroquois t'en fassent meilleur traictement, s'ils viennent une fois à ravager nostre pays?» — «Ce n'est pas dequoy je me mets en peine, répartit le Père; je ne pense maintenant qu'à faire ce que je dois. Nous ne sommes venus icy que pour vous enseigner le chemin du ciel. Pour ce qui est du reste et ce qui est de nos personnes, nous le remettons entièrement à la providence de Dieu». — «Pourquoy, adjousta quelqu'un, est-tu marry que nous le tour-mentions?» — «Je ne trouve pas mauvais que vous le fassiez mourir, mais de ce que vous le traittez de la sorte». — «Et quoy; comment faites-vous, vous autres François? N'en faites-vous pas mourir?» — «Ouy dea, nous en faisons mourir, mais non pas avec ceste cruauté». — «Et quoy; n'en bruslez-vous jamais?» — «Assez rarement, dit le Père; et encores, le feu n'est que pour les crimes énormes et il n'y a qu'une personne à qui appartienne en chef ceste exécution. Et puis on ne les faict pas languir si longtemps. Souvent, on les estrangle auparavant et, pour l'ordinaire, on les jette tout d'un coup dans le feu, où ils sont incontinent estouffez et consommez». Ils firent plusieurs autres questions au Père Supérieur, comme où estoit Dieu, et d'autres semblables, qui luy donnèrent de quoy les entretenir sur ses divins attributs et leur faire cognoistre les mystères de nostre foy. Ces discours estoient favorables à nostre Joseph. Car outre qu'ils luy donnoient de bonnes pensées et estoient pour le confirmer en la foy, tandis que cet entretien dura, personne ne pensoit à le brusler. Tous escoutoient avec beaucoup d'attention, exceptez quelques jeunes gens, qui dirent une fois ou deux: «Çà, il faut l'interrompre, c'est trop discourir», et incontinent se mettoient à tourmenter le patient. Luy-mesme entretint aussi quelque temps la compagnie sur l'estat des affaires de son pays et la mort de quelques Hurons, qui avoient esté pris en guerre; ce qu'il faisoit aussi familièrement et d'un visage aussi ferme qu'eust fait pas un de ceux qui estoient là présens. Cela luy valoit tousjours autant de diminution de ses peines; aussi disoit-il qu'on luy faisoit grand plaisir de luy faire force questions et que cela luy dissipoit une partie de son ennuy. Dès que le jour commença à poindre, ils allumèrent des feux hors du village pour y faire éclater à la veue du soleil l'excez de leur cruauté. On y conduisit le patient. Le Père Supérieur l'accosta pour le consoler et le confirmer dans la bonne volonté qu'il avoit tousjours tesmoigné de mourir chrestien. Il luy remit en mémoire une action déshonneste qu'on luy avoit fait faire dans les tourmens et quoyque, tout bien considéré, il n'y eust guères d'apparence de péché, au moins grief, il luy en fit néantmoins demander pardon à Dieu et après l'avoir instruit briesvement touchant la rémission des péchez, il luy en donna l'absolution sous condition et le laissa avec l'espérance d'aller bientost au ciel. Sur ces entrefaictes, ils le prennent à deux et le font monter sur un eschaffaut de six à sept pieds de hauteur. Trois ou quatre de ces barbares le suivent. Ils l'attachèrent à un arbre qui passoit au travers, de telle façon néantmoins qu'il avoit la liberté de tournoyer autour. Là ils se mirent à le brusler plus cruellement que jamais et ne laissent aucun endroit en son corps qu'ils n'y eussent appliqué le feu à diverses reprises. Quand un de ces bourreaux commençoit à le brusler et à le presser de près, en voulant esquiver, il tomboit entre les mains d'un autre, qui ne luy faisoit pas meilleur accueil. De temps en temps, on leur fournissoit de nouveaux tisons. Ils luy en mettoient de tout allumez jusques dans la gorge. Ils luy en fourrèrent mesme dans le fondement. Ils luy bruslèrent les yeux. Ils luy appliquèrent des haches toutes rouges sur les espaules. Ils luy en pendirent au col, qu'ils tournoient tantost sur le dos, tantost sur la poictrine, selon les postures qu'il faisoit pour éviter la pesanteur de ce fardeau. S'il pensoit s'asseoir et s'accroupir, quelqu'un passoit un tison de dessous l'eschauffaut qui le faisoit bientost lever. Cependant, nous estions là, prians Dieu de tout nostre cœur qu'il luy plust le délivrer au plus tost de ceste vie. Ils le pressoient tellement de tous costez qu'ils le mirent enfin hors d'haleine. Ils luy versèrent de l'eau dans la bouche pour luy fortifier le cœur et les capitaines luy crièrent qu'il prist un peu haleine, mais il demeura seulement la bouche ouverte et quasi sans mouvement. C'est pourquoy, crainte qu'il ne mourût autrement que par le cousteau, un luy coupa un pied, l'autre une main et quasi en mesme temps le troisiesme luy enleva la teste de dessus les espaules, qu'il jetta parmy la troupe à qui l'auroit, pour la porter au capitaine Ondessoné, auquel elle avoit esté destinée pour en faire festin. Pour ce qui est du tronc, il demeura à Arontaen, où on en fist festin le mesme jour. Nous recommandâmes son âme à Dieu et retournasmes chez nous pour dire la messe. Nous rencontrasmes par le chemin un sauvage qui portoit à une brochette une de ses mains demy rostie.

14. Nous eussions bien souhaitté empescher ce désordre, mais il n'est pas encor en nostre pouvoir; nous ne sommes pas icy les maistres. Ce n'est pas une petite affaire que d'avoir en teste tout un pays et un pays barbare comme est cestuy-cy. Si quelques-uns et un assez bon nombre des plus considérables nous escoutent et advouent que ceste inhumanité est tout à faict contre la raison, les vieilles coustumes ne laissent pas tousjours d'avoir leur cours et il y a bien de l'apparence qu'elles règneront jusques à ce que la foy soit receue et professée publiquement. Des superstitions et des coustumes envieillies et authorisées par la suitte de tant de siècles ne sont pas si aisées à abolir; souvent il arrive dans les meilleures villes de France qu'une troupe d'enfans, mettant à se battre à coups de f[r]onde toute une ville, ses magistrats ont bien de la peine d'empescher ce désordre. Et qu'i pourroient profiter deux ou trois estrangers qui voudroient s'en mesler, sinon de se faire massacrer. Nous sommes néantmoins pleins d'espérance et ces nouvelles résidences, que nous allons establir aux principales bourgades du pays, seront comme nous espérons autant de forts, d'où avec l'assistance du ciel nous ruinerons entièrement le royaume de Sathan. Tandis que ceste heure bienheureuse s'approche, Dieu ne laisse pas de temps en temps, pour nous animer le courage, et de nous consoler en la conversion de plusieurs, nommément de ceux dont le baptesme semble estre accompagné de marques plus évidentes de prédestination.

15. Le pays des Iroquois est encor une terre inaccessible pour nous. Nous ne pouvons pas y prescher le sainct évangile et Dieu nous les amène icy entre les mains. Que les pensées des hommes sont esloignées des desseings de ceste sage providence. Cependant que nos Hurons estoient à espier les occasions de prendre ce pauvre sauvage, le ciel méditoit sa liberté. Sans doute que ses parens et ses amis auront estimé ceste pesche bien malheureuse, qui luy a esté une occasion de tomber entre les mains de ses ennemis, et ne sçavent pas qu'en jettant ses rets, il est luy-mesme heureusement tombé dans les filets de sainct Pierre. Tous ceux qui l'ont veu conduire par ces bourgades le regardoient comme un homme qu'on menoit au supplice et à la mort, mais les esprits célestes et les anges tutélaires de ces contrées luy disposoient icy des personnes, par l'entremise desquelles il seroit exempt des peines de l'enfer et jouyroit à jamais d'une vie bienheureuse. Que j'ay regret que nous ne sçavons quelques particularitez de sa vie! Peut-estre que nous trouverions, sinon une parfaite intégrité de mœurs, au moins quelque bonté morale qui aura provoqué Dieu à luy faire part de ses miséricordes par des voyes si extraordinaires. Le Père Antoine Daniel nous manda l'an passé que, descendant à Kébec, il avoit aussi baptisé à l'Isle un prisonnier iroquois de la nation des Agniehronon. Nous en lusmes les particularitez avec beaucoup de consolation, et les insérerois icy volontiers, n'estoit que je croy qu'il en aura pleinement informé Vostre Révérence et qu'elle en aura dèsjà faict part au public.

S: François Le Mercier, «Relation de 1637», dans Lucien Campeau, *Monumenta Novæ Franciæ, III: fondation de la mission huronne (1635-1637)*, Roma, Apud «Monumenta Historica Societatis Iesu», et Québec, les Presses de l'Université Laval, 1987, pp. 694-708.

La conversion de Joseph Chihouatenha*

1. Il faut icy que quelques-uns de nos François corrigent l'imagination qu'ils ont eu de nos sauvages, se les figurant comme des bestes farouches, pour n'avoir rien d'humain que l'économie extérieure du corps. Voicy un néophyte entre les autres à qui Dieu a touché le coeur, qui ne cède en rien au plus zélé catholique de la France.

2. Ce sauvage, surnommé Chi8atenh8a, estant en danger de mort, receut le 16 d'aoust le nom de Joseph au sainct baptesme. Dès lors, il ne nous promettoit rien de médiocre, mais depuis, sa foy a esté tellement esprouvée par la persécution et va tous les jours coopérant avec tant de fidélité aux grâces de Dieu, que si

ceste infinie miséricorde, qui l'a préve[n]u si avantageusement de ses bénédictions, luy donne la grâce de persévérer, il est pour servir de modèle à tous les croyants de ceste nouvelle Eglise. Je me persuade assez que tant d'âmes sainctes qui, par les secours qu'elles rendent continuellement à ces missions et par leurs ferventes prières, ont véritablement engendré en Nostre-Seigneur ces premiers chrestiens seront bien aises de sçavoir que leurs enfans spirituels commencent dèsjà à bégayer.

3. Ce brave néophyte est aagé de trente-cinq ans ou environ et n'a quasi rien de sauvage que la naissance. Or quoyqu'il ne soit pas des plus accommodez de ce bourg, il est néantmoins d'une famille des plus considérables et nepveu du chef de ceste nation. Il a l'esprit excellent, non seulement en comparaison de ces compatriotes, mais mesmes à nostre jugement il passeroit pour tel en France. Pour sa mémoire, nous l'avons souvent admirée, car il n'oublie rien de ce que nous luy enseignons et c'est un contentement de l'entendre discourir sur nos saincts mystères. Dès sa jeunesse, il s'est engagé dans le mariage et n'a eu jamais qu'une seule femme, contre l'ordinaire des sauvages, qui ont coustume en cet aage d'en changer quasi en toutes les saisons de l'année. Il n'est point joueur et ne sçait mesme manier les pailles, qui sont les cartes du païs. Il n'use point de pétun, qui est comme le vin et l'yvrongnerie du païs. S'il en fait chaque année en un petit jardin proche sa cabane, ce n'est, dit-il, que par passe-temps, ou pour en donner à ses amis, ou pour en achepter quelques petites commoditez pour sa famile. Il ne s'est jamais servy de sort pour estre heureux, à leur opinion, soit au jeu, soit à la pesche, etc.: qui est toute l'ambition de ces pauvres barbares. Et mesme, son père en ayant laissé un après la mort dont il s'estoit, dit-on, servy heureusement plusieurs années, le pouvant prendre pour luy, il ne s'en est pas mis en peine, se contentant de sa petite fortune. Jamais il ne s'est adonné aux festins diaboliques. Adjoustez à tout cela un beau naturel, docile à merveilles et, contre l'humeur du païs, curieux de sçavoir.

4. Le premier coup de grâce qui l'esbranla, ce fust le premier discours que fit jamais le Père Supérieur en un de leurs conseils au sujet de leur feste des morts, car il demeura dès lors si fort affectionné et à nous et à nos saincts mystères que peu après il présenta au Père Supérieur un sien petit fils pour estre baptisé et ensuite, comme il disoit, pour aller au ciel. Presque en mesme temps, le Père, consolant ceux de son bourg sur la maladie qui rengrégeoit de jour en jour et leur ouvrant les moyens les plus

efficaces pour appaiser Dieu, ce bon sauvage fust tellement touché que dès lors il se rendit à la raison et au Sainct-Esprit. Il commence donc à prier Dieu de soy-mesme, à rouler en sa pensée ses saincts commandements, lesquels il jugeoit si raisonnables, à se mocquer de ses songes. Bref, il passe dèsjà pour chrestien parmy les siens. «Beatus quem tu erudieris et de lege tua docueris eum».

5. Depuis nostre demeure en sa bourgade, il nous est tousjours venu visiter, avec une très grande consolation de part et d'autre. Son entretien le plus ordinaire n'estoit que de Dieu et de sa loy. Et ce qui est bien rare parmy nos sauvages, jamais il ne nous demandoit rien, quoyqu'il n'ignorast pas l'affection que nous avions pour luy. Il procuroit aux petits enfans le sainct baptesme, et Dieu le luy procura par le danger d'une fièvre pestilentielle qui sembloit le vouloir estouffer. Il ne s'en sentit pas plus tost frappé que, tout esmeu qu'il estoit, il accourt chez-nous, nous prie de l'instruire comme quoy il se devoit comporter pendant sa maladie, au cas qu'il pleût à Dieu, ce disoit-il, l'affliger comme les autres, et de quelle sorte de remèdes il luy seroit permis de se servir. Ce fut pour nous une consolation bien sensible d'entendre les beaux actes de résignation que faisoit ce bon prosélyte dans nostre chapelle.

6. Le lendemain, nous le trouvasmes assez mal. O que Dieu luy avoit touché le cœur! Doutant si un certain remède estoit permis, il nous fait chercher par les cabanes: «Mes frères, disoit-il, si vous me dites que cette médecine desplaist à Dieu, j'y renonce dès maintenant et pour rien du monde je ne m'en veux servir». Il nous obéissoit en tout fort ponctuellement, non seulement pour la conduite de son âme, mais mesme pour le régime de sa santé. Arriva que l'ayant couvert pendant l'accez, il demeura ainsi tout le jour avec assez d'incommodité jusques à nostre retour; et lors il nous fit rougir, nous demandant avec sa candeur naturelle s'il pouvoit se mettre un peu plus à l'air. Jugeants enfin que le mal pressoit, nous luy parlasmes de son baptesme. «Ce n'est pas à moy, dit-il, à parler là-dessus; non, ce n'est pas à moy». Mais la sincérité de son cœur parut bientost en ce qu'il adjousta incontinent: «Je vous ay si souvent tesmoigné que je croyois; je vous ay cent fois demandé le baptesme. Et depuis le temps de ma maladie, vous ne m'estes jamais venu voir que je n'aye dit en moy-mesme: Hé, que ne me baptisent-ils? C'est à eux à en disposer, car ils sçavent trop bien que j'en seray très content». Son baptesme donc et le nom de Joseph luy

remplirent le cœur de consolation, se voyant en estat comme il pensoit d'aller au ciel. Il continue dans sa résignation amoureuse à la saincte volonté de Dieu, pour la vie ou pour la mort. Et c'est par ce beau chemin que Dieu l'a tousjours conduit depuis sa conversion, ne désirant en ce monde que le bon plaisir de son Créateur.

7. Quel cœur ne se fût attendry de voir un sauvage au lict de la mort parler non seulement en vray chrestien, mais aussi en bon religieux. Ce spectacle seul nous essuyoit le peu de ressentiment que nous pouvions avoir de tout ce qui se brassoit pour lors contre nous. Un de nos souhaits estoit que quelques personnes qui sont en France eussent le bien de voir ce que nous ne pouvions voir sans larmes de dévotion. Dans le plus fort de la resverie, on ne luy parloit pas plus tost de nostre bon Dieu qu'il revenoit à soy avec des actes de vertu capables de toucher les plus endurcis. Il ne sçavoit quels remerciements nous faire, pour les petits services que nous luy rendions selon nostre petit pouvoir.

8. Nous attribuions sa santé à son sainct patron. Car il parut hors de danger deux jours après que nous l'en suppliasmes de bon cœur. «Dieu, sans doute, disoit-il, aura eu esgard à ma résignation. Maintenant donc, puisqu'il luy a pleu me rendre la santé, je suis résolu de luy estre très fidèle toute ma vie. Je feray en sorte que les autres le cognoissent». Depuis, nous avons admiré tous les jours en ce sauvage les effects de la grâce de Dieu. C'est assez de dire que l'escolier va surpassent de beaucoup l'espérance de ses maistres. Son festin de conjouissance qu'il fit, selon leur coustume, fut véritablement un des beaux auditoires qu'on puisse voir. Là, ce nouveau prédicateur fit merveilles, commençant par le Bénédicité des chrestiens qu'il dit tout haut en sa langue, les loix du banquet n'y contribuant pas peu, qui portent que le maistre du festin se contente d'entretenir les conviez. Tous l'admirèrent et disoient entr'eux qu'il avoit un grand esprit et s'estonnoient de le voir dans la résolution de vivre en chrestien.

S: id., «Relation de 1638», dans Lucien Campeau, *Monumenta Novæ Franciæ, IV: les grandes épreuves (1638-1640)*, Romæ, Institutum Historicum Societatis Iesu, et Montréal, les Éditions Bellarmin, 1989, pp. 156-159.

JÉRÔME LALEMANT
(1593-1673)

Jérôme Lalemant naît à Paris le 27 avril 1593. Le 20 octobre 1610, il entre au noviciat des jésuites. De 1612 à 1615, il étudie la philosophie à Pont-à-Mousson [département de Meurthe-et-Moselle, dans l'est de la France]. En 1615-1616, il est préfet du pensionnat de Verdun [département de la Meuse, dans le nord-est de la France]. De 1616 à 1619, il enseigne au collège d'Amiens [département de la Somme, dans le Bassin parisien]. Durant les quatre années suivantes, il étudie la théologie. De 1623 à 1626, il enseigne la philosophie et les sciences au collège de Clermont [département de l'Oise, dans le Bassin parisien]; l'année suivante, il complète sa formation spirituelle à Rouen [département de la Seine-Maritime, dans le nord-ouest de la France], puis revient au collège de Clermont, dont il est le ministre de 1627 à 1629 et le principal du pensionnat de 1629 à 1632. De 1632 à 1636, il est recteur du collège de Blois [département du Loir-et-Cher, dans le sud du Bassin parisien]. Les deux année suivantes, il est père spirituel au collège de Clermont. En 1638, il est nommé supérieur de la mission huronne et entreprend la fondation de Sainte-Marie-des-Hurons [Midland], qui sera la base d'opération apostolique des jésuites de la Huronie jusqu'en 1649. Nommé supérieur des jésuites du Canada avec résidence à Québec en 1644, il ne se rend à son poste qu'en septembre 1645. Il l'occupe jusqu'en 1650. À l'automne de cette même année, il passe en France, puis revient à Québec l'année suivante. Il est rappelé en France en 1656; de 1656 à 1658, il est recteur du collège royal de La Flèche [département de la Sarthe, dans l'ouest du Bassin parisien]. En 1659, à la demande de Mgr de Laval, il est de nouveau supérieur des jésuites du Canada; il le restera jusqu'en 1665. Le 26 janvier 1673, il décède à Québec.

Le père Jérôme Lalemant est l'auteur de six *Relations* du pays des Hurons, celles de 1639, 1640, 1641, 1642, 1643, 1645. L'administrateur d'expérience qu'il avait été en France sut bien organiser la mission de la Huronie, mais certains passages de ses *Relations* induisent le lecteur à penser que le missionnaire ne fut jamais à l'aise parmi les Hurons. On y sent, en effet, une agressivité mal dissimulée à l'égard de ces «Barbares» ainsi qu'un certain mépris pour leur culture et leur façon de vivre sous l'empire du «Diable». Peut-être est-ce dû au fait que le père ne maîtrisa jamais leur langue et qu'il avait un caractère fort vif. Il n'empêche que, en d'autres passages, il reconnaît l'humanité et l'intelligence des Hurons; il admire leur éloquence vigoureuse et leur clairvoyance quand il s'agit de leurs affaires. Quoi qu'il en soit, il donne l'impression d'avoir beaucoup souffert en Huronie.

Nous avons emprunté les pièces qui suivent aux volumes *IV: les grandes épreuves (1638-1640)* et *V: la bonne nouvelle reçue (1641-1643)* des *Monumenta Novæ Franciæ* du père Lucien Campeau.

Les Hurons et leur pays*

1. Mon dessein n'est pas de redire icy ce qui se peut trouver dans les précédentes Relations ou dans les autres livres qui ont dèsjà traicté de ce sujet, mais seulement de suppléer au défaut de certaines circonstances sur lesquelles j'ay reconnu qu'on désiroit quelque satisfaction.

2. Par le mot du païs des Hurons se doit entendre à proprement pa[r]ler une certaine petite portion de terre dans l'Amérique septentrionale, qui en long[u]eur d'orient à l'occident n'a pas plus de 20 ou 25 lieues, et en largeur, du septentrion au midy, n'est pas en plusieurs endroicts considérable, et en pas un ne passe sept ou huict lieues. Son eslévation dans le cœur du païs s'est trouvée de quarante-cinq et demy. Que si quelques-uns, par le passé, luy ont donné quelque peu moins, pour accorder les deux il faut dire que ceux qui la mettent à quarante-quatre et demy ou environ l'ont prise à quelque nations voisine plus méridionale, censée du nombre des huronnes, comme nous dirons cy-après. Quant à la longitude, on ne l'a pu encore establir selon les règles de géographie, pour ne s'estre appliqué par accord en France et icy à l'exacte observation des éclypses. On attend la response des observations qui en ont esté faictes l'année dernière; et cependant nous nous figurons estre esloignez de France d'environ treize cens lieues, tirant de la France à nous en ligne droite vers l'occident sous un mesme parellelle d'eslévation. Et de Québec, la principale demeure de nos François en la Nouvelle-France, de deux cent lieues, quoyqu'on en fasse d'ordinaire plus de trois cent pour arriver de là icy, à raison des détours qu'il faut prendre pour éviter la rencontre des ennemis de ces peuples.

3. Dans cette petite estendue de terre, située à l'est quart de suest d'un grand lac appellé par quelques-uns mer Douce, se

trouve quatre nations, ou plustost quatre divers amas ou assemblages de quelques souches de familles par ensemble qui, toutes ayant communauté de langue, d'ennemis et de quelques autres intérests, ne sont presque distinguées que par diverses sources d'ayeuls et bisayeuls, dont ils conservent chèrement les noms et la mémoire. Elles s'augmentent toutesfois ou diminuent par l'adoption de quelques autres familles, qui se joignent tantost avec les unes et tantost avec les autres et qui s'en séparent aussi quelquefois pour faire bande et nation à part. Le nom général et commun à ces quatre nations, selon la langue du païs, est 8endat. Les noms particuliers son[t] Attigna8antan, Attigneenongnahac, Arendahronons et Tohontaenrat. Les deux premiers sont les deux plus considérables, comme ayant receu en leur païs et adopté les autres, l'une depuis cinquante ans en çà et l'autre depuis trente. Ces deux premiers parlent avec asseurance des demeures de leurs ancestres et des diverses assiètes de leurs bourgades au-delà de deux cens ans. Car comme il se peut remarquer dans les précédentes Relations, ils sont contraints de changer de place au moins de dix ans en dix ans. Ces deux nations s'entre-qualifient dans les conseils et assemblées des noms de frère et de sœur. Elles sont les plus peuplées, pour avoir dans le cours du temps adopté plus de familles; et ces familles adoptées, retenant tousjours les noms et la mémoire de leurs souchées, sont encore diverses petites nations dans celles où elles ont esté adoptées, s'y conservant un nom général et la communauté de quelques petits intérests particuliers avec dépendance à leurs deux capitaines particuliers, l'un de guerre, l'autre de conseil, ausquels se rapportent les affaires publiques de leur communauté.

4. Mais venons au nom de Huron, attribué originairement à ces nations principales dont nous venons de parler. Il y a environ quarante ans que ces peuples pour la première fois se résolurent de chercher quelque route asseurée pour venir traiter eux-mesmes avec les François dont ils avoient eu quelque cognoissance, particulièrement par le rapport de quelques-uns d'entre eux, qui allans à la guerre contre leurs ennemis, avoient donné par occasion jusques au lieu où pour lors les François tenoient la traite avec les autres barbares de ces contrées. Arrivez qu'ils furent aux François, quelque matelot ou soldat, voyant pour la première fois cette sorte de barbares, dont les uns portoient les cheveux sillonnez, en sorte que sur le milieu de la teste paroissoit une raye de cheveux large d'un ou deux

doigts, puis de part et d'autre autant de razé; en ensuite une autre raye de cheveux; et d'autres qui avoient un costé de la teste tout razé et l'autre garny de cheveux pendants jusques sur l'espaule, cette façon de cheveux luy semblant des hures, cela le porta à appeller ces barbares Hurons. Et c'est le nom qui depuis leur est demeuré. Quelques-uns le rapportent à quelque autre semblable source, mais ce que nous en venons de dire semble le plus asseuré.

5. Ce n'est donc pas merveille si dans les autheurs anciens il ne se trouve rien du nom de ces peuples. Car pour ce nom françois, ils ne l'ont que depuis le commencement de ce siècle. Pour leurs noms en leur langue, comme leur demeure est bien avant dans les terres, y ayant plus de vingt journées de leurs païs aux endroits de mer les plus proches, dont presque les seuls rivages jusques icy ont esté conneus à nos Européans, leurs noms propres, aussi bien que leurs personnes et leurs païs, ont esté par le passé inconneus, particulièrement estant si peu considérables en l'estendue de leur terre et façon de vivre, toute dans le commun des sauvage et barbares de cette partie septentrionale de l'Amérique. Ces sauvages, continuans de venir tous les ans à la traite, on s'apprivoisa bientost avec eux et prist-on ensuite résolution d'envoyer quelques François pour hyverner dans leur païs et prendre de plus particulières cognoissances de ces peuples et de leur langue, laquelle ayant esté reconnue convenir encore à d'autres nations voisines, de là vint que dans la suite des années le nom de Hurons s'estendit davantage et s'appliqua encore aux peuples voisins qui avoient communauté de langage avec les susdites nations, quoyqu'elles fussent séparées d'intérests.

S: Jérôme Lalemant, «Relation de 1639», dans Lucien Campeau, *Monumenta Novæ Franciæ, IV: les grandes épreuves (1638-1640)*, Romæ, Institutum Historicum Societatis Iesu, et Montréal, les Éditions Bellarmin, 1989, pp. 353-357.

Sainte-Marie-des-Hurons [1]*

1. J'escrivois l'an passé que nous avions deux résidences dedans le pays des Hurons, l'une de Sainct-Joseph à Téanausteiyé, l'autre de la Conception à Ossossané. Outre cela, nous estions dans le dessein d'en ériger d'autres nouvelles en quelques bourgs plus éloignez, mais depuis, ayant recogneu que la multiplicité de tant de résidences estoit sujète à beaucoup d'inconvéniens et que la conversion de ces peuples pourroit plus s'advancer par la voye des missions, nous prismes la résolution de réunir nos deux maisons en une. Et afin que dans

la suitte des années, nous ne fussions point obligez à changer de lieu, comme font les sauvages, qui transportent leur bourg d'un endroit à un autre après huict ou neuf ans, nous choisismes une place où nous jugeasmes nous pouvoir establir à demeure, d'où nous pourrions, selon que nous aurions de force en main, détacher un bon nombre de missionnaires qui s'y seroient formez pour aller avec bien plus de liberté porter aux bourgs et nations circonvoisines le sainct nom de Nostre-Seigneur.

2. Ce lieu est situé au milieu du pays, sur la coste d'une belle rivière, qui n'ayant pas de longueur plus d'un quart de lieue joinct ensemble deux lacs, l'un qui s'estend à l'occident tirant un peu vers le septentrion qui pourroit passer pour une mer douce, l'autre qui est vers le midy, dont le contour n'a guère moins de deux lieues. Nous commençasmes dès l'esté passé à nous y establir, et sur le milieu de l'automne, nous y transportasmes la résidence que nous avions à Ossossané, ayant différé d'y réunir pareillement celle de Sainct-Joseph. Mais dès le commencement du printemps, l'insolence des sauvages nous a obligé de le faire, bien plus tost que d'ailleurs nous n'avions résolu. Et ainsi, nous n'avons maintenant dans tout le pays qu'une seule maison qui sera ferme et stable, le voisinage des eaux nous estant très advantageux pour supléer au manquement qui est en ces contrées de toute autre voiture, et les terres estans assez bonnes pour le bled du pays, que nous prétendons avec le temps y recueillir nous-mesmes.

3. Il y avoit sujet d'apréhender la proposition et ouverture de cette affaire aux communautez des sauvages qui en estoient les maistres, mais il pleut à Dieu en cela nous assister. Car la proposition fut incontinent agréée et aussitost exécutée, et les présens nécessaires à cela délivrez au temps qu'il le faloit. Si nous eussions tardé deux heures, je ne sçay si jamais l'affaire eust pu réussir.

4. Nous travaillons maintenant à nous y establir et à dresser quelque logement raisonnable proportionné à nos fonctions. Mais cela se fait avec des peines qu'il seroit difficile d'expliquer, n'ayant aucun secours ny assistance du pays et estans d'ailleurs dans une disette presque universelle d'ouvriers et d'outils.

5. Nous avons donné à cette nouvelle maison le nom de Saincte-Marie, ou de Nostre-Dame-de-la-Conception. Les obligations générales et particulières que nous avons à cette grande princesse du ciel et de la terre font qu'un de nos plus sensibles desplaisirs est de ne luy en pouvoir tesmoigner assez de

recognoissance. Au moins prétendons-nous doresnavant cette consolation qu'autant de fois qu'on parlera de la principale demeure de cette mission des Hurons, la nommant du nom de Saincte-Marie, ce soient autant d'hommages qui luy seront rendus de ce que nous luy sommes et tenons d'elle et de ce que nous luy voulons estre à jamais. Joinct que sainct Joseph ayant esté choisi pour le patron de ce pays, et ensuite la première et principale église qui se bastira dans les Hurons luy estant destinée, nous n'avons pas deu prendre d'autre protectrice de nostre maison que la saincte Vierge, son espouse, pour ne pas séparer ceux que Dieu a liez si estroittement.

6. Ç'avoit bien esté une de nos pensées, faisant une maison à l'escart, esloignée du voisinage des bourgs, qu'elle serviroit entr'autres choses à la retraitte et récollection de nos ouvriers évangéliques, qui après leurs combats trouveroient cette solitude pleine de délices, mais jamais nous n'eussions creu que le premier à qui cette maison serviroit pour ce sujet deust estre un pauvre barbare, dont le génie est si fort esloigné des idées conformes à telles occupations. Ce fut Joseph Chihouatenhoua, surnommé icy par excellence le Chrestien.

S: id., «Relation de 1640», dans Lucien Campeau, *Monumenta Novæ Franciæ, IV: les grandes épreuves (1638-1640)*, Romæ, Institutum Historicum Societatis Iesu, et Montréal, les Éditions Bellarmin, 1989, pp. 670-672.

La nation Neutre*

1. C'est icy une des missions nouvelles que nous avons commencé cette année à une des nations des plus considérables qui soit en ces contrées. Il y avoit longtemps que l'on jettoit les yeux de ce costé-là, conformément au souvenir de tout plein de personnes. Mais nombre d'ouvriers en langues estrangères ne se trouvent ou ne se forment pas si tost, si le Sainct-Esprit n'y met la main d'une façon extraordinaire, lors particulièrement qu'on est destitué du secours et de l'assistance de maistres, truchemens ou interprètes qui les enseignent, comme nous le sommes en ces quartiers.

2. En outre, ce n'estoit pas l'ordre d'aller aux extrémitez sans passer par le milieu et de s'appliquer à cultiver les nations plus esloignées devant que d'avoir travaillé aux plus proches. Ce qu'ayant esté fait les années précédentes, nous nous trouvâmes en estat, au commencement de l'automne, de pouvoir destiner deux ouvriers à cette mission sans faire aucun tort aux précédentes.

3. Celuy sur lequel le sort tomba fut le Père Jean de Brébeuf, lequel ayant autrefois esté choisi pour nous introduire le premier et établir en ces contrées, et Dieu luy ayant donné pour ce regard une singulière bénédiction, nommément en la langue, il sembloit que ce nous devoit estre un préjugé de ce que sa divine majesté demandoit en ce rencontre, où il estoit question d'une introduction toute nouvelle dans une nation différente de langage, au moins en plusieurs choses, et où, s'il plaisoit à Dieu donner sa bénédiction, il seroit nécessaire d'establir une demeure fixe et permanente qui seroit la retraitte des missionnaires d'alentour, comme celle-cy où nous sommes à présent l'est des missionnaires des quartiers de deçà. Celuy qui luy fut donné pour compagnon fut le Père Joseph-Marie Chaumonot, venu de France l'année d'auparavant, que l'on avoit reconneu très propre pour les langues.

4. Cette nation est grandement peuplée. L'on y conte environ quarante bourgs ou bourgades. Partant de nos Hurons pour arriver aux premiers et plus proches, on chemine quatre ou cinq journées, c'est-à-dire environ quarante lieues, tirant tousjours droit au sud. De sorte que nous pouvons dire que si, selon la dernière et plus exacte observation qu'on a pu faire, nostre nouvelle maison de Saincte-Marie, qui est au milieu du païs des Hurons, est à quarante-quatre degrez et environ vingt et cinq minutes d'eslévation, l'entrée de la nation Neutre du costé de nos Hurons aura d'eslévation quarante-deux degrez et demy ou environ. Car de penser en faire pour le présent une plus exacte recherche et observation dans le païs mesme, c'est ce qui ne se peut. La veue du seul instrument seroit pour porter à l'extrémité ceux qui n'ont pu souffrir celle des escritoires, comme nous verrons cy-après.

5. Du premier bourg de la nation Neutre que l'on rencontre y arrivant d'icy, continuant de cheminer au midy ou sudest, il y a environ quatre journées de chemin jusques à l'emboucheure de la rivière si célèbre de cette nation dans l'Ontario ou lac de Sainct-Louys. Au-deçà de cette rivière, et non au-delà comme le marque quelque charte, sont la pluspart des bourgs de la nation Neutre. Il y en a trois ou quatre au-delà, rangez d'orient à l'occident, vers la nation du Chat ou Erieehronons.

6. Cette rivière ou fleuve est celuy par lequel se descharge nostre grand lac des Hurons ou mer Douce, qui se rend premièrement dans le lac d'Erié ou de la nation du Chat, et jusques là elle entre dans les terres de la nation Neutre et prend

le nom d'Onguiaahra jusques à ce qu'elle se soit deschargée dans l'Ontario ou lac de Sainct-Louys, d'où enfin sort le fleuve qui passe devant Québek, dit de Sainct-Laurens. De sorte que si une fois on estoit maistre de la coste de la mer plus proche de la demeure des Iroquois, on monteroit par le fleuve de Sainct-Laurens sans danger jusques à la nation Neutre et au-delà de beaucoup, avec espargne notable de peine et de temps.

7. Suivant l'estime des Pères qui y ont esté, il y a bien au moins douze mille âmes dans toute l'estendue du pays, qui fait estat de pouvoir encore fournir quatre mille guerriers, nonobstant les guerres, la famine et la maladie qui, depuis trois ans, y ont extraordinairement régné.

8. Après tout, je croy que ceux qui ont autrefois donné tant d'estendue à cette nation et luy ont donné tant de peuples ont entendu par la nation Neutre toutes les autres nations qui sont au sud et surouest de nos Hurons, qui en effect sont en grand nombre, mais qui au commencement, n'ayans esté connues que confusément, avoient esté presque comprises sous un mesme nom. La cognoissance plus grande qu'on a eue depuis ce temps-là, soit de la langue, soit du païs, a fait qu'on a distingué davantage. Au reste, de plusieurs nations différentes dont on a maintenant la cognoissance, il ne s'en trouve pas une qui n'ait commerce ou guerre avec d'autres plus esloignées. Ce qui confirme qu'en effet la multitude est grande de ces peuples qui nous restent à voir et que, s'il n'y a pas encore grande moisson à faire, il y a de grands champs à labourer et semer.

9. Nos François qui les premiers ont esté icy ont surnommé cette nation la nation Neutre et non sans raison. Car ce païs estant le passage ordinaire par terre de quelque nation d'Iroquois et des Hurons, ennemis jurez, ils se conservent en paix également avec les deux. Voire mesme autresfois les Hurons et les Iroquois, se rencontrans en mesme cabane ou mesme bourg de cette nation, les uns et les autres estoient en asseurance tant qu'ils ne sortoient à la campagne. Mais depuis quelque temps, la furie des uns contre les autres est si grande qu'en quelque lieu que ce soit, il n'y a pas d'asseurance pour le plus foible, particulièrement s'il est du party huron, pour lequel cette nation pour la pluspart semble avoir moins d'inclination.

10. Nos Hurons appellent la nation Neutre Atti8andaronk, comme qui diroit peuples d'une langue un peu différente. Car quant aux nations qui parlent d'une langue qu'ils n'entendent aucunement, ils les appellent Ak8anake, de quelque nation

qu'ils puissent estre, comme qui diroit estrangers. Ceux de la nation Neutre réciproquement, pour la mesme raison, appellent nos Hurons Att8andaronk.

11. Nous avons tout sujet de croire qu'il n'y a pas longtemps qu'ils ne faisoient tous qu'un peuple, et Hurons et Iroquois et ceux de la nation Neutre,et qu'ils viennent d'une mesme famille ou de quelques premières souches abordées autrefois aux costes de ces quartiers, mais que par succession de temps ils se sont esloignez et séparez les uns des autres, qui plus, qui moins, de demeure, d'intérests et d'affection, de sorte que quelques-uns sont devenus ennemis, d'autres neutres et d'autres sont demeurez dans quelque liaison et communication plus particulière.

12. Ces peuples qui sont neutres entre les Hurons et les Iroquois ont de cruelles guerres avec d'autres nations occidentales et particulièrement avec les Atsistaehronons, ou nation du Feu, de laquelle l'an passé ils prirent cent prisonniers et cette année, y estans retournez en guerre avec une armée de deux mille hommes, il en ont encore amené plus de cent septante, envers lesquels ils se comportent quasi avec les mesmes cruautez que les Hurons envers leurs ennemis. Toutesfois, ils ont cela de plus qu'ils bruslent les femmes prisonnières de guerre aussi bien que les hommes, ce que ne font pas les Hurons qui, ou leur donnent la vie ou se contentent de les assommer à la chaude et emporter quelque partie du corps.

13. Le vivre et le vestir de cette nation ne semble pas beaucoup différent de celuy de nos Hurons. Ils ont le bled d'Inde, les faizoles et les citrouilles en esgale abondance. La pesche pareillement y semble esgale pour l'abondance de poisson, dont quelques espèces se trouvent en un lieu qui ne sont point en l'autre. Ceux de la nation Neutre l'emportent de beaucoup pour la chasse des cerfs, des vaches et des chats sauvages, des loups, des bestes noires, des castors et autres animaux dont les peaux et les chairs sont précieuses. L'abondance de chair y a esté grande cette année pour les neiges extraordinaires qui sont survenues, qui ont facilité la chasse. Car estant chose rare que de voir dans le païs plus d'un demy pied de neige, il y en avoit cette année plus de trois pieds. Ils ont aussi quantité de coqs d'Inde sauvages qui vont par troupes dans les champs et dans les bois. Pour le rafraischissement des fruicts, il ne s'y en trouve pas plus qu'aux Hurons, si ce n'est des chastaignes dont ils ont quantité et des pommes de bois un peu plus grosses.

14. Ils vont couverts d'une peau sur la chair nue, comme tous

les sauvages, mais avec moins de retenue que les Hurons pour le brayé, dont plusieurs ne se servent point du tout. D'autres s'en servent, mais pour l'ordinaire de la sorte qu'à grand peine ce qui ne se doit voir se trouve caché. Les femmes, toutefois, sont ordinairement couvertes au moins depuis la ceinture jusques aux genoux. Ils semblent plus desbordez et impudents en leurs impudicitez que nos Hurons.

15. Ils passent leurs peaux avec beaucoup de soin et d'industrie et s'estudient à les enjoliver en diverses façons, mais encore plus leur propre corps, sur lequel depuis la teste jusqu'aux pieds, ils font faire mille diverses figures avec du charbon picqué dans la chair, sur laquelle auparavant ils ont tracé leurs lignes. De sorte qu'on leur void quelquefois le visage et l'estomac figuré comme le sont en France les morions et les cuirasses et les haussecols des gens de guerre, et le reste du corps à l'advenant.

16. Pour le reste de leurs coustumes et façons de faire, ils sont presque en tout semblables aux autres sauvages de ces contrées, spécialement en leur irréligion et gouvernement, soit politique, soit œconomique. Il y a toutesfois quelques choses en quoy ils semblent un peu différens de nos Hurons. Premièrement, ils paroissent plus grands, plus forts et mieux faits.

17. Secondement, l'affection envers leurs morts semble estre bien plus grande. Nos Hurons, incontinent après la mort, portent les corps au cimetière et ne les en retirent que pour la feste des morts. Ceux de la nation Neutre ne portent les corps au cimetière que le plus tard qu'ils peuvent, lorsque la pourriture les rendroit insupportables. D'où ce fait que les corps passent souvent l'hyver entier dans les cabanes; et les ayant une fois mis dehors sur un eschaffaut pour pourrir, ils en retirent les os le plus tost qu'il se peut et les exposent en veue, arrangez de costé et d'autre dans leurs cabanes, jusques à la feste des morts. Cet object qu'ils ont devant les yeux, leur renouvellant continuellement le ressentiment de leurs pertes, leur fait ordinairement jetter des cris et faire des lamentations tout à fait lugubres, le tout en chanson. Mais cela ne se fait que par les femmes.

18. La troisiesme chose en quoy ils semblent différens de nos Hurons, c'est en la multitude et qualité des fols. On ne trouve autre chose, allant par le pays, que des gens qui font ce personnage avec toutes les extravagances possibles et libertez qu'ils prennent et qui sont tolérés de faire tout ce qui leur plaist,

crainte de desplaire à leur démon. Ils jettent et esparpillent les braises des foyers, rompent et brisent ce qu'ils rencontrent, comme s'ils estoient furieux, quoyqu'en effect, pour la pluspart, ils soient aussi présens à eux-mesmes que ceux qui ne font pas ce personnage. Mais ils se comportent de la sorte pour donner, disent-ils, ce contentement à leur démon particulier qui demande et exige cela d'eux, sçavoir à celuy qui leur parle en songe et qui leur fait espérer l'accomplissement de leurs souhaits pour le bon succez de la chasse.

19. Les Pères estans en ces quartiers apprirent que les Oneiochronons — qui sont une des cinq nations d'Iroquois — avoient une façon de gouvernement fort particulier. Les hommes et les femmes y manient alternativement les affaires, de sorte que si c'est maintenant un homme qui les gouverne, ce sera après sa mort une femme qui de son vivant les gouvernera à son tour, excepté ce qui regarde la guerre. Et après la mort de la femme, ce sera un homme qui reprendra derechef le maniement des affaires.

20. Quelques anciens racontoient à nos Pères qu'ils avoient cognoissance d'une certaine nation occidentale, vers laquelle ils alloient faire la guerre, qui n'estoit pas beaucoup esloignée de la mer. Que les habitans du lieu y peschoient les vignots qui sont une espèce d'huistres dont l'escaille sert à faire la pourcelaine, qui sont les perles du païs. Voicy la façon qu'ils descrivent leur pesche. Ils observent quand la mer monte aux endroits où ces vignots abondent et lorsque la violence des flots les pousse vers le bord, ils se jettent à corps perdu dans les eaux et se saisissent de ceux qu'ils peuvent atrapper. Ils en trouvent quelquefois de si gros que c'est tout ce qu'ils peuvent faire que d'en embrasser un. Or plusieurs asseurent qu'il faut que ce soient jeunes gens qui n'ayent encore eu cognoissance de femme qui fassent cette pesche, qu'autrement ces animaux se retirent d'eux. Je m'en rapporte à la vérité.

21. Ils racontoient que ces mesmes peuples ont une espèce de guerre avec certains animaux aquatiques, plus grands et plus légers à la course que les orignaux. Les jeunes gens vont agacer dans l'eau ces animaux qui ne manquent pas aussitost de gaigner la terre et poursuivre leurs agresseurs. Ceux-cy, se sentans suivis de trop près, jettent quelque pièce de cuir, comme souliers sauvages, à ces animaux qui s'arrestent et s'amusent pendant que les chasseurs gaignent le devant, qui autant de fois qu'ils se sentent suivis de trop près font le mesme que la première fois,

jusques à ce qu'ils soient arrivez à un fort ou embuscade d'une troupe de leurs gens, qui environnans la beste s'en rendent enfin les maistres. Voilà ce que nous avons apris de plus considérable de ces contrées.

S: id., «Relation de 1641», dans Lucien Campeau, *Monumenta Novæ Franciæ, V: la bonne nouvelle reçue (1641-1643)*, Romæ, Institutum Historicum Societatis Iesu, et Montréal, les Éditions Bellarmin, 1990 [achevé d'imprimer 1991], pp. 186-192.

Sainte-Marie-des-Hurons [2]*

1. Nous avons esté cette année, icy dans les Hurons, quatorze prestres de nostre compagnie, mais à peine nous voyons-nous un mois entier réunis tous ensemble. Nous nous sommes ordinairement dissipez, principalement durant l'hyver, qui est le fort du travail pour la conversion de ces peuples. Huict de ce nombre ont trouvé leur employ dans les quatre principales missions hurones que nous avons pu cultiver cette année. Les Algonquins, qui habitent icy proche de nos Hurons, ont occupé le travail des trois autres. Nos Pères, ainsi divisez chacun dans le soin de la mission qui luy est écheue en partage, m'ayans obligé de me joindre à eux, tantost un mois en un endroit, puis en un autre, selon les occasions qui se sont présentées, je n'ay pas eu de demeure asseurée et ainsi le soin de cette résidence est demeuré en partage à deux seuls qui restoient, au Père Isaac Jogues et au Père François du Péron.

2. C'est une consolation bien sensible à tous nos missionnaires, après les fatigues, soit de l'hyver, soit de l'esté, de se rendre en cette maison, pour vaquer à eux-mesmes et respirer un peu plus librement avec Dieu dans ce repos d'esprit, pour par après retourner au mesme travail avec plus de vigueur. Outre cela, ils en tirent un notable advantage des conférences qu'ils y font tous ensemble, tant des lumières et des moyens que Dieu leur ouvre pour faciliter l'instruction et la conversion des sauvages, que des nouvelles connoissances qu'ils ont receues pour s'avancer en une langue où il faut estre et maistre et escholier tout en mesme temps.

3. Cette mesme maison, estant le centre du païs, a bien souvent la consolation de recevoir les chrestiens qui y viennent de divers endroits pour y faire leurs dévotions plus en repos que dans les bourgs et, dans cette espèce de solitude, y concevoir plus à loisir les sentimens de piété et de religion. Nous leur avons dressé pour cet effet un hospice ou cabane d'écorce, où Dieu nous donne les moyens de loger et nourrir ces bons pélerins dans leur propre païs. Durant l'esté, de quinze en

quinze jours, il s'en trouve toujours bon nombre qui, de quatre et cinq lieues, s'y rendent dès le samedy pour passer sainctement le dimanche, n'en partant que le lundy matin. Le dimanche suivant, nous les déchargeons de cette peine, nos Pères allans chez eux un et deux jours auparavant, pour les disposer aux dévotions de ce sainct jour. Et ainsi, par ces visites alternatives, on les entretient doucement dans l'exercice du christianisme dont l'hyver, demeurant plus assiduement avec eux, on a taché de leur donner de plus solides connoissances.

4. Si dedans les missions quelque adulte en estat de santé est jugé digne du baptesme, après toutes les épreuves qu'on a tirées de luy, c'est en cette maison qu'on le renvoye pour derechef y estre examiné et recevoir avec solennité ce sacrement qui le fait enfant de l'Eglise.

5. Nous avons réservé la plus grand'part de ces baptesmes aux festes de Noël, de Pasques et de la Pentecoste, d'où nos chrestiens qui s'y sont assemblez de toutes parts n'ont sorty chaque fois qu'avec un accroissement sensible de leur foy. L'éclat extérieur dont nous taschons d'accompagner les cérémonies de l'Eglise, la beauté de nostre chapelle — qui passe en ce païs pour une merveille du monde, quoyqu'en France ce ne seroit que pauvreté — les messes, les sermons, les vespres, les processions et les saluts qu'on a faits en ce temps-là avec un appareil qui surmonte tout ce que jamais ont veu les yeux de nos sauvages, tout cela fait une impression dans leur esprit et leur forme une idée de la majesté de Dieu qu'on leur dit estre honorée d'un culte mille fois plus auguste par toute la terre.

S: *id.*, «Relation de 1642», dans Lucien Campeau, *Monumenta Novæ Franciæ, V: la bonne nouvelle reçue (1641-1643)*, Romæ, Institutum Historicum Societatis Iesu, et Montréal, les Éditions Bellarmin, 1990 [achevé d'imprimer 1991], pp. 481-482.

RAGUENEAU, PAUL
(1608-1680)

Paul Ragueneau naît à Paris le 18 mars 1608. Il entre au noviciat des jésuites le 21 août 1626. De 1628 à 1632, il enseigne au collège de Bourges [département du sud du Bassin parisien]. Durant les quatre années suivantes, il étudie la théologie à La Flèche [département de la Sarthe, dans l'ouest du Bassin parisien]. En 1636-1637, il enseigne la philosophie au collège d'Amiens [département de la Somme, dans le Bassin parisien]. Le 30 juin 1637, il arrive à Québec, qu'il quitte pour la Huronie le 19 juillet. En 1645, il remplace le père Jérôme Lalemant comme supérieur des jésuites de la Huronie. Au printemps de 1650, il descend à Québec avec les Hurons qui vont s'y mettre à l'abri des Iroquois. Le 2 novembre de la même année, le père Jérôme Lalemant, qui part pour la France, le nomme vice-supérieur des jésuites du Canada; le 6 août 1653, le père François le Mercier le remplace. En 1656, il est à Trois-Rivières. Le 22 juin 1657, il part pour Sainte-Marie de Gannentaha. Le 12 août 1662, il quitte le Canada. À Paris, il remplace le père Paul Le Jeune comme procureur, c'est-à-dire chargé des intérêts des missions des jésuites de la Nouvelle-France. Le 3 septembre 1680, il décède à Paris.

Le père Paul Ragueneau est l'auteur de quatre *Relations* de la Huronie, celles de 1646, 1648, 1649 et 1650. Les nombreuses années qu'il a passées parmi les Hurons l'ont amené à les voir d'une façon bien différente de celle du père Jérôme Lalemant. Ses vues se rapprochent plutôt de celles du père Jean de Brébeuf. Pas plus que ce dernier, et à l'encontre du père Lalemant, il ne voit le diable partout dans la vie amérindienne: les songes sont plutôt mensongers que diaboliques et rien ne prouve que les sorciers sont au service de Satan. Le père Ragueneau reconnaît que les premiers missionnaires jésuites ont été trop sévères; ils ont trop exigé de leurs ouailles, parce qu'ils ne connaissaient pas encore suffisamment leur culture. Ce faisant, ils les ont privés non seulement de «récréations innocentes», mais aussi «des plus grandes douceurs de la vie». Aussi importe-t-il pour lui d'adoucir le joug religieux qui leur a été imposé.

Nous avons emprunté les pièces qui suivent au tome 4: *1647-1655* de l'édition que les Éditions du Jour ont publiée en six tomes [1611-1672], à Montréal, en 1972, sous le titre *Relations* des Jésuites, contenant ce qui s'est passé dans les missions des Pères de la Compagnie de Jésus dans la Nouvelle-France. Cette édition reproduit celle qui avait été préparée sous la direction de l'abbé Charles-Honoré Laverdière et publiée en trois volumes, à Québec, en 1858, par l'éditeur Augustin Côté. — Pour faciliter la lecture, nous avons remplacé par leurs équivalents modernes les anciens caractères typographiques suivants: ſ par s; j par i et vice versa; u par v et vice versa.

Le pays des Hurons*

Quoy que dans nos Relations precedentes nous ayons pû donner quelques lumieres touchant la situation d'une partie de ces pays, toutefois j'ay creu qu'il seroit expedient d'en proposer icy brievement une veuë plus distincte et plus generale, tant à cause que le temps nous en a donné des notions bien plus asseurées, qu'à raison que nous devons parler dans les suivans Chapitres, de diverses choses qui supposent ces connoissances.

Le pays des Hurons est entre le quarante-quatre et le quarante-cinquiéme degré de Latitude, et de Longitude demie heure plus à l'Occident que Quebec.

Du costé de l'Occident d'Esté vient aboutir un Lac, dont le tour est quasi de quatre cens lieuës, que nous nommons la Mer douce, qui a quelque flux et reflux, et qui dans son extremité plus éloignée de nous, a communication avec deux autres Lacs, encore plus grands, dont nous parlerons dans le Chapitre dixiéme. Cette Mer douce a quantité d'Isles, et une entr'autres, qui a de tour pres de soixante lieuës.

Du costé de l'oüest-suroüest, c'est à dire quasi à l'Occident, nous avons la nation du Petun, qui n'est éloignée qu'environ douze lieuës.

Du costé du Midy, tirant un peu vers l'Occident, nous regardons la Nation Neutre, dont les bourgs qui sont sur la frontiere en deçà, ne sont éloignez des Hurons, qu'environ trente lieuës. Elle a quarante ou cinquante lieuës d'étenduë.

Au delà de la Nation Neutre, tirant un peu vers l'Orient, on va à la Nouvelle Suede, où habitent les Andastoëronnons, alliez de nos Hurons, et qui parlent comme eux, éloignez de nous en ligne droite, cent cinquante lieuës; nous en parlerons au Chapitre huitiéme.

De la mesme Nation Neutre tirant presque au Midy, on trouve un grand Lac, quasi de deux cens lieuës de tour, nommé Erié, qui se forme de la décharge de la Mer douce, et qui va se precipiter par une cheute d'eaux d'une effroyable hauteur, dans un troisiéme Lac, nommé Ontario, que nous appellons le Lac Saint Louys, dont nous parlerons cy-apres.

Ce Lac, nommé Erié, estoit autrefois habité en ses costes qui sont vers le Midy, par de certains peuples que nous nommons la Nation du Chat; qui ont esté obligez de se retirer bien avant dans les terres, pour s'éloigner de leurs ennemis, qui sont plus vers l'Occident. Ces gens de la Nation du Chat ont quantité de bourgades arrestées, car ils cultivent la terre et sont de mesme langue que nos Hurons.

Partant des Hurons et marchant vers le Midy, ayant fait trente ou quarante lieuës de chemin, on rencontre le Lac S. Louys, qui a quatre-vints ou nonante lieuës de longueur, et en sa mediocre largeur quinze ou vingt lieuës. Sa longueur est quasi de l'Orient à l'Occident; sa largeur du Midy au Septentrion.

C'est ce Lac Saint Louys, qui par sa descharge forme un bras de la Riviere Saint Laurent, sçavoir celuy qui est au Midy de l'Isle de Montreal et qui va descendre à Quebec.

Au delà de ce Lac Saint Louys, un peu dans les terres, habitent les six Nations Hiroquoises, ennemies de ces Hurons, qui dans leur situation sont quasi paralleles à la longueur de ce Lac.

Les plus proches de la Nation Neutre sont les Sonnontoüeronnons, à septante lieuës des Hurons, suivant le Sud-Sudest, c'est à dire entre le Midy et l'Orient, plus vers le Midy. Plus bas suivent les Ouiouenronnons, quasi en droite ligne, à vingt-cinq lieuës environ des Sonnontoüeronnons. Plus bas encore les Oonontaeronnons, à dix ou douze lieuës des Ouiouenronnons. Les Onneiochronnons, à sept ou lieuës des Onnontaeronnons. Les Annieronnons sont éloignés des Onneiochronnons vingt-cinq ou trente lieuës; ils destournent tant soit peu dans les terres, et sont plus Orientaux aux Hurons. Ce sont eux qui sont les plus voisins de la Nouvelle Hollande et qui sont aussi les plus proches des Trois Rivieres.

Ce seroit par ce Lac Saint Louys, que nous irions droit à Quebec en peu de jours et avec moins de peine, n'y ayant que trois ou quatre saults, ou plus tost courant d'eau plus rapide à passer jusqu'à Mont-Real, qui n'est distant de l'emboucheure du Lac Saint Louys, qu'environ soixante lieuës; mais la crainte des ennemis, qui habitent le long de ce Lac, oblige nos Hurons et nous avec eux, de prendre un grand destour pour aller gagner un autre bras de la Riviere Saint Laurent, sçavoir celuy qui est au Nord de Mont-Real, que nous nommons la Riviere des Prairies.

Ce qui allonge nostre voyage quasi de la moitié du chemin, nous obligeant en outre à plus de soixante saults, où il faut mettre picd à terre et porter sur ses espaules tout le bagage et les canots, ce qu'on éviteroit par le droit chemin, sans compter une grande quantité de courans rapides où il faut traisner les canots marchant en l'eau, avec grande incommodité et danger.

Du costé du Septentrion des Hurons, il y a diverses Nations Algonquines, qui ne cultivent point la terre et qui ne vivent que de chasse et de pesche, jusqu'à la Mer du Nord, laquelle nous jugeons estre éloignée de nous en droite ligne, plus de trois cens lieuës. Mais nous n'en avons autre connoissance, comme aussi de ces Nations-là, sinon par le rapport que nous en font les Hurons et quelques Algonquins plus proches, qui y vont en traite pour les Pelleteries et Castors qui y sont en abondance.

S: Paul Ragueneau, «Relation de 1648», pp. 45-47, dans *Relations des Jésuites, contenant ce qui s'est passé dans les missions des Pères de la Compagnie de Jésus dans la Nouvelle France*, Montréal, Éditions du Jour, 1972, vol. 4.

La maison de Sainte-Marie*

La maison de Sainte Marie ayant esté jusqu'à maintenant dans le cœur du pays, en a aussi esté moins exposée aux incursions des ennemis. Ce n'est pas que quelques aventuriers ne soient venus de fois à autre faire quelque mauvais coup, à la veuë mesme de nostre habitation; mais n'osans pas en approcher qu'en petit nombre et à la desrobée, crainte qu'estans apperceus des bourgades frontieres on ne courust sur eux, nous avons vescu assez en asseurance de ce costé là, et Dieu mercy pas un de nous n'y a encore esté surpris dans leurs embusches.

Nous sommes quarante-deux François au milieu de toutes ces Nations infideles; dix-huit de nostre Compagnie, le reste de personnes choisies, dont la pluspart ont pris dessein de vivre et de mourir avec nous, nous assistans de leur travail et industrie avec un courage, une fidelité et une sainteté, qui sans doute n'a rien de la terre: aussi n'est-ce que de Dieu seul qu'ils en attendent la recompense, s'estimans trop heureux de respandre et leurs sueurs et s'il est besoin tout leur sang, pour contribuer ce qu'ils pourront à la conversion des barbares. Ainsi je puis dire avec verité que c'est une maison de Dieu et la porte du Ciel; et c'est le sentiment de tous ceux qui y vivent, et qui y trouvent un Paradis en terre, où la Paix habite, la joye du Saint Esprit, la charité et le zele des ames.

Cette maison est un abord de tout le Pays, où les Chrestiens trouvent un Hospital durant leurs maladies, un refuge au plus fort des alarmes et un hospice lors qu'ils nous viennent visiter. Nous y avons compté depuis un an plus de trois mille personnes ausquelles on a donné le giste, et quelquesfois en quinze jours les six et les sept cens Chrestiens, et d'ordinaire trois repas à chacun, sans y comprendre un plus grand nombre qui sans cesse y passent tout le jour, ausquels on fait aussi la charité. En sorte que dans un pays estranger, nous y nourrissons ceux qui devroient nous y fournir eux-mesmes les necessitez de la vie.

Il est vray que ce n'est pas dans les delices ny l'abondance de la France. Le bled d'Inde pilé dans un mortier et boüilly dedans l'eau, assaisonné de quelque poisson enfumé, qui tient lieu de sel, estant reduit en poudre, nous sert ensemble de boire et de manger, et nous apprend que la Nature se contente de peu, nous fournissant Dieu mercy une santé moins sujette aux maladies, qu'elle ne feroit dans les richesses et la varieté des vivres de l'Europe.

Il n'y a d'ordinaire que deux ou trois de nos Peres residens en cette maison, tous les autres sont dissipez dans les Missions, qui sont maintenant dix en nombre: les unes plus arrestées dans les bourgs principaux du pays, les autres plus errantes, un seul Pere estant contraint de prendre le soin de dix et de douze bourgades, et quelques-uns allans plus loin, les quatre-vingts et les cent lieuës, afin que toutes ces Nations soient esclairées en mesme temps des lumieres de l'Evangile.

Nous taschons toutefois de nous rassembler tous, deux ou trois fois l'année, afin de rentrer en nous-mesmes et vaquer à Dieu seul dans le repos de l'Oraison, et en suitte conferer des moyens et lumieres que l'experience et le Saint Esprit va nous donnant de jour en jour, pour nous faciliter la conversion de tous ces peuples. Apres quoy il faut au plus tost retourner au travail et quitter les douceurs de la solitude pour aller chercher Dieu dans le salut des ames.

S: id., «Relation de 1648», pp. 48-49, dans ibid., vol. 4.

Le christianisme dans les missions huronnes*

Il y a quelque temps que demandant à un de nos Chrestiens, d'où provenoit à son advis le retardement des progrez de la Foy icy dans les Hurons, qui quoy qu'ils surpassent nos esperances, n'égalent pas toutefois nos desirs, voicy la response qu'il me fit. Lors que les Infideles nous reprochent que Dieu n'a point pitié de nous, puisque les maladies, la pauvreté, les mal-heurs et la mort nous accueillent aussi-tost que les Infideles; et qu'à cela nous respondons: Que nos esperances sont dans le Ciel; plusieurs n'entendent pas ces termes et conçoivent aussi peu ce que nous leur disons, que si nous leur parlions d'une langue inconnuë. Plusieurs autres, adjousta-t-il, ont de bonnes pensées, de bons desirs et mesme de bons commencemens; mais lors que les Infideles médisent d'eux, ils n'osent poursuivre leur chemin, ils retournent dans le peché et n'en sortent pas quand ils veulent. Enfin l'impudicité renverse l'esprit de plusieurs; car apres ce peché, je ne sçay, disoit-il, comment se fait qu'on ne void plus dans la Foy ce qu'on y voyoit auparavant.

Cette response me sembla n'avoir rien de Sauvage. Quoy qu'il en soit, je ne croy pas qu'on doive s'estonner que tout ce pays ne soit pas encore Chrestien; mais plus tost je croy que nous avons sujet de benir les misericordes de Dieu sur ces peuples, de nous avoir donné une Eglise, que je puis asseurer estre remplie de son Esprit, et avoir une Foy aussi forte et une innocence aussi sainte en la pluspart de ceux qui en font profession, que s'ils estoient nez au milieu d'un peuple tout fidele.

La Mission de la Conception est la plus feconde de toutes, et pour le nombre des Chrestiens et pour leur zele: leur Foy y paroist avec avantage, leur sainteté est respectée mesme des Infideles, trois des principaux Capitaines et plusieurs gens considerables y vivent dans un exemple qui presche plus que nos paroles: en un mot la Foy de cette Eglise jette dans tout le reste du pays, une bonne odeur du Christianisme.

La Mission de Saint Michel se soustient puissamment et va croissant de jour en jour, nonobstant les oppositions des Infideles, qui jamais ne manqueront à une Eglise naissante.

La Mission de Saint Joseph est encore plus peuplée, comme aussi elle est plus ancienne.

La Mission de Saint Ignace, plus nouvelle que les precedentes, est dans une ferveur et dans une innocence qui estonne les Infideles, et que jamais nous n'eussions pensé voir en si peu de temps dans les commencemens d'une Eglise.

Dans ces quatre Missions la Foy s'est augmentée au dessus de nos esperances, en sorte que partout nos Chapelles se trouvent trop petites pour le nombre des Chrestiens, mesme hors les jours de Feste: et en quelques endroits un Missionnaire est contraint de dire deux Messes le Dimanche, afin que tout le monde y puisse assister: encore l'Eglise ayant esté pleine à chaque Messe *usque ad cornu altaris*, il y en a grand nombre qui se voyent obligez de demeurer dehors, quoy qu'exposez durant l'hyver aux rigueurs des neiges et du froid.

La Mission de Sainte Marie a douze ou treize bourgades, qu'un seul Pere va continuellement visiter avec des fatigues bien grandes. Et nous nous sommes veus heureusement obligez depuis huit mois, d'eriger une autre Mission semblable, mais encore plus penible, à quelques bourgades plus éloignées de nous, nous la nommons la Mission de Sainte Magdeleine.

Ceux que nous appellons la Nation du Petun, nous ayans pressez qu'on les allât instruire, nous y avons envoyé deux de nos Peres, qui y font deux Missions dans deux Nations differentes, qui composent tout ce pays là: l'une appellée la Nation des Loups, que nous avons nommée la Mission de Saint Jean; nous nommons l'autre la Mission de Saint Mathias, qui est avec ceux qui s'appellent la Nation des Cerfs.

Il y a sans doute beaucoup à souffrir dans toutes ces Missions, pour la faim, pour l'insipidité des vivres, pour le froid, pour la fumée, pour la fatigue des chemins, pour le peril continuel dans lequel il faut vivre d'estre assommé des Hiroquois marchant dans la campagne, ou d'estre pris captif et y endurer mille morts avant qu'en mourir une seule.

Mais apres tout, tous ces maux ensemble sont plus faciles à supporter qu'il n'est aisé de pratiquer le conseil de l'Apostre, *Omnibus omnia fieri propter Christum*, de se faire tout à tous, pour gagner tout le monde à Jesus-Christ. Il est besoin d'une Patience à l'espreuve, pour endurer mille mépris, d'un Courage invincible qui entreprenne tout, d'une Humilité qui se contente de ne rien faire ayant tout fait, d'une Longanimité qui attende avec paix les momens de la Providence Divine, enfin d'une entiere Conformité à ses tres-saintes volontez qui soit preste à voir renverser en un jour, tous les travaux de dix et vingt années. C'est sur ces fondemens qu'il faut bastir ces Eglises naissantes, et qu'il faut establir la conversion de ces pays: et c'est ce que Dieu demande de nostre part.

Pour ce qui concerne les Sauvages, nous allons croissans de jour en jour dans les lumieres, qui nous facilitent leur instruction et qui leur rendent plus doux le joug de la Foy.

Si j'avois un conseil à donner à ceux qui commencent la conversion des Sauvages, je leur dirois volontiers un mot d'advis que l'experience leur fera, je croy, reconnoistre estre plus important qu'il ne pourroit sembler d'abord: sçavoir qu'il faut estre fort reservé à condamner mille choses qui sont dans leurs coustumes et qui heurtent puissamment des esprits élevez et nourris en un autre monde. Il est aisé qu'on accuse d'irreligion ce qui n'est que sottise, et qu'on prenne pour operation diabolique ce qui n'a rien au dessus de l'humain; et en suite on se croit obligé de defendre comme une impieté, plusieurs choses qui sont dans l'innocence; ou qui au plus sont des coustumes impertinentes, mais non pas criminelles, qu'on destruiroit plus doucement, et je puis dire avec plus d'efficace, obtenant petit à petit que les Sauvages desabusez s'en mocquassent eux-mesmes et les quittassent, non pas par conscience, comme des crimes, mais par jugement et par science, comme une folie. Il est difficile de tout voir en un jour, et le temps est le maistre le plus fidele qu'on puisse consulter.

Je ne crains point de dire que nous avons esté un peu trop severes en ce point, et que Dieu a fortifié le courage de nos Chrestiens au dessus d'une vertu commune, pour se priver non seulement des recreations innocentes, dont nous leur faisions du scrupule, mais aussi des plus grandes douceurs de la vie, que nous avions peine de leur permettre, à cause qu'il leur sembloit qu'il y avoit quelque espece d'irreligion, qui nous y faisoit craindre du peché. Ou pour mieux dire, il estoit peut-estre à propos dans les commencemens de nous tenir dans la rigueur, ainsi que firent les Apostres touchant l'usage des idolothytes et des animaux estouffez dans leur sang.

Quoy qu'il en soit, nous voyons cette severité n'estre plus necessaire, et qu'en plusieurs choses nous pouvons estre moins rigoureux que par le passé. Ce qui sans doute ouvrira le chemin du Ciel à un grand nombre de personnes, qui n'ont pas ces graces abondantes pour une vertu si extraordinaire, quoy qu'ils en ayent d'assez puissantes pour vivre en bons Chrestiens. Le Royaume du Ciel a des couronnes d'un prix bien different, et l'Eglise ne peut pas estre egalement sainte en tous ses membres.
S: id., «Relation de 1648», pp. 60-62, dans ibid., vol. 4.

Superstitions et songes des Hurons*

Outre les desirs que nous avons communément, qui nous sont libres, ou au moins volontaires, qui proviennent d'une connoissance precedente de quelque bonté qu'on ait conceu estre dans la chose desirée, les Hurons croyent que nos ames ont d'autres desirs, comme naturels et cachez; lesquels ils disent provenir du fond de l'ame, non pas par voye de connoissance, mais par un certain transport aveugle de l'ame à de certains

objets: lesquels transports on appelleroit en termes de Philosophie, *Desideria innata*, pour les distinguer des premiers desirs,
qu'on appelle *Desideria Elicita*.

Or ils croyent que nostre ame donne à connoistre ces desirs
naturels, par les songes, comme par sa parole, en sorte que ces
desirs estant effectuez, elle est contente: mais au contraire si on
ne luy accorde ce qu'elle desire, elle s'indigne, non seulement
ne procurant pas à son corps le bien et le bon-heur qu'elle
vouloit luy procurer, mais souvent mesme se revoltant contre
luy, luy causant diverses maladies et la mort mesme.

Or de sçavoir d'où vient ce pouvoir à l'ame, tant pour le bien
que pour le mal, c'est ce dont les Hurons ne s'enquestent pas;
car n'estans ny Physiciens, ny Philosophes, ils n'examinent pas
ces choses dans leur fond, et s'arrestent aux premieres notions
qu'ils en ont, sans en rechercher les causes plus cachées, et sans
voir s'il n'y a point quelque contradiction dans leur raisonnement.
Ainsi lors que dans le sommeil nous songeons à quelque chose
d'éloigné, ils croyent que l'ame sort de son corps et va se rendre
presente aux choses qui luy sont representées durant tout ce
temps-là, sans examiner plus avant l'impossibilité qu'il y auroit
dans ces égaremens et ces longs voyages de nos ames destachées
de leurs corps durant le temps de leur sommeil; sinon qu'ils
disent que l'ame sensitive n'est pas celle qui sort, mais seulement la raisonnable, qui n'est pas dépendante du corps dans ses
operations.

En suite de ces opinions erronnées, la pluspart des Hurons
sont fort attentifs à remarquer leurs songes et à fournir à leur
ame ce qu'elle leur a representé durant le temps de leur sommeil.
Si par exemple ils ont veu une espée en songe, ils taschent de
l'avoir; s'ils ont songé qu'ils faisoient un festin, ils en font un à
leur resveil, s'ils ont dequoy; et ainsi des autres choses. Et ils
appellent cela Ondinnonk, un desir secret de l'ame, declaré par
le songe.

Toutesfois, de mesme que quoy que nous ne declarions pas
tousjours nos pensées et nos inclinations par la parole, ceux-là
ne lairroient pas d'en avoir la connoissance, qui verroient par
une veuë surnaturelle le profond de nos cœurs, ainsi les Hurons
croyent qu'il y a de certaines personnes plus esclairées que le
commun, qui portent pour ainsi dire leur veuë jusques dans le
fond de l'ame, et voyent ces desirs naturels et cachez qu'elle a,
quoy que l'ame n'en ait rien declaré par les songes, ou que celuy
qui auroit eu ces songes, s'en fust entierement oublié. Et c'est en

cette façon que leurs Medecins, ou plus tost leurs Jongleurs qu'ils appellent Saokata, s'acquierent du credit et font valoir leur art, disans qu'un enfant au berceau, qui n'a ny jugement ny connoissance, aura un Ondinnonk, c'est à dire un desir naturel et caché de telle chose; qu'un malade aura de semblables desirs, de diverses choses, desquels il n'aura iamais eu aucune connoissance, ny rien qui en approche. Car comme nous dirons cy-apres, les Hurons croyent qu'un des puissans remedes pour recouvrer au plus tost la santé, est de fournir à l'ame du malade ces sortes de desirs naturels.

Mais d'où vient cette veuë si perçante à ces gens plus esclairez que le commun? Ils disent que c'est un oky, c'est à dire un puissant genie, qui estant entré dans leur corps, ou leur ayant apparu soit en songe, soit apres leur resveil, leur fait voir ces merveilles. Les uns disent que ce genie leur apparoist sous la forme d'un Aigle; les autres disent le voir comme un Corbeau, et mille autres formes semblables, selon que chacun aura diverses fantaisies. Car je ne croy pas qu'il y ait en tout cela aucune vraye apparition, ny aucune operation vrayment diabolique en toutes les sottises dont tout ce pays est remply.

Or les façons sont differentes dont ces Medecins et trompeurs disent voir ces desirs cachez de l'ame du malade: Les uns regardans dans un bassin plein d'eau, y voyent, disent-ils, comme on feroit dans un miroir, passer diverses choses: un beau colier de Porcelaine, une robe de peaux d'escurieux noirs, qui sont icy estimées les plus precieuses, une peau d'asne sauvage richement peinte, selon la façon du pays, et choses semblables, qui disent-ils, sont les désirs de l'ame du malade. D'aucuns semblent entrer en furie, comme faisoient autrefois les Sybilles, et s'estans animez en chantant d'une voix estonnante, ils disent voir ces choses comme devant leurs yeux. Les autres se tiennent cachez en une espece de tabernacle, et dedans ces tenebres, font mine de voir tout autour d'eux les images des choses dont ils disent que l'ame du malade a ces desirs, qui souvent luy seront inconnus à luy-mesme.

Mais pour revenir aux songes ordinaires, non seulement la pluspart des Hurons taschent de fournir à leur ame, ces desirs pretendus des choses qui leur sont representées en songe, c'est à dire, qu'ils taschent de les avoir, mais de plus ils ont coustume de faire festin lors qu'ils ont eu quelque songe favorable. Par exemple, si quelqu'un a songé qu'il prenoit en guerre un ennemy et luy tendoit la teste avec une hache d'armes, il fera un festin dans lequel il publiera aux invitez son songe, et demandera qu'on luy fasse present d'une hache d'armes; et quelqu'un des invitez ne manquera jamais de luy en offrir une; car en ces occasions ils prennent à honneur de paroistre liberaux et magnifiques.

Ces festins se font, disent-ils, afin d'obliger leur ame à tenir sa parole, croyans qu'elle est bien aise qu'on témoigne cette satisfaction du songe favorable qu'on a eu, et qu'en suite elle se met plus tost en devoir de l'effectuer; et si on y manquoit, ils pensent que cela seroit capable d'en empescher l'effet, comme si l'ame indignée retiroit sa parole.

Non seulement ils font ces festins, mais ont coustume, dans leurs chansons, de faire mention de ces songes favorables, comme pour en haster l'effet, et afin que leurs camarades les en congratulent par avance et les en estiment davantage; ainsi qu'en France on congratuleroit à un Capitaine allant à la guerre, si on croyoit qu'il allast à une victoire asseurée.

Mais apres tout, leurs songes ne sont rien que mensonges, et s'il s'en trouve quelqu'un de veritable, ce n'est que par hazard: en sorte qu'ayant examiné le tout fort soigneusement, je ne voy pas qu'il y ait rien de particulier en leurs songes; je veux dire que je ne croy pas que le diable leur parle, ou ait aucun commerce avec eux par cette voye; quoy que quelques trompeurs, pour se donner du credit, disent des merveilles de leurs songes, et se fassent prophetes apres que les choses sont arrivées, publiant faussement qu'ils en avoient eu la connoissance avant l'evenement. Plusieurs estimez des plus clair-voyans, m'avoient asseuré qu'ils devoient venir jusqu'à une vieillesse tres-heureuse; et je les ay veus mourir dés la mesme année: mais le mal est qu'apres leur mort ils ne pouvoient parler pour accuser leurs songes de fausseté.

S: *id.*, «Relation de 1648», pp. 70-71, dans *ibid.*, vol. 4.

Les Hurons devant la maladie*

Les Hurons reconnoissent trois sortes de maladies. Les unes naturelles, lesquelles se guerissent par remedes naturels. Les autres, croyent-ils, causées par l'ame du malade, qui desire quelque chose; lesquelles se guerissent fournissant à l'ame son desir. Enfin les autres sont maladies causées par sortilege, que quelque sorcier aura donné à celuy qui est malade; lesquelles maladies se guerissent faisant sortir du corps du malade, le sort qui est la cause de son mal.

Ce sort sera un nœud de cheveux, un morceau d'ongle d'homme ou de quelque animal, un morceau de cuir ou de bois, une feuille d'arbre, quelques grains de sable, et autres choses semblables.

La façon de faire sortir ces sorts, est quelquefois par vomitoires, quelquefois sucçant la partie dolente, et en tirant ce qu'on dit estre le sort. En quoy certains Jongleurs sont si subtils en leur métier, qu'avec la pointe d'un cousteau, ils tireront ce semble, ou plus tost feront paroistre ce qu'il leur plaist, un morceau de fer ou de caillou, qu'ils diront avoir tiré du cœur ou du fond des os d'un malade, sans toutefois avoir fait aucune incision.

Or quoy que je ne croye pas qu'il y ait parmy eux, autres maladies que naturelles, toutefois ils sont si portez à se persuader le contraire, qu'ils croyent que la pluspart de leurs maladies sont ou de desirs ou de sortilege; en telle façon que s'ils ne guerissent au plus tost d'une maladie, qu'ils ne pourront nier avoir esté naturelle en sa cause, par exemple d'un coup d'espée, d'une morsure de quelque ours, ils disent incontinent ou que quelque sorcier s'est mis de la partie et que quelque sort en empesche la guerison, ou que l'ame elle mesme a quelque desir qui l'inquiete et qui tuë le malade, (car c'est ainsi qu'ils parlent). C'est pourquoy il arrive souvent qu'ils esprouvent l'un apres l'autre tous les remedes qu'ils sçavent contre toutes ces sortes de maladies.

Or cela vient de ce qu'ils se persuadent que les remedes naturels doivent avoir leur effet comme infaillible et devroient rendre la santé si le mal estoit purement naturel, de mesme que le feu chasse infailliblement le froid; ainsi le mal continuant ils concluent qu'il doit y en avoir quelque autre cause non naturelle; dont ayans esprouvé le remede, et n'en ayans point veu l'effet qu'ils desiroient, ils jugent n'avoir pas encore assez bien reconnu la cause principale du mal, et l'attribuent à quelque autre principe. En quoy il n'y a jamais de fin; car ces desirs de l'ame estans imaginaires, peuvent estre infinis, comme aussi les sortileges qui pourroient empescher une parfaite guerison. Jusques-là mesme qu'apres que leurs Jongleurs se seront vantez d'avoir tiré du corps du malade dix et vingt sorts; s'ils ne voyent le mal cessé, ils en attribuent la cause à quelque autre sort plus caché et inexpugnable à leur art. Et nonobstant cela ces Jongleurs et ces remedes impertinens ne laissent pas d'avoir tout leur credit dans l'esprit de nos Hurons, autant qu'en France pourroient avoir les plus habiles Medecins, et les remedes les plus exquis, quoy que souvent ils ne rendent pas la santé.

Ce qui leur donne ce credit est que comme souvent ils ont recours à ces remedes impertinens, et qu'ils s'en servent aux moindres maux dont ils se sentent attaquez, d'un mal de teste, d'estomac, de colique, et d'une fievre fort legere qui passeroit d'elle-mesme en un jour, se trouvans ou gueris ou quelque peu soulagez de leur mal, ou mesme de leur imagination, apres tels remedes, ils leur attribuent ce bon effet, ne jugeans pas que *post hoc, non propter hoc sanati sunt*, ce qui est ordinaire aux ignorans, *ut sumant non causam pro causâ*.

Joint que non seulement les malades, mais quasi tout le monde trouvant son compte en l'usage de la pluspart de tels remedes, chacun est puissamment porté à croire qu'en effet ils ont leur efficace pour rendre la santé, *Nam qui amant ipsi sibi somnia fingunt*.

Voicy l'ordre qu'on y tient. Quelqu'un estant tombé malade, ses parens font venir le Medecin, j'eusse mieux dit le Jongleur, qui doit porter jugement de la maladie. S'il dit que la maladie est naturelle, on se servira de breuvages, de vomitoires ou de certaines eaux dont ils feront injection sur la partie dolente, quelquefois de scarifications, ou bien de cataplasmes. En quoy leur science est bien courte, le tout se reduisant à quelques racines pulverisées et quelques simples cueillis en leur saison.

Mais d'ordinaire ces Medecins vont plus avant, et diront que c'est une maladie de desir, afin qu'on les employe à deviner quels sont ces desirs de l'ame qui la troublent. Et quelquefois sans beaucoup de ceremonie ils indiqueront au malade quatre ou cinq choses, qu'ils luy disent que son ame desire, c'est à dire qu'il faut qu'il tasche à les trouver, s'il veut recouvrer la santé. En quoy ces Jongleurs sont pleins de ruse et de malice; car s'ils croyent que quelqu'un ne soit pas pour en reschapper, ils diront que son ame a un desir de quelque chose, qu'ils jugent assez que jamais il ne pourra recouvrer: car ainsi cét homme mourant, on attribuë sa mort à ce desir qui n'aura pû estre effectué.

Mais lors qu'ils voyent que le malade est de consideration, ils ne manqueront pas d'ordinaire à joüer de leur reste et faire une ordonnance de medecine qui doit mettre tout le public en action. Ils diront que l'ame du malade aura quinze ou seize desirs, dont les uns seront de choses tres-riches et precieuses, les autres de quelques danses les plus recreatives qui soient dans le pays, de festins, de balets et de toutes sortes de passe-temps.

L'Ordonnance estant faite, les Capitaines du bourg tiennent conseil, comme en une affaire importante pour le public, et deliberent s'ils s'employeront pour le malade; et lors qu'il y a quantité de malades qui sont personnes considerables, on ne peut croire avec combien d'ambition et de brigues, leurs parens et amis s'employent à qui aura la preference, le public ne pouvant pas rendre ces honneurs à tout le monde.

La conclusion des Capitaines estant prise en faveur de quelqu'un, ils envoyent des deputez vers le malade pour sçavoir de sa bouche quels sont ses desirs. Le malade sçait bien faire son personnage en ces rencontres; car quoy que bien souvent ce soient maladies fort legeres, ou plus tost à vray dire des maladies d'ambition, de vanité ou d'avarice, toutefois il respondra d'une voix mourante qu'il n'en peut plus, que des desirs qui ne luy sont pas volontaires le font mourir, et que ces desirs sont de telle et telle chose.

Le rapport en estant fait aux Capitaines, ils se mettent en peine de fournir au malade l'accomplissement de ses desirs, faisans pour cét effet une assemblée publique où ils exhortent tout le monde à y contribuer, et les particuliers prenans à gloire de paroistre magnifiques en ces rencontres, car tout cela se fait à son de trompe, un chacun à l'envy l'un de l'autre taschant de l'emporter sur son compagnon. Si que souvent en moins d'une heure, on aura fourny au malade plus de vingt choses precieuses qu'il aura desirées, qui luy demeureront ayant recouvré la santé, ou s'il mouroit, à ses parens. En sorte qu'un homme devient riche en un jour, et accommodé de tout ce dont il a besoin: car outre les choses qui estoient de l'ordonnance du Medecin, le malade ne manque jamais d'en adjouster quantité d'autres, qui, dit-il, luy ont esté representées en songe, et dont par consequent depend la conservation de sa vie.

Apres cela on proclame les danses, qui doivent se faire dans la cabane et à la veuë du malade, trois ou quatre jours de suite, desquelles on dit aussi que dépend sa santé. Ces danses approchent pour la pluspart des branles de la France; les autres sont en forme de balets, avec des postures et des proportions qui n'ont rien de sauvage et qui sont dans les regles de l'art: le tout à la cadence et à la mesure du chant de quelques-uns, qui sont les maistres du mestier.

C'est le devoir des Capitaines de tenir la main à ce que le tout se fasse avec ordre et dans la magnificence. Ils vont dans les cabanes y exhorter les hommes et les femmes, mais nommément l'élite de la jeunesse, un chacun taschant d'y paroistre vestu à l'avantage et de s'y faire valoir, de voir et d'y estre veu.

En suite les parens du malade font des festins tres-magnifiques, où un grand monde est invité; dont les meilleurs morceaux sont le partage des plus considerables et de ceux qui ont le plus paru durant ces jours de magnificence publique.

Jamais le malade ne manque apres cela de dire qu'il est guery, quoy que quelquefois il meure un jour apres cette celebrité. Mais comme d'ordinaire ces maladies ne sont rien que feintise ou de petits maux passagers, on se trouve en effet guery, et c'est ce qui donne ce grand credit à ces remedes.

C'est l'occupation de nos Sauvages tout le long de l'Hyver; et la pluspart de leurs chasses, de leurs pesches, de leur trafic et de leurs richesses s'employent en ces recreations publiques: et ainsi en dansant on guerit les malades.

Or dans ces choses, quoy qu'il y ait non seulement de l'erreur, mais aussi du desordre et mesme souvent du peché, lequel sans doute ne peut estre permis aux Chrestiens, toutefois le mal est bien moindre que nous le jugions d'abord, et bien moins estendu qu'il ne nous paroissoit.

S: *id.*, «Relation de 1648», pp. 72-74, dans *ibid.*, vol. 4.

De la maison de Sainte-Marie à l'île Saint-Joseph

En suite des victoires sanglantes que remporterent les Iroquois sur nos Hurons au commencement du Printemps de l'an passé 1649. et en suite des barbaries plus qu'inhumaines qu'ils exercerent à l'endroit de leurs captifs de guerre, et des cruels tourmens qu 'ils firent souffrir impitoyablement au Pere Jean de Brebeuf et au Pere Gabriel Lalemant, Pasteurs de cette Eglise vrayement souffrante, la terreur s'estant jettée sur les bourgades voisines qui redoutoient un semblable malheur, tout le païs se dissipa, ces pauvres peuples desolez ayans quitté leurs terres, leurs maisons et leurs bourgades, et tout ce qu'ils avoient de plus cher en ce monde pour fuyr la cruauté d'un ennemy qu'ils craignoient plus que mille morts et que tout ce qui restoit devant leurs yeux. capable d'espouventer des personnes desja miserables. Plusieurs, n'esperans plus d'humanité parmy les hommes, se jetterent dans l'espaisseur des bois pour y trouver la paix, quoy qu'avec les bestes feroces. Les autres se retirerent sur des rochers affreux au milieu d'un grand Lac, qui a prez de quatre cens lieuës de circuit, aymans mieux mourir dans les eaux et dans les precipices que dans le feu des Iroquois. Un bon nombre ayans pris party parmy les peuples de la Nation Neutre, et dans le sommet des Montagnes que nous nommons la Nation du Petun, ceux qui restoient les plus considerables nous inviterent à nous joindre avec eux et de ne pas fuyr si loin, esperans que Dieu prendroit leur cause en main, lors qu'elle seroit devenuë la nostre, et qu'il auroit soin de leur deffense s'ils avoient soin de le servir, nous promettans pour cét effet, de se faire tous Chrestiens et d'estre fideles à la foy jusqu'à la mort, qu'ils voyoient armée de tous costez pour les exterminer.

C'estoit justement ce que Dieu demandoit de nous en des temps de desolation, de fuyr avec les fuyans, de les suivre par tout où leur foy les suivoit, et de ne pas negliger aucun de ces Chrestiens, quoy qu'il fust convenable d'arrester le gros de nos forces où le gros de ces fugitifs prendroient dessein de s'arrester. C'est la conclusion que nous prismes ayans recommandé l'affaire à Dieu.

Nous détachasmes quelques-uns de nos Peres pour faire quelques Missions volantes, les uns dans un petit canot d'escorce, pour voguer sur les costes et visiter les isles les plus esloignées de ce grand Lac, à soixante, quatre-vingts et cent lieuës de nous; les autres prirent leur chemin par terre, traversans la profondeur des bois et gravissans la cime des montagnes. En quelque endroit que nous marchions, Dieu estant nostre conducteur, nostre deffense, nos esperances et nostre tout, qu'y a-t-il à craindre pour nous?

Mais il fallut, à tous tant que nous estions, quitter cette ancienne demeure de saincte Marie; ces edifices, qui quoy que pauvres, paroissoient des chefs-d'œuvre de l'art aux yeux de nos pauvres Sauvages; ces terres cultivées qui nous promettoient une riche moisson. Il nous fallut abandonner ce lieu, que je puis appeller nostre seconde Patrie et nos delices innocentes, puis qu'il avoit esté le berceau de ce Christianisme, qu'il estoit le temple de Dieu et la maison des serviteurs de Jesus-Christ; et crainte que nos ennemis trop impies, ne profanassent ce lieu de saincteté et n'en prissent leur avantage, nous y mismes le feu nous mesmes et nous vismes brusler à nos yeux, en moins d'une heure, nos travaux de neuf et de dix ans.

C'estoit sur les cinq à six heures du soir, le quatorziesme jour du mois de Juin, qu'une partie de nous monta sur un petit vaisseau que nous avions basty. Je me jettay avec la plus grande part des autres, sur des arbres de cinquante à soixante pieds de longueur, que nous avions abattus dans les bois et que nous traisnasmes dans l'eau, les lians tous ensemble pour nous faire un plancher flottant sur cet element infidelle, comme autrefois nous avions veu qu'en France on conduisoit le bois flotté dessus les eaux. Nous voguasmes toute la nuict sur nostre grand Lac, à force de bras et de rames; et le temps nous estant favorable, nous abordasmes heureusement au bout de quelques jours dans une isle où les Hurons nous attendoient, et qui estoit le lieu où nous avions pris le dessein de nous reünir tous ensemble, pour en faire une isle Chrestienne.

Dieu sans doute nous conduisoit en ce voyage: car lors mesme que nous costoyons ces terres abandonnées, l'ennemy estoit en campagne, et fit son coup le lendemain sur quelques familles Chrestiennes qu'il surprit durant leur sommeil, sur le chemin que nous avions tenu; massacrant les uns sur la place; les autres furent emmenez captifs.

Les Hurons qui nous attendoient dans cette Isle, appellée l'Isle de S. Joseph, y avoient semé leur bled d'Inde; mais les secheresses de l'Esté estoient si excessives, qu'ils perdoient l'esperance de leur moisson si le Ciel ne leur donnoit quelque pluye favorable. Ils nous prierent à nostre abord d'obtenir cette faveur pour eux. Nos prieres furent exaucées le mesme jour, quoy qu'il n'y eust auparavant aucune apparence de pluye.

Ces grands bois, qui depuis la Creation du monde n'avoient point esté abattus de la main d'aucun homme, nous receurent pour hostes; et la terre nous fournit, sans la creuser, la pierre et le ciment qu'il nous falloit pour nous fortifier contre nos ennemis. En sorte que Dieu mercy nous nous vismes en estat de tres-bonne deffense, ayant basty un petit fort si regulierement, qu'il se deffendoit facilement soy-mesme, et qui ne craignoit point ny le feu, ny la sappe, ny l'escalade des Iroquois.

De plus, nous mismes la main pour fortifier le bourg des Hurons qui joignoit à nostre habitation; nous leur dressasmes des bastions qui en deffendoient les approches, estans dans le dessein de prester et les forces, et les armes et le courage de nos François, qui eussent exposé tres-volontiers leur vie pour une deffense si raisonnable et si Chrestienne, ce bourg estant vrayement Chrestien et le fondement du Christianisme respandu en toutes ces contrées.

S: *id.*, «Relation de 1650», pp. 2-3, dans *ibid.*, vol. 4.

La mission de l'île Saint-Joseph*

Cette Isle dans laquelle nous avions transporté la maison de Saincte Marie, ayant le nom de Sainct Joseph, Patron de ces Païs, les Sauvages qui s'y étoient retirez, composoient la Mission qui portoit le mesme nom. Le bourg Huron avoit plus de cent cabanes, dont une seule contenoit les huit et dix familles, qui font soixante et quatre-vingts personnes. Outre cela, il y avoit çà et là dans la Campagne, quelques cabanes plus esloignées, qui toutes ont donné de l'employ aux Peres qui ont eu le soin de cette Mission, sur laquelle Dieu a versé ses benedictions, à proportion des Croix qu'il y a envoyées.

La famine y a esté extreme; non pas que les terres qu'on y avoit ensemencées, n'eussent rendu avec l'usure que l'on desiroit et bien au delà du centuple ce qu'on leur avoit confié; mais à cause que de dix familles, à peine y en avoit-il une seule qui eust pû vacquer aux travaux qui sont necessaires pour se faire un champ de bled d'Inde, en un lieu, qui lors que l'on y aborda n'estoit qu'une espaisse forest, qui n'avoit rien de disposé pour le labour. La pluspart de ces pauvres exilez dans leur propre païs, avoient passé tout l'Esté et une partie de l'Automne à vivre dans les bois, de racines et de fruits sauvages, et à pescher çà et là, sur les Lacs et sur les Rivieres, quelques petits poissons, qui servoient plus pour reculer un peu leur mort que pour contenter leur vie. L'Hyver estant venu, qui a couvert la terre de trois et quatre pieds de neige, et qui a glacé tous les Lacs et toutes les Rivieres, tout ce ramas de monde, s'étant rangé proche de nous, se vit incontinent dans la necessité et dans l'extremité de la misere, n'ayans fait ny pû faire aucune provision.

Ce fut alors que nous fusmes contraints de voir des squeletes mourantes, qui soustenoient une vie miserable, mangeant jusqu'aux ordures et les rebuts de la nature. Le gland estoit à la pluspart, ce que seroient en France les mets les plus exquis. Les charognes mesme deterrées, les restes des Renards et des Chiens ne faisoient point horreur, et se mangeoient, quoy qu'en cachete: car quoy que les Hurons, avant que la foy leur eust donné plus de lumiere qu'ils n'en avoient dans l'infidelité, ne creussent pas commettre aucun peché de manger leurs ennemis, aussi peu qu'il y en a de les tuer, toutefois je puis dire avec verité, qu'ils n'ont pas moins d'horreur de manger de leurs compatriotes, qu'on peut avoir en France de manger de la chair humaine. Mais la necessité n'a plus de loy, et des dents fameliques ne discernent plus ce qu'elles mangent. Les meres se sont repeuës de leurs enfans, des freres de leurs freres, et des enfans ne reconnoissoient plus en un cadavre mort, celuy lequel lors qu'il vivoit, ils appelloient leur Pere.

Nous avons tasché de soulager une partie de ces miseres; mais quoy qu'en ces aumosnes nous ayons esté peut-estre au delà de ce que la Prudence eust demandé de nous, toutefois le mal estant si public et tout le monde ne pouvant pas estre secouru esgalement de nous, nous avons esté contraints de voir de nos yeux une partie de ces spectacles qui nous faisoient horreur.

Ceux qui avoient dequoy parer aucunement à la famine, se virent attaquez d'une maladie contagieuse, qui en emporta un grand nombre, mais particulierement des enfans.

La Guerre avoit desja fait ses ravages, non seulement dans la desolation arrivée l'Hyver precedent, mais en quantité de massacres qui estoient survenus tout le long de l'Esté en terre ferme, aux environs de cette Isle, où la pauvreté contraignoit quantité de familles d'aller chercher aussi tost la mort que la vie, dans des campagnes abandonnées à la fureur des ennemis. Mais afin que rien ne manquast aux miseres d'un peuple affligé, tous les jours et toutes les nuits de l'Hyver, ce n'estoient que des nuits d'horreur, dans les craintes et dans les attentes où ils estoient sans cesse d'une armée ennemie d'Iroquois, dont ils avoient eu advis; qui, disoit-on, devoit venir nous enlever cette Isle, et exterminer avec nous les restes d'un pais tirant à sa fin. Voila une face d'affaire bien deplorable; mais ce fut au milieu de ces desolations que Dieu prit plaisir de tirer le bien de ces peuples, de leur plus grand malheur. Leur cœur se trouvoit si docile à la foy, que nous faisions dans leurs esprits plus en une parole, que jamais nous n'avions pû faire en des années toutes entieres. Ces pauvres gens mourans de faim, venoient eux-mesmes nous trouver et nous demander le Baptesme, se consolans des esperances du Paradis, qu'ils voyoient aussi proche d'eux, qu'estoit la mort qu'ils portoient dans leur sein.

Une mere s'est veuë, n'ayant que ses deux mamelles, mais sans suc et sans laict, qui toutefois estoit l'unique chose qu'elle eust peu presenter à trois ou quatre enfans qui pleuroient y estans attachez. Elle les voyoit mourir entre ses bras, les uns apres les autres, et n'avoit pas mesme les forces de les pousser dans le tombeau. Elle mouroit sous cette charge, et en mourant elle disoit: Ouy, Mon Dieu, vous estes le maistre de nos vies;

nous mourrons puisque vous le voulez; voila qui est bien que nous mourrions Chrestiens. J'estois damnée, et mes enfans avec moy, si nous ne fussions morts miserables; ils ont receu le sainct Baptesme, et je croy fermement que mourans tous de compagnie, nous ressusciterons tous ensemble.

Une autre mere se voyant mourir la premiere, avec autant de paix que si elle eût entré dans un doux sommeil, laissoit dessus son sein deux pauvres orphelins, qui continuoient de la succer apres sa mort, et qui mouroient dessus leur mere, aussi paisiblement qu'ils s'y estoient autrefois endormis, lors qu'ils en tiroient et le laict et la vie.

Plusieurs en expirant recommandoient leur ame à Dieu; d'autres disoient à leurs enfans, qu'ils ne songeassent rien qu'à luy, puisque luy seul seroit leur Pere dedans l'eternité. Quelques-uns, ayant vendu pour un repas de gland boüilly dans l'eau, l'unique chose qui leur restoit de tous leurs biens, et laquelle ils s'estoient reservée, pour ne pas mourir aussi nuds qu'ils estoient sortis du ventre de leur mere, se voyans ainsi despoüillez dans les attentes de la mort, qui estoit prochaine, disoient à Dieu: Oüy, mon Dieu, je n'ay plus rien en terre, et mon cœur n'y peut estre attaché: j'attens avec joye la mort, qu'autrefois j'ay tant redoutée; mais c'est dans l'esperance que vostre foy me donne que je seray d'autant plus heureux dans le Ciel, que je meurs maintenant miserable.

Ces pauvres moribonds nous benissoient en mesme temps qu'ils envisageoient leurs miseres, n'y en ayant aucun qui n'ait trouvé en nous, et plus d'amour, et une charité plus secourante qu'ils en esprouvoient mesme de leurs plus proches. Aussi ne nous regardoient-ils, qu'avec des yeux d'amour, comme leurs Peres, et recevans nos charitez durant leur vie, ils sçavoient bien qu'elles continueroient sur eux, mesme jusqu'apres la mort, quelques-uns de nos Peres et des François qui estoient avec nous, s'estans chargez du soin, qu'aucun autre ne vouloit prendre, non pas mesme les plus proches parens des defunts, d'ensevelir et d'enterrer ces pauvres abandonnez des hommes; mais que nous pouvons appeller les cheris de Dieu, puis qu'ils sont maintenant ses enfans, quelque barbares et miserables qu'ils ayent esté. *Ecce quomodo computati sunt inter filios Dei, et inter sanctos sors illorum est.*

Il s'est trouvé de ces pauvres Chrestiens, qui se voyans mourir dans ces miseres, nous envoyoient querir. Hé! Je te prie, mon frere, nous disoient-ils, enterre moy dés maintenant; car c'est fait de ma vie, et tu vois bien que tu me dois compter entre les morts. Ce que je crains, si je mourois avant que d'estre enterrée, c'est que de pauvres gens aussi miserables que moy, ne me dépoüillent de ce haillon, dont ma nudité est couverte, pour se couvrir eux-mesmes. Ce me sera une consolation, entrant dans le tombeau, de sçavoir que mon corps n'aura pas cette confusion apres la mort dont j'ay eu horreur toute ma vie. Ces spectacles nous tiroient les larmes.

S: id., «Relation de 1650», pp. 3-5, dans *ibid.*, vol. 4.

La descente vers Québec*

Ce ne fut pas sans larmes que nous quittasmes ce païs, qui possedoit nos cœurs, qui arrestoit nos esperances, et qui estant desja rougy du sang glorieux de nos freres, nous promettoit un semblable bon-heur, nous ouvroit le chemin du Ciel et la porte du Paradis. Mais quoy! il faut s'oublier de soy-mesme, et quitter Dieu, pour Dieu, je veux dire qu'il merite luy seul d'estre servy, sans la veuë de nos interests, fussent-ils les plus Saints que nous puissions avoir au monde.

Dans ces regrets, ce nous fut une consolation d'emmener avec nous de pauvres familles Chrestiennes, environ trois cents ames: tristes reliques d'une nation autrefois si peuplée, que les miseres ont accueilly au temps qu'elle a esté la plus fidele à Dieu. Le Ciel y avoit ses esleuz; il s'est peuplé de nos despoüilles en depeuplant la terre; et ce nous est assez pour nous contenter dans nos pertes, de voir que ceux qui sont restez avec nous, ayans perdu leurs biens, leurs parens, leur patrie, n'ayent pas perdu leur foy. Plus de trois mille avoient depuis un an receu le Saint Baptesme, qu'eussions-nous pû plus saintement leur souhaitter, sinon qu'ils emportassent dans le Ciel leur innocence baptismale? Dieu leur a fait cette grace plus tost qu'ils ne s'y attendoient, pourrions-nous bien nous plaindre qu'il leur ayt hasté ses faveurs? puisque nous-mesmes nous nous fussions estimez trop heureux de mourir en leur compagnie pour joüir du mesme bon-heur.

Par les chemins, qui sont d'environ trois cents lieuës, nous avons marché sur nos gardes, comme dans une terre ennemie, n'y ayant aucun lieu où l'Iroquois ne soit à craindre, et où nous n'ayons veu des restes de sa cruauté ou des marques de sa perfidie. D'un costé nous envisagions des campagnes, où il n'y a pas dix années que j'y comptois les huit et dix mille hommes: de tout celà, il n'en restoit pas mesme un seul. Passant plus outre, nous costoyions des terres nouvellement rougies du sang de nos Chrestiens. D'une autre part, vous eussiez veu des pistes encore toutes fraisches de deux qu'on avoit emmenez captifs. Un peu plus loin, il n'y avoit que des carcasses de cabanes abandonnées à la fureur de l'ennemy, ceux qui les habitoient ayans pris la fuite dans les bois et s'estans condamnez à n'avoir plus d'autre demeure qu'un perpetuel bannissement. Les Nipissiriniens, peuples de la langue Algonquine, avoient esté tout nouvellement massacrez dans leur lac, de quarante lieuës de contour, lequel autrefois j'avois veu habité quasi tout le long de ses costes, et lequel maintenant n'est plus rien qu'une solitude. Une journée plus en deçà nous trouvasmes une forteresse, où les Iroquois avoient passé l'Hyver venans à la chasse des hommes. A quelques lieues de là, nous en trouvasmes encore une autre. Par tout, nous marchions sur les mesmes démarches de nos plus cruels ennemis. Au milieu du chemin, nous eusmes une alarme assez vive, une troupe d'environ quarante François et de quelques Hurons qui avoient hyverné à Kebec, et qui montoient cette grande riviere, apperceurent quelques pistes de nos découvreurs et creurent que c'estoit l'ennemy. En mesme temps nostre avant-garde eut aussi connoissance des pistes de ceux qui venoient de nous découvrir. Les uns et les autres estans retournez sur leurs pas, chacun se prepare au combat: mais estans venus aux approches, nos alarmes furent bien-tost changées en joye.

Ces François que nous eusmes au rencontre, avoient fait prise depuis fort peu de jours, de quelques Iroquois qui avoient voulu les surprendre, et qui eussent fait un coup aussi heureux qu'il estoit remply de courage, s'ils se fussent assez promptement retirez apres leur premiere descharge. Ils n'estoient que dix Iroquois, qui avoient hyverné environ soixante lieuës au dessus des Trois-Rivieres, où ils ne vivoient que de chasse, attendans au Printemps quelque bande, ou de François, ou de Hurons, qui passeroit par là. Ces ennemis ayans apperceu sur le soir, la fumée du feu de nos François, qui s'estoient cabanez environ une lieuë proche de leurs embusches, viennent de nuict les reconnoistre, et ils eurent bien l'asseurance, dix qu'ils estoient, d'en attaquer soixante. Il est vray qu'ils se glisserent à la faveur d'une nuict obscure, et qu'ils prirent leur route avec tant de bonheur qu'ils ne furent pas apperceus des sentinelles, sinon lors qu'ils estoient desja dedans le camp, et qu'ils déchargerent les coups de mort sur les premiers qu'ils rencontrerent en leur chemin, tout le monde estant endormy.

Il semble que la mort ne cherchoit que les bons Chrestiens, et les colomnes de nostre Eglise Huronne, ils en tuerent sept avant qu'on se fust reconnu, entre autres un Capitaine nommé Jean Baptiste Atironta, dont souvent nous avons parlé dans nos Relations precedentes, lequel ayant hyverné à Kebec cette derniere année, y avoit edifié tout le monde par l'innocence de sa vie et par l'exemple de ses vertus.

Le Pere Bressany qui nous ramenoit cette troupe, avec laquelle il estoit descendu des Hurons sur la fin de l'Esté precedent, se resveille au bruit de ces meurtres, il voit à ses costez ses compagnons, qui desja avoient receu le coup de la mort: il crie aux armes, et en mesme temps il reçoit trois coups de fléche dans la teste, qui le couvre tout de son sang. On accourt au secours, six Iroquois furent tuez sur la place, deux furent pris captifs; les deux derniers, n'en pouvant plus, laschent le pied et se sauvent à la fuite. Voila quels sont nos ennemis: ils sont sur vous, lors qu'on les croit à deux cents lieuës de là; et au mesme moment ils s'esvanouïssent de vos yeux, si ayans fait leur coup ils veulent songer à la retraicte.

Cette troupe qui nous eut au rencontre, ayant appris la desroute de tout le païs des Hurons, prend dessein de retourner dessus ses pas. Nous suivons donc nostre chemin. Helas que ces malheureux Iroquois ont causé de desolation en toutes ces contrées! Lors que je montois cette grande Riviere, il n'y a que treize ans, je l'avois veuë bordée de quantité de peuples de la langue Algonquine, qui ne connoissoient pas un Dieu, et lesquels au milieu de l'infidelité s'estimoient les Dieux de la terre, voyans que rien ne leur manquoit, dans l'abondance de leurs pesches, de leurs chasses, et du commerce qu'ils avoient avec leurs nations alliées; et avec cela, ils estoient la terreur de leurs ennemis. Depuis que la foy est entrée dans leur cœur, et qu'ils ont adoré la Croix de Jesus-Christ, il leur a donné pour partage une partie de cette Croix vrayement pesante, les ayans mis en proye aux miseres, aux tourmens et à des morts cruelles, en un mot, c'est un peuple effacé de dessus la terre. Nostre unique consolation, c'est qu'estans morts Chrestiens ils sont entrez dans le partage des veritables enfans de Dieu.

S: *id.*, «Relation de 1650», pp. 26-27, dans *ibid.*, vol. 4.

CLAUDE DABLON
(1619-1697)

Claude Dablon naît à Dieppe [département de la Seine-Maritime, dans le nord-ouest de la France], le 21 juin 1619. Il arrive à Québec vers la fin de l'été de 1655 et, avec le père Pierre-Joseph-Marie Chaumonot, part le 19 septembre, pour Onontagué, le pays des Iroquois Supérieurs, au sud du lac Ontario. Il y est le 5 novembre; le 2 mars 1656, il entreprend le voyage de retour et arrive à Montréal le 30 du même mois. En juillet, il remonte à Onontagué; la situation y étant devenue intenable, tous les Français, les jésuites y compris, fuient l'endroit le 20 mars 1658. Le père Dablon arrive à Québec le 23 avril; il y exerce diverses fonctions (ministre, procureur, professeur, préfet des classes) pendant une dizaine d'années. En 1661, avec le père Gabriel Druillettes, il remonte le Saguenay, se rend au lac Saint-Jean, puis continue son exploration dans le but de se rendre à la baie d'Hudson pour vérifier si la mer du Nord est reliée à celle de l'Ouest et du Sud; malheureusement, abandonné par ses guides amérindiens, il doit s'arrêter à la ligne de partage des eaux, au lac Nékouba [Nikabau]. En 1669, supérieur des missions de l'Ouest avec résidence au Sault-Sainte-Marie, il fait le tour du lac Supérieur avec le père Claude Allouez. Deux ans plus tard, il est nommé supérieur des missions des jésuites de la Nouvelle-France avec résidence à Québec; il occupe cette fonction de 1671 à 1680, puis de 1686 à 1693. Il décède dans cette ville en 1697.

Géographe et explorateur, le père Claude Dablon décrit avec savoir-faire la topographie des régions qu'il traverse: celle des Grands Lacs, entre autres, et, tout particulièrement, celle du lac Supérieur. Il évalue les ressources des lacs et des terrains miniers. Il explique les mouvements de l'eau et des vents des Grands Lacs et décrit en connaisseur les phénomènes atmosphériques, telles les parhélies [ou parélies]. Diariste qui prend des notes quotidiennement, le père Dablon raconte ses voyages avec force détails et dans un style alerte.

Nous avons emprunté les pièces qui suivent au tome 6: *1666-1672* de l'édition que les Éditions du Jour ont publiée en six tomes [1611-1672], à Montréal, en 1972, sous le titre *Relations des Jésuites, contenant ce qui s'est passé dans les missions des*

Pères de la Compagnie de Jésus dans la Nouvelle-France. Cette édition reproduit celle qui avait été préparée sous la direction de l'abbé Charles-Honoré Laverdière et publiée en trois volumes, à Québec, en 1858, par l'éditeur Augustin Côté. — Pour faciliter la lecture, nous avons remplacé par leurs équivalents modernes les anciens caractères typographiques suivants: ſ par s; j par i et vice versa; u par v et vice versa.

Le Sault Sainte-Marie*

Ce qu'on appelle communément le Sault, n'est pas propre-ment un Sault ou une cheute d'eau bien élevée, mais un courant tres-violent des eaux du Lac Superieur, qui se trouvant arrétées par un grand nombre de rochers qui leur disputent le passage, font une dangereuse cascade large de demie lieuë, toutes ces eaux descendans et se precipitans les unes sur les autres, comme par degrez sur des gros rochers qui barrent toute la riviere.

C'est à trois lieuës au-dessous du Lac Supérieur, et douze lieuës au-dessus du Lac des Hurons, tout cét espace faisant une belle riviere, couppée de plusieurs Isles qui la partagent et l'élargissent en quelques endroits, à perte de veuë; elle coule presque partout trés doucement, et n'a que le lieu du Sault qui soit difficile à franchir.

C'est au pied de ces rapides, et même parmy ces boüillons, que se fait une grande pêche, depuis le Printemps jusques à l'Hyver, d'une sorte de poisson, qui ne se retrouve d'ordinaire que dans le Lac Superieur, et le Lac Huron: ils l'appellent en leur langage Atticameg, et nous en la nostre poisson blanc, parce que de vray il est trés-blanc, et de plus tres-excellent; aussi donne-t-il à vivre presque seul à la pluspart de tous ces peuples.

L'adresse et la force sont necessaires pour cette sorte de pêche; car il faut se tenir debout dans un Canot d'écorce, et là parmy les boüillons, pousser avec roideur jusques au fond de l'eau une perche, au bout de laquelle est attachée une rets faite en forme de poche, dans laquelle on fait entrer le poisson; il faut le chercher de l'oeil lorsqu'il se glisse entre les Rochers; l'ayant apperceu, le poursuivre, et l'ayant contraint d'entrer dans le puisoir, l'enlever avec violence dans le canot: ce qui se fait à diverses reprises, se trouvant six et sept gros poissons pris à chaque fois, jusqu'à ce qu'on en ait sa charge.

Toutes sortes de personnes ne sont pas propres à cette pêche, et il s'en trouve quelquefois, qui par l'effort qu'ils sont contraints de faire, font verser le Canot, faute d'avoir assez d'adresse et d'experience.

Cette commodité d'avoir du poisson en telle quantité, qu'on n'ait qu'à l'aller puiser, attire icy pendant l'Esté, les Nations circonvoisines; lesquelles, étant errantes sans champs et sans bled, et ne vivans pour la pluspart que de pêche, trouvent icy dequoy se contenter; et en même temps on prend l'occasion de les instruire, et les élever dans le Christianisme, pendant le sejour qu'elles font en ce lieu.

C'est ce qui nous a obligez à y établir un Mission fixe, que nous appelons sainte Marie du Sault, laquelle est le centre des autres, nous trouvant icy environnez de diverses Nations, dont voicy celles qui ont rapport icy, s'y rendant pour y vivre de poisson.

Les premiers et les naturels habitans de ce lieu, sont ceux qui s'appellent Pahoüiting8ach Irini, que les François nomment Saulteurs, parce que ce sont eux qui demeurent au Sault comme dans leur Pays, les autres n'y étant que comme par emprunt; ils ne sont que cent cinquante ames; mais ils se sont unis à trois autres Nations, qui sont plus de cinq cens cinquante personnes, ausquelles ils ont fait comme cession des droits de leur Pays natal; aussi y resident-elles fixement, excepté le temps qu'elles vont à la chasse. Ceux qu'on appelle les Nouquet se rangeant pour cela du côté du Sud du Lac Superieur, d'où ils sont originaires, et les Outchibous avec les Marameg du côté du Nord du même Lac, qu'ils regardent comme leur propre Pays.

Outre ces quatre Nations, il y en a sept autres qui dépendent de cette Mission: ceux qu'on appelle Achiligoüiane, les Amicoures, et les Mississague, font icy la pêche, vont à la chasse dans les Isles et sur les terres des environs du Lac Huron; ils font plus de quatre cens ames.

Deux autres Nations au nombre de cinq cens ames, entierement errants, et sans aucune demeure arrêtée, vont vers les terres du Nord, pour y chasser pendant l'Hyver, et se rendent icy pour y pêcher pendant l'Esté.

Restent six autres Nations, qui sont ou des gens de la Mer du Nord, comme les Guilistinons, et les Ouenibigonc, ou errans dans les terres aux environs de cette même Mer du Nord, dont la pluspart ont esté chassez de leur Pays par la famine, et se rendent icy de temps en temps pour y joüir de l'abondance du poisson.

S: Claude Dablon, «Relation de 1670», pp. 78-80, dans *Relations des Jésuites, contenant ce qui s'est passé dans les missions des Pères de la Compagnie de Jésus dans la Nouvelle France*, Montréal, Éditions du Jour, 1972, vol. 6.

Le lac Supérieur*

Ce lac a presque la figure d'un Arc bandé, de plus de cent quatre-vingt lieües de long: le côté du Midy en est comme la corde, et il semble que la flêche soit une grande Langue de terre, qui avance plus de quatre-vingts lieües dans le large, en sortant de ce même côté du Sud, vers le milieu du Lac.

Le côté du Nord est affreux par une suite de Rochers, qui font le terme de cette prodigieuse chaine de Montagnes, qui prenant naissance au-delà du Cap de Tourmente, au-dessous de Quebec, et se continuant jusques-icy, par une espace de plus de six cens lieües de long, viennent enfin se perdre à l'extremité de ce Lac.

Il est presque partout découvert et déchargé d'Isles, qui ne se retrouvent ordinairement que vers les rivages du côté du Nord. Cette grande ouverture donne prise aux vents, qui l'agitent avec autant de violence que l'Ocean.

Il est presque partout tellement abondant en Esturgons, en Poissons blancs, en Truites, Carpes et Harencs, qu'un seul Pêcheur prendra en une nuit vingt grands Esturgeons, ou cent cinquante Poissons blancs, ou huict cens Harencs en une rets. Ces Harencs ont bien du rapport à ceux de la Mer pour la figure et pour la grosseur; mais ils n'en ont pas tout à fait la bonté. Il faut souvent s'exposer beaucoup pour cette pêche, qui en certains endroits ne se fait qu'au large, et en des lieux dangereux et sujets aux tempêtes, et la nuit avant le lever de la Lune; et de fait, deux François y ont esté noyez l'Automne dernier, ayans esté surpris d'un coup de vent qu'ils n'ont pû éviter.

Dans la Riviere nommée Nantounagan, qui est du côté du Midy, il y a tres-grande pêche d'Esturgeon de jour et de nuit, depuis le Printemps jusques en Automne; et c'est là où les Sauvages vont faire leurs provisions; et vis à vis de cette Riviere, au côté du Nord, on fait une pêche toute semblable dans une petite anse, où une seule rets vous fournit en une nuit trente et quarante Esturgeons.

Cette abondance se retrouve encore en une Riviere qui est à l'extremité du Lac; et descendant par le côté du Nord, on rencontre une autre Riviere qui porte le nom des Esturgeons noirs qui s'y pêchent; ils ne sont pas si bons que les autres, mais les voyageurs qui sont affamez les trouvent excellens.

A la pointe du saint Esprit Chagaouamigong, où demeurent les Outaoüaks et les Hurons, on pêche en tout temps de l'année grande quantité de Poisson blanc, de Truites, et de Harencs.

Cette manne commence en Novembre, et dure jusqu'aprés les glaces, et plus il fait froid, plus on en pêche. On trouve de ce Harenc par tout le Lac du côté du Midy, depuis le Printemps jusqu'à la fin du mois d'Aoust. Il faudroit parcourir toutes les anses et toutes les Rivieres de ce Lac, pour en raconter toutes les pêches.

C'est ainsi que la Providence a pourvû à ces pauvres peuples, qui faute de chasse et de bleds, ne vivent pour la pluspart que de poisson.

S: id., «Relation de 1670», pp. 82-83, dans *ibid.*, vol. 6.

Les mines de cuivre du lac Supérieur*

Jusqu'à present on avoit crû que ces Mines ne se retrouvoient qu'en une ou deux Isles; mais depuis que nous en avons fait des recherches plus exactes, nous avons appris des Sauvages quelques secrets qu'ils ne vouloient pas reveler; il a fallu user d'adresse pour tirer ces connoissances, et faire discernement du vray d'avec le faux.

Nous ne garantissons pas neantmoins tout ce que nous en allons dire, sur leur simble deposition, jusqu'à ce que nous en puissions parler avec plus d'assurance, quand nous nous serons transportez sur les lieux, ce que nous esperons faire cet Esté, en même temps que nous irons chercher des brebis égarées, et errantes par tous les quartiers de ce grand Lac.

En y entrant par son embouchure, qui se décharge au Sault, le premier endroit qui se presente où se retrouve du cuivre en abondance, est une Isle qui est éloignée de quarante ou cinquante lieües, scituée vers le côté du Nord, vis à vis d'un endroit qu'on appelle Missipicoüatong.

Les Sauvages racontent que c'est une Isle flottante, qui est quelquefois loing, quelquefois proche, selon les vents qui la poussent, et la promenent de côté et d'autre. Ils ajoûtent qu'il y a bien longtemps que quatre Sauvages y furent par rencontre, s'étans égarez dans la brume, dont cette Isle est presque toujours environnée.

C'étoit du temps qu'ils n'avoient point encore eu de commerce avec les François, et n'avoient aucun usage ny des chaudieres ny des haches. Ceux-cy donc voulans se preparer à manger, firent à leur ordinaire: prenant des pierres qu'ils trouvoient au bord de l'eau, les faisaient rougir dans le feu, et les jettaient dans un plat d'écorce plein d'eau pour la faire boüillir, et faire cuire par cette industrie leur viande. Comme ils choisissoient ces pierres, ils trouvoient que c'étoient presque tous morceaux de Cuivre: ils se servirent donc des unes et des autres, et aprés avoir pris leur repas, ils songerent à s'embarquer au plustost, craignant les Loups Cerviers et les Lievres, qui sont en cét endroit grands comme des Chiens, et qui venoient manger leurs provisions et même leur Canot.

Avant que de partir, ils se chargerent de quantité de ces pierres grosses et menuës, et même de quelques plaques de Cuivre; mais ils ne furent pas bien éloignez du rivage, qu'une puissante voix se fit entendre à leurs oreilles, disant tout en colere: Qui sont ces voleurs qui m'emportent les berceaux et les divertissemens de mes enfans? Les plaques de Cuivre sont les berceaux, parce que parmy les Sauvages ils ne sont faits que d'un ou deux aix joints ensemble, sur lesquels ils couchent leurs enfans; et ces petits morceaux de Cuivre qu'ils enlevoient, sont les jouets et les divertissemens des enfans Sauvages, qui joüent ensemble avec des petites pierres.

Cette voix les étonna beaucoup, ne sçachant de qui elle étoit. Les uns disent que c'est le Tonnerre, parce qu'il y a là beaucoup d'orages; et les autres que c'est un certain Genie qu'ils appellent Missibizi, qui passe parmy ces peuples pour le Dieu des eaux, comme Neptune parmy les Payens; les autres qu'elle venoit de Memogovissioüis, ce sont, disent-ils, des Hommes marins, approchans assez des Tritons fabuleux ou des Sirennes, lesquels vivent toûjours dans l'eau, avec une chevelure longue jusqu'à la ceinture. Un de nos Sauvages nous a dit en avoir vû un dans l'eau, selon qu'il se l'est imaginé.

Quoy qu'il en soit, cette voix étonnante jetta tellement la frayeur dans l'esprit de nos Voyageurs, qu'un des quatre mourut avant que d'arriver à terre; peu de temps aprés un second fut enlevé, puis le troisiéme; de sorte qu'il n'en resta qu'un, lequel s'étant rendu en son Pays, raconta tout ce qui s'étoit passé, puis mourut fort peu aprés.

Les Sauvages tous craintifs et superstitieux qu'ils sont, n'ont jamais osé y aller depuis ce temps-là, de peur d'y mourir, croyans qu'il y a certains Genies qui tuënt ceux qui en abordent: et de fait, de memoire d'homme, on ne sçait personne qui y ait mis le pied, ou qui ait même voulu naviger de ce côté-là, quoy que l'Isle paroist assez à découvert, et qu'on distingue même les arbres d'une autre Isle nommée Achemikouan.

Il y a du vray, et il y a du faux dans tout ce narré, et voicy ce qui est de plus probable, à sçavoir: que ces quatre personnes ont esté empoisonnées par l'eau qu'ils firent boüillir avec ces morceaux de cuivre, qui par la violence de leur chaleur, luy communiquèrent leur venin: car nous sçavons par experience, que ce cuivre étant mis au feu pour la premiere fois, exhale des vapeurs tres-malignes, épaisses, infectes, et qui blanchissent les cheminées; ce n'est pas pourtant un venin si present, qu'il n'opere plus prompteme[n]t dans les uns que les autres, comme il est arrivé en ceux dont nous parlons, lesquels étans déja mal affectez, se seront aisément imaginez entendre ces voix, si peu qu'ils ayent entendu de quelque écho, qui se retrouve communément dans les Rochers, dont cette Isle est bordée.

Peut-être a-t-on feint cette fable du depuis, ne sçachant à quoy attribuer la mort de ces Sauvages; et quand ils disent, que c'est une Isle flottante, il est croyable que les vapeurs dont elle est souvent chargée, se rarefiant ou s'épaississant aux rayons du Soleil, leur font paroître l'Isle quelquefois bien proche, et d'autres fois plus éloignée.

Ce qui est de certain, est que dans le sentiment commun des Sauvages, il y a dans cette Isle grande abondance de Cuivre, mais qu'on n'ose pas y aller. C'est par où nous esperons commencer les découvertes que nous prétendons faire cet Esté.

Avançant jusqu'à l'endroit qu'on appelle la grande anse, on rencontre une Isle à trois lieües de terre, qui est renommée pour le metail qui s'y retrouve, et pour le nom de Tonnerre qu'elle porte, parce qu'on dit qu'il y tonne toûjours.

Mais plus loin vers le Couchant, du même côté du Nord, se trouve l'Isle la plus fameuse pour le Cuivre, appelée Minong, qui est celle où les Sauvages ont dit à bien des personnes qu'il y en a, et en quantité, et en bien des endroits. Elle est grande, et elle a bien vingt-cinq lieües de long: elle est éloignée de terre-ferme de sept lieües, et du bout du Lac de plus de soixante. Presque tout à l'entour de l'Isle on rencontre au bord de l'eau des morceaux de Cuivre mêlez avec les pierres, surtout au côté qui est opposé au Midy, mais principalement dans une certaine anse, qui est vers le bout qui regarde le Nord-Est du côté du large: il y a des costeaux tous escarpez de terre glaize, et là se voyent plusieurs couches, ou lits de Cuivre rouge, les uns sur les autres, separez ou divisez par d'autres couches de terre ou de rochers. Dans l'eau mesme on voit comme du sable de Cuivre, et on en puise avec des cuilliers des grains gros comme du gland, et d'autres plus menus reduits en sable. Cette grande Isle est presque toute environnée d'Islets qu'on dit estre de Cuivre;

on en rencontre en divers endroits jusques à la terre ferme du Nord, une entr'autres qui n'est éloignée de Minong que de la portée de deux coups de fuzil: il est entre le milieu de l'Isle, et le bout qui regarde le Nord-Est, et c'est encore de ce côté du Nord-Est, bien loing au large, qu'il y a une autre Isle qui s'appelle Manitouminis, à cause du cuivre dont elle abonde, et de qui on raconte, que ceux qui y furent autrefois et y jettant des pierres, la faisoient retentir comme fait d'ordinaire l'airain.

Avançant jusqu'au bout du Lac, et retournant une journée par le costé du Sud, on voit au bord de l'eau une Roche de Cuivre, qui peze bien sept ou huit cens livres, si dure que l'acier n'y peut presque entrer. Quand neantmoins il est échauffé, on le coupe comme du plomb.

Plus en deça, vingt ou trente lieuës, est scituée la pointe de Chagaouamigong, où nous avons étably la Mission du saint Esprit, de laquelle nous parlerons cy-aprés. Proche de là, sont des Isles, aux rivages desquelles on trouve souvent des Roches de Cuivre, et même des plaques de même matiere.

Le Printemps dernier nous avons achepté des Sauvages une plaque de pur Cuivre de deux pieds en quarré, qui peze plus de cent livres. On ne croit pas pourtant que les mines se trouvent dans les Isles, mais que tous ces caillous de Cuivre viennent probablement de Minong, ou des autres Isles qui en sont les sources, portez sur les glaces flottantes, ou roulez dans le fonds de l'eau par les vents tres-impetueux, particulierement du Nord-Est, qui est extremement violent.

Il est vray qu'en Terre-ferme, au lieu où les Outaoüaks font du bled d'Inde, à demie-lieuë du bord de l'eau, les femmes ont trouvé quelquefois des morceaux de Cuivre épars çà et là, de la pesanteur de dix, vingt ou trente livres. C'est en foüillant dans le sable, pour y cacher leur bled, qu'elles y font ces rencontres.

En revenant encore vers l'emboucheure du Lac, suivant le costé du Sud, à vingt lieuës du lieu dont nous venons de parler, on entre dans la Riviere appelée Nantounagan, dans laquelle se voit une éminence d'où tombent des pierres de Cuivre rouge, dans l'eau ou sur la terre; on les trouve assez aisément. Et il y a trois ans qu'on nous en donna un morceau massif de la pesanteur de cent livres, qui fut pris en ce mesme endroit dont nous avons coupé quelques pieces que nous avons envoyées à Quebec à Monsieur Talon.

Tous ne conviennent pas de l'endroit precisément où on le trouve: les uns veulent que ce soit où la rivière commence à se retirer; d'autres disent que tout proche du Lac, en foüillant dans la terre glaise, on le rencontre. Quelques-uns ont dit qu'au lieu où la Riviere se fourche, et dans le ruisseau qui est plus vers le Levant, en deçà d'une pointe, il faut fouir dans de la terre grasse pour y trouver ce Cuivre, et même qu'on rencontre des pieces de ce métail éparses dans le ruisseau, qui est au milieu.

Venant encore en deçà, se presente la longue pointe de terre que nous avons dit estre comme la flêche de l'arc, à l'extremité de laquelle il n'y a qu'un Islet qui paroît de six pieds en quarré, et qu'on dit être tout de cuivre.

Enfin, pour ne laisser aucune partie de ce grand Lac, que nous n'ayons parcouruë, on nous assure que dans les terres du côté du Midy, l'on trouve en divers endroits des mines de ce metail.

Toutes ces connoissances, et d'autres qu'il n'est pas necessaire de décrire plus au long, meritent bien qu'on en fasse une recherche exacte, et c'est ce que nous tâcherons de faire. Comme aussi pour juger d'un certain verd de gris, qui decoule, dit-on, par les crevasses de certains Rochers qui sont sur le bord de l'eau, où l'on touve même parmy les caillous quelques morceaux assez tendres, d'un verd agreable. Si Dieu nous conduit dans notre entreprise, nous en parlerons l'an prochain avec plus de certitude et de connoissance.

S: id., «Relation de 1670», pp. 83-86, dans ibid., vol. 6.

Michillimakinac [Makinac]*

Missilimakinac est une Isle fameuse en ces contrées, de plus d'une lieuë de diametre, et escarpée en quelques endroits de si hauts rochers, qu'elle se fait découvrir de plus de douze lieuës loing.

Elle est placée justement dans le détroit par lequel le Lac des Hurons et celuy des Ilinois ont communication. C'est la clef, et comme la porte pour tous les peuples du Sud, comme le Sault l'est pour ceux du Nord, n'y ayant en ces quartiers que ces deux passages par eau, pour un tres-grand nombre de Nations qui doivent se rendre ou en l'un ou en l'autre de ces endroits, si elles veulent se rendre aux habitations Françoises.

C'est ce qui presente une grande facilité, et pour l'instruction de ces peuples lors qu'ils passent, et pour se transporter chez eux avec plus de commodité.

Ce lieu est le plus celebre de toutes ces contrées pour l'abondance du poisson, puis que selon la façon de parler des Sauvages, c'est là où est son païs: par tout ailleurs, pour grande quantité qu'il y en ait, ce n'est pas proprement sa demeure, mais seulement aux environs de Missilimakinac.

De fait outre le poisson commun à toutes les autres Nations, comme est le hareng, la carpe, le brochet, le poisson doré, le poisson blanc et l'esturgeon, il s'y trouve de trois sortes de truites: une commune, l'autre plus grosse, de trois pieds de long et d'un de large; et la troisième monstrueuse, car on ne l'explique point autrement, estant d'ailleurs si grasse, que les Sauvages qui font leurs delices de la graisse, ont peine d'en manger. Or la quantité en est telle, qu'un deux en darde avec une espée, sous les glaces, jusqu'à 40. ou 50. en trois heures de temps.

C'est ce qui a autrefois attiré en un lieu si avantageux, la pluspart des Sauvages de ce païs, qui se sont dissipez par la crainte des Iroquois. Les trois Nations qui sont à present dans la Baye des Puans, comme étrangers, residoient à la terre ferme qui est au milieu de cette Isle, les uns sur les rivages du Lac des Ilinois, les autres sur ceux du Lac des Hurons; une partie de ceux qui se disent Sauteurs, avoient leur quartier aux terres fermes du costé du Couchant, et les autres regardent aussi cét endroit comme leur païs pour y passer l'hyver, pendant lequel il n'y a point de poisson au Sault. Les Hurons appellez Etionnontatehronnons, ont demeuré quelques années dans l'Isle mesme, fuyant les Iroquois. Quatre Bourgades des Outaoüacs avoient aussi leurs terres en ces quartiers.

Mais sur tout, ceux qui portoient le nom de l'Isle, et s'appelloient Missilimakinac, estoient si nombreux, que quelques-uns d'eux qui vivent encore, asseurent qu'ils composoient trente Bourgades, et qu'ils s'estoient tous renfermez dans un fort d'une lieuë et demie de circuit, lors que les Iroquois les vinrent deffaire, enflez d'une victoire qu'ils avoient remportée sur trois mille hommes de cette Nation, qui avoient porté la guerre jusques dans le païs mesme des Agniehronnons.

En un mot la quantité de poisson, jointe à l'excellence des terres pour porter le bled d'Inde, a toujours esté un attrait fort puissant aux peuples de ces quartiers, dont la pluspart ne vivent que de poisson, et quelques-uns de bled d'Inde.

C'est pour ce sujet que plusieurs des mesmes peuples, voyans que la paix semble s'affermir avec les Iroquois, jettent les yeux sur ce lieu si commode pour y retourner chacun en son païs, et imiter ceux qui ont déja commencé par les Isles du Lac des Hurons, lequel par ce moyen se trouvera peuplé de nations presque depuis un bout jusqu'à l'autre, qui seroit une chose tres-souhaittable, pour faciliter l'instruction de ces peuples, qu'il ne faudroit pas aller chercher à deux et trois cens lieuës loing, sur ces grands Lacs, avec des perils et des fatigues inconcevables.

Pour aider à l'execution du dessein que plusieurs Sauvages nous ont témoigné d'habiter de nouveau ce païs, et dont quelques-uns y ont déja passé l'Hyver, chassans aux environs, nous y avons aussi hyverné, pour prendre les projets de la Mission de saint Ignace, d'où il sera tres-aisé d'avoir accez à toutes celles du Lac des Hurons, quand les Nations se seront renduës chacune sur ses terres.

Ce n'est pas que parmy tant d'avantages ce lieu n'ait ses incommoditez, particulierement pour des François, qui ne sont encore versez comme les Sauvages aux diverses sortes de pesches dans lesquelles ils sont nez et élevez: les vents et les marées donnent bien de l'exercice aux pescheurs.

Premierement les vents, parce que ce lieu est le centre de trois grands Lacs qui l'environnent et qui semblent incessamment comme se renvoyer la balle: il n'a pas si-tost cessé de venter du Lac des Ilinois, que le Lac des Hurons repousse les vents qu'il a receus; et ensuitte le Lac Superieur en fournit d'autres de son costé, et ainsi vont se succedant toujours les uns aux autres; et parce que ces Lacs sont grands, il ne se peut faire que les vents qu'ils produisent ne soient impetueux, sur tout pendant tout l'Automne.

La seconde incommodité provient des marées, desquelles on ne peut pas proprement donner aucunes regles; car soit qu'elles soient causées par les vents, qui soufflants d'un costé et d'autre, chassent devant eux leurs eaux, et les font couler par une espece de flux et de reflux; soit que ce soient de vrayes marées, et qu'il y ait quelque autre cause qui fasse enfler et diminuer les eaux, nous y avons apperçû quelquefois tant d'inégalité, et d'autrefois tant de justesse, que nous ne pouvons pas encore bien prononcer sur le principe de ces mouvemens si reguliers et si irreguliers. Nous nous sommes bien apperçûs qu'en pleine et nouvelle Lune, les marées changent une fois chaque jour natu-rel, aujourd'huy haute, demain basse, pendant huit ou dix jours, et que le reste du temps à peine y apperçoit-on du changement, les eaux se tenant comme en un entre-deux, ny hautes, ny basses, si ce n'est que les vents causent quelque varieté.

Mais trois choses sont assez surprenantes en ces sortes de marées. La premiere est qu'elles portent en ce lieu presque toujours d'un mesme costé, sçavoir vers le Lac des Ilinois, et cependant ne laissent pas d'enfler et de diminuer à leur ordinaire. La seconde est qu'elles portent aussi presque toujours contre le vent, et quelquefois avec autant de roideur que les marées devant Quebec; et nous avons veu des glaces aller contre les vents, aussi viste que les navires qui sont à la voile. La troisiéme est que parmy ces courants, nous avons découvert un dégorgement de quantité d'eaux qui rejaillissent du fond du Lac et font des bouillons continuels dans le détroit qui est entre le Lac des Hurons et celuy des Ilinois: nous croyons que c'est une décharge du Lac Superieur qui se fait par dessous terre dans ces deux Lacs; et de fait sans cela nous ne voyons pas clair en deux choses, sçavoir que deviennent les eaux du Lac Superieur, et d'où viennent celles des deux Lacs des Hurons et des Ilinois; car pour le Lac Superieur, il n'a qu'une décharge visible, qui est la riviere du Sault, et cependant il est certain qu'il reçoit dans son sein plus de quarante belles rivieres, dont il y en a bien douze plus grosses et plus enflées que celle du Sault: où vont donc toutes ces eaux, si elles ne trouvent issuë sous terre par transpiration? D'ailleurs, nous ne voyons que fort peu de rivieres entrer dans les Lacs des Hurons et des Ilinois, qui estans neantmoins d'une prodigieuse grandeur, reçoivent probablement la meilleure partie de leurs eaux par des dégorgemens soûterrains, tel que peut estre celuy dont nous parlons.

Mais quoy qu'il en soit de la cause de ces courans, les pescheurs n'en ressentent que trop les effets, parce qu'ils brisent leurs rets, ou les font coucher sur les rochers du fond de l'eau, où ils s'accrochent aisément à cause de la figure de ces sortes de roches, qui ont quelque chose de bien remarquable, parce que ce ne sont pas des pierres à l'ordinaire, mais toutes percées à jour en forme d'éponge, avec des figures si variées par les concavitez d'un grand nombre de sinuositez, qu'elles peuvent contenter la veuë des curieux, qui trouveroient en une de ces pierres, comme en abregé, ce qu'on tasche à pratiquer avec tant d'industrie dans les grottes artificielles.

S: *id.*, «Relation de 1671», pp. 36-38, dans *ibid.*, vol. 6.

Parélies*

Le vingt-uniesme Janvier 1671. fut veu le premier Parelie dans la Baye des Puans, une ou deux heures avant Soleil couché, on voyoit en haut un grand Croissant, dont les cornes regardoient le Ciel, et aux deux costez du Soleil, deux autres Soleils, également distans du vray Soleil, qui tenoit le milieu. Il est vray qu'on

ne les découvroit pas entierement, parce qu'ils estoient couverts, partie d'un nuage de couleur d'arc en Ciel, partie d'une
grande lueur blanche, qui empeschoit l'œil de les bien distinguer.
Les Sauvages voyant cela, dirent que c'estoit signe d'un grand
froid, qui de fait fut tres-violent les jours suivans.

Le seiziesme de Mars de la mesme année, se fit voir le mesme
Parelie, en trois endroits differents les uns des autres, de plus de
cinquante lieuës.

Il fut donc veu en la Mission de saint Ignace à Missilimakinac,
où parurent trois Soleils, distans les uns des autres comme d'une
demie lieuë en apparence; en voicy trois circonstances que nous
avons remarquées. La premiere est, qu'ils se firent voir deux fois
le mesme jour, sçavoir le matin, une heure après le Soleil levé,
et le soir une heure avant son couché. La seconde est, que celuy
des trois, qui le matin estoit du costé du Midy, le soir, se trouva
du costé du Septentrion; et en outre, celuy, qui le matin estoit du
costé du Septentrion, se voyoit plus bas que celuy du milieu, et
le soir, ayantchangé de situation et pris le costé du Midy, s'estoit
placé plus haut que le vray Soleil. La troisiesme circonstance est
touchant la figure des deux faux Soleils; car celuy qui estoit du
costé du Midy, se voyoit si bien formé, qu'à peine le pouvoit-on
distinguer du vray, sinon qu'il paroissoit orné d'une bande
d'écarlate du costé qu'il regardoit le vray Soleil; mais l'autre qui
tenoit la gauche, avoit beaucoup plus de l'apparence d'un Iris
en ovale que d'un Soleil; neantmoins on voyoit bien que c'en
estoit une image, en laquelle le Peintre n'avoit pas assez bien
reussi, quoy qu'il fût couronné comme d'un filet d'or qui luy
donnoit fort bonne grace.

Ce mesme Parelie fut veu le mesme jour en l'Isle d'Ekaentouton,
dans le Lac des Hurons, à plus de quarante lieuës de
Missilimakinac: voicy ce qu'on en a remarqué de curieux à
sçavoir. Trois Soleils parurent en mesme temps du costé du
Couchant; ils estoient parallelles à la terre et égaux en grosseur,
mais non pas en beauté. Le veritable Soleil estoit à l'Oüest Sur-
Oüest, et les deux faux, l'un à l'Oüest, l'autre au Sur-Oüest. On
vit en mesme temps deux parties de cercles parallelles à l'horizon, tenant beaucoup des couleurs de l'arc-en-Ciel; le bleu
estoit en dedans, la couleur d'aurore au milieu, et le gris obscur,
ou cendré, estoit à l'exterieur. De plus un quart de cercle
perpendiculaire à l'horizon, presque de mesme couleur, touchoit
le faux Soleil, qui estoit au Sur-Oüest, et coupant le demy cercle
parallelle à l'horizon, se confondoit et se perdoit dans cette

rencontre, où le faux Soleil paroissoit. Le Ciel n'étoit pas si net du costé des Soleils que par tout ailleurs, où l'on ne voyoit aucune nuée, mais seulement l'air mediocrement serein. On découvroit nettement la Lune, et s'il eust esté nuit, les étoiles auroient aisément paru. L'air pouvoit soustenir les faux Soleils durant un temps assez notable, mais non pas le veritable. Ces trois Soleils ensemble ne faisoient pas tant de lumiere, que le vray Soleil en fait quand le Ciel est bien pur. Il y avoit apparence de vent en l'air, parce que les faux Soleils disparoissoient de temps en temps, et mesme le veritable, au dessus duquel enfin, fut veu un quatriesme Soleil posé en ligne droite, et en mesme distance que paroissoient les deux autres qui tenoient les deux costez. Ce troisiesme faux Soleil dura fort peu de temps, mais les deux demy cercles dont nous avons parlé, ne s'évanoüirent pas si tost, et lors que tous les faux Soleils cesserent de paroistre, ils laisserent aprés eux deux arcs-en-Ciel, comme de beaux restes de leurs lumieres. Les Sauvages qui tiennent toutes ces choses extraordinaires pour des Genies, et qui estiment que ces Genies sont mariez, demandoient au Pere qui les instruisoit, si ce n'estoit pas les femmes du Soleil qu'il consideroit si curieusement: il leur dit que celuy qui a tout fait vouloit les instruire sur le Mystere de la Sainte Trinité, et les desabuser par le Soleil mesme qu'ils adoroient. De fait le lendemain de ce Parelie, les femmes, qui auparavant ne vouloient pas entendre parler de la priere, presenterent leurs enfans pour estre baptisez.

Enfin ce mesme Phenomene s'est aussi fait voir le mesme jour au Sault, mais d'une façon bien differente et plus admirable, parce qu'outre les trois Soleils qui parurent le matin, on en vit huit tous ensemble un peu aprés midy. Voicy comme ils estoient rangez: le vray Soleil estoit couronné d'un cercle formé des couleurs de l'arc-en-Ciel, dont il estoit le centre; il avoit à ses deux costez deux Soleils contrefaits, et deux autres, l'un comme sur sa teste, et l'autre comme à ses pieds: ces quatre derniers estoient placez sur la circonference de ce cercle en égale distance, et directement opposez les uns aux autres. De plus on voyoit un autre cercle de mesme couleur que le premier, mais beaucoup plus grand, qui passoit par en haut par le centre du vray Soleil, et avoit le bas et les deux costez chargez de trois Soleils apparens, et tous ces huit luminaires faisoient ensemble un spectacle tres-agreable aux yeux, comme on en peut juger par la figure qui la represente.

S: *id.*, «Relation de 1671», pp. 40-41, dans *ibid.*, vol. 6.

CLAUDE ALLOUEZ
(1622-1689)

Claude Allouez naît à Saint-Didier-en-Velay [département de la Haute-Loire, dans le centre de la France] le 6 juin 1622. Le 22 septembre 1639, il entre au noviciat des jésuites à Toulouse [département de la Haute-Garonne, dans le sud-ouest de la France]. Il étudie la rhétorique (1641-1642) et la philosophie (1642-1645) au collège de Billom [département du Puy-de-Dôme, dans le Massif central], puis y enseigne de 1645 à 1651. Il étudie la théologie à Toulouse de 1651 à 1655, puis la spiritualité à Rodez [département de l'Aveyron, dans le sud du Massif central] en 1655-1656. En 1657-1658, il est prédicateur à Rodez. Il arrive à Québec le 11 juillet 1658 et se met à l'étude du huron et de l'algonquin. Nommé supérieur de la résidence de Trois-Rivières, il quitte Québec pour cette ville le 19 septembre 1660. En 1663, Mgr de Laval le nomme vicaire général pour le centre des États-Unis, qui fait alors partie du diocèse de Québec. Ayant manqué le départ de 1664, le père Allouez ne s'embarquera pour son vicariat que le 8 août de l'année suivante à Trois-Rivières. Le 1er octobre, il s'installe à la pointe du Saint-Esprit [Chequamegon Bay, Wisconsin]. En 1667, il fait une excursion apostolique au lac Nipigon et, deux ans plus tard, un voyage aller-retour rapide à Québec. Dans la nuit du 27 au 28 août 1689, il décède chez les Miamis, près de Niles [Michigan].

Le père Claude Allouez est l'auteur d'un journal dont plusieurs extraits ont été publiés dans les *Relations des jésuites de la Nouvelle-France*, de 1667 à 1672 et dans les *Relations inédites de la Nouvelle-France [...]* de 1672 à 1676. Le père acquit une grande partie de son prestige auprès des Amérindiens grâce à son éloquence qu'il sut adapter à la leur et qui lui valut d'être choisi pour prononcer le discours de circonstance lors de la prise de possession officielle du pays des Outaouais par Daumont de Saint-Lusson le 4 juin 1671. Ce discours, que l'on trouve aux pages 27 et 28 de la *Relation de 1671* est une longue allégorie; sa forme est empruntée à la rhétorique amérindienne et son contenu est chargé de comparaisons et de tableaux hyperboliques.

Nous avons emprunté la pièce qui suit au tome 6: *1666-1672* de l'édition que les Éditions du Jour ont publiée en six tomes [1611-1672], à Montréal, en 1972, sous le titre *Relations des*

Jésuites, contenant ce qui s'est passé dans les missions des Pères de la Compagnie de Jésus dans la Nouvelle-France. Cette édition reproduit celle qui avait été préparée sous la direction de l'abbé Charles-Honoré Laverdière et publiée en trois volumes, à Québec, en 1858, par l'éditeur Augustin Côté. — Pour faciliter la lecture, nous avons remplacé par leurs équivalents modernes les anciens caractères typographiques suivants: ſ par s; j par i et vice versa; u par v et vice versa.

Journal de voyage dans le pays des Outaouais*

Le huitiéme d'Aoust de l'année 1665. je m'embarquay aux Trois Rivieres, avec six François, en compagnie de plus de quatre cents Sauvages de diverses nations, qui retournoient en leur païs, apres avoir fait le petit trafic, pour lequel ils estoient venus.

Le Diable forma toutes les oppositions imaginables à nostre voyage, se servant du faux prejugé qu'ont ces Sauvages, que le Baptesme causoit la mort à leurs enfans. Un des plus considerables, me declara sa volonté, et celle de ses peuples en termes arrogans, et avec menace, de m'abandonner en quelque Isle deserte, si j'osois les suivre davantage. Nous avions pour lors avancé jusques dans les torrens de la riviere des Prairies, ou le Canot qui me portoit s'estant rompu, me fit aprehender le malheur dont on m'avoit menacé. Nous travaillons promptement à reparer nostre petit Navire, et quoy que les Sauvages ne se missent pas en peine, ny de nous aider, ny de nous attendre, nous usâmes de tant de diligence que nous les joignismes vers le long-Sault, apres deux ou trois jours depuis nostre depart.

Mais nostre Canot, ayant une fois esté brisé, ne pouvoit pas rendre un long service, et nos François déjà bien fatiguez, desesperoient de pouvoir suivre les Sauvages tout accoustumés à ces grands travaux; c'est ce qui me fit prendre resolution de les assembler tous, pour leur persuader de nous recevoir separement dans leurs Canots, leur faisant voir le nostre en si mauvais estat, qu'il nous seroit desormais inutile; ils s'y accorderent, et les Hurons me promirent de m'embarquer, quoy que avec bien de la peine.

Le lendemain donc, m'estant presenté au bord de l'eau, ils me firent bon accueil d'abord, et me prierent d'attendre tant soit peu, pendant qu'ils prepareroient leur embarquement. Ayant attendu, et ensuite m'avançant dans l'eau pour monter en leur Canot, ils me repousserent, me disant qu'il n'y avoit point place pour moy, et aussi tost se mirent à ramer fortement, me laissant tout seul sans apparence d'aucun secours humain. Je priay Dieu qu'il leur pardonnast, mais je ne fus pas exaucé, car ils ont fait depuis nauffrage, et la divine Majesté se servit de cet abandonnement des hommes, pour me conserver la vie.

Me voyant donc tout seul, delaissé en une terre étrangere, car toute la flotte estoit desja bien loing, j'eus recours à la sainte Vierge, en l'honneur de laquelle nous avions fait une neufvaine, qui nous a procuré de cette Mere de Misericorde, une protection toute visible et journaliere. Pendant que je la priois, j'aperceus contre toute esperance, quelques Canots, où estoient trois de nos François; je les appelay, et ayans repris nostre vieux Canot, nous nous mismes à ramer de toutes nos forces pour attraper la flotte; mais nous l'avions perdüe de veüe depuis long-temps, et nous ne sçavions où aller, estant tres-difficile de trouver un petit détour qu'il faut prendre, pour se rendre au portage du Sault aux Chats (c'est ainsi qu'ils nomment cet endroit). Nous estions perdus, si nous eussions manqué ce detroit; mais il pleut à Dieu par les intercessions de la sainte Vierge, nous conduire justement, et presque sans y penser, à ce portage, où ayant apperceu encore deux Canots de Sauvages, je me jettay à l'eau; et je fus les devancer par terre, à l'autre costé du portage, ou je trouvay six Canots. Quoy, leur dis-je, est-ce ainsi que vous abandonnez les François? Ne sçavez vous pas que je tiens entre mes mains la voix d'Onnontio, et que je dois parler de sa part à toutes vos nations, par les presents dont il m'a chargé? Ces paroles les obligerent à nous aider, ensorte que nous joignismes le gros de la flotte sur le Midy.

Estant debarqué, je crus en cette extremité, devoir user de tous les moyens les plus efficaces, que je pus trouver pour la gloire de Dieu. Je leur parlay à tous, et les menaçay de la disgrace de Monsieur de Tracy, dont je portois la parole. La crainte de desobliger ce grand Onnontio, fit qu'un des plus considerables d'entr'eux, prit la parole, et harangua fortement et long-temps, pour nous persuader le retour. Le malin esprit se servoit de la foiblesse de cét esprit mécontent, pour fermer le passage à l'Evangile; tous les autres n'étoient pas mieux intentionnés, de sorte que nos François ayant trouvé assez aisement à s'embarquer, personne ne voulut se charger de moy, disans tous que je n'avois pas ny l'adresse pour ramer, ny les forces pour porter les paquets sur les espaules.

Dans cette desolation, je me retiray dans le bois, et apres avoir remercié Dieu, de ce qu'il me faisoit connoistre sensiblement le peu de chose que je suis, j'advoüay devant sa divine Majesté, que je n'estois qu'un fardeau inutile sur la terre. Ma priere achevée, je retournay au bord de l'eau, ou je trouvay l'esprit de ce Sauvage, qui me rebutoit avec tant de mépris, tout changé: car de luy mesme, il m'invita à monter en son Canot; ce que je fis bien promptement, de peur qu'il ne changeast de resolution.

Je ne fus pas plustost embarqué, qu'il me mit un aviron en main, m'exhortant à ramer, et me disant que c'estoit là un employ considerable, et digne d'un grand Capitaine; je pris la rame volontiers, et offrant à Dieu ce travail pour la satisfaction de mes peschez, et pour la conversion de ces pauvres Sauvages, je me figurois estre un malfaiteur condamné aux Galeres; et bien que je fusse tout epuisé, Dieu me donna autant de forces qu'il en falloit pour nager toute la journée, et souvent une bonne partie de la nuit; ce qui n'empeschoit pas, que je ne fusse d'ordinaire l'objet de leurs mépris et de leurs railleries; parceque, quelque peine que je prisse, je ne faisois rien en comparaison d'eux, qui sont de grands corps, robustes, et tout faits à ces travaux. Le peu d'estat qu'ils faisoient de moy, fut cause qu'ils me deroboient tout ce qu'ils pouvoient de mes habits, et j'eus grande peine à conserver mon chapeau, dont les bords leur paroissoient bien propres pour se deffendre des ardeurs excessives du Soleil; et le soir, mon Pilote prenant un bout de couverture que j'avois, pour s'en servir comme d'oreiller, il m'obligeoit de passer la nuit sans estre couvert, que du feuillage de quelque arbre.

Quand la faim survient à ces incommodités, c'est une rude peine, mais qui enseigne bien tost à prendre goust aux racines les plus ameres, et aux viandes les plus pourries. Il a plû à Dieu, me la faire souffrir plus grande aux jours de Vendredy, dont je le remercie de bon cœur.

Il fallut s'accoustumer à manger une certaine mousse qui naist sur les rochers; c'est une espece de feuille en forme de coquille, qui est tousjours couverte de chenilles et d'araignées, et qui estant bouillie, rend un bouillon insipide, noir et gluant, qui sert plutost pour empescher de mourir, que pour faire vivre.

Un certain matin, on trouva un cerf mort depuis quatre ou cinq jours; ce fut une bonne rencontre pour de pauvres affamés. On m'en presenta, et quoy que la mauvaise odeur empeschast quelques-uns d'en manger, la faim me fit prendre ma part; mais j'en eus la bouche puante jusqu'au lendemain.

Avec toutes ces miseres, dans les Saults que nous rencontrions, je portois d'aussi gros fardeaux que je pouvois; mais souvent j'y succombois, et c'est ce qui donnoit à rire à nos Sauvages, qui se railloient de moy, et disoient qu'il falloit appeler un enfant, pour me porter avec mon paquet. Nostre bon Dieu ne m'abandonnoit point tout à fait en ces rencontres, mais il en suscitoit souvent quelques uns, qui touchés de compassion, sans rien dire, me dechargeoient de ma Chapelle, ou de quelque autre fardeau, et m'aidoient à faire le chemin un peu plus à l'aise.

Il arrivoit quelques fois qu'aprés avoir bien porté des paquets, et apres avoir ramé tout le jour, et mesme deux ou trois heures dans la nuit, nous nous couchions sur la terre, ou sur quelque rocher sans souper, pour recommencer le jour d'aprés avec les mesmes travaux; mais partout la providence Divine mesloit quelque peu de douceur et de soulagement à nos fatigues.

Nous fûmes prés de quinze jours dans ces peines, et aprés avoir passé le Lac Nipissirinien, lors que nous descendions une petite Riviere, nous entendismes des cris lamentables, et des chansons de mort. Nous abordons à l'endroit d'où venoient ces clameurs, et nous vismes huit jeunes Sauvages des Outaoüacs, horriblement bruslés, par un accident funeste, d'une étincelle de feu qui tomba par mesgarde dans un baril de poudre. Il y en avoit quatre, entre autres, tout grillés, et en danger de mort. Je les consolay et les disposay au Baptesme, que je leur eusse conferé, si j'eusse eû le loisir de les voir assés disposés; car nonobstant ce malheur, il fallut tousjours marcher, pour se rendre à l'entrée du Lac des Hurons, qui estoit le rendez-vous de tous ces voyageurs.

Ils s'y trouverent le vingt-quatriéme de ce mois, au nombre de cent Canots, et ce fut pour lors qu'ils vaquerent à la guerison de ces pauvres bruslés, y employant tous leurs remedes superstitieux.

Je m'en aperceus bien la nuit suivante, par le chant de certains Jongleurs, qui remplissoit l'air, et par mille autres ceremonies ridicules, dont ils se servoient. D'autres firent une espece de sacrifice au Soleil, pour obtenir la guerison de ces malades; car s'estans assis en rond, dix ou douze, comme pour tenir conseil, sur la pointe d'un Islet de roche, ils allumerent un petit feu, avec la fumée duquel ils faisoient monter en l'air des cris confus, qui se terminerent par une harangue, que le plus vieux et le plus considerable d'entre eux adressa au Soleil.

Je ne pouvais souffrir qu'aucune de leurs divinités imaginaires fut invoquée en ma presence, et neantmoins je me voyais tout seul à la mercy de tout ce peuple. Je balançay quelque temps dans le doute, s'il seroit plus à propos de me retirer doucement, ou de m'opposer à ces superstitions. Le reste de mon voyage depend d'eux, si je les irrite, le Diable se servira de leur colere, pour me fermer l'entrée de leur païs, et empescher leur conversion; d'ailleurs j'avois desja reconnu le peu d'effet que mes paroles avoient sur leurs esprits, et que je les aigrirois encore davantage, par mon opposition. Nonobstant toutes ces raisons, je crus que Dieu demandoit de moy ce petit service; j'y vay donc, laissant le succez à sa Divine Providence. J'entreprens les plus considerables de ces Jongleurs, et apres un long discours de part et d'autre, il plût à Dieu toucher le coeur du malade qui me promit de ne permettre aucunes superstitions pour sa guerison, et s'adressant à Dieu par une courte priere, il l'invoqua comme l'autheur de la vie, et de la mort.

Cette victoire ne doit pas passer pour petite, estant remportée sur le Demon, au milieu de son empire, et ou depuis tant de siecles, il avoit esté obey et adoré par tous ces peuples. Aussi s'en ressentit-il peu aprés, et nous envoya le Jongleur, qui comme un desespéré, crioit autour de nostre cabanne, et sembloit vouloir decharger sa rage sur nos François. Je priay nostre Seigneur que sa vengeance ne tombast point sur d'autre que sur moy, et ma priere ne fut pas inutile, nous n'y perdîmes que nostre Canot, que ce miserable brisa en pieces.

J'eus en mesme temps le deplaisir d'apprendre la mort d'un de ces pauvres bruslés, sans que je le pusse assister, j'espere neantmoins que Dieu luy aura fait misericorde, ensuite des actes de foy et de contrition, et de plusieurs prieres que je luy fis faire, la premiere fois que je le vis, qui fut aussi la derniere.

Vers le commencement de Septembre, apres avoir costoyé les rivages du Lac des Hurons, nous arrivons au Sault; c'est ainsi qu'on nomme une demie lieuë de rapides qui se retrouvent en une belle riviere, laquelle fait la jonction de deux grands Lacs, de celuy des Hurons et du Lac Superieur.

Cette Riviere est agreable, tant pour les Isles dont elle est entrecoupée, et les grandes bayes dont elle est bordée, que pour la pesche et la chasse, qui y sont tres advantageuses. Nous allâmes pour coucher en une de ces Isles, où nos Sauvages croyoient trouver à souper dés leur arrivée, car en debarquant, ils mirent la chaudiere sur le feu, s'attendans de voir le Canot chargé de poissons, si tost qu'on auroit jetté la rets à l'eau; mais

Dieu voulut punir leur presomption, differant jusqu'au lendemain à donner à manger à des fameliques.

Ce fut donc le second de Septembre, qu'aprés avoir franchi ce
Sault, qui n'est pas une chute d'eau, mais seulement un courant
tres-violent, empesché par quantité de rochers, nous entrâmes
dans le Lac Superieur, qui portera desormais le nom de Monsieur
de Tracy, en reconnoissance des obligations, que luy ont les
peuples de ces contrées.

La figure de ce Lac est presque pareille à celle d'un arc, les
rivages du costé du Sud estant fort courbés, et ceux du Nord
presque en droite ligne. La pesche y est abondante, le poisson
excellent, et l'eau si claire et si nette, qu'on voit jusqu'à six
brasses, ce qui est au fond.

Les Sauvages respectent ce Lac comme une Divinité, et luy
font des sacrifices, soit à cause de sa grandeur, car il a deux
cents lieuës de long, et quatre-vingts au plus large, soit à cause
de sa bonté, fournissant du poisson, qui nourrit tous ces peuples,
au defaut de la chasse, qui est rare aux environs.

L'on trouve souvent au fond de l'eau, des pieces de cuivre
tout formé, de la pesanteur de dix et vingt livres; j'en ay veu
plusieurs fois entre les mains des Sauvages, et comme ils sont
superstitieux, ils les gardent comme autant de divinités, ou
comme des presents que les dieux qui sont au fond de l'eau leur
ont faits pour estre la cause de leur bonheur; c'est pour cela,
qu'ils conservent ces morceaux de cuivre envelopés parmi leurs
meubles les plus pretieux, il y en a qui les gardent depuis plus
de cinquante ans; d'autres les ont dans leurs familles de temps
immemorial, et les cherissent comme des dieux domestiques.

On a veu pendant quelque temps, comme un gros rocher tout
de cuivre, dont la pointe sortoit hors de l'eau, ce qui donnoit
occasion aux passans d'en aller couper des morceaux.
Neantmoins lorsque je passay en cet endroit, on n'y voyoit plus
rien; je croy que les tempestes qui sont icy fort frequentes, et
semblables à celles de la Mer, ont couvert de sable ce rocher.
Nos Sauvages m'ont voulu persuader que c'estoit une divinité,
laquelle a disparu, pour quelque raison, qu'ils ne disent pas.

Au reste ce Lac est l'abord de douze ou quinze sortes de
nations differentes, les unes venans du Nord, les autres du Midy,
et les autres du Couchant, et toutes se rendans, ou sur les rivages
les plus propres à la pesche, ou dans des Isles qui sont en grand
nombre en tous les quartiers de ce Lac. Le dessein qu'ont ces
peuples, en se rendant icy, est en partie pour chercher à vivre,

par la pesche, et en partie pour faire leur petit commerce les uns avec les autres quand ils se rencontrent. Mais le dessein de Dieu a esté de faciliter la publication de l'Evangile, à des peuples errans et vagabonds, ainsi qu'il paroistra dans la suite de ce Journal.

Estans donc entrés dans le Lac de Tracy, nous employâmes tout le mois de Septembre à naviger sur les bords qui sont du costé du Midy, où j'eus la consolation d'y dire la sainte Messe, m'estant trouvé seul avec nos François, ce que je n'avois pû faire depuis mon depart des Trois Rivieres.

Aprés avoir consacré ces forests par cette sainte action, pour comble de ma joye, Dieu me conduisit au bord de l'eau, et me fit tomber sur deux enfans malades, qu'on embarquoit pour aller dans les terres; je fus fortement inspiré de les baptiser, et aprés toutes les precautions necessaires, je le fis dans le peril où je les vis de mourir pendant l'Hyver. Toutes les fatigues passées ne m'estoient plus rien, et j'estois tout fait à la faim, qui nous suivoit tousjours de prés, n'ayant à manger que ce que l'industrie de nos pescheurs, qui n'étoit pas tousjours heureuse, nous pouvoit fournir du jour à la journée.

Nous passâmes ensuite la Baye nommée par le feu Pere Menard, de sainte Therese. C'est là où ce genereux Missionnaire a hyverné, y travaillant avec le mesme zele, qui luy a fait ensuite donner sa vie, courant aprés les ames. Je trouvay assez proche de là quelques restes de ses travaux; c'estoient deux femmes Chrestiennes, qui avoient tousjour conservé la foy, et brilloient comme deux astres au milieu de la nuit de cette infidelité. Je les fis prier Dieu, aprés leur avoir rafraischi la memoire de nos mysteres.

Le Diable, qui est sans doute bien jaloux de cette gloire qui est rendüe à Dieu au milieu de ses Estats, a fait ce qu'il a pû pour m'empescher de monter icy, et n'ayant pû en venir à bout, il s'en est pris à quelques Escrits que j'avois apportés, propres pour l'instruction de ces infideles. Je les avois enfermés dans une petite quaisse, avec quelques medicaments pour les malades; le malin esprit, prevoyant qu'elle me serviroit beaucoup pour le salut des Sauvages, fit ses efforts pour me la faire perdre; car elle a fait une fois naufrage dans les boüillons d'un rapide; une autre fois elle a esté delaissée au pied d'un portage, elle a changé de main sept ou huit fois, enfin elle est tombée en celles de ce sorcier que j'avois blasmé à l'entrée du Lac des Hurons, lequel en ayant levé la serrure, prit ce qui luy agrea, et l'abandonna ensuite toute ouverte à la pluye, et aux passans. Il plut à Dieu confondre le malin esprit et se servir du plus grand Jongleur de ces quartiers, homme de six femmes, et d'une vie debordée, pour me la conserver. Il me la mit entre les mains, lorsque je n'y pensois plus, me disant que le theriaque et quelques autres medicaments avec les Images qui estoient dedans, estoient autant de Manitous, ou de demons qui le feroient mourir, s'il osoit y toucher. J'ay veu par aprés, par experience, combien ces Escrits des langues du païs m'ont servy pour leur conversion.

S: Claude Allouez, «Relation de 1667», pp. 4-9, dans *Relations des Jésuites, contenant ce qui s'est passé dans les missions des Pères de la Compagnie de Jésus dans la Nouvelle France*, Montréal, Éditions du Jour, 1972, vol. 6.

LOUIS ANDRÉ
(1631-1715)

Louis André naît à Saint-Rémy-de-Provence [département cô-tier des Bouches-du-Rhône, dans le sud-est de la France] le 28 mai 1631. Il entre chez les jésuites à Lyon, le 12 septembre 1650. Il arrive à Québec le 9 juin 1669, passe l'été de 1670 au Sault-Sainte-Marie, et l'hiver de 1670-1671 à l'île Manitoulin. Il revient au Sault-Sainte-Marie en 1671, puis travaille dans la région de la baie des Puants (Green Bay, Wisconsin) jusqu'en 1683. Cette année-là, il est assigné à Saint-Ignace [Michigan]. En 1684, rap-pelé à Québec, il y enseigne la philosophie, puis le latin. En 1690, missionnaire au Saguenay, il passe deux ans à Chicoutimi. De 1692 à 1698, il est missionnaire auprès des Amérindiens des régions de Québec et de Montréal. Les deux années suivantes, il est peut-être à la mission de Saint-François-de-Sales sur la rivière Chaudière. Il aurait pris sa retraite vers 1705. Il décède à Québec le 19 septembre 1715.

Les écrits du père Louis André, peu nombreux, se trouvent dans les *Relations des jésuites de la Nouvelle-France* de 1671 et de 1672. Le narrateur utilise le je pour raconter ce qu'il a vécu et vu comme missionnaire; il le fait avec une simplicité qui le rend sympathique au lecteur.

Nous avons emprunté les pièces qui suivent au tome 6: *1666-1672* de l'édition que les Éditions du Jour ont publiée en six tomes [1611-1672], à Montréal, en 1972, sous le titre *Relations des Jésuites, contenant ce qui s'est passé dans les missions des Pères de la Compagnie de Jésus dans la Nouvelle-France*. Cette édition reproduit celle qui avait été préparée sous la direction de l'abbé Charles-Honoré Laverdière et publiée en trois volumes, à Québec, en 1858, par l'éditeur Augustin Côté. — Pour faciliter la lecture, nous avons remplacé par leurs équivalents modernes les anciens caractères typographiques suivants: ∫ par s; j par i et vice versa; u par v et vice versa.

L'île d'Ekaentouton*

Entre les Isles du Lac Huron, celle-cy est la plus belle et la plus grande, ayant du moins quarante lieuës de long et dix à vingt de large. Il est difficile de trouver un païs plus beau pour estre habité commodement. Le terroir y paroist excellent; elle est coupée de quantité de ruisseaux, remplie de plusieurs Lacs, et environnée d'un bon nombre d'anses tres-poissonneuses. Il est facile de la découvrir dans le Lac Huron, puis qu'elle y tient le milieu, et se fait remarquer par dessus toutes les autres pour sa grandeur.

C'estoit autrefois le païs des Outaoüacs, où ils ont esté instruits par nos Peres, auparavant que la crainte des Iroquois les eust dépossedés d'une si douce demeure, pour se retirer au fond du Lac Superieur, où nos Missionnaires les ont suivis, à plus de trois cens lieuës de leurs ennemis; mais comme le desir de la patrie ne s'esteint pas par l'esloignement, sur tout aux Sauvages, qui ont des inclinations plus grandes qu'on ne peut croire pour leur païs natal, dés qu'ils ont veu quelque jour, par la paix des Iroquois, pour y retourner en asseurance, ils s'y sont rendus, et c'est où je les ay suivis pour vacquer à leur instruction.

Je ne sçay pas ce que ceux qui m'ont devancé ont souffert avec eux; mais j'ay assez experimenté jusqu'où l'on peut aller sans mourir tout à fait de faim. On ne me presentoit tous les jours à manger qu'aprés Soleil couché, et s'il y avoit quelque mauvais morceau, c'étoit pour moy qu'on le reservoit, et en si petite quantité, qu'à peine suffisoit-il pour soustenir la vie; la pesche et la chasse ne reüssissant point cette année, nous reduisoit à cette extremité. Aprés avoir bien fait chercher dans toutes les cabanes, quoy qu'inutilement, un peu de chair boucanée, je crus qu'il falloit tout experimenter pour ne me pas laisser mourir de faim: je fus pour cela dans les bois, comme la pluspart des Sauvages, pour chercher des racines, du gland, et d'une espece de mousse, que les François appellent tripe de roche. Mais ce fut en vain; je n'avois pas fait grand chemin, que la lassitude me fit croire que j'estois bien loin des cabanes: c'estoit une faim de deux mois qui m'avoit affoibly.

Je me souvins alors d'avoir veu manger aux Missionnaires, de l'écorce interieure du sapin; j'essayay si j'en pourrois venir à bout, mais il me fut impossible de l'avaller. Je m'en revins du bois aussi vuide que j'y estois allé. En entrant dans la cabane, on me fit offre d'un excellent mets, car on me dit qu'on avoit mis une partie de la porte dans la chaudiere: En mangerez-vous si l'on vous en donne, me dit-on? Pourquoy non? répondis-je, si c'est quelque chose qui puisse estre mangé. C'estoit une vieille peau d'Orignac, dont une femme arrivée depuis peu faisoit festin, elle m'en donna fort peu, et j'en eus pour vingt-quatre heures; elle usa de la mesme liberalité les deux jours suivans, mais je n'en peus pas manger, parce que selon l'ordinaire, on m'avoit donné le pire, et justement ce qui n'avoit pas trempé dans la chaudiere pendant qu'elle boüilloit; et parce que j'avois encore quelques souliers Sauvages et quelques livres, j'esperois bien avec cela de prolonger le temps, en prenant un peu de Theriaque aprés avoir mangé d'une viande si extraordinaire.

Cét estat si déplorable ne me fit pourtant pas perdre courage, ny desister de l'instruction des Sauvages: jamais je ne m'employay plus au salut des ames que pendant ce temps-là. Je visitois tous les jours dans les cabanes, où je faisois les instructions et les prieres à mon ordinaire, jusqu'à ce que je fus obligé de cesser, aprés avoir esté dangereusement mordu à la jambe par un de leurs chiens. Je me servis de ce mal pour les presser à me bastir une Chapelle, comme ils s'y estoient obligez: de fait elle fut dressée en peu de temps, et dés lors je commençay à aller autour des cabanes, la clochette en main, pour assembler les enfans deux fois le jour; le matin, pour leur enseigner les prieres et le Catechisme; le soir, pour leur expliquer des Images, qui representoient la vie et la doctrine du Fils de Dieu. J'adjoustois à cela quelques curiositez que j'avois apportées de France, et que je leur faisois voir avec grand succez; sur tout le Trigone me servoit pour leur faire concevoir quelque chose de la beauté du Paradis et du Mystere de la sainte Trinité.

Enfin pour animer de plus en plus leur ferveur, je m'advisay de composer quelques Cantiques Spirituels, que je n'eus pas si-tost chanté dans la Chapelle, avec une fleute douce (car il se faut faire tout à tous, pour les convertir tous à Jesus-Christ) qu'ils venoient tous en foule et grands et petits, de sorte que pour éviter la confusion, je ne laissois entrer dans la Chapelle que les filles, et les autres demeuroient dehors; et en cét estat nous chantions à deux chœurs, ceux de dehors répondant à celles qui estoient dedans: par ce moyen, il me fut aisé de les instruire tous, pour les disposer au Baptesme que je ne conferay pourtant qu'à six enfans, la faim qui continuoit de plus en plus, les ayant tous dissipez, et mis fin à cette Mission.

S: Louis André, «Relation de 1671», pp. 33-34, dans Relations des Jésuites, contenant ce qui s'est passé dans les missions des Pères de la Compagnie de Jésus dans la Nouvelle France, Montréal, Éditions du Jour, 1972, vol. 6.

Le lac des Nipissiriniens*

Ne trouvant plus dequoy vivre dans le Lac des Hurons, Dieu voulut m'appeller par ce moyen à celuy des Nipissiriniens, pour y partager mes instructions.

Je montay donc en canot pour my rendre, et si je n'eusse esté avec des maistres canoteurs, cette nuit que je partis d'Ekaentouton eust esté la derniere de ma vie. Le danger estoit si grand, que je n'en ay point veu de semblable en mer, faisant comparaison d'un canot à un Navire. Pendant les tenebres, nous passions entre les rochers battus de vagues avec tant d'impetuosité, qu'à chaque moment il sembloit que nous serions ensevelis dans les eaux; les Sauvages mesmes pensoient estre perdus; nous fusmes neantmoins preservez par une misericorde de nostre Seigneur tres-particuliere, et nous arrivasmes enfin, aprés bien des fatigues, dans le lac Nipissing.

Sous le nom d'Outiskoüagami, qui sont les longs cheveux, on comprend diverses Nations, dont la principale fait sa demeure dans le païs des Nipissiriniens, et dans la riviere, qu'on appelle des François, laquelle fait la communication du Lac Huron à celuy de Nipissing.

Autant que j'en puis juger, le païs de ces peuples est tres-affreux et peu propre pour la culture de la terre; mais en échange il est abondant en Castor, on n'y voit presque par tout que des Lacs et des rochers sans arbres.

Ces rochers m'ont rendu de grands services; car ils ne sont pas si steriles qu'on peut s'imaginer, ils ont de quoy empescher un miserable de mourir de faim. Ils sont couverts d'une espece de plante, qui ressemble à la crouste d'un marécage séché par l'ardeur du Soleil: les uns l'appellent mousse, bien qu'elle n'en ait aucunement la figure: d'autres l'appellent tripe de roches; pour moi je l'appellerois ou plus tost potirons de roche. Il y en a de deux sortes: la petite est facile à cuire, et est bien meilleure que la grande, qui ne se cuit point et est toujours un peu amere. Il ne faut qu'un boüillon à la premiere pour boüillir, et aprés, la laissant un peu auprés du feu, et la remuant de temps en temps avec un baston, on la rend semblable à de la colle noire. Il faut fermer les yeux quand on commence à en gouster, et prendre garde que les levres ne se collent l'une à l'autre.

Cette manne est éternelle, et quand on a bien faim, on la boit sans regretter les oignons d'Egypte. On la peut amasser en tout temps, à cause qu'elle croist sur le penchant des rochers, où la neige ne s'arreste pas si facilement que dans un plat païs.

En Esté les bluets y sont fort communs; c'est un petit fruit gros comme des pois, bleu, et tres-agreable au goût; et en outre devant et aprés les neiges, on trouve dans les marescages un autre fruit rouge, et un peu plus gros. Il est un peu aigre, et agreable à ceux dont les dents ne sont jamais agacées.

En quelques endroits il y a des chesnes, mais tous ne portent pas des glands également bons: j'en ay mangé une fois de ceux qui ne cedent gueres à la chastaigne, pour le goust; les autres sont amers, et il faut qu'ils cuisent douze heures, changeans plusieurs fois l'eau, et les faire passer comme par la laissive, afin de les mettre en estat de pouvoir estre mangez. C'est à dire que la premiere cuisson est dans l'eau, avec de la cendre en quantité.

Il ne faut pas s'étonner si je suis si sçavant en matiere de glands et de tripe de roche, puis qu'ils ont fait ma principale nourriture pendant trois mois que j'ay esté icy. Il est vray qu'on me presentoit quelquefois des peaux d'Orignac, et mesme de la chair boucanée; mais c'estoit un festin qui n'estoit pas bien commun: la nature se contente de peu, et se fait à tout. Je m'estois si bien accoustumé au gland, que j'en mangeois presque comme des olives, et l'on ne m'en faisoit pas telle largesse que je ne demeurasse tres-souvent sur mon appetit.

Mes fonctions ne desisterent pas, nonobstant cette famine. Je ne pouvois pas attirer les Sauvages à la priere par des presens: mon instrument musical venoit au secours; je leur promettois d'en joüer, et de leur faire chanter mes Cantiques, aprés qu'ils auroient prié. Cela m'a si bien réussi, que non seulement j'ay instruit ceux qui aimoient la foy, mais aussi ceux qui la haïssoient: car desirant entendre chanter leurs enfans, ils apprenoient tout avec eux, presque sans y penser. Pendant trois mois ils se sont rendus suffisamment sçavans en nos Mysteres, parce que je ne manquois pas le matin dés la pointe du jour, et le soir un peu avant le Soleil couché, à parcourir les cabanes, y expliquant tantost nos principaux Mysteres, tantost quelques-uns de mes Cantiques, puis interrogeant les enfans, en presence de leurs parens, faisant faire à tous publiquement les prieres, enfin chantans tous ensemble: ce qui estoit cause que mon tour n'estoit pour l'ordinaire achevé que bien avant dans la nuit, et pour lors il ne se trouvoit rien à manger. Les glands, la tripe de roche, et les peaux d'orignac estoient pour lors mes mets delicieux.

Ces travaux m'ont acquis dans cette Mission quatorze enfans

Spirituels, par le Saint Baptesme. Si j'eusse cru la ferveur de plusieurs autres, je les aurois aussi baptisez; mais je croy qu'il est bon de les éprouver un peu davantage.

Sur la fin des glaces, je me disposay à retourner à Ekaentouton, où je trouvay à m'occuper pendant trois sepmaines avec les Amikoüés, qui sont la Nation du Castor. J'y baptisay neuf enfans et y exerçay les mesmes fonctions qu'aux autres Missions, mais non pas avec la mesme disette de vivres: car Dieu se contenta de la faim que nous avions soufferte, et nous donna dequoy couler doucement la fin de l'hyver: car en ce temps les orignaux se tuent plus aisément.

Il faut que les Missionnaires de ce païs des Outaoüacs sçachent avec saint Paul, ce que c'est qu'estre dans la disette, bien plus que dans l'abondance; la pluspart des autres Peres ont eu pendant cét hiver leur bonne part de cette grace, que nostre Seigneur leur a fait souffrir quelque chose pour son service. Les ames de ces pauvres Barbares sont assez precieuses pour nous faire devorer avec joye toutes ces fatigues; et ceux qui aspirent à ce bonheur de travailler à leur conversion, doivent se preparer à ne rien trouver icy que ce que la nature ne veut pas avoir par tout ailleurs.

S: *id.*, «Relation de 1671», pp. 35-36, dans *ibid.*, vol. 6.

FRANÇOIS GENDRON
(1618-1688)

François Gendron naît à Voves [département d'Eur-et-Loir, dans le centre et l'ouest du Bassin parisien] le 18 avril 1618. Il étudie la chirurgie à Orléans durant cinq ans ou plus. En 1643, il arrive en Nouvelle-France comme donné des jésuites, monte à Sainte-Marie-des-Hurons et y prend charge de l'hôpital. Il est possible qu'il ait été le premier médecin à vivre en Ontario. En 1650, il descend à Québec et, le 23 août, s'embarque pour la France. Il y étudie la théologie et devient prêtre le 25 mai 1662. Vicaire de sa paroisse natale, il se fait médecin des pauvres. Il est recherché par des personnages de marque et, en 1664, il est appelé à soigner la reine Anne d'Autriche. Quand il quitte la cour, il retourne à Voves. Nommé abbé commendataire de Maisières [en Bourgogne] par Louis XIV le 27 août 1665, il utilise les revenus de cet office pour soigner les malades pauvres. En 1671, il s'établit chez un neveu à Orléans et continue de pratiquer la médecine jusqu'à sa mort, le 2 avril 1688.

En 1660, Jean-Baptiste de Rocoles fait publier à Paris et à Troyes un petit livre intitulé *Quelques Particularitez du pays des Hurons en la Nouvelle France. Remarquées par le Sieur Gendron, Docteur en Médecine, qui a demeuré dans ce Pays-là fort long-temps. Rédigées par Jean Baptiste de Rocoles, Conseiller & Aumosnier du Roy, et Historiographe de sa Majesté.* Dans le premier paragraphe, de Rocoles affirme que les trois lettres qu'il publie lui ont été remises par un ami et qu'elles ont été écrites par Gendron en 1644 et 1645. Dans la première, Gendron situe géographiquement les nations de la Huronie; à quelques lignes près, ce texte est le même que l'on trouve sous la plume du jésuite Paul Ragueneau dans la *Relation de 1648* de la Huronie, ce qui porte à penser que les lettres n'étaient ni de 1644, ni de 1645, et qu'il y a eu plagiat quelque part. Dans la deuxième lettre, Gendron décrit le pays et l'organisation sociale des Hurons. La troisième lettre est un éloge général des missionnaires jésuites qu'il a vus au travail dans les missions ou dans leur résidence de Sainte-Marie. C'est cette lettre que nous reproduisons ci-après.

Nous avons emprunté cette pièce à la réimpression que F. Munsell a faite de l'édition originale de 1660; elle a été achevée d'imprimer à Albany, N.Y., le 25 août 1868. — Pour faciliter la lecture, nous avons remplacé par leurs équivalents modernes les anciens caractères typographiques suivants: ∫ par s; j par i et vice versa; u par v et vice versa.

Éloge des jésuites de la Huronie

Dans une autre Lettre qu'il écrivoit à un bon Ecclesiastique parlant des Missionaires de ce Nouveau Monde, il n'y a (dit-il) que les Reverends Peres de la Compagnie de Jesus, qui travaillent à défricher cette grande vigne, avec neantmoins autant de succès & de bonheur, qu'ils se rendent infatigable en ce travail, capable, je vous asseure, de rebutter les plus zelez, sans un secours tout particulier de la grace, la nature y estant dans un continuel aneantissement, sous le faix des persecutions, & de l'objet d'une-mort cruelle, dont elle se voit menacée à tout moment.

Leur principale maison, nommée Sainte Marie, est scituée dans le milieu du pays des Hurons, sur le rivage d'une petite riviere, qui va de la mer Douce, dans un petit Lac d'environ deux lieuës de tour, celle est un refuge de tous les Chrestiens du pays qui y abordent de toutes parts, au moins les quatre principales Festes de l'année, pour assister au Service qui s'y fait fort solemnellement en ces grands jours de devotion. Tous ces bons Peres s'y assemblent pour lors, afin de vaquer à Dieu seul dans le repos de l'Oraison, & conferer ensemble des moyens & des lumieres que le Saint-Esprit & l'experience leur donnent de jour en jour pour la conversion de tous ces peuples. J'y en ay compté en ce temps jusques à dix-huict ou vingt. Ce n'est pas que ce nombre s'y trouve d'ordinaire, car le plus souvent ils sont dispersez deux à deux, & quelque fois seuls dans les Missions éloignées de quatre-vingt & cent lieuës; car pour l'ordinaire il n'y demeure qu'un Procureur, assisté de quelques personnes choisies qui se sont données à Dieu en cette Maison pour y servir le reste de leur vie; les uns à bastir des Eglises & Chapelles dans les villes & bourgades circonvoisines, à mesure que le Christianisme s'y establit, les autres à l'entretien des Missionnaires qui vivent en instruisant ces Peuples au dépens du grand ménage de cette Maison, ou plustost de la manne & benediction celeste, que Dieu répand sur le travail de ces Fideles serviteurs, qui suffit mesme à l'entretien d'un nombre infiny de pauvres Chrestiens estrangers, chassez ou exilez de leurs pays, qui y trouvent un Hospital pendant leurs maladies, un refuge au plus fort des allarmes, & tousjours des cœurs charitables prests à leur faire du bien. J'ay souvent veu dans les Missions ces hommes vrayement Apostoliques, ne vivre la plus part du temps que de glands & fruicts sauvages, pendant ces dernieres années de disette, pour donner à leur pauvres Chrestiens languissans de faim, le peu de bled d'Inde & autres provisions qui leur estoit envoyé de cette Maison de Dieu, pour survenir à leurs necessitez: comme aussi dans les plus grandes rigueurs de l'Hyver, se dépoüiller d'une partie de leurs vestemens pour couvrir de pauvres miserables transis de froid, qui se venoient faire instruire de bien loing dans cette fascheuse saison.

Combien des fois pour assister des malades Cathecumènes ou Chrestiens un peu foibles, & chancelans en la foy, les ais-je veu passer des nuicts en Oraison, sans dormir, n'y reposer aucunement, de crainte que le diable qui tousjours veille à nostre perte, se servant de l'infidelité de leurs parens ou amis, de la foiblesse de la nature, & de l'accablement de leurs maux, en leurs faisans exposer le soulagement de leurs anciennes superstitions, ne dérobast ces ames à Dieu, & ne leur fist perdre en un moment tout le fruict de leurs travaux, quoyque tousjours digne d'une eternelle recompense.

Je ne m'estendray pas davantage sur ces vertues admirables, qui sont la joye des Anges, & l'admiration des hommes, puis qu'elles se pratiquent icy communément, mesme de la pluspart des Chrestiens de cette nouvelle Eglise, qui ne croyent pas, à l'exemple de ces bons Peres, beaucoup meriter, si outre ces devoirs de Chrestiens, à quoy ils pensent estre obligez, ils ne s'estudioient & travailloient encore a s'establir dans d'autres vertus plus solides, qui pour estre moins connuës aux hommes, & sensibles à la nature leur puisse estre d'un plus grand merite devant Dieu: auquel seul ils veulent complaire. Ce seroit de ces vertus interieures & toutes divines qu'ils pratiquent incessamment, que je souhaitterois volontiers vous pouvoir entretenir, si mon esprit estoit capable de comprendre ces voyes mystiques, & penetrer dans l'interieur de ces ames élevées.

S: *Quelques Particularitez du pays des Hurons en la Nouvelle France. Remarquées par le Sieur Gendron, Docteur en Medecine, qui a demeuré dans ce Pays-là fort longtemps. Rédigées par Jean Baptiste de Rocoles, Conseiller et Aumosnier du Roy, & Historiographe de sa Majesté,* A Troyes, & A Paris, Chez Denys Béchet et Louis Billaine; réimpression: «Achevé d'Imprimer à Albany, N.Y., par F. Munsell, ce 25 Août, 1868.», pp. 21-26.

PIERRE-JOSEPH-MARIE CHAUMONOT
(1611-1693)

Pierre-Joseph-Marie Chaumonot naît à Châtillon-sur-Seine [département de la Côte-d'Or, dans le centre-est de la France] le 9 mars 1611. Après une jeunesse vagabonde qui le conduit de Châtillon à Beaune, puis, d'aventure en aventure, à Lyon, et de là, à travers l'Italie, jusqu'à Rome, il entre chez les jésuites au noviciat Saint-André, le 18 (15?) mai 1632. Il termine son noviciat à Florence, retourne à Rome, va enseigner à Fermo, étudie la philosophie à Rome, qu'il quitte pour la France en septembre 1637 et est ordonné prêtre à Rome à la fin de cette année ou au début de la suivante. Il fait une année de spiritualité à Rouen [département de la Seine-Maritime, dans le nord-ouest de la France]. Le 4 mai 1639, il s'embarque à Dieppe. Le 1er août, il est à Québec; le 3, il part pour la Huronie, où il arrive le 10 septembre. Il travaille en plusieurs postes différents durant dix ans, puis, le 10 juin 1650, entreprend la descente vers Québec avec les Hurons qui vont s'y réfugier; ceux-ci y arrivent le 28 juillet. Le père les accompagne à l'île d'Orléans; le 19 septembre 1655, il part pour le pays des Onontagués. Le 23 avril 1658, il est de retour auprès des Hurons de la région de Québec. De 1658 à 1691, il continue à s'occuper d'eux, sauf durant les périodes où il est chargé de missions particulières. Il les suit à Notre-Dame-des-Neiges, à la côte de Saint-Michel, à Notre-Dame-de-Foy, puis à Notre-Dame-de-Lorette, où il bâtit avec eux le sanctuaire que, dès sa jeunesse, il avait rêvé de construire en l'honneur de sa protectrice. En octobre 1692, malade, il se retire au collège des jésuites. Il y décède le 21 février 1693.

En 1688, le père Chaumonot écrit son autobiographie sur l'ordre de son supérieur, le père Claude Dablon, qui le connaît bien. Celui-ci sait que ce missionnaire avec lequel il a travaillé a beaucoup à dire sur ce qu'il a vécu et ce qu'il a fait. Les lecteurs des *Relations de la Nouvelle-France*, ont pu y lire, ici et là, beaucoup de textes de la main de ce missionnaire, mais rien n'a été écrit et publié de sa jeunesse, qui ne ressemble pas à celle de ses confrères; et il n'y a guère que ses supérieurs et confesseurs qui savent vraiment quelle sorte de mystique étonnant a été ce missionnaire qui a passé cinquante ans de sa vie auprès des Amérindiens. À leur retour au Canada en 1842, les jésuites trouvent le manuscrit de cette autobiographie à l'Hôtel-Dieu de Québec. En 1858, J. G. Shea, un ex-jésuite et historien de New York publie ce manuscrit à une centaine d'exemplaires pour bibliophiles. En 1885, le jésuite Félix Martin fait paraître à Paris, chez Oudin, libraire-éditeur, *Un missionnaire des Hurons. Autobiographie du Père Chaumonot de la Compagnie de Jésus et son complément.*

Nous avons emprunté les pièces qui suivent à l'édition du père Martin, non pas seulement parce qu'elle est plus facile d'accès, mais aussi parce qu'elle contient des ajouts qui complètent vraiment le texte autobiographique proprement dit (ces ajouts sont imprimés en caractère plus petit que celui de l'autobiographie). — À propos de l'écriture du texte, le père Martin donne la précision suivante à la page x de son avant-propos: «Nous avons respecté jusqu'au scrupule le style si naturel du P. Chaumonot; mais n'ayant pour nous guider qu'une copie incorrecte de son travail, nous n'avons pas cru devoir en reproduire l'orthographe.»

La jeunesse d'un futur jésuite*

J'ai eu pour père un pauvre vigneron, et pour mère une pauvre fille d'un maître d'école. A l'âge de six ans ils me mirent chez mon grand-père à cinq ou six lieues de notre village, afin que j'apprisse à lire et à écrire. Ils me reprirent ensuite avec eux, mais pour peu de temps, un des mes oncles, qui était prêtre et qui demeurait à Châtillon-sur-Seine, ayant eu la bonté de me prendre chez lui, pour me faire étudier au collège de cette ville-là.

Après avoir déjà fait quelques progrès dans le latin, mon oncle souhaita que j'apprisse le plainchant, sous un musicien qui était de ma classe. Celui-ci me persuada de quitter Châtillon, pour le suivre à Beaune, où nous étudierions sous les Pères de l'Oratoire. Comme ne je voulus pas entreprendre ce voyage sans argent, je dérobai environ cent sols à mon oncle, pendant qu'il était à l'église: avec cela nous prîmes la fuite.

Nous marchâmes par des chemins écartés jusqu'à Dijon, d'où nous nous rendîmes à Beaune. Nous nous y mîmes en pension chez un bourgeois: mais comme ma finance était courte, j'écrivis à ma mère qu'elle eût la bonté de me founir d'argent et de hardes, afin que je pusse faire mes études à Beaune, où j'espérais faire plus de progrès qu'à Châtillon. La lettre tomba entre les mains de mon père, qui me répondit qu'on ne m'enverrait rien, que j'eusse à revenir et qu'il ferait ma paix devant mon oncle.

Cette réponse m'affligea extrêmement: car de retourner chez mon oncle, c'était m'exposer à être montré au doigt comme un larron; et de demeurer plus longtemps à Beaune, sans argent, il n'y avait pas d'apparence. Je me déterminai donc à courir en vagabond par le monde, plutôt que de m'exposer à la confusion que méritait ma friponnerie. Je sors de Beaune dans la pensée d'aller à Rome, quoique je n'eusse ni sols ni maille. Je marche seul pendant un demi-jour; ensuite deux jeunes Lorrains me joignent, me saluent et me demandent où je vas. «A Rome», leur dis-je, «pour gagner les pardons». Ils louent mon dessein, et ils m'entretiennent de ce qui les fait aller à Lyon.

Cependant je pense à ce que je deviendrai et de quoi je pourrai vivre, si je continue mon voyage. De demander l'aumône, c'était m'abaisser, à mon avis: je ne pouvais m'y résoudre: de travailler pour gagner ma vie, il y avait encore moins d'apparence: je n'étais pas accoutumé au travail et je ne savais aucun métier. Par bonheur pour moi, mes deux Lorrains, qui n'étaient guère mieux fournis d'argent, se mirent à demander l'aumône de porte en porte au premier bourg où nous arrivâmes. Qui fut bien étonné de leur voir exercer ce métier? Ce fut moi qui, après avoir délibéré quelque temps, me résolus de les imiter plutôt que de me laisser mourir de faim, tant leur exemple eut de force à me faciliter ce qui m'avait paru impossible jusqu'alors. Voilà mon apprentissage de gueux; mais comme je ne faisais que de commencer à en faire le métier, je n'y gagnais que fort maigrement ma petite vie.

Je me flattais cependant de l'espérance qu'arrivant dans une aussi grande ville que Lyon, j'y aurais quelque bonne fortune. Mais, hélas! je fus bien surpris de me voir arrêter à la porte par des gardes, qui, en admettant mes compagnons à la faveur de leurs passeports, me rebutèrent parce que je n'en avais point. Je ne savais que devenir, ni même où prendre le couvert. Je voyais bien de grands bâtiments dans le faubourg, mais je n'osai jamais y demander un petit coin pour passer la nuit. Enfin ayant aperçu vis-à-vis d'un fourneau de verriers un méchant appenti, je m'y retirai. Plût à Dieu qu'alors j'eusse eu l'esprit de prendre ma peine pour l'expiation de mes péchés, et d'unir ma pauvreté à celle du Sauveur couché dans une masure!

Le lendemain matin, ayant vu sur le bord du Rhône un bateau où l'on embarquait pour passer cette rivière, je priai le batelier de me recevoir dans son bac par charité. Il le fit, étant gagé de la ville pour transporter au delà du Rhône tous les gueux auxquels on aurait refusé l'entrée de Lyon. Lorsque je fus à l'autre bord, je trouvai un jeune homme qui me promit de faire avec moi le voyage d'Italie.

Comme nous commencions à marcher de compagnie, nous rencontrâmes un prêtre qui revenait de Rome, et qui fit ce qu'il put pour nous faire retourner sur nos pas, en quittant le dessein de notre pèlerinage. Il nous allégua entre autres raisons que n'ayant point de passeports nous serions exclus de toutes les villes qui sont sur le chemin. Je lui demandai s'il en avait un; et il ne me l'eut pas plutôt montré, que je le priai de me permettre d'en faire une copie en mettant mon nom et celui de mon camarade au lieu du sien, ce qu'il m'accorda. Oh! que n'offris-je dès lors au bon Dieu, la faim, la nudité, la lassitude, le chaud, le froid, et mille autres misères que je souffris dans ce voyage! J'aurais eu le bonheur d'attirer sur moi les bénédictions du Ciel. Notre commun Père ne me les aurait pas refusées, en voyant en moi quelques traits de la pauvreté et des souffrances de son Fils. Mais, hélas! mon orgueil et mes autres péchés qui me rendaient beaucoup plus semblable au démon que je ne l'étais à Jésus-Christ par ma pauvreté, étaient en moi de grands obstacles à la grâce. Cependant, mon Dieu, vous aviez vos vues en permettant que je fisse faute sur faute et folie sur folie. Vous prétendiez me voir libre de toute affection déréglée envers mes parents, laquelle, si j'avais toujours demeuré auprès d'eux, m'aurait empêché de me consacrer à vous. Vous prétendiez que quand je serais plus grand, le souvenir de mes peines me fît compatir avec plus de tendresse et de reconnaissance aux peines de votre Fils.

Mais je serais trop long si je voulais raconter toutes les fautes que je commis, et toutes les disgrâces que j'eus dans mon voyage. Je n'en toucherai que les principales aventures.

La première qui se présente à mon esprit, c'est qu'étant en Savoie j'entrai dans la cour de notre collège de Chambéry, pour y demander l'aumône en latin: un de nos Pères eut tant de compassion de me voir si misérable, qu'il me fit donner bien à souper, et qu'il me promit même de me remener à Lyon, où il devait aller, et de me faire conduire de Lyon à Châtillon. D'abord je le remerciai de mon mieux et je lui promis de le suivre; mais dès qu'il m'eut quitté, je m'enfuis, mon orgueil me détournant toujours de retourner chez mes parents. N'étais-je pas hors de mon bon sens, et ne méritais-je pas bien tous les maux qui m'arrivaient, de refuser des offres si avantageuses pour mon propre repos et pour la consolation de ma pauvre famille? Combien est déplorable l'aveuglement d'un esprit orgueilleux, d'aimer mieux s'exposer à une infinité de dangers et de misères, que de souffrir une salutaire réprimande!

Dans un village de la Savoie, nous rencontrâmes un bon curé qui nous mena chez lui, où, après nous avoir donné à souper, il nous fit coucher dans le lit de son valet qu'il avait envoyé à Chambéry. Ce Monsieur avait sa chambre sur celle où couchait son domestique, et l'on y montait par une échelle au haut de laquelle était une trappe que notre hôte ne ferma pas bien, de telle sorte que vers minuit un chat la fit tomber en poursuivant sa proie. Le bruit en fut assez grand pour éveiller M. le curé, qui s'alla imaginer que nous montions à sa chambre pour quelque mauvais coup. Là-dessus il se lève en chemise, sort de sa chambre sur une galerie, et crie de toute sa force *au meurtre!*. De mon côté, je monte en haut de l'échelle, et je le rassure en lui faisant connaître la cause innocente de tout ce désordre. Par bonheur pour nous, les voisins ne se réveillèrent pas à la voix de leur pasteur.

Voici une autre aventure où nous courûmes encore plus de risques.

Dans un bourg de la Valteline, nous trouvâmes une garnison française, réduite à un fort petit nombre de soldats: aussi les officiers nous pressèrent de nous enrôler; à quoi j'aurais consenti pour avoir tous les jours mon pain, dans la faim que je souffrais; mais mon compagnon, qui était plus sage que moi, n'en voulut rien faire. Tout ce qu'on gagna donc sur nous fut de nous faire consentir à rester jusqu'à l'arrivée du commissaire qui était attendu de jour en jour. On nous donnait espérance que nous recevrions de lui la même montre que les vrais soldats.

Cependant on voulut voir quelle figure nous ferions à la revue. L'on n'eut pas de peine à travestir en soldat mon compagnon qui était grand; mais comme je ne paraissais qu'un enfant à cause de mon peu d'âge et de la petitesse de mon corps, on eut plus de difficulté à trouver une épée propre pour moi. Celle qu'on jugea la plus proportionnée à ma taille, avait pour fourreau une peau d'anguille ou de serpent, et faute de baudrier ou de ceinturon, on me l'attacha avec un licol d'âne. Je parus si ridicule en cet état qu'on résolut de me faire mettre au lit comme malade, à l'arrivée du commissaire. En attendant sa venue, nous vivions du pain du Roi, et mon camarade tremblait continuellement de peur, ou qu'on ne nous reconnût pour passevolants, ou qu'on ne nous enrôlât malgré nous. Il me fît le danger si grand que je me rendis à ses instances.

Résolus de poursuivre notre pèlerinage de Rome, nous partons un beau matin; mais à peine eûmes-nous fait une demilieue que nous fûmes arrêtés par des soldats, qui avaient ordre de prendre les déserteurs qu'ils trouveraient et de les mener à leurs officiers. «Hélas!» leur dis-je en pleurant, «ai-je la mine d'un homme de guerre? Je suis un pauvre écolier qui ai fait vœu d'aller à Rome.» Je parlai d'un accent si pathétique, qu'en étant touchés ils nous laissèrent passer. Si Dieu ne leur eût donné de la compassion pour nous, que serions-nous devenus? Il nous sauva d'un autre danger lorsque nous fûmes entrés dans l'Italie.

Un peu avant la nuit, nous arrivâmes à une hôtellerie qui était sur le chemin, et où nous prétendions coucher, mais nous comptions sans notre hôte. A peine eûmes-nous pris un méchant souper qu'il nous le fit payer tout ce qu'il voulut, et quelques instances que nous lui pûmes faire de nous vouloir loger au moins dans une de ses étables, il nous chassa barbarement. Encore si nous eussions pu coucher à la belle étoile! mais de la nuit il n'en parut aucune, et le temps qui était couvert se déchargea bientôt sur nous par une grande pluie. Nos habits en furent tout pénétrés, et pour surcroît de mal, le chemin étant plein de trous et de fosses que nous ne voyions point, nous faisions presque autant de chutes que de pas.

Nous n'en pouvions plus, lorsque nous aperçûmes une métairie, à la faveur d'une lumière. Comme nous nous y traînions, nous rencontrâmes tout proche un gros tas de paille. Nous grimpons desssus, et nous faisons un trou au haut pour nous y fourrer. Le froid nous ayant saisis, surtout aux pieds, nous nous les mettons sous les aisselles l'un de l'autre en nous couchant, de sorte que j'avais la tête à l'opposite de celle de mon compagnon. Nous commencions à nous réchauffer, lorsque voilà de grands chiens qui, nous ayant sentis, accoururent en aboyant avec furie. Au bruit, on sort de la ferme, et on tâche de nous écarter à coups de pierres. Cette nouvelle grêle ne nous permettait pas de demeurer dans notre gîte, et la crainte d'être dévorés des chiens nous empêchait d'en sortir. Je crus alors qu'il fallait parler, et bien m'en prit de savoir faire le pleureux, ainsi que je l'avais déjà fait pour nous tirer d'affaire quand on nous arrêta comme déserteurs. Je me mis donc à crier, en disant en latin que nous étions de pauvres pèlerins: «*Nos sumus pauperes peregrini.* » Ce dernier mot, qui est aussi italien, donna à connaître à ces bonnes gens qui nous étions. Ils eurent pitié de nous, ils rappelèrent leurs chiens, et nous laissèrent passer en paix le reste de la nuit.

Après bien des peines et des fatigues, nous nous rendîmes à Ancône. Hélas! qui pourrait exprimer le pitoyable état où mon libertinage m'avait réduit! Depuis la tête jusqu'aux pieds tout faisait horreur de moi. J'étais pieds nus, ayant été obligé de jeter mes souliers, qui, étant rompus, me blessaient. Ma chemise pourrie et mes habits déchirés étaient pleins de vermine; ma tête même que je ne peignais point se remplit d'une si horrible gale qu'il s'y forma du pus et des vers avec une extrême puanteur. La vermine qui était dans mes hardes, ne me donnait de trêve que lorsque je rencontrais quelque hôpital, parce que les pèlerins y quittent leurs haillons avant de se mettre dans les lits qui leur sont préparés. Oh! que ces nuits-là m'étaient douces! Il n'y a que les personnes qui ont expérimenté la cruelle persécution que font souffrir de tels hôtes, qui puissent s'imaginer la répugnance que j'avais le matin à rejoindre ma garnison, en reprenant mes hardes. Je m'attendais bien que, durant le jour, ces domestiques affamés se dédommageraient du jeûne de la nuit. Ce ne fut qu'à Ancône que je connus l'excès du mal que j'avais à la tête. Y sentant une piqûre plus douloureuse qu'à l'ordinaire, j'y portai la main pour me gratter, et un de mes doigts ayant fait un trou dans ma gale, il s'y attacha un gros ver. A la vue de cet insecte, ma consternation fut indicible. «Faut-il donc, me disais-je à moi-même, qu'en punition de mes friponneries je sois mangé tout vif des poux et des vers? Je ne m'étonne plus que quand j'ôte mon chapeau devant le monde, on témoigne de l'étonnement et de l'horreur à la vue de ma tête. Hélas! que deviendrai-je? Qui me pourra souffrir aussi puant et aussi sale que je suis? Ne ferai-je pas bondir le cœur à quiconque me regardera? Oh! la juste punition de mon orgueil!»

Après tout, je repris courage aux approches de la Sainte Maison de Lorette. Peut-être que la bienheureuse Vierge, qui fait tant de miracles dans ce sacré lieu en faveur des misérables, y aura pitié de ma misère. «Oh! que n'avais-je alors les connaissances que j'ai eues depuis, des merveilles qu'elle opère dans ce sanctuaire en faveur des âmes et des corps! J'aurais eu une toute autre confiance que je n'avais en son pouvoir et en sa bonté. Quoique je ne la priasse que fort froidement, elle me fit voir qu'indépendamment de nos mérites et de nos dispositions, elle se plaît à exercer envers nous les devoirs d'une charitable mère;

et comme un de ses devoirs est de nettoyer leurs enfants, vous me regardâtes en cette qualité, ô Sainte Vierge! tout indigne que je fusse et que je sois encore d'être adopté de vous pour votre fils. Vous donnâtes à un jeune homme, que je n'ai jamais pu connaître, la volonté et le pouvoir de guérir ma tête. Vous savez mieux que moi comment la chose se fit. Je ne laisse pas pour marque de reconnaissance d'en rapporter ce que j'en sais.

Au sortir de la sainte maison de Marie, une personne inconnue, qui paraissait un jeune homme et qui était peut-être un ange, me dit, d'un air et d'un ton de compassion: «Mon cher enfant, que vous avez de mal à la tête! Venez, suivez-moi; je tâcherai d'y apporter quelque remède.» Je le suis; il me mène hors de l'église, derrière un gros pilier, par où il ne passait personne. Rendus que nous sommes dans ce lieu écarté, il me fait asseoir et me dit d'ôter mon chapeau. Je lui obéis, il me coupe tous les cheveux avec des ciseaux; il me frotte d'un linge blanc ma pauvre tête, et sans que je sente aucune douleur; il en ôte entièrement la gale, le pus et la vermine; après quoi il me remet mon chapeau. Je le remercie de sa charité, il me quitte, et je suis encore à revoir un si bon médecin et à ressentir un si vilain mal.

Si la moindre dame m'avait fait rendre ce service par le dernier de ses valets, n'aurais-je pas dû lui en rendre toutes les reconnaissances possibles? Et si après une telle charité elle s'était offerte à me servir toujours de mère, comment aurais-je dû l'honorer, lui obéir, l'aimer toute ma vie? Pardon, Reine des Anges et des hommes! pardon de ce qu'après avoir reçu de vous tant de marques par lesquelles vous m'avez convaincu que vous m'avez adopté pour votre fils, j'aie eu l'ingratitude pendant des années entières de me comporter encore plutôt en esclave de Satan qu'en enfant d'une Mère Vierge. Oh! que vous êtes bonne et charitable! puisque, quelque obstacle que mes péchés aient pu mettre à vos grâces, vous n'avez jamais cessé de m'attirer au bien; jusque-là que vous m'avez fait admettre dans la sainte Compagnie de Jésus, votre fils.

Mon camarade et moi, nous reprîmes le chemin de Rome, après avoir passé trois jours à Lorette; mais Dieu m'arrêta à Terni dans l'Ombrie, pour me faire changer ma vie de gueux en la condition d'un valet.

Selon ma coutume, je demandais l'aumône de porte en porte, lorsqu'un vénérable vieillard, docteur en droit, m'invita à demeurer chez lui pour le servir dans sa maison et pour l'accompagner en ville. J'étais si las de mon métier de quémandeur que j'acceptai volontiers l'offre que me fit le bourgeois d'être son laquais. J'en remplis même tous les devoirs les plus bas, et il n'avait rien qui ne me parût doux et honorable, en comparaison des travaux et des humiliations qui m'avaient dégoûté de la gueuserie. Il y avait déjà quelque temps que j'étais à Terni; cependant je ne savais pas encore assez d'italien pour me confesser en cette langue: c'est pourquoi je le fis en latin à un Père de la Compagnie de Jésus. Après ma confession, il m'interrogea sur mes études. Je lui répondis que j'étais en rhétorique, lorsque je me laissai débaucher. Il me témoigna la compassion qu'il avait de me voir, après de si bons commencements dans les lettres, réduit à une si pauvre condition. Il m'exhorta à reprendre mes études; et pour m'en faciliter les moyens, il me proposa, si je voulais, qu'il me fît recevoir dans le collège, où je m'avancerais dans les sciences et dans la vertu. Je pris mal sa pensée en imaginant qu'il me voulait faire Jésuite; mais dans la suite j'ai eu tout sujet de croire que ce sage Religieux ne voulait d'abord me procurer que la place d'un jeune homme séculier qui régentait la plus basse classe du collège. Plût à Dieu que j'eusse dès lors commencé à le faire! Oh! que j'aurais évité de péchés!

A la vérité, j'allai, deux jours après, chercher le Père pour le lui rappeler, mais comme je ne savais pas son nom, je fus si bête que de demander le Jésuite qui m'avait confessé. Les écoliers à qui je fis cette demande dans la cour des classes, se mirent à rire de mon impertinence, et il n'en fallut pas davantage pour me faire retourner sur mes pas plus vite que je n'étais venu. Je ne laissai pas de demander à mon docteur que je servais, quels gens étaient les Jésuites. Et il me répondit, tant bien que mal, qu'ils ne recevaient chez eux que des gens de qualité et d'esprit, que leur religion n'était pas si austère que les autres, et qu'on pouvait en sortir même après les vœux. Ces derniers traits avec lesquels il me les dépeignait, ne me déplaisaient pas. Volontiers je serais entré chez eux pour un temps. Ainsi je n'étais pas encore propre pour le royaume de Dieu, puisque je regardais déjà derrière moi avant que de mettre la main à la charrue.

Comme je commençais à entendre l'italien, je lisais des livres de dévotion écrits en cette langue, et un entre autres, qui était la Vie des Saints solitaires, me fit naître l'envie d'être hermite. Là dessus, sans consulter personne, je sors de la maison de mon maître à dessein de m'aller cacher en France dans quelque solitude, après que j'aurais fait le voyage de Rome.

Au sortir de la ville, je rencontrai la fille de mon docteur, à laquelle je découvris mon dessein, afin qu'on ne fût pas en peine de moi. Après quelques lieues de chemin, il me vient à la pensée de m'éprouver, si je pourrais vivre de légumes comme les anachorètes. Je prends du blé en herbe, je le porte à ma bouche, je le mâche, mais je ne pus l'avaler. Mon recours fut à mon métier de mendiant, qui ne m'empêcha pas de beaucoup souffrir de la faim, même dans Rome, faute de savoir les maisons religieuses où l'on faisait l'aumône à certains jours et à certaines heures. Le noviciat des Jésuites, que l'on nomme Saint-André, est un de ces charitables lieux et l'unique dont j'eus la connaissance.

Au reste, quoique ma prétendue vocation à la vie d'hermite fût fort ébranlée, je partis de Rome dans le dessein de repasser en France. Et comme je repris le même chemin que j'avais tenu, je me rendis à Terni; mais n'osant retourner chez mon maître, je me retirai chez un savetier de ma connaissance, où je passai la nuit. Celui-ci, le matin, donna avis de mon retour au docteur, qui eut la bonté de m'inviter encore à son service. J'acceptai aussitôt son offre, pour renoncer entièrement à la gueuserie, dont j'avais plus d'horreur que jamais.

Mon bonhomme de maître avait un intime ami qu'on nommait *Il Signore Capitone*. Celui-ci, quelque temps après mon retour à Terni, dit à celui-là qu'il souhaitait bien de m'avoir chez lui en qualité de précepteur de ses deux fils, qui étudiaient au collège de la Compagnie de Jésus. Mon docteur en est content, et après m'en avoir parlé, il m'envoie à son ami. J'en fus reçu à bras ouverts, et présenté dès le lendemain à nos Pères, qui me mirent en rhétorique. Je ne fus pas longtemps à étudier sous eux sans être épris du désir d'imiter les vertus que j'admirais dans ces dignes serviteurs de Dieu.

Une chose m'empêchait de m'en découvrir à mon confesseur: c'est que je ne pouvais me résoudre à lui faire connaître la bassesse de mon extraction. Jusqu'alors je m'étais vanté que mon père était Procureur du Roi, et j'avais peine soit à m'en dédire, soit à continuer dans mon mensonge. Plusieurs mois se passèrent dans ce combat de la nature et de la grâce, celle-ci me pressant de déclarer ma vocation, et celle-là m'en empêchant.

O malheureux que j'étais! Oh! combien de péchés aurais-je évités! Oh! combien aurais-je pratiqué de vertus pendant tout le temps que mon silence m'empêcha de poursuivre mon entrée dans une si Sainte Compagnie! Cependant Dieu, qui me voulait faire la grâce d'y être reçu, m'en ménagea cette occasion.

Un jeune ecclésiastique, gagé par nos Pères, faisait une basse classe dont il se dégoûta. Ayant demandé d'en être déchargé, on jeta les yeux sur moi, et on me promit les mêmes gages qu'il avait. Le monsieur chez qui je demeurais y ayant consenti, je devins régent. Dieu me fit la grâce de ménager l'argent que je gagnais; et lorsque j'en eus une assez bonne somme, je la partageai entre les églises et les pauvres. Je tâchai même d'imiter, du moins en quelque chose, le grand saint Nicolas, en jetant de nuit de l'argent dans une maison où il y avait une fille en nécessité.

Notre-Seigneur me récompensa bien de ces petites libéralités par la grande grâce qu'il me fit de m'appeler fortement à la religion. Un jour entre autres que dans l'église de la Compagnie de Jésus on faisait la fête de saint François de Borgia, qui n'était encore que béatifié, je fus tellement touché du sermon qu'en fit un P. Jésuite, que, pour suivre, autant que je le pourrais, l'exemple du Bienheureux, je fis vœu de quitter le monde et d'entrer en religion, soit chez les Jésuites s'ils voulaient me recevoir, soit, s'ils me jugeaient indigne de cette faveur, chez les Capucins, ou chez les Récollets. Ensuite je déclarai mon dessein à mon confesseur, qui était de la Compagnie de Jésus. Il me dit de bien recommander à Dieu cette affaire; qu'il prierait pour moi, et qu'à l'arrivée du P. Provincial, si je persévérais dans ma vocation, il me proposerait entre ceux qui demandaient la même grâce que moi.

Comme il se passa beaucoup de temps jusqu'à la venue de ce Père, le démon en prit occasion de me troubler par divers doutes. Tantôt il me suggérait que je n'avais pas les qualités nécessaires à un Jésuite, et tantôt il m'alléguait qu'ayant commis plusieurs péchés, même d'impureté, je devais pour en faire pénitence choisir une religion plus austère que la Compagnie de Jésus. Dans ces peines, je m'adressai d'abord à des Carmes déchaussés, ensuite à des Récollets, et enfin à des Capucins. Le gardien de ceux-ci me promit de me faire recevoir dans son Ordre, après les fêtes de Pâques, que son Provincial se rendrait à Terni.

Cette parole ne me délivra pas de la crainte où j'étais de me tromper dans le choix dont il s'agissait. Afin donc que Dieu me fit la grâce d'embrasser l'institut auquel il m'avait destiné, je lui présentai de longues et de fréquentes oraisons mentales et vocales; j'y ajoutai des disciplines, des aumônes, des communions et des messes que j'entendais et que je faisais dire. J'ai cru depuis que le démon, voulant me rendre incapable d'être religieux, m'avait porté à ce qu'il y a eu d'excès et d'indiscrétion dans ces exercices de piété. Mais, par la miséricorde de Dieu, il n'a pas réussi dans son dessein. Notre-Seigneur même ne me laissa pas longtemps dans une si grande perplexité: car enfin, ayant fait réflexion sur ce que le Capucin et le Jésuite m'avaient dit, chacun séparément, que leur P. Provincial viendrait après Pâques, je me résolus d'entrer dans la religion de celui des deux Provinciaux qui, après son arrivée, aurait le premier la bonté de me recevoir.

Cet expédient me parut propre à me tirer de peine, dans la persuasion où j'étais que le Ciel me voudrait dans l'Ordre qui m'admettrait le plus tôt. Ainsi le Provincial de la Compagnie de Jésus étant venu avant l'autre, je lui fus présenté par les Pères du Collège de Terni; et sur les témoignages avantageux qu'ils eurent la bonté de rendre de moi, je fus reçu et envoyé avec de bonnes lettres au noviciat de Saint-André à Rome.

Oh! quelle joie! Oh! quel bonheur pour moi de me voir entre cinquante novices, tous jeunes hommes d'une naissance distinguée, d'un esprit et d'un naturel excellents, bien faits de corps, et desquels je n'aurais été que le laquais ou le marmiton, si eux et moi étions demeurés dans le siècle! Combien de fois me dis-je lors à moi-même: Oh! que voilà un état différent de tous les états où j'ai été jusqu'ici! En vérité, *«qui est semblable au Seigneur notre Dieu, qui, étant si grand et si relevé, daigne porter sa vue sur ce qu'il y a de plus bas, de plus vil et de plus petit, soit au ciel ou en terre? Il cherche le pauvre jusque dans la poussière, et il relève le misérable du milieu du fumier et de l'ordure pour le placer avec les princes et même avec les princes de son peuple»*: *Quis sicut Dominus Deus noster qui in altis habitat, et humilia respicit in cœlo et in terra? Suscitans a terra inopem et de stercore erigens pauperem, ut collocet eum cum principibus, cum principibus populi sui?* (Ps. CXII.)

Grand Dieu! qui l'aurait jamais imaginé qu'un pauvre malotru comme moi dût être admis dans une aussi sainte, aussi illustre Compagnie qu'est la Compagnie de Jésus, votre Fils! Pères du Collège de Terni, de grâce à quoi pensez-vous d'unir un membre si chétif et si difforme à un si noble et si beau corps? Aviez-vous oublié qu'à vos yeux j'avais mendié mon pain de porte en porte? Aviez-vous oublié qu'à vos yeux j'avais exercé toutes les fonctions de pédagogue, de valet et de laquais? Assurément que

Notre-Seigneur vous ôta toutes ces vues afin de donner en moi un exemple vivant et sensible de ses grandes miséricordes.

J'avais vingt et un ans lorsque j'entrai au noviciat. C'était le 15 de mai, en 1632.

S: Pierre-Joseph-Marie Chaumonot, dans *Un missionnaire des Hurons. Autobiographie du Père Chaumonot de la Compagnie de Jésus et son complément*, par le R. P. F[élix] Martin de la même Compagnie, Paris, H. Oudin, libraire-éditeur, 1885, pp. 3-25.

Missionnaire chez les Neutres et les Hurons*

Nous fûmes d'abord assez bien reçus, surtout après que nous les eûmes convaincus que, par le moyen de notre écriture, nous pouvions connaître ce qui s'était fait ou dit dans les lieux d'où nous étions éloignés. Voici l'expérience que nous leur en donnâmes:

Le P. de Bréfeuf sortit de la cabane et alla assez loin. Cependant un de l'assemblée me dit d'un ton bas et en sa langue, ces paroles: «Je vais à la chasse, — je trouve un chevreuil, — je prends une flèche dans mon carquois, — je bande mon arc, — je tire, et du premier coup j'abats ma proie, — je la charge sur mes épaules, — je l'apporte à la cabane, — et j'en fais un festin à mes amis.» — Je n'eus pas plus tôt écrit ce petit discours qu'on rappela le Père. On lui mit le papier en main, et il lut mot pour mot tout ce qu'on m'avait dicté. A cette lecture, les assistants jetèrent un grand cri d'admiration. Ensuite ils prirent le papier, et après l'avoir bien tourné et retourné, ils s'entre-disaient: «Où est donc la figure qui représente le chasseur? Où le chevreuil est-il peint? Où est marqué la chaudière et la cabane du festin? Nous ne voyons rien de tout cela, et pourtant l'écrit l'a dit à Héchon (c'est le nom sauvage qu'on avait donné au P. de Brébeuf, et que j'ai eu l'honneur de porter après sa mort). Au reste, nous eûmes là une belle occasion de leur déclarer, ainsi que nous fîmes, que ce que l'écriture de nos ancêtres nous apprenait de la foi, était aussi véritable que ce que le papier écrit de ma main en leur présence avait raconté à Héchon.

«Les petits enfants en danger de mort, continue le P. Chaumonot, ont recueilli les premiers fruits de notre apostolat. Nous en avons baptisé un grand nombre à l'insu de leurs parents, qui s'y seraient opposés certainement. Quant aux adultes, non seulement ils n'ont pas voulu écouter la Bonne Nouvelle, mais ils nous empêchaient d'entrer dans leurs bourgades, nous menaçant de nous tuer et de nous manger, comme ils font à leurs plus cruels ennemis. La cause de cette grande aversion venait des calomnies propagées par quelques mauvais habitants du pays d'où nous venions.»

Pendant que nous étions paisiblement chez ces sauvages, quelques-uns des anciens Hurons, qui nous attribuaient tout le mal que la petite vérole leur avait causé, envoyèrent deux députés aux *Neutres*, pour porter ceux-ci à se défaire de nous, parce que, disaient-ils, nous étions des sorciers, et que nous prétendions ruiner la Nation Neutre en hivernant chez elle, comme nous avions déjà ruiné la Huronne par nos sortilèges. Ils offrirent ensuite neuf haches pour récompense à ceux qui nous feraient mourir. C'était là un présent très considérable à ces peuples, qui, étant assez éloignés des Hurons, où étaient les Français, ne se servaient encore que de pierres pour couper du bois, ou plutôt pour le rompre et le casser. Ces pierres étaient engagées dans la fente d'un bâton, et liées avec une courroie à cette espèce de manche. Ainsi les neuf haches tentèrent puissamment les Neutres, et c'est un miracle que nous ayons échappé d'un si grand danger.

En effet, un soir qu'on délibérait de nos vies dans une assemblée de tous les notables du bourg, le P. de Brébeuf faisant son examen de conscience, eut cette vision: Un spectre furieux avait dans ses mains trois dards ou trois javelots, dont il nous menaçait tous deux qui étions ensemble en prières. Afin que l'effet suivît les menaces, il lança contre nous un de ces traits; mais une main plus adroite, ou une vertu plus forte, l'arrêta en chemin, et elle nous rendit le même bon office, lorsqu'il décocha le second et le troisième dard. Notre examen fini, le Père m'avertit du danger où nous étions, et après qu'il m'eut raconté sa vision, je jugeai comme lui qu'on pourrait bien tramer quelque chose contre nous. Sans en prendre l'alarme, nous nous entreconfessâmes l'un l'autre, et, toutes nos prières achevées, nous nous couchâmes à l'ordinaire.

Bien avant dans la nuit, notre hôte revint du conseil, où les deux Hurons avaient présenté leurs haches pour nous faire casser la tête. A son arrivée dans sa cabane, il nous éveilla pour nous apprendre que par trois diverses fois nous avions été sur le point d'être massacrés, les jeunes gens s'étant offerts à faire le coup; mais qu'à toutes les trois fois les anciens les avaient retenus par la force de leurs raisons. Ce récit nous expliqua ce que le P. de Brébeuf n'avait vu qu'en énigme.

Au reste, quoique les anciens eussent empêché leur jeunesse de nous tuer, ils ne purent empêcher les autres mauvais effets que produisit la calomnie des hurons, que nous étions sorciers. Personne ne nous voulait plus donner le couvert, même pendant la nuit, quoiqu'il fît bien froid.

Un soir que tout le monde du bourg était sur ses gardes, et qu'on avait comploté de ne nous point loger, nous nous mîmes à la porte d'une cabane, à dessein de nous y glisser, lorsque quelqu'un en sortirait. En effet, une personne qui était dedans ayant ouvert la porte, nous nous y fourrâmes aussitôt; mais on ne nous eût pas plus tôt aperçus qu'on pensa pâmer de peur. Après qu'ils furent un peu revenus de leur crainte, et qu'ils eurent repris leur esprit, ils envoyèrent avertir les anciens que nous étions chez eux, et de la manière dont nous y étions entrés. Voilà incontinent la cabane pleine de monde, qui vient au secours de nos nouveaux hôtes. Les vieillards nous entreprennent avec menace de nous mettre à la chaudière, si nous ne délogions et si nous ne sortions de leur pays. Les jeunes gens, pour appuyer l'ordre des anciens, disaient bien haut qu'ils étaient saouls de la chair noirâtre de leurs ennemis, et que volontiers ils mangeraient de notre chair, qui est plus blanche.

Sur ces entrefaites, un soldat armé d'arc et de flèches entre comme un furieux dans la cabane, bande son arc, et se met en devoir de décocher ses flèches sur nous. Je le regarde fixement, et je me recommande avec confiance à saint Michel. Sans doute que ce grand Archange nous préserva, puisque notre plus furieux ennemi s'apaisa presque aussitôt, et qu'ensuite nos autres adversaires se rendirent aux raisons que nous leur donnâmes de notre arrivée et de notre séjour dans leur pays. Nous les assurâmes que notre unique prétention était qu'ils se soumissent à la foi que nous leur prêchions, pour les rendre saints dans le temps et heureux dans l'éternité.

Il serait difficile de se faire une idée de la terreur que les discours des Hurons avaient répandue dans toute la contrée. Ces sauvages étaient naturellement défiants, particulièrement pour des étrangers, et surtout pour des hommes dont ils n'avaient entendu dire que du mal. La vue seule de leur costume, si différent du leur, leurs gestes, leur tenue même, tout ce qu'ils faisaient ne servait qu'à les confirmer dans leur appréhension. Les bréviaires, les écritoires, les papiers écrits étaient pour eux des instruments de magie. Quand ils les voyaient prier, ils se persuadaient que c'était un exercice de sorcellerie. On les soupçonnait d'empoisonner les eaux lorsqu'ils allaient au ruisseau laver leur linge. On répétait que, dans toutes les cabanes par où ils passaient, les enfants étaient frappés de quelque maladie, et que les femmes devenaient stériles.

«Par suite de toutes les calomnies, ajoute le P. Chaumonot, ils étaient convaincus que nous étions des sorciers et des imposteurs, que nous venions pour nous emparer de leur pays, après les avoir fait périr par nos sortilèges, lesquels étaient enfermés dans nos écritoires et dans nos livres; de sorte que nous n'osions pas nous éloigner, ouvrir un livre ou écrire quelque chose. Non seulement nos livres et nos papiers étaient suspects de magie, mais encore nos moindres gestes et mouvements. (Je voulus une fois me mettre à genoux dans une cabane où nous étions retirés, pour prier avec plus de recueillement: aussitôt le bruit se répandit que Oronhiaguehre, c'est-à-dire *Porte-Ciel*, comme ils m'appellent, avait passé une partie de la nuit à faire ses sortilèges, et qu'en conséquence tous devaient se mettre en garde et se défier de lui. Mais, en dépit du diable et de ses suppôts, nous avons pu employer tout notre hiver à parcourir les bourgades des sauvages, les menaçant de l'Enfer s'ils ne se convertissaient, sans que personne ait osé toucher un seul de nos cheveux.) Chacun d'eux cependant désirait notre mort, et excitait les autres à nous tuer; mais aucun n'avait le courage de le faire, quoique cela fût la chose la plus facile du monde: nous n'étions que deux hommes faibles, sans armes, loin de tout secours humain. Dieu seul était avec nous, et il a paralysé le mauvais vouloir de tant d'ennemis.

«Pour finir cette lettre, j'ajouterai trois faits assez remarquables arrivés cette année, vu surtout qu'il s'agit de pauvres infidèles sans moralité. Le premier fait est celui d'un jeune homme qui, voyageant par un grand froid avec sa sœur, et la voyant près de succomber, se dépouilla d'une grand robe de castor qui le couvrait, pour l'en revêtir; puis, l'encourageant à hâter le pas afin d'éviter la mort qui la menaçait, il resta avec le mauvais vêtement de sa sœur. La jeune fille, le laissant, se mit à courir jusqu'à son village, et, pendant ce temps-là, son pauvre frère mourait de froid, victime de son héroïsme fraternel. Soixante autres environ, durant cet hiver, périrent dans les neiges.

«Le second fait est celui d'un petit enfant de huit à neuf ans, qui, jouant sur la glace, tomba dans l'eau. Un de ses frères, à peu près du même âge, se jeta dans la rivière par le trou où son frère avait disparu, le saisit, et, nageant sous la glace, eut l'adresse de remonter avec son fardeau par une autre ouverture assez éloignée de la première, et lui sauva la vie. Ce fait arriva dans un village, où nous nous trouvions.

«Le troisième est un fait de guerre. Nos sauvages, étant allés combattre, furent surpris par l'ennemi dans une embuscade. Voyant l'impossibilité de se défendre, les anciens dirent aux plus jeunes: «Puisque vous pouvez rendre des services à notre nation, prenez la fuite, pendant que nous arrêterons l'ennemi.» C'est ce qui arriva: ces vieux sauvages furent pris, emmenés captifs, cruellement tourmentés, brûlés, rôtis et dévorés, selon la coutume de cette contrée.»

En revenant de la Nation Neutre, les deux missionnaires furent l'objet d'une de ces bénédictions du Ciel, qui consolent de bien des peines. Arrivés au village de Teonongniaton, nommé Saint-Guillaume par les missionnaires, la neige tomba en si grande abondance qu'il ne fut pas possible de passer outre. Ce contre-temps fut tout à fait providentiel.

Jusque-là ils n'avaient pu s'arrêter nulle part pour étudier un peu à loisir la langue de ce peuple, afin de travailler un jour avec plus de fruit à sa conversion.

La maîtresse de la cabane où la main de Dieu les conduisit, sembla avoir reçu mission du Ciel pour leur faire oublier les mauvais traitements de ses compatriotes. Elle se montra avec eux pleine de respect et d'affection. Ayant remarqué, sans en comprendre la raison, qu'ils ne mangeaient pas de viande, on était alors en carême, elle préparait pour eux un plat à part de poisson et de blé d'Inde, qu'elle assaisonnait de son mieux.

Elle se prêtait avec une admirable complaisance à les instruire. Elle épelait les mots syllabes par syllabes, comme ferait un maître à son jeune élève, et ne se lassait pas de répéter sa leçon. Elle leur dictait même des histoires entières, quand ils en montraient le désir.

A son exemple, ses enfants étaient doux et confiants envers les serviteurs de Dieu. Ils s'en rapprochaient volontiers, et allaient au-devant de leurs besoins.

Dans les autres cabanes, au contraire, régnaient toujours la crainte et la haine des missionnaires. On blâmait et on injuriait cette femme pour sa charité. On s'efforçait de l'effrayer par l'annonce des malheurs qui fondraient sur elle et sur les siens, après leur départ.

Elle ne tint aucun compte des persécutions dont elle devenait l'objet, et pendant les vingt-cinq jours que les missionnaires habitèrent sous ce toit hospitalier, elle ne changea envers eux ni de sentiments, ni de procédés. Son regret était de voir qu'on ne voulait pas les partager. Elle gémissait surtout quand elle était dans l'impuissance d'empêcher les mauvais traitements dont ses hôtes étaient quelquefois l'objet. Un sauvage, simulant la folie, entra un jour dans sa cabane en renversant tout sur son passage, et en poussant de grands cris. Il se jeta sur le P. Chaumonot, lui cracha au visage, déchira ses vêtements, l'accabla de coups, et ne parlait que de le brûler; mais il n'alla pas plus loin. D'autres se contentaient de les accabler d'injures, de leur arracher violemment ce qu'ils tenaient à la main, et de le détruire avec des menaces de mort.

Une rencontre imprévue contribua beaucoup à faire tomber un des préjugés les plus enracinés chez les sauvages. Un jeune Français, au service de la Mission, avait été envoyé au-devant des deux Pères pour les aider au retour. Or, l'année précédente, il avait été atteint comme tant d'autres par la contagion, et il en portait des traces nombreuses sur la figure. Ce témoignage était éloquent, et il n'échappa point à la sagacité des sauvages. «Les Français ne sont donc pas invulnérables, se disaient-ils entre eux, et ils ne sont pas les maîtres de la maladie pour l'envoyer où ils veulent.»

Aussitôt que le temps le permit, les Pères reprirent le chemin de Sainte-Marie, après avoir exprimé à leur bienfaitrice toute leur reconnaissance. Ils eurent le regret de ne pas pouvoir reconnaître ses services par la grâce du baptême; mais son âme ne parut pas mûre pour le Ciel.

Les deux Pères rentrèrent à Sainte-Marie, le jour de la fête de saint Joseph, et assez à temps pour pouvoir offrir le Saint Sacrifice, bonheur dont ils étaient privés depuis leur départ.

Nous passâmes quatre mois et demi chez ces sauvages de la Nation Neutre, sans pouvoir rien gagner sur leurs esprits, tant ils s'étaient laissé préoccuper contre nous. C'est pourquoi le P. de Brébeuf jugeant avec sujet que, si nous demeurions plus longtemps parmi ces barbares, ce serait les aigrir contre nous plutôt que de les adoucir, nous retournâmes au pays des Hurons, où nous avions déjà quelques chrétiens.

Lorsque j'y fus arrivé, notre Supérieur me donna pour compagnon de mission, tantôt à un Père, et tantôt à un autre. Comme ils parcouraient toutes les bourgades huronnes, je m'y transportais avec eux.

Un jour que j'accompagnais le P. Daniel au bourg de Saint-Michel, dans la Mission de Saint-Joseph, dans une cabane où il avait baptisé une jeune femme moribonde, voici ce qui m'arriva. Un des parents de la malade, irrité contre nous à cause de ce baptême, nous attend dehors à l'entrée de la cabane avec une grosse pierre en main pour nous la décharger de toute sa force sur la tête, lorsque nous sortirions. Par bonheur pour moi, je passe le premier, et voilà qu'au moment que je mis le pied dehors, ce furieux m'abattit mon chapeau d'une main, et de l'autre il me frappa de sa pierre sur la tête nue. Je fus tout étourdi du coup, et l'assassin, voulant m'achever, prit une hache; mais le Père Daniel, qui était fort et adroit, la lui arracha des mains. On me mena chez notre hôte, où un autre sauvage fut mon charitable médecin. Ayant vu la grosse tumeur que j'avais à la tête, il prit une autre pierre pointue pour m'y faire des incisions par lesquelles il tâcha d'exprimer tout le sang meurtri, et puis il arrosa le haut de la tête avec de l'eau froide, dans laquelle il avait mis quelques racines pilées. Il prenait dans sa bouche cette liqueur médicinale, et la soufflait dans les plaies ou dans les ouvertures qu'il m'avait faites. Cette cure fut si heureuse qu'en fort peu de temps je fus guéri. Dieu se contenta du désir que j'avais du martyre, ou plutôt il ne me jugea digne qu'on me fît mourir en haine du premier de nos sacrements.

Lorsqu'on vit que je savais bien la langue huronne, on me donna entièrement le soin de deux différentes Missions. En même temps je m'appliquai à faire et à comparer les préceptes de cette langue, la plus difficile de toutes celles de l'Amérique Septentrionale. Il plut à Dieu de donner à mon travail tant de bénédiction; qu'il n'y a dans le Huron ni tour, ni subtilité, ni manière de s'énoncer dont je n'aie eu la connaissance, et fait pour ainsi dire la découverte. Peut-être que Notre-Seigneur a voulu récompenser par ce don de langue, l'attrait qu'il me donna à l'humilité dès mon noviciat. Peut-être aussi que saint Jérôme, à qui j'ai eu recours pendant plusieurs mois, m'a assisté dans cet ouvrage. Peut-être encore que je n'y ai pas été moins aidé du P. Charles Garnier, parisien, tué à coups de fusil par les Iroquois en 1649, lorsqu'il faisait dans sa mission l'office d'un bon pasteur. Il était au Canada depuis 1636. Je n'eus pas plus tôt appris sa glorieuse mort, que je lui promis tout ce que je ferais de bien pendant huit jours, à condition qu'il me ferait son héritier dans la connaissance qu'il avait parfaite du Huron. Quoi qu'il en soit, comme cette langue est, pour le dire ainsi, la mère de plusieurs autres, nommément des cinq Iroquoises, lorsque je fus envoyé aux Iroquois,(que je n'entendais pas), il ne me fallut qu'un mois à apprendre leur langue. J'avoue que souvent j'ai remarqué dans les conseils de leurs cinq nations assemblées, que par une assistance de Dieu toute spéciale, je les entendais tous, quoique je n'eusse encore étudié que l'onnontagué.

Mais, pour retourner aux Hurons dont je me suis éloigné insensiblement et trop tôt, les premières années que je passai dans leur pays, je fus grandement incommodé de la colique. On a cru que c'était la nourriture du lieu qui me la causait. Dieu me fit cependant la grâce de n'avoir pas même la première pensée de regretter l'Europe. Au contraire, je me sentais plus résolu que jamais de passer toute ma vie dans cette Mission, et j'y serais encore, si ce pauvre pays-là n'avait été ruiné par les Iroquois.
S: id., ibid., pp. 69-82.

CLAUDE TROUVÉ
(vers 1644-1704)

Claude Trouvé naît en Touraine [région de plateaux au sud-ouest du Bassin parisien] vers 1644. Il étudie la théologie et reçoit le sous-diaconat au séminaire de Saint-Sulpice à Paris. Le 30 janvier 1667, il s'embarque pour Québec et y arrive le 27 juin. Le 24 septembre de la même année, Mgr de Laval lui confère le diaconat et, le 10 juin 1668, la prêtrise. Le 2 octobre, il part de Lachine pour aller fonder une mission à Kenté (ou Quinté) [Wellington, près de Trenton, Ontario], où il arrive le 28 octobre. Il dirige la mission jusqu'en 1680, puis revient au séminaire de Montréal. Durant un an, il exerce son ministère auprès des religieuses de la congrégation Notre-Dame. À l'automne de 1681, il rentre en France à la demande de son père, qui est malade et endetté; pour aider sa famille, il accepte la cure et le canonicat du Grand-Pressigny [département d'Indre-et-Loire, dans le sud-ouest du Bassin parisien] jusqu'en 1685. En 1685-1686, il accompagne Mgr de Saint-Vallier qui visite le diocèse de Québec durant dix-huit mois, puis retourne en France. Nommé missionnaire en Acadie, il s'établit à Beaubassin [Chignecto] pendant l'été de 1688. En 1690, il est fait prisonnier à Port-Royal [Annapolis Royal, N.-É.] par les Bostonnais, puis libéré après l'échec de Phips devant Québec. Il passe ensuite quatre années dans cette ville comme supérieur ecclésiastique du monastère des Ursulines. En 1694, il est de retour à Beaubassin. Dix ans plus tard, à l'approche des Bostonnais, il s'enfuit à Chedabouctou [Guysborough, N.-É.] avec ses paroissiens, et c'est là qu'il serait décédé d'épuisement à la fin de l'année 1704.

La relation de M. Trouvé est la seule qui nous soit connue de la mission de Kenté; elle rapporte les principaux événements qui se sont passés dans la mission de juin 1668 à 1672. C'est sous forme de lettre que son auteur la fit tenir à son confrère François Dollier de Casson qui lui en avait fait la demande et en fit un chapitre de son *Histoire du Montréal, 1640-1672*, laquelle ne fut publiée pour la première fois qu'en 1868. M. Trouvé et ses confrères baptisaient rapidement les enfants, mais ne se hâtaient pas de baptiser les Amérindiens adultes, car ils croyaient que, faute d'avoir reçu une éducation chrétienne, ceux-ci ne seraient pas punis à leur mort comme les chrétiens qui ont mal vécu. La relation se termine par les lignes suivantes, un quasi-hommage qui tient au moins de l'excuse, sinon du repentir du missionnaire: «Je suis obligé de rendre ce témoignage à la vérité, que les Sauvages tous barbares qu'ils sont et sans les lumières de l'évangile ne commettent point tant de péchés que la plupart des chrétiens.»

Nous avons emprunté la pièce qui suit à la première édition de l'*Histoire du Montréal, 1640-1672*, publiée à Montréal en 1868 dans la quatrième livraison des *Mémoires de la Société historique de Montréal*, imprimés par les Presses à vapeur du journal *La Minerve*. — Nous reproduisons tel quel le texte de l'édition choisie.

La fondation de Kenté (1668)*

"Ce fut l'année 1668 qu'on nous donna mission pour partir pour les Iroquois et le lieu principal de notre Mission nous fut assigné à Kenté, parce que cette même année plusieurs personnes de ce Village étoient venues au Montreal et nous avoient demandé positivement pour les aller instruire dans leur pays, — leur ambassade se fit au mois de Juin, mais comme nous attendions cette année là de France un Supérieur, nos Messieurs trouvèrent à propos qu'on les priât de revenir, ne jugeant pas qu'on dût entreprendre une affaire de cette importance sans attendre son avis, pour ne rien faire là-dedans que suivant ses ordres: — Au mois de Septembre le Chef de ce Village ne manqua pas de se rendre au temps qu'on lui avoit prescrit afin de tacher d'avoir et de conduire des Missionnaires en son pays, alors M. L'Abbé de Quelus étant venu pour Supérieur de cette Communauté on lui demanda et il donna très-volontiers son agrément pour ce dessein, ensuite de quoi on alla pour ce sujet trouver Mgr. l'Evêque, lequel nous appuya de sa mission, quant à M. le Gouverneur et M. l'Intendant de ce pays on n'eut pas de peine à avoir leur consentement, vu qu'ils avoient d'abord jeté les yeux sur nous pour cette entreprise; ces démarches absolument nécessaires étant faites nous partimes sans tarder par ce que nous étions déjà bien avancés dans l'automne; enfin nous nous embarquâmes à la Chine pour Kenté le 2 octobre, accompagnés de 2 Sauvages du Village ou nous allions, après avoir déjà avancé notre route et surmonté les difficultés qui sont entre le lac St. Louis et celui de St. François, lesquelles consistent en quelques portages et trainages de canots, nous apperçumes de la fumée dans une des ances du lac de St. François, nos Iroquois crurent d'abord que c'étoient de leurs gens qui étoient sur ce lac, c'est pourquoi ils allèrent au feu, mais nous fûmes bien surpris, car nous trouvâmes 2 pauvres Sauvagesses toutes décharnées qui se retiroient aux habitations françoises pour se délivrer de l'esclavage où elles étoient depuis quelques années, il y avoit 40 jours qu'elles étoient parties du Village Onneiou d'où elles étoient esclaves et n'avoient vécu, pendant tout ce temps là, que d'écureuils qu'un enfant âgé de 10 à 12 ans tuoit avec quelques flèches que lui avoient fait ces pauvres femmes abandonnées; nous leur fîmes présent à notre arrivée de quelques biscuits qu'elles jettèrent incontinant dans un peu d'eau pour les ramollir et pouvoir plutôt apaiser leur faim, leur canot étoit si petit qu'à peine pouvoit-on être dedans sans tourner; nos deux Sauvages délibérant ensemble ce qu'ils avoient à faire se résolurent de mener chez eux ces deux pauvres victimes avec cet enfant, et comme elles craignoient qu'on ne les brûlât par ce que c'est là le chatiment ordinaire des esclaves fugitifs parmi les sauvages, elles commencèrent à s'atrister, alors je tachai de parler aux Sauvages et de les obliger à laisser aller ces femmes qui dans peu seroient chez les François, je leur disois que s'ils les emmenoient M. le Gouverneur venant à le savoir seroit convaincu qu'il n'y avoit encore rien d'assuré pour la paix puisque un des points des articles de paix étoit de rendre les prisonniers; toutes ces menaces ne purent rien sur leur esprit, ils nous disoient pour raisons que la vie de ces femmes étoit considérable, que si les Sauvages du Village ou elles s'étoient sauvées venoient à les rencontrer ils leur casseroient la tête sur le champ: ensuite nous marchâmes quatre journées par les plus difficiles rapides qu'ils y aient sur cette route: après cela un de nos Sauvages qui portoit un petit baril d'eau de vie dans son pays en but et partant il s'enivra, puisqu'ils ne boivent point autrement ni pour autre sujet, à moins qu'on ne les empêche par force; or comme ces gens sont terribles dans leur ivresse nos prisonnières crurent que c'étoit fait d'elles, par ce que pour l'ordinaire les sauvages s'enivrent pour faire leurs mauvais coups, cet Iroquois ayant passé dans cet excès il entra dans un état furieux et inacessible, et pour lors il se mit à poursuivre une de ces femmes, celle-ci épouvantée s'enfuit dans le bois aimant mieux périr par la faim que par la hache de son ennemi, le lendemain ce brutal surpris de sa prie échappée l'alla chercher dans le bois mais en vain: voyant enfin que le tems nous pressoit de nous rendre à son village et que nous avions déjà eu de la neige il se résolut de la laisser en ce lieu là avec son enfant, et afin de l'y faire mourir de faim ils voulurent rompre leur petit canot, à cause que cet endroit étoit une isle au milieu du fleuve St. Laurent, néanmoins à force de prière ils leur laissèrent à nos instances ce seul moyen de salut; après notre départ et que la Sauvagesse fut un peu rassurée elle sortit hors de sa cache et trouvant alors son canot que nous lui avions fait laisser, elle s'embarqua dedans avec son petit garçon et vint heureusement au Montreal, l'ancien azile des malheureux fugitifs; quant à nous ayant emmené l'autre Sauvagesse 5 ou 6 jours audessus de cette isle sans jamais avoir su obtenir sa liberté, à la fin ayant trouvé des hurons qui s'en alloient en traite au Montreal nos Sauvages réfléchirent sur ce que je leur avois dit que M. de Courcelle, qu'ils appréhendoient extraordinairement, trouveroit mauvais leur .... lorsqu'il le sauroit, cette réflection leur fit remettre l'autre femme entre les mains de ces hurons pour la ramener au Montreal, ce qu'ils firent fidèlement comme nous l'apprimes l'année d'après où nous sûmes aussi ce qui étoit arrivé à cette autre pauvre femme et à son petit enfant; à la fin à force de nager, le jour de la fête St. Simon et St. Jude nous arrivâmes à Kenté.

S: Claude Trouvé, «Abrégé de la mission de Kenté», dans Dollier de Casson, *Histoire du Montréal, 1640-1672,* Montréal, des Presses à vapeur de «la Minerve», 1868 («Mémoires de la Société historique de Montréal», quatrième livraison), pp. 209-212.

Misère et mort*

Cette dernière année, M. D'Urfé ayant fait quelque séjour à un village de notre Mission nommé *Ganeraské*, il prit résolution d'aller visiter quelques Sauvages établis à 5 lieues de là, pour voir s'il n'y auroit pas quelque chose à faire pour la religion, le lendemain de son arrivée une pauvre Iroquoise se trouva en mal d'enfant, or comme ces pauvres Sauvagesses sont extrêmement honteuses quand elle sont en cet état lorsqu'il y a des étrangers, cette pauvre femme se résolut sans en rien dire d'aller dehors sur les neiges pour enfanter, quoique dans la plus grande rigueur de l'hiver: En effet peu de temps après on entendit crier l'enfant, les femmes de cette cabanne toutes surprises y accoururent pour prendre cet enfant et secourir la mère, M. D'Urfé voyant que cette honte avoit produit un si facheux effet partit au plus vite pour retourner à Ganeraské, et laisser la cabane libre, mais le 3e jour il résolut de revenir à cette cabane avec quelques françois parce que sa chapelle y étoit restée, y étant de retour il trouva cette accouchée bien mal, les Sauvagesses lui dirent que depuis son départ elle avoit eu encore un autre enfant et qu'elle perdoit tout son sang; trois quarts d'heure après la malade criant

à haute voix à quelqu'une de ses compagnes — "donne-moi de l'eau" et elle mourut au même instant, aussitôt après celles qui l'assistoient la poussèrent dans un coin de la cabane comme une buche et jettèrent auprès d'elle ses deux enfans, tous vivans qu'ils étoient, pour être dès le lendemain matin enterrés avec leur mère; M. D'Urfé qui étoit assez proche pour entendre mais non pas en commodité de voir ce qui se passoit, demanda ce que c'étoit et pourquoi on remuoit tant, les Sauvages lui dirent, — "C'est que cette femme est morte," alors ce M. ayant vu de ses yeux la perte de la mère il voulut garantir les deux enfans par le baptême, ce qu'il fit incontinant et fort à propos, car il y en eut un qui mourut la même nuit, l'autre se portant très-bien le lendemain un Sauvage le prit pour l'enterrer tout vivant avec sa mère, à quoi M. D'Urfé leur dit: — "Est-ce là votre manière d'agir, à quoi pensez-vous?" Un d'eux lui répartit: — "Que veux-tu que nous en fassions, qui le nourrira?" — Ne trouvera-t-on pas une Sauvagesse qui l'allaitera;" lui répliqua M. D'Urfé. — "Non," lui répartit le Sauvage. M. D'Urfé voyant ces choses demande la vie de l'enfant auquel il fit prendre quelque jus de raisin et quelque sirop de sucre de quoi il laissa une petite provision afin d'assister cet orphelin, pendant qu'il iroit à Kenté, éloigné de 12 grandes lieues, chercher une nourrice, mais il le fit en vain les Sauvagesses par une superstition étrange ne voudroient pas pour quoi que ce soit au monde allaiter un enfant d'une décédée. Ce Missionnaire revenant voir son orphelin il le trouva mort au monde et vivant à l'éternité, après avoir vécu de ces jus et sirop plusieurs jours. Voilà la misère dans laquelle sont réduits ces pauvres Sauvages, ce qui ne s'étend pas seulement sur les femmes qui sont enceintes dont il en meurt une grande quantité faute d'avoir de quoi se soulager dans leurs couches, mais aussi sur toutes les malades, car ils n'ont aucun rafraichissement, et un pauvre malade dans ces nations est ravi de la visite d'un Missionnaire espérant qu'après l'instruction qu'il lui va faire il lui fera présent d'une prune, de 2 ou 3 grains de raisin ou d'un petit morceau de sucre gros comme une noix.
S: *id.*, *ibid.*, pp. 217-219.

RENÉ DE BRÉHANT DE GALINÉE
(vers 1645-1678)

René de Bréhant de Galinée naît dans le diocèse de Rennes [département d'Ille-et-Vilaine, dans l'ouest de la France] vers 1645. Il obtient une licence en théologie à la Sorbonne et étudie les mathématiques et l'astronomie. En 1661, il entre dans la Compagnie de Saint-Sulpice. À son arrivée en Nouvelle-France, à l'automne de 1668, il est diacre du diocèse de Rennes. Il se met à l'étude de la langue algonquine et, en 1669, sa connaissance de cette langue ainsi que des mathématiques et de l'astronomie incite son supérieur montréalais à le donner comme compagnon à son confrère, François Dollier de Casson, qui va se joindre à l'expédition que Robert Cavelier de La Salle organise en direction de l'Ohio et du Mississipi. La troupe part de Montréal le 6 juillet 1669. La Salle abandonne les sulpiciens au lac Ontario; ceux-ci passent l'hiver dans les bois sur la rive nord du lac Érié, près de ce qui est aujourd'hui Port Dover, puis entreprennent le 26 mars le voyage de retour à Montréal par la voie des lacs en passant par Sault-Sainte-Marie et le chemin des missionnaires de la Huronie. Le 18 juin 1670, ils sont de retour à Montréal. Bréhant de Galinée est malade, mais peut quand même rédiger le récit du voyage. L'année suivante, il rentre en France et meurt le 16 août 1678, alors qu'il était en route pour Rome.

Le récit de Galinée est celui d'un échec. Les deux sulpiciens ne s'étaient pas rendus en Ohio et ils n'avaient rien découvert de neuf le long d'un parcours que les missionnaires, les explorateurs et les coureurs des bois avaient suivi depuis près de soixante ans. Ils avaient néanmoins pris possession officielle, au nom du roi de France, d'une partie de la rive nord du lac Érié, le 23 mars 1670, en plantant au bord du lac [près de Port Dover] une croix au pied de laquelle ils avaient affiché les armes du roi et une inscription qui affirmait leur dessein. La publication du récit aurait pu attirer l'attention sur le sud-ouest ontarien, mais elle n'eut lieu qu'en 1875. La relation de ce voyage de misère et de déception illustre la nécessité qu'il y avait à l'époque de n'entreprendre d'exploration qu'avec le concours de personnes d'expérience.

Nous avons emprunté les pièces qui suivent à l'édition qui nous a semblé la meilleure, celle que le Français Pierre Margry a insérée dans *Découvertes et établissements des Français dans l'ouest et dans le sud de l'Amérique septentrionale, 1614-1698,* mémoires et documents inédits recueillis et publiés par Pierre Margry, première partie: *Voyages des Français sur les Grands Lacs et Découverte de l'Ohio et du Mississipi (1614-1684),* Paris, Maisonneuve et cie, libraires-éditeurs, 1879. — Nous reproduisons tel quel le texte de cette édition.

De Montréal au lac Ontario en 1669*

Nous partismes de Montréal le 6e juillet 1669 et montasmes le mesme jour le sault Sainct-Louis, qui n'en est qu'à une lieue et demye. La navigation au dessus de Montréal est toute différente de celle qui est au dessous, car celle-cy se fait en vaisseaux, barques, chaloupes, et bateaux, parce que le fleuve Saint-Laurent est fort profond jusques au Montréal, l'espace de deux cents lieues, mais immédiatement au dessus de Montréal, se rencontre un sault ou cheute d'eau parmi quantité de grosses roches qui ne permettent à aucun bateau de passer, de sorte qu'on ne peut se servir que de canots, qui sont de petits canots d'escorce de bouleau d'environ vingt pieds de long et deux pieds de large, renforcées dedans de varanges et lisses de cèdres fort minces, en sorte qu'un homme le porte aisément, quoyque ce bateau puisse porter quatre hommes et huit ou neuf cents livres pesant de bagage. Il s'en fait qui portent jusques à dix ou douze hommes avec leur équipage, mais il faut deux ou trois hommes pour les porter.

Cette façon de canots fait la navigation la plus commode et la plus commune de ce pays, quoyqu'il soit vray de dire que, quand on est dans un de ces bastiments, on est tousjours, non pas à un doigt de la mort, mais à l'espaisseur de cinq ou six feuilles de papier. Ces canots coustent aux François qui les achètent des sauvages neuf ou dix escus de hardes, mais de François à François, ils sont bien plus chers. Le mien me couste quatre-vingts livres. Et il n'y a que les peuples qui parlent Algonquin qui bastissent bien ces canots. Les Iroquois se servent pour leurs canots de toutes sortes d'escorces, hormis de celle du bouleau, et bastissent des canots mal faits et fort pesants, qui ne durent au plus qu'un mois, au lieu que ceux des Algonquins, estant conservez, durent cinq à six ans.

On ne nage pas dans ces canots comme dans un bateau, où

l'aviron tient à une cheville sur le bord du bateau; mais icy, on tient une main proche la pelle de l'aviron et l'autre main au bout du manche, et on s'en sert à pousser l'eau derrière soy sans que le dit aviron touche en quelque manière que ce soit au canot. De plus, il faut se tenir tout le temps qu'on est dans ces canots à genoux ou assis, prenant garde de bien garder l'équilibre, car ces bastiments sont si légers, qu'un poids de vingt livres sur un bord plus que sur l'autre est capable de les faire tourner, mais si prestement qu'à peine a-t-on le temps de s'en garantir. Leur fragilité est si grande, que de porter un peu sur une pierre ou d'y aborder un peu lourdement est capable de faire un trou, qu'on peut, à la vérité, accommoder avec du bray.

La commodité de ces canots est grande dans ces rivières qui sont toutes pleines de cataractes ou cheutes d'eau et de rapides par lesquels il est impossible de passer aucun bateau, auxquels, quand on est arrivé, on charge canot et bagage sur les espaules, et on va par terre jusques à ce que la navigation soit belle; et pour lors on remet son canot à l'eau et on se rembarque. Si Dieu me fait la grâce de retourner en France, je tascheray d'y faire porter un de ces canots pour le faire voir à ceux qui n'en auroient point veu; et je ne voy aucun ouvrage des Sauvages qui me paroisse mériter l'attention des Européens que leurs canots et leurs raquettes pour marcher sur les neiges. Il n'y a point de voiture ny meilleure ny plus prompte que celle du canot; car quatre bons canoteurs ne craindront pas de faire pari de passer dans leur canot devant huit ou dix rameurs dans la chaloupe la mieux allante qu'on puisse voir.

J'ay fait une grande digression icy sur les canots parce que, comme j'ay desjà dit, je n'ay rien trouvé icy de plus beau ny de plus commode; et sans cela, il seroit impossible de naviguer au dessus de Montréal ny dans aucune des rivières de ce pays, où il y en a un grand nombre dont je ne sache pas aucune où il n'y ayt quelque cheute d'eau ou sault dans lesquels on se perdroit infailliblement si on les vouloit passer.

Les auberges ou retraites pour la nuit sont aussi extraordinaires que les voitures, car, après avoir nagé ou porté tout le long du jour, vous trouvez sur le soir la belle terre, tout preste à recevoir votre corps fatigué. Lorsqu'il fait beau, après avoir deschargé son canot, on fait du feu et on se couche sans se cabaner autrement; mais quand il fait de l'eau, il faut aller peler des arbres, dont on arrange les escorces sur quatre petites fourches dont vous faites une cabane pour vous sauver de la pluie. Les Algonquins portent avec eux des escorces de bouleaux, minces et cousues ensemble, en sorte qu'elles ont quatre brasses de long et trois pieds de largeur. Elles se roulent en fort petit volume, et sous trois de ces escorces suspendues sur des perches, on peut facilement mettre huit ou neuf hommes bien à couvert. On en fait mesme des cabanes pour l'hyver qui sont plus chaudes que nos maisons. On arrange vingt ou trente perches en long, en sorte qu'elles se touchent toutes par le haut, et on estend les escorces sur les perches avec un peu de feu au milieu. J'ay passé sous ces escorces des jours et des nuits où il faisoit grand froid,lorsqu'il y avoit trois pieds de neige sur la terre, sans en estre extraordinairement incommodé.

Pour ce qui est de la nourriture, elle est capable de faire brusler tous les livres que les cuisiniers ayent jamais fait et de les faire renoncer à leur science. Car on trouve moyen, dans le bois de Canada, de faire bonne chère sans pain, sans vin, sans sel, sans poivre, ny aucun espicerie. Les vivres ordinaires sont du bled d'Inde, qu'on nomme en France bled de Turquie, qu'on pile entre deux pierres et qu'on fait bouillir dans de l'eau; l'assaisonnement est avec de la viande ou du poisson lorsqu'on en a. Cette vie nous parut à tous si extraordinaire que nous nous en ressentismes; car pas un ne fut exempté de quelque maladie avant que nous ne fussions à cent lieues de Montréal.

S: «Récit de ce qui s'est passé de plus remarquable dans le voyage de MM. Dollier et Gallinée (1669-1670), dans *Découvertes et établissements des Français dans l'ouest et dans le sud de l'Amérique septentrionale, 1614-1698,* mémoires et documents inédits recueillis et publiés par Pierre Margry, première partie: *Voyages des Français sur les Grands Lacs et Découverte de l'Ohio et du Mississipi (1614-1684),* Paris, Maisonneuve et cie, libraires-éditeurs, 1879, pp. 117-121.

La source qui brûle*

Pour me désennuyer, j'allay avec M. de la Salle, sous la conduite de deux Sauvages, voir, environ à quatre lieues vers le midi du village où nous estions, une fontaine extraordinaire. Elle forme un petit ruisseau en sortant d'un rocher assez haut. L'eau en est fort claire, mais elle a une mauvaise odeur, semblable à celle des boues de Paris lorsqu'on remue avec le pied la boue qui est au fond de l'eau. Il mit le flambeau dedans, et incontinent cette eau conceut le feu comme pour voir faire de l'eau-de-vie, et elle ne s'esteint point qu'il ne vienne de la pluie. Cette flamme est parmi les Sauvages une marque d'abondance, ou de stérilité lorsqu'elle a les qualitez contraires. Il n'y a aucune apparence de soulfre ni de salpestre, ni d'aucune autre matière combustible. L'eau n'a mesme aucun goust; et je ne puis dire ni penser autre chose de meilleur, sinon que cette eau passe par quelques terres alumineuses d'où elle tire cette qualité combustible.

S: id., ibid., pp. 131-132.

Une vision fort laide*

M. de la Salle, allant à la chasse, en rapporta une grosse fièvre qui le mit en peu de jours fort bas. Quelques-uns disent que ce fut à la veue de trois gros serpents à sonnette qu'il trouva dans son chemin montant à un rocher que la fièvre le prit. Enfin, il est certain que c'est une fort laide vision; car ces animaux ne sont pas craintifs comme les autres serpens, mais attendent un homme se mettant d'abord en défense et se pliant la moitié du corps, depuis la queue jusques au milieu, comme si c'estoit un câble, et tenant le reste du corps tout droit, et s'eslançant quelquefois jusqu'à trois ou quatre pas, faisant toujours grand bruit de la sonnette qu'ils portent au bout de leur queue. Il y en a quantité en ce lieu là, gros comme le bras, de dix ou sept pieds de long, tout noirs; la sonnette qu'ils portent au bout de la queue, et qu'ils agitent fort viste, rend un son pareil à celuy que feroient plusieurs graines de melon ou de citrouille renfermées dans une boiste.

S: id., ibid., pp. 140-141.

Le lac Érié et ses bords*

Enfin nous arrivasmes, le 13 ou le 14, au bord du lac Érié, qui nous parut d'abord comme une grande mer, parce que souffloit pour lors un grand vent du Sud et qu'il n'y a peut-estre point de lac dans tout le pays où les vagues s'élèvent si hautes que de celuy-cy, ce qui arrive à cause de sa grande profondeur et de sa grande estendue. Sa longueur va de l'Est à l'Ouest, et sa coste du costé du Nord est environ par les 42 degrés de latitude. Nous marchasmes trois journées le long de ce lac, voyant toujours terre de l'autre bord, environ à 4 ou 5 lieues, ce qui nous faisoit croire que ce lac n'avoit que cela de largeur; mais nous avons esté détrompez lorque nous avons veu que cette terre, que nous voyions de l'autre bord, estoit une presqu'isle qui séparoit le petit sein dans lequel nous estions, du grand lac dont on ne voit point les bornes, lorsqu'on est dans la presqu'isle. J'ay marqué la chose dans la carte que je vous envoye à peu près comme je l'ay veue.

Au bout de trois jours, pendant lesquels nous ne fismes que 21 ou 22 lieues, nous trouvasmes un endroit qui nous parut si beau, avec une chasse si abondante, que nous creumes ne pouvoir trouver mieux où passer notre hiver. Dès en y arrivant, nous y tuasmes un cerf et une biche, et le jour suivant encore deux jeunes cerfs. Cette grande chasse nous détermina tout-à-fait de demeurer en ce lieu. Nous y cherchasmes quelque bel endroit pour faire une cabane d'hiver, et nous trouvasmes une fort jolie rivière sur l'emboucheure de laquelle nous nous cabanasmes, en attendant que nous eussions fait avertir nostre Hollandois du lieu que nous avions choisy. Nous y envoyasmes donc deux de nos gens au lieu du canot qui revinrent au bout de huit jours, et nous dirent qu'ils avoient trouvé le canot, mais qu'ils n'avoient veu ni le Hollandois ni les Sauvages. Cette nouvelle nous mit extrêmement en peine, ne sçachant à quoy nous résoudre. Nous creumes ne pouvoir mieux faire que d'attendre en ce lieu qui estoit fort apparent, et par lequel il falloit par nécessité qu'ils passassent pour aller trouver le canot.

Nous chassasmes cependant et tuasmes quantité de cerfs, biches et chevreuils de sorte que nous commençasmes à ne plus craindre de partir pendant l'hyver. Nous boucanasmes la viande de 9 grandes bestes, en sorte qu'elle eust pu se conserver pendant deux ou trois ans, et avec cette provision nous attendions avec tranquillité l'hyver en chassant et en faisant bonne provision de noix et de chastaignes qui estoient là en grande quantité. Nous avions bien dans notre magasin 23 ou 24 minots de ces fruits, outre les pommes, les prunes et les raisins, et les alizes dont nous eusmes abondance pendant l'automne.

Je vous diray en passant que la vigne ne vient ici que dans des sables, sur le bord des lacs et des rivières, mais quoyqu'elle n'ayt aucune culture, elle ne laisse pas de produire des raisins en grande quantité aussi gros et aussi doux que les plus beaux de France; nous en fismes mesme du vin, dont M. Dolier dit la sainte messe tout l'hiver, et il estoit aussi bon que le vin de Grave; c'est un gros vin noir comme celuy-là. On ne voit icy que des raisons rouges, mais en si grande quantité, que nous avons trouvé des endroits où on auroit fait facilement 25 ou 30 bariques de vin.

Je vous laisse à penser si nous souffrismes au milieu de cette abondance *dans le Paradis terrestre du Canada*; je l'appelle ainsi parce qu'il n'y a point asseurément de plus beau pays dans tout le Canada. Les bois y sont clairs, entremeslés de fort belles prairies arrousées de rivières et de ruisseaux remplis de poissons et de castors, quantité de fruits, et ce qui est plus considérable, si plein de bestes que nous y avons veu une fois plus de 100 chevreuils en une seule bande, des troupes de 50 ou 60 biches et des ours plus gras et de meilleur goust que les plus savoureux cochons de France. Enfin, nous pouvons dire que nous avons passé l'hiver plus commodément que nous n'eussions fait au Montréal.

Nous demeurasmes quinze jours sur le bord du lac à attendre nos gens; mais nous voyant au commencement de novembre, nous creumes qu'asseurément ils avoient manqué le chemin, et ainsi nous ne pusmes faire autre chose que de prier Dieu pour eux. Nous ne pouvions pas passer l'hiver sur le bord du lac, à cause des grands vents dont nous eussions esté battus. C'est pourquoy nous choisismes un fort bel fort bel endroit sur le bord d'un ruisseau, environ un quart de lieue dans le bois, où nous nous cabanasmes. Nous dressasmes un joli autel au bout de notre cabane, où nous avons eu le bien d'entendre, sans manquer, la sainte messe trois fois la semaine, avec la consolation que vous pouvez penser de nous voir avec notre bon Dieu, au milieu des bois, dans une terre où jamais aucun Européen n'avoit esté. Monsieur Dolier nous disoit souvent que cet hyver nous devoit valoir pour notre éternité plus que les dix meilleures années de nostre vie; on s'y confessoit souvent; on y communioit de mesme. Enfin, nous y avions notre messe paroissiale les festes et dimanches avec les instructions nécessaires; la prière soir et matin et tous les autres exercices du chrestien. L'oraison se faisoit avec tranquillité au milieu de cette solitude où nous ne vismes aucun étranger pendant trois mois, au bout desquels nos gens trouvèrent en chassant quelques Iroquois qui venoient en ce lieu pour y faire la chasse du castor; ils nous visitoient et nous trouvoient dans une fort bonne cabane dont ils admiroient la structure, et ensuite amenoient tous les sauvages qui passoient par là pour la voir. Aussi l'avions-nous bastie de sorte que nous eussions pu nous y défendre longtemps contre ces barbares, s'il leur eust pris envie de nous venir faire insulte.

L'hyver fut fort rude par tout le Canada l'an 1669, surtout en février 1670. Cependant, les plus grandes neiges ne furent pas de plus d'un pied, qui commencèrent à couvrir la terre dans le mois de janvier, au lieu qu'à Montréal on en aperçoit pour l'ordinaire trois pieds et demi qui couvrent la terre pendant quatre mois de l'année. Je crois que nous fussions morts de froit, si nous eussions esté dans un lieu où il eust fait aussy rude qu'au Montréal, car il se trouva que toutes les haches ne valoient rien et nous les cassasmes presque toutes, en sorte que si le bois que nous coupions eust esté gelé aussi dur qu'il l'est au Montréal, nous n'eussions pas eu de haches dès le mois de janvier, car l'hyver se passa avec toute la douceur possible.

S: *id., ibid.*, pp. 148-151.

PIERRE-ESPRIT RADISSON
(vers 1640-1710)

Pierre-Esprit Radisson serait peut-être né à Avignon [département du Vaucluse, dans le sud-est de la France] vers 1640. On ne connaît rien de ses premières années ni de son arrivée en Nouvelle-France. La première fois que l'on parle de lui, c'est quand il est capturé par les Iroquois, vers 1651, alors qu'il demeurait à Trois-Rivières avec sa demi-sœur. Il aurait été emmené dans un village près de ce qui est aujourd'hui Schenectady [état de New York]. Une famille l'adopte; il apprend vite la langue, s'échappe, est repris et torturé, mais sauvé de la mort par sa famille d'adoption. En 1653, après avoir refusé que les Hollandais du fort Orange [Albany, N. Y.] paient une rançon pour lui, il change d'idée et s'enfuit chez eux; il leur sert d'interprète, puis lors du passage du jésuite Joseph-Antoine Poncet, il est envoyé en Europe. Il arrive à Amsterdam [Hollande] au début de 1654, puis revient en Nouvelle-France quelques mois plus tard. En 1657, il est avec les jésuites à la mission de Gannentaha [près de Syracuse, N. Y.] et fuit avec eux en 1658, quand ils apprennent que les Iroquois de l'endroit veulent se débarrasser des Français. D'août 1659 au 20 août 1660, avec son beau-frère Médard Chouart Des Groseillers, il est en voyage d'exploration dans la région du lac Supérieur. Mécontent de la façon dont les fonctionnaires de Québec les reçoivent à leur retour, Des Groseillers traverse en France pour obtenir justice; il revient bredouille. Au printemps de 1662, Radisson et Des Groseillers partent pour la baie d'Hudson, mais ils se rendent plutôt en Nouvelle-Angleterre et, de là, en Angleterre en 1665; ils y sont bien accueillis par des bailleurs de fonds qui les prennent à leur service. En 1668, Radisson ne réussit pas à se rendre à la baie d'Hudson; pendant l'hiver suivant, à la demande du roi, il rédige la relation de ses voyages. Des Groseillers revient de la baie d'Hudson en octobre 1669; Radisson et lui participent à la fondation de la Compagnie de la baie d'Hudson, dont la chartre reçoit le sceau royal le 2 mai 1670. Pendant les cinq années suivantes, les deux Canadiens restent au service des Anglais. En 1675, ils passent en France, puis au Canada; Des Groseillers rentre chez lui à Trois-Rivières, tandis que Radisson repasse en France et participe à une expédition française qui échoue dans la mer des Caraïbes. En 1681, lui et Des Groseillers se rendent à la baie d'Hudson pour le compte de commerçants canadiens. Ils sont déçus encore une fois par la France; Des Groseillers rentre chez lui en 1683 et Radisson retourne en Angleterre en 1684. De 1685 à 1687, ce dernier est à la baie d'Hudson. Entre le 17 juin et le 2 juillet 1710, il décède en Angleterre.

C'est en français que Radisson aurait écrit, en 1668-1669, le récit de ses quatre premiers voyages; il n'en reste qu'une traduction anglaise, qui aurait été faite pour la Compagnie de la baie d'Hudson par un inconnu, mais comme elle est écrite en mauvais anglais, on peut penser qu'il s'agit plutôt de l'original dans l'anglais du Canadien. Les deux autres récits de Radisson ont été rédigés en français à la fin de 1684 ou au début de 1685. La langue de ces récits est médiocre, mais leur contenu est intéressant. En effet, ces relations sont écrites du point de vue d'un coureur des bois qui vit tout naturellement avec les Amérindiens, et comme eux, depuis qu'il a été leur prisonnier au temps de son adolescence. C'est avec plaisir qu'il partage leur condition de nomades circulant à travers la forêt; sa vie quotidienne se déroule avec aise parmi eux. Cependant, trafiquant dont le lucre est le premier but, il utilise ses pères et frères d'adoption plus qu'il ne les aide; la ruse, la tromperie et le mensonge ne lui répugnent pas, et les Amérindiens sont ses victimes tout autant que les Français et les Anglais qui furent ses adversaires à tour de rôle.

Nous avons emprunté les pièces qui suivent à l'édition, faite d'après l'original, des «Relations des voyages de Pierre-Esprit Radisson dans les années 1682-3 et 4»; elle a paru à Ottawa, en 1896, dans le *Rapport sur les archives canadiennes*. — Pour faciliter la lecture, nous avons remplacé par leurs équivalents modernes les anciens caractères typographiques suivants: ∫ par s; j par i et vice versa; u par v et vice versa.

Au service de la France*

Estant allé ensuite au fort de l'Isle jenvoyé un batteau au Sr Bridgar, lui mandant que le cap^{ne} sauvage, quil mavoit prié de lui faire voir estoit arrivée, et quil pouvoit venir avec un de ses hommes, ce quil fist, et si tost quil feut arrivé je lui fis entendre que pour nous asseurer notre traité jestoit obligé de masseurer de lui, que je le mettrois. Entre les mains de mon neveu, auquel javes commandé davoir grand soing de lui, et de lui faire toutes sortes de civilites, Lui donnant advis qu'apres que Jaures faict Embarquer, dans le vaisseau tout ce qui estoit dans le fort, je descendres pour le faire brusler. je lui dis quil pouvoit envoyer avec moy son homme en sa maison porter les ordres quil lui plairoit, et Je mi en alle le jour mesmes, je desclaré aux gens du Sr Bridgar que ne pouvant plus les assister sinon de poudre, et estant sur le point de partir pour men retourner en canada, il falloit que ceux qui voudroient demeurer se desclarassent, offrant le passage à ceux qui voudroient laccepter, je leur demandé Leurs noms qu'ilz me donnerent tous a la rezerve de deux. je leur recommandé davoir soin de tout ce qui estoit dans La maizon et Jy Laissé un francois pour y avoir loeil et aller a la chasse, Les gens du Sr Bridgar ni estans pas Exerces.

Apres ces ordres donnes je partis de la maizon du Sr Bridgar, et me fis passer du costé du sud ou je trouvé deux de nos francois qui estoient a la chasse. Je les renvoyé avec le gibier quilz avoient au fort de lisle ou ilz estoient necessaires pour ayder aux autres a faire descendre le navire et venir mouiller vis a vis de la maison du Sr Bridgar pour y faire embarquer ses effetz ce qui fust Executé. Je viens à lautre riviere par terre et je trouvé a lembouschure, des sauvages qui mi attendoient avec Impatience afin de regler comme nous ferions Ensemble nostre traite.

Ilz avoient vouleu obliger mon beau frere de leur traiter les marchandises sur le mesme pied que faisoient les anglois au fondz de la baye, et ils esperoient mesmes plus de faveur de moy, mais ceust esté le moyen de ruiner nostre traite, cest pourquoy je me resolus de tenir ferme en cette occasion, parce que, ce que nous resoudrions lors avec les sauvages pour notre commerce Devoit estre une regle pour ladvenir. Les sauvages sestans donc assembles si tost apres mon arrivée, et ayans Estalé en ma présence leurs presens de queûes de castorz; de langues de caribou boucanéés de vessies, de Graisses Dours d'origneaux, et cerfz, un des sauvages prit la parosle, et sadressant a mon beau frere et a moy, nous parla ainsi: Hommes qui pretendes nous donner la vie vous voules nous faire mourir, vous scaves ce que vault Le castor, et les peines que nous avons a le prendre, vous vous dites nos freres, et vous ne voules pas nous donner ce que ceux qui ne le sont pas nous donnent acceptes nos presens, ou nous ne viendrons plus vous rendre visite, et nous Irons vers les autres.

Je demeurè quelque temps sans rien dire au compliment de

ce sauvage ce qui obligea un des siens de me presser de respondre et comme cestoit un coup de partie pour nous, et quil falloit temoigner de la fermetté, je dis au sauvage qui me pressoit de parler, a qui veus tu que je responde, jai ouy un chien abayer, quand un homme parlera, il verra que je me scay deffandre, que nous aymons nos freres et que nous merittons destre aimes, estant venus Icy pour vous sauver la vie, disant cela je me levé tirant mon poignard, je pris par les cheveux le chef de ses sauvages, qui mavoit adopté pour son filz, et je lui demandé qui es tu, il me respondit ton père, et bien lui dis-je, si tu es mon pere, si tu maime, et si tu es le chef parle pour moi, tu es le maistre de mes marchandises. ce chien qui vient de parler, que vient il faire Icy quil sen aille vers ses freres, les anglois au fondz de la Baye, mais je me trompe, il na pas Loin a aller pouvant les voir dans lIsle voulant lui faire entendre que je mestois randu Le maistre des anglois, je scay dis je en continuant de parler a mon pere sauvage ce que cest que des bois, dabandonner sa femme, de courir risque de mourir de faim, ou destre tué par ses ennemis, vous evites tous ces malheurs en venant vers nous, ainsi je vois bien qu'il vous est plus avantageux de traiter avecnous, quavec les autres, mais je veux pourtant prendre pitié de ce malheureux et quil vive encores, quoiquil veuille aller vers nos ennemis, je me fis aporter une lame despéé, et je dis en la presentant a l harangueux tiens va ten vers tes freres les anglois dis leur mon nom et que je veux les aller prendre. Il falloit que je parlasse ainsi, dans cette rencontre, ou nostre traite estoit perdue, car quand on a une fois ceddé aux sauvages Jamais ilz ne reviennent.

Ayant dict tout ce que voules dire au sauvage je vouleus me retirer avec mon beau frere, mais nous feusmes arrestes tous deux par Le chef qui nous encouragea, en nous disant que nous estions des hommes, que nous ne contraignions personne, que chacun avoit sa liberté, et que lui et sa nation vouloient demeurer unis avec nous, qu'il vouloit aller Invitter les nations a nous venir voir, comme il lavoit desja faict par les presens que nous lui avions envoyes, nous priant daccepter les siens, et de traiter a notre fantaizie, sur cela le sauvage Harangueur a qui je venois de donner Lespéé, et qui estoit Indigné dict qu'il tueroit les assempoits silz descendoient vers nous, et moy lui repondis Jirai dans ton pays manger de la Sagamite dans le test de la teste de ta grande mere. cest une grande menace entre ces Sauvages, et la plus choquante quon leur puisse faire à mesme temps je fis enlever les presens, et je distribué, trois brasses de tabac noir aux sauvages qui vouloient estre de nos amis, disant par mespris a cellui qui nous estoit opposé, qu'il allast fumer au pays des loups cerviers, du tabac de femme. Jinvitté les autres au festin, apres lequel les sauvages traiterent avec nous leurs castorz, et nous le renvoyasmes tous fortz contens de nous.

Ayant faict mes affaires avec les sauvages je membarqué sans perdre de temps pour men retournér, je trouvé Le navire de la nouvelle ang^re mouillé vis a vis de la maison du Sr Bridgar comme j'en aves donné l'ordre. Jallé Ensuitte dans la maison ou je fis faire Inventaire de tout ce qui si trouva. Je monté apres cela au fort de lIsle ou Javes mandé a mon neveu de faire mettre le feu. Je ly trouvé avec le Sr Bridgar qui avait vouleu mettre luy mesme Le premier feu a ce fort, dont je feus bien ayse, n'ayant plus rien a faire la, Je descendis vers le navire ou je trouvé qu'on avait tout embarqué. Javes donné ordre a mon neveu, en partant qu'il amenast le Sr Bridgar a nos maisons, ou estant arrivé mon beau frère qui ne le cognoissoit pas si particulierement que moi Le fit mettre avec le capitaine de la nouvelle Ang^re et ses gens sur lIsle, dont le d Sr Bridgar se plaignit à moy le lendemain me priant de len retirer, en me disant qu'il ne pouvoit voir ces gens la de bon œil. Je lui promis et je le fis en peu de jours apres le ramenant avec ses gens qu'il trouva en fort bon estat dans le poste ou je les avés mis au nord de nostre rivière.

Et comme je naves peu encore vaincre l'opiniastreté de nos gens sur le suject de La barque, quils ne vouloient pas consentir que je donnasse aux anglois, le Sr Bridgar me proposa quil auroit dessein de faire un pont sur sa chaloupe, si je voules Lassister de tout ce qui lui seroit necessaire pour cela, me disant que sa chaloupe étant bien racomodéé et ponté, a une pointe il risqueroit volontiers de si embarquer pour sen aller au fondz de la Baye plustost que daccepter le passage pour France sur lun de nos bastiments. je lui promis ce quil me demanda la dessus, et demeuré avec lui en attendantque le navire que je faisois avancer fust arrivé.

Quand il feut venu Japerceus de la fumé a lautre bord je me fis passer, et je trouve que cestoit mon pere le sauvage. je lui temoingné ma Joye de le voir, et LInvité d'aller a bord, lui disant qui allant de ma part, il seroit bien receu par mon neveu, tellement quon tireroit un coup de canon a son arrivé, quon lui donneroit a manger, et quon luy feroit present de biscuitz, et de deux brasses de tabac. il me dict, que je naves point desprit de croire que nos gens fissent tout cela sans lentendre. Jescrivis avec du charbon sur un morceau descorse quil porta abord, et ayant vu quon avoit Exécuté ponctuellement tout ce que je lui aves dict il en fust fort surpris, et dict que nous estions des diables. ilz appellent ainsi tous ceux qui font quelque chose qui les surprent. je retourné à nos maisons, nayant plus rien a faire avec le Sr Bridgar.

Javes fait pressentir le cap^{ne} du navire qui estoit sur lisle vis a vis de nous, pour scavoir de luy s'y estant anglois, il voudroit me donner un escrit de sa main, par lequel il consentiroit que je mise le Sr Bridgar en possession de son navire ou sil aymeroit mieux que je le menasse a quebek, mais luy et ses gens me prierent avec ses Grandes Instances de ne point les Livrer au Sr Bridgar, esperans qu'ilz auroient meilleure composition des francois que des anglois, J'advertis mon beau frere de sa resolution, et comme quoi il vouloit sabandonner entierement a notre volonté.

S: «Relations des voyages de Pierre-Esprit Radisson dans les années 1682-3 et 4», dans *Rapport sur les archives canadiennes*, Ottawa, Imprimeur de la Reine, 1896, note A, pp. 21-22.

Au service de l'Angleterre*

Mon premier soin fut apres cela de me faire instruire de ce qui s'estoit passé Entre les anglois et les francois depuis mon depart. Et leur arrivéé, Et par ce que les anglois me dirent je jugeai qu'il estoit a propos de risquer touttes choses pour tacher de joindre au plus tost mon neveu et les gens que je luy avois laissé afin de tacher de les gaigner par la douceur ou de les surprendre par finesse auparavant qu'ilz sceussent a quel dessein je venois, car cela Etoit d'une extreme consequance, ainsy sans attendre l'arrivée du navire dans lequel jestois venu je resolus de membarquer sur La mesme chaloupe qui fut nommée la petitte aventure, ce que je ne fis pourtant pas le mesme jour par ce que le gouverneur trouva a propos de remettre la partie au lendemain et de me donner d'autres hommes a la place des sept que j'avois amené et lesquelz se trouverent fatigues je m'embarquay le lendemain de bon matin avec le cap^{ne} Gazer mais le vent s'estant trouvé contraire je me fis mettre à la coste avec le cap^{ne} Gazer et l'anglois quy parlois francois. Et apres avoir renvoyé la chaloupe avec Les autres hommes je resolus d'aller par terre jusqu'au lieu je devois trouver les marques de mon neveu qui me devoit faire cognoistre le lieu ou il estoit.

Nous marchames ensuitte tous trois jusqu'au lendemain matin

questans arrivés au lieu ou j'avois dit a mon neveu de me laisser des marques et les ayant levéés j'appris que lui et ses gens avoient quitté nos anciennes maisons et s'en estoient basties une dans une isle au dessus du rapide de la riviere Hayes, apres cela nous continuames nostre routte jusques vis a vis des maisons qui avoient este abandonnéés d'ou j'esperois que nous discouvririons quelque choze ou du moins que nous nous ferions voir ou entendre en tirant quelques coups de fusilz et faisant de la fuméé En quoy mon attente ne fut point tout a fait vaine car apres avoir resté quelque temps en cet endroit nous apperceumes dix canots de sauvages qui descendoient la riviere je creus d'abord qu'il y pourroit avoir quelque francois avec eux que mon nepveu auroit pu Envoyer pour decouvrir qui estoient les gens nouvellement arrivés ce qui mobligea de dire au Cap^ne Gazer que j'allois descendre au bord de la Riviere pour leur parler, que je le priois de m'attendre sur la hauteur sans aucune aprehension, et que dans peu il pourroit rendre des temoignages de ma fidelité pour Le service de la compagnie.

Je fus dans ce mesme moment a la rencontre des sauvages Et du Bord de la riviere je leur fis Les signaux accoutumes afin de les obliger a venir vers moy, mais m'estant apperceu qu'ilz ne se mettoient point en devoir de le faire je leur parlai en leur langue pour me faire cognoistre ce qui fit qu'ilz sapprocherent du bord Et ne me cognoissant point ilz me demanderent avoir les marqués que j'avois ce qu'ayant fait ilz temoignerent par des cris d'allegresse et de postures de divertissement La joye qu'ilz avoient de mon arrivéé j'appris ensuitte deux que mon nepveu et les autres francois estoient au dessus du rapide Eloignes de quatre lieues du lieu ou j'estois, et qu'ilz leur avoient dit que mon beau frere des groisillié devoit aussy venir avec moi ce qui m'obligea de leur dire qu'il estoit arrivé Et qu'ilz le verroient dans quelques jours. Ensuitte je leur dis que nous les avions toujours aimes comme nos freres et que je leur voulois donner des marques de mon amitié de quoy ilz me remercierent en me priant de n'estre point en colere de ce que par (*lacune*) avoient esté traitter avec les anglois et de ce que je les trouvois allans a la rencontre de leur cap^ne qui estoit allé au travers des bois avec 20 hommes aux navires anglois pour avoir de la poudre. Et des fuzilz a quoy la faim qu'ilz avoient Endurée depuis un mois en m'attendant les avoit contrains mais que puis-que j'estois arrivé ilz ne passeroient pas plus outre Et que leur chef qu'ilz alloient advertir de ma venue m'en diroit davantage.

Cependant j'avois à faire de quelques uns d'entreux pour faire advertir mon nepveu de mon arrivéé, je leur demandai à tous s'ilz aymoient le filz de des grossillié, et s'il n'avait point de parants parmi eux sur quoy je y en eut un qui me dit cest mon filz et je suis prest a faire ce que tu voudras et dans ce moment s'estant desbarqué je lui fis mettre son castor a terre et apres avoir appellé le cap^ne Gazer je parlai en ses termes a ce sauvage. En la presence des autres j'ay fait la paix pour l'amour de vous avec les anglois, vous Eux et moy ne devons estre desormais qu'un embrassé ce cap^ne Et moy en signe de paix c'est ton nouveau frere et celui de ton filz va-t-en incessament lui porter cette nouvelle. Et les marques de la paix. Et dis lui qu'il me vienne voir en ce lieu pendant que les sauvages de la compagnie Iront m'attendre à l'embouchure de la riviere.

Ce Sauvage ne manqua point d'aller advertir son filz mon neveu de mon arrivéé. Et de lui porter la nouvelle de la paix entre Les francois. Et les anglois pendant que nous attendions sa descente vers le lieu ou nous estions avec impatience ce quy n'arriva neantmoins que le lendemain sur Les neuf heures du matin je vis d'abord parroistre mon neuveu dans un canot avec trois autres françois accompagné de L'autre canot sauvage que j'avois envoyé Et qui s'estoient advences pour m'advertir de l'arrivée de mon nepveu, je promis a ce sauvage et a son camarade chacun un Capot et leur retournai leurs castors avec ordre de m'aller attendre avec les autres a l'embouchure de la riviere.

Apres cela le cap^ne Gazer l'anglois qui parloit francois et moy passames dans L'eau jusqu'a demi Jambe pour aborder une petite Isle ou mon nepveu avec ses gens devoit prendre terre, il y estoit arrivé devant nous et il vint a nostre rencontre me saluer fort supris de l'union que j'avois faite avec Mrs Les anglois nous passames ensuitte tous ensemble dans son canot jusqua nos anciennes maisons ou je fis entrer les anglois Et Les francois, Et pendant qu'ilz s'entretenoient de lers fatigues communes je parlai en particulier a mon nepveu en ces termes.

Il vous souvient sans doute d'avoir entendu raconter a vostre pere les paines Et les fatigues que nous avons eues en servant la France pendant plusieurs annéés vous avez aussi appris de luy que la recompense que Nous avions sujet d'esperer fut une noire ingratitude, tant du costé de la cour que de celle de la compagnie du Canada. Et que cela nous ayant reduis a la necessité de cercher a servir ailleurs L'ang^re nous receut avec des temoignages de joye et de satisfaction.

Vous scavez aussy motifs qui ont obligé vostre pere et moy, apres treize annéés de service de quitter les anglois, la necessité de subsister Et le refus que faisoient les mal Intentionnes de la compagnie de la Bawe de hudson de nous satisfaire ont donne lieu a nostre Separation et a l'establissement que nous avons fait et dont je vous ai laissé En possession en partant pour france, mais vous Ignorer sans doutte que le Prince quy Regne en Ang^re ait desadvoué le procedé de la compagnie a nostre esgard. Et qu'il nous ait faict rappeler a son service pour y recevoir les effets de sa royale protection et une entiere satisfaction de nos mecontentemens j'ai laissé vostre Pere en Ang^re plus heureux que nous en ce qu'il est asseure de la subsistance et qu'il commence a goutter du repos pendant que je suis venu vous apprandre que nous sommes maintenant Anglois Et que nous aurons prefere les bontes d'un Roy clemenr et debonnaire. Ensulvant nos inclinations quy de servir en gens de cœur et d'honneur aux offres que celuy de France nous faisoit faire par ses ministres affin de nous obliger a travailler indirectement pour sa gloire.

J'ay receu ordre avant partir de Londres de pendre soin de vous, et pe vous obliger a servir la nation angloise vous estes jeunes et en estate de sravailler utillement a vostre fortune s'y vous estes resolu de suivre mes sentimens je ne vous abandonneray point vous recevrez les mesme traitement que moy. Et je participai mesmes aux despens de mes Interestz a vostre contentement j'aurez aussi soin de ceux qui sont restes sur ma parolle en ces lieux avec vous et je n'obmettrai rien de tous ce qui pourra contribuer a vostre advencement vous estes de mon sang je sai que vous avez du courage Et de la resolution determinez vous promtement Et faites moy voir par la reponce que j'attens que vous estes digne des bontes du prince clement que je sers mais n'oubliés pas sur toutes choses les Injures que les françois ont faites a celuy qui vous a donne la vie, Et que vous Estes en mon pouvoir.

Quand mon nepveu Eut entendu tout ce que je venois de luy dire, il me protesta qu'il n'avoit point d'autres sentimens que Les miens Et qu'il feroit tout ce que je souhaitteroit de lui mais qu'il me prioit d'avoir soin de sa mère, a quoi je repondis que je n'avois pas oublié qu'elle estoit ma sœur Et que la confiance qu'il me temoignoit avoir en cette occasion estoit un double Engagement quy m'obligeroit d'avoir soin d'elle et de luy, de quoy ayant esté satisfait il me remit le pouvoir de commandement, et je lui dis qu'il parust dans l'assembléé des anglois et des françois aussy content qu'il le devoit estre Et de Laisser le reste a ma conduitte, apres quoy nous rentrames dans la maison Et je commandai un de nos francois d'aller Incessament advertir ses camaradas que tout alloit bien et qu'ilz devoient prendre une entiere confiance en moy et obeir a mes ordres quoy faisant ilz ne manqueroient de rien.

J'ordonnai aussy a ce mesme francois d'advertir Les sauvages de descendre et de travailler incessemment avec ses camarades a raporter Les castors qu'ilz avoient caches dans les bois *(lacune)*. La maison nouvellement bastie Et afin de le pouvoir faire avec plus de diligence je leur dis de doubler l'ordinaire Et de leur subsistance. Ensuitte je dis a mon nepveu de passer du costé du nord avec le francois quy luy servit d'interprette et d'aller par terre au rendes vous que j'avois donne aux sauvages les jours precedens pendantque je me rendrois par eau au mesme rendes vous avec le cap^{ne} Grzer. Et les deux autres hommes quy me restoit avec lesqulz m'estant Embarqué dans le canot de mon neveu de jescendis la riviere jusqua l'embouchure ou je trouvai les sauvages qui m'attandoint avec impatience lesquelz ayant esté jointz. Le landemain par trante autres canots des sauvages que j'avois fait advertir de descendre Et par leur cap^{ne} qui estoit venu vers moy par terre nous fusmes tous ensemble dans Les canots sauvages abord des vaisseax qui estoient eschoues sur la riviere de Nelson.

Ce fut en ce endroit que le chef des sauvages me parla de beaucoup de choses. Et qu'apres avoir receu de mains des presens d'estime pour les chefs de ces nations il me dict que luy et ses peuples parleroient de mon nom a toutes les nations, pour les inviter de venir vers moy fumer au calumet d'union mais il blama fortement le gouverneur anglois de lui avoir dit que mon frere avoit esté fait mourir que j'estoit prisonnier Et qu'il estoit venu pour d'estruire le reste des françois.

Ce chef des sauvages ajoutoit au blame la plainte et disoit hautement que celui la Estoit indigne de son amitié et de celle de leurs anciens freres qui commençoit a s'establir parmi eux en leur disant des mensonges le murmure et l'emportement avoient aussy part a son Indignation, il profera par plusieurs fois des injures contre le gouverneur qui tachoit de se justifier des choses qu'il avoit avancéés par imprudence contre la veritte mais le chef des sauvages ne vouloit Entendre rien de sa part ni de celle des autres anglois tant lui etoit devenu suspect cependant j'appaisai ce differant par l'authorité que j'ai sur L'esprit de ces nations Et ayant fait embrasser Le chef sauvage et le gouverneur apres Les avoir moy mesme Embrasses tous deux donnant a entendre au sauvages que c'estoit Ensigne de paix je lui dis assy que je voulois faire le festin de cette mesme paix Et que j'avois donné ordre que l'on fit a manger.

En de pareilles occasions les sauvages ont accoutumé de faire preceder le festin d'une harangue qui conciste a recognoistre pour leurs freres ceux avec lesquelz ilz font la paix et a louer leurs forces apres avoir Instruict le chef des sauvages de l'experience force Et valleur de la nation angloise il s'aquitta avec beaucoup de jugement de cette action Et il fut aplaudy des notes et des siens.

Je lui dis ensuitte en la presence de ses peuples que les francois n'estoient point des bons hommes de mer qu'ilz apprehendoient les glaces au travers desquelles il falloit passer pour leur venir apporter des marchandises d'ailleurs que leurs vaisseaux estoient foibles et Incapables de resister dans les mers du nord mais que pour les anglois ilz estoient robustres hardis et entreprenans, qu'ilz avoient la cognoisance de toutes les mers Et des grands Et fortz vaisseaux qui leur apartenoient des marchandises En tout temps, Et sans discontinuation de quoy ayans temoigné Estre satisfaitz le chef Sauvage vent diner avec nous pendant que ses peuples mangerent Ensemble ce que je leur avois fait donner. Le Repas estant fini il fust question de commencer la traitte et comme j'avois formé le dessein d'abolir la coutume que les anglois avoient introduitte depuis que j'avois quitté leur service qui estoit de faire des presens aux sauvages pour les attirer dans leur parti ce qui estoit directement oposé a ce que j'avois pratiqué car au lieu de donner des presens je m'en faisois faire, je dis au chef des Sauvages en la presence de ceux de sa nation quil me fit les presens que je recevois d'ordinaire en pareille occasion, sur cela ilz parlerent entreux et ensuitte ilz me presenterent soixante peaux de castor En me disant de les accepter en signe de notre ancienne amitié, Et de considerer qu'ilz estoient pauvres et bien eloignes de leur pais qu'ilz avoient jeune plusieurs jour En venant et qu'ilz seroient obligés de jeuner en s'enretournant que les francois du canada leur faisoient des presens pour les obliger d'ouvrir leur paquetz Et que les anglois du fondz de la Baye donnoient a toutes les nations trois haches pour un castor.

Ilz adjoutoient a cela que le castor estoient difficille a tuer et que leur misere estoit digne de pitié, je leur repondis que j'avois compassion de leur estat, et que je ferois tout ce qui Estoit en mon pouvoir pour les soulager, mais qu'il estoit bien plus raissonnable qu'ilz me fissent des presens que moy a Eux tant a cause que je venois d'un pays bien plus Eloigné que le leur pour leur apporter des bonnes marchandises que par ce que je leur espargnois la paine d'aller a quebek Et quant a la differance de la traite des Anglois du fondz de la Baye avec la notre je leur dis que chacun estoit le maistre de ce qui lui appartenoit et en liberté d'en disposer a sa volonté qu'il n'importoit peu de traitter avec eux lorsque j'avois toutes les autres nations pour amis que ceux la estoient les maistres de mes marchandises qui s'en raportoient a ma generosité qu'il y avoit trente années que j'estoit leur frere. Et que je serois a l'advenir leur pere s'ilz continuoient a m'aymer mais que ils estoient dans d'autres sentimens j'estois bien aise de les advertir que je fairois appeler toutes les nations dalentour pour les charger de mes marchandiques que l'aventage qu'elles recevroient par ce se-cours les rendroit puissantes et les mettroit en estat de disputer le passage a tous les sauvages qui habittoient dans les terres, que par ce moyen ilz seroient réduis Eux mesmes a mener une vie languissante Et avoir mourir leurs femmes Et leurs Enfants par la guerre ou la disette de qui leurs alliez quoy que puissans ne les pourroient pas garantir par ce que j'estoit adverti qu'ilz n'avoient ni couteaux ni fusilz.

Ce discours obligea les sauvages de se soumettre a tout ce que je voudrois de maniere que les voyans disposes a la traite je leur dis que comme ils avoient un extreme besoin de couteaux Et de fusilz je leur donnerois dix couteaux pour un castor, quoy que le maistre de la terre le Roy mon maistre m'eust donné ordre de n'en donner que cinq Et qu'a l'egard des fusilz je leur en donnerois un pour douse castors, et ilz alloient accepter ma proposition quand le gouverneur par crainte ou imprudence leur dit que nous leur demandions que despuis sept jusques a dix castors pour chaque fusil ce qui fut cause qu'il fallut les leur donner a ce prix la, la traite se fit ensuite avec toutte sorte de tranquillite et de bonne amitié apres quoy ces peuples prirent congé de nous fort satisfaitz selon toutes les apparences tant En general qu'en particullier de nostre procedé En temoignage de quoy jlz nous promirent de revenir.

Mais mon nepveu ayant appris d'un des chefz des nations voisines qui estoit avec eux qu'ilz ne reviendroient point, il tira a part le chef sauvage des terres et lui dit qu'il avoit esté adverti qu'il ne nous aymoit pas Et qu'il ne reviendroit plus de quoy ce chef parut fort supris en demandant qui Lui avoit apris cela, mon nepveu lui dict c'est le sauvage appellé la graisse d'ours ce qu'ayant entendu il fit a mesme temps ranger en armes tout son monde parlant aux uns et aux autres affin d'obliger celui qui estoit accusé de se desclairer avec la fermette d'un homme de courage sans quoy on ne luy pouvoit rien faire, mais la graisse d'ours ne voulut rien repondre.

La jalousie qui regne aussy bien parmi les nations sauvages que parmi les chrestiens avoit donné bien a ces rapports ausquelz mon nepveu avoit adjoutté foy par ce qu'il scavoit qe la conduitte du gouverneur Envers Eux avoit donne autant de mecontentement contre nous tous qu'elle avoit causé de perte a la compagnie, Le genie de ses peuples Estant qu'on ne doit jamais demander que ce quy est juste, c'est a dire ce qu'on souhaitte avoir pour chaque chose qu'on traite, et que lors qu'on se retracte on n'est point homme, cela fait voir qu'il ni [a?] proprement que ceux qui ont la cognoissance des meurs et des coutumes de ces nations qui soient capables de traitter avec elles, a quoy la fermeté Et la resolution sont aussy Extremement necessaires, je m'en servis encore en cette occasion afin d'appaiser ce petit differant, Entre les sauvages, Et leur reconciliation fut cause que leur chef me protesta de nouveau en m'appellant Teste de porc Espy qui est le nom qu'ilz m'ont donné parmi eux qu'il viendroit toujours vers moy pour traiter et qu'au lieu que je ne l'avois veu qu'avec cent hommes de sa jeunesse, il ameneroit avec lui treize nations differentes Et qu'il ne manquoit point en son pays n'y d'hommes ni castors pour mon service apre quoy ilz nous quitterent et nous nous disposames a partir pour aller prendre possession de la maison de mon nepveu de la maniere que j'en estois convenu avec lui.

S: *ibid.*, pp. 29-32.

LOUIS HENNEPIN
(1626-vers 1705)

Louis Hennepin naît à Ath [province du Hainaut, Belgique] le 12 mai 1626. Il étudie les humanités à l'École latine de sa ville natale. Vers l'âge de dix-sept ans, il entre au noviciat franciscain de Béthune [département du Pas-de-Calais, dans le nord-ouest de la France], puis poursuit ses études au couvent de Montargis [département du Loiret, dans le centre du Bassin parisien]. À une date inconnue, il est ordonné prêtre. Il fait un séjour à Gand [province de la Flandre-Orientale, Belgique], se rend à Rome, visite des sanctuaires et des monastères en Italie et en Allemagne; à son retour, il réside à Hal [province du Brabant, dans le centre de la Belgique]. Il fait de la prédication pendant un an, puis séjourne dans les couvents de Biez et Calais [Pas-de-Calais] et de Dunkerke [département du Nord, dans le nord-ouest de la France]. De 1672 à 1674, pendant la guerre de Hollande, il est auprès des blessés et des malades. À la fin de mai 1675 (ou en juin), il part pour la Nouvelle-France. Dès son arrivée, il fait de la prédication dans la région de Québec. Au printemps de 1676, il monte au fort Cataracoui [Kingston]. De retour à Québec en 1678, il reçoit de son supérieur provincial l'ordre d'accompagner René-Robert Cavelier de La Salle dans ses voyages d'exploration. Il retourne donc au fort Cataracoui. La troupe de La Salle part le 18 novembre, arrive à la rivière Niagara le 6 décembre, et au saut du même nom, deux jours plus tard. Durant l'hiver de 1679, on construit un bateau et le fort Conti. Du 7 août 1679 au 29 février 1680, le père Hennepin accompagne de La Salle, puis, sur l'ordre de ce dernier, part en éclaireur pour le haut Mississipi. Le 25 mars, il aurait atteint, si on le croit, l'embouchure du Mississipi; le 10 avril, il est de retour. Le lendemain, il est fait prisonnier par les Sioux et emmené à leur village vers le 21 avril 1680. Il ne sera relâché qu'à la fin de septembre, après la rencontre fortuite d'un groupe de Français. Le père passe l'hiver avec eux à Michillimakinac; au début d'avril 1681, c'est la descente vers Québec. À l'automne, le père Hennepin rentre au couvent de Saint-Germain-en-Laye [département des Yvelines, à l'ouest de Paris]. En 1683, il est vicaire du couvent de Cateau-Cambrésis [département du Nord] et, de 1684 à 1687, supérieur du couvent de Renty. De 1687 à 1692, après avoir été expulsé de l'Artois, il réside à Gosselies [province du Hainaut, Belgique]. En 1696, il se rend à Amsterdam [Hollande], puis à Utrecht [Hollande], qu'il quitte pour Rome vers le 18 juillet 1698. Le 9 juillet de la même année, Louis XIV lui permet de retourner en Nouvelle-France; en mai 1699, il le lui défend. En décembre, le récollet se retire au couvent de Saint-Bonaventure-sur-le-Palatin à Rome; en mars 1701, il est au couvent de l'*Ara cœli*, sur le Capitolin. En juillet 1701, il est en Belgique; il demande au pape la permission de travailler à la conversion des religieux apostats en Hollande; elle lui est refusée. Il serait décédé vers 1705, peut-être dans son Hainaut natal.

Le père Louis Hennepin est l'auteur de trois relations de voyages en Amérique du Nord: *La Description de la Louisiane [...]* (1683), *Nouvelle Decouverte d'un très grand Pays [...]* (1697), *Nouveau Voyage d'un Pays plus grand que l'Europe [...]* (1698). Ces trois livres furent des succès de vente et auraient eu au moins quarante-six éditions. Les historiens contemporains ont mis en doute l'authencité d'une partie du premier; le deuxième en est une reprise, tandis que le troisième est une compilation de textes qui seraient pour la plupart empruntés. L'écriture du premier est médiocre et la structure est presque inexistante, faute de divisions autres que les repères chronologiques. Le deuxième est divisé en chapitres et il semble que l'auteur a fait un effort pour améliorer à la fois l'écriture et la structure; il n'a pas toujours réussi. Néanmoins, ces deux œuvres ne manquent pas d'intéresser grâce à la présence, ici et là, soit de passages bien écrits, soit de données nouvelles ou traitées différemment par ses prédécesseurs.

Nous avons emprunté les pièces qui suivent aux premières éditions de l'un et l'autre volumes, soit celle de la *Description de la Louisiane* faite Chez la Veuve Sébastien Huré, à Paris, en 1683, et celle de *Nouvelle Decouverte* faite Chez Guillaume Broedelet, à Utrecht, en 1697. — Nous avons reproduit les textes de ces éditions tels que nous les avons trouvés dans les microfiches nos 36000 et 35676 de l'Institut canadien de microreproductions historiques.

De Niagara à Michilimakinac sur le *Griffon**

Nous nous embarquâmes au nombre de trente-deux personnes avec nos deux Peres Recolets qui m'estoient venus joindre, nos gens ayant bonne provision d'Armes, des Marchandises, & sept petites pieces de Canon de fonte.

Enfin contre l'opinion du Pilote, l'on vint about de remonter la Riviere de Niagara; il faisoit aller sa Barque à la voile quant le vent estoit assé fort, & il la faisoit toüer dans les endroits les plus difficiles, & nous arrivâmes ainsi heureusement à l'entrée du Lac de Conty. Nous fismes voille le 7. du mois d'Aoust de la mesme année 1679, faisant nôtre route à l'Oüest quart Sud-Oüest; Aprés le *Te Deum*, l'on fist la decharge de tout le Canon, & des Arquebuses à Crocs, en presence de plusieurs gueriers Iroquois qui ramenoient des Esclaves des Nations des prairies, scituées à plus de cinq cens lieües de leur païs, & ces Barbares ne manquerent pas de faire description de la grandeur de nostre Bastiment aux Hollandois de la nouvelle Jork, avec lesquels les Iroquois ont un grand commerce des Pelteries qu'ils leur portent pour avoir des Armes à feu, & des Hardes pour se couvrir.

Nostre navigation fut si heureuse que le dixiéme au matin, Feste de Saint Laurens, nous abordâmes à l'entrée du Détroit, par où le Lac d'Orleans se decharge dans le Lac de Conty, & qui est éloigné de cent lieües de la Riviere de Niagara. Ce Détroit a trente lieües de longueur, & presque par tout une lieüe de largeur, excepté dans son milieu, où il s'élargit, & forme un Lac de figure Circulaire, & de dix lieües de Diametre que nous nomâmes le Lac Sainte Claire à cause du jour de cette Sainte que nous le traversâmes. Le païs des deux costez de ce beau Détroit est garny de belles Campagnes découvertes, & l'on voit quantité de Cerfs, de Biches, de Chevreüils, d'Hours peu farouches & tres bons à manger, de Poules d'Inde, & de toute sorte de gibier, des Cignes en quantité: nos Hauts-bans estoient chargez & garnis de plusieurs bestes fauves depiecées, que nostre Sauvage & nos François tuerent: le reste du Détroit est couvert de Forests, d'Arbres fruitiers, comme Noyers, Chastaigniers, Pruniers, Pomiers, de Vignes sauvages, & chargées de raisins, dont nous fismes quelque peu de vin; il y a des Bois propres à bâtir, c'est l'endroit où les bestes fauves se plaisent le plus.

Nous trouvâmes à l'entrée de ce Détroit un courant aussi fort qu'est la Marée devant Roüen, on le surmonta neanmoins faisant nostre route au Nord & au Nord-Est, jusques au Lac d'Orleans; il y a peu de profondeur à l'entrée & à la sortie du Lac Sainte Claire, & principalement à la derniere. La décharge du Lac d'Orleans se divise en cet endroit en plusieurs petits Canaux presques tous barez, par des battures de sable, on fut obligez de les sonder tous; & enfin on découvrit un fort beau profond du moins à deux à trois brasses d'eau, & large par tout de presque une lieuë, nostre Barque y fut arrestée durant quelques jours par les vens contraires, & cette difficulté ayant esté surmontée: on en trouva une encore plus grande à l'entrée du Lac d'Orleans, le vent du Nord qui avoit soufflé quelque temps avec assés de violence, & qui pousse l'eau de trois grands Lacs dans le Détroit, y avoit augmenté de telle sorte le courant ordinaire, qu'il estoit aussi furieux que la Barre l'est devant Caudebec; on ne pût le remonter à la voile, quoy que alors on fût aidé par un grand vent du Sud; mais comme le rivage estoit fort beau l'on fist descendre à terre douze de nos hommes qui hallerent au col du long de la greve durant un demy quart d'heure, au bout duquel on entra dans le Lac d'Orleans le vingt-trois du mois d'Aoust, & nous chantâmes pour la seconde fois le *Te Deum* en action de graces, benissant Dieu qui nous faisoit paroistre une grande Baye dans ce Lac, où nos anciens Recolets avoient demeuré pour instruire les Hurons à la Foy, dans la premiere descente des François dans le Canada, & ces Sauvages tres nombreux ont esté la plus part desttruits par l'Iroquois. Le mesme jour la Barque singla le long de la Coste Orientale du Lac, avec bon frais, le Cap au Nord quart Nord-Est jusques au soir que le vent s'estant jetté au Sud Oüest fort violent on mit le Cap au Nor-oüest, & le lendemain nous nous trouvâmes à la veuë de terre, ayant traversé la nuit une grange Baye nommée Sakinam, qui a plus de trente lieuës de profondeur.

Le vingt-quatriéme l'on continua à faire porter au Nord-oüest, jusques au soir que le calme nous prist entre des Isles, où il n'y avoit qu'une brasse & demie ou deux brasses d'eau: nous allions avec les basses voilles une partie de la nuit, pour trouver un moüillage, mais n'en trouvans aucuns où il y eût bon fond, & le vent commençant à souffler de l'Oüest, l'on fit mettre de Cap au Nord, pour gaigner le large en attendant le jour, & l'on passa la nuit à sonder au devant de la Barque, parce qu'on avoit reconnu que nostre Pilote estoit fort negligent, & l'on continua de cette maniere à veiller le reste du voyage.

Le vingt-cinquiéme le calme continua jusqu'à midy, & nous poursuivîmes nostre route au Nord-Oüest, à la faveur d'un bon vent de Sud qui se changea bien-tost au Sud-oüest: à minuit on fut obligé de porter au Nord à cause d'une grande pointe, qui s'avançoit dans le Lac; mais on l'eut à peine doublée que nous fûmes surpris d'un furieux coup de vent qui nous contraignit à loüyer avec deux pacfis, de mettre ensuite à la Cap jusques au jour. Le vingt-sixiéme la violence du vent nous obligea à faire amener les mats de hune, de faire amarer les vergues sur le point de demeurer coste à traver: à midy les vagues devenant trop grandes, & la mer trop rude, nous fûmes contrains de relacher le soir ne trouvant point de moüillage ny d'abry. A ce coup le Sieur de la Salle entra dans la chambre & tout decontenancé, il nous dît qu'il recommandoit son entepr[i]se à Dieu, & comme nous avions coustume dans tout le voyage de faire mettre tout le monde à genoüx, & de dire les prieres publiques soir & matin, chantans tous quelques Hymnes de l'Eglise, nous ne pouvions nous soûtenir sur le pont du Bastiment, à cause de la tempeste, tous se contentans de faire en particulier un Acte de contrition, il n'y eut que nostre Pilote seul que nous ne pûmes jamais resoudre. Le Sieur de la Salle prît aussi dans ce temps, conjointement avec nous Saint Antoine de Padoüe pour le protecteur de nos entreprises, & promît à Dieu s'il nous faisoit la grace de nous délivrer de la tourmente, que la premiere Chapelle qu'il feroit eriger dans la Loüisiane seroit dediée à ce grand Saint. Le vent s'estant un peu diminué, l'on fit mettre à la Cap toute la nuit, & nous ne derivâmes qu'une lieuë ou deux au plus.

Le vingt-septiéme au matin on fit voile au Nord-oüest par un vent de Sud-oüest, qui se changea le soir en un petit vent alizé de Sud-Est à la faveur duquel nous arrivâmes le mesme jour à Missilimakinac, où l'on moüila à six brasses d'eau dans une Anse, où il y avoit bon fond de terre glaise: cet Anse est abriée du Sud-oüest, jusques au Nort, une batture de sable la couvre un peu du Nord-Est, mais elle est posée au Sud, & qui est tres-violent.

Missilimakinac est une pointe de terre à l'entrée, & au Nord du Detroit, par où le Lac Dauphin se decharge, dans celuy d'Orleans. Ce Détroit a une lieuë de largeur & trois de longueur, & court à l'Oüest Nor-oüest, à quinze lieuës à l'Est de Missilimakinac, on trouve une autre pointe qui est à l'entrée du Canal, par lequel le Lac de Condé se décharge dans le Lac d'Orleans, ce Canal a cinq lieuës d'ouverture, & quinze de longeur, il est entrecoupé de plusieurs Isles, & retresit peu à peu jusques au Sault Sainte Marie, qui est un Rapide plein de Rochers, par lequel les eaux du Lac de Condé se déchargent & se precipitent d'une maniere violente: à terre d'un costé on ne laisse pas d'y monter, en perchant en Canot, mais pour plus grande seureté on fait portage du Canot, & des marchandises que l'on mene pour traiter aux Nations du Nord du Lac de Condé.

Il y a des Villages de Sauvages en ces deux endroits; ceux qui sont establis à Missilimakinac, le jour de nostre arrivée qui fut le 26. Aoust 1678, furent tous interdis de voir un Navire dans leur païs, & le bruit du canon les épouventa extraordinairement: Nous fûmes dire la Messe aux Outtaoüactz, & pendant le Service le Sieur de la Salle tres-bien mis avec son manteau d'écarlate bordé de galon d'or, fit poser les armes du long de la Chapelle, & le Sergent y laissa un factionaire pour les garder; les Chefs des Sauvages Outtaüoactz, nous firent leur civilité à leur mode: en sortant du Service, & dans cet Anse où le Grifon estoit moüillé à l'ancre, nous considerions avec plaisir ce grand Bastiment tres-bien équipé, & au milieu de plus de cent ou six-vingts Canots d'écorce qui vont & qui reviennent de la pesche des poissons blancs, que ces Sauvages prennent avec des rets qu'ils tendent quelquefois à quinze ou vingt brasses d'eau, & sans lesquels ils ne pourroient subsister.

S: *Description de la Louisiane, nouvellement decouverte au Sud-Oüest de la Nouvelle France, par ordre du Roy. Avec la Carte du Pays: Les Mœurs & la Maniere de vivre des Sauvages. Dédiee à sa Majesté.* Par le R. P. Louis Hennepin, Missionnaire Recollet & Notaire Apostolique. À Paris, Chez la Veuve Sebastien Huré, rue Saint-Jacques, à l'Image S. Jerôme, prés S. Severin, 1683, pp. 49-62.

Le fort Cataracoui*

Ce fort est situé à cent lieües de Quebec, Capitale du Canada en remontant le fleuve de Saint Laurent au Sud. Il est basti prez de la décharge du Lac Ontario, qui veut dire en langue Iroquoise, Beau Lac. Ce Fort fut gazonné d'abord, & entouré de gros pieux, de grandes palissades, & de quatre Bastions par les ordres du Comte de Frontenac, Gouverneur General du Canada. On trouva qu'il estoit necessaire de le bâtir pour s'opposer aux Courses des Iroquois, & pour détourner le commerce des Pelleteries, que ces peuples font avec les habitans de la nouvelle Jorck, & avec les Hollandois, qui ont formé là une nouvelle Colonie, parce qu'ils fournissent des marchandises aux Sauvages à meilleur prix, que les François du Canada.

L'Iroquois est une Nation insolente & barbare, qui a fait perir plus de deux millions d'ames dans ces vastes Pays. Les François les craignent pour le Fort de Frontenac. Ces peuples ne laissent les Européens en repos que par la crainte de leurs armes a feu. Ils n'entretiennent commerce avec eux que par le besoin, qu'ils ont de leurs marchandises, & des armes, qu'ils achétent, & dont ils se sont servis pour detruire ce grand nombre d'ennemis circonvoisins, qu'ils ont fait perir. Ils les ont emploiées en effet a porter le fer & le feu a cinq & six cens lieües de leurs Cantons

Iroquois, afin d'exterminer les Nations, qu'ils haïssent.

Ce Fort, qui n'estoit entouré au commencement que de pieux, de palissades & de Gazons, a été construit pendant ma Mission de trois cents & soixante toises de Circuit. On l'a revêtu de pierres de taille, que l'on trouve naturellement polies par le choc des eaux sur le bord de ce Lac Ontario ou Frontenac. On y travailla avec tant de diligence, qu'il fut mis dans sa perfection dans l'espace de deux ans par les soins du Sieur Cavelier de la Salle. qui estoit un homme habile, & grand politique, Normand de Nation. Il m'a dit plusieurs fois, qu'il estoit né a Paris, afin que le Pere Luc Buisset, dont j'ai parlé, & moy, prissions plus de confiance en luy, parce qu'il avoit remarqué dans nos conversations ordinaires, que les Flamands, & plusieurs autres peuples se defient aisêment des Normands. Je sai, qu'il y a des gens d'honneur & de probité en Normandie comme ailleurs. Mais enfin il est certain, que les autres Nations sont plus franches & moins rusées que les habitans de cette Province de France.

Le Fort de Frontenac est donc situé au Nord de ce Lac, prés de la décharge. Il est placé dans une presqu'Isle, dont on a fait fossoier l'Isthme. Les autres côtez sont entourez en partie du bord dudit Lac Ontario ou Frontenac, & en partie d'un tres-beau port naturel, où toutes sortes de bâtimens peuvent mouiller en seureté.

La situation de ce Fort est si avantageuse, qu'il est aisé par son moien de couper la sortie, & le retour des Iroquois, & de leur porter même la guerre chez eux en vingt quatre heures, lors qu'ils sont en course. Cela se peut faire aisément par le moien des barques. J'y en laissay trois toutes pontées à mon dernier départ. On peut se rendre avec ces barques en tres peu de temps à la côte meridionale de ce Lac pour y ravager en cas de besoin les Tsonnontoüans, qui sont les plus nombreux de tous ces Cantons Iroquois. Ils y cultivent beaucoup de terres pour y semer du blé d'Inde, qu'ils y recuillent ordinairement pour deux ans. Ensuite ils l'enferment dans des caveaux, qu'ils creusent en terre, & qu'ils couvrent de telle maniere, que la pluye n'y peut point faire de mal.

La terre, qui borde ce Fort, est extremement fertile. On en a fait cultiver plus de cent Arpens pendant deux ans & demi, que j'y ay été en Mission. Le blé d'Inde, le blé d'Europe, les légumes, les herbes potageres, les citrouilles & les melons d'eau y ont tres bien reussi. Il est vrai, que dans l'abord ces blez y estoient fort gâter par les sauterelles. C'est ce qui arrive ordinairement dans ces nouveaux défrichemens des terres du Canada, à cause de la grande humiditè du Pays. Les premiers habitans, que nous y attirâmes, y ont fait nourrir des volailles.

On y a aussi transporté des bestes à cornes, qui y ont multiplié. Il y en avoit déja environ soixante de mon temps. Les arbres y sont tres-beaux, propres à y bastir des maisons & des barques. L'hyver y est prés de trois mois plus court qu'en Canada. Il y a lieu de croire, qu'il s'y formera une Colonie considerable. J'y laissay avant mon grand voiage quinze ou seize familles avec le Pere Luc Buisset Recollect, avec lequel j'administrois les Sacremens dans une Chapelle de ce Fort.

Pendant que le bord de ce Lac estoit gelé, je me rendis sur les glaces avec des grapins attachez à mes souliers à un village des Iroquois, nommé Ganneousse vers Keuté à neuf lieües du Fort avec le Sieur de la Salle, dont j'ai parlé. Les Sauvages du lieu nous presenterent de la chair d'Elan, & de porc-Epic à manger. Apres les avoir haranguez nous attirâmes à nostre Fort un assez grand nombre d'Iroquois pour former un village de quarante Cabannes, que ces gens habitérent entre nôtre Maison de Mission, & ledit Fort. Ces Barbares y défricherent des terres pour y semer du blé d'Inde, & des legumes, dont nous leur donnâmes des graines pour leurs Jardins. Nous leur apprîmes même contre leur coutume à manger, comme nous, de la soupe avec des legumes & des herbes.

Le Pere Luc & moi remarquâmes, que les Iroquois, dans la pronontiation de leur langue, n'ont point de labiales, comme B.P.M.F. Nous avions le Symbole des Apostres, l'Oraison Dominicale, & nos autres prieres ordinaires, traduites en langue Iroquoise. Nous les faisions apprendre & reciter aux enfans de ces Sauvages. A force de leur inculquer ces labiales, nous les façonnions à prononcer toutes les lettres comme nous. Nous les rendions familiers avec les enfans de nos habitans Européens du Fort. Ces enfans, qui nous estoient chers, parce qu'ils estoient nez Chrêtiens, conversans ainsi avec ces petits Iroquois, ils s'entr'apprenoient leurs langues maternelles. Cela servoit à entretenir une bonne correspondance avec les Iroquois. Ces Barbares demeuroient assidûment avec nous hors le temps de leur chasse.

Mais ce qui nous étoit sensible, c'est, que ces peuples allant à cette chasse pendant cinq ou six mois dans la profondeur des vastes forests, & souvent à plus de deux cens lieües de leur demeure ordinaire, ils y menent toutes leurs Familles avec eux. Et là ils vivent ensemble de la chair de tous les animaux sauvages, qu'ils y tuent avec les armes, qu'ils ont troquées avec les Européens contre des Pelleteries. Un Missionnaire ne peut pas suivre ces peuples dans des lieux si écartez. Ainsi les enfans des Sauvages oublioient pendant le temps de leur chasse, tout ce que nous avions tâché de leur apprendre dans le Fort de Frontenac.

Les habitans du Canada fatiguez de six mois d'hyver vers Quebec, les trois Rivieres, & l'Isle de Monréal, voiant que des Religieux de Saint François s'estoient habituez au dit Fort de Catarockoüy ou de Frontenac, où l'hyver est de trois mois plus court que chez eux, plusieurs d'entr'eux prirent la resolution d'y transporter leurs familles, & de s'y habituer. Ils se réprésentoient que nous leur administrerions les Sacremens, & que leurs enfans y recevroient une bonne education, sans qu'il leur en coutât rien, par ce qu'en effet nous les instruisions ordinairement sans en tirer aucun salaire.

Il y a eu des gens, qui ont toujours voulu se rendre les maistres en Canada, & les arbitres de tous les établissemens, qu'ils attiroient à eux par tous les moiens possibles. Ils en ont donc taché de s'attribuer la gloire de tous les bons succés. Ils ont poussé leurs creatures par tout, & ont taché de détruire nos desseins dans ce Fort. Ils ont même enfin fait sortir nos Récollets par le moien du Marquis de Denonville, qui s'est laissé surprendre aux artifices de ces gens-là. Ce Seigneur estoit alors Gouverneur du Canada. Ils l'avoient attiré dans leurs interests.

J'espere, que Dieu y rétablira quelque jour nos pauvres Religieux, par ce que leurs desseins ont toujours été purs & innocens, & qu'on n'a pu les faire sortir de ce Fort sans injustice. Dieu ne laisse rien impuni. Il vangera quelque jour le tort, qu'on leur a fait en cela. J'ai appris depuis quelque temps, que les Iroquois, qui sont toujours en guerre avec les François de Canada, se sont saisis de ce Fort de Catarockoüy. On m'â même dit, que de rage ces Barbares ont fumé dans leurs Pipes quelques doigts de ceux, qui ont fait sortir nos pauvres Recollets de ce Fort, & que les habitans modernes du Canada en ont fait des reproches à ceux, qui en ont été les Autheurs.

S: Nouvelle Decouverte d'un tres grand Pays Situé dans l'Amerique, entre le Nouveau Mexique et la Mer Glaciale, Avec les Cartes, & les Figures necessaires, & de plus l'Histoire Naturelle & Morale, & les avantages qu'on en peut tirer par l'établissement des Colonies. Le Tout dedie à Sa Majesté Britannique Guillaume III. Par le R. P. Louis Hennepin, Missionnaire Recollect & Notaire Apostolique, A Utrecht, Chez Guillaume Broedelet, Marchand Libraire, 1697, pp. 30-39.

Description topographique du saut de Niagara*

Nous navigâmes le long du Lac Erié, & aprés plus de cent quarante lieües de chemin, par les détours des Bayes & des Anses, que nous étions obligez de côtoïer, nous repassâmes par le grand Saut de Niagara & nous nous occupâmes pendant la moitié d'un jour à considerer cette prodigieuse Cascade.

Je ne pouvois concevoir, comment il se pouvoit faire, que quatre grands Lacs, dont le moindre à quatre cens lieües de circuit, & qui se déchargent les uns dans les autres, qui viennent tous enfin aboutir à ce grand Saut n'inondoient pas cette grande partie de l'Amerique. Ce qu'il y a de plus surprenant, en cela, c'est que depuis l'embouchure du Lac Erié jusqu'à ce grand Saut, les terres paroissent presque toutes plates, & unies. A peine peut on remarquer, qu'elles soient plus hautes les unes que les autres, & cela pendant l'espace de six lieües. Il n'y a que le Niveau de l'eau, dont le courant est fort rapide, qui le fasse observer. Ce qui surprend encore davantage, c'est que depuis cette grande Cataracte jusques à deux lieües plus bas en tirant vers le Lac Ontario ou Frontenac, les terres paroissent aussi unies, que dans les lieux, qui sont au dessus vers le Lac Erié jusques à ce prodigieux Saut.

Nôtre admiration redoubloit sur tout, de ce qu'on ne voit aucunes Montagnes, que deux grandes lieües au dessous de cette Cascade. Et cependant la décharge de tant d'eaux, qui sortent de ces Mers douces, aboutit à cet endroit, & saute ainsi de plus de six cens pieds de haut en tombant comme dans un Abyme, que nous n'osions regarder qu'en fremissant. Les deux grandes nappes d'eau, qui sont aux deux côtez d'une Isle en Talus, qui est au milieu, tombent en bas sans bruit, & sans violence, & glissent de cette maniere sans fracas. Mais quand cette grande abondance d'eau parvient en bas, alors c'est un bruit, & un tintamarre plus grand que le tonnerre.

Au reste le réjaillissement des eaux est si grand, qu'il forme une espece de nuées au dessus de cet Abyme, & on les y voit dans le temps méme de la plus grande clarté du Soleil en plein mydi. Quelque chaleur, qu'il fasse pendant le fort de l'Eté, on les voit toûjours elevées au dessus des Sapins & des plus grands Arbres, qui soient dans cet Isle en Talus, par le moien de laquelle, se forment ces deux grandes nappes d'eau, dont j'ay parlé.

J'ay souhaité bien des fois en ce temps là d'avoir des gens habiles à d'écrire ce grand & horrible Saut, afin d'en pouvoir donner un idée juste & bien circonstantîée, capable de satisfaire le Lecteur, & de le mettre en état d'admirer cette merveille de la Nature, autant qu'elle le merite. Voici pourtant une description de ce prodige de la Nature telle, que je la puis donner par écrit, pour en faire concevoir la plus juste idée, qu'il me sera possible au Lecteur curieux.

Il faut se souvenir, de ce que j'en ai fait remarquer en commençant mon voyage. On le trouve dans 7. Ch. le de ce livre. Depuis la sortie du Lac Erié jusques au grand Saut, on conte six lieües, comme je l'ay dit, & cela continue le grand Fleuve de St. Laurent, qui sort de tous ces Lacs, dont il a été fait mention. On conçoit bien, que dans cet espace le Fleuve est fort rapide, puis que c'est la decharge de cette grande quantité d'eau, qui sort de tous ces Lacs. Les terres, qui sont des deux côtez à l'Est, & à L'Ouëst de ce Courant, paroissent toûjours égales depuis le dit Lac Erié jusques au grand Saut. Les bords n'en font point escarpez, & l'eau y est presque toûjours au Niveau de la terre. On voit bien, que les terres, qui sont au dessous, sont plus basses, puis qu'en effet les eaux coulent avec une fort grande rapidité. Cependant cela est presque imperceptible pendant les six lieües, dont il a été fait mention.

Après ces six lieües de grand Courant les eaux de ce Fleuve trouvent une Isle en Talus d'environ un demi quart d'heure de long, & de trois cens pieds de large à peu prés, autant qu'on en peut juger à l'œil, par ce qu'il n'est pas possible d'aller dans cette Isle avec les Canots d'écorce sans s'exposer à une mort assurée, à cause de la violence des eaux. Cette Isle est pleine de Cedres & de Sapins. Cependant ses terres ne sont pas plus elevées que celles, qui sont aux deux bords du Fleuve. Elles paroissent méme unies jusques aux deux grandes Cascades qui composent le grand Saut.

Les deux bords des Canaux, qui se forment à la rencontre de cette Isle, & qui coulent des deux côtez, moüillent presque la superficie des terres de cette Isle, comme celles, qui sont aux deux bords du Fleuve à l'Est & à l'Ouëst en décendant du Sud au Nord. Mais il faut remarquer, qu'à l'extrémité des Isles du côté des grandes Nappes ou chûtes d'eau, il y a un Rocher en Talus, qui décend jusques au grand gouffre, dans lequel ces eaux se precipitent. Cependant ce Rocher en Talus n'est nullement arrosé des deux nappes d'eau, qui tombent aux deux côtez, par ce que les deux Canaux, qui se sont formez par la rencontre de l'Isle, se jettent avec une extréme rapidité, l'un à l'Est, & l'autre à l'Ouëst depuis le bout de cette Isle, & c'est là ou se forme le grand Saut.

Après donc que ces deux Canaux ont coulé des deux côtez de l'Isle, ils viennent tout d'un coup à jetter leurs eaux par deux grandes Nappes, qui tombent avec roideur, & qui sont ainsi soutenues par la rapidité de leur chûte sans moüiller ce Rocher en Talus. Et c'est alors qu'elles se precipitent dans un Abyme, qui est au dessous à plus de six cens pieds de profondeur.

Les eaux, qui coulent à l'Est, ne se jettent pas avec tant d'impetuosité, que celles, qui tombent à l'Oüest. La nappe coule plus doucement, par ce que le Rocher en Talus, qui est au bout de l'Isle, est plus elevé dans cet endroit qu'à l'Oüest. Et cela soutient plus longtemps les eaux, qui sont de ce côté-là. Mais ce Rocher panchant davantage du côté de l'Oüest, cela est cause, que les eaux n'étant pas soutenues si longtemps, elles tombent plutôt, & avec plus de precipitation. Ce qui vient aussi, de ce que les terres, qui sont à l'Oüest, sont plus basses, que celles qui sont à l'Est. Aussi voit on, que les eaux de la nappe, qui est à l'Oüest, tombent en maniere de trait quarré, faisant une troisiéme nappe, moindre que les deux autres, laquelle tombe entre le Sud & le Nord.

Et parce qu'il y a une terre eminente au Nord, qui est au devant de ces deux grandes Cascades, c'est là ou le gouffre prodigieux est beaucoup plus large qu'à l'Est. Il faut pourtant remarquer, que l'on peut décendre depuis les terres eminentes, qui sont vis à vis des deux dernieres nappes d'eau, que l'on trouve à l'Oüest du grand Saut, jusques au fond de ce gouffre affreux. L'Autheur de cette Découverte y a été, & a veu de prés la cheute de ces grandes Cascades. C'est de là, qu'on voit une distance considerable au dessous de la Nappe d'eau, qui tombe à l'Est, telle que quatre Carosses y pourroient passer de front sans être moüillez. Mais par ce que les terres, qui sont à l'Est du Rocher en Talus, ou la premiére nappe d'eau saute dans le gouffre, sont fort escarpées, presques en ligne perpendiculaire, il n'y a point d'homme, qui se puisse rendre de ce côté là dans le lieu, ou les quatre Carosses peuvent passer sans être moüillez, ni qui puisse percer cette multitude d'eau, qui tombe vers le gouffre. Ainsi il est fort vray semblable, que c'est dans cette partie séche, que se retirent les Serpens Sonettes, où ils se rendent par des trous soûterrains.

C'est donc au bout de cette Isle en Talus que se forment ces deux grandes nappes d'eau, avec la troisiéme, dont j'ay fait mention: Et c'est de là qu'elles se jettent en sautant d'une maniere effroiable dans ce prodigieux gouffre de plus de six cens pieds de profondeur, comme nous l'avons remarqué. J'ay déja dit, que les eaux, qui tombent à l'Est, sautent & se jettent avec moins de violence, & qu'au contraire celles de l'Ouëst se precipitent tout d'un coup, & font deux Cascades, dont l'une est mediocre, l'autre fort violente. Mais enfin ces deux dernieres Cascades sont une espece de crochet ou de trait quarrê, & sautent du Sud au Nord, & de l'Ouëst à l'Est. Après quoy elles vont rejoindre les eaux de l'autre Nappe, que se jette à l'Est; & c'est alors qu'elles tombent toutes deux, quoy qu'inegalement dans cet effroiable Abyme avec toute l'impetuosité, qu'on peut s'imaginer dans une chûte de six cens pieds de haut, ce qui fait la plus belle, & tout ensemble la plus affreuse Cascade, qui soit au monde.

Aprés que ces eaux se sont ainsi precipitées dans cet horrible gouffre, elles recommencent leurs cours, & continuent le grand Fleuve de St. Laurent pendant deux lieües jusques aux trois montagnes, qui sont à l'Est de ce Fleuve, & jusques au gros Rocher, qui est à l'Ouëst, & qui paroit fort elevé hors des eaux à trois brasses de la terre, ou environ. L'Abyme, dans lequel se jettent ces eaux, continue ainsi pendant deux lieües entre deux chaines de montagnes, qui font une grande Ravine bordée de Rochers, lesquels sont aux deux côtez du Fleuve.

C'est donc dans ce gouffre, que tombent toutes ces eaux avec l'impetuosité, qu'on peut s'imaginer d'une chûte si haute, & si prodigieuse de cette horrible abondance d'eau. C'est là, que se forment ces tonnerres, ces mugissemens, ces bondissemens, & ces bouillons effroiables avec cette nuée perpetuelle, qui s'eleve au dessus des Cedres & des Sapins, que l'on voit dans l'Isle en Talus, dont il à été fait mention. Apres que le Canal, s'esté formé au bas de cette horrible chûte par les deux rangs de Rochers, dont nous avons parlé, & qui est rempli par cette prodigieuse quantité d'eau, qui y tombe continuellement, le Fleuve de St Laurens recommençe d'y couler. Mais c'est avec tant de violence, & ces eaux heurtent ces Rochers depart & d'autre avec une si terrible impetuosité, qu'il est impossible d'y naviguer, non pas méme en Canot d'écorce, avec lesquels pourtant en navigeant terre & à terre on peut franchir les rapides les plus violens.

Ces Rochers, & cette Ravine durent pendant deux lieües depuis le grand Saut jusques aux trois Montagnes, & au gros Rocher, dont il à été fait mention. Cependant tout cela diminue insensiblement à mesure, qu'on s'approche des trois montagnes,

& du gros Rocher. Et alors les terres recommencent à être presque de Niveau avec le Fleuve, & cela dure jusques au Lac Ontario, ou de Frontenac.

Quand on est auprès du grand Saut, & qu'on jette les yeux sur cet effroiable gouffre, on en est épouvanté, & la tête tourne à tous ceux, qui s'attachent à regarder fixement cette horrible Chûte. Mais enfin cette Ravine venant à deminuer, & à tomber méme à rien aux trois Montagnes, les eaux du Fleuve St-Laurent commencent à couler plus doucement. Ce grand rapide se rallentit & le Fleuve reprenant presque le Niveau des terres, Il est pour lors navigable jusques au Lac de Frontenac au travers duquel on passe pour se rendre dans le nouveau Canal, qui se forme de sa décharge. Et alors on rentre dans le Fleuve de St. Laurens, qui forme peu après ce qu'on appelle le long Saut à cent lieuës de Niagara.

J'ay souvent ouï parler des Cataractes du Nil, qui rendent sourds ceux, qui en sont voisins. Je ne say, si les Iroquois, qui habitoient autrefois près de ce Saut, & qui vivoient des bêtes fauves, que les eaux de ce Saut entrainoient avec elles, & qu'elles faisoient tomber d'une si prodigieuse hauteur, se sont retirez du voisinage de cette grande chûte d'eau, dans la crainte de devenir sourds, ou si cela est arrivé par la fraïeur, ou ils étoient sans cesse des Serpens sonnétes, qui se trouvent en ce lieu là pendant les grandes chaleurs, & qui se retirent dans des creux, ou on ne peut les attaquer le long des Rochers jusques aux Montagnes; qui sont deux lieües plus bas.

Quoy qu'il en soit on voit de ces dangereux animaux jusqu'auprès du Lac de Frontenac vers la côte Meridionale, Mais comme ces Serpens ne paroissent, que pendant les grandes chaleurs, & méme lors qu'elles sont extraordinaires, on ne les craint pas tant, qu'ailleurs, Cependant on peut presumer assez raisonnablement, que le bruit horrible de ce grand Saut, & la crainte de ces dângereux Serpens peuvent avoir obligé ces Sauvages de chercher une habitation plus commode.

Nous nous rendîmes au Lac Ontario ou de Frontenac, en faisant le portage de nôtre Canot depuis le grand Saut de Niagara jusques au pied de ces trois Montagnes, qui sont deux lieües plus bas, vis à vis du gros Rocher, dont j'ay fait mention. Pendant ces deux lieües de chemin nous n'apperçumes aucun de ces Serpens Sonnétes.

S: *ibid.*, pp. 443-456.

ANTOINE SILVY
(1638-1711)

Antoine Silvy naît à Aix-en-Provence [département des Bouches-du-Rhône dans le sud-est de la France] le 16 octobre 1638. Il étudie au collège des jésuites de sa ville natale, puis entre dans la Compagnie de Jésus à Lyon [département du Rhône, dans le centre-est de la France] le 7 avril 1658. Il enseigne à Grenoble [département de l'Isère, dans le sud-est de la France], Embrun [département des Hautes-Alpes, dans le sud-est de la France] et Bourg-en-Bresse [département de l'Ain, dans le sud-est de la France]. De 1667 à 1671, il étudie la théologie à Dole [département du Jura, dans l'est de la France], et la spiritualité à Lyon en 1671-1672. Il arrive à Québec le 30 septembre 1673. De 1674 à 1678, il est missionnaire chez les Amérindiens de la région des Grands Lacs et du Sud-Ouest américain; il passe ensuite six ans dans les missions du Saguenay. En 1684, il est aumônier de l'expédition navale que Claude de Bermen de La Martinière conduit dans le nord de la baie d'Hudson pour le compte de la Compagnie du Nord fondée à Québec en 1682. Vers le début de septembre 1685, le père Silvy est de retour à Québec. Le 30 mars 1686, il part de nouveau pour la baie d'Hudson, cette fois par terre et pour le sud de la baie, comme aumônier de la troupe réunie par Pierre de Troyes, dit Chevalier de Troyes. De 1687 à 1693, il est à la baie d'Hudson, aumônier dans des postes français et missionnaire auprès des Amérindiens. Par la suite, résidant au collège des jésuites de Québec, il est professeur de mathématiques, puis ministre, père spirituel et consulteur des missions; il y décède le 24 septembre 1711.

Le meilleur texte du père Antoine Silvy est la relation du voyage qu'il fit comme aumônier de l'expédition de Claude de Bermen de La Martinière à la baie d'Hudson. La première partie de cette relation est un journal de bord que l'on dirait tenu par un mathématicien et géographe: à la date de chaque jour, le diariste donne la situation du bateau en degrés de latitude précis, il note la direction de ses déplacements selon la rose des vents, estime les distances parcourues, fait état des difficultés rencontrées et décrit le paysage. La seconde partie est plus narrative: le père abandonne la chronologie précise et quotidienne; il raconte les événements avec soin, mais ne les date que de temps en temps. Il termine son récit en donnant les coordonnées géographiques de la meilleure route à suivre pour se rendre de Québec à «Portnelson». L'écriture du père est économique: la langue est classique, simple et claire, et aucun détail inutile ne vient l'alourdir; limpide, le mouvement de la phrase est tout action.

Nous avons emprunté les pièces qui suivent à l'édition annotée que le jésuite Camille de Rochemonteix a publiée — la première en fait — en 1904, à Paris, chez les éditeurs Letouzey et Ané, sous le titre de «Journal du P. Silvy depuis Bell'Isle jusqu'à Portnelson», dans *Relation par lettres de l'Amerique septentrionalle (années 1709-1710)*, pp. xxxiii-lxiii. — Nous reproduisons tel quel le texte de cette édition.

De l'Île-aux-Coudres à la rivière Hayes*

Le 12 juillet la barque que nous attendions de Kebec nous aiant joints à l'Isle aux Coudres nous levames l'ancre le soir, et poussés d'un vent alisé qui fut de durée, nous entrâmes le 21ᵉ dans le destroit de terre neuve, où nous vîmes quantité de fort belles glaces, dont les unes semblaient de loin de grands navires à la voile, et les autres des pyramides, des châteaux ou des places fortes, lesquelles nous passant à droite et à gauche nous raffraichissoient assez pour nous faire trembler; en estant sortis la nuit après avoir doublé Bell'-Isle nous singlâmes en haute mer pour tenir le large des isles qui bordent la coste de Labrador, et fuir les difficultés et les dangers qu'on court entre elles et la terre ferme où les courants portent des glaces, et par le N. E. 1/4 N. le N. E. le N. N. E. et le N. nous nous eslevames jusqu'au 53 d. de lat. ou nous nous trouvames le 22ᵉ à midy, c'est à dire un degré plus nord que Bellisle qui est par le 52ᵉ.

Le 23ᵉ à midy estant par le 53 d. 54´, nous vimes des glaces d'une hauteur prodigieuse, dont une estoit asseurement 2 fois plus haute que nos mats, quoiqu'elle ne fut pas des plus grandes, car estant à 1/4 de lieüe de nous pendant que l'autre barque passoit entre 2 a 1/2 quart de lieüe de chaque costé nous en avions plus de la moitié par dessus la grisette de son grand hunier.

Lapresdinée nous ne fismes pas plus de 3 lieüs sur la route.

Le 24ᵉ un N. O. extremement froid nous berça de telle manière que ne pouvant nous tenir sur le pont nous fûmes contraints de garder le lit presque tout le jour pour nous deffendre du mal de mer dont nous nous sentions menacés, comme nous estions trop près du vent pour tenir le N. nous ne fimes peutestre pas 3 lieües en toute la journée.

Le 25ᵉ nous n'avançames presque pas sur la route n'ayant fait que regagner par l'O. N. O. la terre d'où le vent du jour précédent qui nous poussoit toujours au large, aussi bien que les grands courants, nous avoit par trop esloignés. Sur le midy pourtant aiant pris hauteur nous nous trouvames par le 54 d. 53′ et sur le soir la brume s'estant espaissie nous reprîmes la route vers le N. de peur d'aller donner du cap a terre pendant la nuit.

Le 26ᵉ à la pointe du jour nous faillimes à aller donner contre une grande glace qu'une brume espaisse cachoit, et qu'on ne para qu'avec peine. Sur le midy la brume s'estant dissipée nous nous trouvames par le 55 d. 50′.

Le 27ᵉ le calme nous arresta parmi les flots d'une mer extraordinairement agitée, nous ne laissames pourtant pas d'avancer un peu vers la terre à l'O. N. O.

Le 28 et le 29ᵉ nous courumes la même route à la faveur d'un vent arrière, et nous vimes des glaces prodigieusement hautes, il y en avoit une plus haute que le saut au matelot, et il y en avoit quantité de si hautes que nos mats ne paroissoient gueres aupres.

Le 30ᵉ nous vimes la terre que nous cherchions depuis 3 jours pour faire du bois et de l'eau qui commençoient à nous manquer; nous l'attaignîmes vers le midy, mais en un endroit affreux en montagnes de roche pelée, ou ayant pris hauteur nous nous trouvames au 56 d. 3′ d'elevation, tellement qu'en 3 jours nous ne fîmes que 4 lieües sur notre route. Des que nous fumes pres de terre nous apperçûmes venir à nous entre 2 eaux comme des anguilles une douzaine de canots d'esquimaux avec un homme seul dans chacun, aussi n'en peuvent-ils porter davantage, n'aiant qu'un trou rond au milieu pour l'y recevoir. Ils venoient en criant continuellement et maniant en l'air quelque piece de leur butin, en signe qu'ils vouloient traitter, ils n'ont que des peaux de loups marins ou en capots ou autrement, pour lesquelles ils ne demandent que des couteaux, ils ne petunent point du tout, ce qui est bien extraordinaire pour des sauvages. Ils sont d'un naturel enfant et rieurs au possible, mais d'une maniere puerile et niaise. S'ils présentent une peau de loup marin pour laquelle on leur donne une petite jambette, ils ne l'ont pas plutost receüe qu'ils esclattent de rire comme s'ils avoient gagné un thrésor, et s'ils nous donnent un capot composé de 2 ou 3 peaux aussy grandes, et même plus grandes et plus belles, et fort délicatement cousües pour lequel on leur présente une jambette seulement, ils la reçoivent avec les mêmes demonstrations de joye, et les mêmes esclats de rire comme s'ils gagnoient beaucoup; leur deffiance est telle qu'ils veulent tenir d'une main quand ils lâchent de l'autre. Ils ne sont point tentés de monter à bord, ils ne vivent la plus part du temps que de loups marins et de vaches marines qu'ils dardent et dont les dents leur servent à faire leurs dards. Ils sont au reste gros et gras et assez blancs par tout le corps.

Le 31ᵉ à midy nous nous trouvames par le 56 d. 43´ de lat. parmi des illes de roche pelée, où le vent nous aiant manqué nous moüillames l'ancre.

Le 4ᵉ aoust aiant appareillé nous levames l'ancre au lever du soleil, quoique le temps fut assez embrumé. Une neüe se partoit neanmoins encore assez loin, mais la brume ordinaire en cette route-la s'estant espaissie et approchée un peu trop de nous, nous fûmes donner de la quille sur une batture de rocher, à une brasse et demy d'eau, où nous touchames par trois fois sans nous faire mal; nous n'allions pas vite à cause que la brume avoit rabattu le vent. Cela nous obligea pourtant à pousser au large de peur de plus grandaccident; peu de temps après le vent aiant fraichi et la brume estant dissipée nous nous trouvames au 54 d. 6´ vis à vis du havre Saint-Pierre qu'on cherchoit depuis quelques jours pour y faire de l'eau et du bois, nous y entrâmes vers le midy. C'est un bassin de plus d'une lieüe 1/2 de diametre entouré de grandes montagnes de roche pelée au pied desquelles neanmoins on trouve quelque peu de bois; entre ces montagnes on voit une assez belle riviere qui se decharge dans le bassin dans lequel on est a couvert des vents, et il passeroit en Europe pour un port tres seur et tres beau. Ce fut dans ce havre seulement que nous trouvames quelque peu de chaleur, et quantité de maringoins noirs comme des Éthyopiens.

Le 6ᵉ nous reprimes nostre route au N. N. E. à la faveur d'un petit vent qui ne nous mena pas bien loin, ayant pourtant fraischi sur le soir, nous nous trouvames le 7ᵉ par le 54 d. 42´ sans avoir perdu de veüe les terres toutes de même nature que les precedentes et bordées d'isles semblables et fort hautes, parmy lesquelles on decouvre quantité de grandes et profondes bayes, ayant ensuite porté N. et N. N. O. le 8ᵉ à midy nous fumes par le 58 d. 40´.

Le 9ᵉ à midy nous ne nous trouvames qu'au 58 d. 55´ m. à cause du calme qui avoit duré pendant la nuit et le matin.

Le 10ᵉ nous avançames beaucoup plus sur la même route malgré le calme et la brume ordinaire.

Le 11ᵉ au matin nous fumes à la veüe du détroit assez près des isles Bouton qui en sont à l'entrée, le calme nous arresta là quelque temps, et la brume nous en ota bientôt la veüe, mais un peu après midy un vent de terre s'estant levé nous fit avancer au N. O. 1/4 O. en nous poussant pourtant au large à cause qu'il estoit trop pres et aidé du courant qui nous y entrainoit aussy.

Le 12ᵉ nous ne fimes que croiser à la veüe du détroit sans y pouvoir entrer le vent estant contraire, neanmoins sur le soir s'estant rendu plus favorable nous y poussames nonobstant la brume toute la nuit au N. O. et N. O. 1/4 O. et par suite au de la du 61 d. de lat. ou se trouve l'entrée du detroit.

Le 13ᵉ vers le midy la brume s'estant dissipée nous vimes la côte du nord a environ 20 lieuës avant dans le detroit, où un petit vent un peu contraire ne laissa pas de nous faire avancer le reste du jour.

Le 14ᵉ le calme de la nuit precedente durant encore, et le courant estant fort grand nous derivames tellement qu'à midy nous ne nous trouvames qu'au 61 d. 55′ ou environ, car la brume estant survenüe nous empescha de prendre au juste la hauteur.

Le 15ᵉ le vent continuant à nous estre contraire, nous ne fimes que continuer à nous soutenir en croisant le détroit et louvoiant du N. au S. et du S. au N. sans avancer notablement puisque nous perdions presque d'une bordée ce que nous avions gagné de l'autre, quoique Mʳ l'Allemand jugeast à son estime que sur le soir nous avions avancé environ 10 lieuës, sur la route qui est O. N. O. dans tout le détroit.

Le 16ᵉ au matin le calme nous aiant arresté et le ciel s'estant esclaircy nous nous vimes encore à la veüe des isles Bouton, ou de l'entrée du destroit, et par conséquent nous jugeames avoir perdu ce que nous avions gagné les jours précédents, aussy nous trouvames-nous seulement au 61ᵉ d. 10′ de lat. mais après midy un vent favorable s'estant levé nous poussa droit à l'O. N. O. le reste du jour, et toute la nuit par l'espace d'environ 15 à 16 lieües.

Le 17ᵉ nous eumes tout le matin le même vent qui nous fit avancer d'autant, et nous eut porté bien plus loin si la brume ne l'eust calmé vers le midy.

Le 18ᵉ aiant vû la terre du sud à la hauteur de 61 d. 17′ pour n'aller pas donner sur une grande isle qui tient près de la moitié du destroit, il fallut quitter notre route et traverser au nord à la faveur d'un petit vent qui nous poussa toute la nuit, et ne laissa pas de nous faire gagner quelque chose sur elle.

Le 19e à midy la brume nous aiant fait jour nous decouvrimes de 8 ou 10 lieües loin la terre du nord laquelle est extremement haute, et paroist comme crenelée et toute entrecoupée de montagnes.

Le 20e à la faveur d'un petit vent arrière survenu le soir precédent nonobstant la brume et la pluye qui sembloient le devoir abattre nous fimes sur notre route à l'O. N. O. vingt lieües ou environ.

Le 21e apres un calme de presque toute la mattinée un petit vent nous poussa quelque peu au N. O. l'espace de quelques heures pour nous escarter de la grande isle qui est contre la terre du Sud à 30 lieües de l'entrée de la baye et qu'on nomme l'isle du Cap de Charles; sur le soir le vent estant devenu contraire nous ne pumes que traverser à l'autre bord, en biaisant tant soit peu vers le N. 1/4 N. O.

Le 22e nous ne fîmes que croiser au même endroit, en avançant pourtant un peu sur la route.

Le 23e nous fumes poussez d'abord du même vent, mais comme il se rendit un peu meilleur sur le midy, et que nous ne poussames pas si avant la bordée qui nous portoit au Sud, nous trouvames avoir gagné 5 lieües à l'ouest depuis le jour precedent, à cause qu'on avoit porté quelque temps au N. O. 1/4 N. puisqu'aiant pris hauteur nous nous trouvames par le 63 d. 28′ de sorte que nous estions sur la ligne E. et O. de la sortie du detroit à 20 ou 25 lieües près.

Le 24e le calme nous prit à midi sous le 64 d. 15′ à la veüe des isles qui bordent la cote du Nord.

Le 25e nous louviames encore de ce vent, après la neige un calme de la plupart du jour, et parmi les brouillards fort espais. Comme nous estions à croiser le destroit depuis 2 semaines, et que nous avions encore autant de fois de chemin à faire que nous en avions fait depuis son entrée, dans la crainte de quelque extrémité faute de bois d'eau et d'autes choses nécessaires nous fimes des prieres pour obtenir un temps plus favorable.

Le 26e aiant louvoié quelque temps de même vent, et de la derniere bordée estant alles partie à l'O. 1/4 N. O. et partie à l'O. S. O. nous vimes après midy les isles de la sortie du destroit dont la premiere est Salsbré, et peu de temps après on decrouvrit la pointe de la terre ferme du Sud laquelle aboutit à la baye.

Salsbré n'est qu'à 4 ou 8 lieües de cette coste-la, et comme nous estions entre les deux et que le vent estoit trop pres, de peur qu'il ne nous jettast sur la coste pendant la nuit nous changeâmes de bordée pour regagner le nord de l'isle; mais la brume nous obligea de mettre à la cape vers les 10 ou 11 heures du soir.

Le 27e au matin on reprit la même bordée que l'on poussa jusqu'à la veüe d'une autre grande isle entourée d'islettes vers la terre du Nord, et parce que le vent nous y portoit dessus nous revirames pour enfiler entre les deux à l'O. S. O. Sur le soir on revira, pour courir encore vers le N. E. 1/4 N. mais le vent contraire s'estant renforcé nous contraignit de passer la nuit presqu'à la cape, n'allant qu'à tres petites voiles.

Le 28e ayant changé de bord au jour on revint tomber sur l'isle de Salsbré, d'où l'on reprit la bordée vers l'autre du côté du Nord le reste du jour pour tacher de parer à l'autre bordée celle de Salsbré en portant vers celle de Naringam qui la suit à l'O. et qui se trouve tout à l'entrée de la baye.

Le 29e au matin nous estant encore trouvés au bout de l'isle Salsbré, et voiant qu'en louvoiant du costé du nord nous n'avions rien gagné peutestre à cause du trop grand courant qui s'y trouve on fut d'avis de la costoier pour voir si l'on réussiroit mieux du côté du Sud. Y estant donc arrivés après midy nous le trouvames barré de glaces mouvantes, à travers lesquelles il fallut nous faire chemin à la perche. Nous ne fumes pas bien du temps à nous en tirer; cette isle de roche escarpée est assez grande et fort haute, excepté le côté du Sud qui est beaucoup plus bas que les autres; nous vimes en cet endroit quantité de vaches marines qui nous montroient leurs dents blanches et longues avec lesquelles elles s'accrochent quand elles grimpent les rochers ou les glaces pour s'y coucher dessus. Nous passames cette isle et des islets de roche d'où deboutoit au large une batture assez grande qu'il n'eust pas fait bon rencontrer dans les brumes; mais par bonheur nous y passames de temps clair, et le vent nous aiant manqué nous fumes obligés de mouiller l'ancre un peu après l'avoir doublée, de peur que le courant fort violent ne nous rejettast dessus.

Le 30e à midy la marée descendant nous portant dans la baye nous levames l'ancre pour tascher de sortir d'un destroit si dangereux, mais peu de temps apres le calme nous contraignit de remoüiller plus pres de l'isle, ce qui nous donna lieu d'envoyer remplir quelques barriques d'eau à terre, estant presque à bout de la nostre.

Le 31ᵉ nous appareillames avant le jour pour profiter d'un petit vent favorable qui s'esleva, mais peu d'heures après nous trouvames tout barré de glaces parmi lesquelles on tacha de se faire jour. Nous y fumes bientost enfermés de tous les costés à perte de veüe, et toute la nuit nous demeuramos acostés les 2 bastiments. Nous demeurâmes en ce même estat le 1ᵉʳ de septembre le temps estant calme et embrumé.

Le 2ᵉ au matin nous estant trouvés hors des glaces qu'un vent d'O. survenu la nuit avait escartées nous passames vers la coste du Nord entre Naringam et Salsbré, mais peu d'heures après nous rentrames encore dans d'autres bancs de glace, parmi lesquelles le vent même sans voiles nous poussoit si violemment que le devant de nostre esperon fut cassé par les glaces, 3 ou 4 grosses chevilles de fer qui le tenoient se rompirent en 2, et si l'etrave n'eust esté assez forte pour résister à la secousse nous eussions esté en danger de couler bas avant que de gagner terre pour y remedier; mais graces à Dieu il ne se fit point d'ouverture au bastiment, nous fûmes ensuite obligés à nous grapiner par 2 fois, pour attendre un temps plus favorable.

Le 3ᵉ les glaces nous laisserent libres des le grand matin, le vent et la marée les aiant toutes poussées vers Salsbré. Le vent ensuite s'estant rangé du coté du nord, nous contraignit de rebrousser pour nous en sortir, et aiant cotoié le sud de Natingam nous entrames environ les 3 heures apres midy dans la baye tant desirée à la veüe du cap de Digne, qui est une petite isle avancée dans la baye à 2 ou 3 lieües de la pointe du sud du detroit. Les courants et le vent trop pres nous aiant fait trop deriver au Sud pendant la nuit nous ne pûmes parer l'isle Mansfild au Nord, en allant O. N. O. ce qui nous obligea de mettre à la cape jusqu'au jour de peur d'y aller donner dessus.

Le 4ᵉ à la pointe du jour on se mit en route au S. S. O. pour aller doubler Mansfild au Sud. Cette isle est avancée à 20 ou 25 lieües dans la baye le long de la coste de l'Est, et a du Nord au Sud environ 15 lieües d'estendüe; mais le vent s'estant rangé de ce coté-là il fallut revirer au N. O. et revenir sur nos brisées.

Le 5ᵉ au matin le vent devenu N. N. E. nous remit en route au S. O. nous poussant assez bien. Il se mit un peu de coté quelque temps après sans laisser de nous faire assez bien aller de l'avant sur la même route à la veüe du bout du sud de Mansfild, que nous laissames à stribor (*sic*); ayant pris hauteur à midy nous nous trouvames au 61 d. 52´. L'apres dînée le vent s'estant un peu trop approché de nous ne nous avança pas beaucoup, mais la nuit s'estant mis arrière nous poussa vivement en route à l'O. S. O.

Le 6e le vent mollissant fort nous poussa lentement jusqu'à 10 h. qu'aiant entierement calmé nous fûmes arrestés presque toute la relevée, à environ 53 l. de la sortie du destroit, et vers le 61 d. de lat. que nous pûmes prendre au juste.

Le 7e 8e et 9e nous fusmes souvent arrestés de calme, ou contraints par des vents contraires à louvoier sur nostre route, ou nous ne gagnions que bien peu. Sur la 9e du 9e le vent s'estant mis de l'arriere nous poussa droit l'O. S. O. toute la nuit, et d'un air à faire 5 lieües en 4 heures.

Le 10e au matin le vent nous poussa de même air encore quelques heures quoiqu'il fust un peu de coté, mais s'estant par trop approché nous fusmes le reste de la mattinée et partie de la soirée un peu moins de l'avant, ne faisant qu'environ 3 l. en 4 h. au même rhum de vent jusque sur les 4 h. qu'estant trop pres il nous obligea de porter à l'ouest; on se croioit alors à 60 ou 65 lieües de nostre riviere, peu de temps apres aiant viré le bord nous portames au S. S. O. et ensuite au S. O. 1/4 S. et assez bien presque toute la nuit faisant environ 4 lieües en 4 heures, le roulis extraordinairement grand nous empeschant d'en faire davantage. Il nous berçoit de telle sorte que nous ne pouvions nous tenir nulle part.

Le 11e nous fusmes agités par même maniere, et par le même vent lequel s'estant rendu moins favorable ne nous avança pas beaucoup, la derive et les flots vehements reduisant nostre route à la valeur du Sud ou peu s'en falloit; ayant pris hauteur à midy nous nous trouvames par le 59 d. 5´.

Le 12e nous poussames encore au S. mais petitement et vers le midy à l'O. S. O. et avant pris hauteur nous nous trouvames par le 58 d. 15´, presque toute la relevée nous portames au meme rhum d'un vent assez modéré jusqu'au soleil couchant qu'il calma presque entierement. Estant allés durant la nuit et la mattinée suivante au S.O. 1/4 O. nous nous trouvames le 13e à midy par le 54e deg. 44´. L'apres-dînée on fit même route jusqu'à la nuit que le vent s'estant jetté vers le N., et peu d'heures après au N. N. O. nous portames à l'O. toute la nuit.

Le 14e on tint la même route toute la mattinée, mais toujours à petites voiles à cause de la violence du vent, et de la trop grande agitacion de la mer, car il n'eust pas fait bon alors approcher si vite la terre que nous esperions voir ce jour-la, mais de peur d'y arriver la nuit avec danger nous la passames à la cape.

Le 15ᵉ dès la pointe du jour on continua la même route, et sur les 8 heures on decouvrit la terre, et l'aiant approchée environ 2 lieues et à 4 brasses d'eau seulement on revira pour s'en esloigner et se remettre au large jusqu'à midy; car on ne pouvoit la reconnoistre estant fort basse. A midy l'on prit hauteur pendant qu'on regagnoit la terre, et l'on trouva 56 d. 33′ c'est à dire 12 l. et 1/3 plus sud que la riviere qui se trouve au 54 d. 10′ au sentiment de Mʳ l'Allemand. Le temps contraire nous obligea de moüiller là l'ancre; nous apperçûmes une grande fumée à terre; on crut que c'estoit les sauvages d'une riviere qui s'y décharge au sentiment du meme, et l'on fut sur le point d'y envoier un canot pour apprendre des nouvelles, mais le temps ne le permit pas.

Le 17ᵉ voiant qu'estant si pres de terre en une saison où les vents qui viennent du Sud ne regnent guères en cette mer la nous pouvions à peine nous en tirer, et que le vent d'O. continuoit, on fut d'avis de s'en servir pour se mettre au large par une bordée de N. N. O. que nous fîmes depuis midy qu'on leva l'ancre jusqu'à 3 heures qu'on la mouilla de rechef à 10 brasses d'eau, mais sur les 8 heures du soir à la faveur d'un vent du Sud on appareilla pour porter successivement à l'O. N. O. au N. O. au N. O. 1/4 et à l'O. selon que la sonde le demandoit, car pendant la nuit on sondoit continuellement de peur d'aller donner contre quelque pointe de terre qu'on n'eust pu decouvrir alors toutes ces terres estant si basses que les moindres vagues les cachent.

Le 18ᵉ on poussa tout le jour de même, et la hauteur prise on se trouva par le 54 d. 8′ a la veüe des terres, pendant la nuit on fut à l'ancre assez pres de la pointe de l'ance où se rencontre la riviere que nous cherchions attendant un vent favorable pour nous y porter.

Le 19ᵉ aiant poussé jusqu'a midy on se trouva par le 54 d. 20′ c'est à dire 10′ plus N. que la riviere ainsi qu'on l'avoit prétendu pour en attraper l'entrée plus aisément.

Le 20ᵉ craignant de nous rendre trop tard à l'habitation nous fimes des prieres, et le 21ᵉ des les 2 h. du matin il se leva au vent de sud alisé et moderé tel qu'on le souhaistoit, nous levames l'ancre et cotoiames à la sonde et à 4 brasses d'eau la terre jusqu'à l'ance de la riviere. Cette journée fut tres belle; a 8 h. du soir nous mouillames l'ancre à 5 brasses d'eau, et à la veüe de la riviere vers laquelle nous n'osames pas avancer à cause d'une batture qu'il nous falloit doubler pour y entrer, et que l'on n'eust pu découvrir dans l'obscurité de la nuit.

Le 22e aiant levé l'ancre des le petit jour nous doublames la batture, et entrames dans la riviere tant désirée; elle est assez large, mais fort platte, et entre 2 bords extremement bas, et couverts seulement de fredoches et de petits bois; le costé du nord qui la separe de la grande ou de Portnelson est un peu plus elevé que l'autre duquel on voit d'abord sortir une autre petite riviere qui vient se perdre dans la nostre où nous ne fumes pas plus tost que nous decouvrimes contre une pointe sur la droite à une lieüe plus haut un pavillon anglois et quelques batiments, nous en fumes d'autant plus surpris que nous n'avions trouvé personne quoique nous n'eussions fait que croiser le détroit et la baye par l'espace de 6 semaines.

S: «Journal du P. Silvy depuis Bell'Isle jusqu'à Portnelson», dans *Relation par lettres de l'Amerique septentrionale (années 1709-1710)*, éditée et annotée par le P. Camille de Rochemonteix, de la Compagnie de Jésus, Paris, Letouzey et Ané, Éditeurs, 17, rue du Vieux-Colombier, 1904, pp. xxxiii-xliii.

PIERRE DE TROYES, DIT CHEVALIER DE TROYES
(?-1688)

De Pierre de Troyes, dit Chevalier de Troyes, nous savons qu'il était fils de Michel de Troyes, procureur au parlement de Paris, mais nous ne connaissons ni le lieu ni la date de sa naissance. Capitaine d'une compagnie depuis le 5 mars 1685, il arrive à Québec le 1er août suivant dans un contingent de troupes de la marine. Le 12 février 1686, le gouverneur Denonville le charge d'aller déloger les Anglais de la baie d'Hudson. Le 30 mars, il quitte Montréal avec trente soldats français et soixante-dix miliciens canadiens. Le 20 juin, après une montée pénible de la rivière des Outaouais, la traversée des lacs Témiscamingue et Abitibi et une descente difficile des rivières Abitibi et Moose, la troupe est à la baie d'Hudson. Elle s'empare des forts Monsipi [Moose Factory], Rupert [fort Charles] et Quichitchouanne [Albany]. À la fin de juillet ou au début d'août, Pierre de Troyes est de retour à Monsipi; le 19 août, il part pour Québec, arrive à Témiscamingue le 7 septembre, quitte dès le lendemain pour Montréal. Le 20 octobre 1686, il est à rédiger sa relation de voyage à Québec. Le 17 juin 1687, il est commandant de l'une des quatre compagnies de l'expédition de Denonville qui va dévaster le pays des Tsonnontouans et construire le fort Niagara; nommé commandant de ce fort le 31 juillet, Pierre de Troyes y meurt du scorbut, après un hiver pénible, le 8 mai 1688.

Pierre de Troyes a rédigé la relation de son expédition à la baie d'Hudson à partir de ses notes de voyages. Ce faisant, il a pu donner à la première partie de son texte la forme du journal; les événements quotidiens y sont enregistrés et datés jour après jour, de sorte que le lecteur voit les voyageurs au travail depuis leur départ de Montréal jusqu'à leur arrivée au fort Monsipi. La relation cesse alors de tenir du journal quotidien. Sans doute trop occupé à préparer et à diriger les attaques contre les forts, le diariste laisse la place à un narrateur qui, dans ses moments libres, décrit avec précision le fort que la troupe va attaquer ou raconte en détail, dans un récit continu, les quelques jours que la troupe a pris pour préparer l'attaque et investir chaque fort. Une fois sa tâche accomplie, le commandant de l'expédition ne pense qu'à retourner à Québec; sa hâte se reflète dans la troisième partie de son texte: il ne prend qu'une page pour raconter la remontée des rivières Moose et Abitibi, puis la descente de l'Outaouais jusqu'à Montréal.

Nous avons emprunté les pièces qui suivent à l'édition que l'abbé Ivanhoë Caron a annotée et publiée sous le titre *Journal de l'expédition du Chevalier de Troyes à la baie d'Hudson, en 1686*, à Beauceville [Québec], en 1918, sur les presses de la Compagnie de «l'Éclaireur». — Nous reproduisons tel quel, mais sans les notes, le texte de cette édition.

De Stonefield à Grenville*

Le quinziesme avril, je décampai apres la messe et m'en allé par terre [sur la rive nord] avec le P. Silvie et ceux qui estoient inutiles au service des canots. Je pris cet expedient non seulement a cause de la difficulté des rapides [entre Stonefield et Grenville] mais encore à cause du froid excessif qui faisoit, qui n'empescha pas que ceux qui estoient destinez a monter les canots, ne fussent dans l'eau jusques a la ceinture, et quelque fois jusques au col, pour les traisner, estant absolument impossible de percher dans les chuttes d'eau épouvantables. Il n'y eut que les deux lieutenants et les deux majors qui osèrent l'entreprendre; les deux derniers penserent en souffrir, Car quoy qu'ils soient en réputation d'estre des meilleurs canoteurs du paie (pays), ils ne laissèrent pas d'embarquer sur une roche, et rompirent leurs canots par le milieu, qui furent remplis a même temps. Ils se jetterent resolument à l'eau, où ils en trouverent jusque aux echelles (aiselles), et eurent beaucoup de peine a gagner terre, en trainant leur canot plain d'eau, dont le rapide estoit effroiable. Un jeune canadien nommé la Motte voulut le secourir, mais le courant l'emportant il se seroit infaliblement noyé, sans le promp secours de nos gens, qui les ramenerent tous trois avec des fatigues incroiables a terre, ou ils déchargèrent leurs canots pour les racommoder et secher ce qui estoit dedans. Les autres canots monterent comme ils purent, quelques-uns furent jusques au portage et l'aiant fait en même temps vinrent ou j'estois campé [à Grenville]. J'y estois arrivé avec bien de la difficulté, au travers des bois affreux par leur solitude et incommodes, à cause d'une quentité prodigieuse de roches renversées ou pour mieux dire eboulées, et de bois abatu, le tout entremeslé d'épaisses fredoches, qui rendent la route extrememement laborieuse. Il n'y eut que très peu de gens qui me joignirent, a cause du grand nombre de canots qui furent crevez. Car outre qu'il fallut les racommoder il est constant qu'il estoit impossible de résister davantage a une si longue fatigue. Il est aisé d'en juger par le temps qu'ils mirent a faire environ une lieue et demie de chemin, qui fut depuis six heures du matin jusques a six heures du soir. Ils estoient mouillez et plus longtemps dans l'eau qu'en canot. Je trouvé a ce camp la place de la cabane du sr. de la forest dont j'ay parlé ci-devant. Il en estoit décampé le matin et ne l'ay pas reveu depuis.

Le seiziesme avril tout le monde se rendit au camp, à la reserve de deux ou trois canots. Le Sr. de ste. helenne monta ensuite avec son vallet à la chute du portage, à la perche. Les srs. de maricourt et de la Noüe en firent autant, dont le premier voulant, en debarquant, renger un paquet de fusils qu'il tenoit entre ses bras, eut le bonheur d'en voir partir un, sans blesser personne de ceux qui estoient autour de luy; du reste je fis camper les hommes, le terrain y estant tres propre joint que la journee fut très belle.

Le dix septiesme avril, ceux qui estoient restez derrière se rendirent au camp, et le reste de la journée se passa à raccommoder les canots que l'on n'avoit pu rétablir. Le nommé la Voie, voulant éteindre le feu qui avoit pris dans sa chaudiere a bray, se brula toute la main, un autre se coupa le doigt d'un coup de hache, et quatre ou cinq autres tombèrent malades d'une colique causée par le froid excessif qu'ils avoient enduré dans l'eau, le jour precedent.

S: Pierre de Troyes, *Journal de l'expédition du Chevalier de Troyes à la baie d'Hudson en 1686*, édité et annoté par l'abbé Ivanhoë Caron, Beauceville, la Compagnie de «l'Éclaireur», 1918, pp. 28-30.

Feu de forêt*

Le 30e. de may ceux qui estoient restey derriere me rejoignirent, aiant fait trois portages dans le chemin. Ils travaillèrent un peu pour la halle apres quoy nous nous embarquâmes tous et fîmes dans cette journée en vingt cinq lieues huit portages, au dernier desquels il nous arriva un accident qui n'est pas moins terrible que digne de remarque.

Quelques uns de nos derniers canots aiant allumé du feu au rapides precedant, il courut dans le bois avec une impétuosité d'autant plus grande qu'il faisoit un fort grand vent. Les flames qu'il poussoit devant luy ne s'estendoient pas mais gagnoient toujours en longueur dans le bois, au gre du vent qui les chassoit; elles nous parurent redoutables en ce qu'apres avoir brulé le long d'un lac, avec vitesse, que nous avions passé, elles gagnerent l'endrot ou nous estions. Le danger estoit grand, parce que nos gens estoient occupey a faire le portage qui est de quinze cent pas, les uns chargeoient les autres marchoient chargey, une partie revenoit querir ce qui estoit a porter, et en un mot le chemin estoit si rempli d'allans et venans, que je ne scavois le mieux comparer qu'a celuy des fourmis autour de leur fourmillere; mais nostre malheur parut inevitable lorsque le vent aiant change, poussa effroiablement ces tourbillons de flames dans la longueur de nostre chemin de manière qu'il est aussi difficille d'escrire la peine que l'on eut de s'en garantir que de pouvoir bien exprimer la grandeur et la promptitude d'un si grand feu, qui obligea ceux qui estoient a l'entrée du portage de se jetter dans leurs canots avec les poudres, et tout ce qui pouvoit craindre les approches du feu, qui s'estant mis plus au large a cause du peu de largeur du lac en cet endroit, se couvrirent eux et leurs canots de couvertes mouillées, pour mieux résister aux flames qui passoient le plus souvant sur eux, qui se trouverent engagez dans le milieu du portage. Ils en gagnerent les extremites avec la derniere diligence, le risque n'y estant pas moins que d'estre brule vif. A mon egard, je me trouvé aux trois quarts du portage avec le P. Silvie, lorsque nous nous vîmes contraints a courir de toutes nos forces au travers le bois tout embrazé, dont le feu nous serra de si près qu'une menche de ma chemise fut brulée par une confusion d'étincelles et de charbons ardans, qui tomboient continuellement. Enfin nous gaignâmes une petite prairie sur le bord de l'eau, où nous trouvâmes que ceux qui avoient acheve le portage, avoient imite ceux de l'autre bout s'estant mis a l'eau dans leurs canots avec tout ce qui ne se pouvoit gaster, jusques au sac de bled d'inde dont tout le detachement vivoit. Nous rencontrâmes une bende de sauvage, en entrant dans la prairie, qui nous aiderent beaucoup a sauver nos hardes et autres choses de l'embarquement. Nous estions dans cette prairie, qui n'avoit au plus que vingt pas de large, enfoncey jusques aux genoux, tant nous avions de precipitation de nous embarquer, ce que nous fîmes dans deux canots qui vinrent nous prendre sur le bord du lac qui n'a pas en cet endroit plus de trente pas de large, le feu y devint si furieux que les flames y pasoient comme un torrant par dessus nos testes, et allumerent le bois de l'autre bord. C'estoit une chose bien triste de nous voir exposey entre deux si impitoiables elemens, dans des canots qui n'estoient faits que d'ecorce et baraques de bois de cedres sont extremement combustibles. Il falloit pourtant si tirer d'un si mechant pas, de sorte que, aiant remarque, nous serions plus seures vis a vis l'endroit ou le feu avoit passé, j'y fis aller les cannots qui n'y trouvèrent nul danger, et deux lieures après ceux qui estoient restés au bout d'en bas continuerent leur portage, comme si rien n'avoit arrivé, n'y aiant plus que quelques arbres secs qui bruloient, et les autres estoient tous noirs et depouilley de leurs feuilles [entre le lac Durand et le lac Foudras][.] Ceux qui pourront avoir la curiosité de connoistre la cause de cet embarquement (embrasement) dont le progrey fut si prompt et si subit, scauront que toutes les forests de ce climat ne sont que de cedres, sapins et bouleau, qui joint a la gomme qu'ils portent en abondence, prennent et entretiennent avec facilité le feu qui si communique. Nous perdîmes un cannot, des pouches de bled d'Inde et quelques fusils. Il y avoit des grenades dans une de ces poches qui ne prirent point feu quoy que la toile du sac fust toute brulée. Apres tant de fatigues nous fumes camper assey pres dela avec des sauvages que nous avions rencontré, qui nous traiterent un canot pour remplacer celuy qui nous avoit esté brulé. Je me croy pourtant obligé de marquer icy une circonstance qui, peut estre, ne deplaira aux supersticieux, qui est que le sr Lallemend prenoit soin de faire la carte de nostre voiage nommant tous les portages du nom des sts suivant le rang qu'ils ont dans les litennies. Il arriva que le portage ou nous essuiames cette inendie écheut sans affectation a st Laurans. Cette observation a este depuis observée et fortifiée par un autre bien deplorable. Je travaillois le 20e 8bre estant de retour à Quebecq, à mettre le journal de mon voiage au net, lorsque estant parvenu a l'article de cet embarquement, j'entendis sonner le toxin, à cause du feu qui avoit pris chez les Révérendes Mères Ursulines, qui brula en moins d'une heure tout leur monastere. Ce qui me donne lieu d'advertir le lecteur de prendre garde au feu en lisant ce passage, s'il en fait lecture à la chandelle.

S: *id., ibid.*, pp. 49-53.

La prise du fort Monsipi*

Ce fort est composé de grosses palissades qui, sortant de terre de la hauteur de dix sept a 18 pieds, forment quatre courtines dont chaque face est de cent trente pieds. Elles sont flanquées d'autant de bastions, dont le terre plain est sousteneu de deux rangs de gros pieuds entrelassey, d'espace en espace, de madriers, qui les traversans d'un rang a l'autre, semble lier & rafermir la terre qu'ils renferment, et tiennent hors d'estat de pouvoir s'ébouler. Ils estoient fort bien munis de canons. Les deux qui regardent la rivière estant percey pour trois pieces, qui paroissoient effectivement hors de leur embrasures, scavoir un a châque flan, pour deffendre la courtine et l'autre, a la face du bastion, et deux qui regardoient le desert, qui est autour du fort, de vingt arpans ou environ, qui portoient six a sept livres de balles. Les embrasures estoient fort proprement faites, en sorte qu'il eût esté impossible de glisser aucun coup de fusil le long de la piece, à cause d'une coulisse qui les joignoit et qui se retiroit avec facilité, lors qu'il la failloit manier. Voila l'exterieur de la place, qui en renfermoit une grande et une redoute au milieu, composée de trois étages, et bastie de pieces sur pieces, une terrasse au dessus faites de plenches & solives, garnie de son parapet qui avoit a chaque face, quatre embrasures faite en forme des abords, dans lesquelles paroissoit seulement quatre pieces de canons, dont il y en avoit trois de deux livres et un de fonte, de huit, qui pouvoient battre en cavalier tous les environs du fort, dont la principale entrée estoit dans le milieu de la courtine qui fait face a la riviere, fermée d'une porte epaisse de demi pied, renforcée de clous et grosses pentures et traversées de barre de fert, y aiant encore une fausse porte dans la courtine qui regarde le bois. Revenons a nostre attaque que je disposé de la sorte. Je commende d'abord du monde pour aller quérir deux canots, dont l'un portoit des pics, pelles, pioches, echelles et madriers, et l'autre le bellier que j'avois fait faire, avec ordre de suivre les detachements qui marchoient le long de l'eau, dont la greve est fort belle a marée basse, et dont on ne peut estre incommode du fort, qui n'estoit qu'a trente pas. Je detache les srs de ste helenne et d'hyberville avec dix huit hommes pour aller insulter les flancs qui deffendoient la courtine qui fait face au bois, et ordonné le nomme la liberté avec six autres, pour faire une fauce attaque, luy enjoignant de mettre trois de ses hommes a chaque flanc de la courtine de main droite du fort, dont l'un des trois couperoit la palisade, et les deux autres tireroient continuellement dans les embrasures, pour incommoder ceux qui maniroient les pièces. A mon egard, je fis trois detachements de tout ce qui me restoit, et me le reservé pour mon attaque qui devoit estre la principalle attaque. Chaque detachement avoit a sa teste un sergent, à deux desquels j'ordonné de faire le plus grand feu qu'il seroit possible aux courtines et aux flancs pour (empêcher) le canon de l'ennemi de luy servir et de nous nuire, et commendé au troisiesme de faire venir le bellier et d'enfoncer la porte, pendant que je me tenois occupé a animer nos gens et a donner des ordres nécessaires en pareilles occasions. Sur cette entrefaitte le sr de ste helenne vint me demender s'il sauteroit par dessus la palisade; je luy repondis que quand on donnoit des ordres pour attaquer et prendre une place, il n'importoit pas de quelle manière on y entroit, pourvu que l'on s'en rendre maistre, ce qu'il interpreta si bien qu'il frenchit en un moment apres, la palisade, l'espée a la main, suivi des srs d'hyberville, maricourt, la noüe et l'allemend et de cinq ou six autres qui seuls en purent faire autant de leur detachement. Ils entrèrent ainsi bravement dans le fort, s'emparerent du canon et ouvrirent la fausse porte qui n'estoit pas fermée a la clef. J'avois pendant ce temps la, envoié querir le bellier, et allant d'un poste a l'autre je prenois garde exactement a ce que l'on executast régulière- ment ce que j'avois ordonné. Je visite entre autre celuy du sergent laliberté auquel je dois ainsi qu'a tous les autres le temoignage de leur avoir vue vigoureusement faire leur devoir. Le bellier arrivé, je fis enfoncer la porte du fort durant lequel exercice il arriva que mes gens qui foisoient feu par tous les endroits qui le pouvoient permettre, firent une decharge au travers des palisades sur le detachement des srs de ste helenne et d'hyberville qu'ils crurent estre les Anglois qui se renvoient pour se deffendre. Il y eut un de nos gens qui porta la peine de cette meprise par une blessure qu'il reçut dans les reins. J'entre, dans ce temps la, dans le fort, accompagne de tous mes gens a qui je fis faire un feu continuel dans les sabords, fenestres et autres ouvertures de la redoute, m'occupant, dans cette inter- valle, a faire retirer de son embrasement une piece de canon qui estoit a la face du bastion de main droite, pour la tourner contre la redoute. Mais, je fus bien surpris lorsque voulant voir si elle estoit chargée, je ne trouve rien dedans et aucuns boulets dont je puisse me servir, ce qui aurat été reparé par la diligence que nos gens apporterent a enfoncer la porte, lorsque nostre interprette Anglois m'advertit qu'ils demandoient quartier. J'eu pour lors, beaucoup de peine a arrester la fougue de nos Canadiens qui, faisans de grands cris a la façon des sauvages, ne demendoient qu'a jouer des couteaux. J'en vins a bout a la fin, et fis crier par mon interprete aux anglois qu'ils eussent a se rendre, et qu'il y avoit bon quartier. L'un d'entre eux envoia l'interprete promener et termes bien insolens, adjoustant qu'il vouloit se battre et en effect voulut pointer un bastion sur nous, ce qui l'obligeant de se decouvrir un peu trop, il reçut un coup de fusil dans la teste qui le renversa mort sur la place. Il y en a qui attribuent ce coup a mr de ste helenne qui est en réputation d'estre un bon tireur. Cependant comme j'avois fait redoubler l'attaque et fait continuer le feu de toutes parts, ils crierent quartier tout de nouveau, mais le bellier avoit desja mis la porte dedans, aiant jetté une maniere de tembour par terre. Le sr d'hyberville s'y jetta incontinant, l'espée en une main et le fusil en l'autre, lorsqu'un anglois referma la porte, qui tenoit encore a ses pentures et empescha ensuitte que le reste ne suivit le sr d'hyberville qui, chamaillant hardimant de son epée sur tout ce qui se presentoit, blessa quelques Anglois au visage et lacha son coup de fusil dans un escalier ou il entendit du bruit. Cependant qu'un autre coup de bellier aiant entièrement enfoncé la porte, tous nos gens entrerent l'epée a la main, et trouverent les Anglois tous en chemises, et ne s'attendoient nullement a une pareille camisade. C'est ainsi que nous nous emparâmes de la place sur ces messieurs, dont la negligence fut si grande qu'ils n'avoient ny garde, ny sentinelle que des matins, qui n'estoient de nulle consequence a leur egard, en ce que des sauvages passant par la de jour et de nuit, les chiens, aboiant a tout moment, faisoit que les Anglois ne prenoient aucune alarme, et mr de ste helenne m'avoit desja asseuré qu'il avoit trouvé si peu d'obstacles a sa decouverte, qu'il avoit eu tout le temps de sonder avec la baguette de son fusil les canons du fort pour voir s'ils estoient chargey, ce qui joint au peu ou au point de resistence que nous trouvame, marque bien le peu de valleur de cette nation si elle n'est aguerrie. Je les fis incontinant rabiller et enfermer dans une cave, ou je les tins une demie journée, pendant laquelle je pris connoissance de toutes choses, aiant d'abord commencé par l'etablissement d'un corps de garde et fait poser des sentinelles par tout ou je jugé necessaire. J'envoié ensuitte querir le R. P. Silvie, et commende qu'on amenâst les canots avec leurs gardes que je rappellé. Apres quoy je fis travailler en diligence nostre forgeron a recommoder toutes les pentures et a remetre toutes choses en estat. Il se servit a cet effet de la forge qui estoit hors le fort; aussi tost tout, fut il, reparé dans la journée. Il ne reste plus a present a adjouter a la description que j'ay faite du fort, la forge qui est dehors et un grand magasin avec une cuisine qui sont placey entre la premiere enceinte et la redoute, soubz laquelle le mineur avoit desja fait un trou assey suffisant pour y placer un baril de poudre de 50 l. pour la faire sauter, s'ils eussent voulu resister. Au reste les srs de maricourt et lallemend, la noüe, de la Chevallerie et de st. Denis y ont fort bien fait. Ils estoient du detachement commende par les srs de ste helene et d'hyberville, qui furent aussi parfaitement bien secondey de tous les autres Canadiens. Le fort fut pris en demie heure de temps, avec dix sept anglois qui estoient dedans, que je fis tirer de la cave ou je les avois mis et leur donné une prison a la quelle ils ne s'attendoient pas. Il y avoit hors du fort environ a quinze pas de la pointe d'un bastion un vieil bastiment nommé la ste. Anne qui avoit esté autres fois aux françois. Il estoit du port de trois cents tonneaux et avoit esté mis la pour en oster ce que l'ont trouveroit de meilleur et bruler le reste. L'estant allé visiter il me parut fort propre pour servir de prison a mes Anglois dont j'estois bien aise de demeubler le fort. J'y fis faire a cet effect sur les ecoutils de forts callibotit (?) et tiré ce meme jour ces messieurs de la cave ou ils estoient, pour les mettre plus saichement la dedans, avec une bonne sentinelle sur le pont, qui avoit jour et nuit correspondence avec celles des bastions et de la platte forme de la redoute.

S: *id., ibid.*, pp. 63-70.

Égarés dans les bois*

Le 9e. et jours suivans, furent employez pour mon retour au premier fort. Je pensé perir dans mon voiage. Je patis tout ce qui se peut. J'avois donné ordre a mr. de ste helene de venir en canot avec moy, nonobstant quoy il resta sur le bastiment pour ecrire quelques lettres, conjointement avec le sr. d'hyberville, son frère, et soubz pretexte d'indisposition se rend au fort avec le bastiment, au lieu de me joindre, comme je lui avois dit. Cela me prejudicia, d'autant plus que je me serois servi d'une bousolle qu'il avoit, au deffaut de laquelle je faillis a me perdre. Car m'estant mis a faire une traverse de cinq lieues [entre la pointe Mesakonam et l'embouchure de la rivière Moose] dont j'ay parlé cy dessus, par un fort beau temps, je ne fus pas plus tost au large avec tous mes canots qu'il s'eleva une brune si epaisse, que nous ne nous voions pas. Cette brune avoit esté precedée d'un petit vent, lequel rafraischisant nous mîmes a la voille qui portant nos canots tentost au dessus, et puis apres dans une abime de lames, fist un peu de temps que nous ne scumes plus ou nous estions, estant dans l'incertitude de scavoir si nous allions dans le fond de la baye, ou si nous prenions la route de plaine mer, ou de connoistre si effectivement nous estions en route. Nous tirâmes quelques coups de fusil inutilement, pour scavoir si tout le monde faisoit la meme route. La brune nous desoloit, ne pouvant voir la longueur du canot, de sorte que ne sachant que faire, je fis sonder. Nous n'avions point de plomb, nous nous servîmes d'une hache avec laquelle nous trouvâmes quatre brasses, quelque temps apres trois, ce qui me rejouit, en ce que je voiois bien que nous approchions de terre; peu apres je fis encore sonder, et nous retrouvâmes qu'une brasse d'eau, et echouâme ensuitte insensiblement sur un banc de sable, la mer estant toute basse, ce qui nous donna beaucoup de joie. Quelque temps apres, nous vimes terre, la brune s'estant discipée et nous estant rembarquez nous arrivâmes a l'embouchure d'une grande riviere [Harricana] que nous prenions pour celle ou estoit notre fort, mais nous nous trompions. Nous y mimes pied a terre pour disner, et continuant notre route, nous vinmes coucher dans des prairies couvertes d'eau. Nous fumes contraints de nous y servir de bois de report, de marée pour mettre sous nous, a cause de l'eau de la mer, dont la surface de ces prairies estoit inondée, la mer inondant dans les grandes marées, jusques a deux lieues dans les bois, ce qui fait que toutes les marées que l'on trouve sont salées, et que les bonnes eaux sont tres rares. C'estoit la nostre plus grande fatigue, et ce qui nuisoit le plus à notre seurté. Sur le soir, nous ouimes quelques coups de fusils de quelques uns de nos canots qui avoient pris terre, nous trouvames quantité de becasses qui nous vinrent fort a propos, estans si cours de vivres, que je n'avois peu donner a mon detachement pour retourner au fort que deux outardes sallées, y aiant desja longtemps que le biscuit estoit fini. Ils avoient vescu de persil de mandoienne (macédoine) qu'ils trouvoient en abondcnce, aiant esté obligez dans ce voiage d'attendre qu'il fist beau pour m'embarquer, pendant lequel temps ils ne mengerent que de ce percy qu'ils assaisonnoient plus d'appeti que d'autre chose. Nostre misere estant a un tel point qu'un de nos hommes atteneu de tant de fatigue, estant allé à la chasse ne revint point. Je laissé deux canots pour l'attendre et le chercher, mais ne l'aiant point trouvé ils s'en revinrent au fort. J'y envoié encore un canot sauvage qui n'en rapporta aucune nouvelle, ce qui me fait juger qu'il est mort de faiblesse, ou qu'il a este englouti dans quelque marais tremblant. Pour moy, je continué ma route et arrivé a la pointe de la traverse que nous cherchions depuis si longtemps, je trouve deux de nos canots qui venoient d'y arriver, qui me dirent que plusieurs de nos gens estoient desja parti pour se rendre au fort, les avoient asseurez que tout mon monde y estoit et avoit gaigné terre a bon port. Ce qui me donna bien de la joie. Je disné la bien petitement, estant reduit moy troisième, scavoir le Sr. Briguiel anglois, moy et mon vallet, a une poingnée de pois et un quartier de becasse, encore ne faisions nous qu'un repas qui estoit a trois heures de l'apres midy. Nous continuâmes ainsi de campement en campement, jusques a sept lieues du fort. Le vent nous vint si contraire qu'il nous obligea de rester là, si bien qu'estans veneues jusques a n'avoir plus rien pour menger, Dieu permit que le vent changea, et m'amena en peu de temps au fort (Monsoni) [Moose Factory], ou je trouvé nostre bastiment qui estoit arrivé, il y avoit long temps.

S: id., ibid., pp. 79-82.

LOUIS-ARMAND DE LOM D'ARCE DE LAHONTAN
(1666-1716)

Louis-Armand de Lom d'Arce de Lahontan naît le 9 juin 1666 à Lahontan [département des Pyrénées-Atlantiques, dans le sud-ouest de la France]. À l'âge de 17 ans, il serait parti pour le Canada à La Rochelle, avec des troupes de la marine qui arrivèrent à Québec le 7 novembre 1683. Il a peut-être passé l'hiver sur la côte de Beaupré. Au printemps de 1684, il visite la région de Québec, monte à Montréal, puis se rend au fort Frontenac [Kingston]; en novembre, il est à Montréal et séjourne dans la région jusqu'au 11 juin 1687. Ce jour-là, il part de nouveau pour le fort Frontenac et participe durant l'été à l'expédition du gouverneur Denonville en territoire tsonnontouan, puis il est chargé de garder le fort Saint-Joseph sur la rive ouest de la rivière Sainte-Claire. Le 1er avril 1688, il part pour Michillimakinac; il y fait la connaissance de Kondiaronk ou Le Rat, chef huron pétun qui lui servira de modèle pour l'Adario de ses *Dialogues*. Le 2 juin, il se rend au Sault-Sainte-Marie, retourne au fort Saint-Joseph, fait une incursion plus ou moins réussie en territoire iroquois. Le 24 août, il est de retour au fort Saint-Joseph; trois jours plus tard, il juge bon de brûler le fort qu'il n'est plus en mesure de défendre. Le 10 septembre, il est à Michillimakinac; le 24, il entreprend un voyage d'exploration vers ce qu'il appelle les «Païs Meridionaux». Il aurait atteint la rivière Wisconsin, remonté le Mississipi et la rivière «Longue» [rivière Minnesota]. Le 22 mai 1689, il est de retour à Michillimakinac, qu'il quitte le 8 juin pour Montréal, où il arrive le 9 juillet. À la fin de septembre, il est à Québec. Le 27 novembre 1690, il part pour la France et débarque à La Rochelle le 12 janvier 1691; le 28 juillet, au même endroit, il s'embarque pour Québec et y arrive le 18 septembre. Le 27 juillet 1692, il s'embarque de nouveau pour la France. Le 18 août, le bateau fait escale à Plaisance [Placentia, Terre-Neuve], il ne repart que le 6 octobre et arrive à Saint-Nazaire le 23. Le 12 mai 1693, c'est dans le même port que Lahontan prend le bateau pour Plaisance; le 14 décembre suivant, après s'être brouillé avec le gouverneur de Terre-Neuve et être devenu sujet à un ordre royal d'arrestation pour désertion de son poste, Lahontan s'enfuit sur un bateau dont il paie le capitaine pour se faire débarquer au Portugal à la fin de janvier 1694. Le 14 avril, il s'embarque pour la Hollande; il se rend ensuite en Allemagne, puis au Danemark et, finalement, en France en décembre de la même année. Il est mal reçu par la Cour, puis, sous le coup d'un mandat d'arrêt, il va passer trois mois en Espagne (1695); il se dirige ensuite vers le Portugal et il y est en 1699. De 1700 à 1702, il aurait séjourné en Hollande, d'où il passe en Angleterre (1702-1703), puis en Allemagne (1705?-1716), où il décède le 21 avril 1716.

Louis-Armand de Lom d'Arce de Lahontan est l'auteur de trois ouvrages: *Nouveaux Voyages de m^r. le baron de Lahontan, dans l'Amerique septentrionale [...]*; *Memoires de l'Amerique septentrionale, ou la Suite des voyages de m^r. le baron de Lahontan [...]*; *Supplément aux voyages du baron de Lahontan, Où l'on trouve des Dialogues curieux entre l'Auteur et un Sauvage de bon sens qui a voyagé [...]*. Tous trois ont été publiés à La Haye [Hollande], chez les Frères L'Honoré, en 1703. Ils ont connu par la suite de nombreuses rééditions et traductions. Les *Nouveaux Voyages* sont un recueil de lettres adressées à un vieux parent [peut-être fictif]; cinq d'entre elles portent sur l'Ontario. Les *Mémoires* sont une somme des connaissances sur l'Amérique du nord; l'Ontario est présent dans presque toutes les parties des *Mémoires*. Dans les *Dialogues*, Lahontan fait mine de donner la parole à un Huron qu'il appelle Adario; en fait, cet interlocuteur n'est, sur fond de réalité, qu'une créature de Lahontan, esprit radical qui sentait le besoin d'utiliser la forme du dialogue, courante à l'époque, pour exprimer sans danger et avec force sa critique de la société européenne. Aussi ne faut-il pas voir dans ces *Dialogues* l'affrontement authentique de deux cultures.

Nous avons emprunté les pièces qui suivent à l'excellente et récente édition critique des *Œuvres complètes* de Lahontan par Réal Ouellet et Alain Beaulieu, publiée en deux volumes [pagination continue] par les Presses de l'Université de Montréal en 1990. — Nous reproduisons tel quel, mais sans les notes infrapaginales, le texte de cette édition. Aux pages 203 et 204 du volume 1, les éditeurs notent qu'ils ont reproduit intégralement la graphie et la ponctuation du texte original, sauf sur dix points dont ils donnent la liste en détail.

De la baie d'Hudson au lac Supérieur*

Il est tems de passer maintenant de la *Baye de Hudson* au *Lac Supérieur*. Ce voyage est plus facile à faire sur le papier que réellement, car il faut remonter près de cent lieües la Riviére des

Machakandibi, qui est si rapide & si pleine de Cataractes, qu'à peine six Canoteurs dans un Canot allegé, peuvent-ils en venir à bout en trente ou trente-cinq jours. On trouve à la source de cette Riviére un petit Lac de même nom, d'où on est obligé de faire un portage de sept lieuës pour attraper la Riviére de *Michipikoton*, qu'on descend ensuite en dix ou douze jours, quoi qu'on soit obligé de faire quelques portages. Il est vrai qu'on saute plusieurs Cataractes en descendant, où l'on est contraint de porter les Canots ou de les traîner en remontant. Nous voici donc à ce grand Lac *Supérieur* qu'on estime avoir cinq cens lieuës de circuit, y comprenant le tour des Anses & des petits Golfes. Cette petite Mer douce est assez tranquille depuis le commencement de Mai jusqu'à la fin de Septembre. Le côté du Sud est le plus assuré pour la Navigation des Canots par la quantité de Bayes & de petites Riviéres où l'on peut relâcher en cas de tempête. Je ne sache point qu'il y ait aucune Nation Sauvage sédentaire sur les bords de ce Lac, il est vrai que durant l'Eté plusieurs Peuples du Nord, vont chasser & pêcher en certains endroits où ils apportent en même tems les Castors qu'ils ont pris durant l'Hiver, pour les troquer avec les Coureurs de bois qui ne manquent pas de les y joindre tous les ans. Ces lieux sont *Bagouasch*, *Lemipisaki* & *Chagouamigon*. Il y a déja quelques années que M^r. *Dulhut* avoit construit un Fort de pieux, dans lequel il avoit des Magazins remplis de toutes sortes de Marchandises. Ce poste, qui s'appelloit *Camanistigoyan*, faisoit un tort considérable aux Anglois de la *Baye de Hudson*, parce qu'il épargnoit à quantité de Nations la peine de transporter leurs Pelleteries à cette Baye. Il y a sur ce Lac des Mines de cuivre, dont le métal est si abondant & si pur qu'il n'y a pas un septiéme de déchet. On y voit quelques Isles assez grandes, remplies d'Elans & de Caribous, mais il n'y a guéres de gens qui s'avisent d'y aller exprès pour chasser, à cause du risque de la traverse. Au reste, ce Lac est abondant en Eturgeons, Truites & Poissons blancs. Le froid y est excessif durant six mois de l'année, & la nége le joignant à la gelée, glace ordinairement les eaux de ce Lac jusqu'à dix ou douze lieuës au large.

Du *Lac Supérieur*, je passe à celui des *Hurons*, auquel je donne quatre cens lieuës de circonference. Or pour y aller il faut descendre le *Saut Sainte Marie*, dont je vous ai parlé dans ma quinziéme Lettre. Ce Lac est situé sous un très-beau climat, comme vous le voyez sur ma Carte. Le côté du Nord est le plus naviguable pour les Canots, à cause de la quantité d'Isles sous lesquelles on peut se mettre à l'abri du mauvais tems. Celui du Sud est le plus beau & le plus commode pour la Chasse des Bêtes fauves, qui y sont en assez grande quantité. La figure de ce Lac, est à peu près celle d'un triangle équilatéral. Parmi ses Isles, celle de *Manitoualin* est la plus considérable. Elle a plus de vingt lieuës de longueur & dix de largeur. Les *Outaouas* de la Nation du *Talon* & du *Sable* y habitoient autrefois, mais la crainte des *Iroquois* les a contraints de se retirer avec les autres à *Missilimakinac*. Vis à vis de cette Isle habitent en terre-ferme les *Nockés* & les *Missitagues* en deux Villages différens, éloignez de vingt lieuës l'un de l'autre. Vers le bout Oriental de cette même Isle, on trouve la *Riviére des François*, dont je vous ai parlé en ma seiziéme Lettre; elle est aussi large que la Seine à Paris & de sa source, qu'elle tire du Lac des *Nepicerini*, jusqu'à son embouchure, elle n'a tout au plus que quarante lieuës de cours. On voit au Nord-Est de cette Riviére la Baye de *Toronto* qui a vingt ou vingt cinq lieuës de longueur & quinze d'ouver-ture, il s'y décharge une Riviére qui sort du petit Lac de même nom, formant plusieurs Cataractes impratiquables, tant en des-cendant qu'en montant. Cette tête d'homme, que vous voyez marquée sur ma Carte au bord de cette Riviére, désigne un gros Village de *Hurons*, que les *Iroquois* ont ruïné. De sa source on peut aller dans le Lac de *Frontenac* en faisant un portage jusqu'à la Riviére de *Tanaouaté* qui s'y décharge. Vous pouvez remar-quer au côté Méridional de la Baye de *Toronto* le *Fort Supposé*, dont je vous ai fait mention dans ma vingt-troisiéme Lettre; A trente lieuës de là vers le Sud, l'on trouve le Païs de *Theonontate* que les *Iroquois* ont tout à fait dépeuplé de *Hurons*. De là, je passe droit à mon Fort, sans m'arrêter à vous faire une descrip-tion inutile des Païsages différens qu'on voit dans l'espace de plus de trente lieuës. Je vous ai parlé tant de fois de ce poste, que je sauterai droit à la Baye du *Sakinac*, sans vous parler de la quantité de battures & de rochers qu'on trouve cachez sous l'eau jusqu'à deux lieuës au large. Cette Baye a seize ou dix-sept lieuës de longueur & six d'ouverture, au milieu de laquelle on voit deux petites Isles très-utiles aux Voyageurs qui seroient obligez le plus souvent de faire le tour de la Baye, plûtôt que de s'exposer à faire cette traverse en Canot. La Riviére du *Sakinac* se décharge au fond de la Baye. Elle a soixante lieuës de Cours assez paisible n'ayant que trois petites Cataractes qu'on peut sauter sans risque. Elle est aussi large que la *Seine* au Pont de *Seve*. Les *Outaouas* & les *Hurons* ont accoutumé d'y faire de deux ans l'un, de grandes chasses de Castors. De cette Riviére à *Missilimakinac* il n'y a point d'endroit qui mérite la peine d'en parler; je vous ai dit tout ce qu'on pouvoit dire de ce poste, si utile pour le commerce, en vous en envoyant le plan. Ainsi je passerai à la description du *Lac Errié*, me souvenant de vous avoir fait celle du *Lac des Ilinois* en ma seiziéme Lettre.

L'on n'a point eu tort de donner au *Lac Errié* un nom aussi illustre que celui de *Conti*, car s'est asseurément le plus beau qui soit sur la terre. L'on peut juger de la bonté de son climat par les latitudes des Païs qui l'environnent. Son circuit est de deux cent trente lieües, mais par tout d'un aspect si charmant qu'on voit le long de ses bords des Chênes, des Ormeaux, des Chataigniers, des Noyers, des Pomiers, des Pruniers, & des Treilles, qui portent leurs belles grapes jusqu'au sommet des Arbres sur un terrain uni comme la main, ce qui doit suffire pour s'en former l'idée du Monde la plus agréable. Je ne sçaurois d'ailleurs vous exprimer la quantité de bêtes fauves & de Poulets d'Inde qu'on voit dans ces bois & dans les vastes prairies, qu'on découvre du côté du Sud. Les Bœufs Sauvages se trouvent au fond de ce Lac sur les bords de deux belles Riviéres qui s'y déchargent sans rapides ni Cataractes. Il est abondant en Eturgeons & Poissons blancs, mais les Truites y sont rares aussi bien que les autres Poissons qu'on pêche dans les *Lacs des Hurons* & des *Ilinois*. Il est aussi sans batures, sans rochers ni bancs de sable; sa profondeur est de 14. à 15. brasses d'eau. Les Sauvages asseurent que les gros vents n'y souflent qu'en Décembre, Janvier & Février, quoique rarément, ce que j'ai lieu de croire par le peu qu'il en fit durant l'Hiver que je passai à mon Fort en 1688. quoiqu'il fut exposé au *Lac* des *Hurons*. Les bords de ce Lac ne sont ordinairement frequentez que par des guerriers, soit *Iroquois*, *Ilinois*, *Oumamis* &c. & le risque de s'y arrêter à la chasse est trop grand. Ce qui fait que les cerfs, les chevreuils & les Poulets d'Inde courent en troupeaux le long du Rivage dans tout l'étenduë des Terres dont il est environné. Les *Erriéronons* & les *Andastogueronons* qui habitoient au bord de ce Lac aux environs ont été détruits par les *Iroquois*, aussi bien que d'autres Nations marquées sur ma Carte. On découvre une pointe de terre du côté du Nord qui avance quinze lieües au large; & à trente lieües de là vers l'Orient, on trouve une petite Riviére qui prend sa source près de la Baye de *Ganaraske* située dans le *Lac Frontenac*. Ce seroit un passage assez court d'un Lac à l'autre si elle n'avoit point de Cataractes. De là au détroit c'est-à-dire à la décharge de ce Lac il y a trente lieuës. Ce détroit en a 14. de longueur & une de largeur. Ce fort supposé que vous voyez sur ma Carte en ce lieu là, est un de ceux dont je vous ai parlé en ma vingt-troisiéme Lettre. De ce prétendu Fort à la Riviére de Condé il y a vint lieuës. Cette Riviére a soixante lieuës de Cours sans Cataractes, s'il en faut croire les Sauvages, qui m'ont assuré que de sa source, on pouvoit aller dans une autre qui se décharge à la Mer, n'y ayant qu'un portage d'une lieuë. De l'une de ces Riviéres à l'autre je n'ai été qu'à l'embouchure de celle de *Condé* où nos *Outaouas* éprouverent leurs jambes, comme je vous l'ai expliqué dans ma quinziéme Lettre. Les Isles que vous voyez sur ma Carte situées au fonds du Lac sont des parcs de chevreuils, & des arbres fruitiers que la Nature a pris plaisir de faire pousser pour nourrir de leurs fruits les Dindons, les Faisans, & les Bêtes fauves. Enfin si la Navigation des Vaisseaux étoit libre de *Quebec* jusques dans ce Lac, il y auroit dequoi faire le plus beau, le plus riche & le plus fertile Royaume du Monde: car outre toutes les beautez dont je vous parle, il y a de très bonnes mines d'argent à 20. lieuës dans les terres le long d'un certain côteau d'où les Sauvages ont aporté de grosses pierres qui ont rendu, de ce precieux metal avec peu de dechet.

Du *Lac Errié* je tombe dans celui de *Frontenac*, dont je n'ai peu m'empêcher de vous parler dans ma septiéme & troisiéme Lettre. Ce Lac a, comme je vous ai déja dit, 180. lieuës de circuit; sa figure est ovale, & sa profondeur de 20. à 25. brasses d'eau. Il s'y décharge du côté du Sud plusieurs petites Riviéres, à sçavoir celles des *Tsonontouans*, des *Onnontagues* & de *la Famine*: du côté du Nord, celles de *Ganaraské* & de *Téonontaté*. Ses bords sont garnis de bois de haute futaye sur un terrain assez égal, car on n'y voit point de côtes escarpées, y ayant plusieurs petits Golfes du côté du Nord. On peut aller dans le *Lac des Hurons* par la Riviére de *Tanaouaté* en faisant un portage de sept ou huit lieuës jusqu'à celui de *Toronto* qui s'y décharge par une Riviére de même nom. On peut aussi passer dans le *Lac Errié* par la baye de *Ganaraské* en faisant un autre portage jusqu'à une petite Riviére pleine de Cataractes. Les Villages des *Onnontagues, Tsonontouans, Goyoguoans* & *Onnoyoutes*, ne sont pas fort éloignez du Lac *Frontenac*. Ces Peuples *Iroquois* sont très avantageusement situez. Leur Païs est beau & fertile, mais les Chevreuils & les Dindons leur manquent aussi bien que les Poissons, car leurs Riviéres n'en portent point, de sorte qu'ils sont obligez de faire leurs pêches dans le Lac, & de les boucaner ensuite pour les pouvoir garder & transporter à leurs Villages. Ils sont obligez pareillement de s'écarter de leur terres pour faire chasser des Castors durant l'Hiver soit du Côté de *Ganaraské*, du Lac *Toronto* ou de la grande *Riviére des Outaouas*, où il seroit facile de leur couper la gorge, si l'on s'y prenoit de la maniére que je vous l'ai expliqué. Je vous ai aussi parlé des *Forts de Frontenac* & de *Niagara*. Aussi bien que du *Fleuve Saint Laurent*, qui semble avoir abandonné les Lacs pour courir plus étroitement le long du *Monreal* & de *Quebec*, où ses eaux se mêlant avec celles de la Mer, deviennent si salées qu'on n'en sçauroit plus boire.

S: Lahontan, *Œuvres complètes*, édition critique par Réal Ouellet, avec la collaboration d'Alain Beaulieu, Montréal, les Presses de l'Université de Montréal, «Bibliothèque du Nouveau Monde», 1990, vol. 1, pp. 542-549.

[DU BONHEUR]

LAHONTAN

Il me semble, mon cher Ami, que tu ne viendrois pas de si bonne heure chez moy, si tu n'avois envie de disputer encore. Pour moy, je te déclare, que je ne veux plus entrer en matiére avec toy, puisque tu n'és pas capable de concevoir mes raisonnemens, tu es si fort prévenu en faveur de ta Nation, si fort préocupé de tes manieres sauvages, & si peu porté à examiner les nôtres, comme il faut, que je ne daigneray plus me tuer le corps & l'ame, pour te faire connoître l'ignorance & la misére dans lesquelles on voit que les Hurons ont toûjours vêcu. Je suis ton Ami, tu le sçais; ainsi je n'ay d'autre intérêt que celuy de te montrer le bonheur des François; afin que tu vives comme eux, aussi bien que le reste de ta Nation. Je t'ay dit vint fois que tu t'ataches à considérer la vie de quelques méchans François, pour mesurer tous les autres à leur aune; je t'ay fait voir qu'on les châtioit; tu ne te paye pas de ces raisons là, tu t'obstines par des réponces injurieuses à me dire que nous ne sommes rien moins que des hommes. Au bout du conte je suis las d'entendre des pauvretez de la bouche d'un homme que tous les François regardent comme un trés habile Personnage. Les gens de ta Nation t'adorent tant par ton esprit, que par ton expérience & ta valeur. Tu es Chef de guerre & Chef de Conseil; & sans te flatter; je n'ay guére veu de gens au monde plus vifs & plus pénétrans que tu l'es; Ce qui fait que je te plains de tout mon cœur, de ne vouloir pas te défaire de tes préjugés.

ADARIO

Tu as tort, mon cher Frére, en tout ce que tu dis, car je ne me suis formé aucune fausse idée de vôtre Religion ni de vos Loix; l'exemple de tous les François en général m'engagera toute ma vie, à considérer toutes leurs actions, comme indignes de l'homme. Ainsi mes idées sont justes, mes préjugez sont bien fondés, je suis prêt à prouver ce que j'avance. Nous avons parlé de Religion & de Loix, je ne t'ay répondu que le quart de ce que je pensois sur toutes les raisons que tu m'as alléguées; tu blâmes nôtre maniére de vivre; les François en général nous prénent pour des Bétes, les Jésuites nous traitent d'impies, de foux, d'ignorans & de vagabons: & nous vous regardons tout sur le même pied. Avec cette différence que nous-nous contentons de vous plaindre, sans vous dire des injures. Ecoute, mon cher Frére, je te parle sans passion, plus je réfléchis à la vie des Européans & moins je trouve de bonheur & de sagesse parmi eux. Il y a six ans que je ne fais que penser à leur état. Mais je ne trouve rien dans leurs actions qui ne soit au dessous de l'homme, & je regarde comme impossible que cela puisse être autrement, à moins que vous ne veuilliez vous réduire à vivre, sans le *Tien* ni le *Mien*, comme nous faisons. Je dis donc que ce que vous appelez argent, est le démon des démons, le Tiran des François; la source des maux; la perte des ames & le sepultre des vivans. Vouloir vivre dans les Païs de l'argent & conserver son ame, c'est vouloir se jetter au fond du Lac pour conserver sa vie; or ni l'un ni l'autre ne se peuvent. Cet argent est le Pére de la luxure, de l'impudicité, de l'artifice, de l'intrigue, du mensonge, de la trahison, de la mauvaise foy, & généralement de tous les maux qui sont au Monde. Le Pere vend ses enfans, les Maris vendent leurs Femmes, les Femmes trahissent leurs Maris, les Fréres se tuent, les Amis se trahissent, & tout pour de l'argent. Di-moy, je te prie, si nous avons tort aprez cela, de ne vouloir point ni manier, ni même voir ce maudit argent.

LAHONTAN

Quoy, sera-t'-il possible que tu raisoneras tousjours si sottement! au moins écoute une fois en ta vie avec attention ce que j'ay envie de te dire. Ne vois-tu pas bien, mon Ami, que les Nations de l'Europe ne pourroient pas vivre sans l'or & l'argent ou quelque autre chose précieuse. Déjà les Gentishommes, les Prêtres, les Marchans & mille autres sortes de gens qui n'ont pas la force de travailler à la terre, mourroient de faim. Comment nos Rois seroient-ils Rois? Quels soldats auroient-ils? Qui est celuy qui voudroit travailler pour eux, ni pour qui que ce soit? Qui est celuy qui se risqueroit sur la mer? Qui est celuy qui fabriqueroit des armes pour d'autres que pour soi? Croy-moy, nous serions perdus sans ressource, ce seroit un Cahos en Europe, une confusion, la plus épouvantable qui se puisse imaginer.

ADARIO

Vraîment tu me fais là de beaux contes, quand tu parles des gentishommes, des Marchans & des Prêtres! Est-ce qu'on en verroit s'il n'y avoit ni *Tien* ni *Mien*? Vous seriez tous égaux, comme les Hurons le sont entr'eux. Ce ne seroit que les trente premiéres années aprés le banissement de l'intérêt qu'on verroit une étrange désolation; car ceux qui ne sont propres qu'à boire, manger, dormir, & se divertir, mourroient en langueur; mais leurs décendans vivroient comme nous. Nous avons assez parlé des qualitez qui doivent composer l'homme intérieurement, comme sont la sagesse, la raison, l'équité, &c. qui se trouvent chez les Hurons. Je t'ai fait voir que l'interêt les détruit toutes, chez vous; que cet obstacle ne permet pas à celuy qui conoît cet intérêt d'être homme raisonable. Mais voyons ce que l'homme doit être extérieurement; Premiérement, il doit sçavoir marcher, chasser, pêcher, tirer un coup de fléche ou de fusil, sçavoir conduire un Canot, sçavoir faire la guerre, conoître les bois, estre infatiguable, vivre de peu dans l'ocasion, construire des Cabanes & des Canots, faire, en un mot, tout ce qu'un Huron fait. Voilà ce que j'apelle un homme. Car di-moy, je te prie, combien de millions de gens y-a-t il en Europe, qui, s'ils étoient trente lieües dans des Forêts, avec un fusil ou des fléches, ne pourroient ni chasser de quoi se nourrir, ni même trouver le chemin d'en sortir. Tu vois que nous traversons cent lieües de bois sans nous égarer, que nous tuons les oiseaux & les animaux à coups de fléches, que nous prenons du poisson par tout où il s'en trouve, que nous suivons les hommes & les bêtes fauves à la piste, dans les prairies & dans les bois, l'été comme l'hiver, que nous vivons de racines, quand nous sommes aux portes des Iroquois, que nous sçavons manier la hache & le coûteau, pour faire mille ouvrages nous-mêmes. Car, si nous faisons toutes ces choses, pourquoy ne les feriés vous pas comme nous? N'étes vous pas aussi grands, aussi forts, & aussi robustes? Vos Artisans ne travaillent-ils pas à des ouvrages incomparablement plus dificiles & plus rudes que les nôtres? Vous vivriés tous de cette maniére là, vous seriés aussi grands maîtres les uns que les autres. Vôtre richesse seroit, comme la nôtre, d'aquérir de la gloire dans le mêtier de la guerre, plus on prendroit d'esclaves, moins on travailleroit; en un mot, vous seriez aussi heureux que nous.

LAHONTAN

Appelles-tu vivre heureux, d'estre obligé de gîter sous une miserable Cabane d'écorce, de dormir sur quatre mauvaises couvertures de Castor, de ne manger que du rôti & du boüilli, d'être vêtu de peaux, d'aller à la chasse des Castors, dans la plus rude saison de l'année; de faire trois cens lieües à pied dans des bois épais, abatus & inaccessibles, pour chercher les Iroquois; aller dans de petits canots, se risquer à périr chaque jour dans vos grands Lacs, quand vous voyagez. Coucher sur la dure à la belle étoile, lorsque vous aprochés des Villages de vos ennemis: être contrains le plus souvent de courir sans boire ni manger, nuit & jour, à toute jambe, l'un deçà, l'autre de là, quand ils vous poursuivent, d'estre réduits à la dernière des miséres, si par amitié & par commisération les Coureurs des Bois n'avoient la charité de vous porter des fusils, de la poudre, du plomb, du fil à faire des filets, des haches, des couteaux, des aiguilles, des Alesnes, des ameçons, des chaudiéres, & plusieurs autres marchandises.

ADARIO

Tout beau, n'allons pas si vîte, le jour est long, nous pouvons parler à loisir, l'un aprés l'autre. Tu trouves, à ce que je vois, toutes ces choses bien dures. Il est vray qu'elles le seroient extrémement pour ces François, qui ne vivent, comme les bêtes, que pour boire & manger; & qui n'ont esté élevés que dans la molesse: mais di-moy, je t'en conjure, quelle différence il y a de coucher sous une bonne Cabane, ou sous un Palais; de dormir sur des peaux de Castors, ou sur des matelats entre deux draps; de manger du rosti & du boüilli; ou de sales pâtez, & ragoûts, aprêtez par des Marmitons crasseux? En sommes nous plus malades, ou plus incommodez que les François qui ont ces Palais, ces lits, & ces Cuisiniers? Hé! combien y en a-t-il parmi vous, qui couchent sur la paille, sous des toits ou des greniers que la pluye traverse de toutes parts, & qui ont de la peine à trouver du pain & de l'eau? J'ay esté en France, j'en parle pour

l'avoir veu. Tu critiques nos habits de peaux, sans raison, car ils sont plus chauds & résistent mieux à la pluye que vos draps; outre qu'ils ne sont pas si ridiculement faits que les vôtres, auxquels on employe soit aux poches, ou aux costez, autant d'étoffe qu'au corps de l'habit. Revenons à la chasse du Castor durant l'hiver, que tu regardes comme une chose afreuse, pendant que nous y trouvons toute sorte de plaisir & les commoditez d'avoir toutes sortes de marchandises pour leurs peaux. Déja nos esclaves ont la plus grande peine (si tant est qu'il y en ait) tu sçais que la chasse est le plus agréable divertissement que nous ayons: celle de ces Animaux estant tout à fait plaisante, nous l'estimons aussi plus que toute autre. Nous faisons, dis-tu, une guerre pénible; j'avoüe que les François y périroient, parce qu'ils ne sont pas accoutumez de faire de si grands voyages à pied; mais ces courses ne nous fatiguent nullement; il seroit à souhaiter pour le bien de Canada que vous eussiez nos talens. Les Iroquois ne vous égorgeroient pas, comme ils font tous les jours, au milieu de vos Habitations. Tu trouves aussi que le risque de nos petits Canots dans nos Voyages est une suite de nos miséres; il est vray que nous ne pouvons pas quelquefois nous dispenser d'aller en Canot. Puisque nous n'avons pas l'industrie de bâtir des Vaisseaux; mais ces grands Vaisseaux que vous faites ne périssent pas moins que nos Canots; tu nous reproches encore que nous couchons sur la dure à la belle étoile, quand nous sommes au pied des Villages des Iroquois; j'en conviens; mais aussi je sçay bien que les soldats en France ne sont pas si commodément que les tiens sont ici, & qu'ils sont bien contrains de se gîter dans les Marais & dans les fossez à la pluye & au vent. Nous-nous enfuyons, ajoûte-tu, à toute jambe; il n'y a rien de si naturel, quand le nombre des ennemis est triple, que de s'enfuir; à la vérité la fatigue de courir nuit & jour, sans manger, est terrible, mais il vaut bien mieux prendre ce parti que d'estre esclave. Je croy que ces extrémitez seroient horribles pour des Européans, mais elles ne sont quasi rien à nostre égard. Tu finis en concluant que les François nous tirent de la misére, par la pitié qu'ils ont de nous. Et comment faisoient nos Péres, il y a cent ans, en vivoient-ils moins sans leurs marchandises; au lieu de fusils, de poudre, & de plomb, ils se servoient de l'arc & des fléches, comme nous faisons encore. Ils faisoient des rets avec du fil d'écorce d'arbre, il se servoient des haches de pierre; ils faisoient des coûteaux, des aiguilles, des Alesnes, &c. avec des os de cerf ou d'élan; au lieu de chaudiére on prenoit des pots de terre. Si nos Péres se sont passez de toutes ces marchandises, tant de siécles, je croy que nous pourrions bien nous en passer plus facilement que les François ne se passeroient de nos Castors, en échange desquels, par bonne amitié, ils nous donnent des fusils qui estropient, en crevant, plusieurs Guerriers, des haches qui cassent en taillant un arbrisseau, des coûteaux qui s'émoussent en coupant une citroüille, du fil moitié pourri, & de si méchante qualité, que nos filets sont plûtôt usez qu'achevez; des chaudiéres si minces que la seule pesanteur de l'eau en fait sauter le fond. Voilà, mon Frére, ce que j'ay à te répondre sur les miséres des Hurons.

LAHONTAN

Hé bien, tu veux donc que je croye les Hurons insensibles à leurs peines & à leurs travaux, & qu'ayant esté élevez dans la pauvreté & les soufrances, ils les envisagent d'un autre œil que nous; cela est bon pour ceux qui n'ont jamais sorti de leur païs, qui ne connoissent point de meilleure vie que la leur, & qui n'ayant jamais été dans nos Villes, s'imaginent que nous vivons comme eux; mais pour toy, qui as été en France, à Quebec, & dans la Nouvelle Angleterre, il me semble que ton goût & ton discernement sont bien sauvages, de ne pas trouver l'estat des Européans préférable à celuy des Hurons. Y a-t-il de vie plus agréable & plus délicieuse au Monde, que celle d'un nombre infini de gens riches à qui rien ne manque? Ils ont de beaux Carosses, de belles Maisons ornées de tapisseries & de tableaux magnifiques; de beaux Jardins où se cueuillent toutes sortes de fruits, des Parcs où se trouvent toutes sortes d'animaux ; des Chevaux & des Chiens pour chasser, de l'argent pour faire grosse chére, pour aller aux Comédies & aux jeux, pour marier richement leurs enfans, ces gens sont adorés de leurs dépendans. N'as-tu pas vû nos Princes, nos Ducs, nos Marêchaux de France, nos Prélats & un million de gens de toutes sortes d'états qui vivent comme des Rois, à qui rien ne manque, & qui ne se souviénent d'avoir vêcu que quand il faut mourir?

ADARIO

Si je n'estois pas si informé que je le suis de tout ce qui se passe en France, & que mon voyage de Paris ne m'eût pas donné tant de conoissances & de lumiéres, je pourrois me laisser aveugler par ces apparences exterieures de félicité, que tu me représentes; mais ce Prince, ce Duc, ce Marêchal, & ce

Prélat, qui sont les premiers que tu me cites, ne sont rien moins qu'heureux, à l'égard de Hurons, qui ne conoissent d'autre félicité que la tranquillité d'ame, & la liberté. Or ces grand seigneurs se haïssent intérieurement les uns les autres, ils perdent le sommeil, le boire & le manger pour faire leur cour au Roy, pour faire des piéces à leurs ennemis; ils se font des violences si fort contre nature, pour feindre, déguiser, & soufrir, que la douleur que l'ame en ressent surpasse l'imagination. N'est-ce rien, à ton avis, mon cher Frére, que d'avoir cinquante serpens dans le cœur? Ne vaudroit-il pas mieux jetter Carosses, dorures, Palais, dans la riviére, que d'endurer toute sa vie tant de martires? Sur ce pied là j'aimerois mieux si j'étois à leurplace, estre Huron, avoir le Corps nû, & l'ame tranquille. Le corps est le logement de l'ame, qu'importe que ce Corps soit doré, étendu dans un Carrosse, assis à une table, si cette ame le tourmente, l'afflige & le désole? Ces grands seigneurs, dis-je, sont exposez à la disgrace du Roy, à la médisance de mille sortes de Personnes, à la perte de leurs Charges, au mépris de leurs semblables; en un mot leur vie molle est traversée par l'ambition, l'orgueuil, la présomption & l'envie. Ils sont esclaves de leurs passions, & de leur Roy, qui est l'unique François heureux, par raport à cette adorable liberté dont il joüit tout seul. Tu vois que nous sommes un millier d'hommes dans nôtre Village, que nous-nous aimons comme fréres; que ce qui est à l'un est au service de l'autre; que les Chefs de guerre, de Nation & de Conseil, n'ont pas plus de pouvoir que les autres Hurons; qu'on n'a jamais veu de quérelles ni de médisances parmi nous; qu'enfin chacun est maître de soy-même, & fait tout ce qu'il veut, sans rendre conte à personne, & sans qu'on y trouve à redire. Voilà, mon Frére, la diférence qu'il y a de nous à ces Princes, à ces Ducs, &c. laissant à part tous ceux qui estant au dessous d'eux doivent, par consequent, avoir plus de peines, de chagrin & d'embarras.

LAHONTAN

Il faut que tu croye, mon cher Ami, que comme les Hurons sont élevez dans la fatigue & dans la misére, ces grands Seigneurs, le sont de même dans le trouble, dans l'ambition, & ils ne vivroient pas sans cela; & comme le bonheur ne consiste que dans l'imagination, ils se nourrissent de vanité. Chaqu'un d'eux s'estime dans le cœur autant que le Roy. La tranquillité d'ame des Hurons n'a jamais voulu passer en France, de peur qu'on ne l'enfermât aux petites Maisons. Etre tranquille en France c'est être fou, c'est être insensible, indolent. Il faut toûjours avoir quelque chose à souhaiter pour être heureux; un homme qui sçauroit se borner seroit Huron. Or personne ne le veut être; la vie seroit ennuyeuse si l'esprit ne nous portoit à desirer à tout moment quelque chose de plus que ce que nous possédons: & c'est ce qui fait le bonheur de la vie, pourvû que ce soit par des voïes légitimes.

ADARIO

Quoy! n'est ce pas plûtôt mourir en vivant, que de tourmenter son esprit à toute heure, pour aquérir des Biens, ou des Honneurs, qui nous dégoûtent dez que nous en joüissons? d'afoiblir son corps & d'exposer sa vie pour former des entreprises qui échouent le plus souvent? Et puis tu me viendras dire que ces grands Seigneurs sont élevez dans l'ambition, & dans le trouble, comme nous dans le travail & la fatigue. Belle comparaison pour un homme qui sçait lire & écrire! Dis-moy, je te prie, ne faut-il pas, pour se bien porter, que le corps travaille & que l'esprit se repose? Au contraire, pour détruire sa santé, que le corps se repose, & que l'esprit agisse? Qu'avons-nous au monde de plus cher que la vie? Pourquoy n'en pas profiter? Les François détruisent leur santé par mille causes diférentes; & nous conservons la nôtre jusqu'à ce que nos corps soient usez, parce que nos ames exemptes de passions ne peuvent altérer ni troubler nos corps. Mais enfin les François hâtent le moment de leur mort par des voïes légitimes; voilà ta conclusion; elle est belle, asseurément, & digne de remarque! Croi-moy, mon cher Frére, songe à te faire Huron pour vivre long-temps. Tu boiras, tu mangeras, tu dormiras, & tu chasseras en repos; tu seras délivré des passions qui tiranisent les François; tu n'auras que faire d'or, ni d'argent, pour être heureux; tu ne craindras ni voleurs, ni assassins, ni faux témoins; & si tu veux devenir le Roi de tout le monde, tu n'auras qu'à t'imaginer de l'estre, & tu le seras.

LAHONTAN

Ecoute, il faudroit pour cela que j'eusse commis en France de si grands crimes qu'il ne me fût permis d'y revenir que pour y être brûlé; car, aprés tout, je ne vois point de métamorphose plus extravagante à un François que celle de Huron. Est-ce que je pourrois résister aux fatigues dont nous avons parlé? Aurois-je la patience d'entendre les sots raisonnemens de vos Vieillards & de vos jeunes gens, comme vous faites, sans les contredire?

Pourrois-je vivre de boüillons, de pain, de bled d'Inde, de rôti & boüilli, sans poivre ni sel? Pourrois-je me colorer le visage de vint sortes de couleurs, comme un fou? Ne boire que de l'eau d'érable? Aller tout nû durant l'été, me servir de vaisselle de bois? M'acomoderois-je de vos repas continuels, où trois ou quatre cens personnes se trouvent pour y danser deux heures devant & aprés? Vivrois-je avec des gens sans civilité, qui, pour tout compliment, ne sçavent qu'un *je t'honore*. Non, mon cher *Adario*, il est impossible qu'un François puisse être Huron; au lieu que le Huron se peut faire aisément François.

ADARIO

A ce conte-là tu préféres l'esclavage à la liberté; je n'en suis pas surpris, aprés toutes les choses que tu m'as soûtenues. Mais, si par hasard, tu rentrois en toy même, & que tu ne fusse pas si prévenu en faveur des mœurs & des maniéres des François, je ne voi pas que les dificultez dont tu viens de faire mention, fussent capables de t'empêcher de vivre comme nous. Quelle peine trouves-tu d'aprouver les contes des vieilles gens, comme des jeunes? N'as-tu pas la même contrainte quand les Jésuïtes & les gens qui sont au dessus de toy, disent des Extravagances? Pourquoy ne vivrois-tu pas de boüillons de toutes sortes de bonnes viandes? Les perdrix, poulets d'Inde, liévres, canards, Chevreuils ne sont-ils pas bons rôtis & boüillis? A quoy sert le poivre, le sel & mille autres épiceries, si ce n'est à ruïner la santé? Au bout de quinze jours tu ne songerois plus à ces drogues. Quel mal te feroient les couleurs sur le visage? Tu te mets bien de la poudre & de l'essence aux cheveux, & même sur les habits? N'ay-je pas veu des François qui portent des moustaches, comme les Chats, toutes couvertes de Cire? Pour la boisson d'eau d'érable elle est douce, salutaire, de bon gôut & fortifie la poitrine: je t'en ay veu boire plus de quatre fois. Au lieu que le vin & l'eau de vie détruisent la chaleur naturelle, afoiblissent l'estomac, brûlent le sang, enyvrent, & causent mille désordres. Quelle peine aurois-tu d'aller nû pendant qu'il fait chaud? Au moins tu vois que nous ne le sommes pas tant que nous n'ayons le devant & le derriére couverts. Il vaut bien mieux aller nû que de suer continuellement sous le fardeau de tant de vêtemens, les uns sur les autres. Quel embarras trouves-tu encore de manger, chanter & danser en bonne Compagnie? Cela ne vaut-il pas mieux que d'être seul à Table, ou avec des gens qu'on n'a jamais ni veus ni connus? Il ne resteroit plus donc qu'à vivre sans complimens, avec des gens incivils. C'est une peine qui te parôit assez grande, qui cependant ne l'est point. Dis moy, la Civilité ne se rèduit-elle pas à la bienséance & à l'affabilité? Qu'est ce que la bienséance? N'est-ce pas une gêne perpétuelle, & une affectation fatiguante dans ses paroles, dans ses habits, & dans sa contenance? Pourquoy donc aimer ce qui embarasse? Qu'est-ce que l'affabilité? N'est ce pas assûrer les gens de nôtre bonne volonté à leur rendre service, par des caresses & d'autres signes extérieurs? Comme quand vous dites à tout moment, *Monsieur, je suis vôtre serviteur, vous pouvés disposer de moy*. Aquoi toutes ces paroles aboutissent-elles? Pourquoy mentir à tout propos, & dire le contraire de ce qu'on pense? Ne te semble-t'il pas mieux de parler comme ceci. *Te voilà donc, sois le bien venu, car je t'honore.* N'est-ce pas une grimace éfroyable, que de plier dix fois son corps, baisser la main jusqu'à terre, de dire à tous momens, *je vous demande pardon*, à vos Princes, à vos Ducs, & autres dont nous venons de parler? Sçache, mon Frére que ces seules soûmissions me dégoûteroient entierement de vivre à l'Européane, & puis tu me viendras dire, qu'un Huron, se feroit aisément François! il trouveroit bien d'autres dificultez que celles que tu viens de dire. Car supposons que dez demain je me fisse François, il faudroit commencer par être Chrestien, c'est un point dont nous parlâmes assez il y a trois jours. Il faudroit me faire faire la barbe tous les trois jours, car apparamment dez que je serois françois, je deviendrois velu & barbu comme une bête; cette seule incommodité me parôit rude. N'est-il pas plus avantageux de n'avoir jamais de barbe, ni de poil au corps? As-tu vû jamais de Sauvage qui en ait eû? pourrois-je m'acoutumer à passer deux heures à m'habiller, à m'accommoder, à métre un habit bleu, des bas rouges, un chapeau noir, un plumet blanc, & des rubans verts? Je me regarderois moy-même comme un fou. Et comment pourrois-je chanter dans les rues, danser devant les miroirs, jetter ma perruque tantôt devant, tantôt derriére? Et comment me réduirois-je à faire des révérences & des prosternations à de superbes fous; en qui je ne connoîtrois d'autre mérite que celui de leur naissance & de leur fortune? Comment verrois-je languir les Nécessiteux, sans leur donner tout ce qui seroit à moy? Comment porterois je l'épée sans exterminer un tas de scélérats qui jettent aux Galéres mille pauvres étrangers, les Algériens, Salteins, Tripolins, Turcs qu'on prend sur leurs Côtes, & qu'on vient vendre à Marseille pour les Galéres, qui n'ayant jamais fait de mal à personne sont enlevez impitoyablement de leur Païs natal pour maudire, mille fois le jour, dans les chaines, pére & mére, vie, naissance, l'Univers & le grand Esprit. Ainsi languissent les Iroquois qu'on y envoya il y a deux ans. Me seroit-il possible de faire ni dire du mal de mes Amis, de caresser mes ennemis, de m'enyvrer par compagnie, de mépriser & bafouer les malheureux, d'honorer les méchans & de traiter avec eux; de me réjoüir du mal d'autruy, de loüer un homme de sa méchanceté; d'imiter les envieux, les traîtres, les flateurs, les inconstans, les menteurs, les orgueilleux, les Avares, les intéressez, les raporteurs & les gens à double intention? Aurois-je l'indiscrétion de me vanter de ce que j'aurois fait, & de ce que je n'aurois pas fait? Aurois-je la bassesse de ramper comme une couleuvre aux pieds d'un Seigneur, qui se fait nier par ses Valets? Et comment pourrois je ne me pas rebuter de ses refus? Non, Mon cher Frére, je ne sçaurois être François; j'aime bien mieux être ce que je suis, que de passer ma vie dans ces Chaines. Est-il possible que nôtre liberté ne t'enchante pas! peut-on vivre d'une maniére plus aisée que la nôtre? Quand tu viens pour me voir dans ma Cabane, ma femme & mes filles ne te laissent-elles pas seules avec moy, pour ne pas interrompre nos conservations? De même, quand tu viens voir ma femme, ou mes filles ne te laisse-t-on pas seul avec celle des deux que tu viens visiter? N'es tu pas le maître en quelque Cabane du Village où tu puisses aller, de demander à manger de tout ce que tu sçais y avoir de meilleur? Y a-t-il des Hurons qui aïent jamais refusé à quelque autre sa chasse, ou sa pêche, ou toute ou en partie? Ne cotizons nous pas entre toute la Nation les Castors de nos Chasses, pour suppléer à ceux qui n'en ont pû prendre suffisamment pour acheter les marchandises dont ils ont besoin? N'en usons-nous pas de même de nos bleds d'Inde, envers ceux dont les champs n'ont sçeu raporter des moissons sufisantes pour la nourriture de leurs familles? Si quelqu'un d'entre nous veut faire un Canot, ou une nouvelle Cabane, chacun n'envoye t'il pas ses esclaves pour y travailler, sans en être prié? Cette vie-là est bien différente de celle des Européans, qui feroient un procez pour un Bœuf ou pour un Cheval à leurs plus proches parens? Si un Fils demande à son Pére, ou le Pére à son Fils, de l'argent, il dit qu'il n'en a point; si deux François qui se conoissent depuis vint ans, qui boivent & mangent tous les jours ensemble, s'en demandent aussi l'un à l'autre, ils disent qu'ils n'en ont point. Si de pauvres miserables, qui vont tous nuds, décharnez, dans les rues, mourans de faim & de misére, mendient une obole à des Riches, ils leurs répondent qu'ils n'en ont point. Aprés cela, comment avez vous la présomption de prétendre avoir un libre accez dans le Païs du grand Esprit? Y a-t-il un seul homme au monde qui ne conoisse que le mal est contre nature, & qu'il n'a pas été créé pour le faire? Quelle esperance peut avoir un Chrêtien à sa mort, qui n'a jamais fait de bien en sa vie? Il faudroit qu'il crût que l'ame meurt avec le corps. Mais je ne croy pas qu'il se trouve des gens de cette opinion. Or si elle est immortelle, comme vous le croyez, & que vous ne vous trompiez pas dans l'opinion que vous avez de l'enfer & des péchez qui conduisent ceux qui les commétent, en ce Païs-là, vos ames ne se chaufferont pas mal.

LAHONTAN

Ecoute, Adario, je croy qu'il est inutile que nous raisonnions davantage; je vois que tes raisons n'ont rien de solide; je t'ay dit cent fois que l'exemple de quelques méchantes gens ne concluoit rien; tu t'imagines qu'il n'y a point d'Européan qui n'ait quelque vice particulier caché ou connu; j'aurois beau te prêcher le contraire d'icy à demain, ce seroit en vain; car tu ne mets aucune diférence de l'homme d'honneur au sçelerat. J'aurois beau te parler dix ans de suite, tu ne démordrois jamais de la mauvaise opinion que tu t'es formée, & des faux préjugez touchant nôtre Religion, nos Loix, & nos maniéres. Je voudrois qu'il m'eut coûté cent Castors que tu sçusse aussi bien lire & écrire qu'un François; je suis persuadé que tu n'insisterois plus à mépriser si vilainement l'heureuse condition des Européans. Nous avons veu en France des *Chinois* & des *Siamois* qui sont des gens du bout du Monde, qui sont en toutes choses plus opposez à nos maniéres que les Hurons; & qui cependant ne se pouvoient lasser d'y admirer nôtre maniére de vivre. Pour moy, je t'avoüe que je ne conçois rien à ton obstination.

ADARIO

Tous ces gens-là ont l'esprit aussi mal tourné que le corps. J'ay veu certains Ambassadeurs de ces Nations dont tu parles. Les Jésuites de Paris me racontérent quelque histoire de leurs Païs. Ils ont le *tien* & le *mien* entre'eux, comme les François; ils connoissent l'argent aussi bien que les François; & comme ils sont plus brutaux, & plus intéressez que les François, il ne faut pas trouver étrange qu'ils aïent approuvé les maniéres des gens qui les traitant avec toute sorte d'amitié, leur faisoient encore des présens à l'envi les uns des autres. Ce n'est pas sur ces gens-là que les Hurons se régleront. Tu ne dois pas t'ofencer de tout ce que je t'ay prouvé; ne méprise point les Européans, en leur présence; Je me contente de les plaindre. Tu as raison de dire que je ne fais point de différence, de ce que nous appellons homme d'honneur à un brigand. J'ay bien peu d'esprit, mais il y a assez de temps que je traite avec les François, pour sçavoir ce qu'ils entendent par ce mot d'homme d'honneur. Ce n'est pas pour le moins un Huron; car un Huron ne connoît point l'argent, & sans argent on n'est pas homme d'honneur parmi vous. Il ne me seroit pas dificile de faire un homme d'honneur de mon esclave; Je n'ay qu'à le mener à Paris, & luy fournir cent paquets de Castors pour la dépense d'un Carosse, & de dix ou douze Valets; il n'aura pas plûtôt un habit doré avec tout ce train, qu'un chacun le saluera, qu'on l'introduira dans les meilleures Tables, & dans les plus célébres Compagnies. Il n'aura qu'à donner des repas aux Gentishommes, des présens aux Dames, il passera par tout pour un homme d'esprit, de mérite, & de capacité; on dira que c'est le Roy des Hurons; on publiera par tout que son Païs est couvert de mines d'or, que c'est le plus puissant Prince de l'Amérique; qu'il est sçavant; qu'il dit les plus agréables choses du monde en Conversation; qu'il est redouté de tous ses Voisins; enfin ce sera un homme d'honneur, tel que la plûpart des Laquais le deviennent en France; aprés qu'ils ont sçeu trouver le moyen d'attraper assez de richesses pour paroître en ce pompeux équipage, par mille voyes infames & détestables. Ha! mon cher Frére, si je sçavois lire, je découvrirois de belles choses, que je ne sçay pas, & tu n'en serois pas quitte pour les défauts que j'ay remarquez parmi les Européans; j'en aprendrois bien d'autres, en gros & en détail, alors je croy qu'il n'y a point d'état ou de vocation sur lesquels je ne trouvasse bien à mordre. Je croi qu'il vaudroit bien mieux pour les François qu'ils ne sçeussent ni lire ni écrire; je voy tous les jours mille disputes ici entre les Coureurs de Bois pour les Ecrits, lesquels n'aportent que des chicanes & des procez. Il ne faut qu'un morceau de papier, pour ruïner une famille; avec une lettre la femme trahit son mari, & trouve le moyen de faire ce qu'elle veut; la mere vend sa fille; les Faussaires trompent qui ils veulent. On écrit tous les jours dans les livres des menteries, & des impertinences horribles; & puis tu voudrois que je sçeusse lire & écrire, comme les François? Non, mon Frére, j'aime mieux vivre sans le sçavoir, que de lire & d'écrire des choses que les Hurons ont en horreur. Nous avons assez de nos *Hiéroglifes* pour ce qui regarde la chasse & la guerre; tu sçais bien que les Caractéres que nous faisons autour d'un arbre pelé, en certains passages, comprénent tout le succez d'une Chasse, ou d'un parti de guerre; que tous ceux qui voyent ces marques les entendent. Que faut il davantage? La communauté de biens des Hurons n'a que faire d'écriture, il n'y a ni poste, ni chevaux dans nos Forêts pour envoyer des Courriers à Quebec; Nous faisons la paix & la guerre sans écrit, seulement par des Ambassadeurs qui portent la parole de la Nation. Nos limites sont réglez aussi sans écrits. A l'égard des Sçiences que vous conoissez, elles nous seroient inutiles; car pour la *Géografie*, nous ne voulons pas nous embarasser l'esprit en lisant des livres de Voyages qui se contredisent tous, & nous ne sommes pas gens à quitter nôtre Païs dont nous conoissons, comme tu sçais, jusqu'au moindre petit ruisseau, à quatre cens lieües à la ronde. L'*Astronomie* ne nous est pas plus avantageuse, car nous contons les années par Lunes, & nous disons *j'ay tant d'hivers* pour dire tant d'années. La *Navigation* encore moins, car nous n'avons point de Vaisseaux. Les *Fortifications* non plus; un Fort de simples palissades nous garentit des fléches & des surprises de nos Ennemis, à qui l'artillerie est inconnuë. En un mot, vivant comme nous vivons, l'écriture ne nous serviroit de rien. Ce que je trouve de beau, c'est l'*Aritmétique*; il faut que je t'avoüe que cette sçience me plaît infiniment, quoique pourtant ceux qui la sçavent ne laissent pas de faire de grandes tromperies; aussi je, n'aime de toutes les Vocations des François, que le commerce, car je le regarde comme la plus légitime, & qui nous est la plus nécessaire. Les Marchands nous font plaisir; quelques uns nous portent quelquefois de bonnes marchandises, il y en a de bons & d'équitables, qui se contentent de faire un petit gain. Ils risquent beaucoup; ils avancent, ils prêtent, ils attendent; enfin je connois bien des Négocians qui ont l'ame juste & raisonnable; & à qui nôtre Nation est trés redevable; d'autres pareillement qui n'ont pour but que de gagner excessivement sur des marchandises de belle apparence, & de peu de raport, comme sur les haches, les chaudiéres, la poudre, les fusils, &c. que nous n'avons pas le talent de connoitre. Cela te fait voir qu'en tous les états des Européans, il y a quelque chose à redire; il est trésconstant que si un Marchand n'a pas le cœur droit, & s'il n'a pas assez de vertu pour résister aux tentations diverses ausquelles le négoce l'expose, il viole à tout moment les Loix de la justice, de l'équité, de la charité, de la sincérité, & de la bonne foy. Ceux-

là sont méchans, quand ils nous donnent de mauvaises marchandises, en échange de nos Castors, qui sont des peaux où les
aveugles mêmes ne sçauroient se tromper en les maniant. C'est
assez, mon cher Frére, je me retire au Village, où je t'attendray
demain aprés midi.

S: *id.*, *ibid.*, vol. 2, pp. 849-865.

NICOLAS PERROT
(vers 1644-1717)

Nicolas Perrot serait né en France vers 1644. Il serait arrivé au Canada en 1660 comme donné des jésuites. Il aurait quitté ceux-ci en 1665 pour visiter les Potéouatamis et les Renards. L'année suivante, il est domestique chez une veuve, puis chez les Sulpiciens de Montréal. Cofondateur le 12 août 1667 d'une société commerciale, il remonte dans la région de la baie des Puants et du Wisconsin pour y faire la traite. Le 3 septembre 1670, il devient interprète au service de Simon-François Daumont de Saint-Lusson qui va explorer dans la région du lac Supérieur et prendre possession de la région environnante. Le 11 novembre 1671, Perrot se marie et s'établit à Champlain (Québec), puis, le 2 décembre 1677, dans la seigneurie de Bécancour [Québec]. Il continue à gagner sa vie comme interprète et commerçant de fourrures. Du printemps à l'automne de 1685, il est commandant en chef de la région de la baie des Puants [Green Bay, Wisconsin]. Au printemps de 1687, pendant qu'il participe à une expédition militaire au pays des Tsonnontouans, les 40 000 livres de pelleteries qu'il avait entreposées à la mission jésuite de Saint-François-Xavier [baie des Puants] sont consumées par un incendie qui le ruine. Il descend à Montréal, achète ce qu'il lui faut pour la traite et remonte dans l'Ouest. Au printemps de 1688, il est de passage à Montréal. Le 8 mai 1689, au nom du roi Louis XIV, il prend possession de la baie des Puants et des territoires environnants. De 1690 à 1696, les administrateurs de la colonie le chargent de veiller à ce que la paix et l'union règnent parmi les nations de la région; il doit voir aussi à ce qu'aucune de ces nations n'abandonne l'alliance française pour se joindre aux Iroquois ou se mettre au service des Anglais. Grâce à l'ascendant qu'il a acquis sur les Amérindiens, il réussit. En 1696, à la suite de la suppression des congés de traite et des postes de l'Ouest, il se fixe définitivement à Bécancour. En 1701, il sert d'interprète aux nations de l'Ouest lors de la signature du traité de paix que le gouverneur Callière conclut à Montréal avec une trentaine de nations amérindiennes. Endetté et ne recevant pas les remboursements qu'il attendait des administrateurs de la colonie ni la pension qu'il avait demandée au gouvernement français pour les services qu'il avait rendus, il est maintes fois poursuivi par ses créanciers. En 1708, il est nommé capitaine de milice et le demeure jusqu'à sa mort à Bécancour le 13 août 1717.

C'est pendant ces dernières années à Bécancour que Nicolas Perrot aurait écrit plusieurs mémoires à l'aide de ses notes de voyage. Les relationnistes et historiens postérieurs, dont Bacqueville de la Potherie, les ont exploités abondamment avant que le jésuite Jules Tailhan n'éditât, en 1864, celui qui est devenu le plus connu: *Mémoire sur les mœurs, coustumes et relligion des sauvages de l'Amérique septentrionale*. Ce mémoire avait été adressé à l'intendant Michel Bégon de la Picardière. Ce qui en fait la valeur, c'est la modestie et la franchise avec laquelle Perrot, qui connaissait plusieurs langues améridiennes et avait eu à traiter avec plusieurs nations, non seulement relate ce qu'il a vu et entendu, mais juge aussi tantôt les Français, tantôt les Amérindiens. Il ne craint pas de dire le bien et le mal qu'il pense des Amérindiens; et il reproche aux Français de n'avoir pas su leur parler avec sérieux et autorité ni conformément à leur caractère et à leurs coutumes.

Nous avons emprunté les pièces qui suivent à l'édition que le père Jules Tailhan a publiée à Leipzig et Paris, en 1864, sous le titre *Mémoire sur les mœurs, coustumes et relligion des sauvages de l'Amérique septentrionale*. — Nous reproduisons tel quel le texte de cette édition.

La création du monde*

TOUTS les peuples qui habitent l'Amérique septentrionalle n'ont aucune connoissance de la création du monde que celle qu'ils ont apprise des Européans qui les ont découverts, et qui conversent touts les jours avec eux. Ils ne s'appliquent mesme que très peu à cette connoissance. Les lettres et l'écriture ne sont aucunement en usage chez eux, et toute leur histoire pour les antiquitez ne se réduit qu'à des idées confuses et fabuleuses qui sont si simples, si basses et si ridicules, qu'elles méritent d'estre seulement mises en lumière pour en faire connoitre l'ignorance et la grossiéreté.

Ils tiennent que tout n'estoit qu'eau avant que la terre fust créée; que sur cette vaste étendüe d'eau flottoit un grand cajeux de bois, sur lequel estoient touts les animaux de différente espèce qui sont sur la terre, dont le grand Lièvre, disent-ils, estoit le chef. Il cherchoit un lieu propre et solide pour débarquer; mais comme il ne se présentoit à la veüe que cignes et autres oiseaux de rivière sur l'eau, il commençoit desjà à perdre espérance, et n'en voyoit plus d'autre que celle d'engager le castor à plonger pour aporter un peu de terre du fond de l'eau, l'asseurant au nom de touts les animaux, que s'il en revenoit avec un grain seulement, il en produiroit une terre assez spatieuse pour les contenir et les nourrir touts. Mais le castor tâchoit de s'en dispenser, alléguant pour raison qu'il avoit desjà plongé aux environs du cajeux sans apparence d'y trouver fonds. Il fust cependant pressé avec tant d'instance de tenter de rechef cette haute entreprise, qu'il s'y hazarda et plongea. Il resta si long-temps sans revenir, que les supliants le crurent noyé; mais on le vit enfin paroître presque mort et sans mouvement. Alors touts les autres animaux voyant qu'il estoit hors d'état de monter sur le cajeux, s'interessèrent aussitost à le retirer; et après luy avoir bien visité les pattes et la quëüe ils n'y trouvèrent rien.

Le peu d'espérance qui leur restoit de pouvoir vivre les contraignit de s'adresser au loutre, et de le prier de faire une seconde tentative pour aller quérir un peu de terre au fond de l'eau. Ils luy représentèrent qu'il y alloit également de son salut comme du leur; le loutre se rendit à leur juste remonstrance et plongea. Il resta au fond de l'eau plus longtemps que le castor, et en revint comme luy avec aussy peu de fruit.

L'impossibilité de trouver une demeure où ils pussent subsister ne leur laissoit plus rien à espérer, quand le rat musqué proposa qu'il alloit, si on vouloit, tâcher de trouver fonds, et qu'il se flatoit mesme d'en aporter du sable. On ne comptoit guerre sur son entreprise, le castor et le loutre bien plus vigoureux que luy n'en ayant pu avoir. Ils l'encouragèrent cependant, et luy promirent mesme qu'il seroit le souverain de toute la terre s'il venoit à bout d'accomplir son projet. Le rat musqué donc se jetta à l'eau et plongea hardyment. Après y avoir esté près de vingt-quatre heures, il parut au bord du cajeux le ventre en haut sans mouvement et les quatre pattes fermées. Les autres animaux le reçurent et le retirèrent soigneusement. On luy ouvrit une des pattes, ensuitte une seconde, puis une troisième, et la quatrième enfin, où il y avoit un petit grain de sable entre ses griffes.

Le grand Lièvre qui s'estoit flatté de former une terre vaste et spatieuse, prit ce grain de sable et le laissa tomber sur le cajeux, qui devint plus gros. Il en reprit une partie et la dispersa. Cela fit grossir la masse de plus en plus. Quand elle fut de la grosseur d'une montagne, il voulut en faire le tour, et à mesure qu'il tournoit, cette masse grossissoit. Aussitot qu'elle luy parut assez grande, il donna ordre au renard de visitter son ouvrage avec pouvoir de l'agrandir: il luy obeit. Le renard ayant connu qu'elle estoit d'une grandeur suffisante pour avoir facilement sa proye, retourna vers le grand Lièvre pour l'informer que la terre estoit capable de nourrir et de contenir touts les animaux. Sur son raport le grand Lièvre se transporta sur son ouvrage, en fit le tour, et le trouva imparfait. Il n'a depuis voulu se fier à aucun de touts les autres animaux, et continue toujours à l'augmenter, en tournant sans cesse autour de la terre. C'est ce qui fait dire aux sauvages, quand ils entendent des retentissements dans les concavités des montagnes, que le grand Lièvre continue de l'agrandir. Ils l'honorent, et le considerent comme le dieu qui l'a créée. Voila ce que ces peuples nous aprennent de la création du monde, qu'ils croyent estre tousjours porté sur ce cajeux. A l'égard de la mer et du firmament, ils asseurent qu'ils ont estez de tout temps.

S: Nicolas Perrot, *Mémoire sur les mœurs, coustumes et relligion des sauvages de l'Amérique septentrionale*, publié pour la première fois par le R. P. J. Tailhan, de la Compagnie de Jésus, Leipzig & Paris, Librairie A. Franck, Albert L. Herold, «Bibliotheca Americana», 1864, pp. 3-5.

La création de l'homme*

Après la création de la terre, touts les autres animaux se retirèrent chacun dans les lieux les plus commodes qu'ils purent trouver, pour y avoir leur pâture et leur proye. Les premiers estant morts, le grand Lièvre fit naistre des hommes de leurs cadavres, mesme de ceux des poissons qui se trouvèrent le long du rivage des rivières qu'il avoit formées en créant la terre. Car les uns tirèrent leur origine d'un ours, les autres d'un élan, et ainsy de plusieurs différents animaux; ce qu'ils ont fermement crû avant d'avoir fréquenté les Européans, persuadez qu'ils tenoient l'estre de ces sortes de créatures, dont l'origine estoit tel qu'il a esté cy-devant exposé. Cela passe encore aujourd'huy chez eux pour une vérité constante, et s'il s'en trouve aujourd'huy qui sont dissuadez de cette rêverie, ce n'a esté qu'à force de les railler sur une si ridicule croyance. Vous les entendez dire que leurs villages portent le nom de l'animal qui leur a donné l'estre, ainsy que de la grüe, de l'ours, et autres animaux. Ils s'imaginent avoir estez créés par d'autres divinitez que celles que nous reconnoissons, parceque nous avons plusieurs inventions qu'ils n'ont pas, comme celle de l'écriture, de tirer du feu, de faire de la poudre, des fusils et autres choses qui sont à l'usage de l'homme.

Ces premiers hommes qui formèrent le genre humain estants

dispersez en differents endroits de la terre, reconnurent qu'ils avoient de l'esprit. Ils consideroient cà et là des buffles, des cerfs, des biches, toutes sortes d'oiseaux et d'animaux, et quantité de rivières pleines de poissons; ces premiers hommes, disje, que la faim avoit affoiblis, inspirez du grand Lièvre d'une maniere infuse, rompirent la branche d'un petit arbrisseau, firent une corde de filasse d'ortie, polirent une broustille avec une pierre aiguisée et l'armèrent par le bout d'une pareille pour leur servir de flèche, et par ce moyen dressèrent un arc avec lequel ils tüoient de petits oiseaux. Ils firent ensuitte des viretons pour attaquer les grosses bestes qu'ils escorchèrent, et dont ils voulurent manger; mais n'ayant trouvé de saveur que dans la graisse, ils tachèrent de tirer du feu pour en faire cuire la viande, et prirent pour cet effet du bois dur, mais inutilement, pour essayer d'en avoir. Ils en employerent de moins dur qui leur en donna. Les peaux des animaux servirent à les couvrir. Comme la chasse n'est pas l'hyver pratiquable à cause des grandes neiges, ils inventèrent une manière de raquettes pour y marcher avec plus de facilité, et construisirent des canots pour se mettre en estat de traverser les rivières.

Ils raportent aussy que ces hommes, formez comme il a esté dit, trouvèrent en chassant la trace d'un homme prodigieusement grand, suivie d'une plus petite. Chacun ayant marché dans son terrain sur ces vestiges avec bien de l'attention, apperçurent de loin une grande cabanne, où estants arrivez ils furent surpris d'y voir les pieds et les jambes d'un homme si grand, qu'ils ne pouvoient en descouvrir la teste. Cela leur donna de la terreur et les obligea de se retirer. Ce grand colosse s'estant éveillé jetta les yeux sur une piste qui estoit nouvelle, et qui l'engagea à faire un pas; il vît aussitost celuy qui l'avoit découvert, que la frayeur avoit contraint de se cacher dans un buisson où il trembloit de peur, et luy dit: Mon fils, pourquoy crains-tu? rasseure-toy: je suis le grand Lièvre, celuy, qui t'a fait naistre et bien d'autres des cadavres de différents animaux. Je te veux donner aujourd'huy une compagne. Et voicy les termes dont il se servit en luy donnant une femme: Toi, homme, dit il, tu chasseras, tu feras des canots, et tout ce que l'homme est obligé de faire; et toy, femme, tu feras la cuisine à ton mary, tu feras ses souliers, et tu passeras les peaux, tu fileras, et tu t'acquitteras de tout ce qui convient à une femme de faire. C'est là la croyance de ces peuples touchant la création de l'homme, qui n'est fondée que sur une des plus ridicules extravagances, à laquelle ils adjoutent foy comme à des véritez incontestables, et que la honte les empesche de divulguer.

S: *id.*, *ibid.*, pp. 5-7.

Le jeu de crosse*

Les sauvages ont plusieurs sortes de jeux, dans lesquels ils se plaisent. Ils y sont naturellement si enclins, qu'ils perdent pour joüer non seulement le boire et le manger, mais mesme pour voir joüer. Il y a parmy eux un certain jeu de crosse qui a beaucoup de raport avec celuy de nostre longue paume. Leur coustume en joüant est de se mettre nation contre nation, et, s'il y en a une plus nombreuse que l'autre, ils en tirent des hommes pour rendre égale celle qui ne l'est pas. Vous les voyez tous armez d'une crosse, c'est à dire d'un baston qui a un gros bout au bas, lacé comme une raquette; la boule qui leur sert à joüer est de bois et à peu près de la figure d'un œuf de dinde. Les buts du jeu sont marquez dans une pleine campagne; ces buts regardent l'orient et l'occident, le mydi et le septentrion. L'un des deux partys, pour gagner, doit faire passer, en poussant, sa boule au delà des buts qui sont vers l'orient et l'occident, et l'autre la sienne au delà du mydi et du septentrion. Si celuy qui a gagné une fois la faisoit encore passer par delà les buts qui sont vers l'orient et l'occident, du costé qu'il devoit gagner, il est obligé de recommencer la partye, et de prendre les buts de sa partye adverse. S'il venoit à gagner encore une fois, il n'auroit rien fait; car les partyes estant égales et à deux de jeu, on recommence tousjours, afin de joüer la partye d'honneur; celuy des deux partys qui gagne lève ce qui a esté gagé au jeu.

Hommes, femmes, jeunes garçons et filles sont receües dans les partyes qui se font, et gagent les uns contre les autres plus ou moins, chacun selon ses moyens.

Ces jeux commencent ordinairement après la fonte des glaces, et durent jusqu'au temps des semences. On voit l'après-mydi tous les joueurs vermillonnez et apiffez. Chaque party a son chef qui fait sa harangue, déclarant à ses joueurs l'heure fixée pour commencer les jeux. On s'assemble touts en gros, au milieu de la place, et un des chefs des deux partys ayant la boule en main la jette en l'air; chacun se met en devoir de l'envoyer du costé qu'il la doit pousser; si elle tombe à terre, on tâche de l'attirer à soy avec la crosse, et si elle est envoyée hors la foule des joüeurs, c'est là que les plus alertes se distinguent des autres en la suivant de près. Vous entendez le bruit qu'ils font en se

278

frapant les uns contre les autres, dans le temps qu'ils veulent parer les coups pour envoyer cette boule du costé favorable. Quand quelqu'un la garde entre les pieds sans la vouloir lascher, c'est à luy d'éviter les coups que ses adversaires luy portent sans discontinuer sur les pieds; et s'il arrive dans cette conjoncture qu'il soit blessé, c'est pour son compte. Il s'en est veü qui ont eü les jambes cassées, d'autres les bras, et quelques uns ont estez mesme tüez. Il est fort ordinaire d'en voir d'estropiez pour le reste de leurs jours, et qui ne l'ont esté qu'à ces sortes de jeu par un effect de leur opiniâtreté. Quand ces accidents arrivent, celuy qui a le malheur d'y tomber se retire doucement du jeu, s'il est en estat de le faire; mais si sa blessure ne le luy permet pas, ses parents le transportent à la cabanne, et la partie se continüe tousjours comme si de rien n'estoit, jusqu'à ce qu'elle soit finie.

A l'égard des coureurs, quand les partyes sont égales, ils seroient un après-mydi sans estre superieurs les uns aux autres, et quelquefois aussy une des deux remportera les deux partyes qu'il faut avoir pour gagner. Dans ce jeu de course, vous diriez voir comme deux partys qui se voudroient battre; cet exercice contribue beaucoup à rendre les sauvages alertes et dispos pour parer adroitement un coup de casse-tête de la part de son ennemy, quand ils se trouvent meslez dans le combat; et, à moins d'estre prévenu qu'ils joüent, on croiroit véritablement qu'ils se battent en rase campagne. Quelqu'accident que ce jeu puisse causer, ils l'attribuent au sort du jeu, et n'en ont aucune haine les uns contre les autres. Le mal est pour les blessez, qui ont avec cela l'air aussy contents que s'il ne leur estoit rien arrivé, faisant paroistre ainsy qu'ils ont bien du courage et qu'ils sont hommes.

Le party qui a gagné retire ce qu'il a mis au jeu, et le profit qu'il a fait, et cela sans aucune contestation de part et d'autre quand il est question de payer, en quelque sorte de jeu que ce puisse estre. Si quelqu'un cependant qui ne sera pas de la partye, ou qui n'aura rien gagé, poussoit la boule à l'avantage d'un des deux partys, un de ceux que le coup ne favoriseroit pas l'attaqueroit, en luy demandant si ce seroit ses affaires, et de quoy il se mesleroit; ils en sont venus souvent aux prises, et, si quelque chef ne les accordoit, il y auroit du sang répandu et quelqu'un de tüé mesme. Le meilleur moyen d'empescher ce désordre est de recommencer la partye du consentement de ceux qui gagnent; car, s'ils refusoient de le faire, la partye est à eux. Mais quand quelqu'un des considérables s'en mesle, il n'a pas de peine à raccommoder leur différent et à les engager à suivre sa décision.

S. id., ibid., pp. 43-46.

Frayeur des Outaouais à la vue des Iroquois*

Plus de neuf cents Outaoüas descendirent à Montréal en cannots; nous estions cinq François dans cette troupe [en 1670]. Il faut sçavoir que ces peuples estoient dans ce temps-là fort lasches et peu aguerris. Nous trouvâmes, dans nostré marche au-delà du Nepissing, quelques cannots Nepissings qui revenoient de Montréal, ce qui nous engagea de camper pour aprendre des nouvelles de la colonie. Ils nous asseurèrent qu'il y avoit plusieurs bandes d'Irroquois, escortées de quelques François, qui chassoient aux environs de la rivière, et qui leur avoient fait un très bon accueil, en leur donnant des viandes pour se raffraichir. Le gros party, d'apréhension, avoit desjà peur de ce qu'on venoit de dire, et pensoit mesme à relascher; mais, comme les Outaoüas avoient beaucoup de confiance en moy et que j'en estois aymé, je leur persuaday de continüer le voyage, à la reserve de quelques cannots Saulteurs, Missisakis et Kiristinons qui s'évadèrent et retournèrent chez eux. Quand nous eusmes descendus les Calumets, nous rencontrâmes, un peu au-dessous des Chats, Mr. de la Salle qui estoit à la chasse avec cinq ou six François et dix ou douze Irroquois.

Cette grosse flotte d'Outaoüas paroissoit desjà esbranlée en les voyant, et vouloit relascher absolument, sur le raport des François, qui leur disoient qu'il y avoit encore plusieurs autres bandes d'Irroquois qui chassoient plus bas. Je ne pus m'empescher alors de leur reprocher leur lascheté, et, les ayant rasseurés, ils continuèrent la route, car il n'y eust pas lieu de les faire camper. Il fallut donc marcher toutte la nuit, et laisser à flot touts les cannots chargez, afin de pouvoir partir le landemain. Deux heures avant le jour, toutte la flotte en partant prit le large dans la rivière, et fila vers la pointe du jour sans faire de bruit. Nous eusmes le matin un gros broüillard si épais qu'il nous empeschoit de voir nos cannots; mais le soleil à son lever le dissipa, et nous fit remarquer vis-à-vis de nous un camp de sept Irroquois, auxquels estoient joints cinq à six soldats.

La plus grande partie des Outaoüas estoient desjà passéz en ce temps-là. Les Irroquois ne bougèrent point de leurs feux, il n'y eust que les François qui parurent et qui nous appellèrent; mais aucun des cannots ne voulut s'arrester: ils s'efforcèrent au contraire de ramer plus vigoureusement. J'obligeay cependant celuy où j'estois de mettre à terre. Les soldats me firent boire et manger avec eux; mes mattelots me pressoient tousjours de m'embarquer, car la journée que nous fimes fut grande. Le soleil s'alloit coucher, quand le gros descendoit de file le long du sault. Mon cannot estoit des premiers, de trente que nous estions; dont les uns estoient débarquez et les autres au large. Il y en avoit mesme dans les rapides, qui ne pouvoient monter ny forcer le courant des eaux, qu'il nous fallut attendre.

A deux lieües plus bas, il se fit des décharges réitérées de coups de fusils, dont nous vismes la fumée s'élever en l'air. Cet alarme obligea touts les Outaoüas à se ranger en flotte, et ceux qui estoient débarquez furent contraints de se rembarquer, malgré tout ce que je pus faire pour les empescher, et gagnèrent le gros. Ils prirent la résolution de tout abandonner et de s'enfüir. Je fis mon possible pour les en détourner. Ceux qui estoient dans mon cannot avoient desjà les bras morts. Je les fus trouver touts, et leur proposay de me donner un cannot pour prendre le devant, et aller dans l'endroit où s'estoient faites les décharges. J'excitay les François à m'y accompagner, qui n'estoient pas moins saisis de crainte que les sauvages. Je tâchay enfin de les faire revenir de la terreur qui les avoit pris, en les asseurant que les Irroquois, pour preuve de leur sincérité, avoient des François avec eux. Je gagnay la teste du gros de la flotte, et fis si bien en sorte qu'ils consentirent à me suivre; et, comme mon cannot estoit proche de terre, sur le soir, les Irroquois firent une dernière décharge pour nous salüer. Le gros des Outaoüas ayant reconnu que ce n'estoit que pour nous faire honneur que l'on tiroit, reprirent leurs esprits et mirent à terre, sans débarquer leurs pelleteries. Cette bande estoit composée de douze Irroquois, qui avoient deux soldats de Montréal avec eux que je connoissois. Les Outaoüas trembloient encore et estoient dans la résolution de marcher toutte la nuit, jusqu'à ce qu'ils fussent rendus aux premières maisons françoises, ne se croyant pas en seureté parmy ces douze Irroquois, qui les auroient sans doute caressez et régalez s'ils avoient eü quelques viandes de chasse à leur donner.

Quand les Outaoüas virent les Irroquois endormis, ils s'embarquèrent touts vers la mynuit, mon cannot demeura seul. Cependant mes mattelots ne cessoient pas de m'appeler pour m'embarquer; je dormois d'un si profond sommeil, avec ces deux François, que je ne les entendois pas. Un de mes canotteurs se hazarda de venir m'éveiller, mais si doucement que vous eussiez dit qu'il alloit surprendre une sentinelle. Il me dit tout bas à l'oreille qu'il estoit temps d'embarquer, et que toutte la flotte estoit desjà bien loin. Je me levay sur-le-champ pour m'en aller avec luy, et, à la pointe du jour, elle nous parut à perte de veüe. Ils ramoient tous vigoureusement et ne nous attendirent qu'à la Grande Anse dans le lac de Saint Louis. Nous en partimes pour aller à Montréal, sur les deux heures après midy, où les Outaoüas commencèrent à respirer et à se trouver en parfaite asseurance, quand nous y fumes rendus.

S: id., ibid., pp. 119-122.

Trahison du Huron*

Le Rat, qui mourust à Montréal [le 2 août 1701], alla trouver les Irroquois et leur proposa la destruction des nations Outaoüases [1689]. Ils convinrent ensemble que l'Irroquois viendroit avec un gros party à Michillimakinak, et qu'il y envoyeroit des avant-coureurs pour voir et examiner les endroits par où on pourroit les attaquer. Il fust résolu que les Hurons occuperoient le flanc du fort; que le Rat parleroit à touttes les nations de la Baye et Saulteuse, et les inviteroit de se rendre à ce fort de la part des Irroquois, qui ne manqueroient pas de les y venir voir, pour confirmer plus fortement la paix qu'ils avoient fait ensemble, et que le gouverneur leur avoit fait conclure; mais qu'il estoit à propos et mesme nécessaire d'en renouveller une autre entre eux, indépendante de celle-là, qui seroit bien plus solide et plus asseurée. Les Irroquois, pour les en mieux persuader, avoient fait présent de colliers au Rat, afin d'en présenter aux autres nations Outaoüases, quand elles seroient assemblées. Ils leur donnèrent encore des asseurances bien plus fortes, en leur faisant dire qu'ils pouvoient faire un bon fort; car le dessein des Irroquois estoit, suivant les mesures qu'ils avoient prises, de rendre les Hurons maistres d'une palissade, et qu'ils saperoient. De cette manière l'assaut estoit asseuré, parceque le Huron ne tireroit qu'à poudre. Cette trahison fut enfin découverte; car un Aniez venant en traitte à Michillimakinak, rencontra des Amikoüets et autres sauvages au Sakinang, qui le reçurent bien, et lui donnèrent mesme des pelleteries. Ils furent si obligeans à son égard, qu'il ne put s'empescher de découvrir cette conspiration au chef des Amikoüets, qui se nommoit Aumanimek, un de mes bons amis, qui sçavoit [sçachant] bien que je devais monter du Montréal aux Outaoüas, m'attendoit pour hyverner avec moy dans l'endroit, où il falloit s'arrester, dans les voyages, pour y passer l'hyver.

J'arrivay chez luy, et aussytost nous partîmes pour aller à la baye des Puans. Il me déclara la trahison en passant à Michillimakinak. Je fis dire aux Révérends Pères ce qu'il m'avoit dit, qui se servirent de moy sans nommer l'Aniez, ny le chef des Amikoüets, pour faire avoüer au Rat qu'il estoit autheur de la trahison. Ils l'envoyèrent chercher et luy dirent qu'ils avoient appris de la bouche des Irroquois mesme le dessein qu'il avoit de détruire les nations Outaoüases. Les Pères, pour l'en convaincre plus fortement, luy dirent les moyens dont il estoit convenu pour en venir à boust, et tout ce qu'il avoit projetté pour les mieux tromper; il ne put pas le nier, et tout avorta.

On sçait bien que les Hurons ont tousjours cherché à détruire les nations d'en haut, et qu'ils n'ont jamais estez fort attachez aux François; mais ils n'ont pas osé se déclarer ouvertement. Quand ils ont eü la guerre avec les Irroquois, ce n'a esté qu'en apparence, car ils estoient dans le fond en paix avec eux, et leur ont protesté que nous les tenions dans la colonie comme des captifs, et qu'ils ne portoient les armes que par force contre eux, sans pouvoir faire autrement, d'autant qu'ils se trouvoient au milieu des François et des Outaoüas, qui les auroient molestez et chagrinez s'ils avoient refusé d'obéir.

Après le combat de Mr. Denonville contre les Tsonontouans, les députez [des Hurons] arrivèrent chez eux pour s'excuser de ce qu'ils avoient accompagné l'armée françoise. Les Tsonontouans leur répondirent qu'ils ne venoient que lorsque les herbes estoient grandes, et qu'on ne leur voyoit que le boust de la teste; voulant dire qu'ils n'estoient venus les avertir de leur malheur que lorsqu'il estoit arrivé. Les Hurons leur dirent qu'ils devoient en avoir eü avis auparavant par un Aniez qu'ils avoient envoyé. Il est vray aussy qu'il en arriva deux à Michillimakinak, comme les voyageurs alloient partir pour joindre l'armée d'en bas, aux Tsonontouans. Les commandants se fièrent sur la fidelité d'un des deux contre le sentiment de tout le monde, qui déserta à huit lieües du village, sans quoy on les auroit trouvés chez eux, car lorsqu'on arriva au bord du lac, ils commençoient à décamper et à brusler leur village.

S: *id.*, *ibid.*, pp. 143-145.

De l'insolence et de la vaine gloire des sauvages*

Touts les sauvages qui commercent avec le François ne le sont que de nom; ils ont l'esprit de se servir de tout ce qu'ils voyent et connoissent leur pouvoir estre utile, également comme nous. L'ambition et la vaine gloire, comme je l'ay desjà dit, sont les passions supérieures qui les gouvernent. Ils voyent les François faire mil bassesses touts les jours à leurs yeux par un esprit d'intérêt, pour estre de leurs amis et en acquerir les pelleteries, non-seulement dans la colonie, mais aussy dans leurs pays. Ils s'apperçoivent que les Commandants traittent comme les autres avec eux; car la coustume des chefs, parmy les sauvages, est de donner gratuitement, et la chose leur paroit d'autant plus odieuse. Ils ont la présomption de croire que l'on [n']oseroit les châtier, ny le faire ressentir à leurs familles, quand ils sont tombez en faute; se voyant, quoyque coupables, soustenus des puissances, et que le François bien souvent innocent et fondé en droit [est] puny au sujet des différens qu'ils ont eü avec eux. Cela fait qu'ils en abusent et surtout quand ils voyent châtier celuy contre lequel ils ont formé des plaintes. Les interprètes ou ceux qui les dirigent en sont bien souvent la cause, par le penchant injuste qu'ils ont ordinairement pour eux. Ces sortes d'injustices, quoyqu'en leur faveur, leur fait avoir un mépris si grand pour nous, qu'ils regardent ceux de la nation Françoise comme des misérables valets, et des gens les plus malheureux du monde. Voilà comme on les a ménagé depuis quelque temps!

Ils en sont devenus si fiers qu'il faut en user à présent avec eux d'une espèce de soumission. S'ils parlent aux puissances du pays, c'est d'une manière si haute et si impérieuse, qu'ils n'oseroient pour ainsy dire leur avoir refusé [leur refuser] ce qu'ils ont à demander; et s'ils ne l'obtenoient pas, ils ne craindroient pas d'en témoigner leur ressentiment. On ne se laissoit pas autrefois gouverner de la sorte, on sçavoit les caresser à propos, et quand ils le méritoient, soit dans la colonie soit chez eux. On estoit pareillement exact à les châtier lorsqu'ils estoient fautifs. J'en ay cité plusieurs exemples dans ce mémoire. Car combien de fois les ay-je obligez à se soumettre quand ils ont mal parlé de Mr. le Gouverneur, et de luy aller faire des présents en avoüant leur faute? Quand ils ont voulu minutter quelque entreprise contre l'Estat, je les ay obligé à s'en désister. Ce mémoire le marque en bien des endroits; et si quelqu'un vouloit gloser contre ce que j'avance, je suis prêt d'en prouver la vérité, en leur faisant connoître sensiblement que tout ce que j'ay raporté est très fidèle, par le témoignage de deux cents personnes dignes de foy, qui ont veü et connu ce que j'ay fait dans leurs pays, je veux dire celuy des nations sauvages, pour la gloire et l'avantage de la colonie.

Ne voyons-nous pas des François, tous les jours, devant nos yeux, qui n'estoient que des misérables valets, qui, après avoir déserté dans les bois, ont amassé des richesses qu'ils ont aussytost dissipées, s'estre ingérez de raporter des merveilles aux puissances, qui y ont adjouté foy, et, croyant faire pour le mieux suivant le raport qu'on leur faisoit, ont ruiné touttes les affaires, et les ont réduit dans un estat si pitoyable, qu'il sera très difficile de les remettre? On s'estoit proposé pour principe de détruire le Renard pour faire fleurir touttes choses: j'ay donné à Monseigneur de Vaudreuil un mémoire là-dessus, qui a esté traversé puisqu'il n'a pas eü son effect. Il a connu par la suitte que ce que j'y exposois est arrivé au préjudice de la colonie. Je souhaite que tout aille mieux, mais je crains le contraire; et que le proverbe usité dans le monde ne se trouve véritable, c'est-à-dire, que la fin ne couronne l'œuvre, à l'avantage de quelqu'autres que de la colonie. Je ne veux point marquer ce que je prévois, crainte de [causer du] chagrin à des personnes qui m'en voudroient, et qui néantmoins avoüeroient dans la suitte que j'aurois exposé la vérité.

Quand j'ay eü l'honneur d'estre chargé de ménager l'esprit des sauvages, on m'a laissé la liberté de leur dire ma pensée; il s'est trouvé des jaloux qui m'ont taxé d'avoir esté trop rude en leur endroit. Quand je leur ay parlé sérieusement on les a veü venir se soumettre et témoigner le repentir qu'ils avoient de leur faute.

Quand sept des nations Outaoüases, se rangèrent du costé des Irroquois, Mr. de Louvigny m'envoya les en empescher [1690 ou 1694]; je leur fis voir qu'ils s'alloient livrer en des gens qui les détruiroient dans la suitte, et que si leur père Onontio ne les avoit soutenu, ils seroient à présent touts détruits; je leur exposay la trahison qui estoit arrivée de la part des Irroquois envers les Hurons, dans les temps que les Miamis aydèrent à les détruire, et se joignirent à eux sans avoir égard à la paix qu'ils avoient faite ensemble.

Lorsque les Anglois ont voulu les attirer par des présents qu'ils ont acceptez, je leur ay fait comprendre qu'ils alloient s'allier avec des traistres qui avoient empoisonné une partie des nations qui s'estoient trouvez chez eux; et qu'après avoir enyvré les hommes, ils avoient sacrifié et enlevé leurs femmes et leurs enfans pour les envoyer dans les isles éloignées, d'où ils ne revenoient jamais. Qu'ils voyoient bien que l'Irroquois en estoit comme le fils, qui n'auroient pas manqué de concert avec eux à les détruire, si leur père Onontio ne les avoit protégé et deffendu; que le bon marché des marchandises n'estoit qu'un appât, dont ils se servoient pour se rendre maîtres d'eux, et les donner en proye aux Irroquois. Quand ils ont voulu s'imaginer des raisons pour se faire la guerre, ne leur ay-je pas donné à connoître que c'estoit troubler le repos de leurs familles, et qu'ils devoient plustost se soustenir les uns et les autres contre l'Irroquois, qui estoit leur ennemy à touts?

Dans touttes leurs mauvaises entreprises, n'ont-ils pas suivi mon sentiment pour s'en désister? Je leur ay tousjours parlé de mon chef dans l'absence de mes supérieurs; c'est ce qui donna lieu à des envieux de médire à mon sujet; c'est aussy d'où sont provenues touttes les mauvaises affaires qui sont survenues dans la suitte.

Si j'eusses monté avec Mr. de Louvigny [1716,1717], je me serois flatté d'engager les Renards à demander la paix, quoyque nos alliez n'y fussent pas portez.

S: *id.*, *ibid.*, pp. 149-153.

ANTOINE-DENIS RAUDOT
(1679-1737)

Antoine-Denis Raudot naît à Paris [?] en 1679. En 1699, il est écrivain ordinaire au département de la Marine. Trois ans plus tard, il achète une charge de commissaire et, le 2 août 1704, la charge d'inspecteur général de la marine en Flandre et en Picardie, charge qu'il revend le 1er avril 1705. Le 1er janvier de la même année, nomination inhabituelle, il devient intendant de la Nouvelle-France avec son père, Jacques (1647-1728). Ils arrivent à Québec le 7 septembre. Ils y jouent un rôle important et rentrent en France, le fils en 1710, le père en juillet 1711. De retour à Paris, Antoine-Denis Raudot est intendant des classes, tandis que son père est commis principal du département de la Marine. En 1711, Antoine-Denis Raudot est garde-côte des Invalides et des colonies et, jusqu'en 1726, conseiller aux affaires coloniales. En 1713, il est commis de la maison du Roi; quatre ans plus tard, il est membre du bureau de direction de la Compagnie des Indes. Après la mort de son père, à Paris, le 20 février 1728, il le remplace comme conseiller de la Marine. Le 28 juillet 1737, il décède à Versailles.

Le 25 août 1725, Antoine-Denis Raudot avait eu la permission de publier ses mémoires. Ils ne paraîtront qu'en 1904 grâce au jésuite Camille de Rochemonteix qui en avait trouvé le manuscrit non signé et l'attribua à son confrère le père Antoine Silvy. Plusieurs années plus tard, le père Arthur Melançon, archiviste des jésuites du Canada, l'attribua à Antoine-Denis Raudot, et personne ne l'a contredit par la suite. Ces mémoires sont rédigés sous forme de lettres, que l'on peut regrouper en trois parties d'après leur contenu: la première traite des Canadiens, la deuxième, des Esquimaux, et la troisième, des Amérindiens. Comme Raudot n'a guère vécu parmi ces derniers ni parmi les Esquimaux, on peut supposer qu'il tenait ses renseignements de chefs indiens, de voyageurs et de missionnaires; il a pu puiser aussi dans les mémoires de ses devanciers. Il n'empêche qu'il a un style à lui: chacune de ses lettres est une petite synthèse du sujet qu'il traite; il résume plutôt qu'il ne plagie ses devanciers et ne répète ses informateurs. Sa *Relation* est en quelque sorte une petite somme de ce qu'il tenait de renseignements sur l'Amérique du Nord et ses habitants.

Nous avons emprunté les pièces qui suivent à l'édition annotée que le jésuite Camille de Rochemonteix a publiée — la première en fait — en 1904, à Paris, chez les éditeurs Letouzey et Ané, sous le titre *Relation par lettres de l'Amerique septentrionalle (années 1709-1710)*. — Nous reproduisons tel quel le texte de cette édition.

Lettre xvi^e
Du pays des Esquimaux

À Quebec, le   1709.

M^r,

Auparavant de vous descrire l'esprit, les mœurs et les coutumes des sauvages en général, je crois devoir vous parler de certains sauvages qui habitent depuis le detroit d'Hudson jusqu'à celuy de Belisle, lesquels n'ont aucun rapport avec les autres nations de ce continent; on diroit que ce sont d'autres hommes par leurs habillemens et leurs manieres, ce sont les Esquimaux. Il paroit extraordinaire que toutes les nations sauvages qui habitent cette partie de l'Amerique ayant quelque rapport ensemble, cellecy se trouve placée dans cette même terre, sans se rapporter à aucune; on croit que ce peuple s'est formé de Basques dont les vaisseaux ont pery en cette coste en venant faire la pesche de la baleine et de la moruë; d'autres pretendent qu'il y a eu autresfois une colonie danoise à la coste de Labrador, laquelle a été pour la plus grande partie detruite par les tremblemens de terre, et que cette nation en vient; toutes ces choses sont si incertaines qu'on ne peut y asseoir aucun jugement.

Ces Esquimaux sont errans et habitent depuis le 52 degré jusqu'au 60 degrés nord. On les croit très nombreux et il y en a quantité tous les ans dans les isles qui sont dans le detroit de Belisle d'où ils passent en Terreneuve.

Le pays qu'ils habitent est très froid, le printems ne commence qu'au mois de juin, et l'autonne finit au mois de novembre; pendant ce tems quoy qu'il y fasse quelques fois des chaleurs excessives, il y fait des jours très froids. La neige commence à tomber à la fin de novembre et dure jusqu'à la fin de may, elle n'est pas plustôt sur terre que le pays se trouvant fort decouvert, elle est battuë par le vent, si bien qu'on n'a que faire de raquettes pour marcher; la mer y gelle depuis la terre ferme jusqu'aux isles. Ce pays est couvert de mousses et de roches pelées; on y trouve peu de bois, excepté dans les bayes, sur le bord des rivieres et au tour des lacs où il y a des epinettes, du sapin et du bouleau. Le terrain est si aride et le climat si froid qu'il n'y vient point de bois franc; il n'y a aussy aucun fruit si ce n'est des groseilles et des framboises; on trouve en cet endroit des renards, loups cerviers, martres, loutres, ours noirs et blancs, porc-epics, lievres et beaucoup de cariboux.

Ce dernier animal est fait comme un asne, il a le pied rond et fort large et a un bois plat sur la teste; je suis persuadé que c'est le même animal que celuy qu'on appelle resne dans le nord d'Europe; la peau passée en est très bonne, d'un bon usage et de longue duree. Elle n'est belle que quand il est tué vers le mois d'octobre, c'est dans ce temps qu'il est plus gras et que sa peau n'est point percée. C'est une chose assés particuliere que cet animal ait entre sa chair et sa peau des especes de vers qui la luy percent toute pendant l'hiver et le printems, si bien qu'en ce tems elle est comme un crible; quand il prend de la graisse ces vers le quittent et peu à peu tous ces trous se rebouchent. Sa chair est très bonne à manger et il se trouve bien des personnes qui la preferent à celle d'orignal qu'on estime fort.

On trouve dans le bois des perdrix noires et des perdrix blanches qui sont les mêmes dont je vous ay déja parlé.

Le gibier de mer et de riviere y est en abondance; mais il n'y vaut rien parce qu'il sent l'huile. Le moyac dont on tire un duvet qui s'appelle edredon fait une partie de ce gibier; il passe pendant deux mois sur le bord de la mer en très grande abondance, et si bas qu'on le tuë a coups de baton. C'est un oyseau à peu près de la figure d'une oye, dont le masle est noir et blanc et la femelle gris cendré; c'est elle qui produit ce duvet, quand elle veut pondre; elle s'arrache tout celuy qu'elle a sans toucher à la grande plume, elle en forme son nid à terre sur des herbes et de petits bois secs, se sont ces nids qu'on ramasse et qu'on nettoye pour avoir ce duvet, lequel est très leger et d'une grande chaleur, il faut beaucoup de patience pour en faire le try d'avec les petits bois et herbes seches dont il est plein; mais il en faut encore davantage pour souffrir les morsures d'une infinité de puces qui sont dedans.

Je suis, M[r], etc.

S: [Antoine-Denis Raudot], *Relation par lettres de l'Amerique septentrionalle (années 1709 et 1710)*, éditée et annotée par le P. Camille de Rochemonteix, de la Compagnie de Jésus, Paris, Letouzey et Ané, éditeurs, 1904, pp. 42-45.

Lettre xvii[e]
Des poissons qui sont dans le pays des Esquimaux

A Quebec, le   1709.

M[r],

On trouve dans les rivieres qui sont dans le pays des Esquimaux une grande quantité de saumons qui y montent dans le mois de juin.

Les costes de la mer sont remplies de toutes sortes de coquillages; la moruë y est très abondante, et il y a des baleines et quantité de cachalots; on y voit beaucoup de loups marins; mais surtout celuy qu'on appelle brasseur, lequel est à peu près de la grosseur d'une vache d'un an; il passe le printems pendant deux mois par bande, tenant toujours la coste à cause des menigues (*sic*) qui le poursuivent pour le devorer; c'est un poisson de 20 à 25 pieds de long et de la grosseur d'un charroy (*sic*) qui a une espece de dard sur le dos de la largeur d'un pied par en bas allant toujours en diminuant par le haut, et d'environ de 10 pieds de long, il va en bande, et poursuit le loup marin lequel se jette à terre d'abord qu'il l'aperçoit. Ces menigues poursuivent aussy les canots où il y a des hommes, et on est obligé de debarquer pour se sauver, les coups de fusils ne leur faisant aucune peur; elles ne sont propres à rien étant très seiches et n'ayant point de graisse d'où on puisse tirer de l'huile.

Il y a aussy d'autres loups marins de la grosseur d'un moyen bœuf qui ne vont qu'un à un et qui ne se trouvent en bande que dans les isles où ils se couchent pour dormir au soleil.

On y trouve des bœufs et des vaches marines, ces animaux sont bien plus gros que nos plus gros bœufs et ont, au lieu de cornes, deux dents qui leur sortent du front; il s'en trouve qui pesent chacune jusqu'à 10 livres, et elles sont aussy belles que les dents d'eléphans.

Je suis, M[r], etc.

S: id., ibid., pp. 45-46.

Lettre xviii^e
Des Esquimaux et de leurs habillements

A Quebec, le   1709.

Mr.

Les Esquimaux sont grands et forts, membrus et bien faits; ils sont plus blancs que les autres sauvages de ce continent et ne fument point comme eux. Ils ont presque tous les cheveux noirs un peu crespés, qu'ils coupent audessus des oreilles, ils ont un très grand soin de leur barbe que les uns portent longue et que les autres coupent à l'espagnolle; il s'en trouve aussy parmy eux qui ont les cheveux blonds, et même qui les ont roux, et la barbe de même couleur.

Ces sauvages sont très caressants et très vifs, ils sont toujours sur la deffiance et paroissent avoir grand peur de nos armes à feu, ils sont grands parleurs et gesticulent autant qu'ils parlent, ils paroissent avoir de l'esprit et tenir de l'Européen par leur maniere d'agir.

Le sieur Joliet qui a été une fois à un cabanage de partie de ces sauvages, fut receu par le chef qui le prit par la main et le mena à sa cabane où il luy presenta sa femme qui vint l'embrasser et son gendre et ses enfans; il le conduisit aussy le tenant toujours par la main dans les autres cabanes où il fut très bien receu, et sur la demande qu'il luy fit de faire chanter et danser devant luy, seize de leurs femmes se mirent en rang au milieu du cabanage, et pendant qu'elles chantoient, un vieillard se mit à danser; leurs voix sont bien plus douces que celles des autres sauvagesses; ce chef luy fit present en le quittant de viande et d'huile de loup marin.

Ces Esquimaux boivent l'eau salée comme l'eau douce, vivent de la chair d'animaux, de toutes sortes de gibier et de poisson, même de baleine et de loup marin; ils mangent toutes ces viandes ou sechées au soleil ou à moitié cuites dans des pots qu'ils font eux mêmes avec de la terre grasse et du coquillage pilé, ou dans des chaudieres, d'une pierre blanche très tendre où ils mettent une anse de baleine.

Ils font très peu de feu pour les cuire et posent leurs chaudieres ou leurs pots sur trois pierres au milieu desquelles est ce feu; ils paroissent avoir quelque espece de veneration pour cet element et ne veulent pas que personne en emporte. Un des matelots du sieur Joliet en prit, mais ils n'eurent point de repos qu'il ne l'eut reporté et parurent fort contens quand il eut remis le charbon dont il vouloit se servir pour allumer sa pipe.

Ils portent des chemises qu'ils font avec des vessies et des boyaux de caribou et qu'ils cousent avec du nerf passant aux poignets et au col des brins de baleine avec quoy ils les attachent. Ils ont un justaucorps fait de loup marin, lequel vient par derriere en pointe jusqu'aux genoüils; leurs culottes ressemblent aux nôtres, excepté qu'elles ne sont point cousuës entre les cuisses et sont faites de peaux de chien, de renards et d'ours; ils portent des bottes de peaux de loups marins auxquelles ils ont fait tomber le poil et qui sont comme tannées, où est attaché un soulier de la même peau plissée par dessus; ces bottes sont si bien cousuës et la couture en est si bien faite qu'elles ne prennent point l'eau.

Voilà l'habillement que portent ces sauvages, lequel est plus ou moins orné par les peaux de differentes couleurs qu'ils y emploient et par des morceaux de talque qu'ils y cousent après avoir mis dessous un petit poisson qui s'appelle etoile de mer et du coquillage pilé.

Je suis, M^r, etc.
S: id., ibid., pp. 47-49.

Lettre xix^e
Des femmes des Esquimaux, de leur habillement, de leur cabanage d'été et d'hyver, et de leur maniere d'enterrer les morts

A Quebec, le   1709.

M^r,

Les femmes des Esquimaux sont bien faites, blanches, grandes, grosses et grasses, d'un visage agreable, doux, affable et caressant, il s'en trouve quelques unes qui sont camuses; elles portent des bottes qui vont toujours en s'elargissant, en sorte que par en haut elles ont au moins un pied de large. Ces bottes leur vont jusqu'à la ceinture et en renferment d'autres plus petites qui leur vont jusqu'aux genoüils. Elles portent au dessus une ceinture de peaux de loutres et de caribou qu'elles passent entre leurs jambes pour cacher ce que la pudeur deffend de montrer. Elles se couvrent le reste du corps avec un habillement presque pareil à celuy des hommes qui descend en pointe à trois doigts de terre, dans lequel il y a une espece de corps avec quoy elles se serrent; elles y attachent un capuchon fort grand qui leur sert à se couvrir la teste ou à mettre leurs enfants.

Cet habillement est de pareille peau que celuy des hommes, mais il parait bien plus propre par les couleurs differentes de celles qu'ils y emploient. Ces femmes sont fort modestes et paroissent fort reservées; leur sein est toujours couvert et quoy qu'elles donnent à teter à leurs enfans on ne le voit point.

La pluralité des femmes est en usage chez ces peuples; ce sont elles qui ont soin du menage; pour les hommes ils ne se meslent que de la chasse et de la pesche. Ils font de deux sortes de cabanages; celuy d'été se fait sur des pointes pelées avancées dans la mer ou dans les isles, s'éloignant tant qu'ils peuvent des endroits où il y a du bois; ils se servent de tentes de loup marin et de caribou à l'épreuve de la pluye; leur lit est de plusieurs peaux d'ours, de renard et de caribou en poil, et ils se couvrent avec des couvertes de peaux de chien et de loup-cervier.

Ils choisissent pour faire leurs cabanages d'hyver la coulée de deux rochers, ils y font une grande chambre qu'ils forment avec plusieurs pieces de bois jointes les unes contre les autres de 12 à 15 pieds de long posées sur un feste, soutenuës par des poteaux; ils couvrent ce feste de tourbes et d'un pied de terre et y font deux fenestres auxquelles ils mettent deux peaux passées en parchemin. C'est dans ces endroits où hyverne sans faire de feu toute une famille qui est ordinairement de 20 à 30 personnes, vivant pendant ce tems de viande et de poisson seichés et pilés qu'ils ont amassé l'automne; ils ont soin de faire la porte de cette chambre à 25 ou 30 pas au bout d'un corridor très étroit fait sous terre afin qu'ils y ressentent moins le froid. Ils restent tout l'hyver dans ce cabanage et n'en sortent que pour tuer quelque caribou, ou pour s'aller visiter les uns les autres, ce qu'ils font avec de petites cariolles de bois montées sur des lisses d'os de baleine, auxquelles ils attelent jusqu'à douze chiens de la même maniere que les chevaux sont attelés à un carosse. Leurs chiens sont d'un poil frisé à peu près comme les nôtres.

Pour enterrer leurs morts, ils font une espece de tombe d'une muraille seiche d'environ trois pieds de haut, ils y mettent le corps étendû les bras croisés avec une chemise et une peau de loup marin sans poil qui luy va jusqu'à l'estomac, luy laissant le visage découvert; ils couvrent cette tombe de traverses de bois sur lesquelles ils mettent des pierres. Ils en font une autre plus petite à très peu de distance où ils mettent toutes les hardes du deffunt. Quand c'est une femme, ils y mettent aussy tous ses ustensiles de menage qui consistent en quelques posts, cruches, plats de bois, de baleine, avec ses aleines et grattes; quand c'est un homme, ils mettent sur sa tombe son arc, ses fleches et ses dards et à côté son canot.

Je suis, M^r, etc.

S: id., ibid., pp. 50-52.

Lettre xx^e
Des fleches et des dards des Esquimaux, de leurs canots et de la maniere dont ils dardent le loup marin

A Quebec, le   1709.

M^r,

Les Esquimaux se servent de l'arc et de la fleche armés de fer; l'arc est très petit et la fleche de même avec deux plumes au bout, au lieu que les autres nations en mettent trois ou 4. Ils se servent aussi de dards dont le manche est de 4 pieds de long de bois leger et bien poly, d'un pouce à un pouce et demy de circonference, au bout duquel il y a trois branches de fer très pointuës d'environ un pied de long; ils enchassent à la teste de ce manche un morceau de dent de vache marine un peu creuse en dedans, et se servent pour jetter ce dard d'un morceau de bois large de 3 pouces allant toujours en diminuant vers la teste, où est enchassé un pareil morceau de dent un peu elevé avec un petit bouton qui s'enmanche dans le bout du dard; il y a une espece de coulisse à ce morceau de bois où ils couchent ce dard, un trou où ils passent le pouce. C'est avec cette espece de petite goutiere qu'ils le lancent très adroitement et très loin tuant par ce moyen toutes sortes de gibier de mer.

Ces sauvages sont adroits, ils forgent mieux le fer que nos plus habiles forgerons et construisent aussy bien que nos meilleurs charpentiers.

Ils font leur canot comme nous, ils y mettent une quille sur laquelle portent les varangues avec deux lisses de chaque côté pour les lier ensemble; ils se servent de cloux et de chevilles de bois pour joindre toutes ces pieces et tournent au tour des empatures des brins de baleine. Leur canot étant ainsy construit, ils cousent ensemble avec du nerf la quantité de peaux de loup marin sans poil qu'il faut pour le border et pour le ponter. C'est dans cette espece de sac qu'ils font entrer à force cette carcasse de canot, si bien qu'on diroit que ces peaux y sont collées; ils font un trou dans celle du milieu autour duquel ils cousent de la même peau qui se ferme en forme de bourse; c'est dans cette ouverture qu'ils s'asseoient sur leurs talons pour naviguer, ce qu'ils font avec un aviron d'environ cinq pieds de long qui a une pelle à chaque bout, après avoir lié cette espèce de bourse au-dessous de leurs aisselles.

Ces canots ont quinze à dix-huit pieds de long et un pied et demy par leur plus large; ils sont faîts par l'avant comme la teste d'un esturgeon et ont l'arriere d'une biscayenne; ils sont entre deux eaux d'abord qu'il y a un peu de levée, on diroit à tout moment qu'ils vont couler bas, cependant ils naviguent seurement pour ces sauvages qui ne font point de difficultés de s'embar-quer dedans pendant de mauvais tems. C'est avec ces canots où ils ne peuvent tenir qu'un seul homme qu'ils font la pesche et la chasse du gibier de mer et au loup marin, ils y attachent devant eux leur arc, leur fleche et leur dard.

Le dard dont ils se servent pour le loup marin est different de celuy dont ils se servent pour le gibier. C'est une dent de vache marine bien pointuë, d'un pied de long enmanchée dans un morceau de bois d'epinette ou de bouleau de 4 pieds de long, de 3 à 4 pouces de circonférence percée au milieu, dans laquelle ils passent une corde faite de peau de loup marin ou de vache marine de la grosseur d'un doigt, qui est aussy attachée au manche pour le tenir serré avec cette espece de harpon.

Ils jettent ce dard avec la main sur cet animal, retenant dans leur canot le bout de la corde où il est attaché avec plusieurs vessies pleines de vent. Sitost qu'ils l'ont frappé, le manche quitte la dent qui luy entre dans le corps et ce loup marin fatigue beaucoup par le manche et les vessies qu'il est obligé de traisner; quand ils voient qu'il est bien frappé, ou qu'il n'est pas bien fort, ils n'abandonnent point le bout de la corde, se laissant ainsy remorquer, et l'hachent avec un autre dard; mais quand ils sont obligés de le quitter, ils le poursuivent toujours jusques à temps qu'ils l'ayent achevé.

Je suis, M^r, etc.

S: *id.*, *ibid.*, pp. 53-55.

Lettre xxi^e
Des chaloupes des Esquimaux
et de la pesche de la baleine

A Quebec, le   1709.

M^r,

Ces Esquimaux ont des chaloupes de 24 à 36 pieds de long avec leurs proportions; ils y mettent une quille qu'ils font comme nous de plusieurs pièces qu'ils empalent bien proprement ensemble avec des chevilles de bois, de fer et des cloux; ils posent dessus tous les membres qui sont chevillés et enmortaisés comme ceux de leurs canots. L'avant de ces chaloupes est fort relevé et elles ont l'arriere d'une biscayenne avec un gouvernail de planches lié et attaché avec de la peau; ce petit batiment est bordé de peaux de loup marin sans poil si bien cousuës ensemble que les coutures ne font point d'eau; ils appliquent toutes ces peaux contre la carcasse de ce batiment et après les avoir bien tirées, ils mettent une lisse par dessus le bord qui les tient de tous côtés; c'est sur cette lisse qu'ils posent leurs estropes pour nager comme nous faisons dans nos chaloupes.

Ces bâtiments ne sont point pontés et n'ont ordinairement qu'un mat avec une grande voile de peau de caribou boucannée qui a une ralingue de cordage fait de peau de loup marin ou de vache marine. Leurs manœuvres sont les mêmes que les nôtres et faites de la même peau aussy bien que leurs cables; pour leurs ancres elles sont faites differemment de celles dont nous nous servons; ce sont deux gros morceaux de bois en croix desquels il sort quatre autres morceaux pointus et courbés, au milieu desquels est attachée une grosse pierre pour les faire caller; ils ont cependant presque tous à present des grapins qu'ils ont pris aux pescheurs de moruë. Ces chaloupes portent jusqu'à 60 personnes, et quand ils s'y embarquent ils y mettent leurs canots avec eux; ils s'en servent pour traverser de la côte de Labrador dans l'isle de Terre Neuve et pour faire la pesche de la baleine; ils la font de la même maniere que celle du loup marin. Le cordage dont ils se servent pour cette pesche est plus fort et a jusqu'à 100 brasses de long; ils y attachent, au lieu de vessies, des peaux de loup marin entieres remplies de vent pour fatiguer la baleine qu'ils poursuivent toujours et tuent à force de dards.

Ces sauvages ont du fer et des cloux par le moyen des

chaloupes et des echaffaux des pescheurs qu'ils deffont; ils ont aussy du cordage et des voiles qu'ils prennent aux mêmes pescheurs et dont ils se servent au lieu de celles dont je viens de vous parler.

Je suis, M^r, etc.

S: id., ibid., pp. 56-57.

Lettre xxii^e
Des raisons de la cessation du commerce avec les Esquimaux et de leur commerce

A Quebec, le   1709.

M^r,

Je vous ay escrit dans mes precedentes tout ce que jay pû apprendre des Esquimaux; personne en ce pays n'a eu commerce avec ces peuples que les sieurs Joliet et Constantin qui ont été avec eux chacun une fois; ils sont venus aussy une fois au fort que le sieur Courtemanche a étably dans la coste de Labrador. Quand ils voient des Européens ils sont toujours dans la crainte et dans la deffiance. Je suis persuadé que nous l'avons causée à ces peuples par la peur que nous avons eu d'eux en en tuant plusieurs, ou en les écartant de nos bâtiments à coups de canon et de fusil; ils sont aussi dans la même deffiance quand ils voient d'autres sauvages qui après avoir commercé avec eux tachent de les surprendre et de les tuer.

La misere que ce deffaut de commerce leur a produite, étant ce me semble naturel de croire qu'ils ont autrefois commercé avec les Europeens par l'usage du fer qu'ils ont et que toutes les nations de ce continent n'avoient point avant notre arrivée en ce pays, ce deffaut, dis-je, de commerce et de fer dont ils ne peuvent se passer, les a obligés de piller les vaisseaux qui viennent à la pesche et les chaloupes des pescheurs, non pas à main armée ny ouvertement, mais par surprise et par ruse; on pretend que quand il y a des vaisseaux moüillez à cette coste, les Esquimaux vont la nuit dans leur canot pour en couper les cables pour pouvoir par ce moyen les faire perdre et échouër; c'est une chose qu'on ne peut savoir que par conjecture et on n'a eu cette pensée qu'a cause des vaisseaux qui, étant destinés pour cet endroit, ne sont point revenus; mais on attribuë peut estre à la malice de ces sauvages ce qu'on devroit peut estre plustôt attribuer au mauvais tems ou à l'ignorance des pilotes.

Tout le monde convient, M[r], et on ne peut s'empescher de croire que ces sauvages ont eu autrefois commerce avec les Europeens par le moyen des vaisseaux qui venoient à la pesche, mais on ne s'accorde point sur la raison qui a causé cette interruption et qui leur a inspiré la crainte et la deffiancequ'ils ont; les uns pretendent qu'un chirurgien ayant violé la femme d'un Esquimaux, l'attacha à un arbre et luy ouvrit le ventre pour tacher de connoître de quelle maniere une femme concevoit, que n'étant pas morte sur l'heure, plusieurs de ces Esquimaux étant venus à ses cris, elle leur raconta ce qui s'étoit passé, et que depuis ce tems ils ont toujours été en guerre avec les gens d'Europe; d'autres disent qu'un matelot ayant été oublié d'un bâtiment pescheur, se retira parmy ces sauvages où il resta cinq ans, et qu'il s'y maria, qu'au bout de ce temps y ayant vu un bâtiment sur la coste, il prit des mesures avec l'équipage pour pouvoir se sauver, que pour cet effet il avoit fait cacher dix hommes derriere des roches avec des fusils, que comme on l'observoit et on l'accompagnoit toujours depuis l'arrivée de ce vaisseau, il étoit venu avec plusieurs Esquimaux vers cette embuscade, qu'il avoit couru joindre ceux qui y étoient et que ces Esquimaux voulant le poursuivre, ils en avoient été empeschés par une descharge de coups de fusil qui en tua plusieurs, que la femme de ce matelot étant avertie de sa fuite vint sur le bord de la coste et après l'avoir appellé longtemps inutilement, voyant qu'il ne revenoit point, elle prit un enfant qu'elle avoit de luy, le déchira par morceaux et en jetta partie à terre, partie dans la mer.

On ne peut assurer la verité d'aucune de ces deux histoires, n'y dire au juste les raisons pourquoy ces peuples nous craignent si fort, ce qui fait que nous ne pouvons commercer avec eux. Leur commerce cependant nous seroit d'une grande utilité par la quantité d'huile de baleine et de loup marin qu'ils pourraient nous fournir, par les peaux de ce dernier animal et de caribou que nous tirerions d'eux, aussy bien que par quelques pelletries qui doivent estre belles et bien fournies de poil, ce pays étant très froid.

Je suis, M[r], etc.

S: *id., ibid.*, pp. 58-60.

Lettre xlviii^e
Du lac Superieur et d'une mine de cuivre

A Quebec, le   1710.

Mr,

Le lac Superieur a selon la supputation des voyageurs 250 lieuës de long; sa figure est d'un arc bandé et on trouve à l'oüest une langue ou pointe de terre Kioucounan qui avance plus de trente lieuës et qui fait la figure de la flèche.

Le costé du nord est affreux par une chaisne de rochers et de montagnes; cette chaisne commence vers la mer un peu au dessous de Quebec, continuë dans le costé de ce lac et se perd vers les Assiniboëls. Partie des gens des terres viennent s'y habituer pour y vivre de poissons; ils sçavent les limitent des terres qu'ils y occupent, et souvent s'y font la guerre. Quand il doit faire mauvais tems on le connoit par les houlles de ce lac, ce qui donne lieu aux voyageurs de se retirer et mettre à terre dans les anses dont il est remply.

Le costé du sud est bien different, il y a sur les bords des sables sur lesquels l'eau enfle quelquefois de 12 à dix huit pieds lorsqu'il vente; ensuite les terres y sont bonnes; les Outavois y étoient autrefois établis et y semoient quantité de bled d'Inde; mais ils ont été obligés d'abandonner à cause de la guerre qu'ils avoient avec les Scioux; les bois y sont beaux et de toute sorte, et il y a outre les bestes qui se trouvent au nord, du cerf et du chevreüil en quantité et même dans certaines années des bœufs ilinois.

Il est presque certain qu'il y a des mines de cuivre sur les bords de ce lac et dans les isles qui sont dedans; on trouve sur le sable des morceaux de ce metal, et les sauvages en font des dagues dont ils se servent; le vert de gris decoule par les crevasses et les fentes des rochers qui sont sur ces bords et sur ceux des rivieres qui y tombent; on pretend qu'il y en a une dans l'isle de Minoueq et les ilets, qui est entierement de ce metal.

On trouve parmy le caill</br>outage de ce lac des morceaux d'un verre d'une belle couleur qui s'ecrase aisement.

Je suis, M^r, etc.

S: *id.*, *ibid.*, pp. 120-121.

Lettre xlix[e]
D'une autre mine de cuivre qui se trouve dans le lac Superieur

A Quebec, le   1710.

M[r],

La mine dont je viens de vous parler dans ma derniere lettre n'est pas la seule qui soit dans le lac Supérieur; on en croit une très abondante dans une isle qui est au nord vis à vis la riviere de Michipikoton à huit ou dix lieuës au large. Peu de sauvages y ont été à cause des brumes et des tonnerres qui y sont frequents. Ils disent qu'il y a des loups cerviers et des lievres d'une grandeur prodigieuse.

Quatre sauvages y furent une fois poussés par un gros vent et obligés d'y debarquer. Voulant se preparer à manger, ils firent rougir des pierres pour mettre dans leurs ouragans au plat d'ecorce, afin de faire cuire leur poisson; parmy ces pierres ils en trouverent qui étoient très pesantes, et qui ressembloient à du metal; cela ne les empecha pas de s'en servir; après avoir mangé ils se rembarquerent et emporterent avec eux de ces pierres dont il y en avoit en plaque; le vert de gris dont elles étoient pleines ne tarda pas à faire connoitre la malignité de son poison, car peu après être arrivés à leur cabane trois en moururent et le quatrieme qui conta ce qui leur étoit arrivé mourut aussy, bientost après; c'est ce qui a donné une telle terreur aux autres sauvages qu'ils n'ont osé y retourner. Les uns disent que c'est la demeure du tonnerre parce qu'il y tonne souvent; d'autres croient que cette isle est flottante à cause que les vapeurs et les brumes dont elle est chargée tantost plus et tantost moins, selon que le soleil les rarefie ou les epaissit, la font paroître plus proche ou plus éloignée.

Ces brumes n'empechent pas cependant qu'on ne la distingue d'une autre isle qui est entre elle et la terre ferme; ils s'imaginent tous que c'est le sejour d'un mauvais esprit qu'ils appellent Michibichy, et disent avoir veu autour des poissons qui ont la figure d'homme et qu'ils appellent Megouissiouiou, si bien que quand ils passent dans cet endroit et même dans d'autres où ils savent des mines, ils haranguent ce Michibichy et ces monstres qu'ils croient apparemment être commis à leur garde, afin qu'ils ne les fassent pas perir en passant, et jettent du tabac dans l'eau pour qu'ils fument.

Tous les sauvages croient que s'ils montroient une mine à une autre personne, ils mourroient dans l'année; ils en sont si persuadés qu'il est quasi impossible de les leur faire decouvrir, et c'est ce qui fait qu'on ne decouvre que celles dont ils ne peuvent absolument cacher la connoissance.

Je suis, M[r], etc.
S: id., ibid., pp. 122-123.

NICOLAS JÉRÉMIE
(1669-1732)

Nicolas Jérémie dit Lamontagne est baptisé à Sillery (Québec) le 16 février 1669. Il passe son enfance à Batiscan (Québec), puis travaille avec son père, qui est interprète et commis dans le Domaine du roi: aux postes de Métabetchouan (1676-1690), de Chicoutimi (1690-1693) et de Tadoussac (1693-1694). En 1693, il épouse, au lac Saint-Jean, Marie-Madeleine Tetesigaquoy, une Montagnaise; l'année suivante, le mariage est annulé par le Conseil souverain, parce que Nicolas Jérémie n'avait pas les vingt-cinq ans requis à l'époque pour les unions entre Français et Amérindiens. De 1694 à 1696, il est «Enseigne & Interprete des langues des Sauvages, & Directeur du Commerce» au fort Bourbon [York Factory, baie d'Hudson], sur la rivière Sainte-Thérèse [Hayes River]. En septembre 1696, les Anglais s'emparent du fort; Nicolas Jérémie est emmené en Angleterre, y fait de la prison, passe en France, puis rejoint à Plaisance [Placentia, Terre-Neuve] l'expédition d'Iberville qui va reprendre le fort Bourbon. Le 8 septembre 1697, c'est chose faite, et Jérémie est de nouveau installé au fort. De 1698 à 1707, il y est «Lieutenant» et «Interprete». En 1707, il prend congé, passe par Québec, épouse Françoise Bourot et retourne en France. En 1708, il s'embarque à La Rochelle, hiverne à Plaisance et arrive au fort Bourbon au cours de l'été de 1709; il y réside comme commandant jusqu'en 1714, alors que la Cour lui demande de remettre le poste aux Anglais comme l'exige le traité d'Utrecht [Hollande], conclu en 1713 entre la France, l'Espagne, l'Angleterre et la Hollande. La France avait cédé à l'Angleterre la baie d'Hudson, Terre-Neuve et l'Acadie, moins le Cap-Breton. Jérémie retourne à Québec; il y décède le 19 octobre 1732.

La *Relation* de Nicolas Jérémie est, comme le *Mémoire* de Nicolas Perrot, un rapport adressé à un administrateur qui en a fait la demande. Le destinataire du *Mémoire* de Perrot était l'intendant Michel Bégon; celui de la *Relation* de Jérémie est «Monsieur**», qu'il avait peut-être rencontré lors de son séjour en France en 1707-1708. Les quelques erreurs historiques que contiennent les premières pages de la *Relation* inclinent à penser que le narrateur devait s'en remettre à sa mémoire plutôt qu'à des documents qu'il aurait eus sous la main. On pourrait en déduire que Jérémie a écrit sa *Relation* au fort Bourbon; mais d'autres indices, dans le cours du texte, nous incitent à conjecturer qu'il la rédigea plutôt lors de son retour en France en 1714 ou 1715 [?]. Quoi qu'il en soit, l'importance de cette *Relation* est grande, car les renseignements ethnographiques, géographiques et fauniques qu'elle contient sur la baie d'Hudson sont d'un témoin crédible qui a passé vingt ans dans la région. Les descriptions, qui occupent une grande partie de la *Relation*, sont écrites dans une langue riche; le style de l'ensemble du texte est celui, simple et dense, de tout bon rapport.

Nous empruntons les pièces qui suivent à l'édition du texte qui a paru sous le titre, «Relation du détroit et de la baye de Hudson, à Monsieur **, par Monsieur Jérémie», pp. 305-356, dans *Recueil de voyages au Nord, contenant divers Mémoires très utiles au Commerce & à la Navigation*, tome troisième, nouvelle édition, corrigée & mise en meilleur ordre, A Amsterdam, Chez Jean-Frédéric Bernard, 1732. — Pour faciliter la lecture, nous avons remplacé le caractère typographique ancien ∫ par son équivalent moderne: s.

Le détroit d'Hudson et ses Esquimaux*

Le Détroit que nous nommons d'*Hudson*, a pris ce nom de Henri Hudson[,] Anglois, qui le découvrit l'an 1612. Il a 120. lieues de long & 16. ou 18. de large. Il est bordé des deux côtez de rochers escarpez d'une hauteur prodigieuse, tous entrecoupez de collines sombres où le soleil ne communique jamais sa lumiére. La neige & les glaces s'y voyent toute l'année, ce qui cause des fraicheurs terribles; & si l'on ne profitoit pas des tems où elles sont moins fortes qu'en d'autres, il seroit impossible d'y naviger. On ne peut y passer que depuis le 15. de Juillet jusqu'au 15. d'Octobre. Encore dans ces saisons là on est quelquefois obligé de donner dans des bancs de glaces, & il n'est pas aisé de s'imaginer comment un navire peut s'y faire passage: car elles sont quelquefois si pressées les unes contre les autres, qu'autant que la vue peut s'étendre, on ne voit pas une goute d'eau. On se *grapine*, c'est-à-dire, on saisit les navires contre ces glaces comme contre une muraille, & lorsque par la force des vents & des courans qui sont très violens dans ces endroits-là, il se fait quelqu'ouverture au travers des glaces, alors on met les voiles au vent, lorsqu'il est favorable, pour se faire passage avec de longs bâtons ferrez. Pour cet effet, on pousse ou l'on écarte ces glaces; mais malgré tous ces efforts, on y reste quelquefois plus

303

d'un mois embarrassé sans pouvoir avancer. C'est ce qui cause la difficulté de ces voyages: car d'ailleurs, avec certaines précautions, on ne court pas plus de risque que dans les autres mers.

Quoique ce Détroit soit un Pays tout à fait inculte, & le plus ingrat de tous les Pays du monde, il y a cependant des Sauvages que nous nommons *Esquimaux*, qui habitent dans ces malheureux deserts. Ils ont cela de commun avec le Pays qu'ils occupent, qu'ils sont si farouches & si intraitables, que l'on n'a pas pu jusqu'à présent les attirer à aucun commerce. Ils font la guerre à tous leurs voisins, & lorsqu'ils tuent ou prennent quelques uns de leurs ennemis, ils les mangent tout crus, & en boivent le sang. Ils en font même boire à leurs enfans qui sont à la mamelle, afin de leur insinuer la barbarie & l'ardeur de la guerre, dès leur plus tendre jeunesse.

Ils sont presque toujours sans feu, à cause de la rareté du bois. Le froid y est cependant extraordinaire en quelque saison que ce soit. Ils logent pendant l'hiver dans les creux des rochers, où ils se renferment avec leurs familles, & couchent tous ensemble sans distinction de sexe & de parenté. Ils y restent plus de huit mois, sans voir ni l'air, ni rien qui approche de la lumiére. Ils ont la précaution pendant les trois ou quatre mois d'Eté, d'amasser des viandes de baleines, de vaches-marines & de loups-marins, dont il se trouve beaucoup dans tous ces Pays-là. Ils font toutes leurs chasses & tuent toutes sortes d'animaux avec des fléches, à quoi ils sont fort adroits. Ils n'ont jamais eu l'usage d'aucunes armes à feu ni d'aucun serrement, à moins qu'ils ne surprennent quelques unes de nos chaloupes pêcheuses. Après qu'ils ont déchiré & mangé nos pauvres matelots, ils se servent de ces petits bâtimens pour aller d'un lieu à l'autre; & lorsque ces chaloupes sont hors de service, ils les brisent, afin de profiter des cloux qu'ils forgent entre deux cailloux pour leur usage. Ils font des espéces de *Biscayennes*; qu'ils couvrent de peau de loup-marin, au lieu de bordage. J'ai vu ces Biscayennes assez grandes pour porter plus de cinquante personnes. Ils font aussi de la même maniére des petits canots, où ils ne laissent qu'une petite ouverture au milieu pour la place d'un homme assis: cette ouverture est entourée d'une bourse, qui se lie au travers du corps, de maniére que les vagues leur passent par dessus la tête, sans que le canot s'emplisse d'eau. Ils ont de grandes pagayes, ou avirons plats par les deux bouts; ce qui leur sert comme de balancier, sans lequel ils auroient peine à se tenir dedans, tant ces canots sont petits.

Ces Peuples différent des autres Sauvages, en ce que communément les autres Sauvages n'ont point de barbe, & que ceux-ci au contraire en ont jusqu'aux yeux; ce qui a fait dire à quelques personnes qui ont voulu pénétrer leur origine, qu'il faut que ce soit quelque navire Basque qui étant à la pêche ait fait naufrage dans ces endroits-là, & dont les gens s'y sont multipliez depuis ce tems. Leur langage, quoique très corrompu, a cependant quelque rapport avec la langue Biscayenne, ce qui donne lieu à cette conjecture. Cette grande barbe, qu'ils ne coupent jamais, les rend si affreux & si hideux, qu'ils ont plutot la figure de quelque bête farouche que celle d'homme; car ils n'ont que les bras & les jambes qui leur donnent quelque ressemblance avec les autres hommes.

S: Nicolas Jérémie, «Relation du détroit et de la baye de Hudson, à Monsieur **, par Monsieur Jérémie», dans *Recueil de voyages au Nord, contenant divers Mémoires très utiles au Commerce & à la Navigation*, tome troisième, nouvelle édition, corrigée & mise en meilleur ordre, A Amsterdam, Chez Jean-Frédéric Bernard, 1732, pp. 305-310.

Les Bœufs musqués*

A 15. lieues de la riviére Danoise, se trouve la *Riviére du Loup-Marin*, parcequ'effectivement il y en a beaucoup dans cet endroit. Entre ces deux riviéres, il y a une espéce de bœuf que nous nommons *Bœufs-musquez*; à cause qu'ils sentent si fort le musc, que dans certaine saison de l'année il est impossible d'en manger. Ces animaux ont de très belle laine: elle est plus longue que celle des moutons de Barbarie. J'en avois apporté en France en 1708., dont je m'étois fait faire des bas qui étoient plus beaux que des bas de soye: j'ai même encore ici un petit reste de cette laine, que j'aurois l'honneur de vous envoyer, si je croyois que cela vous fît plaisir, pour en faire faire l'essai par d'habiles ouvriers.

Ces bœufs, quoique plus petits que les notres, ont cependant les cornes beaucoup plus grosses & plus longues. Leurs racines se joignent sur le haut de la tête, forment comme un gros bourlet, & descendent à côté des yeux presqu'aussi bas que la gueule. Ensuite le bout remonte en haut, qui forme comme un croissant. Il y en a de si grosses, que j'en ai vu, étant séparées du crane, qui pesoient les deux ensemble 60. livres. Ils ont les jambes fort courtes, de maniére que cette laine traine toujours par terre lorsqu'ils marchent; ce qui les rend si difformes, que l'on a peine à distinguer d'un peu loin de quel côté ils ont la tête. Il n'y a pas une grande quantité de ces animaux; ce qui feroit que les Sauvages les auroient bientot détruits, si on en faisoit faire la chasse: joint à ce que, comme ils ont les jambes très courtes, on les tue lorsqu'il y a bien de la neige, à coups de lance, sans qu'ils puissent fuir.

S: id., ibid., pp. 314-315.

Le fort Bourbon*

Pour finir mon projet, je reviendrai au Fort-Bourbon, premier objet de mon mémoire; & je dirai que ce poste est très avantageux pour son commerce, lorsqu'il est bien entretenu. On traite avec les Sauvages à de très bonnes conditions, lorsqu'on a des marchandises telles qu'ils les demandent. Ce Fort est situé par 57. degrez de latitude Nord. Par conséquent il y fait extrêmement froid pendant l'hiver, qui commence à la S. Michel, & ne finit qu'au mois de Mai. Le Soleil se couche dans le mois de Décembre à 2. heures 3/4. & se léve à 9. heures 1/4. Lorsqu'il fait quelque belle journée, & que le froid est un peu tempéré, les chasseurs tuent autant de perdrix & de liévres qu'ils en veulent. Une année que M. de la Grange Capitaine de Flute du Roi, hivernoit au Fort-Bourbon avec son équipage, nous eumes la curiosité de compter combien il en seroit apporter au Fort pendant l'hiver: le printems étant venu, nous comptames avoir mangé 80. hommes que nous étions, tant de garnison que d'équipage, 90. mille perdrix & 25. mille liévres.

A la fin d'Avril, les oyes, les outardes & les canards arrivent, & y restent près de deux mois. Il y en a une si grande quantité, que l'on en tue autant que l'on veut; & lorsque les chasseurs de la garnison sont occupez au travail, on envoye des Sauvages à la chasse, ausquels on donne une livre de poudre & quatre livres de plomb, pour vingt oyes ou outardes qu'ils sont obligez d'appporter au Fort.

Il y a aussi pendant ce tems-là quantité de *Cariboux*. Ces animaux passent deux fois l'année, savoir la premiére fois dans les mois de Mars & d'Avril. Ils viennent du Nord, & vont au Sud. Il y en a un nombre presqu'innombrable. Ils occupent en profondeur le long de ces riviéres plus de soixante lieues d'étendue, à commencer au bord de la mer. Les chemins qu'ils font dans la neige par où ils passent, sont plus entrecoupez que les rues ne le sont dans Paris. Les Sauvages font des barriéres avec des arbres qu'ils entassent les uns sur les autres, & laissent par intervalle des ouvertures où ils tendent des collets avec lesquels ils en prennent quantité. Ces animaux retournent au Nord dans les mois de Juillet & d'Aout; & lorsqu'ils passent les riviéres à l'eau, les Sauvages en tuent de leurs canots à coups de lance, autant qu'ils veulent. On a aussi la douceur de la pêche pendant l'Eté. On tend des filets avec lesquels on prend de très bons poissons, comme du brochet, de la truite, de la carpe & de ce que nous appellons *Poissons blancs*. Il est fait à peu près comme le harang blanc: mais c'est, sans contredit, le meilleur poisson qu'il y ait dans tout l'univers. On en fait des provisions pour l'hiver, que l'on met dans la neige aussi-bien que la viande que l'on veut conserver. Lorsqu'ils sont gelez, ils ne se gâtent plus jusqu'à ce qu'il dégéle. On conserve aussi de cette maniére des oyes, des canards, & des outardes, que l'on met à la broche pendant l'hiver, pour accompagner les perdrix & les liévres; de façon que ce Pays, quoique sous un mauvais climat, est cependant fort bon pour la vie, lorsque, par le secours d'Europe, on a du pain & du vin. Quoique l'Eté soit fort court, nous avions cependant un petit jardin qui ne laissoit pas de produire de fort bonnes laitues, des choux verds, & autres menues herbes, que nous salions pour faire de la soupe pendant l'hiver.

Quoique les Peuples qui habitent tous ces Pays, soient fort dociles & naturellement amis des François, cependant en 1712. je me trouvai dans l'obligation d'envoyer une partie de mes gens à la chasse de ces Cariboux qui passent dans les mois de Juillet & d'Aout, parceque je n'avois point reçu de secours de France, depuis que j'en étois parti en 1708., & que je manquois de vivres & de poudre, pour faire chasser au gibier avec des fusils. J'avois député mon Lieutenant, les deux Commis, & les meilleurs hommes de ma garnison, ausquels je m'étois efforcé de donner une assez bonne provision de poudre & de vivres François. Ils se campérent malheureusement proche un camp de Sauvages qui jeunoient beaucoup & manquoient de poudre, parceque je ne voulois pas leur en traiter, la conservant pour m'assurer la vie & celle de mes gens. Ces Sauvages se voyant bravez par les miens qui tiroient inconsidérément sur toute sorte de gibier, & qui faisoient bonne chére à leur barbe, sans leur en faire part, projettérent de les tuer pour profiter de leur pillage. Il y avoit deux des François qu'ils redoutoient plus que les autres. Pour s'en défaire plus facilement, ils les invitérent à une réjouissance qu'ils devoient faire la nuit dans leurs cabanes. Les deux François s'y rendirent, sans se défier du piége qu'on leur tendoit. Les autres six se couchérent tranquilement, croyant être en toute sureté; mais, ils ne savoient pas la trahison qui se tramois contr'eux. Lorsque nos conviez à ce funeste banquet voulurent entrer dans leurs cabanes, ils trouvérent ces perfides rangez des deux côtez en haye, avec des bayonnettes à leurs mains, & de grands couteaux avec lesquels il les poignardérent, sans qu'ils se pussent mettre en défense, parcequ'ils n'avoient point d'armes. Lorsqu'ils eurent tué ces deux, ils ne songérent plus qu'à prendre leurs mesures pour aller égorger les six autres qui dormoient. Ils aprêtérent leurs armes à feu & leurs bayonnettes, & furent attaquer ces pauvres gens endormis. Ils commencérent par faire leurs décharges de fusil, & se jettérent ensuite sur eux la bayonette à la main, & les égorgérent avant qu'ils fussent bien éveillez. Il y en eut cependant un qui n'ayant reçu qu'un coup de balle de fusil à travers d'une cuisse feignit d'être mort. Les meutriers le voyant sans mouvement, se contentérent de lui ôter la chemise de dessus le corps, comme ils faisoient à tous les autres, en se dépêchant le plus qu'ils pouvoient, & de piller ce qu'ils trouvoient, afin de prendre aussitot la fuite, crainte d'être surpris.

Lorsque ce mort imaginaire eut un peu repris ses sens, & qu'il n'entendit plus de bruit, il leva la tête, & vit tous ses pauvres compatriotes étendus morts. Il se traina comme il put, jusqu'à l'entrée du bois. Il essaya de se lever, & s'aperçut pour lors qu'il n'avoit reçu le coup que dans les chairs. Il boucha ses playes avec des feuilles d'arbre, parcequ'il perdoit tout son sang, & s'achemina vers le Fort à travers des ronces & des épines, nud comme l'enfant qui vient de naitre.

Il arriva au Fort à neuf heures du soir, après avoir fait dix lieues dans ce triste équipage, tout en sang & son pauvre corps tout déchiré. Jugez, Monsieur, quelle fut notre surprise, & dans quel embarras je me trouvai, lorsqu'il nous annonça la mort de tous ses camarades. Aussitot je ne pensai plus qu'à me tenir sur mes gardes, & à faire mettre toute l'artillerie en état, parceque j'appréhendois que ces perfides ne fissent quelque tentative sur le Fort.

Comme nous ne restions plus que neuf hommes, y compris l'Aumônier, un Chirurgien & un petit garçon, il m'étoit impossible de pouvoir garder les deux postes. Je rappellai auprès de moi le petit nombre de garnison qui me restoit, pour faire bonne garde nuit & jour, sans oser sortir de notre Fort. Ces Barbares affamez de marchandises, vinrent au *Fort Phelipeaux*, où ils ne trouvérent personne. Ils pillérent & ravagérent tout ce qu'ils rencontrérent. Ils y prirent onze cens livres de poudre, que je n'eus pas le tems de faire transporter au Fort-Bourbon; c'étoit tout ce qui nous restoit. Ainsi, nous passames tout l'hiver dans le Fort, sans oser sortir, sans vivres & sans poudre, & où nous pensames mourir de faim & de misére, toujours dans l'appréhension de revoir ces malheureux meurtriers à notre porte, mais ils n'ont pas paru depuis.

En 1713. Messieurs de la Compagnie envoyérent un navire qui nous apporta toute sorte de rafraichissemens, & des marchandises pour la traite dont les Sauvages avoient grand besoin. Car il y avoit quatre ans qu'ils étoient en souffrance, parceque je n'avois plus de marchandises à leur traiter; ce qui étoit cause qu'il en étoit mort beaucoup par la faim, ayant perdu l'usage des fléches depuis que les Européans leur portent des armes à feu. Ils n'ont d'autre ressource pour la vie, que le gibier qu'ils tuent au fusil ou à la fléche. Ils ne savent aucunement ce que c'est que de cultiver la terre pour faire venir des légumes. Ils sont toujours errans, & ne restent jamais huit jours dans un même endroit.

Lorsqu'ils sont tout à fait pressez par la faim, le pére & la mére tuent leurs enfans pour les manger; ensuite, le plus fort des deux mange l'autre; ce qui arrive fort souvent. J'en ai vu un qui, après avoir dévoré sa femme & six enfans qu'ils avoient, *disoit n'avoir été attendri qu'au dernier qu'il avoit mangé, parcequ'il l'aimoit plus que les autres, & qu'en ouvrant la tête pour en manger la cervelle, il s'étoit senti touché du naturel qu'un père doit avoir pour ses enfans, & qu'il n'avoit pas eu la force de lui casser les os pour en sucer la mouelle.* Quoique ces gens-là essuyent beaucoup de misére, ils vivent cependant fort vieux; & lorsqu'ils viennent dans un âge tout à fait décrépit & hors d'état de travailler, ils font faire un banquet, s'ils ont le moyen, auquel ils convient toute leur famille. Après avoir fait une longue harangue dans laquelle il les invite à se bien comporter & à vivre en bonne union les uns avec les autres, il choisit celui de ses enfans qu'il aime le mieux, auquel il présente une corde qu'il se passe lui-même dans le cou, & prie cet enfant de l'étrangler pour le tirer de ce monde où il n'est plus qu'à charge aux autres. L'enfant charitable ne manque pas aussitot d'obéir à son pére, & l'étrangle le plus promptement qu'il lui est possible. Les Vieillards s'estiment heureux de mourir dans cet âge, parcequ'ils disent que lorsqu'ils meurent bien vieux, ils renaissent dans l'autre monde comme de jeunes enfans à la mamelle, & vivent de même toute l'éternité; au lieu que lorsqu'ils meurent jeunes, ils renaissent vieux, & par conséquent toujours incommodez comme sont toutes les vieilles gens.

Ils n'ont aucune espéce de Religion, chacun se fait un *Dieu* à sa mode, à qui ils ont recours dans leur besoin, sur tout lorsqu'ils sont malades. Ils n'implorent que ce Dieu imaginaire qu'ils invoquent en chantant & en heurlant autour du malade, en faisant des contorsions & des grimaces capables de le faire mourir. Il y a des chanteurs de profession parmi eux, ausquels ils ont autant de confiance que nous en avons à nos médecins & chirurgiens. Ils croyent avec tant d'aveuglement ce que ces charlatans leur disent, qu'ils n'osent rien leur refuser; de maniére que le chanteur a tout ce qu'il veut du malade; & lorsque c'est quelque jeune femme ou fille qui demande la guérison, ce chanteur ne le fait point qu'il n'en ait reçu quelque faveur. Quoique ces gens-là vivent dans la derniére des ignorances, ils ont cependant une connoissance confuse de la création du monde & du déluge, dont les vieillards font des histoires tout à fait absurdes aux jeunes gens qui les écoutent fort attentivement. Ils prennent autant de femmes qu'ils en peuvent nourrir, & surtout toutes les sœurs, parcequ'ils disent qu'elles s'accommodent mieux ensemble que si elles étoient étrangéres.

Ils sont fort charitables envers les veuves & les orphelins; ils donnent tout ce qu'ils ont avec un grand desintéressement. Aussi sont-ils tous aussi riches les uns que les autres, tous les meubles étant pour ainsi dire communs. Leurs tentes sont de peaux d'orignal ou de cariboux, qu'ils portent l'été sur leur dos lorsqu'ils décampent d'un endroit pour aller dans un autre, & l'hiver, ils les trainent sur la neige. Ils se servent de raquettes l'hiver pour marcher, sur la neige, comme font les Sauvages de Canada.

S: id., *ibid.*, pp. 343-354.

CLAUDE-CHARLES LE ROY,
dit Bacqueville de la Potherie
(1663-1736)

Claude-Charles Le Roy, dit Bacqueville de la Potherie, naît à Paris le 15 mai 1663. Comme il connaît des auteurs latins, on suppose qu'il a fait ses humanités classiques. De 1691 à 1697, il est écrivain principal de la Marine à Brest [département du Finistère, dans l'ouest de la France, à l'extrémité de la Bretagne]. Nommé commissaire de la Marine pour l'expédition que Pierre Le Moyne d'Iberville prépare en 1697 dans le but d'aller déloger les Anglais de la baie d'Hudson, il part avec l'escadre le 8 avril. Le voyage est pénible, mais l'expédition atteint son but. Le 8 novembre, La Potherie est de retour en France. Le 1er mai 1698, il est nommé contrôleur de la marine et des fortifications au Canada. Il débarque à Québec le 28 novembre. Le 11 mars 1700, La Potherie signe un contrat de mariage avec Élisabeth de Saint-Ours. Le 5 juillet, il achète une terre et une maison dans la seigneurie de Saint-Ours [sur la rivière Richelieu, au Québec]. Le 31 mai 1701, on lui assigne une lieutenance de compagnie à la Guadeloupe. Il décède dans cette île le 18 avril 1736.

Dès 1702, La Potherie a un manuscrit à publier; la permission lui est donnée par Fontenelle, censeur royal, le 9 juin de la même année, mais elle lui est refusée par le ministre de la Marine. Il en aurait obtenu une quatorze ans plus tard; on ne peut dire, cependant, si ce fut pour ce premier manuscrit ou pour un second, car le seul ouvrage qui nous est parvenu de lui est daté de 1722; la permission de publier ce dernier date de 1721 et son titre, différent de celui de 1716, est le suivant: *Histoire de l'Amérique Septentrionale*. Il comprend quatre volumes; les volumes I, III et IV sont composés sous forme de lettres, tandis que le vol. II a la forme narrative. Les huit premières lettres du tome I contiennent le récit du voyage de La Potherie en 1697 à la baie d'Hudson; ce sont les pages de ce tome qui ont été le plus louées, car La Potherie y raconte ce qu'il a vécu et il décrit ce qu'il a vu de ses yeux. Pour les trois autres volumes, il a beaucoup emprunté aux mémoires de ses devanciers, surtout à ceux de Nicolas Perrot, et, comme Raudot, il a obtenu une bonne partie de ses renseignements en interrogeant les

Amérindiens, les voyageurs et les missionnaires.

Nous avons emprunté les pièces qui suivent à l'édition — la première en fait — qui a été publiée en 1722, à Paris, Chez Jean-Luc Nion et François Didot; à défaut de pouvoir tenir cette édition princeps entre nos mains, nous avons utilisé la reproduction qui en a été faite aux États-Unis: [Published on demand by University Microfilms, University Microfilms Limited, High Wycomb, England. A Xerox Company, Ann Arbor, Michigan, U.S.A., 1969.] — Nous reproduisons tel quel le texte de cette reproduction.

Le pays du fort Nelson*

La situation du païs paroît assez agreable, tout couvert de bois taillis, & beaucoup marécageux; d'ailleurs la terre est ingrate. Le froid commence des le mois de Juin, mais il ne quitte pas pour cela. Il n'i a point de milieu entre le froid & le chaud dans ce temps-là, où les chaleurs sont excessives, où le froid y est perçant. Les vents de Nord qui viennent de la mer dissipent cette chaleur, & quiconque a bien sué de chaud le matin est glacé le soir. Il y pleut rarement. L'air y est pur & net presque tout l'Hyver. Il y nége même peu à proportion, neuf pieds tout au plus. Je vous avouë Mr. que le merite d'un homme Apostolique est grand lorsqu'il s'attache aux Missions dans ces quartiers-là. J'ai entendu parler du Pere Gabriel Marais Jesuite, qui vint en 94. dans le Poli. Le zele qu'il avoit à travailler au salut des Matelots de son équipage pendant l'hivernement étoit grand; mais celui qui l'animoit à prêcher le vrai Dieu aux Sauvages de ces lieux, étoit quelque chose de bien plus fort. Que de peines & de fatigues n'a-t'il point souffert. Traverser des ruisseaux & de petites rivieres à mi-corps dans des saisons rigoureuses, c'étoit un de ses moindres embarras. Les marais pleins de fange & de boüe étoient ses chemins les plus praticables. Il importe peu en quel état l'on est lorsqu'il s'agit de la gloire de Dieu. Ces conjonctures-là touchent même sensiblement les Sauvages, puisqu'ils connoissent que l'on ne va chez eux que par un esprit de desinteressement, & la maniere avec laquelle cet homme de Dieu venoit dans leurs cabanes étoit un éfet de sa charité. Ils l'écoutoient & ils l'aimoient. Il se faisoit donc une joye de tout sacrifier pour leur insinuer la connoissance du vrai Dieu. Ses leçons faisoient impression sur leur esprit, & après avoir un peu goûté ce qu'il leur enseignoit ils le conjuroient de les venir voir. C'est beaucoup à un Idolâtre lors qu'il ouvre les yeux pour déveloper les tenebres de l'ignorance. Et comme ce saint homme s'apercevoit qu'ils avoient quelque disposition pour se faire Chrétiens, il mettoit tout en usage pour leur enseigner les premiers élemens de la Foi. On le voyoit souvent harcelé de fatigues & de miseres. Il passoit dans des néges, il enfonçoit dans des glaces qui se rompoient sous ses pieds, d'où à peine pouvoit-il se tirer, & malgré tous ces froids insuportables qui la plûpart du temps cavent les joües, font tomber le nez & les oreilles de ceux qui demeurent trop long-temps à l'air, il regardoit tous ces obstacles comme des attraits qui lui faisoient prendre plus à cœur les intérêts de la maison du Seigneur, & ce ne seroit pas sans raison qu'on lui attribueroit ces paroles du Prophête Isaïe. *Factus est in corde meo quasi ignis œstuans in visceribus meis.* Quoique ce païs soit si froid, la Providence divine n'a pas laissé que d'i remedier pour la subsistance des peuples de ces quartiers. Les rivieres sont fort poissonneuses. La chasse y est abondante. Il y a des perdrix en si grande quantité, qu'il passeroit pour fabuleux, si j'avançois que l'on en peut tuer des quinze à vingt mil dans un an. Elles sont toutes blanches presque toute l'année, grosses comme des gelinotes, beaucoup plus delicates qu'en Europe. Elles ont les pieds patûs, & dans le mois d'Août elles ont une partie des ailes grises avec plusieurs taches rouges.

Les Outardes & les Oyes sauvages y abondent si fort au Printemps & en Automne, que tous les bords de la riviere de sainte Therese en sont tous remplis. L'Outarde est un trés bon manger qui ressemble assez à l'Oye, mais beaucoup plus grosse & d'un autre goût. Le Caribou se trouve presque toute l'année, principalement au Printemps & en Automne, en bandes de sept à huit cens. La viande en est plus délicate que celle du Cerf. Lors qu'un chasseur en tuë quelqu'un sur la place; les autres s'arrêtent tout-à-coup sans s'émouvoir du bruit de l'arme à feu; mais lors que le caribou n'est que blessé, il court avec une grande vîtesse, & tous les autres le suivent.

Il y a beaucoup de pelleteries fines comme des marthes fort noires, des renards de même, des loûtres, des ours, des loups dont le poil est fort fin & principalement du Castor qui est le plus beau de tout le Canada.

S: Claude-Charles Le Roy, dit Bacqueville de la Potherie, *Histoire de l'Amérique Septentrionale*, À Paris, chez Jean-Luc Nion et François Didot, 1722, vol. 1, pp. 110-114. [Reproduction: Xerox, Ann Arbor, Michigan, U.S.A, 1969.]

La traite au fort Nelson*

Ceux d'entre ces nations qui viennent de loin pour faire la traite avec les François s'y disposent au mois de Mai. Lorsque les lacs & les rivieres commencent à charier, ils s'assemblent quelquefois douze à quinze cens sur le bord d'un Lac, qui est un rendez-vous où ils prennent pour cet effet tous les expediens necessaires pour leur voyage.

Les Chefs representent les besoins de la nation, engagent les jeunes chasseurs de prendre les interêts publics, les conjurans de se charger des Castors au nom des familles. Quand ils ont jetté les yeux sur un certain nombre, ce sont des festins que chaque famille leur fait. Pour lors la nation se donne mutuellement toutes les marques d'estime que l'on peut souhaiter. C'est un renouvellement d'alliance qui se fait. La joye, le plaisir, & la bonne chere regnent alors & pendant ce temps l'on construit des canots pour le départ. Ils sont faits d'écorce de bouleau, & ces arbres sont d'une grosseur plus considerable que ceux que nous avons en France. Les fondemens sont des varangues ou petites pieces de bois blanc de la largeur de quatre doigts, qui en font le gabari. Ils attachent au haut des bâtons d'un pouce de large, qui soûtiennent l'ouverture des deux côtez. Ces petits bâtimens font une diligence surprenante. L'on peut faire en un jour plus de trente lieuës sur les rivieres.On s'en sert aussi pour la mer. Leur grandeur n'est pas reglée. On les porte facilement sur le dos. Ils sont fort volages à l'eau. Lorsque l'on veut ramer il faut se tenir debout, à genoux, ou assis dans le fond, parce qu'il n'y a point de sieges.

Lors que les Sauvages sont prêts de décendre, l'on choisit outre ces chasseurs quelques chefs qui viennent lier commerce de la part de la Nation. Je ne saurois faire un juste dénombrement de la quantité de Sauvages qui décendent, parce qu'il y a des années qu'ils sont occupez à la guerre, ce qui les détourne de la chasse. Il peut y arriver ordinairement mille hommes, quelques femmes & environ six cens canots. Ils ont, Monsieur, cette politique qu'ils ne prennent point leur poste en arrivant, que quelqu'un ne leur ait limité auparavant un endroit. Et lorsqu'ils sont à une certaine distance du Fort, ils se laissent aller insensiblement au courant, afin que l'on ait le temps de les appercevoir, & ils font ensuite des cabanes sur le bord de la riviere.

Le Chef d'une Nation entre au Fort avec un ou deux de ses

Sauvages les plus qualifiez. Celui qui commande dans cette place leur fait d'abord present d'une pipe & du tabac. Ce Chef lui fait un compliment fort succint, le priant d'avoir quelque consideration pour sa Nation. Le Commandant l'assure qu'il en sera satisfait. Le Chef ayant fumé sort de sang froid sans prendre congé de qui que ce soit. L'on ne s'en formalise même pas. Il assemble ses gens, leur fait le recit de l'acueil qui lui a été fait, & rentrant ensuite au Fort fait present au Commandant de quelques Pelleteries, le priant derechef d'avoir en memoire sa Nation; c'est, Monsieur, leur expression ordinaire, & de ne point traiter ses marchandises aussi cher qu'aux autres nations, car c'est à qui aura bon marché. Le Commandant le rassure de sa bienveillance, lui fait encore present de pipes & de tabac pour faire fumer tous ses députez. La traite se fait aprés hors du Fort par une fenêtre grillée, car l'on ne souffre point que le commun des Sauvages y entre. Lors qu'elle est faite avec le Chef d'une Nation, on lui fait un festin hors du Fort. L'on aporte une grande chaudiere sur l'herbe dans laquelle il y a des pois, des prunaux, & de la melasse. Lorsque les Sauvages sont assemblez, une personne de la part du Commandant les voyant dans cette situation, les prie de continuër toûjours la même alliance, presente le calumet au Chef, & fait fumer tous les autres. Aprés que ce repas est fait, on les prie de faire une danse; ce qu'ils font avec plaisir. Le Chef commençant le premier, dit un air sur le champ sur l'agreable acueil qui lui a été fait. On lui donne à son départ du tabac pour faire fumer ceux des autres nations qu'il rencontrera, & les engager de venir faire la traite, en cas qu'elles ne soient point encore venuës. Le tabac est le present le plus considerable dont on puisse les régaler. Tel a été l'usage pratiqué par les François, qui ont été maîtres du Fort de Nelson, auparavant que Sa Majesté y ait envoyé nôtre Escadre.
S: id., ibid., vol. 1, pp. 177-181.

Le scorbut de la baie d'Hudson*

C'étoit une maladie qui avoit infecté nos Vaisseaux. Vous ne serez peut-être pas faché si je vous en donne une idée. Vous allez voir que je suis devenu grand Medecin dans ce voyage, & que je n'ai pas tout-à-fait oublié l'anatomie que j'ai apris pendant ma Philosophie.

Vous sçaurez donc, Monsieur, que le changement si subit où l'on se trouve en arrivant dans ce climat, lorsque l'on quitte la saison la plus douce & la plus agreable de l'année, cause tout à coup une révolution dans le corps humain, qui contracte une maladie attachée à ces païs, que l'on apelle le Scorbut. Quoiqu'il attaque les personnes qui vont dans les païs chauds aussi-bien que ceux qui vont a la Baye d'Hudson, les symptomes qui en arrivent me paroissent tirer leur origine d'une cause differente, puisque les effets le sont aussi.

L'extrême froid & principalement la quantité prodigieuse de Nitre qui régne dans le détroit, forment des sels fixes qui arrêtent la circulation du sang. Ces esprits si mordicans causent des acides qui minent petit à petit la partie à laquelle ils s'attachent, & le Chile qui devient visqueux, acide, salé & terrestre, cause l'épaicisement au Sang dont le mouvement circulaire se trouvant interrompu, produit en même tems des douleurs que l'on ressent aux extrêmitez inferieures, comme aux jambes, aux cuisses, & aux bras: l'on se sent d'abord attaqué par ces endroits.

Ces obstructions étant dans les veines qui portent le sang de sa circonference au cœur qui en est le centre, étant comme un obstacle, procurent des tumeurs œdemateuses.

Ces parties deviennent insensibles, noirâtres, & lors qu'on les touche il y reste des creux tels que l'on feroit dans une pâte molle. Et comme les exostoses qui se rencontrent dans la partie du tibia ne sont produites que par les acides qui causent des douleurs entre les os & le perioste qui est une membrane cinereuse, laquelle ne peut être émûë sans recevoir une extrême douleur, il ne faut pas s'étonner si les malades font de grands cris, quand on les touche.

C'étoit, Monsieur, une chose digne de compassion de voir des gens tout paralitiques qui ne pouvoient se remuër dans leurs branles, qui avoient cependant l'esprit sain & net.

Le peu d'exercice contribuë beaucoup à cette maladie; car comme nous fûmes vingt-six jours grapinez sur des glaces, l'inaction assoupissoit les sens: Et, déslors que l'on se sent les jambes pesantes il faut courir & aller dessus pour dissiper cet engourdissement.

Mais, comme la mer geloit tous les jours de deux pouces dans le plus fort de la canicule, d'abord que le Soleil se couchoit, il étoit difficile que les équipages ne se laissassent aller à une paresse qui étoit une disposition prochaine à les rendre malades.

Les nouritures que l'on est contraint de prendre sur mer n'y contribuent pas peu. Aussi; la quantité d'acides qui sont dans les viandes salées qu'on leur donne, comme le bœuf & le lard, cause un gonflement aux gencives & une obstruction dans les glandes salivales qui n'ont d'autre usage qu'à filtrer la limphe d'avec le sang & de l'aporter dans la bouche par de petits conduits qui servent de premier dissolvant à la coction. Et, comme tous ces petits canaux se trouvent offusquez par l'abondance de ces sels qui sont si penetrans, il se répand pour lors dans toute la bouche une humeur épaisse, gluante & visqueuse. Le sang trouvant alors ses conduits bouchez, il se forme un amas de matiere pourie qui corrompt les gencives, déchausse les dents, & les fait toutes tomber.

Il y en a qui ont un flux de bouche, d'autres un flux dissenterique. Les premiers bavent. La matiere visqueuse qui sort de leur bouche cause la cangrene dans les glandes & aux gencives. Il faut pour lors qu'un Chirurgien leur donne de bons gargarismes détersifs qui puissent détacher cette matiere épaisse. Le jus de citron seroit d'un grand secours.

Ceux qui ont le flux dissenterique sont beaucoup plus en danger de la vie. Il se forme en ces personnes une humeur extrémement corrosive dans le mézentaire. Et comme les veines soûclavieres reçoivent le chile pour le porter au ventricule droit du cœur, qui concourt à la nutrition du corps par l'Aorte, dés lors que ce suc se trouve corrompu, il faut de necessiité qu'il arrive des sincopes & des défaillances de cœur, parce que celui-ci ne pouvant subsister que par la circulation d'un sang pur, net & vif, toute autre matiere qui s'y formeroit ne peut qu'en détruire le cours ordinaire: d'où il survient aux uns des Fiévres, des Sinoches simples, aux autres tierces, double tierces, même quelques accez de quarte. Et la cangrene se formant dans le mesentaire, aux intestins, arrête les Loix de la circulation du sang. Les Polipes que j'apercevois à l'ouverture d'un Cadavre faisoient le même effet. Ce sont des morceaux de sang caillé que produit cette grande corruption, qui s'attachent aux ventricules du cœur, lesquels venant à offusquer ce mouvement réglé, causent des morts subites.

Le cerveau ne se trouvant plus humecté de ses douces influences, reçoit des vapeurs qui lui causent des délires, des transports, & la mort ensuite. J'en ai vû plusieurs qui paroissoient avoir la voix ferme, l'œil bon, la langue saine, sans noirceur n'y excoriations, qui cependant mouroient en parlant.

Il faut donc se servir d'alimens qui puissent dissoudre la masse du sang, comme de Dissolvents sudorifiques & diaphoretiques, qui par leurs parties sulphureuses & volatiles, entraînent par une insensible transpiration les Acides, consomment les cruditez de la masse, & puissent faire rallier ensemble les Fibres du sang par de bons alimens, leur donnant peu de viande salée, mais du Ris, des Pois, des Fayols, des Lavemens un peu détersifs, de l'Opiat astringent où les cordiaux entrent; les changeant aussi de linge; ce qui est un grand soulagement dans ces occasions.

Cette Maladie ne fait qu'augmenter l'apetit. Les Malades ont des faims canines. Il faut que ce soit la force des Acides qui se trouvent dans les glandes de la troisiéme tunique du ventricule, qui l'irritent.

Je ne fus pas surpris, Monsieur, que nous trouvant tout à coup en un autre climat à nôtre retour, ce changement causa tant de mortalitez dans nos vaisseaux. Il se faisoit pour lors une fermentation dans la masse du sang, qui causoit une corruption cangreneuse. Le chaud voulant dilater ce que le froid avoit retréci; ce ne pouvoit donc être en ce moment qu'un combat. Et la nature se trouvant affoiblie par la dilatation des pores, causoit un débordement qui mettoit en desordre toute cette Machine.

La difference qu'il y a du Scorbut des païs chauds vient de la puanteur de l'eau qui cause une corruption dans la bouche, & s'insinuë insensiblement dans les parties nobles. Et par un contraire du climat des païs froids, lorsque les vaisseaux retournent en France de ceux qui sont chauds, le changement de climat qui est froid en arrivant reserre les pores, lesquels étant bouchez arrêtent la circulation du sang déja corrompu, alors il se fait un cahos & un desordre qui suffoque un homme.
S: id., ibid., vol. 1, pp. 189-195.

EMMANUEL CRESPEL
(1703-1775)

Emmanuel Crespel, baptisé Jacques-Philippe, naît à Douai [département du Nord, France] le 13 mars 1703. À seize ans, il entre chez les Récollets à Avesnes [département du Nord]; il y fait profession le 20 août 1720. Le 24 juillet 1724, il part de La Rochelle et arrive à Québec le 8 octobre suivant. Le 16 mars 1726, il est ordonné prêtre. Du 6 octobre 1726 au 2 juin 1728, il exerce son ministère sacerdotal au fort Richelieu [Sorel, Québec]. Du 5 juin à la fin de septembre de 1728, il est aumônier de l'expédition que Constant Le Marchand de Lignery conduit au pays des Renards, dans le sud-ouest des Grands Lacs. Par la suite, le père Crespel sera aumônier des forts Niagara [près de Youngstown, N. Y.] (27 juillet 1729-1732), Frontenac [Kingston] (1732-1735) et Saint-Frédéric [près de Crown Point, N. Y.] (17 novembre 1735-21 septembre 1736). Le 3 novembre 1736, il part pour la France sur la *Renommée*, un bateau tout neuf, commandé par un capitaine qui avait quarante-six ans d'expérience; dès le 14 novembre, le navire s'échoue sur la pointe sud de l'île d'Anticosti. Les cinquante-quatre hommes passent un hiver tellement dur que, le 2 mai 1737, ils ne sont plus que quatre rescapés à Mingan; ils remontent à Québec en juin. Durant un an, le père Crespel est curé à Soulanges [Québec]. Le 21 octobre 1738, il s'embarque pour la France et arrive à «Port Louis», en Bretagne, le 2 décembre, à Rochefort le 23, puis à Paris à la fin du mois. Au début de 1740, il est nommé vicaire du couvent d'Avesnes, puis redevient aumônier militaire durant huit ans, dans l'armée du maréchal de Maillebois qui prend part à une campagne contre l'Autriche. De retour au Canada, il est commissaire provincial des récollets (1750-1753), supérieur du couvent de Québec (1753-1756) et, de nouveau, commissaire provincial jusqu'à son décès à Québec, le 29 avril 1775.

Nous devons à Louis Crespel, frère du père Emmanuel, le recueil de huit lettres dans lesquelles le récollet a fait le récit de ses voyages en Amérique du Nord. En effet, c'est suite aux instances réitérées de ce frère que le père Emmanuel, résidant chez le maréchal Maillebois à Paderborn [Allemagne], les lui a adressées du 10 janvier au 18 juin 1742. Les deux premières lettres du père traitent de ses occupations et voyages; les six autres, de son naufrage à l'île d'Anticosti. Ce sont celles-ci qui ont le plus contribué au succès du livre, qui a connu plusieurs éditions ou réimpressions en Europe et au Canada; il a même paru en feuilleton dans au moins trois journaux canadiens: le *Courrier de Québec* (1808), le *Magasin du Bas-Canada* (Montréal, 1832), les *Mélanges religieux* (Montréal, 1851).

Nous avons emprunté la pièce qui suit à la réimpression que l'Imprimerie Augustin Côté a faite à Québec, en 1884 [avec une biographie en appendice], de la première édition, publiée à Francfort sur le Meyn sous le titre *Voiages du R. P. Emmanuel Crespel, dans le Canada et son naufrage en revenant en France. Mis au jour par le Sr Louis Crespel, son Frère.* — Nous reproduisons tel quel le texte de la réimpression Côté.

Aumônier militaire dans la région des Grands Lacs*

Après l'expédition dont je vous ai parlé, si toutes-fois on peut appeler de ce nom une démarche absolument inutile, nous reprîmes la route de *Montréal*, dont nous étions éloignés d'environ quatre cent cinquante lieuës. En passant nous brûlâmes *le Fort de la Baye*, parce qu'étant trop voisin des Ennemis, il n'auroit pas été une retraite sûre aux François que l'on y auroit laissés pour le garder. Les *Renards*, animés par les ravages que nous avions faits sur leurs terres, et persuadés que nous ne viendrions pas une seconde fois dans leur Païs, dans l'incertitude d'y trouver des Habitans, auroient pû obliger nos Troupes à se renfermer dans le Fort, les y auroient attaquées et peut-être vaincues. Lorsque nous fûmes à *Michillima-Kinac*, le Commandant donna Carte-blanche à tout le monde. Il nous restoit encore trois cens lieuës à faire, et le Vivre nous aurait infailliblement manqué, si nous n'avions pas fait nos efforts pour arriver promptement. Les Vents nous favorisérent dans le passage du *Lac Huron*, mais nous eûmes des Pluyës presque continuelles en remontant la *Rivière des François*, en traversant le *Lac Népissing*, et sur *la petite Rivière de Mataoüan*: elles cessérent lorsque nous entrâmes dans *le Fleuve des Outaoüacs*. Je ne puis vous exprimer avec quelle vitesse nous descendîmes cette grande Riviére: l'Imagination seule peut en prendre une juste idée. Comme j'étois avec des gens que l'expérience avoit rendus habiles à sauter les Rapides, je ne fus pas des derniers à *Montréal*; j'y arrivai le vingt-huit Septembre, et n'en sortis qu'au Printems pour obéir à l'ordre qui me fut donné de descendre à *Québec*.

Je ne fus pas plutôt arrivé dans cette Ville, que notre Commissaire me destina pour le Poste de *Niagara*, qui est un nouvel Etablissement, avec une forteresse située à l'entrée d'une belle Rivière qui porte le même nom, et qui est formée par la fameuse Chûte de *Niagara*, au sud du *Lac Ontario* et à six lieuës de notre Fort.

Je repris donc la route de *Montréal*, et de là je passai à *Frontenac*, ou *Catarakoüy*, qui est un Fort bâti à l'entrée du *Lac Ontario*. Quoiqu'il ne soit éloigné de *Montréal* que de quatre-vingts lieuës, nous fûmes quinze jours à nous y rendre à cause des Rapides qu'il faut monter. Nous y attendîmes quelques tems que les Vents nous devinssent favorables, car on y quitte les Canots pour prendre un Bâtiment que le Roi a fait construire exprès pour le transport de *Niagara*. Ce Bâtiment, qui est d'environ quatre-vingts tonneaux de port, est fort léger et fait quelque fois ce trajet, qui est de soixante et dix lieuës, en moins de trente-six heures. Le Lac est fort sain, sans écueils et très profond; j'ay jetté dans le milieu près de cent brasses de ligne sans pouvoir en trouver le fond; sa largeur peut être d'environ trente lieuës, et sa longueur de quatre-vingt-dix.

Nous mîmes à la voile le vingt-deux Juillet, et nous arrivâmes à notre Poste le vingt-sept matin. Je trouvai l'endroit fort agréable, la Chasse et la Pesche y produisent beaucoup, les Bois y sont de toute beauté et remplis surtout de Noïers, de Chataigniers, de Chênes, d'Ormes et d'Erables comme il ne s'en trouve point en France.

La Fièvre traversa bientôt les plaisirs que nous goûtions à *Niagara*, et nous incommoda jusqu'à l'entrée de l'Automne, qui dissipa le mauvais air. Nous passâmes l'Hiver assez tranquillement, je pourrois même dire assez agréablement, si le Vaisseau qui devoit nous apporter nos rafraîchissemens n'eût pas été contraint, après avoir essuïé une horrible Tempête sur le Lac, de relâcher à *Frontenac*, et ne nous eût mis par là dans la nécessité de ne boire que de l'eau.

Comme la saison étoit avancée, il n'osa remettre à la voile, et nous ne reçûmes nos provisions que le prémier jour de May.

Depuis la St. Martin, le manque de vin m'avoit empêché de célébrer la Messe; aussitôt que le Bâtiment fut arrivé, je fis faire la Pâque à toute la Garnison, et je partis pour le *Détroit*, à la sollicitation d'un Religieux de mon Ordre qui y étoit Missionnaire. Il y a cent lieuës de *Niagara* à ce Poste, qui est situé à six lieuës de l'entrée d'une fort belle Riviére, environ quinze lieuës en-deça du fond du *Lac Erié*.

Ce Lac, qui peut avoir cent lieuës de long et trente de large, est fort plat, et par conséquent mauvais quand il vente; vers le Nord, au-dessus de la *grande Pointe d'Écorres*, il est bordé de sables fort hauts, de sorte que si l'on étoit pris de Vent, dans les endroits où il n'y a point de débarquement, ce qui ne se trouve que toutes les trois lieuës, l'expérience a fait voir qu'il faudrait nécessairement périr.

J'arrivai au *Détroit* le dix-septiéme jour depuis mon départ; Le Religieux que j'allois visiter me reçut d'une manière qui caractérisoit à merveille le plaisir que nous sentons ordinairement lorsque nous trouvons un de nos Compatriotes dans un Païs éloigné; Ajoûtez à cela que nous étions du même Ordre, et que le même motif nous avoit éloignés de notre Patrie. Je lui étois donc cher par plus d'un endroit, aussi n'oublia-t'-il rien pour me marquer combien il étoit sensible à ma visite. C'étoit un homme un peu plus âgé que moi et très recommendable par les succès qu'avoient eû ses travaux Apostoliques. Sa maison étoit agréable et commode, c'étoit pour ainsi dire son ouvrage et le séjour de la Vertu.

Il partageoit le tems qui n'étoit pas rempli par les devoirs de sa Charge entre l'étude et les occupations de la campagne; il avoit quelques Livres, et le choix qu'il en avoit fait donnoit une idée de la pureté de ses mœurs et de l'étenduë de ses connoissances. La Langue du Païs lui étoit assez familière, et la facilité avec laquelle il la parloit le rendoit cher à plusieurs Sauvages qui lui communiquoient leurs réflexions sur toute sorte de sujets, et principalement sur la Religion. L'Affabilité attire de la confiance, et personne n'en méritoit plus que ce Religieux.

Il avoit poussé la complaisance envers quelques Habitans du *Détroit*, jusqu'à leur apprendre la Langue Françoise. Parmi ceux là j'en ai vû plusieurs dont le sens droit et le jugement solide et profond auroient fait des hommes admirables, même en France, si leur esprit avoit été cultivé par l'étude. Pendant tout le tems que je restai chez ce Religieux, je trouvois tous les jours de nouvelles raisons d'envier un sort pareil au sien. En un mot, il étoit heureux à la façon dont les Hommes doivent l'être pour ne point rougir de leur bonheur.

Après avoir fait au *Détroit* ce qui m'y avoit attiré, je repris le chemin de *Niagara*, où je restai encore deux ans; j'appris pendant ce tems assez de la Langue des *Iroquois* et des *Outaoüacs* pour m'entretenir avec eux. Cette étude me procura d'abord le plaisir de lier conversation avec quelques Sauvages lorsque j'allois me promener aux environs de mon Poste; dans la suite vous verrez qu'elle me fut d'une grande utilité, et qu'elle me sauva la vie.

Lorsque mes trois ans de résidence à *Niagara* furent expirés, on me fit relever, c'est la coutume; et je fus passer l'Hiver au Couvent de *Québec*.

Ce fut pour moi une grande satisfaction de passer là cette saison rigoureuse; si l'on n'y a point de superflus, du moins n'y manque-t-on pas du nécessaire, et, ce qui n'est pas le plus petit agrément, on y reçoit des nouvelles de sa Patrie, et on y trouve des gens avec qui l'on peut s'en entretenir.

L'Aumônier du Fort *Frontenac* ou *Catarakoüy* tomba malade au commencement du Printems, et notre Commissaire me destina pour aller occuper sa place. Je vous ai déjà parlé de la situation de ce Poste; on y vit agréablement, et le gibier se trouve en abondance dans les Marais dont *Frontenac* est environné.

Je n'y restai que deux ans; on me rappella à *Montréal*, et quelque tems après on m'envoïa à la *Pointe à La Chevelure*, dans le *Lac Champlain*.

S: *Voïages du R. P. Emmanuel Crespel, dans le Canada et son naufrage en revenant en France. Mis au jour par le Sr Louis Crespel, son Frére*, [préface de l'éditeur], A Francfort sur le Meyn, 1742, [xiv], vii, 135, xl p. [suivi d'une «Biographie du Rév. Père Emmanuel Crespel» par S. J. M., 19 mars 1883, Québec, Imprimerie Augustin Côté, 1884], pp. 18-25.

FRANÇOIS-XAVIER DE CHARLEVOIX
(1682-1761)

Pierre-François-Xavier de Charlevoix naît à Saint-Quentin [département de l'Aisne, dans le nord de la France] le 24 ou le 29 octobre 1682. Le 15 septembre 1698, il entre au noviciat des jésuites de Paris. Il aurait étudié la rhétorique (1700-1701), puis la philosophie (1701-1705) au collège Louis-le-Grand à Paris. Il enseigne ensuite la grammaire au collège des jésuites de Québec, de septembre 1705 à 1709. De retour en France, il étudie la théologie durant quatre ans (1709-1713), puis enseigne les humanités et la philosophie au collège Louis-le-Grand. Vers la mi-juin de 1720, il quitte Paris pour Rochefort où il s'embarque pour le Canada le 1er juillet. Il arrive à Québec le 27 septembre. Au début de mars 1721, il entreprend le voyage qui le conduira jusqu'à la Nouvelle-Orléans, puis dans les Antilles. Il remonte le Saint-Laurent jusqu'aux Grands Lacs, passe à Cataracoui [Kingston] le 13 mai, au fort Ponchartrain [Détroit] le 6 juin. Le 28 du même mois, il est à Michillimakinac [Mackinaw, Michigan], qu'il quitte le 29 juillet pour le Mississipi dans lequel il entre le 9 octobre. Le 5 janvier 1722, il arrive à la Nouvelle-Orléans [Louisiane]. Le 31 du même mois, il est à Biloxi [Ocean Springs, Mississipi]; une jaunisse l'y retient jusqu'au 25 mars. Il retourne ensuite à la Nouvelle-Orléans, d'où il s'embarque pour Saint-Domingue; il n'y arrive que le 1er septembre après un naufrage et un voyage de misère pendant lesquels il a vu la mort de près. Le 25 du même mois, il quitte Saint-Domingue pour la France sur un bateau qui fait escale à Plymouth [Angleterre] du 2 au 25 décembre, puis entre au Havre-de-Grâce le 26. Le 27, le père se rend à Rouen. Le 20 janvier 1723, il est à Paris pour présenter aux autorités gouvernementales le rapport de son voyage. Il arrivera à ces autorités de le consulter de temps en temps par la suite. À partir de 1733, le père Charlevoix travaille au *Journal de Trévoux*, un périodique fondé par les jésuites en 1701 sous le nom de *Mémoires pour servir à l'histoire des sciences et des beaux-arts*; le père y aurait occupé divers postes durant une vingtaine d'années, tout en préparant des ouvrages historiques. De 1742 à 1749, il est procureur à Paris des missions des jésuites et des monastères des Ursulines de la Nouvelle-France et de la Louisiane. On sait peu de chose des dernières années de sa vie, sauf qu'il les passe dans la retraite au collège des jésuites de La Flèche [département de la Sarthe, dans l'ouest du bassin parisien], où il décède le 1er février 1761.

Pierre-François-Xavier de Charlevoix est l'auteur des principaux ouvrages historiques suivants: *Histoire de l'établissement des progrés et de la décadence du christianisme dans l'Empire du Japon* (1713); *Histoire de l'Isle espagnole ou de S. Domingue* (1730-1731); *Histoire et description generale du Japon* (1736); *Histoire du Paraguay* (1756); *Histoire et Description générale de la Nouvelle France*, avec le *Journal historique d'un Voyage fait par ordre du Roi dans l'Amérique Septentrionnale* (1744). C'est ce dernier qui nous intéresse, car l'Ontario occupe une place importante dans cette *Histoire*. Dans les deux premiers tomes, l'Ontario est présent à travers l'histoire de la Huronie, visitée par Champlain, puis habitée par les missionnaires jusqu'à l'éparpillement de la nation huronne en 1649-1650. Dans le troisième tome, le père décrit le pays ontarien et ses habitants amérindiens tels qu'il les a aperçus en remontant le Saint-Laurent depuis le saut Saint-Louis jusqu'à Niagara, puis jusqu'au lac Supérieur. Plusieurs historiens le considèrent comme le meilleur historien de la Nouvelle-France, car ils voient en lui l'un des premiers historiens modernes à cause de sa méthode qui exigeait la recherche et la lecture d'un nombre considérable de documents écrits qu'il a pris la peine de confronter avec les renseignements oraux qu'il avait recueillis au cours de son voyage en Amérique; à cause aussi des buts encyclopédique et didactique qui se révèlent dans le contenu, l'écriture et la composition des trois tomes. La qualité littéraire du texte est remarquable: Charlevoix possède une langue classique; il utilise une grande variété de formes stylistiques; il a un sens musical développé, et sa phrase, qui varie en longueur, est souple et claire.

Nous avons emprunté les pièces qui suivent à la reproduction que les Éditions Élysée ont fait paraître à Montréal, en 1976, de la première édition publiée en trois tomes à Paris, Chez Nyon fils, en 1744. — Nous reproduisons tel quel le texte des Éditions Élysée, sauf que, pour en faciliter la lecture, nous avons remplacé le caractère typographique ancien ∫ par son équivalent moderne: s; de plus, nous n'avons pas reproduit les sous-titres marginaux. — Il existe maintenant une excellente édition du troisième tome: *Journal d'un voyage fait par ordre du roi dans l'Amérique septentrionale*, édition critique par Pierre Berthiaume, 2 vol., Montréal, les Presses de l'Université de Montréal,

«Bibliothèque du Nouveau Monde», 1994, 1112 p. [pagination continue].

Les premiers missionnaires de la Nouvelle-France*

Il est certain, & par les Relations annuelles, que nous avons de ces heureux tems, & par la Tradition constante, qui s'en est conservée dans le Pays, qu'il y avoit je ne sçai quelle onction attachée à cette Mission Sauvage, qui la faisoit preferer à plusieurs autres infiniment plus brillantes, & même plus fructueuses. Cela provenoit sans doute de ce que la nature n'y trouvant rien, ni par raport aux douceurs de la vie, ni de ce qui peut flatter la vanité, écueil trop ordinaire des succès éclatans, même dans le Ministere le plus saint, la Grace y opéroit sans obstacle. Outre que le Seigneur, qui ne se laisse jamais vaincre en liberalité, se communiquoit sans mesure à des Hommes, qui se sacrifioient sans reserve, qui morts à tout, entiérement détachés d'eux-mêmes & du Monde, possedoient leurs ames dans une paix inalterable, & s'étoient parfaitement établis dans cette enfance spirituelle, que Jesus-Christ a recommandée à ses Disciples, comme ce qui devoit faire leur caractére le plus marqué.

Car voilà au naturel le portrait, qu'ont fait des premiers Missionnaires de la Nouvelle France ceux, qui les ont connus de plus près, & la suite de cette Histoire convaincra les moins prévenus en leur faveur, qu'il n'est point flatté. J'en ai connu quelques-uns dans ma jeunesse, & je les ai trouvés tels que je viens de les dépeindre, courbés sous les travaux d'un long Apostolat, & dans des corps exténués de fatigue, & cassés de vieillesse, conservant toute la vigueur de l'esprit Apostolique. J'ai cru devoir leur rendre ici la même justice, qu'on leur rendoit universellement dans le Pays.

S: François-Xavier de Charlevoix, *Histoire et Description générale de la Nouvelle France*, avec *le Journal historique d'un Voyage fait par ordre du Roi dans l'Amérique Septentrionale*, 3 tomes, À Paris, Chez Nyon fils, 1744, t. 1, p. 181. [Réimpression: Montréal, Éditions Élysée, 1976.]

Décès et obsèques du Rat, chef huron*

Enfin le premier jour d'Août on tint la premiere séance publique, & tandis qu'un Chef Huron parloit, le Rat se trouva mal. On le secourut avec d'autant plus d'empressement, que le Gouverneur Général fondoit sur lui sa principale esperance pour le succès de son grand ouvrage. Il lui avoit presque toute l'obligation de ce merveilleux concert, & de cette réunion, sans exemple jusqu'alors, de tant de Nations pour la Paix générale. Quand il fut revenu à lui, & qu'on lui eût fait reprendre des forces, on le fit asseoir dans un fauteuil au milieu de l'Assemblée, & tout le Monde s'aprocha pour l'entendre.

Il parla lontems, & comme il étoit naturellement éloquent, & que Personne n'eut peut-être jamais plus d'esprit que lui, il fut écouté avec une attention infinie. Il fit avec modestie, & tout ensemble avec dignité le récit de tous les mouvemens, qu'il s'étoit donnés pour ménager une Paix durable entre toutes les Nations; il fit comprendre la nécessité de cette Paix, les avantages, qui en reviendroient à tout le Pays en général, & à chaque Peuple en particulier, & démêla avec une adresse merveilleuse les différens intérêts des uns & des autres. Puis se tournant vers le Chevalier de Callieres il le conjura de faire en sorte que Personne n'eût à lui réprocher qu'il eût abusé de la confiance, qu'on avoit euë en lui.

Sa voix s'affoiblissant, il cessa de parler, & reçut de toute l'Assemblée des applaudissemens, ausquels il étoit trop accoûtumé pour y être sensible, surtout dans l'état, où il étoit: en effet il n'ouvroit jamais la bouche dans les Conseils, sans en recevoir de pareils de ceux-mêmes, qui ne l'aimoient pas. Il ne brilloit pas moins dans les conversations particulieres, & on prenoit souvent plaisir à l'agacer pour entendre ses reparties, qui étoient toujours vives, pleine de sel, & ordinairement sans replique. Il étoit en cela le seul Homme du Canada, qui pû tenir tête au Comte de Frontenac, lequel l'invitoit souvent à sa table pour procurer cette satisfaction à ses Officiers.

Le Gouverneur Général lui fit répondre qu'il ne séparerroit jamais les intérêts de la Nation Huronne de ceux des François, & qu'il lui engageoit sa parole d'obliger les Iroquois à contenter les Alliés des uns & des autres, principalement sur l'article des Prisonniers. Il se trouva plus mal à la fin de la séance, & on le porta à l'Hôtel-Dieu, où il mourut sur les deux heures après minuit dans des sentimens fort Chrétiens, & muni des Sacremens de l'Eglise. Sa Nation sentit toute la grandeur de la perte, qu'elle faisoit, & c'étoit le sentiment général que jamais Sauvage n'eut plus de mérite, un plus beau génie, plus de valeur, plus de prudence, & plus de discernement pour connoître ceux, avec qui il avoit à traiter. Ses mesures se trouvoient toujours justes, & il trouvoit des ressources à tout: aussi fut-il toujours heureux. Dans les commencemens il disoit qu'il ne connoissoit parmi les François que deux Hommes d'esprit, le Comte Frontenac, & le P. de Carheil. Il en connut d'autres dans la suite, ausquels il rendit la même justice. Il faisoit surtout grand cas de la sagesse du Chevalier de Callieres, & de son habileté à conduire les affaires.

Son estime pour le P. de Carheil fut sans doute ce qui le détermina à se faire Chrétien, ou du moins à vivre d'une maniere conforme aux maximes de l'Evangile. Cette estime s'étoit tournée en une véritable tendresse, & il n'y avoit rien que ce Religieux n'obtînt de lui. Il avoit un vrai zéle du bien public, & ce ne fut que ce motif, qui le porta à rompre la Paix, que le Marquis de Dénonville avoit faite avec les Iroquois, contre son sentiment. Il étoit fort jaloux de la gloire & des intérêts de sa Nation, & il s'étoit fortement persuadé qu'elle se maintiendroit, tant qu'elle demeureroit attachée à la Religion Chrétienne. Il prêchoit lui-même assez souvent à Michillimakinac, & ne le faisoit jamais sans fruit.

Sa mort causa une affliction générale, & il n'y eut Personne, ni parmi les François, ni parmi les Sauvages, qui n'en donnât des marques sensibles. Son corps fut quelque tems exposé en habit d'Officier, ses armes à côté, parce qu'il avoit dans nos Troupes le rang & la paye de Capitaine. Le Gouverneur Général & l'Intendant allerent les premiers lui jetter de l'eau benite. Le Sieur de Joncaire y alla ensuite à la tête de soixante Guerriers du Sault S. Louis, qui pleurerent le Mort & le couvrirent, c'est-à-dire, qu'ils firent des présens aux Hurons, dont le Chef leur répondit par un très-beau compliment.

Le lendemain on fit ses funerailles, qui eurent quelque chose de magnifique & de singulier. M. de St. Ours, premier Capitaine, marchoit d'abord à la tête de soixante Soldats sous les armes. Seize Guerriers Hurons, vêtus de longues robes de Castor, le visage peint en noir, & le fusil sous le bras, suivoient, marchant quatre à quatre. Le Clergé venoit après, & six Chefs de guerre portoient le cercueil, qui étoit couvert d'un poële semé de fleurs, sur lequel il y avoit un chapeau avec un plumet, un hausse-col & une épée. Les Freres & les Enfans du Défunt étoient derriere, accompagnés de tous les Chefs des Nations, & M. de Vaudreuil, Gouverneur de la Ville, qui menoit Madame de Champigny, fermoit la marche.

A la fin du Service il y eut deux décharges de mousquet, & une troisiéme, après que le corps eut été mis en Terre. Il fut enterré dans la grande Eglise, & on grava sur la Tombe cette Inscription, *Cy gît le Rat, Chef Huron.* Une heure après les obséques le Sr Joncaire mena les Iroquois de la Montagne complimenter les Hurons, ausquels ils présenterent un Soleil &

un Collier de porcelaine; ils les exhorterent à conserver l'esprit, & à suivre toujours les vûës de l'Homme célèbre, que leur Nation venoit de perdre, à demeurer toujours unis avec eux, & à ne se départir jamais de l'obéissance, qu'ils devoient à leur commun Pere Ononthio. Les Hurons le promirent, & depuis ce tems-là on n'a point eu de sujet de se plaindre d'eux. Mais ce qui faisoit le plus grand éloge de ce Capitaine, étoit de voir ce qu'on n'avoit osé esperer jusques-là, tous les Peuples de la Nouvelle France réunis dans une même Ville, & de sçavoir que ce concert étoit en bonne partie son ouvrage.

S: id., ibid., t. 2, pp. 276-279.

Le castor*

Le Castor n'étoit pas inconnu en France avant la découverte de l'Amérique; on trouve dans les anciens Titres des Chapeliers de Paris des Réglemens pour la Fabrique des *Chapeaux Biévres*: or Biévre & Castor, c'est absolument le même Animal, mais soit que le Biévre Européen soit devenu extrémement rare, ou que son Poil n'eut pas la même bonté, que celui du Castor Amériquain, on ne parle plus gueres que de ce dernier, si ce n'est par rapport au *Castoreum*, dont je vous dirai deux mots à la fin de cette Lettre. Je ne sçache pas même qu'aucun Auteur ait jamais parlé de cet Animal, comme de quelque chose de curieux: peut-être que c'est faute de l'avoir observé de près: peut-être aussi que les Castors d'Europe sont comme les *Castors Terriers*, dont je vous ferai bientôt connoître la difference d'avec les autres.

Quoiqu'il en soit, Madame, le Castor du Canada est un Quadrupéde Amphibie, qui ne peut pourtant pas rester lontems dans l'Eau, & qui peut absolument se passer d'y aller, pourvû qu'il ait la commodité de se baigner quelquefois. Les plus grands Castors ont un peu moins de quatre pieds sur quinze pouces de large d'une hanche à l'autre, & pésent soixante livres. La couleur de cet Animal est differente, selon les differens Climats, où il se trouve. Dans les Quartiers du Nord les plus reculés, ils sont ordinairement tout à fait noirs, mais il s'y en rencontre quelquefois de blancs. Dans les Pays plus tempérés ils sont bruns, & à mesure qu'ils avancent vers le Sud, leur couleur s'éclaircit toujours de plus en plus. Chez les Illinois ils sont presque fauves: on y en a même vû de couleur de Paille. On a encore observé que, moins ils sont noirs, & moins ils sont fournis de Poil, & que par conséquent leur dépouille est moins estimée. C'est un effet de la Providence, qui les garantit contre le froid, à mesure qu'ils y sont plus exposés. Leur Poil est de deux sortes par tout le Corps, excepté aux Pattes, où il n'y en a qu'un fort court. Le plus grand est long de huit à dix lignes: il va même jusqu'à deux pouces sur le Dos, mais il diminue avec proportion jusqu'à la Tête & jusqu'à la Queuë. Ce Poil est rude, gros, luisant, & c'est celui, qui donne la couleur à la Bête. En le regardant avec le Microscope, on en trouve le milieu moins opaque, ce qui prouve qu'il est creux; aussi n'en fait-on aucun usage. L'autre Poil est un Duvet très-fin, fort épais, long tout au plus d'un pouce, & c'est celui, qu'on met en œuvre. On l'appelloit autrefois en Europe *Laine de Moscovie*. C'est-là proprement l'Habit de Castor, le premier ne lui sert que d'ornement, & peut-être pour l'aider à nâger.

On prétend que le Castor vit quinze à vint ans: que la Femelle porte quatre mois, & que sa Portée ordinaire est de quatre Petits; quelques Voyageurs en ont fait monter le nombre jusqu'à huit; mais je ne crois pas que cela arrive souvent. Elle a quatre Mamelles, deux sur le grand Pectoral, entre la seconde & la troisiéme des vraies Côtes, & deux environ quatre doits plus haut. Les Muscles de cet Animal sont extrémement forts, & plus gros, que ne semble comporter sa taille. Ses Intestins au contraire sont très-délicats, ses Os sont fort durs, & ses deux Machoires, qui sont presqu'égales, ont une force extraordinaire: chacune est garnie de dix Dents, deux incisives, & huit molaires. Les incisives supérieures ont deux pouces & demi de long, les inferieures en ont plus de trois, & suivent les courbures de la Machoire, ce qui leur donne une force prodigieuse, qu'on admire toujours dans de si petits Animaux. On a remarqué encore que les deux Machoires ne se répondent pas exactement, mais que les supérieures débordent en avant sur les inférieures, de sorte qu'elles se croisent comme les deux tranchans des Ciseaux: enfin que la longueur des unes & des autres est précisément le tiers de leurs Racines.

La Tête d'un Castor est à peu près de la figure de celle d'un Rat de Montagne. Il a le Museau un peu allongé les Yeux petits, les Oreilles courtes, rondes, veluës par dehors, sans Poil en dedans. Ses Jambes sont courtes, particuliérement celles de devant; elles n'ont guéres que quatre ou cinq pouces de long, & ressemblent assez à celles du Bléreau. Les Ongles en sont taillés de biais, & creux, comme des Plumes à écrire. Les Pieds de derriere sont tout differens; ils sont plats, garnis de Membranes entre les Doits; ainsi le Castor peut marcher, mais lentement, & nâge avec la même facilité que tout Animal Aquatique. D'ailleurs, par sa Queuë il est tout à fait Poisson, aussi a-t'il été juridiquement déclaré tel par la Faculté de Médecine de Paris, & en conséquence de cette Déclaration, la Faculté de Théologie a décidé qu'on pouvoit manger sa Chair les jours maigres. M. Lemery s'est trompé, quand il a dit que cette décision ne regardoit que le train de derrière du Castor. Il a été mis tout entier au même rang, que la Maquereuse.

Il est vrai qu'on ne peut guéres profiter ici de cette condescendance: les Castors sont présentement si loin de nos Habitations, qu'il est rare d'y en avoir, qui soient mangeables. Nos Sauvages domiciliés en gardent, après les avoir fait boucanner, c'est-à-dire, sécher à la fumée, & je puis vous assûrer, Madame, que je ne connois rien de plus mauvais. Il faut même, quand on a du Castor frais, lui donner un bouillon, pour lui faire perdre un petit goût sauvage assez fade. Mais avec cette précaution, c'est un très-bon manger. Il n'est point de Viande plus légere, plus délicate, ni qui soit plus saine. On prétend même qu'elle est aussi nourrissante, que celle du Veau: bouillie, elle a besoin de quelque chose, qui en releve le goût, mais quand elle a été mise à la broche, il ne lui faut rien.

Ce qu'il y a de plus remarquable dans la figure de cet Amphibie, c'est sa Queuë. Elle est presque ovale, large de quatre pouces dans sa racine, de cinq dans son milieu, & de trois dans son extrémité, je parle toujours des grands Castors. Elle est épaisse d'un pouce, & longue d'un pied. Sa substance est une graisse ferme, ou un cartilage tendre, qui ressemble assez à la chair du Marsouin, mais qui se durcit davantage, quand on la conserve lontems. Elle est couverte d'une Peau écailleuse, dont les Ecailles sont hexagones, ont une demie ligne d'épaisseur, sur trois ou quatre lignes de longueur, & sont appuyées les unes sur les autres comme toutes celles des Poissons. Une Pellicule très-délicate leur sert de fond, & elles y sont enchâssées de maniere, qu'on peut aisément les en séparer après la mort de l'Animal.

Voilà, Madame, en peu de mots la description de ce curieux Amphibie. Si vous voulez quelque chose de plus détaillé, vous trouverez de quoi vous satisfaire dans les Mémoires de l'Académie Royale des Sciences. On y a inséré une Description Anatomique du Castor, faite par M. SARRASIN, Correspondant de l'Académie, Médecin du Roi dans ce Pays, habile dans la Médecine, dans l'Anatomie, dans la Chirurgie & dans la Botanique; qui a l'esprit fort orné, & qui ne se distingue pas moins dans le

Conseil Supérieur, dont il est Membre, que par son habileté dans tout ce qui est de sa Profession. On est véritablement surpris de trouver un Homme d'un mérite si universel dans une Colonie. Revenons au Castor.

Les véritables Testicules de cet Amphibie n'ont pas été connus des Anciens, apparemment parce qu'ils sont très-petits & fort cachés sous les Aînes. On avoit donné ce nom aux Bourses, ou Poches du *Castoreum*, qui sont bien differentes, & au nombre de quatre dans le Bas Ventre du Castor. Les deux premieres, qu'on appelle *supérieures*, parce qu'elles sont plus élevées, que les autres, ont la figure d'une Poire, & communiquent ensemble, comme les deux Poches d'une Besace. Les deux autres, qu'on appelle *inférieures*, sont arrondies par le fond. Celles-là renferment une matiere résineuse, mollasse, adhérente, mêlée de petites Fibres, de couleur grisâtre en dehors, jaunâtre en dedans, d'une odeur forte, désagréable & pénétrante, & qui s'enflamme aisément, c'est le vrai *Castoreum*. Il se durcit à l'air dans l'espace d'un mois, & devient brun, cassant & friable. Si l'on est pressé de le faire durcir, il n'y a qu'à le mettre dans la Cheminée.

On prétend que le *Castoreum*, qui vient de Dantzic, est meilleur que celui de Canada; je m'en rapporte aux Droguistes. Il est certain que les Bourses de celui-ci sont plus petites, & qu'ici même les plus grosses sont les plus estimées. Outre la grosseur, il faut qu'elles soient pesantes, de couleur brune, d'une odeur pénétrante & forte, remplies d'une matiere dure, cassante & friable, de même couleur, ou jaunâtre, entrelassées d'une Membrane déliée, & d'un goût âcre. Les Propriétés du *Castoreum* sont, d'atténuer les matieres visqueuses, de fortifier le Cerveau, d'abaisser les Vapeurs, de provoquer aux Femmes leurs Ordinaires, d'empêcher la Corruption, & de faire évaporer les mauvaises Humeurs par la Transpiration. On s'en sert aussi avec succès contre l'Epilepsie, la Paralysie, l'Apopléxie, & la Surdité.

Les Poches inférieures contiennent une Liqueur onctueuse & adipeuse, qui ressemble au Miel. Sa couleur est d'un jaune pâle, son odeur fétide, peu differente de celle du *Castoreum*; mais un peu plus foible & plus fade. Elle se condense en vieillissant, & prend la consistance du Suif. Cette Liqueur est résolutive, & fortifie les Nerfs; il ne faut pour cela que l'appliquer sur le mal. Au reste c'est une folie, que de dire comme font encore quelques Auteurs, sur la foi des anciens Naturalistes, que quand le Castor se voit poursuivi, il se coupe ces prétendus Testicules, & les abandonne aux Chasseurs, pour mettre sa vie en sûreté. C'est de son Poil, dont il devroit alors se dépouiller, car au prix de sa Toison, le reste est presque compté pour rien. C'est néanmoins cette Fable, qui lui a fait donner le nom de Castor. La Peau de cet Animal, dépouillée de son Poil, n'est point à négliger: on en fait des Gants & des Bas; on pourroit en faire bien d'autres choses encore, mais comme il est difficile d'enlever tout le Poil sans le découper, on ne fait guéres usage, que de celle des Castors Terriers.

Vous aurez peut-être oui parler, Madame, de *Castor Gras* & de *Castor Sec*, & peut-être serez-vous bien aise d'en connoître la difference. La voici: le Castor Sec est la Peau de Castor, qui n'a servi à aucun usage: le Castor Gras est celle, qui a été portée par les Sauvages, lesquels, après l'avoir bien grattée en dedans, & frottée avec la Moële de certains Animaux, que je ne connois point, pour la rendre plus maniable, en cousent plusieurs ensemble, & en font une maniere de Mante, qu'on appelle Robe, & de laquelle ils s'enveloppent le Poil en dedans. Ils ne la quittêt en Hyver ni le jour, ni la nuit; le grand Poil tombe bientôt, le Duvet reste & s'engraisse, & en cet état il est bien plus propre à être mis en œuvre par les Chapeliers; ils ne pourroient pas même employer le sec, s'ils n'y mêloient un peu de gras. On prétend qu'il doit avoir été porté quinze ou dix-huit mois, pour être dans sa bonté. Je vous laisse à penser, si dans les commencemens on a été assez simple pour faire connoître aux Sauvages que leurs vieilles Hardes étoient une Marchandise si précieuse. Mais on n'a pû leur cacher lontems un secret de cette nature: il étoit confié à la cupidité, qui n'est jamais lontems sans se trahir elle-même.

Il y a environ trente ans, qu'un nommé GUIGUES, qui avoit eu la Ferme du Castor, se trouvant chargé d'une prodigieuse quantité de cette Pelleterie, imagina, pour en faciliter la consommation, d'en faire filer & carder avec de la Laine, & de cette composition il fit faire des Draps, des Flanelles, des Bas au Métier, & d'aures Ouvrages semblables, mais avec peu de succés. Cet essai fit connoître que le Poil du Castor n'est bon qu'à faire des Chapeaux. Il est trop court, pour pouvoir être filé seul, & il en faut mettre beaucoup moins de la moitié avec la Laine, ainsi il y a peu de profit à faire dans cette Fabrique. On a pourtant conservé une de ces Manufactures en Hollande, où on en voit des Draps & des Droguets; mais ces Etofes sont cheres, & ne sont pas d'un bon usage. Le Poil de Castor s'en détache bientôt,

& forme à la superficie comme un Duvet, qui leur ôte tout leur lustre. Les Bas, qu'on en a faits en France, avoient le même défaut.

Voilà, Madame, tout ce que les Castors peuvent procurer d'avantages à cette Colonie pour son Commerce: leur industrie, leur prévoyance, le concert & la subordination, qu'on admire en eux, leur attention à se ménager des commodités, dont on n'avoit pas encore cru les Brutes capables de sentir la douceur, fournissent à l'Homme encore plus d'instructions, que la Fourmi, à laquelle l'Écriture Sainte renvoye les Paresseux. Ils sont au moins parmi les Quadrupedes ce que les Abeilles sont parmi les Insectes Volatilles. Je n'ai pas oui dire à Gens instruits qu'ils ayent un Roi, ou une Reine, & il n'est pas vrai que, quand ils travaillent en Troupe, il y ait un Chef, qui commande: & punit les Paresseux: mais par la vertu de cet instinct, que donne aux Animaux celui, dont la Providence les gouverne, chacun sçait ce qu'il doit faire, & tout se fait sans confusion, sans embarras, avec un ordre, qu'on ne se lasse point d'admirer. Peut-être après tout n'en est-on si étonné, que faute de remonter à cette Intelligence suprême, qui se sert de ces Etres dénués de raison, pour mieux faire éclatter sa sagesse & sa puissance, & pour nous faire sentir que notre raison même est presque toujours par notre présomption la cause de nos égaremens.

La premiere chose, que font nos ingénieux Amphibies, lorsqu'ils veulent se loger, c'est de s'assembler: vous dirai-je en Tribus, ou en Sociétés? ce sera tout ce que vous voudrez; mais ils sont quelquefois trois ou quatre cent ensemble, formant une Bourgade, qu'on pourroit appeler *une petite Venise*. D'abord ils choisissent un Emplacement, où ils puissent trouver des vivres en abondance, & tout ce qui leur est nécessaire pour bâtir. Il leur faut surtout de l'eau, & s'ils ne trouvent ni Lac, ni Etang, ils y suppléent, en arrêtant le cours d'un Ruisseau, ou d'une petite Riviere, par le moyen d'une Digue, ou, comme on parle ici, d'une Chaussée. Pour cela ils vont couper des Arbres au-dessus de l'endroit, où ils ont résolu de bâtir. Trois ou quatre Castors se mettent autour d'un gros Arbre, & viennent à bout avec leurs Dents de le jetter par Terre. Ce n'est pas tout: ils prennent si bien leurs mesures, qu'il tombe toujours du côté de l'Eau, afin qu'ils n'ayent pas tant de chemin à faire pour le voiturer, quand ils l'ont mis en piéces. Ils n'ont plus ensuite qu'à rouler ces piéces pour les pousser dans l'Eau, & ils les conduisent vers l'endroit, où elles doivent être placées.

Ces piéces sont plus ou moins grosses, plus ou moins longues, selon que la nature & la situation du lieu le demandent: car on diroit que ces Architectes ont tout prévû. Quelquefois ils employent de gros Troncs d'Arbres, qu'ils portent à plat: quelquefois la Chaussée n'est composée que de Pieux gros comme la Cuisse, ou même plus menus, soûtenus de bons Piquets, & entrelassés de petites Branches; & partout, les vuides sont remplis d'une Terre grasse si bien appliquée, qu'il n'y passe pas une goutte d'eau. C'est avec leurs Pattes, que les Castors préparent cette Terre; & leur Queuë ne leur sert pas seulement de Truelle pour maçonner, mais encore d'Auge, pour voiturer ce Mortier, ce qu'ils font en se traînant sur leurs Pattes de derriere. Arrivés au bord de l'Eau, ils le prennent avec les Dents, & pour l'employer, ils se servent d'abord de leurs Pattes, ensuite de leur Queuë. Les Fondemens de ces Digues ont ordinairement dix à douze pieds d'épaisseur, & elles vont en diminuant jusqu'à deux ou trois. Les proportions y sont toujours exactement gardées. La Régle & le Compas sont dans l'Œil du Grand Maître des Arts & des Sciences. Enfin on a observé que le côté du Courant de l'Eau est toujours en Talus, & l'autre côté parfaitement à plomb. En un mot il feroit difficile à nos meilleurs Ouvriers de rien faire de plus solide & de plus régulier.

La construction des Cabannes n'a rien de moins merveilleux. Elles sont pour l'ordinaire bâties sur Pilotis au milieu de ces petits Lacs, que les Digues ont formés: quelquefois sur le Bord d'une Riviere, ou à l'extrémité d'une Pointe, qui avance dans l'Eau. Leur figure est ronde, ou ovale, & elles sont voutées en Anse de Panier. Les Parois ont deux pieds d'épaisseur, les Matériaux en sont les mêmes, que dans les Chaussées, mais moins gros; & tout est si bien enduit de Terre Glaise en-dedans, qu'il n'y entre pas le moindre air. Les deux tiers de l'Edifice sont hors de l'Eau, & dans cette Partie chaque Castor a sa Place marquée, qu'il a soin de joncher de Feuillages, ou de petites Branches de Sapin. On n'y voit jamais d'ordures, & pour cela, outre la Porte commune de la Cabanne, & une autre Issuë, par laquelle ces Animaux sortent pour aller se baigner, il y a plusieurs Ouvertures, par où ils vont se vuider dans l'Eau. Les Cabannes ordinaires logent huit ou dix Castors: on en a vû, qui en renfermoient jusqu'à trente, mais cela est rare. Toutes sont assez près les unes des autres, pour avoir entre'elles une communication facile.

L'Hyver ne surprend jamais les Castors. Tous les Ouvrages,

dont je viens de parler, sont achevés à la fin de Septembre, & alors chacun fait ses provisions pour l'Hyver. Tandis qu'ils vont & viennent dans la Campagne, ou dans les Bois, ils vivent de Fruits, d'Ecorces & de Feuilles d'Arbres; ils pêchent aussi des Ecrevisses & quelques Poissons: alors tout leur est bon. Mais quand il s'agit de se pourvoir pour tout le tems, que la Terre couverte de Neiges ne leur fourniroit rien, ils se contentent de bois tendre, comme de Peupliers, de Trembles, ou d'autres semblables. Ils le mettent en piles, & le disposent de façon, qu'ils puissent toujours prendre les morceaux, qui trempent dans l'Eau. On a remarqué constamment que ces Piles sont plus ou moins grandes, suivant que l'Hyver doit être plus ou moins long, & c'est pour les Sauvages un Almanach, qui ne les trompe jamais sur la durée du froid. Les Castors, avant que de manger le Bois, le découpent en petits morceaux fort menus, & les apportent dans leur Loge; car chaque Cabanne n'a qu'un Magasin pour toute la Famille.

Quand la Fonte des Néges est dans sa force, comme elle ne manque pas de causer de grandes inondations, les Castors quittent leurs Cabannes, qui ne sont plus logeables, & chacun va de son côté, où bon lui semble. Les Femelles y retournent, dès que les Eaux sont écoulées, & c'est alors, qu'elles mettent bas. Les Mâles tiennent la Campagne jusques vers le mois de Juillet, qu'ils se rassemblent pour réparer les bréches, que les Crûës d'eau ont faites à leurs Cabannes, ou à leurs Digues. Si elles ont été détruites par les Chasseurs, ou si elles ne valent point la peine d'être réparées, ils en font d'autres; mais bien des raisons les obligent souvent à changer de demeure. La plus ordinaire est le défaut de Vivres: ils y sont encore forcés par les Chasseurs, ou par les Animaux Carnaciers, contre lesquels ils n'ont point d'autre défense, que la fuite. On pourroit s'étonner que l'Auteur de la Nature ait donné moins de force à la plûpart des Animaux utiles, qu'à ceux, qui ne le sont pas; si cela même ne faisoit éclatter davantage sa puissance & sa sagesse, en ce que ceux-là, malgré leur foiblesse, multiplient beaucoup plus que ceux-ci.

Il y a des endroits, que les Castors semblent avoir tellement pris en affection, qu'ils ne sçauroient les quitter, quoiqu'ils y soient toujours inquiettés. Sur le Chemin de Montreal, au Lac Huron, par la Grande Riviere, on ne manque point de trouver tous les ans au même lieu un Logement, que ces Animaux y bâtissent ou réparent tous les Etés; car la premiere chose, que font les Voyageurs, qui y arrivent les Premiers, c'est de rompre la Cabanne & la Chaussée, qui lui donne de l'Eau. Si cette Chaussée n'eût pas retenu les Eaux, il n'y en auroit pas assez pour continuer la route, & il faudroit faire un Portage: de sorte qu'il semble que ces officieux Castors vont se poster là, uniquement pour la commodité des Passans. On voit, dit-on, la même chose du côté de Quebec, où des Castors, en travaillant pour eux, fournissent de l'Eau à un Moulin à Planches.

Les Sauvages étoient autrefois persuadés, si on en croit quelques Relations, que les Castors étoient une espece d'Animal raisonnable, qui avoit ses Loix, son Gouvernement, & son Langage particulier: que ce Peuple Amphibie se choisissoit des Commandans, qui dans les travaux communs distribuoient à chacun sa tâche, posoient des Sentinelles, pour crier à l'approche de l'Ennemi, punissoient; ou exiloient les Paresseux. Ces prétendus Exilés sont apparemment ceux, qu'on appelle *Castors Terriers*, qui en effet vivent séparés des autres, ne travaillent point, & se logent sous Terre, où leur unique attention est de se ménager un chemin couvert pour aller à l'Eau. On les connoît au peu de Poil, qu'ils ont sur le Dos, ce qui vient sans doute de ce qu'ils se frottent continuellement contre la Terre. Avec cela, ils sont maigres; c'est le fruit de leur Paresse: on en trouve beaucoup plus dans les Pays Chauds, que dans les Pays Froids. J'ai déja remarqué que nos Castors, ou Biévres d'Europe, tiennent plus de ceux-ci, que des autes; en effet M. Lémery dit qu'ils se retirent dans les Creux & dans les Cavernes, qui se rencontrent sur les Bords des Rivieres, surtout en Pologne. Il y en a aussi en Allemagne, le long de l'Ebre, & en France sur le Rhône, l'Isere & l'Oise. Ce qui est certain, c'est que nous ne voyons point dans les Castors Européens ce merveilleux, qui distingue si fort ceux du Canada. C'est bien dommage, Madame, qu'il ne se soit point trouvé de ces admirables Animaux, ni dans le Tybre, ni dans le Permesse: que de belles choses ils auroient fait dire aux Poëtes Grecs & Romains!

Il paroît que les Sauvages du Canada ne les molestoient pas beaucoup avant notre arrivée dans leur Pays. Les Peaux de Castors n'étoient pas celles, dont ces Peuples faisoient plus d'usage pour se couvrir, & la Chair des Ours, des Elans, & de quelques autres Bêtes Fauves leur sembloit apparemment meilleure, que celle des Castors. Ils les chassoient néanmoins, & cette Chasse avoit son tems & son cérémonial marqué; mais quand on ne chasse, que pour le besoin, & que ce besoin est borné au pur nécessaire, on ne fait pas de grandes destructions;

aussi, lorsque nous arrivâmes en Canada, nous y trouvâmes un nombre prodigieux de ces Amphibies.

La Chasse du Castor n'est pas difficile; car il s'en faut bien que cet Animal ait autant de force pour se deffendre, ni d'adresse pour éviter les embuches de ses Ennemis, qu'il montre d'industrie pour se bien loger, & de prévoyance pour se pourvoir de tous les besoins de la vie. C'est pendant l'Hyver, qu'on lui fait la Guerre dans les formes: c'est-à-dire, depuis le commencement de Novembre jusqu'au mois d'Avril. Alors il a, comme tous les autres Animaux, plus de Poil, & la Peau plus mince. Cette Chasse se fait de quatre manieres, qui sont les Filets, l'Affut, la Tranche, & la Trappe. La premiere est ordinairement jointe à la troisiéme; & on s'amuse rarement à la seconde, parce que les petits Yeux de cet Amphibie sont si perçans, & il a l'Oreille si fine, qu'il est malaisé de l'approcher assez, pour le tirer, avant qu'il ait gagné l'Eau, dont il ne s'écarte pas beaucoup dans cette Saison, & où il plonge d'abord. On le perdroit même, quand il auroit été blessé, avant que de s'être jetté à l'Eau, parce qu'il ne revient point au-dessus, s'il meurt de sa Blessure. C'est donc à la Tranche & à la Trappe, qu'on s'attache plus communément.

Quoique les Castors ayent fait leurs Provisions pour l'Hyver, ils ne laissent pas de faire de tems en tems quelques excursions dans les Bois, pour y chercher une nourriture plus fraîche & plus tendre, & cette délicatesse coûte la vie à plusieurs. Les Sauvages dressent sur leur chemin des Trappes, faites à peu près comme un 4 de chifre, & pour appas ils y mettent de petits morceaux de bois tendres & fraîchement coupés. Le Castor n'y a pas plutôt touché, qu'il lui tombe sur le Corps une grosse Buche, qui lui casse les Reins, & le Chasseur, qui survient, l'acheve sans peine. La Tranche demande plus de précaution, & voici de quelle maniere on y procéde. Quand la Glace n'a encore qu'un demi pied d'épaisseur, on y fait une ouverture avec la Hache: les Castors y viennent pour respirer plus à leur aise; on les y attend, & on les sent venir de loin, parce qu'en souflant ils donnent un assez grand mouvement à l'Eau: ainsi il est aisé de prendre ses mesures pour leur casser la Tête, au moment qu'ils la mettent dehors. Pour agir encore plus sûrement, & n'être pas apperçu des Castors, on jette sur le Trou, qu'on a fait dans la Glace, de la Bourre de Roseaux, ou des Epis de *Typha*, & quand on connoît que l'Animal est à portée, on le saisit par une de ses Pattes, & on le jette sur la Glace, où on l'assomme, avant qu'il soit revenu de son étourdissement.

Si la Cabane est proche de quelque Ruisseau, la Chasse se fait encore plus aisément. On coupe la Glace en travers pour y tendre un Filet: ensuite on va briser la Cabanne. Les Castors, qui y sont renfermés, ne manquent point de se sauver dans le Ruisseau, & se trouvent pris dans le Filet. Mais il ne faut pas les y laisser lontems, ils s'en seroient bientôt débarrassés en le coupant. Ceux, dont les Cabannes sont dans des Lacs, ont à trois ou quatre cent pas du Rivage une espece de Maison de Campagne, pour y respirer un meilleur air: alors les Chasseurs se partagent en deux Bandes, l'une va rompre la Cabanne des Champs, l'autre donne en même tems sur celle du Lac; les Castors, qui sont dans celle-ci, & on prend le tems qu'ils y sont tous, veulent se réfugier dans l'autre, mais ils n'y trouvent plus qu'une Poussiere, qu'on y a jettée exprès, & qui les aveugle, de sorte qu'on en a bon marché. Enfin en quelques endroits on se contente de faire une ouverture aux Chaussées; par ce moyen les Castors se trouvent bientôt à sec, & demeurent sans deffense: ou bien ils accourent pour remédier d'abord au mal, dont ils ne connoissent pas les Auteurs; & comme on est bien préparé à les recevoir, il est rare qu'on les manque, ou qu'on n'en attrape au moins quelques-uns.

Voici d'autres particularités sur les Castors, que je trouve dans quelques Mémoires, dont je ne vous garantis pas la fidélité. On prétend que quand ces Animaux ont découvert des Chasseurs, ou quelques-unes de ces Bêtes Carnacieres, qui leur font la Guerre, ils plongent en battant l'Eau de leur Queuë, avec un si grand bruit, qu'on les entend d'une demie lieuë. C'est apparemment pour avertir tous les autres d'être sur leurs gardes. On dit encore qu'ils ont l'Odorat si fin, qu'étant dans l'Eau, ils sentent un Canot de fort loin. Mais on ajoûte qu'ils ne voyent que de côté, non plus que les Liévres, & que ce défaut les livre souvent aux Chasseurs, qu'ils veulent éviter. Enfin on assûre que, quand un Castor a perdu sa Femelle, il ne s'accouple point avec une autre, comme on le rapporte de la Tourterelle.

Les Sauvages ont grand soin d'empêcher que leurs Chiens ne touchent aux Os du Castor, parce qu'ils sont d'une dureté, à laquelle les Dents des Chiens ne résisteroient pas. On dit la même chose des Os du Porc-Epi. Le commun de ces Barbares apporte une autre raison de cette précaution; c'est, disent-ils, pour ne point irriter les esprits de ces Animaux, qui empêcheroient qu'une autre fois la Chasse ne fût heureuse. Mais je crois que cette raison est venuë après coup; & c'est ainsi que la superstition a souvent pris la place des causes naturelles, à la honte de l'Esprit Humain. Au reste, Madame, je m'étonne qu'on n'ait pas encore essayé de transporter en France quelques-uns de ces merveilleux Amphibies: nous avons assez d'endroits, où ils pourroient trouver de quoi vivre & bâtir, & je crois qu'ils y multiplieroient en peu de tems.

S: *id.*, *ibid.*, t. 3, pp. 95-107.

De Côteau-du-Lac au fort Cataracoui*

Du Côteau du Lac au *Lac de Saint François* il n'y a qu'une bonne demie lieuë. Ce Lac, que je passai le cinquiéme, a sept lieuës de long, & tout au plus trois dans sa plus grande largeur. Les Terres des deux côtés sont basses, mais elles paroissent assez bonnes. La route depuis Montreal jusques-là tient un peu du Sud-Ouest, & le Lac de Saint François court Ouest-Sud-Ouest, & Est-Nord-Est. Je campai immédiatement au-dessus, & la nuit je fus éveillé par des cris assez perçans, comme de gens, qui se plaignoient. J'en fus d'abord effrayé, mais on me rassûra bientôt, en me disant que c'étoit des Huars, espece de Cormorans. On ajoûta que ces cris nous annonçoient du vent pour le lendemain, ce qui se trouva vrai.

Le sixiéme je passai les *Chesnaux des Lacs*. On appelle ainsi des Canaux, que forment un grand nombre d'Isles, qui couvrent presque le Fleuve en cet endroit. Je n'ai point vû de Pays plus charmant, & les Terres y paroissent bonnes. Le reste du jour nous ne fîmes que franchir des Rapides: le plus considérable, qu'on nomme le *Moulinet*, fait peur seulement à voir, & nous eûmes bien de la peine à nous en tirer. Je fis néanmoins ce jour-là près de sept lieuës, & j'allai camper au bas du *Long Sault*: c'est un Rapide d'une demie lieuë de long, que les Canots ne peuvent monter, qu'à demie charge. Nous le passâmes le sept au matin. Nous naviguâmes ensuite jusqu'à trois heures du soir à la Voile; mais alors la Pluye nous obligea de camper & nous arrêta tout le jour suivant. Il tomba même le huit un peu de Nége, & la nuit il gela, comme il fait en France au mois de Janvier. Nous étions néanmoins sous les mêmes paralleles, que le Languedoc. Le neuf nous passâmes le *Rapide Plat*, éloigné du long Sault d'environ sept lieuës, & de cinq *des Galots*, qui est le dernier des Rapides. La Galette est à une lieuë & demie plus loin, & nous y arrivâmes le dix. Je ne pouvois me lasser d'admirer le Pays, qui est entre cette Anse & les Gallots. Il n'est pas possible de voir de plus belles Forêts. J'y ai remarqué sur-tout des Chênes d'une hauteur extraordinaire.

A cinq ou six lieuës de la Galette il y a une Isle appellée *Tonihata*, dont le Terrein paroît assez fertile, & qui a environ une demie lieuë de long. Un Iroquois, qu'on a appellé le *Quaker*, je ne sçai pourquoi, homme de beaucoup d'esprit, & fort affectionné aux François, en avoit obtenu le Domaine du feu Comte de Frontenac, & il montre la Patente de cette Concession, à quiconque la veut voir. Il a cependant vendu sa Seigneurie pour quatre Pots d'Eau-de-Vie; mais il s'en est réservé l'usufruit, & il y a rassemblé dix-huit ou vingt Familles de sa Nation. J'arrivai le douze dans son Isle, & je lui rendis visite. Je le trouvai, qui travailloit dans son Jardin: ce n'est pas la coûtume des Sauvages; mais celui-ci affecte toutes les manieres des François. Il me reçut fort bien, & il vouloit me régaler, mais le beau tems m'invitoit à continuer ma route. Je pris congé de lui, & j'allai passer la nuit à deux lieuës de-là, dans un fort bel endroit. Il me restoit encore treize lieuës à faire pour gagner Catarocoui; le tems étoit beau, & la nuit fort claire; cela nous engagea à nous embarquer à trois heures du matin. Nous passâmes au milieu d'une espece d'Archipel, qu'on a nommé les *Milles Isles*, & je crois bien qu'il y en a plus de cinq cent. Quand on est sorti de-là, on n'a plus qu'une lieuë & demie à faire, pour gagner Catarocoui. Le Fleuve est plus libre, & a bien une demie lieuë de large. On laisse ensuite sur la droite trois grandes Anses assez profondes, & c'est dans la troisiéme, qu'est bâti le Fort.

Ce Fort est un Quarré à quatre Bastions, bâti de Pierres, & qui occupe un quart de lieuë de circuit. Sa situation a véritablement quelque chose de bien agréable. Les Bords du Fleuve présentent de toutes parts un Paysage bien varié; & il en est de même de l'Entrée du Lac Ontario, qui n'en est qu'à une petite lieuë: elle est semée d'Isles de differentes grandeurs, toutes bien boisées, & rien ne termine l'Horison de ce côté-là. Ce Lac a porté quelque tems le nom de *Saint Louis*, on lui donna ensuite celui de *Frontenac*, aussi-bien qu'au Fort de Catarocoui, dont le Comte de Frontenac fut le Fondateur: mais insensiblement le Lac a repris son ancien nom, qui est Huron, ou Iroquois, & le Fort, celui du lieu, où il est bâti.

Le Terrein depuis la Galette jusqu'ici paroît assez stérile, mais ce n'est que sur la lisiere: il est très-bon au-delà. Il y a vis-à-vis du Fort une Isle fort jolie au milieu du Fleuve. On y avoit mis des Cochons, qui y ont multiplié, & elle en porte le nom. De deux autres plus petites, qui sont au-dessous, à une demie lieuë de distance l'une de l'autre, l'une se nomme l'*Isle aux Cédres*, & l'autre, l'*Isle aux Cerfs*. L'Anse de Catarocoui est double, c'est-à-dire, que presque dans son milieu il y a une pointe, qui avance beaucoup, & sous laquelle il y a un fort bon mouillage pour les grandes Barques. M. de la Sale, si célébre par ses découvertes & par ses malheurs, qui a été Seigneur de Catarocoui, & Gouverneur du Fort, y en avoit deux ou trois, qu'on y a coulées à fond, & qui y sont encore. Derriere le Fort il y a un Marais, où le Gibier foisonne; c'est une douceur & une occupation pour la Garnison. Il se faisoit autrefois ici un très-grand Commerce, sur-tout avec les Iroquois, & c'étoit pour les attirer chez nous, pour les empêcher de porter leurs Pelleteries aux Anglois, & pour les tenir eux-mêmes en respect, qu'on avoit bâti le Fort: mais ce commerce n'a pas duré lontems, & le Fort n'a pas empêché ces Barbares de nous faire bien du mal. Ils y ont actuellement encore quelques Familles en-dehors de la Place, & il y en a aussi quelques-unes de *Missisaguez*, Nation Algonquine, qui a encore une Bourgade sur le Bord Occidental du Lac Ontario, une autre à Niagara, & une troisiéme dans le Détroit.

S: *id.*, *ibid.*, t. 3, pp. 193-195.

De la Longue Pointe à Détroit*

Le premier de Juin, jour de la Pentecôte, après avoir remonté pendant une heure une jolie Riviere, qui vient, dit-on, de fort loin, & coule entre deux belles Prairies, nous fîmes un *Portage* d'environ soixante pas, pour éviter de faire le tour d'une Pointe, qui avance quinze lieuës dans le Lac; on la nomme *la Longue Pointe*, elle est fort sablonneuse, & porte naturellement beaucoup de vignes. Les jours suivans je ne vis rien de remarquable, mais je côtoyai un Pays charmant, caché de tems en tems par des rideaux assez désagréables, mais de peu de profondeur. Par-tout, où je mis pied à terre, je fus enchanté de la beauté & de la varieté d'un Paysage, terminé par les plus belles Forêts du monde. Avec cela, le Gibier d'Eau y foisonne partout; je ne vous dirai pas si la Chasse est aussi abondante dans le Bois: mais je sçai que du côté du Sud il y a une quantité prodigieuse de Bœufs sauvages.

Si l'on voyageoit toujours, comme je faisois alors, avec un Ciel serein, & un climat charmant, sur une eau claire, comme la plus belle Fontaine; qu'on rencontrât partout des campemens sûrs & agréables, où l'on pût avoir à peu de frais le plaisir de la Chasse, respirer à son aise un Air pur, & jouir de la vûë des plus belles

Campagnes, on pourroit être tenté de voyager toute sa vie. Je me rappellois ces anciens Patriarches, qui n'avoient point de demeure fixe, habitoient sous des Tentes, étoient en quelque façon les Maîtres de tous les Pays, qu'ils parcouroient, & profitoient paisiblement de toutes leurs productions, sans avoir les embarras inévitables dans la possession d'un véritable domaine. Combien de Chênes me representoient celui de Mambré? Combien de Fontaines me faisoient souvenir de celle de Jacob? Chaque jour nouvelle situation à mon choix: une Maison propre & commode, dressée & meublée du nécessaire en moins d'un quart d'heure, jonchée de fleurs toujours fraîches sur un beau tapis verd: de toutes parts des beautés simples & naturelles, que l'art n'a point alterées, & qu'il ne sçauroit imiter. Si ces agrémens souffrent quelqu'interruption, ou par le mauvais tems, ou par quelqu'accident imprévû, ils n'en ont que plus de vivacité, quand ils reparoissent.

Si je voulois moraliser, j'ajoûterois que ces alternatives de plaisirs & de contretems, que j'ai déja assez essuyés, depuis que je suis en route, sont bien propres à faire sentir qu'il n'est point de genre de vie plus capable de nous remettre sans cesse devant les yeux que nous sommes sur la terre comme des Pélerins; que nous ne pouvons user, qu'en passant, des biens de ce Monde; qu'il faut peu de choses à l'Homme, pour le rendre content, & que nous devons prendre en patience les maux, qui surviennent à la traverse, puisqu'ils passent également, & avec la même rapidité. Enfin combien de choses nous y rendent sensible la dépendance, où nous vivons d'une Providence divine, qui ne se sert point, pour ce mélange de bien & de mal, des passions des Hommes, mais de la vicissitude des Saisons, qu'on peut prévoir, & du caprice des Elemens, auquel on doit s'attendre: par conséquent quelle facilité, & combien d'occasions n'y a-t'on pas de meriter par sa confiance & sa résignation aux volontés de Dieu? on dit ordinairement que les longs voyages ne sanctifient pas; rien ne seroit pourtant plus capable de sanctifier, que la vie, qu'on y mene.

Le quatriéme, nous fûmes arrêtés une bonne partie du jour sur une Pointe, qui court trois lieuës Nord & Sud, & qu'on appelle la *Pointe Pélée*. Elle est cependant assez bien boisée du côté de l'Ouest, mais celui de l'Est n'a sur un terrain sablonneux que des Cedres rouges, assez petits, & en médiocre quantité. Le Cedre blanc est d'un plus grand usage, que le rouge, dont le bois se casse aisément, & dont on ne peut faire que de petits

Meubles. On prétend ici que les Femmes enceintes n'en doivent point user pour leurs Buscs. La verdure de ce Cedre n'a point d'odeur, mais le bois en a. C'est tout le contraire du blanc. Il y a beaucoup d'Ours dans ce Pays, & l'Hyver dernier il en fut tué sur la seule Pointe Pélée plus de quatre cent.

Le cinquiéme, vers les quatre heures du soir, nous apperçûmes la Terre du Sud, & deux petites Isles, qui en sont très-proches. On les nomme les *Isles des Serpens à Sonnettes*, & on assûre qu'elles sont tellement remplies de ces Animaux, que l'Air en est infecté. Nous entrâmes dans le Détroit une heure avant le Soleil couché, & nous passâmes la nuit au-dessus d'une très-belle Isle, appellée l'*Isle du Bois Blanc*. Depuis la longue Pointe jusqu'au Détroit, la route ne vaut guéres que l'Ouest: depuis l'entrée du Détroit jusqu'à l'*Isle de Sainte Claire*, qui en est à cinq ou six lieuës, & de-là jusqu'au Lac Huron, elle prend un peu de l'Est, par le Sud. Ainsi tout le Détroit, qui a trente-deux lieuës de long, est entre les quarante-deux Degrés, douze ou quinze Minutes, & les quarante-trois & demi de Latitude-Nord. Au dessus de l'Isle de Ste Claire, le Détroit s'élargit, & forme un Lac, qui a reçu son nom de l'Isle, ou qui lui a donné le sien. Il a environ six lieuës de long, sur autant de largeur en quelques endroits.

On prétend, que c'est ici le plus bel endroit du Canada, & véritablement, à en juger par les apparences, la Nature ne lui a rien refusé de ce qui peut faire un Pays charmant: Côteaux, Prairies, Campagnes, Bois de Futaye, Ruisseaux, Fontaines, Rivieres, tout cela est d'une si bonne qualité, & dans un assortiment si heureux, qu'on ne sçauroit presque rien désirer de plus. Les Terres n'y sont pourtant pas également bonnes pour toutes sortes de Grains, mais la plûpart sont d'une fertilité admirable & j'en ai vû, qui ont porté dix-huit ans de suite du Froment, sans avoir été fumées. D'ailleurs toutes sont bonnes à quelque chose. Les Isles semblent y avoir été placées à la main, pour l'agrément de la vûë; le Fleuve & le Lac sont fort poissonneux, l'air pur, & le Climat temperé, & fort sain.

Avant que d'arriver au Fort, qui est sur la main gauche, une lieuë au-dessous de l'Isle de Sainte Claire, on trouve sur la même main, deux Villages assez nombreux, & qui sont fort proches l'un de l'autre. Le premier est habité par des Hurons Tionnontatez, les mêmes, qui après avoir lontems erré de côté & d'autre, se sont fixés d'abord au Sault Sainte Marie, & ensuite à Michillimakinac. Le second l'est par des Pouteouatamis. Sur la droite, un peu plus haut, il y en a un troisiéme d'Outaouais,

Compagnons inséparables des Hurons, depuis que les Iroquois ont obligé les uns & les autres, à abandonner leur Pays. Il n'y a point de Chrétiens parmi eux, s'il y en a parmi les Pouteouatamis, ils sont en très-petit nombre: les Hurons le sont tous, mais ils n'ont point de Missionnaires. On dit qu'ils n'en veulent point, mais cela se réduit à quelques-uns des Principaux, qui n'ont pas beaucoup de Religion, & qui empêchent qu'on n'écoute tous les autres, lesquels en demandent depuis lontems.

Il y a lontems que la situation, encore plus que la beauté du Détroit, a fait souhaiter qu'on y fît un Etablissement considérable; il étoit assez bien commencé, il y a quinze ans, mais des raisons, qu'on ne dit point, l'ont réduit à très peu de choses. Ceux qui ne lui ont pas été favorables, disent: I°. Qu'il approcheroit trop les Pelleteries du Nord des Anglois, qui donnant leurs Marchandises aux Sauvages à meilleur marché que nous, attireroient tout le Commerce dans la Nouvelle York. 2°. Que les Terres du Détroit ne sont pas bonnes, que toute leur superficie, jusqu'à neuf ou dix pouces de profondeur, n'est que de Sable; & que sous ce Sable, il y a une Terre glaise si dure, que l'Eau ne la sçauroit pénetrer; d'où il arrive, que les Plaines & l'intérieur des Bois, sont toujours noyés; qu'on n'y voit que de petits Chênes mal tournés, & des Noyers durs, & que les Arbres ayant toujours le pied dans l'Eau, les Fruits y mûrissent fort tard. Mais ces raisons n'ont pas été sans réplique. Il est vrai qu'aux environs du Fort Pontchartrain les Terres sont mêlées de Sable, & que dans les Forêts voisines, il y a des fonds presque toujours pleins d'Eau. Cependant ces mêmes Terres ont porté du Froment dix-huit années de suite, sans être jamais fumées, & il ne faut pas aller bien loin pour en trouver, qui sont excellentes. Pour ce qui est des Bois, sans trop m'éloigner du Fort, j'en ai vû en me promenant, qui ne le cedent en rien à nos plus belles Forêts.

Quand à ce qu'on dit, qu'en s'établissant au Détroit, on mettroit les Anglois trop à portée de faire le Commerce des Pelleteries du Nord; il n'est Personne en Canada, qui ne convienne qu'on ne réussira jamais à empêcher les Sauvages, de leur porter leurs Marchandises, en quelque lieu qu'ils soient établis, & quelque précaution qu'on prenne, si on ne leur fait trouver avec nous les mêmes avantages, qu'ils trouvent dans la Nouvelle York.

S: *id.*, *ibid.*, t. 3, pp. 254-257.

PIERRE GAULTIER DE VARENNES ET DE LA VÉRENDRYE (1685-1749)

Pierre Gaultier de Varennes et de La Vérendrye naît à Trois-Rivières [Québec] le 17 novembre 1685. De 1696 à 1699, il étudie au Petit Séminaire de Québec; en 1695, il a une commission de cadet dans les troupes de la Marine et, en 1696, il entre dans l'armée. En 1704, il participe à une campagne militaire en Nouvelle-Angleterre; l'année suivante, à de semblables campagnes à Terre-Neuve. En 1706, il devient enseigne en second. Le 9 novembre 1707, il s'engage par contrat à épouser Marie-Anne Dandonneau Du Sablé, fille d'un seigneur de l'île Dupas, puis il part pour la France avec un engagement de cinq ans. En 1708, sous-lieutenant de grenadiers, il participe à la Guerre de la Succession d'Espagne, dans les Flandres [plaine qui s'étend en bordure de la mer du Nord en France et en Belgique, entre l'Artois et les bouches de l'Escaut en Belgique]. Le 11 septembre 1709, blessé par une décharge d'arme à feu et huit coups de sabre à la bataille de Malplaquet [département du Nord, dans le nord-ouest de la France], La Vérendrye est fait prisonnier. À sa libération, l'année suivante, il est promu lieutenant. Le 15 février 1712, il demande à revenir en Nouvelle-France; la permission lui est accordée le 24 mai; le 22 ou le 23 juillet, il s'embarque pour le Canada. Il y arrive en octobre; dès le 24 de ce mois, il ratifie le contrat de mariage qu'il avait avec Marie-Anne Dandonneau, et leur mariage a lieu le 29 octobre. Les époux s'établissent à l'île aux Vaches, dans le lac Saint-Pierre [Québec]. Le 28 mars 1727, Pierre Gaultier devient associé de la compagnie de traite des fourrures que fonde son frère, Jacques-René, commandant du poste du Nord, dont le poste principal est Kaministiquia [Thunder Bay, Ontario], au nord du lac Supérieur. En 1728, La Vérendrye remplace son frère comme commandant du poste du Nord. Trafiquant de fourrures et explorateur à la recherche de la mer de l'Ouest, il passera dans l'Ouest ontarien les années suivantes: 1727-1730, 1731-1734, 1735-1737, 1738-1740, 1741-1744. Le 5 décembre 1749, alors qu'il se propose encore de remonter dans l'Ouest l'année suivante, il décède à Montréal.

Les relations de voyage de La Vérendrye ne renferment que des éléments de description des territoires qu'il a traversés et des Amérindiens avec lesquels il a trafiqué. Tout se passe dans ses écrits comme s'il n'avait de pensées et de préoccupations que pour le succès de son commerce, qu'attendent ses associés, et la découverte de la mer de l'Ouest, qu'exigent de lui les administrateurs français. Ses meilleures pages sont celles qui contiennent ses discours aux Amérindiens: La Vérendrye sait convaincre ses auditeurs sans leur faire violence et se faire obéir sans trop les tromper.

Nous avons emprunté les pièces qui suivent au texte français de *Journals and Letters of Pierre Gaultier de Varennes et de La Vérendrye and His Sons*, with correspondance between the governors of Canada and the French Court, touching the search for the Western Sea, edited with introduction and notes by Lawrence J. Burpee, Toronto, The Champlain Society, 1927. — Nous reproduisons tel quel le texte de cette édition. — Pour en faciliter la lecture, nous avons remplacé par i le j qui en prenait souvent la place.

Au fort Saint-Charles*

LES grandes pluyes du printems qui avoient été continuelles et qui avoient fait grand tort aux folles avoines sur lesquelles nous comptions, ne laisserent pas de nous mettre en peine, n'ayants pas assez de vivres pour l'hivernement, je m'avisay d'envoyer dix hommes de l'autre côté du Lac [des Bois] qui à 26. Lieües de Traverse avec des outils pour se bâtir à l'embouchûre d'une rivière qui vient du nord nord Est, et des Rets pour la pêche, ils prirent L'automne même plus de 4000 gros poissons blancs, sans les Truittes, Eturgeons, et autres poissons dans le cours de L'hiver, et revinrent au fort St Charles [Magnuson Island] Le 2 May 1734 après la fonte des glaces, ainsi ils vecurent de Chasse et de pêche fort gratieusement.

LES Pluyes qui nous avoient fait tort le printems, nous chagrinerent encore au Mois de Septembre, Il plût avec tant d'abondance depuis le 6. jusqu'au 14 Septembre, que les Eaües du Lac en furent longtems si troublées, que le grand nombre de sauvages, qui etoient à nôtre fort, ne pouvoient voir l'Eturgeon pour le darder, et n'avoient pas de quoy vivre, dans ce besoin extrême je leurs abandonnay le champ de bled d'inde que j'avois fait semer le printems et qui n'êtoit pas encore entierement mûr, nos Engagés en tirerent aussi ce qu'ils pûrent. les sauvages me remercierent fort de ce secours que je leur avois donné. La semence d'un minot de pois après en avoir mangé en verd pendant longtems en rendit encore dix que j'ay fait semer le printemps suivant avec du bled d'Inde; J'ay engagé deux familles sauvages à semer du bled à force de les solliciter, j'espere que la douceur qu'elles en tireront, engagera les autres à suivre leur exemple, Ils en seront mieux et nous moins incommodés.

Nota qu'il ne pleut pas si souvent ici qu'en Canada et que ces pluiies sont extraordinaires selon le rapport des sauvages.

Depuis le 16 Septembre Jusqu'a Noël nous avons eû le plus beau tems du monde, les gelées commencerent vers le 15 Novembre, il geloit la nuit, mais il faisoit très beau soleil le jour, point de vent; Le Lac prit cependant le 22 Novembre, ce qui engageâ 100 sauvages hommes et femmes qui êtoient de l'autre côté du Lac, de nous porter de la viande et de la pelletrie. tous les sauvages ont fait grande chasse jusqu'a Noël n'y ayant point encore de neige.

S: *Journals and Letters of Pierre Gaultier de Varennes et de La Vérendrye and His Sons*, with correspondance between the governors of Canada and the French Court, touching the search for the Western Sea, edited with introduction and notes by Lawrence J. Burpee, Toronto, The Champlain Society, 1927, pp. 141-143.

Le pacificateur*

Je partis du fort S^t. Pierre le Cinquieme fevrier et arrivay au fort S^t. Charles le 14 toujours par un froid des plus rudes.

Le 15 fevrier quoique bien fatigué de mon voyage, J'assemblay dans ma chambre les Chefs Cris qui êtoient auprés du fort, je leur fis part de la bonne Issue de mon voyage, ce qui me parût leur faire plaisir.

Le même Jour 4 Cris de la part d'un des Chefs du Lac Ouÿnipigon arriverent ici, et me presenterent un Esclave avec un Collier, me demandants en grace d'envoyer des françois s'etablir sur leurs terres, sur le Bord du grand Lac Oüynipigon; je donnay pour l'esclave un capot, chemise, mitasse, et Brayer, couteau, et alaisne, poudre et Balles. Et pour le Collier un pavillon, six brasses de tabac, et un collier de la même façon par lequel je Luy accorday sa demande, Je le priay de remercier le Chef de l'Esclave que j'avois reçu de sa part et de m'envoyer la Lune suivante des guides pour conducteurs des françois qui iroient visiter le Lieu le plus commode pour y elever un fort, ils partirent le Lendemain fort satisfaits de la reception que je leur avois faite.

Le 7 Mars arriverent deux Guides de la part du Chef, chargés de viande seche d'Orignal et d'un Esclave, me sommant de tenir ma parolle, Je payay l'esclave comme cy dessus, et ordonnay à deux françois de bonne volonté, de se disposer à partir le 9ᵉ Mars, que J'allois travailler à l'instruction que je leur donnerois qui leur apprendroit ce qu'ils devoient faire dans ce voyage tant pour parler aux sauvages, que pour visiter les Lieux et choisir une place commode pour le fort, leur recommandant de prendre connoissance des mines et bois différents des nôtres qu'il pouroit y avoir en ces quartiers.

Le 7 May, sept françois qui ont hiverné au fort Sᵗ. Pierre sont arrivés ici avec près de 400 Monsonis armés en guerre qu'ils chanterent dès le même soir, Je leur parlay le lendemain en Conseil, le chef de guerre me presentâ quatre robbes de castors et un collier, mais Il commencâ par haranguer toute l'assemblée, repetant tout ce qui avoit été dit de part et d'autre au fort Sᵗ. Pierre cet hiver avant de m'adresser la parolle, ensuitte Il m'a dit: Mon Pere, nous sommes venus te trouver, esperant que tu auras pitié de nous, puisque nous obéissons à ta parolle. Nous voila rendus chez Toy, sur qui frapperons nous, et avant ma reponse il continuâ, si tu veux je diray la pensée de nos Guerriers, je suis Chef, il est vray, mais je ne suis pas toujours maître de leur volonté, si tu veux nous accorder ton fils pour venir avec nous, nous Irons droit où tu nous as dis d'aller, mais si tu nous refuse, je ne sçaurois repondre du Coup qui vâ se faire, Je ne doute pas que tu ne sçache la pensée de nos Parents les cris, mais je ne te cache pas, mon Pere, qu'il y à plusieurs Chefs parmi nous qui ont le Coëur mal fait contre le Scioux, et le Saulteur, tu sçais qu'il en est venû sur nos terres jusqu'aux Neiges, s'ils n'ont tué personne, c'est qu'on les à decouvert, pense à ce que tu as à faire.

J'étois agité Il faut l'avouër, de différentes pensées qui me tourmentoient cruellement, mais je faisois le brave et ne m'en vantois pas, d'un côté comment mettre mon fils aisné entre les mains des Barbares que je ne connois pas et dont à peine sçay je le nom, pour aller en guerre contre d'autres barbares dont je ne Connois ni le nom ni les forces. Qui sçait si mon fils en reviendra, et s'il ne tombera pas entre les mains des Mascoutins Poänes ou Poüannes Ennemis Jurés des Cris et Monsonis qui me le demandent, d'un autre côté si je leur refuse, je crains avec fondement qu'ils n'attribuent mon refus à la peur, qu'ils ne prennent les françois pour des lâches, et qu'ils ne secoüent le joug françois qui à la verité fait leur bonheur, mais qu'on ne fait que leur presenter et qu'ils ne connoissent pas, ils paroissent l'aimer, mais Ils ne l'ont pas entierement reçûs, dans cet embarras je consultay tous les françois de mon Poste les plus eclairés et les plus capables de donner conseil; Ils furent tous d'avis, et me presserent même d'accorder aux sauvages la demande qu'ils me faisoient, ils dirent que ce n'êtoit pas le premier françois qui eût été en guerre avec des sauvages, Et que n'êtant pas Chef du party, cela ne tiroit à aucune consequence par rapport à la Nation contre laquelle l'Orage se formoit, d'ailleurs Mon fils souhaittoit avec passion d'y aller, plusieurs françois s'offroient de l'accompagner, mais quelque plaisir que cela m'eût fait, je crûs ne devoir pas les accepter, crainte que la Chose ne tirast à consequence pour L'avenir ce qui me determinâ pour le bien de la Colonie de donner mon fils seul pour cette Campagne aux guerriers qui vouloient le mettre à leur Tête et en faire leur premier chef, mais pour les raisons cy dessus je m'y opposay et leur donnay seulement pour conseiller et comme temoin de leur bravoure, Luy laissant en particulier une ample instruction par ecrit de la maniere dont il devoit se comporter pour parler dans les Conseils qui ont coutume de se tenir tous les soirs et d'en convoquer même d'extraordinaires suivant les occurrences, Je Luy donnay publiquement des avis, et cette grande affaire fut ainsi conclüe, je fis distribuer du Tabac à tout le monde, leur temoignant la joye que j'avois de les voir Tous.

Le même jour 8e May les Bourgeois du poste me prièrent de parler aux sauvages qui êtoient plus de 600 hommes, au sujet de la Traitte, ce que je fis le lendemain après avoir fait faire la distribution des presens pour la guerre, Et après toutes les parolles.

Le 9e tous les guerriers Cris et Monsonis au nombre de 660 s'assemblerent dans la Cour du fort, ou j'avois fait dresser des sieges pour les Chefs qui êtoient 14 comme autant de capitaines à la tête de leur compagnie, les Cris d'un côté et les Monsonis de l'autre, ils attendoient de jour en jour 200 autres cris qui devoient les joindre, je fis mettre dans le milieu de la place un baril de 50^L de poudre, 100^L de Balles, 400 pierres à fusils, battefeux, Tireboures, alaisnes, Couteaux à Boucherons à proportion et 30-brasses de Tabac. Je fis placer mon fils à côté de Moy et adressant la parolle à Tous, je leur dis, Mes enfants voila ce que j'ay preparé pour la guerre, je vous en fais present, vous en ferez la distribution à tous excepté aux chefs à chacun desquels je fis donner deux Livres de poudre, quatre Livres de balles, deux brasses de tabac, un couteau à boucheron, 2-alaisnes, 6-pierres à fusils, et un Tireboure, pour faire entendre ma parolle je parlois à mon fils, Mon fils a L'Interprête Monsonis, et le Monsonis qui parloit Cris le disoit aux Cristinaux, je leur rappellay ce qui s'êtoit passé dans les dernieres guerres, L'avantage qu'ils avoient toujours eû sur les Saulteurs et les Scioux, que je ne voyois passur quoy Ils vouloient fonder leur vengeance puisqu'ils êtoient et agresseurs et victorieux, Je les priay de se souvenir des parolles qui avoient été envoyées de leur part à nôtre Pere pour la paix et d'attendre reponse, Je suis bien aise de vous dire, Mes Enfants, que je descends à Missilimakinac et peut être à Montréal pour porter vôtre parolle à nôtre Pere, et pour aller chercher ce qui manque icy, comme Tabac, fusils et chaudières que vous aurez pour des martes et des Loups cerviers, Et non pour du Castor que vous employerez à vos autres besoins, comme je vous l'ay promis dans l'hiver, c'est pour les obliger à faire cette chasse qu'ils n'avoient pas coutume de faire, et occuper par la même les femmes et les Enfants de 10, ou 12-ans qui en sont tres Capables.

Comme vous avez obei à la parolle de nôtre Pere, Je vous confie mon fils aisné qui est ce que j'ay de plus cher, regardez-le comme un autre moy-même, ne faites rien sans le consulter, sa parolle sera la mienne et comme Il n'est pas accoutumé à la fatigue, comme vous, quoiqu'il soit aussi vigoureux, je compte que vous en aurez soin pendant le Voyage.

Les deux Chefs des deux Nations se leverent me firent de grands remerciments, haranguerent les guerriers, leur faisant sur tout remarquer la confiance que J'avois en Eux en leur confiant mon fils et les presens que Je leur avois fait, mais il s'elevâ une petite contestation qui fût bientôt terminée, Les deux Nations vouloient avoir mon fils, soit que ce fût une honnêteté pour Moy, soit que ce fût réel, chacune paroissoit avoir de l'empressement de le posseder, Le Chef Cris se levâ le premier et m'adressant la parolle me dit, Mon Pere tu sçais que ton fils est à Moy, et que je l'ay adopté, sa place est dans mon Canot, Il y à un Escabia c'est à dire un guerrier pour le servir, et deux femmes pour porter son equipage, Mon fils le remercia, Et adressant la parolle aux Monsonis, disant Mes freres, ne soyez point peinés, je vous prie, si j'embarque avec les Cris, nous marchons Tous ensemble, Vos cabannes sont les miennes et nous ne faisons qu'un, Tous furent contens, Je donnay un cassetête au Chef Cris semblable à celuy que J'avois donné au Monsonis êtant au fort S^t. Pierre, Je chantay la guerre leur recommandant de bien faire leur devoir, Je leur racontay en racourcy la maniere de faire la guerre en france, ce n'est pas derriere des arbres, mais en rase Campagne, &, Je leur fis voir les blessures que j'avois reçû dans la bataille de Malplaqué, ils resterent dans l'etonnement, Je leur fis festin aprés lequel on continuâ de chanter la guerre.

Aprés avoir parlé de la guerre Il est juste de parler du commerce et de la Traitte, comme nos associés m'en avoient prié, avant de congédier cette grande troupe de plus de 600 hommes qui representoient les deux Nations des Monsonis et des Cristinaux, Je leur dis, Mes Enfants, faites attention et pensez serieusement au bonheur que vous avez de posseder le françois chez vous, auprés duquel vous trouverez tous vos besoins pendant le Cours de L'année; Il achette vos viandes, folles avoines, Ecorces, gommes, racine pour les Canots et plusieurs autres choses pendant L'Esté, qui ne vous ont de rien servis Jusqu'ici; vous faites argent de Tout, que ne chassez vous, vous avez l'automne, l'hiver et le printems pour faire de la pelletrie, affin que les Traitteurs ne s'en retournent pas honteux, c'est à dire à vuide, ils recoivent vos robbes aprés vous en être servis, qui ont êté perdües jusqu'à present, quel avantage pouvez vous desirer de plus, Je vous avertis de ne point tuer le Castor dans l'Eté, Il ne sera point reçû des Traitteurs, vous me demandâtes Il y a un an d'avoir pitié de vos familles, et de vous faire donner à credit l'automne pour être en êtat de chasser L'hiver. J'obtins des Traitteurs quoiqu'avec peine de vous faire donner vôtre plus necessaire pour voir si vous aviez de l'esprit et si vous sçaviez payer; vous autres Chefs m'avez repondû pour Tous, Encouragez les autres à payer le Traitteur, affinque je ne passe pas pour menteur, la marchandise n'est pas à Moy comme vous le sçavez, Je suis cependant le maître de vous la faire donner, et si vous ne payez pas, Il faut que ce soit Moy qui paye, si je vous fait donner vos besoins, ce n'est pas pour porter vos pelletries aux Anglois, vous y traittez comme en Ennemis, vous n'avez point de credit chez Eux ni d'entrée dans leur fort, vous ne choisissez point la marchandise que vous voulez, vous êtes obligé de prendre ce qu'on vous donne par une fenêtre bon ou mauvais, ils rebutent une partié de vos pelletries qui sont perdües pour vous, aprés avoir eû bien de la peine à les porter chez Eux; Il est vray que vous achetez certaines choses un peu plus cheres de nos Traitteurs, mais ils prennent tout ce que vous avez, Ils ne rebutent rien, vous ne courez aucun risque, vous n'avez pas la peine de le porter loin, d'ailleurs vous avez la liberté de choisir ce que vous voulez, hommes, femmes et Enfants, vous entrez dans nos Maisons et dans nôtre fort quand Il vous plaist, vous y êtes toujours bien recûs, nos marchandises sont meilleures, comme vous l'avoüez, que celles des Anglois, ce seroit donc contre la raison et contre vôtre Interet d'y aller, Je suis bien aise de vous avertir qu'1l n'y aura jamais de credit pour Ceux qui y iront à l'avenir; Prenez donc courage pour bien chasser afin que j'aye le plaisir de voir vos familles bien habillées et que les Traitteurs qui ont tant de peine à venir ici, s'en retournent contens, cela fera plaisir a nôtre Pere.

APRÉS ce discours qui êtoit necessaire au commerce pour le rendre plus avantageux et pour Eux et pour Nous, les Chefs me presenterent un Collier pour me remercier de ce que je leur donnois de l'esprit, et me dirent qu'ils acceptoient toutes mes demandes. Ils me prierent de ne les pas oublier dans mon voyage, me recommandants surtout de ne les point abandonner pour toujours et de revenir au plûtôt chez Eux, Ils adjouterent ensuitte, Mon Pere, nous demeurerons tranquils en ton absence, ayants tes Enfants chez Nous, et nous te prions, si tu descends à Montreal, de parler pour nous à nôtre Pere le grand Chef êtants au nombre de ses Enfants.

S: id., ibid., pp. 172-185.

Lettre de Monsieur de la Verendrye à Maurepas*

[à Québec le 31 8bre 1744.]

Monseigneur

Les discours peu favorables ainsi que ce que la jalousie a pû insinuer d'être mandé à Votre Grandeur à l'occasion de l'entreprise que j'ai suivie depuis 1731 pour parvenir à la découverte de la Mer de l'Ouest et dont j'ay été informé, rendent le zèle dont j'ai toujours été animé pour le service et particulièrement pour cette découverte, d'autant plus sensible au ridicule que l'on m'y donne que l'on n'y attaque pas moins la pûreté des motifs qui faisoient seuls l'objet de mon entreprise et pour lequel toutes mes vues refléchissoient entièrement, je ne puis attribuer d'ailleurs, Monseigneur, qu'aux calomnies qui vous ont été dites ou mandées sur mon compte. la mortiffication que je reçois aujourd'hui de n'avoir point eû part à la promotion de cette année quoique je fus l'officier d'ont l'ancienneté et les services pouvoient le plus flater dans cette occasion de la justice et des bontés de Votre Grandeur. Je sens, Monseigneur, tout l'intérêt que j'ai de m'en justiffier auprès de vous, et je ne puis vous en donner de plus grande preuve que la liberté que j'ose prendre de vous supplier d'agréer le mémoire abrégé que j'ai l'honneur de joindre, qui contient la conduite que j'ai observée depuis 1731 pour parvenir à cette découverte, les accidents dont je n'ai pû me garantir et les oppositions qu'il ne m'a pas été possible de pouvoir surmonter pour en accélérer plutôt la perfection. Si j'osois me flater, Monseigneur, que vous voulussiez bien être persuadé de la sincérité et du vrai qui font la base de ce mémoire, ce qui regarde l'aisance que l'on a mandé à Votre Grandeur que je me suis procuré dans les diférens Postes que j'ai établis, se trouveroit aisément détruite par la scituation où je me trouve qui me fournit à peine le moyen de satisfaire aux emprunts que j'ai été obligé de faire pour cette entreprise; c'est au surplus, Monseigneur, l'objet qui a de tout tems moins fait celui de mes désirs et quoique je sois plus indigent que je ne l'étois avant le commencement de cette découverte je m'en serois trouvé entièrement dédommagé si les soins et les attentions que j'y ai aporté m'avoient pû mériter les bontés de Votre Grandeur et que j'ose espérer si elle veut bien les accorder à neuf blessures que j'ai sur le corps à 39 années de service tant en France qu'en cette colonie et aux peines et fatigues que j'ai essuyées depuis 13 ans pour parvenir aux établissemens que j'ai faits dans ces endroits où personne n'avoit encore pénétré qui formeront toujours une augmentation considérable de commerce à la Colonie, si l'on ne peut parvenir entièrement à trouver la Mer de l'Ouest et pour lesquels je n'ai occasionné aucune dépense à Sa Majesté.

Je suis avec un très profond respect, Monseigneur
Votre très humble et très obéissant serviteur.

Varennes de Laverendrye.

A Quebec le 31 octobre 1744.
S: id., ibid., pp. 432-435.

BIBLIOGRAPHIE
Quelques éditions des œuvres citées

[BRÉHANT DE GALINÉE, René de],*Voyage de MM. Dollier et Galinée*, [édité par l'abbé Hospice-Anthelme Verreau] dans *Mémoires de la Société historique de Montréal*, sixième livraison, Montréal, des Presses à vapeur de «la Minerve», 1875, [iv], 84 p.; «Récit de ce qui s'est passé de plus remarquable dans le voyage de MM. Dollier et Gallinée (1669-1670), dans *Découvertes et établissements des Français dans l'ouest et dans le sud de l'Amérique septentrionale, 1614-1698*, mémoires et documents inédits recueillis et publiés par Pierre Margry, première partie:*Voyages des Français sur les Grands Lacs et Découverte de l'Ohio et du Mississipi (1614-1684)*, Paris, Maisonneuve et cie, libraires-éditeurs, 1879, pp. 112-166; *Exploration of the Great Lakes, 1669-1670*, by Dollier de Casson and de Bréhant de Galinée/*Galinée's Narrative and Map*, with an English Version, including all the map-legends, illustrated with Portraits, Maps, Views, a Bibliography, Cartography, and Annotations, translator and editor James H[arris] Coyne, Part I, Toronto, Published by the Society, «Ontario Historical Society Papers and Records», IV, 1903, xxxvi[iii], 89 p.

CHAMPLAIN, Samuel de, *Quatriesme Voyage du Sr de Champlain, capitaine ordinaire pour le Roy en la Marine, et lieutenant de Monseigneur le Prince de Condé en la Nouvelle-France, fait en l'année 1613*, dans *Œuvres de Champlain*, présenté par Georges-Émile Giguère, Montréal, Éditions du Jour, 1973, pp. 427-475; *Voyages et descouvertures faites en la Nouvelle France, depuis l'année 1615 jusques à la fin de l'année 1618, ibid.*, pp. 481-631.

CHARLEVOIX, François-Xavier de, *Histoire et Description générale de la Nouvelle France*, avec *le Journal historique d'un Voyage fait par ordre du Roi dans l'Amérique Septentrionnale*, 3 tomes, À Paris, Chez Nyon fils, 1744, [iv], xxvi, 664, [iv], 582, 56 et [iv], xix, xiv, 543 p. [reproduction: Montréal, Éditions Élysée, 1976.]

CHARLEVOIX, François-Xavier de, *Journal d'un voyage fait par ordre du roi dans l'Amérique septentrionale*, édition critique par Pierre Berthiaume, 2 vol., Montréal, les Presses de l'Université de Montréal, «Bibliothèque du Nouveau Monde», 1994, 1112 p. [pagination continue].

CHARLEVOIX, François-Xavier de, [Cinq Lettres], dans *Découvertes et établissements des Français dans l'ouest et dans le sud de l'Amérique septentrionale (1614-1754)*, mémoires et documents originaux recueillis et publiés par Pierre Margry, sixième partie: *Exploration des affluents du Mississipi et découverte des montagnes Rocheuses (1679-1754)*, Paris, Maisonneuve et Ch. Leclerc, éditeurs, 1888, pp. [521]-538.

[CHAUMONOT, Pierre-Joseph-Marie], *Un missionnaire des Hurons. Autobiographie du Père Chaumonot de la Compagnie de Jésus et son complément*, par le R. P. F[élix] Martin de la même Compagnie, Paris, H. Oudin, libraire-éditeur, 1885, x, 291 p.

[CRESPEL, Emmanuel], *Voïages du R. P. Emmanuel Crespel, dans le Canada et son naufrage en revenant en France. Mis au jour par le Sr Louis Crespel, son Frére*, [préface de l'éditeur], A Francfort sur le Meyn, 1742, [xiv], vii, 135, xl p. [suivi d'une «Biographie du Rév. Père Emmanuel Crespel» par S. J. M., 19 mars 1883, Québec, Imprimerie Augustin Côté, 1884].

[GAULTIER DE VARENNES et de La VÉRENDRYE, Pierre], *Journals and Letters of Pierre Gaultier de Varennes et de La Vérendrye and His Sons*, with correspondance between the governors of Canada and the French Court, touching the search for the Western Sea, edited with introduction and notes by Lawrence J. Burpee, Toronto, The Champlain Society, 1927, xxiii, 548 p.

GENDRON, François, *Quelques Particularitez du pays des Hurons en la Nouvelle France. Remarquées par le Sieur Gendron, Docteur en Medecine, qui a demeuré dans ce Pays-là fort long-temps. Rédigées par Jean Baptiste de Rocoles, Conseiller & Aumosnier du Roy, & Historiographe de sa Majesté*, A Troyes, & A Paris, Chez Denys Béchet et Louis Billaine, ruë S. Jacques, 26 p.; réimpression: «Achevé d'Imprimer à Albany, N.Y., par F. Munsell, ce 25 Août, 1868.» [ICMH-26088]

HENNEPIN, Louis, *Description de la Louisiane, nouvellement decouverte au Sud-Oüest de la Nouvelle France, par ordre du Roy. Avec la Carte du Pays: Les Mœurs & la Maniere de vivre des Sauvages. Dédiee à sa Majesté.* Par le R. P. Louis Hennepin, Missionnaire Recollet & Notaire Apostolique. À Paris, Chez la Veuve Sebastien Huré, rue Saint-Jacques, à l'Image S. Jerôme, prés S. Severin, 1683. Avec privilege du Roy. [ix], 312, 107 p. [ICMH-3600]

HENNEPIN, Louis, *Nouvelle Decouverte d'un tres grand Pays Situé dans l'Amerique, entre le Nouveau Mexique et la Mer*

Glaciale, Avec les Cartes, & les Figures necessaires, & de plus l'Histoire Naturelle & Morale, & les avantages qu'on en peut tirer par l'établissement des Colonies. Le Tout dedie à Sa Majesté Britannique Guillaume III. Par le R. P. Louis Hennepinn, Missionnaire Recollect & Notaire Apostolique. A Utrecht, Chez Guillaume Broedelet, Marchand Libraire, 1697, 506 p. [ICMH-35676]

[JÉRÉMIE, Nicolas], «Relation du Detroit et de la Baie de Hudson, à Monsieur **, par Monsieur Jeremie», dans *Recueil d'arrests et autres pieces pour l'etablissement de la Compagnie d'Occident. Relation de la Baie de Hudson. Les Navigations de Frobisher au Détroit qui porte son nom*, A Amsterdam, Chez Jean Frederic Bernard, 1720, pp. 3-39 [ICMH-27964]; «Relation du détroit et de la baye de Hudson, à Monsieur **, par Monsieur Jérémie», dans *Recueil de voyages au Nord, contenant divers Mémoires très utiles au Commerce & à la Navigation*, tome troisième, nouvelle édition, corrigée & mise en meilleur ordre, A Amsterdam, Chez Jean-Frédéric Bernard, 1732, pp. 305-356; *Twenty Years of York Factory, 1694-1714. Jérémie's Account of Hudson Strait and Bay*, translated from the French edition of 1720, with notes and introduction, by R. Douglas and J. N. Wallace, Ottawa, Thornburn and Abbott, 1926, [1], 42[1] p.

[JÉSUITES DE LA NOUVELLE-FRANCE], *Monumenta Novæ Franciæ, I: la première mission d'Acadie (1602-1616)*, par Lucien Campeau [éditeur], Roma, Apud «Monumenta Historica Societatis Iesu», et Québec, les Presses de l'Université Laval, 1967, 276*, 719 p.; *II: établissement à Québec (1616-1634)*, 1979, 141*, 889 p.; *III: fondation de la mission huronne (1635-1637)*, 1987, 54*, 894 p.; *IV: les grandes épreuves (1638-1640)*, Romæ, Institutum Historicum Societatis Iesu, et Montréal, les Éditions Bellarmin, 1989, 48*, 808 p.; *V: la bonne nouvelle reçue (1641-1643)*, 1990 [achevé d'imprimer 1991], 49*, 862 p.; *VI: recherche de la paix (1644-1646)*, 1992, 43*, 805 p.; *VII: le témoignage du sang (1647-1650)*, 1994, 45*, 887 p.

[JÉSUITES DE LA NOUVELLE-FRANCE], *Relations des Jésuites, contenant ce qui s'est passé dans les missions des Pères de la Compagnie de Jésus dans la Nouvelle-France*, Montréal, Éditions du Jour, 1972, 6 vol.

LA HONTAN, *Dialogues avec un sauvage*, introduction et notes par Maurice Roelens, Paris, Éditions sociales, «Les Classiques du peuple», 1973, 178[1] p.

LAHONTAN, baron de, *Dialogues curieux entre l'auteur et un sauvage de bon sens qui a voyagé et Mémoires de l'Amérique Septentrionale*, publiés par Gilbert Chinard, Baltimore, Maryland, The Johns Hopkins Press, Paris, A. Margraff, et London, Oxford University Press, 1931, [viii], 268[3] p.

LAHONTAN, *Œuvres complètes*, édition critique par Réal Ouellet, avec la collaboration d'Alain Beaulieu, Montréal, les Presses de l'Université de Montréal, «Bibliothèque du Nouveau Monde», 1990, 2 vol., 1474 p. [pagination continue].

LA ROCHE DAILLON, Joseph de, «[Relation]», dans *Histoire du Canada et Voyages que les Frères mineurs Recollects y ont faicts pour la conversion des infidelles. Divisez en quatre livres. [...]*, fait et composé par le F. Gabriel Sagard Theodat, Mineur Recollect de la Province de Paris, À Paris, chez Claude Sonnius, 1636, pp. 880-892; «[Relation en abrégé]», dans Chrestien Le Clercq, *Premier Etablissement de la Foy dans la Nouvelle France*, vol. 1, À Paris, Chez Amable Auroy, 1691, pp. 346-362; «Coppie ou abbregé d'une lettre du V. Pere Joseph de la Roche Daillon, Mineur Recollect, escrite du pays des Hurons à un sien amy, touchant son voyage fait en la Contrée des Neutres, où il fait mention du pays, & des disgraces qu'il y encourut», dans *Histoire du Canada et Voyages que les Frères mineurs Recollects y ont faicts pour la conversion des infidèles depuis l'an 1615*, par Gabriel Sagard Theodat, avec un dictionnaire de la langue huronne, nouvelle édition, publiée par M. Edwin Tross, Paris, Librairie Tross, 1866, vol. 4, pp. 798-811 [ICMH-47347-47351]; «[Abridged Relation]», in Chrestien Le Clercq, *First Establishment of the Faith in New France*, now first translated, with notes, by John Gilmary Shea, Vol. 1, New York: John G. Shea, 1881, p. 263-272; «Voyage et relation du P. de la Roche D'Aillon», dans Odoric-Marie Jouve, *Les Franciscains et le Canada. L'Établissement de la foi, 1615-1629*, Québec, Couvent des SS. Stigmates, 1915, vol. 1, pp. 353-362.

LE CARON, Joseph, «Fragmens des Memoires du pere Joseph le Caron addressez en France, touchant le genie, l'humeur, les superstitions, les bonnes & mauvaises dispositions des Sauvages», dans Chrestien Le Clercq, *Premier Etablissement de la Foy dans la Nouvelle France*, [...], tome 1, A Paris, Chez Amable Auroy, 1691, pp. 263-288 [ICMH-37254-37256]; «Fragments of the Memoirs of Father Joseph Le Caron, Addressed to France on the Disposition, Character,

Superstitions, Good and Bad Qualities of the Indians», in Chrestien Le Clercq, *First Establishment of the Faith in New France*, now first translated, with notes, by John Gilmary Shea, Vol. 1, New York: John G. Shea, 1881, p. 214-224; «Relation du père Le Caron, 1624», dans Odoric-Marie Jouve, *Les Franciscains et le Canada. L'Établissement de la foi, 1615-1629*, Québec, Couvent des SS. Stigmates, 1915, vol. 1, pp. 353-362.

LE ROY, dit BACQUEVILLE DE LA POTHERIE, Claude-Charles, *Histoire de l'Amérique Septentrionale*, À Paris, chez Jean-Luc Nion et François Didot, 1722, vol. 1, [xii], 370[4] p.; vol. 2, [i], 356[7] p.; vol. 3, [xi], 310[6] p.; vol. 4, [i], 271[5] p. [Published on demand by University Microfilms, University Microfilms Limited, High Wycomb, England. A Xerox Company, Ann Arbor, Michigan, U. S. A., 1969.]

PERROT, Nicolas, *Mémoire sur les mœurs, coustumes et relligion des sauvages de l'Amérique septentrionale*, publié pour la première fois par le R. P. J. Tailhan, de la Compagnie de Jésus, Leipzig & Paris, Librairie A. Franck, Albert L. Herold, «Bibliotheca Americana», 1864, viii, xliii, 341 p.

[RADISSON, Pierre-Esprit], *The Explorations of Pierre Esprit Radisson, from the original manuscript in the Bodleian Library and the British Museum*, Arthur T. Adams, editor, Loren Kallsen, modernizer, Minneapolis (Minnesota), Ross and Haines, Inc., 1961, lxxxiv, 258 p.

[RADISSON, Pierre-Esprit], «Relations des voyages de Pierre-Esprit Radisson dans les années 1682-3 et 4», dans *Rapport sur les archives canadiennes*, Ottawa, Imprimeur de la Reine, 1896, note A, pp. 1-42.

[RADISSON, Pierre-Esprit], *Voyages of Peter Esprit Radisson, being an account of his travels and experiences among the North American Indians from 1652 to 1684*, transcribed from original manuscripts in the Bodleian Library and the British Museum, with historical illustrations and an introduction, edited by Gideon D. Scull, Boston, The Prince Society, «Publications of the Prince Society», 16, 1885, 385 p.; New York, Peter Smith, 1943.

[RAUDOT, Antoine-Denis], *Relation par lettres de l'Amerique septentrionalle (années 1709 et 1710)*, éditée et annotée par le P. Camille de Rochemonteix, de la Compagnie de Jésus, Paris, Letouzey et Ané, éditeurs, 1904, pp. 1-221.

SAGARD, Gabriel, *Le Grand Voyage du pays des Hurons, situé en l'Amérique vers la Mer douce, ès derniers confins de la Nouvelle France dite Canada*. [...], Paris, Denys Moreau, 1632, [xxiii], 380 p.; nouvelle édition publiée par Émile Chevalier, 2 vol., Paris, Librairie Tross, 1865, xxv, 206 et 209-268 p.; *The Long Journey to the Country of the Hurons*, edited with introduction and notes by George M. Wrong, translated by H. H. Langton, Toronto, The Champlain Society, 1939, xlvii, 411, xii p.; *Le Grand Voyage du pays des Hurons,* présentation par Marcel Trudel, Montréal, Cahiers du Québec/Hurtubise HMH, «Documents d'histoire», CQ 27, liii, 268 p.; *Le Grand Voyage du pays des Hurons,* texte établi par Réal Ouellet, introduction et notes par Réal Ouellet et Jack Warwick, Montréal, BQ, 1990, 383[1] p.

SILVY, Antoine, «Journal du P. Silvy depuis Bell'Isle jusqu'à Portnelson», dans *Relation par lettres de l'Amerique septentrionalle (années 1709-1710),* éditée et annotée par le P. Camille de Rochemonteix, de la Compagnie de Jésus, Paris, Letouzey et Ané, Éditeurs, 17, rue du Vieux-Colombier, 1904, pp. xxxiii-lxiii.

TROUVÉ, Claude, «Abrégé de la mission de Kenté», dans Dollier de Casson, *Histoire du Montréal, 1640-1672,* Montréal, des Presses à vapeur de «la Minerve», 1868, pp. [209]-224 («Mémoires de la Société historique de Montréal», quatrième livraison); pp. [118]-128, dans *Histoire du Montréal, 1640-1672,* Montréal, Eusèbe Senécal, imprimeur-éditeur, 1871, pp. [118]-128 (Manuscrit de Paris. Publié sous la direction de la Société littéraire et historique de Québec); dans François Dollier de Casson, *Histoire du Montréal, 1640-1672,* suivi de «Abrégé de la mission de Kenté», avant-propos de Paul Zumthor, Montréal, les Éditions Balzac, «Mémoires», 1992, pp. [195]-208.

[TROYES, Pierre de], *Journal de l'expédition du Chevalier de Troyes à la baie d'Hudson en 1686*, édité et annoté par l'abbé Ivanhoë Caron, Beauceville, la Compagnie de «l'Éclaireur», 1918, ix, 136 p.

Sources biographiques

Les éditions des œuvres citées plus haut (paragraphe précédent)
Les archives des jésuites du Canada français (Saint-Jérôme, Québec)

Dictionnaire biographique du Canada, vol. 1: *de l'an 1000 à 1700*, sous la direction de George W. Brown, Marcel Trudel et André Vachon, Québec, les Presses de l'Université Laval, 1966, xxv, 774 p.; vol. 2: *de 1701 à 1740*, sous la direction de David M. Hayne et André Vachon, 1969, xli, 791 p.; vol. 3: *de 1741 à 1770*, sous la direction de Francess G. Halpenny, 1974, xlv, 842 p.

Dictionnaire des œuvres littéraires du Québec, vol. 1: *des origines à 1900*, sous la direction de Maurice Lemire, avec la collaboration de Jacques Blais, Nive Voisine et Jean Du Berger, Montréal, Fides, 1978, lxvi, 918 p.; 2e édition revue, corrigée et mise à jour, 1980, lxvi, 927 p.

HAMEL, Réginald, HARE, John et Paul Wyczynski, *Dictionnaire des auteurs de langue française en Amérique du Nord*, Montréal, Éditions Fides, 1989, xxvi, 1364 p.

LE JEUNE, L[ouis], *Dictionnaire général de biographie, histoire, littérature, agriculture, commerce, industrie et des arts, sciences, mœurs, coutumes, institutions politiques et religieuses du Canada*, 2 vol., Ottawa, Université d'Ottawa, 1931, viii, 862 et [iv], 827[2] p.

POULIOT, Léon, *Étude sur les «Relations» des jésuites de la Nouvelle-France (1632-1672)*, Montréal, Scolasticat de l'Immaculée-Conception, «Studia», et Paris, Desclée de Brouwer & Cie, 1940, xii, 319 p.

POULIOT, Léon, *François-Xavier de Charlevoix, S.J.*, Sudbury, la Société historique du Nouvel Ontario, «Documents historiques», 33, 1957, pp. 5-29.

SECONDE PARTIE
LES ORIGINES FRANCO-ONTARIENNES
(1760-1865)

J. C. B. [JEAN-BAPTISTE
DE BONNEFOUX DE CAMINEL?]
(1732 ou 1733-après 1796)

Ne connaissant pas avec certitude le nom de l'auteur qui se cache derrière les initiales J. C. B., il s'ensuit que nous ignorons également la date et le lieu de sa naissance. Nous ne savons de lui que ce que le narrateur a bien voulu en dire dans *Voyage au Canada dans le nord de l'Amérique septentrionale, fait depuis l'an 1751 à 1761*, par J. C. B. Le 15 mars 1751, à l'âge de dix-huit ans, J. C. B. part de Paris pour La Rochelle [département de la Charente-Maritime, dans le Bassin aquitain]. Le 2 avril, il se rend à l'isle de Rhey [île de Ré, département de la Charente-Maritime]; il y travaille dans les bureaux de l'armée, puis, le 12 juin, désireux de voyager, part pour Rochefort [département de la Charente-Maritime], d'où il s'embarque sur le *Chariot Royal*, qui met à la voile le 27 du même mois. Le 5 novembre, il débarque à Québec; le 12, il devient canonnier dans l'armée. Le 25 décembre, il est responsable de la tenue des livres d'un négociant de Québec. Le 30 janvier 1753, le canonnier fait partie d'une expédition militaire dans la région des Grands Lacs; la troupe se rend jusqu'à Michillimakinac; elle n'est de retour à Québec que le 3 octobre. Le 15 janvier 1754, le canonnier fait partie d'un détachement militaire qui monte au fort Duquesne [Pittsburg, Pennsylvania]; le 26 octobre, il est à Québec. Le 1er février 1755, J. C. B. monte de nouveau au fort Duquesne; il ne revient à Québec que le 10 décembre 1758, pour peu de temps, car il quitte la ville le 18 mars 1759 pour la région du haut Saint-Laurent. Il participe aux dernières batailles de la Guerre de Sept Ans dans cette région. Fait prisonnier lors de la prise du fort Lévis [île Galop, à l'est de Prescott, Ontario, et près d'Ogdensburg, N. Y.] le 25 août 1760, il est emmené à New York; le 1er janvier 1761, on l'embarque sur le *James* qui arrive à Portsmouth [Angleterre] le 15 février. Le 26, il part pour le Havre et y arrive le 28. Le 14 mars, il quitte cette ville pour Paris; il y est le 22, se met à la recherche de sa famille et la trouve.

Pendant un certain temps, J. C. B. réside chez ses parents. Il profite de ses loisirs pour revoir et mettre en ordre le manuscrit de son voyage. Il continue de le retoucher et d'y ajouter pendant de nombreuses années, voire jusqu'à la fin du dix-huitième siècle et peut-être jusqu'à la première décennie du dix-neuvième, puisqu'il parle de l'indépendance des États-Unis [1783], signale la formation récente de deux états, le Kentucky [1792] et le Tennessee [1796] et prévoit le développement de celui qui deviendra l'Ohio en 1803. J. C. B. fournit beaucoup de renseignements sur les dernières années de la Nouvelle-France; il ose critiquer les gouvernants français qu'il juge responsables de la perte de la colonie et il affirme que les Anglais tirent déjà profit de leur conquête. Il se demande aussi ce que deviendra la nation abandonnée qui vit sous le régime anglais et dans le voisinage des «Anglo-Américains». L'écriture de son ouvrage est celle de la fin du dix-huitième siècle français: les phrases sont bien structurées, la langue est claire et précise, la graphie plus moderne.

Nous avons emprunté les pièces qui suivent à l'édition — la première semble-t-il — que l'abbé Henri-Raymond Casgrain, de Québec, a fait publier dans cette ville, en 1887, par l'imprimeur Léger Brousseau; nous l'avons jugée meilleure et plus complète que celle publiée chez Aubier Montaigne à Paris, en 1978, par Claude Manceron, sous le titre abrégé *Voyage au Canada fait depuis l'an 1751 à 1761*. — Nous reproduisons tel quel le texte de l'édition Casgrain.

La chute Niagara*

Le fort de Niagara, situé au haut et au sud du Lac Ontario, fut nommé dans son origine Denonville; il est sur un terrain élevé qui est dominé par des montagnes, à l'ouest, qui bordent un détroit de trois lieues de long qui porte le nom de rivière de Niagara. Ce fort, construit en 1687, était en pieux debout, il fut reconstruit et fortifié en 1763. Nous le trouvâmes bâti partie en pierres et partie en bois, bien fortifié du côté de terre et entouré de fossés avec des bastions garnis de dix-huit pièces de canons, un pont-levis et quatre vingts hommes de garnison.

Vis-à-vis ce fort, au nord et presqu'au fond du Lac Ontario, est une grande baie nommée Toronto et depuis appelée par les anglais baie d'York. Sur le bord de cette baie il y avait été construit, par les ordres du gouverneur de la Joncquière, un fort nommé Toronto et qui fut depuis détruit comme inutile.

Le lendemain 12 avril, nous passâmes par terre; du fort Niagara, nous montâmes les trois montagnes qui sont à l'ouest du fort et au dessus de chacune desquelles, se trouve une plate forme de roche plate très unie, qui fait un repos pour les voyageurs qui y passent; il y a environ deux lieues de montagnes de bas en haut. Lorsque nous fûmes parvenus au sommet, il fallut nous reposer, ensuite nous continuâmes à marcher. A un quart de lieue au nord de la dernière montagne est la fameuse chute Niagara, dont le bruit se fait entendre de près de trois lieues; à la même place au sud où nous allâmes, était un petit entrepôt nouvellement construit pour le travail des bateaux et canots nécessaires à la navigation du lac Erié. Cet entrepôt fut nommé Toronto, les anglais lui donnèrent celui de Scuyler ou Sckuiler; lors de notre passage il y avait une garnison de quarante hommes canadiens, tous charpentiers de bateaux, nous y restâmes trois jours pendant lesquels on fit le chargement de vivres, munitions et marchandises que nous devions conduire avec nous, au fond du lac Erié.

La curiosité permise aux voyageurs me porta à vouloir visiter la chute Niagara, dont j'avais ouï parler comme une merveille curieuse; j'y fus moi troisième. J'examinai cette étonnante cataracte qui a la forme d'un croissant d'une étendue d'un quart de lieue, on lui donne de hauteur, suivant la commune tradition, cent quatre-vingts pieds. Elle est la décharge du Lac Erié, reçoit ses eaux qu'elle jette dans le détroit ou rivière de Niagara qui les verse dans le Lac Ontario près du fort Niagara. Les approches de cette chute paraissent inaccessibles, surtout du côté du sud où nous nous présentâmes et qui offre dans sa hauteur un roc garni de broussailles qui croissent naturellement dans ses escarpements. Il est impossible, lorsqu'on est auprès, de s'entendre parler, que très près et aux oreilles. Après avoir bien examiné du haut, cette chute, avec attention, je proposai aux deux personnes qui m'accompagnaient de descendre en bas, elles m'opposèrent la difficulté d'y parvenir, n'y ayant aucun chemin, ni sureté et que l'entreprise était périlleuse et téméraire d'y aller par des broussailles qui paraissaient trop faibles pour soutenir celui qui voudrait s'y fier, les racines ne pouvant être fortes n'étant prises que dans les joins du Rocher. Ces raisons, toutes vraisemblables qu'elles me parurent, ne m'empêchèrent pas de persister dans ma curiosité. Je me déterminai donc à m'exposer seul, et aussitôt je m'avançai pour descendre avec l'intention de m'assurer des branches que je rencontrai sur mon passage, en descendant de reculon, et que je ne quittai les unes après les autres qu'après en avoir saisi d'autres de la même solidité. Je fus environ une heure à parvenir en bas, non sans me recommander à la providence, car je voyais de la témérité dans mon entreprise; mais il fallait la finir, autant par amour propre que par curiosité. Enfin j'arrivai en bas, à environ vingt toises du pied de la chute et, quoi qu'à cette distance, cela ne m'empêcha pas d'être bien mouillé par le brouillard pluvieux que la chute occasionne, j'avançai tout auprès, je passai sur un beau galet de roche plate qui me conduisit sous la nappe d'eau tombante, c'est alors que je fus beaucoup plus mouillé et senti un tremblement de rochers causé par la chute d'eau qui me rendit incertain, si je devais avancer ou reculer; cependant réfléchissant que ce tremblement devait être le même tous les jours, je pris la résolution d'avancer et après avoir fait trente pas de plus, je me trouvai dans une espèce de caverne formée de rochers, au milieu desquels coulaient des nappes d'eau par des crevasses à plusieurs étages ce qui faisait des cascades assez agréables et amusantes, si la pluie causée par la chute permettait de s'y arrêter un peu de temps. Je crus en cet endroit être au milieu de la cataracte, le bruit et le tremblement me paraissant plus fort; cela ne m'empêcha pas d'examiner la caverne qui me parut de la largeur de dix toises sur environ vingt pied de haut. Sa profondeur n'avait guère que quinze pieds, je voulus la passer je ne fus pas loin à cause de larges crevasses que je ne pus franchir. Il me fallut retourner sur mes pas tout transi de froid et bien mouillé, je me dépêchai de reprendre le chemin que j'avais tenu pour descendre. Je remontai les broussailles plus promptement que je les avais descendues, arrivé en haut je trouvai les deux personnes avec lesquelles j'étais venu, elles voulurent m'interroger ce fut inutile, j'étais sourd, je ne pus les entendre. Le froid et la faim me forcèrent à prendre promptement la route de Toronto, où étant arrivé je commençai par changer de vêtements ensuite je mangeai.

Ce ne fut que deux heures après que la surdité me quitta et que je pus rendre compte de ce que j'avais vu. J'ai depuis consulté plusieurs voyageurspour savoir s'ils avaient connaissance de quelques uns qui aient descendus cette chute, aucun n'en avait entendu parler. Cela ne me parut pas extraordinaire sachant que les Canadiens sont d'autant moins avides de curiosité qu'ils ne daignent pas se détourner de leur route pour ce qui mérite un rapport; cette indifférence de leur part ne me donne cependant pas la prétention de croire être le seul qui se soit hasardé dans ce voyage périlleux, ni qu'il ne se trouvera pas par la suite quelques curieux comme moi; mais si le cas arrive celui qui l'aura entrepris pourra confirmer ce que j'ai rapporté avoir vu. Il passe pour constant dans le pays qu'un sauvage iroquois, s'étant trouvé engagé avec son canot dans le haut du courant et ne pouvant s'en tirer par la force du courant, prit le parti de s'envelopper dans sa couverture, de se couler dans son canot et de s'abandonner au courant qui ne tarda pas à le précipiter dans la chûte, où il fut englouti avec son canot sans reparaître. J'ai vu tomber un arbre entrainé par le courant et qui n'a pas non plus reparu, d'où j'ai conclu qu'il y avait un gouffre où tout ce qui tombe du haut est précipité.

A vingt pas environ au dessus de cette chûte est une petite île formée sur un roc d'environ quinze toises de long sur dix à douze de large, garnie de broussailles avec un seul arbre au milieu; l'eau du Lac Erié qui l'entoure et qui se jette dans la chûte, est très rapide et coule sur un galet de roches plates, à la profondeur de quatre à cinq pieds, surtout du côté du sud où je l'ai examiné.

On trouve au bas de la chûte le long de la rivière Niagara, beaucoup de poissons morts. Les voyageurs prétendent que ces poissons viennent du Lac Erié, qu'ils se trouvent entraînés dans la chûte par la rapidité de l'eau, j'ai fait à cet égard une réflexion qui m'a paru juste, c'est que le poisson monte plus qu'il ne descend, et que venant plutôt du Lac Ontario, montant trop près de la chûte, il y est tué ensuite entraîné par le courant qui le jette sur les bords, où on en trouve souvent qui n'est qu'étourdi; or s'il venait du Lac Erié, il serait tué et qui plus est englouti dans la chûte. On dit aussi que les oiseaux qui passent au vol au dessus de la chûte y sont attirés malgré eux par la force de l'air; je n'assure pas ce fait qui n'est cependant pas dénué de vraisemblance en ce qu'on y voit souvent un arc-en-ciel, laquelle peut fort bien attirer les volatiles qui portent leur vol dans cette direction, où se trouvant mouillés et étourdis, ne peuvent manquer de tomber; mais le cas arrivant ce ne peut-être qu'à des oiseaux de passages, car pour ceux qui habitent les environs ils sont si accoutumés à l'arc-en-ciel et au bruit de la chûte qu'on peut croire qu'ils savent s'en préserver parce qu'on n'en voit guère passer auprès, quoi qu'il y en ait beaucoup vers ces parages.

S: [Jean-Baptiste Bonnefoux de Caminel?], *Voyage au Canada dans le nord de l'Amerique septentrionale, fait depuis l'an 1751 à 1761 par J. C. B.*, [édité par Henri-Raymond Casgrain], Québec, Imprimerie Léger Brousseau, 1887, pp. 56-61.

La chasse aux dindons*

Les environs de la Presqu'île sont abondants en gibiers de différentes espèces, tels que cerfs, chevreuils, daims, ours, cignes, outardes, canards, oies, dindons, hérons, perdrix rouges et tourterelles.

La chasse la plus fréquentée et la plus curieuse que j'aie vu faire en cet endroit, est celle du dindon laquelle est aussi amusante qu'elle est abondante. Elle se fait ordinairement au clair de la lune, par deux ou trois personnes au moins; comme ces animaux ont pour habitude d'aller par bande toujours sur les hauteurs, afin de pouvoir mieux prendre leur vol dans un long trajet et peut-être en cas de surprise, ils ne descendent ordinairement dans les fonds pour boire, que lorsque la nuit arrive. Ils choisissent dans les hauteurs les arbres les plus branchus pour s'y percher, alors ils se rassemblent à côté les uns des autres sur chaque branche et autant qu'elle en peut porter, quelque fois on en trouve jusqu'à cent cinquante sur le même arbre; lorsqu'on a découvert un canton qu'ils habitent, on se rend sans bruit et le plus près que l'on peut de l'arbre où ils sont perchés; là sans parler ni changer de place, un chasseur tire son coup de fusil dont il abat quatre ou cinq dindons plus ou moins, ceux qui restent ne manquent pas de se réveiller au bruit, ils glapissent et s'ils n'entendent pas de bruit, ils se rendorment; alors on tire un autre coup de fusil et ainsi de suite jusqu'à ce qu'on ait tout tué ou qu'on s'en trouve assez. S'il arrive que quelques dindons tombent seulement blessés et se sauvent, les chasseurs doivent les laisser au hasard de les perdre, parce que autrement ceux qui sont sur l'arbre prendraient l'épouvante et se sauveraient et les chasseurs perdraient davantage. Enfin lorsqu'on croît en avoir assez, on ramasse ceux qui sont tués et on les porte dans le canot que l'on a conduit près du lieu de la chasse, attendu qu'il serait impossible d'en porter beaucoup autrement, y en ayant qui pèsent jusqu'à trente cinq livres. Ce n'est que par surprise que l'on peut tirer ces animaux en plein jour, s'ils sont surpris ou poursuivis dans les terrains bas, d'où ils ne peuvent prendre leur vol à cause de leur pesanteur et faute d'assez d'air, ils ont recours à leurs pattes pour gravir les hauteurs avec une telle vitesse qu'un chien a de la peine à les suivre, et lorsqu'ils se sentent assez élevés, ils prennent leur vol du côté des bas fonds pour avoir plus d'air et s'en vont très loin.

S: *id., ibid.*, pp. 65-66.

L'île des serpents à sonnettes*

Cette île tient son nom de la grande quantité de reptiles qui l'habitent, et que nous fûmes obligés de chasser pour n'en pas être incommodé dans notre campement; ce fût par où nous commençâmes à coups de fusils. Il en entra plusieurs dans le creux d'un arbre tombé par terre de vétusté, je m'attachai quatrième à tirer des coups de fusils dans son creux. Après quelques coups tirés nous vîmes sortir plusieurs serpents roulés comme une pelote de ficelle, il y en avait plusieurs de vivants et des morts coupés par tronçons et entraînés par les vivants; nous en tuâmes plusieurs avec des baguettes et leur coupâmes les sonnettes qui au rapport des voyageurs indiquent l'âge de l'animal par le nombre de sonnettes qui terminent la queue. Il y en a qui en ont trente et plus c'est ce qui établit leur âge. Ces sonnettes sont des petits grains ronds qui roulent un à un librement dans une peau sèche et transparente de la longueur de trois pouces environ suivant l'âge du reptile et collée par le milieu dans sa longueur pour séparer les deux côtés dont chaque grain ou sonnette renfermé dans sa case, parallèlement posé comme deux branches de chapelet à côté l'un de l'autre de sorte que la queue se terminant par un grain annonce les années impaires, si elle se termine par deux grains les années de l'animal sont paires, d'où l'on voit que chaque année il pousse une sonnette. Lorsque le serpent fait aller sa queue c'est pour avertir les autres du danger. On assure que cette queue guérit toutes sortes de coliques en la faisant infuser dans du vin blanc ou du bouillon.

Le serpent sonnette a la mâchoire garnie de plusieurs gencives en forme de dents, dont deux sont incisives et qui se crèvent en mordant, c'est le venin de l'animal qui rend sa blessure dangereuse. En général il ne mord qu'autant qu'il est touché, autrement il s'enfuit, c'est donc pour se défendre qu'il pique car il est plus peureux que hardi. Il est très facile à tuer avec une baguette de bois. Nous en tuâmes cent trente, ce fût une guerre meutrière pour ces reptiles qui eurent à redouter les voyageurs pendant plusieurs jours.

Il y a plusieurs manières de se guérir de la morsure du serpent sonnette; la première est l'herbe de son nom connue sous le nom de serpentaire et qui en est le contre poison; les sauvages s'en servent avec succès en l'appliquantsur la peau après l'avoir mâché, les voyageurs qui ne connaissent pas tous cette herbe, ont la précaution de porter à leur cou un petit sachet de toile et de peau rempli de sel, et lorsqu'il y en a qui se trouvent mordu par ce serpent, celui à qui cela arrive mâche du sel dans sa bouche et l'applique imprégnée de salive sur la plaie, après l'avoir cicatrisée avec une pierre à fusil afin que le sel puisse mieux atteindre le venin et arrêter le ravage qu'il ne manquerait pas de faire sans cette précaution. Ce remède n'est pourtant pas si prompt ni si efficace que le premier. On se sert encore du jus de racine de plantain pilé et bû en deux cuillérées d'heure en heure et enfin on emploie encore une feuille de tabac trempée dans du rhum et appliquée sur la plaie; mais ces deux dernières manières ne sont employées que dans le sud vers la Caroline, où il se trouve beaucoup de ces reptiles.

S: id., ibid., pp. 67-69.

Le tatouage indien*

Beaucoup de nations sauvages ont pour coutume de se faire piquer la peau partout le corps. D'autres se contentent de se peindre la peau et le visage de différentes couleurs, en se frottant d'abord avec de la graisse d'ours, ensuite du noir, du rouge, du bleu, du vert; c'est pour eux une parure qui leur est ordinaire et souvent lorsqu'ils sont en guerre et cela, disent-ils, pour épouvanter ou intimider l'ennemi; mais ne pourrait-on pas croire que c'est pour cacher leur peur, car il ne faut pas se persuader qu'ils en soient exempts. Ils ont aussi pour habitude de peindre en noir les prisonniers qu'ils destinent à la mort ainsi qu'eux-mêmes quand ils reviennent de la guerre ayant perdu quelques uns des leurs.

La manière de la piqure est de tracer sur la peau bien tendue la figure ou le dessin que l'on convient de faire. Lorsqu'un homme veut se faire piquer toutle corps, il est étendu sur une planche et celui qui doit faire la piqure commence à tracer ce qu'il peut piquer dans une séance, ensuite il pique avec de petites aiguilles rangées à côté les unes des autres entre deux petites éclisses plates de bois serrées de manière à ce que les aiguilles ne puissent se déranger et dont le nombre est depuis six jusqu'à douze plus ou moins, avec l'attention que la pointe ne paraisse que deux à trois lignes au plus à l'extérieur; alors il trempe le bout saillant de ces pointes dans la couleur que l'on juge à propos d'introduire et qui est apprêté soit avec du charbon de bois d'aulne ou de la poudre à canon, de la pierre rouge ou du vermillon, du bleu, du vert, etc, etc, toutes couleurs vives, détrempées dans l'eau ou l'huile après avoir été bien broyées séparément; les aiguilles ainsi trempées, on pique sur les traits ou dessins en allant et venant avec l'attention de tremper souvent les aiguilles dans la couleur à introduire dans la piqure et comme le sang ne manque pas de sortir de la partie pour ainsi dire coupée par le trait de la piqure, il s'en suit une enflure qui forme une croute qui ne tombe qu'au bout de quelques jours et alors la plaie est guérie et la piqure ou dessin parait net. Ce travail est plus ou moins long suivant ce que la piqure exige de temps. Il est fort curieux de voir un homme piqué de cette manière, surtout lorsqu'il l'est par tout le corps et en différentes couleurs, ainsi que j'en ai vu entr'autres un officier qui parlait plusieurs langues sauvages étant fort considéré parmi eux et qui leur servait souvent d'interprète.

S: *id., ibid.*, pp. 217-218.

PIERRE POUCHOT
(1712-1769)

Pierre Pouchot naît à Grenoble [département de l'Isère, dans le sud-est de la France] le 8 avril 1712. En 1733, il entre dans l'armée française comme ingénieur volontaire. Le 1er mai 1734, il devient lieutenant en second dans le régiment de Béarn. Quelques années plus tard, il est en service en Corse, puis en Italie, en Flandre et en Allemagne. En septembre 1749, il est capitaine. Son bataillon arrive au Canada en 1754 ou en 1755. En juillet de cette dernière année, Pouchot est au fort Frontenac pour en bâtir les retranchements. Après son succès à cet endroit, il est détaché, le 5 octobre 1755, au fort Niagara [près de Youngstown, N. Y.]; il y arrive le 28 octobre et le rebâtit presque complètement pendant l'hiver de 1755-1756. En août 1756, il travaille à la fortification du fort Chouagen [Oswego, N. Y.]; il améliore ensuite les moyens de défense des forts Carillon [Ticonderoga, N. Y.] et Frontenac [Kingston]. Nommé commandant du fort Niagara à la mi-octobre, il accomplit les mêmes tâches au cours de l'hiver 1756-1757. Relevé de son commandement en octobre 1757, il rejoint son bataillon à Montréal, mais, dès l'été de 1758, il participe à la défense de Carillon avec son régiment. Le 22 mars 1759, il est détaché de nouveau comme commandant du fort Niagara; dépendent aussi de lui les forts de Pointe-à-Baril [Maitland, Ontario] et de La Présentation [Ogdensburg, N. Y.]. Le 4 avril, il est à Pointe-à-Baril; le 25, à Niagara. Le 25 juillet 1759, il doit capituler devant les troupes du général William Johnson. Au début de mars 1760, Pouchot est nommé commandant du fort Lévis [à l'est de Prescott, Ontario, et près de Ogdensburg, N. Y.]. Il y arrive à la fin du mois. Le 25 août 1760, il doit céder le fort au général Jeffery Amherst. Il est emmené à New York. Rapatrié en France, il quitte cette ville le 1er janvier 1761 et débarque au Havre-de-Grâce le 8 mars 1761. Il se retire à Grenoble, puis reprend du service comme ingénieur militaire dans l'armée française en Corse; il est tué le 8 mai 1769 au cours d'une patrouille de reconnaissance.

Trois mois avant de rejoindre l'armée française, Pierre Pouchot avait commencé à rédiger ses mémoires. Ils ne seront publiés qu'en 1781, en trois tomes, par un éditeur anonyme. Les deux premiers tomes contiennent la narration des événements qui ont conduit à la perte de la Nouvelle-France aux mains des Anglais. Pouchot blâme, entre autres, les administrateurs de la colonie qui ont littéralement volé le roi et les Canadiens. Le premier tome se termine par la description de la disette qui affecta la Nouvelle-France pendant les dernières années du régime français. Le mémorialiste fait œuvre d'historien et le narrateur affine sa plume au fur et à mesure que s'accumulent les pages du deuxième tome. À la fin de ce tome, le «Fragment sur la colonie française du Canada» décrit dans un style limpide la vie canadienne et son histoire, tandis que le troisième des quatre appendices du troisième tome est une synthèse réussie «Des mœurs et des usages des Sauvages de l'Amérique Septentrionale».

Nous avons emprunté les pièces qui suivent à l'édition de *Mémoires sur la dernière guerre de l'Amérique septentrionale entre la France et l'Angleterre. Suivis d'Observations, dont plusieurs sont relatives au théâtre actuel de la guerre, & de nouveaux détails sur les mœurs & les usages des Sauvages, avec des cartes topographiques.* Par M. Pouchot, Chevalier de l'Ordre Royal & Militaire de St. Louis, ancien Capitaine au Régiment de Béarn, Commandant des forts de Niagara & de Lévis, en Canada, 3 tomes, Yverdon [Suisse], [s.é.], 1781, t. 1, pp. 113-118. — Nous reproduisons tel quel le texte de cette édition que nous avons lue sur les microfiches 39396, 39397 et 39398 de l'Institut canadien de microreproductions historiques. — Pour faciliter la lecture, nous avons remplacé le caractère ancien ∫ par son équivalent moderne: s.

Pouchot fait son propre éloge*

M. Pouchot avoit mandé, en Septembre, à M. de Vaudreuil, que le fort de Niagara & ses bâtimens étoient finis, & les chemins couverts palissadés. Comme ce poste étoit le plus considéré, soit par sa situation, à cause du grand nombre de Sauvages qui y commerçoient & venoient de toutes parts pour traiter & aller en parti, il fut bientôt envié par tous les officiers de la colonie. D'ailleurs ils étoient extrêmement jaloux de voir commander un François dans un endroit où ils croyoient pouvoir faire leurs affaires. M. de Vaudreuil ne put résister à leurs sollicitations, &, contre l'avis de M. de Montcalm qui connoissoit bien l'importance de ce poste; il fit relever en Octobre M. Pouchot, par M. de Vassan, un des premiers capitaines & des plus accrédités de la colonie. M. Pouchot qui ne s'étoit attaché à Niagara qu'à remplir les objets qui pouvoient aller au bien du service, & qui n'avoit jamais songé à y faire aucun bénéfice de quelque nature que ce fût, en repartit satisfait de la conduite qu'il y avoit tenue, & emmenant les piquets françois qui y étoient montés avec lui. Les nations sauvages furent très-mécontentes de le voir partir, parce qu'elles avoient pour lui une singuliere considération, à cause du bon traitement qu'elles en recevoient, n'étant pas accoutumées d'avoir des chefs aussi désintéressés.

Deux guerriers Iroquois qui arrivoient d'un parti, comme le bâtiment venoit de démarer, & qu'il s'étoit mis sur une ancre au large pour attendre que le vent fût fait, se jeterent à la nage pour venir trouver M. Pouchot, & lui témoignèrent la douleur la plus vive & la plus attendrissante de son départ. Ils vouloient lui donner des colliers pour rester; mais leur ayant dit que le général lui ordonnoit de descendre, ils répondirent: notre pere ne nous aime donc plus; il veut nous abandonner, puisqu'il nous ôte un chef que nous aimons tous. Il leur représenta que le général avoit besoin de lui à Mont-Réal, qu'il avoit chargé tous les chefs de les traiter aussi bien que lui, & qu'il les tiendroit toujours par la main. On eut bien de la peine à les engager à quitter le bord. Ils lui annoncerent qu'ils ne reviendroient plus au fort.

M. de Vassan, par une espece d'économie mal placée, augmenta encore leur mécontentement. Plusieurs partis qui étoient en campagne étant de retour, se trouverent accueillis froidement, & furent mécontens de la façon dont il leur faisoit des présents qui sentoient l'épargne. C'est un grand vice parmi eux, pour un chef, que d'être avare. Il faut affecter un air de générosité, autrement ils vous méprisent. M. de Vassan crioit contre la prodigalité de M. Pouchot, dont la conduite a été assez justifiée par l'événement, comme on le verra dans la suite.

La traite du poste de Niagara qui se faisoit toute pour le compte du roi, y fut quadruple pendant cette campagne, soit à cause des Sauvages que la curiosité y attiroit, & le récit qu'ils faisoient dans leurs nations des bons traitements qu'ils y recevoient, soit parce que ceux qui y venoient former des partis de guerre y apportoient aussi de quoi traiter. La seule attention de M. Pouchot étoit que les gardes-magasins fissent bien le compte aux Sauvages, & il n'eut qu'à se louer pendant son séjour de l'exactitude de ces employés. Il rendoit un compte exact à M. de Vaudreuil de la quantité des présens qu'il étoit obligé de faire aux Sauvages pour le service, de la situation des magasins, pour qu'on pût corriger sa conduite, si elle n'étoit pas conforme aux intentions du général qui ne cessa jamais de l'approuver. M. Pouchot prohiba tout commerce des François ou Canadiens avec les gardes magasins, soit en achat, soit en revente, & défendit de prendre aucune marchandise étrangere pour le compte du roi. On ne recevoit dans le magasin que ce que l'intendant y faisoit passer par les bâtimens. Ces commerces étrangers étoient la source de toutes les déprédations commises dans les autres forts; aussi ne se fit-il point, pendant le séjour de M. Pouchot à Niagara, de fortunes à la mode de ce tems; ce qui mécontenta les Canadiens qui étoient sous ses ordres.

S: Pierre Pouchot, *Mémoires sur la dernière guerre de l'Amérique septentrionale entre la France et l'Angleterre. Suivis d'Observations, dont plusieurs sont relatives au théâtre actuel de la guerre, & de nouveaux détails sur les mœurs & les usages des Sauvages, avec des cartes topographiques.* Par M. Pouchot, Chevalier de l'Ordre Royal & Militaire de St. Louis, ancien Capitaine au Régiment de Béarn, Commandant des forts de Niagara & de Lévis, en Canada, 3 tomes, Yverdon [Suisse], [s.é.], 1781, t. 1, pp. 113-118.

Fragment sur la colonie françoise du Canada

Le Canada a d'abord été peuplé par des pêcheurs & des particuliers qui faisoient la traite, c'est-à-dire, le commerce d'échange avec les nations sauvages; par des soldats qui avoient reçu leur congé; enfin, par des gens qui y avoient été envoyés de France avec des lettres de cachet. Plusieurs de ceux-ci y étoient pendant trois ans, avant de recouvrer leur liberté. D'autres y étoient pour leur vie. Quelques-autres, si ce n'étoit le plus grand nombre, y avoient été amenés par les seigneurs des terres, pour les y établir.

Ces terres avoient d'abord été concédées par le roi aux missions étrangeres; aux Sulpiciens, aux jésuites & à des officiers. On trouve en Canada très-peu, peut-être point de terres appartenantes à des commerçants ou à des bourgeois. Ce qui a le plus contribué à l'augmentation de ces établissements, c'est la réforme du régiment de Carignan, dont tous les soldats devinrent colons, & les officiers propriétaires des terres appartenantes aux laïques. Voilà toutes les sources de la population actuelle de ce pays immense. Il paroît singulier qu'avec le peu de secours & le peu de soin qu'on s'est donnés pour l'augmenter, cette colonie, qui a été long-tems très-foible, encore plus souvent à même de périr de misere par le peu de secours qu'elle retiroit de France, soit cependant parvenue à avoir environ 30 milles ames. L'on peut insérer de là que la climat & les terres y sont bons & prolifiques. Il n'est pas étonnant d'y trouver, entre le grand pere & les petits enfants, une soixantaine de personnes.

Les Canadiens sont bien faits, très-robustes & très-ingambes, supportant admirablement la peine & la fatigue, à laquelle ils sont accoutumés par les longs & pénibles voyages qu'ils font pour les traites, dans lesquelles il faut beaucoup d'adresse & de patience. Ces voyages les accoutument à être un peu paresseux, par le genre de vie qu'ils menent pendant ce tems-là. Ils sont braves, aiment la guerre, & sont très-bons patriotes. Ils ont un attachement singulier pour leur mere-patrie. Leur peu de connoissance du monde les rend volontiers fanfarons & menteurs, étant peu instruits sur aucune matiere.

Il n'y a pas de pays où les femmes menent une vie plus heureuse qu'en Canada. Les hommes ont beaucoup de considération pour elles, & leur épargnent toute la fatigue qu'ils peuvent. On peut dire aussi qu'elles le méritent, ayant de la décence, de la figure, de la vivacité dans l'esprit, & de l'intrigue. Ce n'est que par elles, que leurs maris se procuroient les emplois qui les mettoient à leur aise & au dessus du commun. Il y a dans les villes un ton de bonne compagnie dont on ne se douteroit pas dans un pays aussi éloigné Elles dansent & se mettent bien naturellement & même sans maîtres.

Les Canadiens sont généralement religieux & ont de bonnes mœurs. Les voyageurs sont peu fideles dans les effets de traite. Les prêtres les contiennent sévérement, parce qu'ils y sont les maîtres temporels & spirituels, & étoient parvenus à tenir sous leur férule jusqu'au général & à l'intendant; car c'étoit un malheur pour celui des deux qui ne savoit pas capter leur bienveillance: les cures y sont riches & amovibles. L'évêque du plus grand diocese du monde, celui de Québec, avoit dix mille livres de rente. Il ne relevoit que du Pape. Depuis la mort de M. de Pombriant, les Anglois n'y en ont point nommé. Tout le pays se trouve sous la direction de deux grands vicaires.

Le gouverneur du Canada l'étoit aussi de la Louisiane. Quoiqu'avec une ample autorité pour la police du pays & les négociations vis-à-vis les Sauvages & les étrangers, il étoit très gêné par l'intendant, qui étoit maître absolu de la partie des finances, & chargé de tout le commerce & de lajustice. Il étoit à la tête du conseil souverain du pays.

Le commerce du Canada se faisoit pour le compte du roi, & par des particuliers. L'intendant avoit la direction générale de cette partie. Le roi avoit des magasins à Québec, à Mont-Réal, à St. Jean, à Chambly & à Carillon; & pour les postes d'en haut, à la Présentation, à Niagara, à Frontenac, au fort du portage, à la Presque'isle, à la Riviere aux Bœufs, & au fort du Quesne.

Le magasin de Québec étoit un dépôt pour verser dans celui de Mont-Réal. Il fournissoit encore pour les traites avec nos Sauvages domiciliés, les Abenakis & autres du bas de la riviere. Le magasin de Mont-Réal versoit ses marchandises dans tous les postes dénommés ci-dessus. Sa traite directe avec les Sauvages étoit peu de chose, avant que le roi eût nommé un munitionnaire. Ces magasins fournissoient les approvisionnements de bouche & de guerre, soit pour la traite, soit pour le service du roi. Ils servoient encore pour la partie de l'artillerie.

Le roi entretenoit dans tous ces endroits des gardes magasins, nommés par l'intendant, auquel ils rendoient compte directement. L'intendant avoit sous lui un commissaire ordonnateur de la marine, qui se tenoit à Mont-Réal, pour les détails du pays d'en haut.

Les munitions de guerre, de bouche, & les marchandises pour la traite ou pour les présents destinés aux Sauvages, venoient de France sur des vaisseaux chargés pour le compte du roi. C'étoit des bureaux de la marine, que sortoient tous ces effets. Il n'est pas douteux que plusieurs des commis n'y fussent intéressés.

Ils envoyoient des pacotilles, qu'ils ramassoient de par-tout au meilleur compte possible, & qu'apparemment on faisoit payer au roi sur le pied courant des marchandises en Canada. Mais le plus grand mal, c'est qu'ils envoyoient des marchandises qui n'étoient point du tout propres à la traite des Sauvages, comme de grands miroirs montés sur du marroquin, des étoffes de soie, & des coupons de différentes autres étoffes, des mouchoirs, des bas, enfin tout le rebut des boutiques. L'intendant, qui étoit attaché à la marine, n'auroit osé refuser tous ces objets, & les envoyoit pour la forme dans les magasins séparés où ils pourrissoient ou étoient volés, ou détournés à d'autres usages. L'on faisoit des procès verbaux de consommation, au bout d'un certain tems. L'argent qui étoit payé par le roi, entroit dans la poche des fournisseurs, & toute la perte étoit pour lui. Ajoutez à cela les avaries, qui, dans d'aussi longs voyages, deviennent immanquables, & ce qui pouvoit être volé. Les fournisseurs avoient donc un profit sûr, & le roi supportoit toutes les pertes, quoique les bénéfices, dans des tems ordinaires, dussent être très-avantageux dans la traite, autrement aucun particulier ne se seroit avisé de vouloir faire ce commerce, sur-tout dans des pays infiniment plus éloignés.

Les marchandises pour la traite des Sauvages sont les fusils de chasse, le plomb, les balles, la poudre, des briquets, des pierres à fusil, des tirebourres, des couteaux, des haches, des chaudieres, de la porcelaine, de la rasade, des chemises d'hommes, & des toiles garnies de drap bleu & rouge pour les couvertes & machicotes, du vermillon, & du vert-de-gris, des rubans rouges, jaunes, verts & bleus, de la tavelle angloise, des aiguilles, du fil, des aleines, de la ratine bleue, blanche & rouge, pour les mitasses, des couvertes de laine de 3 points & demi, de 3 points, de deux points & d'un point & demi, de la toile de Léon, des miroirs à cadre de bois, des chapeaux unis, bordés en fin & en faux, des plumets panachés, des rouges, jaunes, bleus & verts, des capots pour hommes & pour enfants, de la ratine frisée, des galons en faux & en fin, de l'eau-de-vie, du tabac, des rasoirs pour la tête, des verroteries en façon de porcelaine d'un noir vineux, des peignes, &c.

Les Sauvages donnent, en retour de ces marchandises, des peaux de chevreuils, de cerfs, d'ours, de castors, de loutres, de pécans, d'écureuils, de martes, de loups-cerviers, de renards, de rats musqués, de rats de bois, de loups, de caribous & d'orignal. Ils traitent aussi pour du pain, du lard, du sel, des pruneaux, de la melasse, toutes sortes de viande & de poissons, de l'huile d'ours, qui vaut mieux que la graisse d'oye, & des duvets d'oiseaux aquatiques. Tous ces différents échanges se réduisent en valeur d'une peau de castor, qui, pour l'ordinaire, est estimée une bouteille d'eau-de-vie de 30 s. La livre de castor vaut 4 liv. 10 s. & la peau pese 2 liv. & demie à 3 liv. Ces prix de nos marchandises varient, suivant l'éloignement des lieux.

Les gardes magasins, dans les postes du roi, étoient chargés seuls de cette traite & de rendre compte du produit à l'intendant. Le commandant avoit droit de veiller à ce que les Sauvages ne fussent pas trompés, & de prendre ce qu'il croyoit nécessaire de ces effets, pour leur faire des présents. Les intérêts différents de ces deux personnes les brouilloient souvent. Le gouverneur se trouvoit presque toujours avoir tort, & étoit rappellé. Pour éviter ces inconvénients, ils étoient assez ordinairement d'accord, & faisoient leurs affaires ensemble.

Les postes de l'intérieur du pays étoient donnés à des officiers de faveur. Le grade y étoit compté pour rien. Ils menoient avec eux un garde magasin, & faisoient la traite pour leur compte. Comme ils n'étoient pas en argent, ils trouvoient des marchands à Québec ou à Mont-Réal, qui leur fournissoient à crédit toutes les marchandises nécessaires, ce qu'on appelloit les équiper. Ils convenoient de leur prix, & donnoient en retour les pelleteries aux marchands; il y avoit à gagner pour les deux partis. Ces officiers avoient souvent occasion de négocier pour le roi avec les nations voisines de leurs postes, & donnoient leurs marchandises pour des présents. Elles leur étoient payées par l'intendant, sur l'approbation & les ordres du gouverneur. Cela a occasionné bien des comptes d'apothicaire, & faisoit le profit le plus assuré de ces commandants, surtout dans les tems de guerre.

Ces commandants, ainsi que les traiteurs particuliers, étoient obligés de prendre des congés du gouvernement, qui leur coûtoient 4 à 500 liv. pour avoir la permission de porter leurs marchandises dans les postes, & de se charger de quelques effets pour le compte du roi. Cet article a toujours fait un obstacle des plus considérables à la traite & à l'établissement du Canada, étant obligé de prendre de ces congés toutes les fois que l'on vouloit aller dans l'intérieur du pays. Les postes les plus éloignés dans le N.O. étoient les plus recherchés, à cause de l'abondance & du bas prix des pelleteries, & de la cherté de leurs marchandises.

La troisieme espece de traite se faisoit par des commerçants ou coureurs de bois, qui ayant chargé quelques canots de marchandises, moyennant des congés, alloient chez les nations, hors de la portée de nos postes, attendoient les Sauvages au retour de leur chasse dans leurs villages, ou les y suivoient, & s'en revenoient après avoir traité la charge de leurs canots avec un avantage considérable. Ceux, sur-tout, qui étoient en état d'acheter de la premiere main les marchandises, faisoient une fortune assez rapide; mais il falloit, pour cela, se déterminer à mener une vie bien misérable & bien pénible. Ces différentes traites, à leur retour en France, pouvoient faire un article de 2 millions 500 milles livres.

S: *id., ibid.*, t. 2, pp. 291-306.

Remarques sur le saut de Niagara

La partie la plus septentrionale de l'Amérique étant fort élevée, les rivieres qui en découlent, doivent nécessairement, avant de se décharger dans les lacs, ou dans les fleuves, & suivant la pente des terres, faire des chûtes plus ou moins considérables. La plus célebre de toutes est évidemment celle de Niagara. Les Sauvages voisins de Québec la regardoient comme située à l'extrêmité occidentale de ce continent, quand les François vinrent s'y établir. Ils assuroient à ces derniers, «qu'à la fin du lac

Ontario, il y a un saut qui peut avoir une lieue de large, d'où il descend un grandissime courant d'eau dans le dit lac; que passé ce saut on ne voit plus de terre, ni d'un côté ni d'autre, mais une mer si grande qu'ils n'en avoient point vu la fin, ni oui dire qu'aucun l'eût vue; que le soleil se couche à main droite du dit lac, & c.»

Les voyages que les François entreprirent bientôt dans l'intérieur de l'Amérique, leur procurerent des connoissances moins vagues sur cette célebre cascade. Elles furent cependant d'abord inexactes, & on ne peut guere compter sur les détails que le baron de la Hontan & le pere Hennepin nous en ont donnés. La description que nous en devons au P. Charlevoix, mérite plus de confiance. M. de Buffon n'a pas dédaigné de l'insérer dans son ouvrage immortel. Outre ce que M. Pouchot a rapporté de ce saut, dans les observations qu'on vient de lire, nous en avons trouvé dans ses papiers, d'autres dont nous ferons usage.

La riviere du Portage, ou de Niagara, n'est proprement que l'émissoire du lac Erié, qui se décharge par là dans le lac Ontario, à six lieues de la Chutes. N'étant pas aisé de mesurer avec des instrumens l'élévation de cette chute, les voyageurs, qui ne pouvoient d'ailleurs la voir que de profil, ont fort varié dans leurs récits. Le baron de la Hontan avance qu'elle a sept à huit cents pied de haut, & le chevalier de Tonti, cent toises. L'estime du P. Charlevoix est plus sure; il ne donne que cent-quarante à cent-cinquante pieds de hauteur au saut de Niagara.

M. de Buffon avoit d'abord cru que cette cascade étoit la plus belle du monde entier, & qu'elle devoit cet honeur à son élévation; mais depuis peu il semble s'être retracté, pour donner la préférence à celle de Terni en Italie. Quoique la plupart des voyageurs ne donnent à celle-ci que deux cents pieds de haut, l'illustre naturaliste la suppose de trois cents. Sans chercher ici à recuser son témoignage, nous observerons seulement que la montagne *del Marmore* n'a qu'une ouverture de vingt pieds, par laquelle se précipite le Velino, dont la chûte perpendiculaire forme cette derniere cascade.

Ce n'est point la hauteur, mais la largeur d'une cascade, qui la rend considérable. Or celle de Niagara ayant neuf cents pieds de large, l'emporte évidemment sur toutes les autres. Elle ne peut être comparée à celle de Terni, qui, relativement à l'élevation, est inférieure à plusieurs que nous connoissons dans le pays des Grisons, le Valais & la Suisse. Nous sommes étonnés que M. de Buffon n'ait pas cité pour exemple de chûtes perpendiculaires, celles qu'on voit dans la célebre vallée de Lauterbrun, où la nature a étalé ses plus affreuses beautés. De la cime de deux montagnes qui se terminent au glacier, & laissent entr'elles un étroit & sombre vallon, se précipitent plusieurs ruisseaux qui forment les cascades peut-être les plus élevées de l'univers. Celle de Staubbach a été exactement mesurée, & sa hauteur perpendiculaire n'est pas moins de huit cents seize pieds de roi, ou de onze cents pieds de Berne. A la vérité, sa largeur n'est pas considérable; on peut en juger par le ruisseau qu'elle forme en tombant, & qui n'a guere plus de huit ou neuf pieds de large dans sa plus grande étendue. Nous ne parlons point de la cascade de Myrrebach, & de quelques autres dont la masse des eaux est aussi petite, & l'élevation un peu moindre.

La chûte de Niagara est aussi remarquable par les phénomenes qu'elle produit que par sa largeur. Lorsque le tems est beau, on y voit plusieurs arcs-en-ciel, les uns au dessus des autres. Il n'est pas difficile d'en deviner la cause. Quelquefois un léger brouillard s'éleve comme une fumée, au dessus de cette cascade, & semble être celle d'une forêt qui brûle. On l'apperçoit du lac Ontario, quinze lieues au delà du fort de Niagara. C'est un signe non équivoque de pluie ou de neige, & un moyen sûr de reconnoître ce fort, ou l'embouchure de la riviere du Portage. Le bruit que fait la cascade, augmenté par les échos des rochers d'alentour, s'entend plus ou moins loin, selon le vent qui regne. Il n'est pas rare de l'ouir de dix à douze lieues, mais comme un tonnerre éloigné & qui gronde fort sourdement; ce qui fait conjecturer au P. Charlevoix, qu'avec le tems il s'est dû former quelque caverne sous la chûte. Il en donne encore pour raison, qu'il n'a jamais rien reparu de tout ce qui y est tombé. Ce dernier effet est celui des gouffres qui se trouvent toujours, soit au bas des grandes chûtes d'eau, soit dans les endroits où le courant des rivieres se trouve contrarié avec force, ou trop resserré.

L'envie de critiquer le baron de la Hontan, a porté le P. Charlevoix à nier que les poissons qui se trouvent engagés dans le courant, au dessus de la chûte, tombent morts. «On m'avoit encore assuré, ajoute ce jésuite, que les oiseaux qui s'avisoient de voler par dessus, se trouvoient quelquefois enveloppés dans le tourbillon que formoit dans l'air la violence de ce rapide. Mais j'ai remarqué tout le contraire. J'ai vu de petits oiseaux voltiger assez-bas, directement au dessus de la chûte & s'en tirer fort bien.» Nous avons vu nous mêmes des oiseaux plongés, au bas de la cascade du Rhin, qui a du côté du château de Lauffen quatre vingts pieds d'élevation, & s'envoler ensuite sans danger. Les oiseaux de proie peuvent s'en être tirés aussi heureusement à Niagara dans un tems calme, mais non pas quand les vents sont renforcés dans la bande du Sud. Alors, comme M. Pouchot l'a observé plusieurs fois, les oiseaux aquatiques qui suivent le cours de la riviere, & s'élevent à la hauteur des rochers, sont contraints, pour se mettre à l'abri, de voler près de la surface de l'eau; mais ne pouvant plus dans cette position refouler le courant d'air, ils sont précipités dans le bassin. Il en est à-peu-près de même des poissons entraînés par les rapides supérieurs à la cascade, qui se font sentir assez avant dans le lac Erié. Un grand nombre d'animaux doivent encore périr dans les tournoyemens d'eau. Ils sont si terribles au dessus de ces cataractes, qu'on ne peut y naviguer. Dix ou douze Sauvages Outaouais, ayant voulu traverser en cet endroit la riviere avec leurs canots, pour éviter un parti d'Iroquois qui les poursuivoit, firent en vain leurs efforts pour résister à l'impétuosité des courans, & ne tarderent pas à être engloutis dans les eaux de la cascade.

Quoique leur masse tombe perpendiculairement sur des rochers vifs, elle forme néanmoins par l'impulsion forte du courant & sa quantité, un talus assez considérable. Le baron de la Hontan prétend qu'au dessous, il y a un chemin où trois hommes peuvent aisément passer de l'un ou de l'autre côté, sans être mouillés, & sans même recevoir aucune goutte d'eau. Ni le P. Charlevoix, ni M. Pouchot, ne parlent de ce chemin, que personne n'a eu vraisemblablement envie de pratiquer.

Autour de la chûte, on appercoit des rideaux de quatre-vingts pieds de haut. Ils désignent évidemment que le canal ou la riviere qui la forme, étoit autrefois presque de niveau avec le lac Erié. Le saut de Niagara doit donc avoir eu beaucoup plus d'élevation qu'il n'en a aujourd'hui, & le lit de roche qui l'occasionne, s'être miné peu-à-peu, avant d'être dans son état actuel.

Lorsqu'on est parvenu au sommet des montagnes voisines de la chûte, on découvre une plaine de trois ou quatre lieues de largeur, qui regne du côté de Toronto, autour du lac Ontario, & varie, suivant le gissement des côtes, au nord-est & au sud-ouest. Ce rideau ou chaîne de collines commence aux montagnes du Nord, & s'étend dans la partie de l'est jusqu'au pays des Cinq Nations. On ne peut douter que ces collines ne formassent autrefois le rivage du lac, dont les eaux, en baissant successivement, ont abandonné la plaine qui les entoure.

L'étendue de tous les grands lacs, & en particulier de celui d'Erié qui est au dessus de la chûte de Niagara, a subi le même changement. Les bords du fleuve St-Laurent, qui est leur écoulement, n'en ont point été exempts. L'isle de Montréal, formée par deux branches de ce fleuve, nous en fournit une preuve. Ses côteaux s'élevent à une certaine distance de ses côtes, & démontrent par là que tout l'espace de terre, depuis leur pied, jusqu'au rivage du fleuve, a été occupé par ses eaux, qui se font retirées à mesure que la masse de celles des lacs à diminué, par l'abaissement successif du saut de Niagara & des autres rapides ou cataractes qui interrompent le cours du fleuve, au dessus de Mont-Réal.

Rapportons encore une preuve du changement dont nous venons de parler. Nous la chercherons sur les plus hautes montagnes du Canada. On y découvre sans cesse des coquillages de mer de toute espece, ainsi que dans les anciennes plaines couvertes de terre calcinable, sulfureuse, ou composée de talcs & de grès. Les plaines plus récentes sont remplies, au contraire, de pétrifications de bois, de fruits, de serpens, d'escargots & d'autres coquillages d'eau douce.

S: id., ibid., t. 3, pp. 203-216.

FRANÇOIS-XAVIER DUFAUX
(1752-1796)

François-Xavier Dufaux naît à Montréal le 16 janvier 1752. Il fait ses études à Québec, entre chez les Sulpiciens et est ordonné prêtre le 16 août 1778. En 1786, il est nommé curé de l'Assomption du Détroit [Sandwich]. Érigée canoniquement en 1767 par Mgr Briand, évêque de Québec, cette paroisse est la plus ancienne de l'Ontario. Elle a eu des curés que les paroissiens n'ont pas encore oubliés: le jésuite Pierre-Philippe Potier, de 1767 à 1781, et l'abbé Jean-François Hubert — futur évêque de Québec — de 1781 à 1784. Le sulpicien François-Xavier Dufaux succède au sulpicien Pierre Fréchette (1784-1786). Il a emmené de Québec deux institutrices, les demoiselles Adhémar et Papineau. Le curé Dufaux fait transporter près du presbytère et rénover une petite maison qui sert de résidence aux demoiselles et à leurs élèves pensionnaires; la salle commune des habitants, construite par le curé Hébert, est leur maison d'école. Cette école aurait été la première école fondée en territoire ontarien, si l'on n'admet pas l'existence d'une école que les récollets auraient ouverte au fort Cataracoui [Kingston] en 1686. Le curé Dufaux défraye les dépenses de l'école et de la maison. Le 9 août 1787, il bénit la nouvelle église. Le 4 février 1792, il peut dire à son évêque que l'école qu'il a fondée atteint ses objectifs et qu'il se propose de l'agrandir. Il arrive au curé Dufaux d'avoir des démêlés avec certains de ses paroissiens et avec l'abbé Edmund Burke, vicaire général du diocèse de Québec, mais il réussit à se défendre auprès de son évêque. Il décède le 11 septembre 1796. Huit jours plus tard, dans une lettre à Mgr Hubert, ses paroissiens lui rendent un hommage justifié en écrivant ce qui suit: «Nos enfans et les pauvres ont perdu un pere, et nous serions inconsolable si nous ne nous flattions qu'il est presentement notre avocat aupres de Dieu, et que son ame bien heureuse jouit d'un repos éternel.»

Sept lettres du sulpicien François-Xavier Dufaux ont été publiées en 1960 dans *The Windsor Border Region. Canada Southernmost Frontier. A collection of documents edited with an introduction by Ernest J. Lajeunesse*, Toronto, University of Toronto Press, The Champlain Society for the Government of Ontario, «Ontario Series», 4, 1960, pp. 294-306. Elles font connaître quelques aspects de la vie canadienne-française dans la région de Windsor à l'époque où une partie des pays d'en haut deviennent le Haut-Canada. Elles sont toutes adressées à Mgr Jean-François Hubert, évêque de Québec. Comme ce dernier a été curé de la paroisse de 1781 à 1784, il connaît les paroissiens dont lui parle le curé Dufaux et il peut comprendre et évaluer les problèmes que le sulpicien lui expose.

Nous avons emprunté la pièce qui suit à l'ouvrage de Ernest J. Lajeunesse, *The Windsor Border Region. Canada Southernmost Frontier*, publié à Toronto en 1960. — Nous avons reproduit tel quel le texte de cette édition.

Lettre à Mgr Jean-François Hubert*

Du Detroit, 24 Aoust, 1787

J'ai reçu une lettre de votre grandeur du 18 Juin qui m'enjoint de m'en rapporter à Mr. Payet pour tout ce qu'elle a laissé à l'Assomption excepté les livres que j'ai trouvé sans aucune notte de la quantité, et les manuscrits du P. Potier, que je livrerai à Mr. Payet. La terre est en la jouissance de Mr. Pouget; je mets mes animeaux chez les voisins; les meubles sont en si petites quantité que j'ai honte de vous faire le detail de ce qui a resté au presbiter. 9 assiettes, 2 plas, 3 vielle napes, une caraphe et 2 verres. Le reste ne vaut pas la peine de le mentionner. J'ai emprunté le plus necessaire des meubles de menage de plusieurs personnes qui m'ont rendu ce service, n'étant point en état d'en avoir par moi même, a moins de prendre a credie, a quoi je ne puis me resoudre. l'argent est si rare que j'ai a peine reçu cent ecus dans toute l'année, pour payer les gages du bon homme Bigras qui est à mon service. Les meilleurs habitants qui étoit en etat de se preter a quelques bonnes œuvres il y a trois ou quatre ans, n'ont pas seulement une piastre devant eux, et ils doivent tous; tel Mr. Houelette a qui j'ai marié deux enfants depuis six mois, n'a pas eté en etat de me payer seulement leur mariage. Il m'a avoué qu'il n'avoit pas un seul sol d'argent pour y satisfaire; sur six mariages que j'ai faits en tout, il ni en a qu'un seul qui a pu payer, le reste est a credis; pour les basses messes, je n'ai pas reçu en argent la retribution de trente, depuis que je suis arrivée. Les questes des festes et dimanches se sont monté a 11# 10S en argent. Dans la queste de l'enfant Jesus j'ai ramassé aux environ de 80 minots de bled froment, que n'ayant pu vendre, j'ai employé à faire travailler à l'eglise.

J'ai fournis à l'eglise tout son entretien de cire, de chandelles, de vin, cent madriers pour le plancher de l'eglise, le blanchissage, savon, emploie, recommodage, etc., tout généralement à mes frêts. Je n'ai pas trouvé une seul piesse de linge pour les Sacrifices en etat de servire; j'ai tout renouvellé a mes frets sans qu'il en ait couté un denier à l'eglise; mille autres petite depenses, tant pour les travaux de l'eglise que pour son entretien aux quelles je me suis pretté.

Je n'ai pas trouvé un seul batiment pour y loger une poule, presque point de cloture. J'ai fais lever un batiment de ving six pieds sur seize a mes frets, et si j'ai eu des habitants quelques coups de main pour cet ouvrage, je crois l'avoir bien payé par la nourriture et les coups d'eau-de-vie qu'il m'a fallu verser.

J'ai pareillement fait transporté la petite maison de Mouton auprès du presbiter je l'ai fait renduire proprement et tiré les joins, monté une cheminé en pierre, payé la chaux 10 ecus la barique, il en a fallu cinq barriques, les vitres, le cloux, la facon, etc., tout a été fait à mes depens. Je ne pouvois faire autrement pour loger les missionaires que j'avois enmemé avec moi pour votre conseil. J'ai resté trois jours au fort. J'y ai celebré deux fois la messe. Beaucoup de monde pour les entendre, mais personne pour me souhaiter le bonjour ni m'offrir la moindre assistance. Ou loger les deux missionnaires? Dans le fort a cent piastres de loyer, outre les autres depenses pour un ménage qu'il leur auroit fallu, un homme dans leur maison pour leur donner leur besoin; la vie, l'habit d'une cherté epouvantable; quels sont les revenus qu'elles auroient pu percevoir pour subvenir a leur necessaire; 4 ou 5 ecolles dans le fort melé de garçons et de filles, et presque tous englois, car il n'y a qu'eux seule qui aient le gout de faire instruire leurs enfants et qui puissent le faire. Je vis bien daborb que j'etois dans une pénible nasse, que J'avois laissé une grande tranquilité pour me charger d'un grand embaras. J'allai trouvé Mr. Frechette, je lui contai mes peines et mes embaras, il me fit part des siennes, et m'assura avec verité qu'il avoit versé plus de larmes au sujet des arrangements que vous aviez pris avec le Sr. Mouton qu'il n'en pourroit tenir dans son chapeau. Rien d'un coté, et bien mal de l'autre, il me paru disposé a prendre la partie du fort ou il est maintenant assez bien arrangé, plutot que de rester à l'assomption à la charge d'arranger les deux missionaires, ou au moins de s'y pretter. Et moi je suis resté à sa place. Aussitôt je parlai à Mouton, et je lui demandai s'il vouloit continuer de demeurer avec moi et de me rendre les service qu'il vous avoit rendu. Il me dit que oui. Eh bien, je lui dis, continuez et vous aurez lieu d'être content. Et c'etoit mon intention, suivant la recommendation que vous m'en aviez fait. Deux trois jours se passe; on ne me sert que de la soupe au choux et un plas de choux, le soir comme le midy. Un sauvage m'apporte un dinde et deux sarcelles en présent, que je payai de reconnoissance. Je les donne a Mouton en le priant de me faire faire de la soupe à la viande, que j'en avois grandement besoin. Le landemain on me sert de la soupe à l'ognon, une sarcelle rautie et les deux ailerons du dinde. C'est tout ce que j'ai gouté de viande pendant dix jours que le Sr. Mouton a resté avec moy. Il falloit avec diligence faire transporter la petite maison auprès du presbiter, et pour cela je parlai à sept ou huit personnes pour me donner un coup de main. Avec un peu d'aide et d'argent j'en suis venus à bout en peu de tems; je demandai à Mouton s'il n'y auroit pas moyen de faire prendre quelque chose à ceux qui se prettoient à me rendre service; d'un air assez revêche il me dit qu'il y avoit de la soupe à l'ognon; on leur en sert; chacun levoit les épaules de me voir traité de la sorte; je demande s'il y avoit du lard, des œufs ou du beure, rien de tout cela. Dix jours se passe en rude carême Ce n'etoit pas pour me recuperer d'un penible voyage de 54 jours. Bref il me dit un jour qu'il n'etoit ny lui, ny sa femme, ny ses enfants faits pour servir personne; que Mr. Hubert laveoit lui même la vaissele avec les petits garçons; je lui dis que je n'avois jamais fait cet office, et que je serois bien gauche a m'en acquitter, et qu'ainsi qu'il falloit qu'il prit son parti. Il me montre un papier qui l'autorisoit a l'effet de disposer de tout ce qui etoit en sa jouissance à vous appartenant. Pendant huit jours il a charié et n'a laissé que ce que je vous ai marqué cy dessus; je finis sur le chapitre ou je pourrois vous rapporter mil autres veritées tout plus pénibles les unes que les autres.

Pendant que j'ai fait transporté cette petite maison, les Mlles. Ademard et Papineau se sont retiré chez Mr. Marentet pendant environ trois semaines; ensuite elles se sont loger dans cette petite maison qui leur sert ainsi qu'a leurs pensionnaire de dortoire, la salle commune des habitants leur sert d'ecole; elles ont huit pensionaires et cinq externes; elles vivent sous un reglement comme dans les missions; je leur laisse les revenus des pensions ainsi que de leur ecolieres, pour leur donner de l'encouragement, et je les nourris gratis ainsi que leurs enfants. De huit pensionaires, il n'y en a que trois qui payent deux ponds par mois, qui sont une demoiselle Baby et deux petites engloises de chez Mr. Maccome. C'est les parens qui ont eux mêmes fixé le prix. Trois autres qui donnent ce qu'elles pouront, qui sont pertuit, Ademard et Dumouchelle; deux autres qui sont a pension gratuite, qui sont les deux Bénétot; elles m'ont assuré les deux dernieres que Dieu m'en tiendroit compte, et a ces conditions ont les a reçus. Toutes en général font fort bien et donnent quelque contentement. Tout l'hiver jusqu'à la premiere communion, elles ont eu une vingtaine de filles à cathechiser tous les jours de la semaine excepté le jeudy. J'ai fais le cathechisme pendant tout ce tems aux garcons quatre fois la semaine, jusqu'a la premiere communion 27 de Juin. Il y a eu trente enfants, 18 filles et 12 garcons. Ils ont tous faits leur seconde communion le jour de la feste de la paroisse, et j'ai eu sujet d'être content dans la seconde communion des dispositions qu'ils ont apportés à la premiere. Les parents ont paru sensibles et reconnoissants des peines que l'ont s'est donné sans épargnes pour instruire leurs enfants. Tous les habitants conviennent de la necessité et de l'avantage de donner de l'education à leurs enfants.

J'ai annoncé l'indulgence pleniere que vous m'avez remis pour l'Assomption 15 jours d'avance; et les deux dimanches qui ont précédé la feste, j'ai expliqué à l'office ce que c'etoit qu'une indulgence pleniere, et fait voir combien il etoit important d'en profiter; pendant les quinze jours s'est presenté quantité de personnes a confesse; et la veille de la feste je suis entré au confessional a midy un quard, et n'en suis sortit qu'a 10 1/2 du soir; le jour de la feste depuis cinq heures jusqu'a midy et demi.

J'ai fait la benediction de la nouvelle eglise le neuf d'aoust avec solemnité; après la bénédiction Mr. Frechette a chanté la messe pendant laquelle j'ai questé; j'ai ramassé aux environ de 500# tant en bon pour du bled qu'en argentery, et argent courant du pays; plus 240 piastres des sauvages en argenterie, porcelines, et autres marchandises à eux propres, à la valluation de ce que cela leur coute.

La picotte cause un grand effroit dans le Detroit; les sauvages en ont beaucoup de peur, et les Francois n'en sont point exempt. Elle est fortement à Sandosqué; elle a paru même sur un jeune enfant auprès de chez moi, chez la Rinkine; mais le major Malthus en a été informé, est venu avec un docteur s'assurer de la verité; il a fait transporter l'enfant et sa famille au bas de la rivierre; le pere dit-on l'a attrappé de l'enfant, et s'est noyé dans la fièvre chaude.

Il y a dans la paroisse 620 communiants, plus une dixaine de famille qui sont revenus de Sandosqué ce printemps. 600 environ qui ont satisfait à leur devoir Paschal. Il y a eu dans la paroisse 500 minots de bled froment de dimes, 150 minots de ble dinde, 10 minots de pois et 56 minots d'avoine. Il me reste encore 250 minots de bled fr., dont je ne puis me defaire a quelque condition que ce soit. Le reste a été employé pour la vie, en aumone et en bonnes œuvres pour l'eglise.

Il y a eu dans toute l'année 33 baptêmes, 6 mariages et 7 morts d'adultes, un enfant.

On ne parle presque plus de bal et de danse, de course de cheveaux, ni d'ivrognerie. L'année est trop mauvaise pour se livrer à ces sortes de divertissements. La vie est dure et difficile a avoir et a conserver dans les chaleurs; pour le vin il ne faut pas penser seulement à en faire usage en quelque petite quantité que ce soit, a 24 francs 10 ecus [sic] le gallon en argent, ont peu bien en sevrer. 45# un mouton, je n'en ai pas encore gouté au Detroit, 12# un dinde, etc. Il faut vivre au lard, que l'on a bien de la peine a conserver. Il n'y a point eu de chasse cette année.

S: [Lettres de François-Xavier Dufaux à Mgr Jean-François Hubert], dans *The Windsor Border Region. Canada Southernmost Frontier*, a collection of documents edited with an introduction by Ernest J. Lajeunesse, Toronto, University of Toronto Press, The Champlain Society for the Government of Ontario, «Ontario Series», 4, 1960, pp. 294-297.

GABRIEL FRANCHÈRE
(1786-1863)

Gabriel Franchère naît à Montréal le 3 novembre 1786. Nous ne savons pas quelles études il fait ni à quel endroit, mais nous devons supposer qu'il reçoit une certaine instruction — peut-être simplement en travaillant pour son père, un négociant — puisque, au printemps de 1810, il peut s'engager comme commis dans l'une des deux expéditions — l'une par mer, l'autre par terre — que le financier américain John Jacob Astor, marchand de fourrures et fondateur de l'*American Fur Company*, organise pour aller bâtir un fort à l'embouchure de la rivière Columbia, dans l'Oregon. Membre de l'expédition maritime, Gabriel Franchère fait le voyage sur le *Tonquin*, qui contourne le cap Horn et remonte la côte ouest de l'Amérique. Le fort est bâti en 1811 et nommé Astoria. Durant son voyage et son séjour au fort, le commis tient un journal à l'intention de sa famille et de ses amis. En 1814, Franchère revient à Montréal en traversant le Canada. Il se mêle au milieu des commerçants de fourrures de la ville et épouse Sophie Routhier, qui a attendu fidèlement son retour. De 1828 à 1834, il est l'agent de l'*American Fur Company* à Montréal, puis à Sault-Sainte-Marie, de 1834 à 1842. Sophie Routhier meurt en 1837; deux ans plus tard, Gabriel Franchère épouse Charlotte Prince, une veuve de Détroit. De 1842 à 1857, il est agent à New York de la *Pierre Chouteau Jr and Company*. En 1857, il fonde une maison en commission de fourrures à Brooklyn [N. Y.]. Le 12 avril 1863, il décède à St Paul [Minnesota] pendant qu'il est en visite chez John S. Prince, le fils de sa seconde épouse.

Cinq ans après son retour de voyage, Gabriel Franchère prépare pour la publication un manuscrit de son journal; ce manuscrit passe ensuite dans les mains de Michel Bibaud qui y fait des additions et des corrections, puis le fait imprimer à Montréal par C. B. Pasteur en 1820, sous le titre *Relation d'un Voyage à la Côte du Nord-Ouest de l'Amérique Septentrionale, dans les années 1810, 11, 12, 13, et 14*. Il fut traduit plusieurs fois en anglais par la suite. Comme l'a justement remarqué W. Kaye Lamb, le texte de Franchère contient des fautes de grammaire et d'orthographe, mais il se lit bien à haute voix, car la phrase est toujours bien construite, simple et claire. Surtout, le texte est considéré comme l'un des meilleurs et des plus complets que l'on possède sur l'entreprise astorienne des années 1810-1814.

Nous avons emprunté la pièce qui suit à l'édition française la plus récente et la meilleure du voyage de Gabriel Franchère: *Journal d'un voyage sur la côte nord ouest de l'Amérique septentrionale, pendant les années 1811-12, 13, & 1814*, dans *Journal of a Voyage on the North West Coast of North America during the Years 1811, 1812, 1813 and 1814*, by Gabriel Franchère, transcribed and translated by Wessie Tipping Lamb, edited with an introduction and notes by W. Kaye Lamb, Toronto, the Champlain Society, 1969, [xi], 330 p. — Nous reproduisons tel quel le texte de cette édition.

De la rivière Winnipeg à Montréal*

Aprés avoir reparé nos embarcations, nous quittames les Messieurs le 2 Juillet, et commencames à remonter la Riviere Ouinipic (autrement Rivière Blanche), ainsy nomé d'après le grand nombre de rapides qui obstruent la navigation et qui, étant presque tous à la vue les un des autres, ne présente q'une écume blanche. Nous passames 27 portages, presque tous assez court, dans lespace de ce jour, et le 3 & 4 nous en passammes encore neuf, ce qui nous conduisit au lac des Bois. Ce Lac prend son nom du grand nombre d'Isles dont il est couvert, ces Isles étant toutes fort bien boisés. Notre guide me montra une de ces Isles ou un pere Jésuite offrit le Saint Sacrifice de la messe, ce lieu étant l'endroit le plus éloigné jusqu'ou ces vénérables missionaires ayent pènétré.

Nous campammes sur une des ces Isles, et après avoir été détenus par les vents près d'une demie journée nous Gagnames l'entré de la riviére du Lac la Pluie que nous remontammes. Je crois n'avoir jamais vue autant de maringouins que nous en vimes sur les bords de cette riviére. Il avait pleut la veille, et étant arrivé à un petit rapide nous débarquames pour alléger les canots. Ces insectes s'etoient tapissés sous les feuilles des petits bois taillis, à travers desquels ils nous falloient passer, et en écartant ces feuillages nous les délogeames, à notre grand regret, car nous en fummes incommodés toute la route et ils nous suivirent même jusque sur nos canots. Enfin sur la fin du jour nous arrivâmes au Fort ou je trouvai Mr John Dease, qui nous fit l'aceuil le plus gracieux. Ce poste, comme celui du Bas de la riviére sert d'entrepot, et les gens qui hyvernent à Athabasca et les autres postes eloignés, ne sortent jamais plus bas, mais livrent leurs retours ici, et reçoivent leurs Pacotilles.

Le lieu ou lon a construit le fort est assez jolie, situé au bas d'une chute assez considérable, qui sert de décharge au Lac la Pluie. La Compagnie du N.O. ont fait transporter des animaux domestiques à cet établissement, tels que Bœufs, vaches, chevaux & c., et ils font cultiver la terre.

Le 10 [juillet], tout étant prét, nous quittames Mr Dease et après avoir passés la chute, nous traversames ce lac qui peut avoir quatorze lieues de long, et campammes à l'entré d'une petite riviere.

Le 11 nous poursuivimes notre route, tantot traversant un petit lac, et tantot passant une petite riviére ou l'on avait à peine assez d'eau pour flotter nos canots. Enfin le 13 nous vîmes camper sur une Isle assez près du Portage des chiens. Ce portage est fort long et montueux. N'ayant pas voulu écouter les sages avis de Mr Dease, d'emporter un sac de Pémigan, nous nous trouvammes absolument sans vivres.

Avant l'aurore nous nous rembarquammes le 14 [juillet] et passammes bientôt le Portage des Chiens, qui est long et montueux. Nous trouvammes àu bout est de ce portage un nomé Boucher qui tenoit une Auberge. Nous régalammes nos hommes d'un peu d'eau de vie, et nous mangeames des Saucisses fumés que je trouvai détestable, tant elles etoient salés. Néamoins après ce leger repas, nous continuammes notre route, et vers midi passammes le Portage de la Montagne. La riviere passe ici pardessus un rocher, et forme une chûte, qui n'est pas moins curieuse à voir que la chûte de Niagara. Enfin après avoir fait trente six portages nous arrivames vers neuf heures du soir au Fort William, situé au bas de la rivière Kaministiquia, à quinze lieues du vieux Grand Portage. Nous trouvames presque tous les propriétaires de la Compagnie rassemblés à ce poste où c'est leur coutume de passer une partie de l'été, pour recevoir les retours de l'interieur et former de nouveaux equipements, et discuter sur les Interêts de leur commerce.

Quoique le séjour que je fis à Fort William ne fut que de peu de duré, j'en ferai cependant une description, que je ne donerai pas pour être bien scrupuleuse.

Après la réunion des deux Societés en 1805, les Interessés, s'appercevant que le fort Grand Portage se trouvait sur le terrain reclamé par les américains, songerent à le démolir, et choisirent l'entré de la Riviere Kaministiquia, qui est assez profonde pour admetre de gros vaisseaux. Ils eurent à eprouver toutes les difficultés q'un sol bas et marécajeux peut offrir. Néamoins ils réussirent à dessècher ce marais et y construisirent un Fort qui à l'apparence d'un jolie village.

Au millieu d'un quarré spacieux s'éleve une grande maison en bois élegament construite et peinte, qui est élevé de terre au premier étage d'environs 5 piéds, ayant une gallerie au devant. Cette maison sert de Mess Room ou salon à manger qui peut avoir pres de 60 piéds de longeur sur 30 à 40 de largeur. A chaques extremité on y a ménagé deux petites chambres, qui servent pour les agens de la Compagnie.

Le salon à manger est décoré de Peintures et des Portraits en pastelles d'un grand nombre des associés. Deriere et contigue à ce Salon se trouve la Cuisine, et le logis des domestiques.

De chaque coté de cette maison il y en a deux autres plus basses, et de même longeur. Celle ci sont divisés en longeur par un corridor, et contiennent chaques douze jolies chambres à coucher. A l'est on y voit une maison semblable au derniéres et destiné pour le même usage. Du même coté on trouve un grandissime hangard qui sert à l'inspection des fourures & à les empaqueter. Par derriere celles ci se trouve la maison qui sert de logement pour les guides, et un hangard à fourures. Au coin Sudest on y voit la poudriere, qui est construite en pierre grises et recouverte en ferblanc. Suivant la facade du Fort on y voit l'appothicarerie et la residence du Docteur, ensuite la grande Porte audessus de laquelle on y a construit un corp de garde. En gagnant au Sud Ouest se trouve le logis du capitaine du vaisseau et celui du commis qui hiverne ordinairement à ce poste. Au coin S.O. on voit un batiment en pierre couvert en ferblanc, ce qui rend la devanture uniforme.

Du côté ouest, on voit une rangé de maisons ou hangards, un desquels sert de Cantine Salope (c'est le nom que lui ont donné les voyageurs). C'est un magasin ou on distribue le regale à l'arrivé des canots. Ce regale consiste en une chopine d'eau de vie, un pain blanc de quatres livres et une demie livre de Boeur. On y vend en outre des liqueurs fortes, du lard, du Boeur, de la farine et [en] un mot toutes sortes de comestibles. Un autre sert de magasin de détaille ou l'on y tient les marchandises fine destinées pour l'usage des propriétaires et des commis. Un peu plus au nord, il y a un autre magasin ou sont les effets destinés pour les Engagées, aussi bien que pour leurs distribués leurs equipements. Contigue à celui ci se trouve le hangard ou on forme les Equipements pour les differents postes de l'interieur.

Derriere cette rangés de Batiments se trouve le Bureau, qui présente un joli petit batiment quàré, et fort bien éclairé. Au nord de ce dernier ce trouve un petit batiment élevé que les voyageurs nomme Pot au Boeure. Celui ci sert de prison pour les réfractaires & c. Par derriere et au Nord Ouest on y voit les Boutiques de Forgerons, Ferblantiers, Menuisiers & c. Passant au dela se trouve une cour spacieuse au milieu de laquelle on à construit des Hangards pour y recevoir les canots d'écorce et les mettre à l'abri, aussi bien que pour les raccomoder au besoin, et en construire de neufs. Le tout est entouré d'une Palissade en pieux ronds, et occupe un espace considérable.

La Société entretient constament deux Goèletes qui servent à transporter les fourrures, et rapporter les vivres et marchandises, qui sont déposés au Sault Ste Marie. Et pour la comodité de ces vaisseaux ils on fait construire des quays tout le long de la devanture du fort. En remontant le long de la riviére, et environs trois ou quatre arpents du Fort, se voit le Cimetière. Le terrain autour de l'établissement est défriché, et semé d'orge. Les Pois et l'avoine parroissent y croitre aussi bien que sur nos meilleurs terre du Canada.

Les hivernants (engagées) qui descendent et passe une partie de l'été au Fort William, occupent un espace de terrain qui leurs est reservé au Côté Ouest et en dehors du Fort. Les Mangeurs de Lard, cest ainsy que (cest le nom que donne les hivernants aux voyageurs qui s'engage pour remonter au Fort William ou au Lac la Pluie, mais qui n'hivernent pas), occupent le côté Est du Fort. Il est surprennant de voir la difference des deux camps, qui contiennent chaques de trois à quatres cents hommes. Celui des Mangeurs de Lard est toujours très malpropre, tandis que dans celui des hivernants règne la plus grande propreté.

La Societé du Nord Ouest obligent ces Engagées à donner un certain nombre de journés de corvés. C'est de cette maniére qu'ils font défricher la terre. Quand un hivernant à fait sa corvé cest une fois pour toujours et il resteroit vingt annés dans le pays d'en haut, et descendroit tous les étés au Fort William, il est exempt de travail.

De l'autre côté de la riviere, la terre est dans un état de culture et est habités par des vieux Serviteurs de la Compagnie qui n'ont pas scu ménager et qui, mariés avec des femmes du paÿs et chargés de famille, n'osent retourner en Canada, et preferent cultiver un peu de maÿs, Patates & c., et faire la pèche pour subsister que de venir mendier dans un pay civilisé.

On nous fit bon acceuil durant notre Séjour a ce fort à cet établissement [*sic*], et le vingt [juillet] au soir Mr D. Stuart me prévint qu'il devoit s'embarquer pour Montreal sur un canot à lége qui devoit partir le lendemain. J'écrivit immediatement à mes parents pour leurs donner intelligence de mon Sort. Le 21 je lui remis mes lettres mais ce Mr me dit que j'en serois le porteur moi même, devant embarquer avec eux. Je préparai mes effets, et sur le soir nous quittames le Fort William sur un grand Canot monté de 14 hommes & 6 Passagers, viz. Messrs J. McDonald, D. McKenzie, J. Clarke, D. Stuart, moi même, et une petite Demoiselle de 8 a 9 ans qui venoit de Kildonan sur la riviere rouge. Nous entrames le lac Superieur et campames près de l'Isle du Tonèrre.

Le 22 [juillet] nous continuames notre route, cottoyant la rive du Nord de ce Superbe lac. La navigation du lac seroit assez plaisante si ce n'etoit les Brûmes épaisses, qui nous obligeoient de nous arrêter une grande partie du jour. Nous arrêtames à un établissement de la Compagnie du N.O., appellé le Pic, le 24.

Le 26 nous arrivammes à la Baye de Michipicoton que nous traversames. Cette Baye peut avoir 3 lieues de largeur à son entré. Etant arrivé a l'est nous rencontrames un canot, sur lequel étoit le Capt. McCargo et l'équipage d'une des goëletes de la Co., qui nous apprit qu'il s'etoit échappé du Sault Ste Marie, ayant été attaqué par un détachement des forces américaines; que se voyant forcé de quitter son vaisseau, il y avait mis le feu avant son départ.

D'après ces informations il fût résolu que le canot sur lequel nous étions retourneroit au Fort William. Et j'embarquai avec Mr D. Stuart et deux hommes sur le canot qu'avait amené le capitaine McCargo, qui prit notre place. Dans la confusion et l'empressement de l'échange qui se fit sur l'eau, on nous donna un Jambon cuit, un peu de Thé et de Sucre, avec environ 25 lb. de farine, mais on oublia entierement de nous donner Chaudiere, Couteaux & Fourchettes & c. Enfin nous n'eumes aucun article de cet espece. Il nous fallut cottoyer le lac pendant 2 jours et demie avant que de nous rendre à Batchawainon, un établissement du N.O. Durant ces deux jours et demie nous vécumes assez misérablement. On détrempoient un peu de Farine dans le Sac qui la contenoit, et après l'avoir pétrie, on en faisoit de petits pains que nous faisions cuir sur des pierres plattes.

Nous arrivames à Batchawainon le 29 [juillet]. C'est un pauvre petit poste (ou résidoit un Mons. Goedike, alors absent pour voir ce qui se passait au Sault Ste Marie), situé au fond d'une Baye Sabloneuse qui n'offre rien d'agréable à la vue. Nous trouvâmes la des femmes qui nous aprèterent à manger, et nous recurent bien.

Le 30 Mr Goedike arriva, et nous dit que les Américains étoient venus au nombre de 150 hommes sous le commandement d'un Major Holmes, et après avoir saccajé et pillé ce qui leurs parut de quelque valeur, appartement à la Co. du N.O. et à un Mr Johnston, ils avaient mis le feu aux Etablissements de la Compagnie, et s'etoient retirés sans faire de domage à aucun autre individu.

Sur le soir notre canot arriva du Fort William avec celui de Mr William McGillivray, et le 31 [juillet] nous nous rendîmes tous au Sault Ste Marie ou nous vimes la destruction qu'avait fait l'enemi. Les moulins à Scies, les Hangards, maisons & c., avait tout été détruits, et étoient encore tout fumants. La goëlete etoit en bas du rapide; les américains ayant tenté de la descendre l'avait échou [échouée] et ne pouvant l'amener avec eux la Brûlerent à fleur d'eau.

Le 1er août Mr McGillivray envoya un exprès a Michilimakinac pour instruire le Commandant Colonel McDouall de ce qui s'étoit passé au Sault & c. Et nous nous occupames du soin de nous mètre en défense, en cas d'une nouvelle visite de l'enemi — ce qui n'étoit pas tout a fait improbable, car d'après les expressions de quelq'uns d'entre eux qui parloient la langue Française, leurs desseins etoient de s'emparer des pelleteries de la Compagnie du N.O. Nous invitames quelques Sauvages qui etoient campés sur la pointe au Pin à peu de distance du Sault Ste Marie à nous assister en cas de besoin, ce qu'ils nous promirent. Nous trouvant avec peu de provisions il fallut mètre nos gens à demie ration, et nous ne faisions que deux repas par jour.

Le 4 Aoust l'exprès qui avait été envoyé à Michilimakinac revint, sans avoir pu accomplir sa mission. Ils trouverent l'Isle completement bloqués par les vaisseaux américains, et ils leurs fut impossible d'aborder sans le plus grand danger d'être fait prisoniers.

Le Sault Ste Marie est un rapide qui sert de décharge au Lac Superieur, et qui peut avoir de cinq à six cents verges de large, et environs 100 douzes arpents de long. Le Bas du rapide forme deux bayes sur les bords desquels ily a quelques maisons de construite. Le côté Sud appartient aux Américains et le nord à la grande Bretagne. C'est sur la partie américaine que Mr Johnston faisoit sa résidence, ce Monsieur étant avant la guèrre collecteur du Port pour cette nation. Sur le même coté residoit un Mr. Nolin avec sa famille. Sa maison avait une air d'oppulence, et montroit encore un reste de faste qui faisoit voir qu'il avait autrefois vécut dans l'aisance.

Du côté nord nous trouvames Mr Charles Ermatinger, qui possedoit un jolie etablissement. Il venoit de faire achever un moulin à vent, pour encourager l'agriculture, car les gens qui habitent le Sault Ste Marie ne sont pas fort adonés au travail, et pourvue qu'ils ayent assez de Patates ils sont assurés de prendre du poisson qui les nourit une partie de l'anée. Le Sol est tres fertile, et Mr E. nous fit voir du bléd qui etoit presque mure et qui avait de 3 a 4 piéds de haut. Les autres grains promettoient aussi de le rècompenser de ses travaux.

Le 12 [août] nous entendimes distinctement les décharges d'artillerie que firent nos troupes à Michilimakinac, quoique la distance par terre fût de près de 30 lieues. Nous pensâmes que c'étoit un attaque fait par les Américains pour reprendre ce poste, mais nous apprîmes bientot que ce n'étoit qu'en réjouissance pour l'anniversaire de la naissance du Prince Régent.

Durant notre séjour au Sault nous apprimes cependant que l'enemi fit une descente sur l'Isle de Michilimakinac, mais qu'ils furent repoussés avec perte; le Major Holmes, le même qui commandoit le détachement americain qui Brula le Sault Ste Marie, y fut tué.

Enfin le 19 [août] Messrs McGillivray & McLeod, deux agents de la Compagnie du N.O., arriverent du Fort William, ayant devancé la brigade de canots chargés qui descendoient le lac, et ils envoyerent M. Decoigne sur un canot léger pour porter des depèches à Montréal.

Le 21 [août] le canot sur lequel j'étois passager fut envoyé pour occuper l'entré de la riviére des Français, afin d'observer l'enemi. Cette riviere vient du Nord et se jette dans le lac Huron à près de 40 lieues du Sault Ste Marie. Nous restames la jusqu'au 26. Les canots chargés de Fourrures arriverent le 25 au soir au nombre de 44, et trois canots à lége. La valeur de cette Brigade de canots ne pouvoit pas être estimé à moins de deux cent mille Louis, une prise considerable qui échappa aux Américains.

Nous nous trouvames au nombre de 325 hommes, tous armés, qui camperent à l'entré de la riviere des Français et plaçames des Sentinelles pour la nuit. L'enemi nayant pas paru, nous quittames le lac Huron et après avoir remonté la riviere nous campames à l'entré du Lac Nipissingue.

Le 27 nous traversames ce lac, et après avoir fait plusieurs portages, nous campames non loin de Mataouan.

Le 28 [août] nous vîmmes déjeuner sur les bords de la riviére des Outtawais, que nous commençames à descendre, et campames au portage des Joachims.

Le 29 [août] nous passames le Fort Coulonge ou réside un Mr Goddin et apres avoir passés beaucoup de portages causés par les rapides et chutes qui obstruent la navigation de cette riviére, nous arrivames le 31 au soir aux Chaudieres (autrement Hull), ou un Mr Wright fait sa résidence, ayant un Superbe établissement et un grand nombre d'engagées à son Service pour cultiver la terre, et couper du Bois d'équarissage duquel il fait un commerce considerable.

Le rocher qui ferme la riviére en cet endroit est coupé perpendiculairement, et peut avoir d'un niveau à l'autre de l'eau cinquante piéds de hauteur. L'eau est retenue audessus et présente une nappe superbe, qui au lieu de se précipiter par dessus le rocher, passe par des canaux souterrains, et vient bouilloner au bas en sept ou huit endroits differents, et la riviere reprend son cours.

Nous quittames les Chaudières (après avoir fait un portage) vers Soleil couchant, et passames bientôt l'entré de la rivière au Rideau, au Sud. Cette Rivière se precipite par dessus un Rocher de 25 a trente piéds de hauteur, en forme de rideau separé au milieu de sa chute par une petite Isle. Le coup d'œuil est vraiement pittoresque, et les rayons du soleil couchant, qui frappoit obliquement dessus lorsque nous passames, en relevoit la beauté et auroit mérité un pinceau habile pour en donner une meilleur idé au lecteur.

Nous voguames une grande partie de la nuit, et passames plusieurs habitations. Vers minuit nous nous arrêtames pour faire prendre un peu de repos à nos hommes qui en avaient grand besoin, car on ne leurs accordoient guère que trois heures de repos chaque nuit, ce qui est d'usage quand on voyage en canot à lége.

Vers deux heures du matin nous rembarqu'ames et au levé du Soleil arrivames en haut du long Sault, ou nous étants procurés des guides nous descendimes ce rapide dangereux, et nous mîmes pied à terre près de l'habitation d'un Mr McDonell, qui nous envoya du lait et des fruits pour notre déjeuné, ce que nous trouvames fort acceptable. Enfin après le déjeuné nous nous rembarquames, et vers midi passames le Lac des deux Montagnes d'ou l'on commença à appercevoir la montagne de mon Isle natale. Vers deux heures après midi nous passames le rapide Ste Anne, et à l'aide d'une bonne brise nous arrivames bientôt au Sault St Louis.

Enfin après avoir descendu ce dernier rapide nous mimes pied à terre a Montreal après le coucher du Soleil, après quatre ans, un mois et six jours d'absence. Je m'acheminai immediatement vers la maison paternelle, ou l'on ne s'attendoit guère à me revoir, les nouvelles leurs étant parvenues que j'avais été massacré avec Mr McKay et l'équipage du *Tonquin*. Je me retrouvai ainsy au millieu de ma famille et de mes amis, par un effet de la divine providence qui voulut bien me preserver au millieu de tous les dangers auxquels je fut exposés durant un voyage aussi perrilleux, et ou tant d'autres trouverent la mort.

S: *Journal d'un voyage sur la côte nord ouest de l'Amérique septentrionale, pendant les années 1811-12, 13, & 1814*, dans *Journal of a Voyage on the North West Coast of North America during the Years 1811, 1812, 1813 and 1814*, by Gabriel Franchère, transcribed and translated by Wessie Tipping Lamb, edited with an introduction and notes by W. Kaye Lamb, Toronto, the Champlain Society, 1969, [xi], pp. 313-322.

JOSEPH-OCTAVE PLESSIS
(1763-1825)

Joseph-Octave Plessis naît à Montréal le 3 mars 1763. Il étudie chez les Sulpiciens jusqu'en rhétorique, puis continue son cours classique au Petit Séminaire de Québec. En août 1780, il est régent au collège sulpicien Saint-Raphaël, à Montréal. Le 11 mars 1786, il est ordonné prêtre. De l'automne de 1783 à 1797, il est le secrétaire des trois évêques qui se succèdent sur le siège épiscopal de Québec: Jean-Olivier Briand (1764-1784), Louis-Philippe Mariauchau d'Esgly (1784-1788) et Jean-François Hubert (1788-1797). En 1792, Mgr Hubert ajoute à sa charge de secrétaire celle de la cure de Notre-Dame de Québec. Nommé coadjuteur du nouvel évêque, Mgr Pierre Denaut, en 1797, il n'est sacré comme tel que le 21 janvier 1801. En janvier 1806, il devient évêque titulaire de Québec. En 1811, 1812 et 1815, il fait la visite pastorale des Maritimes et, en 1816, celle du Haut-Canada. Le 12 janvier 1819, les autorités romaines le nomment archevêque. Choisi membre du Conseil législatif en 1817, il est admis en février 1818. Le 4 décembre 1825, il décède à Québec.

Les journaux de voyages de Mgr Plessis ont été publiés après sa mort. Celui de la visite pastorale du Haut-Canada a été édité en 1903. De par son titre, «Journal de la Mission de 1816», on pourrait penser que la matière de ce journal est avant tout religieuse, sinon uniquement religieuse. Tel n'est pas le cas. La situation des catholiques du Sud-Est ontarien y est décrite, mais elle s'insère à la fois dans une histoire politique, nourrie, entre autres, par les événements de la guerre américano-britannique de 1812-1813, et une histoire sociale qui évalue la situation et le développement de la population en général et décrit les lieux traversés ou entrevus par le voyageur. Mgr Plessis a été, le premier, conscient de la maigre part du religieux dans son journal ontarien; il le trouvait moins édifiant que ceux des années précédentes, et il s'en expliquait par le fait que «faute d'avoir été cultivé avec autant de sollicitude» que les Maritimes, le Haut-Canada ne montrait pas autant de «grands exemples de vertu». Le narrateur n'avait voulu qu'être vrai: «pour se tenir dans les bornes de la vérité, il faut peindre les lieux et les hommes tels qu'on les trouve».

Nous avons emprunté les pièces qui suivent à l'édition

suivante: «Journal de la Mission de 1816», dans *Journal des visites pastorales de 1815 et 1816 par Monseigneur Joseph-Octave Plessis, évêque de Québec*, publié par Mgr Henri Têtu, prélat de la Maison de Sa Sainteté, Québec, Imprimerie franciscaine missionnaire, 1903, 205 pp. («Journal de la Mission de 1815»), et 75 pp. («Journal de la Mission de 1816», pp.1-72, suivi de la table des matières du livre entier, pp. 73-75). — Nous publions tel quel le texte de cette édition.

Saint-Régis [Akwasasne]*

Ce village est une colonie de celui du Sault Saint-Louis. Les RR. PP. Le Quien et Gourdan, jésuites, voyant les mœurs et la piété sensiblement décroître dans celui-ci, exposé comme il l'était, au voisinage de la ville de Montréal, résolurent d'en retirer ce qu'il renfermait encore de familles pures et ferventes, pour en composer un nouveau village et les placer hors des dangers de la séduction et du commerce des blancs, qui avaient gâté les autres. Ils choisirent sur la rive droite du fleuve Saint-Laurent, immédiatement au-dessous du lac Saint-François, un côteau alors tout couvert de bois, mais dont l'élévation jointe au voisinage d'un grand nombre d'îles de toute grandeur parsemées dans cette partie du fleuve, devait, par la suite, faire un pays extrêmement riant. Toutes ces îles qui s'étendent jusqu'au pied du Long Sault, devinrent la propriété des nouveaux colons, ainsi qu'une étendue de terre d'environ dix lieues de front, du même côté du fleuve, sur une profondeur indéterminée. La Rivière au Saumon, qui traverse cette terre et qui se décharge dans le lac, à trois lieues au-dessous du village, donna lieu aux Sauvages de construire des moulins à scie, qui leur ont beaucoup valu, à raison des excellents bois qui en sont à proximité. Ils ont, en outre, une terre au nord du fleuve, large de trois quarts de lieue, à l'opposite de leur village, entre les comtés de Glengarry et de Stormont, nommé le *bois sauvage*, où nombre de censitaires établis en différentes rangées de concessions, leur paient des rentes. Leurs îles innombrables sont plus que suffisantes pour la culture des fèves, des pois et du blé d'Inde, productions auxquelles se bornent les travaux des femmes (car on sait que chez les Iroquois, comme chez les autres nations sauvages, les hommes se sont affranchis de ces sortes de travaux), et ils trouvent sur ces mêmes îles autant et plus de bois qu'ils n'en pourront brûler d'ici à 100 ans. Enfin la rivière au-devant de ce village abonde en poissons de toute espèce, de sorte qu'il n'y a point d'établissement au Canada où des Sauvages pûssent vivre plus à leur aise, s'ils savaient en profiter, *sua si bona norint*, si la paresse qui les domine, ne leur avait appris le malheureux secret d'être pauvres au milieu de l'abondance.

Ce fut en 1759 que ce village fut établi, avec l'applaudissement des supérieurs ecclésiastiques et civils. Il ne paraît pas que le Père Le Quien y soit resté plus de 3 ou 4 ans après la fondation. Il demeura donc tout entier aux soins du Père Gourdan, jusqu'à sa mort arrivée en 1777. Jusque-là, ses néophytes, soigneusement cultivés et éloignés du commerce des blancs, se montrèrent dignes de la sollicitude de ce vénérable pasteur et promirent de faire fructifier la précieuse semence qu'il avait jetée dans leurs dociles cœurs.

Mais le Père Gourdan une fois mort, le village resta sans missionnaire. Feu Mgr Denaut, alors le prêtre le plus voisin, parce qu'il était curé de Soulanges, c'est-à-dire à 10 ou 12 lieues de distance, fut commissionné par l'évêque pour en prendre le soin qui pourrait être compatible avec la desserte de sa paroisse et de celle de l'Isle Perrot, qui s'établissait, et dont il était aussi chargé. On conçoit qu'il ne pouvait donner à ce village qu'une assistance très précaire, attendu surtout que la langue Iroquoise lui était totalement étrangère.

Les choses allèrent ainsi jusque dans l'automne de 1785, où M. Rodrigue Macdonell, prêtre nouvellement arrivé d'Écosse, avec un certain nombre de familles de Montagnards, ses compatriotes, que la misère chassait de leur patrie, et auxquelles le Gouvernement donnait des terres sur la Rivière aux Raisins, eut ordre de fixer sa principale résidence au milieu des Sauvages de Saint-Régis, et de partager son ministère entre eux et les Montagnards. On sait que la Rivière aux Raisins arrose le comté de Stormont et va se décharger dans le fleuve, à trois lieues au-dessous de la Pointe au Beaudet,qui sépare les deux Provinces du Haut et du Bas Canada.

M. Macdonell mourut en 1806, après avoir tenu la mission de Saint-Régis, 21 ans. Il eut pour successeur M. Rinfret, qui n'y demeura qu'un an, et fut relevé par M. Roupe, qui y resta jusque dans l'automne de 1813. M. Joseph Marcou, après avoir appris, sous sa direction, la langue Iroquoise, dans le village même, lui a succédé et occupe encore cette mission qu'il remplit très bien.

Le missionnaire a pour revenu une rente de £ 50, que les Sauvages lui font sur le produit de leurs moulins, plus la dîme de leur blé d'Inde, plus l'usage d'une ferme située tout auprès du village, plus £ 50 du Gouvernement, et enfin les présents ou l'équipement annuel qu'en reçoivent les officiers du département sauvage, de sorte que, sous les rapports temporels, cette mission est très avantageuse.

Elle ne l'est pas autant sous les rapports spirituels. Ce missionnaire est fort isolé pour ses propres besoins, et il a peu de consolation du côté de son village. Outre le dérangement qui a résulté à ces Sauvages de la privation de missionnaire, depuis 1777 jusqu'en 1785, les établissements qui se sont formés, tant par les sujets Britanniques au nord du fleuve, que par les Américains, dans les rivières du village et dans le village même, depuis que le 45ᵉᵐᵉ degré de latitude qui le traverse est devenu, par le traité de 1783, la ligne de séparation entre les Etats-Unis et le Canada; les cabarets de la ville de Cornwall, qui n'est qu'à deux lieues du village, et enfin la fantaisie qu'ont, depuis quelques années, ces Sauvages de s'engager, comme rameurs, sur les cajeux ou radeaux, qui transportent des bois de construction à Montréal, où ils trouvent beaucoup d'occasions de s'enivrer: voilà autant de causes qui ont nui aux mœurs de ces pauvres Iroquois et rendu inutiles les soins qu'on avait pris de les ségréger pour leur sanctification.

A ces inconvénients vient de s'en joindre un autre qui, en troublant parmi eux la charité, ne laisse pas de préjudicier aussi à leurs intérêts temporels. Le Gouvernement Britannique, eu égard à la position de ces Sauvages, dont la plupart des propriétés se trouvent sur le territoire des Etats-Unis, quoique la plus grande partie du village soit dans le Bas-Canada, eut la sagesse de déclarer, au commencement de la dernière guerre Américaine, qu'il n'exigeait d'eux aucun service, et consentait qu'il demeurâssent dans la plus stricte neutralité. Nonobstant cela, une partie d'entre eux, sous prétexte de leur attachement pour le gouvernement d'Angleterre, ayant mis à leur tête un canadien du nom d'Isaac Leclair, ci-devant boulanger du village, qui trouva moyen de se faire donner une commission de lieutenant dans le département sauvage, se séparèrent des autres, entraînant avec eux une partie des chefs, et allèrent demeurer à l'opposite du village, dans les îles où ils sont encore, accusant d'infidélité envers le Gouverment ceux qui continuaient dans leur ancienne demeure et qui valent bien ces schismatiques. On espérait que la fin de la guerre ferait cesser cette division: elle continue néanmoins et semble être fomentée par cet ex-boulanger, qui prévoit qu'il perdra son crédit et sera contraint de reprendre son premier métier, dès que la réunion sera faite. En attendant, les Sauvages séparés font grand usage de boisson, s'éloignant de la confession, ainsi que des prières communes et ne paraissant à l'église que pour la messe du dimanche.

S: «Journal de la Mission de 1816», dans *Journal des visites pastorales de 1815 et 1816 par Monseigneur Joseph-Octave Plessis, évêque de Québec*, publié par Mgr Henri Têtu, prélat de la Maison de Sa Sainteté, Québec, Imprimerie franciscaine missionnaire, 1903, pp. 5-9.

Cananoqui [Gananoque] et la Rideau*

A environ cinq lieues avant d'arriver à Kingston, on laisse à droite un village nommé Cananoki ou Kananoquoui, où nous débarquâmes pour prendre un méchant déjeuner, dans une auberge malpropre. Mais il n'y avait pas à choisir: elle était la seule à proximité du fleuve; il était plus de 10 heures du matin, et la veille, continuée toute la nuit, pressait les estomacs de se réfociller.

Le village de Cananoqui tire ce nom sauvage du voisinage d'une rivière qui s'y décharge dans le fleuve Saint-Laurent, après avoir arrosé une partie de la terre qui sépare ce fleuve de la Rivière des Outawais ou de la Grande Rivière. Sa source touche à celle d'une autre, nommée Rideau, qui a son embouchure dans la Grande Rivière même, après avoir formé un lac assez profond pour porter des vaisseaux du Roi de la première classe.

Le Gouvernement, pour la sureté de ses convois, très exposés à être interceptés par les ennemis pendant la dernière guerre, dans toute la partie du fleuve qui s'étend de Kingston à Cornwall, et qui est de plus de 100 milles, s'occupa, pendant quelque temps, du projet de faire passer les transports par le Lac des Deux Montagnes et de les conduire dans la Grande Rivière, jusqu'à celle du Rideau, pour retomber sur le fleuve, à Cananoqui; ce projet ne requérait que peu de travaux pour établir une communication facile entre le Rideau et le Cananoqui, comme on l'a depuis vérifié par des observations très exactes, et aurait vraisemblablement été effectué, si la guerre eût duré une année ou deux de plus; car on doit attribuer à une protection toute particulière de la Providence, qu'une si grande quantité de voitures d'hiver et d'été, de provisions de bouche, d'artillerie, de marine, etc., souvent mal ou nullement escortées, aient pu, pendant près de trois ans, décrire impunément sur le bord du fleuve, un si long espace de chemin, et cela dans des endroits où l'ennemi avait mille moyens de tendre des embuscades, sans que l'on sache qu'il ait été enlevé autre chose qu'un convoi de

15 bateaux dans l'été de 1813.

Au reste, la communication désirée par les rivières Rideau et Cananoqui, du fleuve à la Grande Rivière, va devenir plus facile par la colonie qui s'y établit en ce moment. Car le Gouvernement, en ordonnant la réforme des régiments du Glengary, des Canadian Fencibles, des Voltigeurs Canadiens, de Watteville et de Meuron, vient de leur assigner des terres à prendre à leur choix, ou sur la Rivière de Saint-François, district des Trois-Rivières, ou sur la Rivière Rideau: 100 âcres aux simples soldats, 200 aux sergents, 500 aux enseignes, 600 aux lieutenants, 800 aux capitaines, 1000 aux majors, 12 à 15,000, aux colonels. Celles de ces troupes qui se trouvent dans le Haut-Canada, préfèrent la Rivière Rideau, comme plus à leur proximité que celle de Saint-François, et la plupart de ces soldats réformés et une partie de leurs officiers étant catholiques, voilà une nouvelle mission à établir, un nouveau champ qui s'offre au zèle des ecclésiastiques du diocèse de Québec.

S: *id.*, *ibid.*, pp. 13-14.

Kingston en 1816*

Cette place ne saurait être aperçue de loin par les petites voitures qui s'éloignent peu de la côte. Nous ne vîmes qu'en la dédoublant, la Pointe-Henry, qui porte la forteresse. Retranchements, terrasses, tours de pierre, grosse artillerie, murailles, pont-levis: rien n'a été négligé pour rendre cette place imprenable. Elle peut commander tous les alentours. Le Haut-Canada n'offre aucune forteresse qui puisse le disputer à celle-là.

Après la Pointe-Henry, on traverse une baie qui découvre la Pointe-Frédéric. Celle-ci est proprement le dépôt de la Marine, et est séparée de la ville par une seconde baie plus large et plus longue que la première, et qui forme un excellent port. Là, sont réunis deux vaisseaux destinés à porter, chacun 120 pièces de canon, demeurés en chantier, depuis la fin de la guerre, puis, trois autres à flot, mais démâtés, désarmés et couverts de toits, savoir: le Saint-Laurent, de 112 pièces, le Régent et le Charlewell, moins considérables. Trois autres seulement sont en commission, savoir: une goëlette, un brig, et un navire nommé ci-devant le Wolf, aujourd'hui le Montréal.

Le gouvernement a senti la nécessité d'avoir ici un établissement de marine royale, sur un pied respectable. Kingston en doit être le chef-lieu, et donner des ordres sur tous les lacs. On y attend Sir Robert Hall, envoyé par les lords de l'Amirauté, pour être en même temps commodore et commissionnaire. Le dock-yard, encore tout nouveau, n'approche pas de la perfection de celui de Halifax, si remarquable par l'ordre et la propreté qui y règnent; mais il sera beaucoup plus vaste, si l'on en juge par le terrain qui y est destiné, comprenant tout l'espace qui se trouve entre la Pointe-Henry et la ville.

Dans les chantiers de la marine sont employés bon nombre de catholiques, plus occupés de gagner de l'argent que d'opérer leur salut. Les jours d'abstinence, les jeûnes, les fêtes d'obligation, sont des pratiques qui leur semblent étrangères. Ils s'étaient même accoutumés, pendant la dernière guerre, à ne pas plus tenir compte du dimanche que des autres jours. Ils ont cessé, il est vrai, de travailler, ce jour-là, mais la plupart le passent dans la crapule et le libertinage le plus scandaleux.

La ville, prise à part des deux Pointes Henry et Frédéric, bornée d'un côté par le fleuve, et de l'autre par une haute palissade, est de forme circulaire et peut avoir un demi-mille de tour. Les rues en sont larges, mais quelquefois interrompues par des culs-de-sac, ce qui leur fait perdre de leur mérite. La partie la plus voisine de la Pointe Frédéric est occupée par des casernes sises à l'endroit même où existait autrefois le Fort Frontenac ou Katarakoui, dont on a peine à trouver les vestiges. La palissade est fortifiée de six à sept *block-houses* placées d'espace en espace, du côté de la campagne, et chaque *block-house* est soutenue par une batterie de deux ou trois canons.

Dans l'état d'accroissement où est la ville de Kingston, il serait difficile de dire quelle en est la population. De quelque côté que vous jetiez les yeux, vous voyez des maisons s'élever, soit en bois, soit en pierre. Le nombre des catholiques y est de 75 familles, dont 55 canadiennes, amassées de toutes les parties de la basse province. On sait que les habitants qui quittent un pays où l'industrie trouve des ressources, pour s'établir ailleurs, ne sont pas ordinairement ce qu'il y a de plus vertueux et de plus recommandable. Ce n'est donc pas faire injure aux Canadiens de Kingston que de les supposer vicieux, et par conséquent indifférents à leur religion et aux devoirs qu'elle leur impose. Que faudrait-il à des gens ainsi préparés pour les séduire et les tourner du côté des protestants qui dominent dans cette ville et y ont, depuis longtemps, un ministre et une église? Déjà plusieurs catholiques s'y rendaient sans façon, se mariaient devant ce ministre, lui portaient leurs enfants à baptiser, etc. Le dernier évêque de Québec avait essayé d'y établir un missionnaire, mais

ses louables vues avaient été déjouées, et le missionnaire retiré contre son avis et avec beaucoup d'inconvénient pour la religion de cette partie de son troupeau. Heureusement M. Alexandre Macdonell, nommé, en 1807, vicaire général de cette Province, a pris à cœur cet établissement, n'a épargné ni soins, ni voyages, ni fatigues, ni sollicitations, pour lui donner une existence. Il a obtenu du Gouvernement la concession d'un emplacement sur lequel il a fait construire en pierre une église de 57 pieds de long sur 32 de large. Cette église n'était pas encore achevée, lorsque le Gouvernement s'en empara pendant la guerre Américaine, pour en faire l'hôpital des troupes, et ce ne fut que plusieurs mois après la paix faite, qu'elle fut restituée. Aussitôt M. Macdonell s'occupa de la faire réparer et achever; il alla sur les lieux, l'été dernier, engagea les fidèles de l'endroit dans une souscription destinée à faire venir un prêtre et à le défrayer, fit, dans l'automne, le voyage de Québec, pour en conférer avec l'évêque diocésain, et obtint de lui que M. Périnault, ci-devant curé de la Visitation, île de Montréal, fût chargé de la desserte de la nouvelle église. Celui-ci accepta, avec une promptitude qui fait bien son éloge, mais ne manqua pas de gens qui cherchèrent à l'en détourner. «Pourquoi aller si loin, s'exposer à tant de fatigues, pour des gens qui n'en tireront aucun profit? N'y a-t-il pas des âmes à sauver dans les paroisses de l'intérieur? Est-il juste de leur préférer des poignées de mauvais chrétiens?»
S: id., ibid., pp. 14-16.

Queenstown*

Queenstown, ville naissante, occcupe l'endroit ci-devant connu sous le nom de Platon, à l'ouest du fleuve qui, du Lac Erié au Lac Ontario, descend en plein nord. Ce n'est pas sans raison que les anciens l'avaient nommé *platon*, car c'est un pays remarquablement plat et uni. Le sol y paraît bon et les terres cultivées fort avant dans la profondeur. La ville se réduit à une rangée de maisons contiguës et placées sur le bord de la côte. Hors de là, elles sont éparses et en très petit nombre, mais accompagnées de jardins, de vergers, qui promettent que si cette place continue de s'établir, elle deviendra remarquable par son abondance comme elle l'est déjà par la variété de ses alentours. Au devant et de l'autre côté du fleuve, on voit poindre à travers les arbres, la ville Américaine de Lewiston qui comme celle d'Youngston, figure quelques milles plus bas avec le Fort George. On laisse Queenston ou le Platon, pour monter une grande côte qui borde le fleuve et d'où la vue réunit avec satisfaction, non seulemant ces différentes villes et la belle campagne qui se développe derrière Queenstown, mais s'étend encore sur le Lac Ontario, aussi loin qu'elle peut porter.

Sur le haut de cette colline, qui peut avoir 200 pieds d'élévation au-dessus du niveau du fleuve, on trouve une petite batterie et quelques restes de fortification, gardés par des soldats d'artillerie et par une demi-compagnie de dragons, moins occupés de la garde du fort que des messages auxquels ils sont journellement employés. Ce fut sur cette colline que le major général Isaac Brock, président civil et commandant militaire du Haut-Canada, donna les dernières preuves de son courage, au mois de novembre 1812. Après s'être rendu maître de la ville du Détroit par une capitulation aussi honorable pour lui que déshonorante pour le commandant Américain Hull, qu'il avait fait rendre prisonnier, avec toute sa garnison, il était revenu au Fort George, ayant laissé à sa place le colonel Proctor depuis major général. Informé qu'une force ennemie considérable était traversée à Queenstown, à la faveur de l'obscurité de la nuit, il partit de grand matin, avec deux compagnies de troupes qui se trouvèrent sous sa main, et entreprit de déloger les Américains, qui déjà s'étaient emparés de la colline dont on vient de parler. C'était plus consulter sa bravoure que la prudence. Il atteignit le haut de la colline, mais en fut repoussé promptement, avec sa poignée de troupes, qui n'avait pas un homme contre dix, et était dépourvue d'artillerie. Ce fut dans sa retraite et derrière la ville, qu'il reçut le coup de mort, ainsi que tous ceux de sa troupe, officiers et soldats, qui n'eurent pas le temps de s'échapper par la fuite.

Les succès précédents de cet officier, son intrépidité dans cette dernière affaire, sa mort prématurée (car il passait à peine 40 ans d'âge) ont rendu sa mémoire précieuse aux troupes et aux habitants du Canada, quoiqu'il ait été redevable de sa mort à la témérité avec laquelle il avait attaqué un ennemi qui avait sur lui le double avantage du nombre et de la position. Tout le monde le loue et le regrette tandis que très peu de personnes ont fait cas de son second en commandement (le major général Sheaffe) dont la conduite, ce jour-là même, fut aussi brave et beaucoup plus réfléchie et plus heureuse.

Il avait été laissé, le matin, au Fort George, par le général Brock, avec ordre d'assembler des forces et de le suivre. Il prit, en effet, avec lui, le reste de la garnison, à laquelle il ajouta ce qu'il put trouver de miliciens et de Sauvages, et arriva, vers midi, à Queenstown, quelques heures après la mort de Brock.

Les Américains victorieux étaient remontés sur la colline. Le général Sheaffe résolut de les y attaquer à son tour, non en s'y rendant tout droit, comme avait fait l'autre, mais par un détour et avec la sage précaution de se faire devancer par les Sauvages, lesquels, arrivant inopinément au sommet et faisant tout à coup leurs cris accoutumés, jetèrent une telle épouvante parmi les Américains, que, dans la crainte de se voir lever la chevelure, ils se précipitèrent, pour la plupart, du côté du fleuve, et que les troupes anglaises firent une boucherie générale de presque tous ceux qui ne s'y noyèrent pas. Néanmoins, le major général Sheaffe est tombé en disgrâce, dès l'année suivante, sans qu'on sache trop expliquer pourquoi.

S: *id.*, *ibid.*, pp. 26-27.

L'Assomption du Détroit [Windsor]*

Après avoir fait environ trois lieues en montant de Malden, on rencontre la Rivière-aux-Canards, qui arrose un pays extrêmement plat, et que l'on traverse sur un pont nouvellement construit, à quelques arpents de son embouchure. De là, on aperçoit les habitations qui la bordent et commencent un mille ou environ plus haut. Les colons y cultivent d'assez bonnes terres qui font partie de la paroisse de Sandwich, quoique cet établissement en soit éloigné de trois lieues et plus, car cette petite rivière serpente et paraît venir d'assez loin.

Après la Rivière-aux-Canards, on trouve la Rivière-aux-Dindes, espèce de marais en cette saison où l'eau coule à peine, et qui n'est remarquable que par la quantité de petites tortues qui y nagent, ou qui, pour respirer l'air, ou se chauffer au soleil, se rangent sur les bois flottants, à la surface de l'eau. La petite côte dans laquelle on tombe ensuite, est une rangée de terres en culture, ayant leur front et leurs maisons près de la rivière, sur un espace de quatre à cinq milles.

Cette côte n'est pas dépourvue d'un certain air d'aisance dans les habitants et de fécondité dans les terres. Les maisons, toutes canadiennes, y sont assez bien construites, les jardins clos et accompagnés de vergers. Ce dernier article est commun à tous les habitants établis des deux côtés du Détroit.

De l'autre extrémité de la petite côte, on commence à apercevoir, par-dessus les arbres d'un petit bois qu'il faut franchir, les maisons de Sandwich, et l'église paroissiale de l'Assomption qui vient immédiatement après. Cet ensemble frappe agréablement la vue, et fait espérer plus qu'on ne trouvera; car à peine entrez-vous dans cette ville, que vous êtes surpris du peu de progrès de son établissement. Les rues y sont bien alignées, larges, se coupent toutes à angle droit, mais depuis plus de vingt ans qu'elle est tracée, il n'y a pas plus de la huitième partie d'établie. Le peu de maisons qu'elle contient, sont presque toutes réunies à l'extrémité nord, de sorte que l'on a fait près de dix arpents dans la principale rue, avant de reconnaître que l'on est en ville. Il est certain que cette place n'est pas assez bien choisie, pas assez centrale, pour y attirer un grand nombre d'ouvriers, ni de marchands. Nonobstant sa position beaucoup plus agréable que celle de Malden, elle demeurera toujours inférieure à celle-ci, et il s'écoulera plus d'un demi-siècle encore, avant qu'elle prenne de l'importance, si jamais elle parvient à en prendre.

L'église de l'Assomption partageant la chance de la ville, dont elle n'est éloignée que de dix arpents, perd aussi de son apparence à mesure que l'on en approche. C'est un édifice de bois d'environ 90 pieds de long, sur 55 de large. Elle est étagée des deux côtés, environnée d'un lambris non peinturé, et surmontée d'un clocher beaucoup trop gros pour sa hauteur. Elle fut construite, en 1784, par M. Jean-Frs Hubert, mort évêque de Québec, en 1797, et le premier prêtre séculier qui ait gouverné cette paroisse après les missionnaires Jésuites. Il y arriva en 1782, quelques mois après la mort du P. Potier. Jusqu'alors, ce poste n'avait été autre chose qu'une mission de Sauvages Hurons, qui avaient une grande étendue de terrain, une chapelle, un cimetière et un village. Ils n'y demeuraient que dans la belle saison, L'automne arrivant, ils allaient hiverner dans les bois, tantôt d'un côté de la rivière, tantôt de l'autre, et le missionnaire les suivait, pour revenir avec eux au printemps. Cependant un certain nombre de familles canadiennes, qui avaient obtenu des concessions en nature du Gouvernement Français, de l'autre côté du Détroit, autour du Fort Pontchartrain, eurent la fantaisie d'occuper aussi la côte qui était à leur opposite. Ils s'y étendirent, s'y multiplièrent, à mesure que les Hurons diminuaient; ils acquirent des terres de ceux-ci, et insensiblement la mission sauvage se trouva travestie en paroisse canadienne. La chapelle du village dédiée à Dieu, sous le titre de l'Assomption de la sainte Vierge, se trouvant trop petite, M. Hubert acheta des Hurons six arpents de terre de front, en donna la moitié à la fabrique, et vendit l'autre pour se mettre en moyen de construire l'église qui subsiste aujourd'hui, avec un spacieux presbytère, qui n'en est séparé que par le jardin du curé. M. Hubert, ayant été appelé dans le Bas-Canada, pour remplir la coadjutorerie de Québec, eut d'abord pour successeur, en 1785, M. Fréchette, mort curé de Saint-Mathieu de Belœil, au commencement de la présente année. M. F.-X. Dussaux vint après celui-ci, en 1786, et y étant mort en 1796, M. J.-B, Marchand, prêtre du Séminaire de Montréal, y fut envoyé la même année et occupe encore cette place, avec l'applaudissement des paroissiens édifiés de son zèle et de sa charité. Il était à la porte de son église, dont il faisait renouveler le perron, pour la visite de son évêque, qu'il savait bien être en route, mais qu'il ne croyait pas si près. Le jour était très beau, et le soleil qui n'avait plus qu'une demi-heure à rester sur l'horizon, lui donnant dans les yeux, l'éblouissait tellement qu'il eut beaucoup de peine à reconnaître les hôtes qui lui arrivaient. Enfin il leur témoigna sa joie, avec cette franche effusion de cœur qui est son caractère dominant.

L'endroit où est placée cette église, se nomme la Pointe de Montréal, parce qu'anciennement les voyageurs venant de Montréal y arrêtaient leurs canots, pour faire leur dernière pause avant de traverser au Fort Pontchartrain, qui est de l'autre côté, à environ une demi-lieue plus haut dans la rivière.

Devant l'église de l'Assomption, il y a une verdure qui s'étend jusqu'à la rivière, et fournit une promenade très agréable. Il n'y manque que quelques arbres pour se préserver de l'ardeur du soleil, sur le haut du jour.

La rivière a ici une dizaine d'arpents de traverse; c'est sa plus commune largeur, dans les parties où il n'y a point d'îles. La rive opposée est assez riante et toute garnie d'habitations canadiennes, de vergers et de terres en culture.

[...]

La paroisse de l'Assomption est d'environ mille communiants. La plus grande partie de ce monde était à confirmer. Le défunt évêque de Québec y avait, il est vrai, donné la confirmation, mais c'était en 1801, et l'on conçoit que dans un espace de quinze ans, beaucoup de personnes avaient eu le temps de parvenir à l'âge où elle se donne, pour l'ordinaire, dans le diocèse, c'est-à-dire seulement après la première communion faite. M. Marchand s'attendait que l'évêque prendrait quelques jours de congé et de promenade, avant de commencer la visite de la paroisse; mais celui-ci fut d'avis qu'il fallait commencer par faire l'ouvrage, puis se promener ensuite, s'il y avait du temps de reste. En conséquence, il ouvrit la mission, le lendemain de son arrivée, qui était le dernier jour de l'octave du Saint Sacrement.

20 juin. Les fidèles de cette paroisse ne sont point fervents. La foi est faible parmi eux, les sacrements moins fréquentés que dans aucun des endroits du diocèse qui ont des prêtres résidents. La plupart communient à Pâques et se bornent là. A peine y a-t-il un dixième du nombre total qui reparaissent au confessionnal, dans le cours de l'année. Ce n'est pas tout; le plus petit prétexte suffit, même à ceux qu'on nomme bons chrétiens, pour passer des deux et trois ans de suite sans se confesser du tout. Et combien qui s'absentent encore plus longtemps! Une petite querelle entre voisins, un petit mécontentement contre le curé: il n'en faut davantage. Ce sont des enfants qui, par caprice ou par bouderie, se privent de nourriture.

Les commandements de l'Eglise qui prescrivent la confession annuelle et la communion pascale, ne sont pas les seuls qu'ils semblent ne pas comprendre. Les jeûnes, les abstinences sont des pratiques aussi étrangères à la plupart d'entre eux, que la fréquentation des sacrements. Les devoirs de la religion sont remplacés par un luxe et une vanité, une immodestie dans le sexe, par un amour effréné des divertissements, et par des promenades nocturnes sans précaution de la part des parents, dont on aurait peine à concevoir une idée dans les paroisses du Bas-Canada. Quelles doivent être les mœurs d'un tel peuple? C'est ce qu'il n'est pas difficile de conjecturer pour quiconque est au fait de la fragilité du cœur humain.

21 juin. Il s'agissait de remuer les mottes de ce mauvais champ et d'y passer la charrue et la herse. Catéchismes, sermons, exhortations, conférences: tout fut mis en œuvre. La visite, commencée le jeudi, dura les quatre jours suivants, et ne fut interrompue qu'avec promesse qu'elle serait reprise et continuée jusqu'à la saint Pierre inclusivement. Nombre de personnes se présentèrent à confesse, quelques-unes après de longues années d'absence. Les exercices furent généralement assez suivis. Mais on avait vu tout cela quinze ans auparavant, sans qu'il se fût opéré dans la piété, ni dans les mœurs, aucun changement en mieux, de sorte qu'il y avait peu de fonds à faire sur ce spectacle édifiant.

S: *id., ibid.*, pp. 38-41 et pp. 44-45.

JEAN-BAPTISTE PERRAULT
(1761-1844)

Jean-Baptiste Perrault naît à Trois-Rivières le 10 mars 1761. Il étudie au Petit Séminaire de Québec de 1774 à 1782 [ou 1776-1778?]. En mars 1783, il lui prend envie de voyager. En avril de la même année, avec la permission de son père, il s'engage en qualité de commis au service d'un ami de son père, un certain Marchesseaux, marchand voyageur de Michillimakinac [Mackinac Island, Michigan]. Il en reçoit les ordres le 10 mai; le 12, il part pour Cahokia [Illinois], y arrive le 11 août et y passe l'hiver. Au début de juillet 1784, il est à Michillimakinac; le 29 août, il part pour le Haut-Mississipi où il passe ses hivers jusqu'en 1787. En 1787-1788, il est comptable chez un marchand à la Baie Verte [Green Bay, Wisconsin]. De 1788 à 1792, il est de nouveau dans le Haut-Mississipi. En 1792-1793, il est au lac du Vieux-Désert, [au sud du lac Supérieur, dans le Wisconsin]. De 1793 à 1805, il est au service de la Compagnie du Nord-Ouest [North West Company], qui lui fait bâtir le fort St Louis [Superior, Wisconsin] en 1793, et, l'année suivante, le fort du lac du Cèdre-Rouge [lac Cass, Minnesota] dont on lui donne la direction; de 1799 à 1805, il est responsable du poste de la rivière Pic [Pic River, Ontario], sur la rive nord du lac Supérieur. En 1805, il descend à la Rivière-du-Loup [Louiseville, Québec], auprès de son père malade. Il est ensuite commis hivernant dans le haut Saint-Maurice (1806-1807) et au poste de la rivière Agatinung [rivière Gatineau, Québec] (1807-1808). De 1808 à 1810, il est instituteur à Saint-François-du-Lac [Odanak, Québec], où réside sa famille. En 1810, il s'engage dans l'expédition par voie de terre d'Astor qui doit le mener à l'embouchure du fleuve Columbia, en Oregon, mais il quitte le groupe à Michillimakinac, d'où il part pour revenir au Québec en passant par la baie de James; quand il reparaît à Montréal, en 1812, la rumeur qu'il était mort avait couru. Il déménage sa famille à l'île Perrot et passe l'année au département de génie de l'armée à Kingston. En 1813, appelé auprès de sa femme malade, il réinstalle sa famille à Saint-François-du-Lac et redevient instituteur durant deux ans. En 1815-1816, il est maître-charpentier pour la Compagnie du Nord-Ouest à Sault-Sainte-Marie; en 1817, il passe à la Compagnie de la Baie d'Hudson qui le nomme responsable du poste de Michipicaton [Michipicoten River, Ontario]; il ne s'y rend qu'en 1819. En 1821, il prend sa retraite et s'installe définitivement à Sault-Sainte-Marie; il y décède le 12 novembre 1844.

Vers 1830, sollicité par Henry Schoolcraft, historien et ethnologue américain, Jean-Baptiste Perrault rédige ses mémoires de voyageur. Il est presque septuagénaire, mais il a encore une bonne mémoire et, probablement, un journal de voyage bien tenu, ce qui expliquerait la présence d'un nombre considérable de petits détails, de dates précises et de plus de deux cents noms de personnes. En 1853, Schoolcraft publie en anglais, dans un de ses livres, quelques pages du manuscrit; en 1905, l'historien américain John Sharpless Fox découvre le manuscrit dans les papiers de Schoolcraft, le fait traduire en anglais, puis le publie cinq ans plus tard. Enfin, en 1978, Louis-P[hilippe] Cormier en publie une première édition française. Le texte de Perrault est d'une grande densité d'écriture et d'un riche contenu, qui a nourri les livres de maints historiens. Le voyageur a bien compris ce que Schoolcraft lui demandait de faire: un récit de marchand voyageur qui rend compte d'une vie entière passée dans un environnement naturel difficile, rendu dangereux par la concurrence sournoise que s'y livrent les petits marchands aussi bien que les grandes compagnies de fourrures. Dans cette fourmilière, Jean-Baptiste Perrault apparaît comme un homme serein, honnête, sensible et d'une grande charité envers tous et chacun.

Nous avons emprunté les pièces qui suivent à la «Relation des traverses et des avantures d'un marchant voyageur, dans les terrytoires sauvages de l'Amérique septentrionale, parti de Montréal le 28ᵉ de mai 1783», telle qu'on la trouve dans l'édition de Louis-P[hilippe]. Cormier, publiée par les éditions du Boréal Express, à Montréal, en 1978, sous le titre *Jean-Baptiste Perrault marchand voyageur parti de Montréal le 28ᵉ de mai 1783*. — Cormier a respecté le fil continu de la «Relation» en ne la divisant pas en chapitres; mais il a établi des paragraphes, «normalisé la ponctuation, l'orthographe et l'emploi des accents et des majuscules», réduit les nombreuses variations graphiques — elles étaient encore courantes à cette époque — en adoptant la graphie la plus commune quand elle se trouvait dans le texte ou celle qui s'en rapprochait le plus, et rectifié quelques erreurs de dates. — Nous reproduisons tel quel le texte édité par Cormier, mais sans les notes infrapaginales.

Un bon hiver de traite au lac des Épinettes*

Ne scachant où aller, je pris parti de passer par Mousse pour aller en Canada. J'attendis à Wabissipinikàn chez la garde que les lacs furent libres; il m'assista d'un vieux canot que je racommodai, me donna un bougon de rets et j'ai parti à la bonne avanture. J'ai vu des Sauvages bien vite qui alloient chez les Anglais de la bay d'Hudson; j'ai fait route avec eux et ils m'ont assisté de vivres. Nous avons arrivé au petit lac des Épinettes chez m^r. Davis qui y avoit hiverné, le 10e de mai 1812, où je rencontrai par hasard deux Canadiens, un nommé Gagné, et l'autre, un nommé Vermette, tous deux de ma connoissance. Le dernier parloit anglais et dit à m^r. Davis que j'étois celui de qui il lui avoit parlé, en me nommant. Sitôt ce monsieur me prit par la main, me fit entrer chez lui, en me disant: «Soyez le bienvenu». Après lui avoir dit en abrégé ce qu'il m'étoit arrivé, il me dit: «Je vais descendre à Albany factory; je vous emmènerai avec moi et vous aurez une place». Nous avons resté encore quelques jours avant de partir où je lui ai rendu quelques services, en lui faisant connoître le caractère des Sauvages du Pic que j'avois avec moi.

Nous avons parti quelques jours après pour Albany, et nous y avons arrivé au commencement de juillet. M^r. Davis me présenta au gouverneur Vincent qui me reçut gracieusement, et à qui j'offris mes services qu'il accepta. M^r. Davis m'offrit 40 louis sterling d'Angleterre pour retourner avec lui en qualité de commis interprète pour la traite des Sauvages et un équippement de commis, par ordre du gouverneur. Je m'engageai pour un an, le 10e. de juillet.

Nous partîmes le 15e dudⁱ. pour aller au grand lac des Épinettes près de Kinôngamàng, et nous nous sommes rendus à notre hivernement le 12e d'aoust. Nous avons commencé à bâtir une grande maison, qui étoit couverte & je travaillois les portes, lorsque jettant la vue sur le lac, l'on vit venir un canot à la voile chargé de monde. M^r. McBean, m^r. Morisson, avec huit hommes vinrent débarquer en côté de notre port, firent décharger leur canot, tendre leur tente, un moment après vinrent faire leur visite à m^r. Davis qui les reçut très poliment. Ils repartirent après nous avoir invités à prendre le thé avec eux à 6 heures du soir. Nous nous y rendîmes. Après le thé, m^r. McBean tira un flacon de srub [shrub] de sa cave avec 4 vers; nous prîmes chacun un coup. M^r. Davis se retira bien vite; ces messieurs me refforcèrent à rester un moment, après que m^r. Davis fut sorti. Pour lors ils me dirent: «Vous ne savez pas pourquoi nous sommes venus ici?» Je leur répondis que j'en ignorois. «Le sujet de notre voyage concerne votre intérêt. M^r. Rocheblave vous fait dire par nous que si vous voulez revenir au service de la Compagnie de Nordwt., que vous aurez vos enciens privilèges, c'est-à-dire £100 cours actuel, votre équippement ordinaire, et votre famille logée, chauffée et nourrie, ce qui vous sera plus avantageux que d'être au service de la bay d'Hudson». Je me défiois dans ce moment de leurs fourberies et je leur répondis en ces termes: «Toute l'hiver passée, j'ai été un chien qui a rongé les os, en les rongeant j'ai pris mon repos; à présent le tems est venu où je tâcherai de mordre ceux qui m'ont mordu», et en m'adressant à m^r. McBean: «Scachez m^r. qu'il n'y a rien de si à redouter qu'un soldat maltraité. J'aimerois mieux me donner pour ma simple nourriture ailleurs qu'au Nordwest pour ce qu'il m'offre». M^r. McBean me répondit: «Si vous n'eussiez pas entrepris contre le Nord'ouest, cela ne vous auroit pas arrivé; mais puisque vous êtes si opiniâtre, m^r. Davis peut s'attendre à la plus forte opposition qu'il n'a jamais eue, car c'est moi-même qui vais venir». «Eh bien! m^r, il vaut autant que ce soit vous qu'un autre. Excusez-moi», lui dis-je, «il commence à être tard. Je vous souhaite le bonsoir». Je retournai à la maison et rendit compte de tout à M^r. Davis qui en fut bien charmé et me dit: «Prenons courage, et si les affaires vont bien, je vous assure de dix louis de plus sur vos gages». Je le remerciai d'avance de sa gracieuse proposition. Le lendemain ces mess^r. partirent et rencontrèrent deux hommes qui étoient allés lever une rets à éturgeon, sur leur chemin. Ils virent 2 éturgeons dans leur canot, ils en demandèrent un de la part de m^r. Davis. Les hommes leur donnèrent sans scavoir si cela étoit vrai ou non; ce qui se trouva faux.

Nous étions bâtis à un détroit, entre l'entrée du grand lac des Épinettes et le lac du Coude, où nous faisions bonne chère tant à l'éturgeon qu'à toute espèce de poissons. Les Sauvages à qui j'avois promis de revenir arrivèrent chez nous. Je leur fis à crédit, en leur disant de ne point venir au fort de l'hiver, de mettre leurs pelleteries en cache à cause des mauvais renards, c'est-à-dire des coureurs de deroüinne. Je me fis faire une carte de l'endroit où je pourrois les voir à la première navigation, leur promettant de la part de m^r. Davis qu'ils seroient habillés s'ils payaient leur crédits, & l'on fit de même à tous ceux que l'on vit dans le cours d'octobre. Nous achevâmes notre grande maison, c'est l'usage de ces m^ers de se bâtir commodément. Vers la fin d'octobre il n'y avoit point de Sauvages au fort, nous les avions tous fait partir sans leur donner aucune connoissance des menaces que m^r. McBean avoit faites. Nous étions tranquilles à ce sujet, lorsque le jour de la Toussaint m^r. McBean arriva avec deux canots, un grand et un petit, et vinrent débarquer où il avoit débarqué lorsqu'il étoit venu la première fois. Pendant que ses hommes déchargeoient leurs canots, il monta sur la côte et marqua une place pour se bâtir, de l'autre côté de l'abbatie que les hommes avoient fait pour leur bois de chauffage; ce qui le tenoit éloigné de vous d'environ trois arpents, et il s'y est logé. En pêchant il avoit emené avec lui 7 hommes, dont il en avoit renvoyé deux à Kinongamàng. Ils trouvèrent un vieux petit canot que les Sauvages avoient rejetté, dont ils se servoient pour tendre leur rets, en attendant que m^r. Morisson qui hivernoit à Kinongamàng pût leur envoyer un.

Nous nous sommes regardés toute l'hiver politiquement; cependant M^r. Davis lui a fait plusieurs invitations auxquelles m^r. McBean a répondu. Le mois de mars a arrivé, personne n'avoit de paquets, M^r. Morisson avoit dit à quelques-uns de ses Sauvages que m^r. McBean étoit au lac des Épinettes, qu'ils fussent le voir s'ils avoient besoin de quelque chose. Ils vinrent donc dans le cours de mars. Dès qu'ils aperçurent deux maisons, ils mirent chacun la moitié de ce qu'ils avoient en cache et entrèrent chez m^r. McBean avec l'autre moitié, dont il se glorifia fort de ce que les Sauvages lui avoient donné la préférence, il leur donna à boire aussitôt. C'étoit 4 des garçons de Michachwèt qui, de 120 plus qu'ils avoient, en avoient mis à part 60 pour nous, vinrent, quand ils furent un peu échauffés de boissson, nous dire d'envoyer chercher ce qu'ils avoient laissé derrière, par deux hommes à qui ils enseignèrent où le trouver. Ce que nous fîmes, sitôt la nuit venue. Je leur demandai où ils étoient; ils me le dirent et m'invitèrent d'aller les voir dans dix jours, ce que je fis.

Je partis de chez nous dans la nuit du 26e. de mars, tems mauvais & froid, avec deux hommes. Je fus attendre le jour au portage de la chute à l'Éturgeon au fond du lac des Épinettes dans la rivière Albany. Nous nous rendîmes dans la journée à l'entrée de la rivière Manitonanamingon et nous y campâmes. J'avois deux barils de chaque un gallon d'esprit de la Jamaique pour les Sauvages. Un moment après arrivèrent deux hommes chargés et bien fatigués, c'étoient Chrétien et Girard, que m^r.

Morisson avoit envoyés chez les Sauvages, les mêmes chez qui nous allions; surpris de nous voir et nous pareillement! «Venez camper ici avec nous, quoique nous soyons en opposition», leur dis-je, «je ne suis plus prisonnier, je fais comme je veux. Vous êtes fatigués, prenez un coup pour vous délasser». Je leur donnai un peu fort; avant de se coucher, je leur fis prendre un second coup qui les endormit si bien qu'ils n'eurent point connoissance de notre départ le matin. Je me suis rendu aux Sauvages, nous avons pris leurs castors au nombre de cinquante avec quelques menues pelleteries. J'ai laissé le rum aux deux loges, et nous avons reparti par un autre chemin plus court que les Sauvages m'avoient enseigné. Nous avons été de retour à la maison la troisième journée de notre départ, sans que m^r. McBean en eût connoissance.

Comme j'allois souvent à la découverte, je m'acheminai du côté du petit lac des Épinettes pour découcher de la maison, je fis heureusement rencontre de Wachaskônce, qui signifie le petit rat musqué, qui chassoit au caribou. Je fus bien content de le voir; il m'invita d'aller chez eux, me disant qu'ils étoient deux loges: la Grosse Martre et lui au lac de la Pierre à Fusil, et que le Petit Chef étoit au lac de la Rivière Platte qui se décharge dans celle de Pierre à Fusil. Je fus coucher chez lui, il me promit, ainsi que la Grosse Martre, de venir avec moi au fort avec leurs plus. Je lui dis de me mener chez le Petit Chef, il me le promit aussi. Le lendemain au matin nous partîmes pour y aller, nous arrivâmes devant midi. Après m'être arrangé avec le Petit Chef et ses deux garçons, qui avoient chacun un paquet de quarante, nous vînmes coucher au lac de la Pierre à Fusil. Le lendemain les Sauvages partirent, et moi avec eux, tous chargés, car j'emportois à part quelques menues pelleteries dans une peau d'ours. Nous nous sommes rendus dans la nuit, afin que nos opposants n'en eussent point de connoissance. M^r. Davis fut agréablement surpris, parce qu'il étoit inquiet pour moi qui lui avoit promis d'être de retour demain. Nous avons régalé les Sauvages afin qu'ils ne furent point faire de visite à m^r. McBean. Nous les avons fait partir la nuit suivante tous très contens, avec promesse de revenir encore une fois en cachette de leur traiteur.

Le lac des Épinettes est situé environ vers le 50e. degré de latiture nord. L'hiver y est très dure. Il n'y a plus de deux pieds de terre de dégelé dans aoust, après quoi c'est un rock de glace qui continue de même jusqu'à Albany. Il n'y a de bois de haut de futaie que le long des rivières, et en profondeur des épinettes

rouges et blanches, remplies d'une mousse en forme de chevelure qui tombe prèsqu'à terre. C'est un pays à cariboux, aux
perdrix blanches, aux martres & aux lièvres. Cependant, là
comme dans les autres climats des zones tempérées, le tems se
r'adoucit aussi dans ces endroits, l'on y voit de belles journées
qui annoncent le printems. Dans le décours de mars le terrain
est sçourçeu, les petites rivières sont libres de bonne heure. Le
gibier s'y rend vite pour couver; il vient du west-nordwest, du
côté de la Califournie, en si grande quantité qu'il n'est pas
possible de dormir, et se tient là partout jusqu'à la dernière
saison à la fin de septembre où les lacs congèlent.

J'avois mené dans l'automne un petit canot à un certain lac,
toujours plein de gibier, où j'allois souvent à la chasse du côté
où les Sauvages m'avoient indiqué que je les trouverois. J'attendis
le tems favorable pour partir, je m'y préparai d'avance. Tout
étant prêt, m^r. Davis accomplit mon mémoire et me donna deux
hommes, & nous avons parti de nuit, les lacs encore bons, et
nous avons été au canot que j'avois mis en cache. Nous y avons
campé et passé plusieurs jours, où nous avons vécu au gibier.
C'étoit vers le commencement d'avril que nous partîmes du fort;
vers le 7e dud^t. nous avons parti traînant notre canot sur la glace
pour gagner la rivière du Bouillon de Brochet où les Sauvages
m'avoient indiqué que je les trouverois, au fond du lac du même
nom, où ils ont coutume de faire leurs canots. Nous nous y
sommes rendus la seconde journée. Le lac est un grand lac
rempli d'isles; nous avons resté au bout de la rivière, à l'entrée
du lac, 12 jours sans pouvoir partir. L'on vivoit aux poissons et
au gibier. Il y avoit jour et nui tant d'outardes & de canards que
l'on avoit de la peine à dormir. Le 13e jour il fit un gros vent de
sud-ouest qui brisa le lac, et nous trouvâmes le lendemain un
passage à travers les glaces pour aller coucher à la moitié du lac,
sur une belle pointe, où nous eûmes le plaisir de tuer plusieurs
outardes au vol. Nous nous sommes rendus chez les Sauvages
qui nous attendoient, le 15e dudit., qui voyant débarquer des
barils de rum, donnèrent dans le moment ce qu'ils avoient de
pelleteries. Je les habillai au nombre de six, tous fameux chasseurs. Nous repartîmes d'avec eux le lendemain, qu'ils étoient
encore tous ivres, nous disant qu'ils viendroient tirer leurs comptes
sitôt qu'ils auroient fini leurs canots, dont le bois étoit paré.
Nous avons descendu la rivière du lac du Bouillon de Brochet &
nous sommes venus camper à l'entrée pour attendre les Sauvages,
où j'ai pris un inventaire de ce que j'avois reçu, qui se montoit

à 450# de castor, et un bon paquet de pelleteries mêlées. Nous avons attendu les Sauvages, sans voir personne, jusqu'au 22ᵉ de mai. L'on commençoit à nous ennuier, surtout de ne point fumer, lorsque les Sauvages arrivèrent. Le lac étoit encore entier, mais peu solide. Cependant 2 jours après nous avons parti et nous avons tombé dans la rivière de la Savanne, qui se décharge dans le lac des Épinettes. Nous avons resté là où se forme une bay, d'environ deux lieues de distance de la pointe méridionale de notre fort. Nous y avons resté cinq jours, où pendant ce tems j'ai nettoyé les loges de tout ce qui pouvoit y avoir de pelleteries. Le 28ᵉ d.ᵘᵈ nous avons trouvé un passage, assez difficile, & nous nous sommes rendus; les Sauvages n'ont arrivé que le lendemain. J'avois tiré quelques coups de fusil sur les canards en approchant du fort; mʳ. Davis inquet de nous, mʳ. McBean inquet des Sauvages, se rendirent à la pointe de la bay tous deux, où mʳ. McBean attaqua mʳ. Davis et lui dit: «Vous êtes heureux d'avoir mʳ. Perrault pour gagner vos gages. Pour vous, vous êtes trop chétif pour faire des paquets». Mʳ. Davis lui répondit: «Croyez vous cela?» «Oui, je le crois et vous allez le voir». En disant cela, il s'avança sur lui, le saisit par les cheveux, le renversa par terre et le battit son soûl. Nous dédoublâmes la pointe un moment après; mʳ. Davis vint nous recevoir au port. Je lui demandai: «Quelle nouvelle y a-t-il? Comme vous voilà!» «Ce n'est rien», me dit-il, «c'est une guêpe qui m'a piqué». Les hommes déchargèrent le canot. Aussitôt mʳ. McBean envoya deux hommes chez les Sauvages, qui revinrent le soir sans succès.

Le lendemain les Sauvages arrivèrent, reçurent leurs présents après avoir traité ce qu'ils avoient de reste de leurs crédits, & furent camper de l'autre côté de la bay. Le 29ᵉ dudit au soir, après soleil couché, nous vîmes de l'autre bord de la bay 3 hommes qui étoient debout le long de la grève, que mʳ. McBean ne pouvoit voir. J'embarquai aussitôt avec Anderson, je fus à eux. C'étoit deux Sauvages & Jos. Le Groux, que mʳ. McBean avoit fait prisonnier dans janvier dernier. Il alloit à Henley porter les lettres; mʳ. McBean ayant sçu cela, fut devant le jour avec trois de ses hommes au bout du lac du Coude avec une bouteille de rum dans son capot, et le guetta là sur le chemin. L'homme arriva à eux, dans le tems que mʳ. McBean tenoit la bouteille dans sa main, lui dit: «Tu es bien arrivé, garçon! Tu vas prendre un coup avec nous autres; assis-toi là». Le Groux acotta son fusil contre un cèdre qui se trouva là par hasard et, quand il fus assis, mʳ. McBean prit le fusil et lui dit: «Je te fais mon prisonnier. Suis ces hommes-là & vas-t'en chez m^r. Morisson avec eux; et je t'ordonne de me livrer tes lettres ou je te flambe la cervelle». Il fut obligé de le faire pour avoit la vie. Il a donc resté à Kinongamang jusqu'à la mi de mai, toujours gardé par m^r. Morisson. Le 16e. de mai m^r. Morisson étoit seul et, couché sur son lit, s'y endormit; en même tems Le Groux mit la main sur son fusil, prit sa corne & son sac qui fit du bruit, réveilla m^r. Morisson, qui le vit armé, lui dit: «Où vas-tu donc?» «Je m'en retourne chez nous. Je ne vous conseille pas de vouloir m'arrêter». Il sortit en disant cela, et descendit à pied la rivière de Kinongamang jusqu'à Manitouanamingon, où il resta avec les Sauvages qui nous avoient promis de revenir nous voir encore une fois. Les Sauvages avoient chacun un paquet de trente castors que je mis dans le canot, et nous avons traversé chez nous. M^r. McBean fut bien surpis de voir Le Groux arrivé, ne sachant pas de quelle manière il étoit revenu.

Le 30e dudⁱ., m^r. Davis me mit à faire faire les paquets, du poids de 90[#] pesants, nous en mîmes le lendemain 14 sous la presse, dont douze de castor, au dépit de m^r. McBean qui, aussitôt le lac libre, partit avec un paquet et demi, comptant les peaux d'orignal passées et vertes qu'il avoit avec lui pour vendre et pour l'usage de sa maison. Il nous a laissé le 10e. juin 1812, & nous avons parti le 12e dudⁱ. pour Albany. Nous avons arrêté au fort de la rivière du Sud en passant; de là à la rivière de la chute à Martin; de là à la rivière de la Puise; de la rivière de la Puise au fort Albany. Nous y arrivâmes vers le 20e. de juin.

S: [Jean-Baptiste Perrault], dans Louis-P[hilippe] Cormier, *Jean-Baptiste Perrault, marchand voyageur parti de Montréal le 28e jour de mai 1783*, Montréal, Boréal Express, 1978, pp. 122-133.

Maître-charpentier au Sault-Sainte-Marie*

Voyant mon profit trop mince pour faire vivre ma famille, je pris parti dans le cours d'avril de 1815 de m'arranger avec le Nordwest pour monter au Sault de S^{te}. Marie en qualité de maître-charpentier pour l'espace de deux ans, à raison de £ 60. courant du Bas-Canada par année, afin de rétablir ce que la guerre avoit ruiné, scavoir: un moulin à scie, maisons, hangards, poudrière, &.^{ce}, à l'aide de cinq hommes au fait de la hache; ayant un équippement de commis évalué à vingt louis, la nourriture de ma famille & son logement libre, au Sault ou à Montréal; si je voulois descendre, d'être conduit avec ma famille jusqu'en Canada au compte de la compagnie de Nordw^t. Je me suis rendu à Montréal à la réquisition des agents, le 5e. de mai. Le 6e. dudⁱ.

nous avons monté à Lachine; le 8ᵉ. mʳ. McGillivray vint livrer les charges pour deux canots, & nous avons parti & campé à la pointe Claire. Le lendemain nous avons couché chez Bᵗᵉ. Germain, guide de la brigade, où ma femme a mis Édouard au monde. Le lendemain, ne pouvant nous-mêmes partir, j'ai laissé une partie de notre butin sur les canots & gardé ce qui nous étoit le plus nécessaire, et Germain a continué sa route. La 3ᵉ. journée ma femme alloit assez bien; nous nous sommes fait traverser au lac des Deux-Montagnes où j'ai acheté un canot assez portatif par moi pour tâcher de rejoindre la brigade, mais j'ai été obligé d'abandonner. Je me suis rendu avec beaucoup de difficultés à la Petite Nation chez mʳ. Papineau, seigneur de l'endroit, qui m'a donné beaucoup d'assistance, en attendant que j'eusse une occasion pour continuer mon chemin. Ce n'a été que 15 jours après que mʳ. McDonald qui passoit pour aller à Kamittikwia, me donna ordre de retourner à Montréal, afin que les agents me procurassent un autre passage. Je descendis donc avec madame Papineau qui avoit des affaires en ville: & ces messʳˢ. me munirent de moyen canot et de sept hommes pour me rendre au Sault en diligence.

Nous n'avons pas mis moins de 22 jours à monter. J'avois aussi un paquet de lettres pour remettre à mʳ. M'Claude [McLeod], où je le rencontrerois. Nous nous sommes rendus au lac Népissing avant de le voir; mais le lendemain, vers la moitié du lac après être passé la pointe aux Croix, ainsi nommée parce qu'un canot, quatre ou cinq ans auparavant, y avoit péri avec onze hommes n'ayant pu dédoubler le rocher dans un coup de vent du large, nous vîmes de loin un canot venir. Je ne doutai nullement que ce ne fût mʳ. M'Claude. Nous avions le vent contraire, & je fis arrêter à une petite isle où mʳ. M'Claude nous aborda. Je lui remis les lettres qui étoient à son adresse; & il repartit sur-le-champ & nous vînmes coucher au portage de la chaudière des François, ainsi nommé à cause de trois chaudières faites par l'art de la nature, qui représentent des chaudrons à potasse aussi parfaitement que s'ils avoient été façonnés par mains d'hommes. Le portage peut avoir trois à quatres arpents de long sur un roc vif, au bout duquel l'on prend la rivière des François, que l'on compte de 25 lieues pour se rendre à l'entrée, c'est-à-dire au lac Huron.

Le premier rapide que l'on saute est l'isle aux Pins; le second est celui des Grandes Faucilles, le troisiè[m]e, le rapide de Parisien, où l'on fait portage dans les grandes eaux, parce qu'il s'est noyé là un nommé Parisien & plusieurs autres; le quatrième est le Grand Récollet ou le Petit Récollet, qui sont séparés l'un de l'autre par une isle d'une lieue environ de long. Ensuite de quoi l'on trouve les Dalles, que l'on nomme ainsi parce que la rivière se rétrécit à cet endroit, à la largeur de quarante à soixante pieds, environ quatre à cinq arpents, dont un côté est un rocher vif & uni et à peu près élevé à 45 degrés de la perpendiculaire, que quand l'eau est trop forte, ceux qui tirent à la ligne ont beaucoup de difficultés pour y monter. L'autre côté, à l'opposite, est un endroit fort élevé, garni de roches cassées de toutes dimensions, où les Yroquois s'étoient autrefois embusqués pour défaire les François qui venoient en commerce en ce tems dans le lac Huron. Car il paroît que les Hurons aussi bien que les Yroquois de ce tems venoient faire leurs guerres jusque dans les lacs Huron & Supérieur, puisque ils ont été défaits par les Sauteux, qui les avoient découverts à la pointe qui porte le nom de Pointe aux Yroquois aujourd'hui. Suivant ce que j'ai entendu dire par des Sauvages enciens que, du tems des encêtres, un parti d'Yroquois étoit campé à cette même pointe, fut découvert par les Sauteux, qui se tenoient pour lors dans le Lac Supérieur, qui les approchèrent de nuit, prirent leurs canots, & les traversèrent dans l'isle vis-à-vis, & vinrent les frapper dans leur camp après les avoir investis de tous côtés, que sept ou huit seulement s'étoient sauvés à la faveur des armes, que depuis ce tems ils n'ont plus reparus. Les Sauvages du Pic m'ont montré une endroit où ils avoient été tués autrefois par eux, avec des os que les viscicitudes des tems n'ont pu effacer.

En bas du Récollet, il y a le rapide plat qui est court; j'y ai arrêté moi-même avec dix hommes dans le canot, obligés de nous mettre tous à l'eau pour passer. De là l'on se rend aux Petites Faucilles, où l'on décharge & l'on recharge immédiatement, et le canot saute environ deux fois sa longueur en forme d'une faucille. De là il peut y avoir une couple de lieues pour se rendre au lac. Dans la distance l'on passe à l'Enfant Perdu, qui est une place encore bien distincte, oû autrefois des Sauvages avoient débarqué pour camper près d'un antre souterrain qu'il y avoit là. Une femme avoit son enfant dans le berceau, le mit auprès de cet antre sans réflexion. Son mari avoit gagné le bois pour tuer tourtes ou perdrix, & sa femme peu éloignée ainsi que ses autres enfants étoient occupés aux soins de se loger, lorsqu'elle entendit crier son enfant. Elle revint bien vite mais elle ne le trouva point, elle l'entendoit crier dans cet antre près d'elle. Le mari vint aussitôt, & toute la famille se mit à poursuivre, en égrandissant le trou, toujours aux cris de l'enfant qui s'éloignoient de plus en plus. Enfin épuisés de fatigue & n'entendant plus rien, ils furent obligés d'abandonner pour le présent. Le lendemain il arriva d'autres Sauvages qui leur aidèrent à continuer le même ouvrage, mais ils furent tous obligés de laisser leur entreprise, parce que l'antre étoit dans le rocher. Quoiqu'il y ait beaucoup d'annés, l'on distingue facilement que ce canal a été fait par mains d'homme.

De l'Enfant Perdu nous nous sommes rendus au Sault de Sainte-Marie, le 24e. de juillet, chez m^r. Cameron qui étoit pour lors en charge et à qui je remis des lettres. Le premier d'aoust j'ai parti pour la pointe aux Pins avec mes hommes au nombre de huit, et à l'aide de deux chevaux nous avons tiré à la grève dans le courant dudⁱ. le bois d'une maison de trente pieds de long, un hangard de soixante d^o. de long, un d^o. sur poiteaux de trente pieds carrés, mis en cajeu & rendu sur la place le 5e. d'octobre. J'ai bâti immédiatement la maison de m^r. Cameron, et ensuite la mienne, pour me faire une boutique dans la suite. J'ai taillé en hiver le grand hangard et fait les mouvements du moulin à scie. Le printems j'ai taillé le hangard sur poiteaux, avec le moulin, attendant que le capitaine M'Cargo fût arrivé pour nous aider avec ses matelots à lever ces bâtiments-là, lorsque dans le cours de juin 1816 arrivèrent le colonel Caulman [Coltman], accompagné du major Fletcher, et quelques soldats avec eux, appointés pour examiner les forfaits des messieurs du Nordwest. Ils ont campé en haut du portage; quelques jours après ils ont continué leur route pour le fort William.

S: id., ibid., pp. 142-146.

THOMAS-RENÉ-VERCHÈRES BOUCHER DE BOUCHERVILLE (1784-1857)

Thomas-René-Verchères Boucher de Boucherville naît à Boucherville [Québec] le 21 décembre 1784. De 1792 à 1799, il étudie au collège sulpicien Saint-Raphaël à Montréal. Il passe ensuite quatre ans à Boucherville. Au printemps de 1803, il signe un contrat de sept ans comme commis à la New North West Company que dirige sir Alexander Mackenzie, puis il part pour le Grand Portage [Grand Portage, Minnesota]. Il passe par le lac Nipissing et Sault-Sainte-Marie, traverse le lac Supérieur et arrive à sa destination. De là, en septembre, il se rend hiverner au fort Dauphin [sur la rive nord-ouest du lac Manitoba]. Le 15 novembre, monsieur McMurray, commandant du fort l'envoie faire la traite à une quarantaine de lieues du fort. Il trouve le voyage pénible, tombe malade et revient au fort en décembre. En février 1804, sur l'ordre de son commandant, il part pour la Montagne des Canards pour le reste de l'hiver, mais il retourne au fort Dauphin à la fin de mars. En mai, à la suite d'une fièvre et d'un mal de jambes qui dure, il obtient la permission de quitter la New North West Company. À la fin du mois, il part pour le Grand Portage avec six hommes et y arrive à la fin de juin. Il s'embarque sur la goélette *La Persévérance* pour traverser le lac Supérieur; une douzaine de jours plus tard il est au Sault-Sainte-Marie, passe à Michillimakinac à la fin d'août et descend à Montréal en douze jours. En octobre 1804, Laurent Quetton de Saint-Georges, un émigré royaliste français de passage à Boucherville, l'emmène à York où il sera le commis de ce commerçant de marchandises générales et de fourrures. Au printemps de 1806, son patron l'envoie ouvrir une succursale à Amherstburg; le commis réussit bien et le patron lui vend ce commerce en 1808. En 1811, il descend à Montréal pour y acheter des marchandises. Pendant la guerre américano-britannique de 1812-1814, il fait du service comme volontaire dans l'armée britannique et participe à plusieurs batailles ou raids. Il passe l'hiver de 1814-1815 à Boucherville. En juin 1815, il remonte à Amherstburg, mais ne réussit pas à y rétablir son commerce; il échoue également dans sa tentative d'en ouvrir un à Boucherville à l'automne de 1815 et, de nouveau, à Amherstburg en juillet 1816. En septembre, il est de retour à Boucherville et renonce au commerce. Il devient juge de paix et major de milice. Le 17 mai 1819, il épouse Joséphine Proulx; le couple aura cinq enfants. Dix ans plus tard (1829), Thomas Verchères de Boucherville devient, par héritage, coseigneur de Boucherville et de Verchères. Le 13 décembre 1857, il décède à Boucherville.

Le 15 avril 1847, il avait signé le journal de voyage qu'il avait rédigé pour ses enfants. Ce journal ne sera publié qu'en 1901, en français, dans un périodique de langue anglaise de Montréal, *The Canadian Antiquarian and Numismatic Journal*. Le texte du «Journal» est précédé d'une introduction rédigée par son éditeur anonyme; elle contient la généalogie de la famille de Pierre Boucher, dont descend Verchères de Boucherville. Le «Journal» comprend deux parties. La première porte sur les voyages et séjours de l'auteur aux pays d'en haut, tandis que la seconde contient le récit de ce que Verchères de Boucherville a vécu au cours de la guerre de 1812-1814 entre les États-Unis et l'Angleterre. L'une et l'autre parties se lisent avec intérêt, car, en plus de raconter sa vie dans des phrases simples, limpides et bien structurées, le narrateur nous renseigne sur des événements historiques du sud franco-ontarien dont peu de témoins francophones nous ont laissé le récit. Il nous fait connaître une centaine de Franco-Ontariens du sud de l'Ontario et nous permet de voir de près le déroulement de la guerre anglo-américaine dans la région où elle a été, peut-être, le plus marquante. Une région que Verchères de Boucherville avait beaucoup aimée et qu'il aurait désiré continuer d'habiter si les circonstances le lui avaient permis, car, à l'avant-dernier paragraphe de son «Journal», ce Québécois de naissance, redevenu citoyen-propriétaire de Boucherville, sa paroisse natale, après avoir essayé à trois reprises de se réinstaller à Amherstburg, écrivait qu'il ne «pouvai(t) (s)'empêcher de regretter tout-à-fait la partie ouest du Haut-Canada où s'étaient coulées des années si mouvementées pour (lui)».

Nous avons emprunté les pièces qui suivent à l'édition française parue sous le titre «Journal de M. Thomas Verchères de Boucherville» dans *the Canadian Antiquarian and Numismatic Journal*, published by the Numismatic and Antiquarian Society of Montreal. Chateau de Ramezay, C. A. Marchand, Printer to the Numismatic and Antiquarian Society, Third Series, Vol. III, Nos. 1, 2, 3 and 4, [1900], pp. 1-167. — L'éditeur écrit qu'il a reproduit le texte en entier et qu'il s'est contenté de «substituer ça et là, une expression correcte à une qui le (lui) paraissait moins, de remplacer une phrase un peu obscure par une autre plus limpide; il s'est permis d'ajouter «quelques notes explicatives» pour augmenter l'intérêt du récit en l'éclairant. — Nous reproduisons tel quel le texte de cette édition, mais sans les notes infrapaginales.

Aux prises avec la tempête sur le lac Supérieur*

La septième journée après notre arrivée, nous eûmes ordre de nous préparer pour nous rendre à bord du Schooner "Perseverança," commandé par le capitaine White. Le Chevalier, McKenzie et George Moffatt (2), ses deux neveux, devaient aussi s'embarquer avec nous. Vers les trois heures de l'après-midi, nous étions abord, déjà l'ancre, soulevée par les robustes bras des matelots, commençait à poindre à la surface de l'eau. Chacun était à son poste, le vent soufflait avec violence, lorsque la voix du capitaine se fit entendre au milieu des gémissements plaintifs des cordages qui, fouettés par la tempête paraissaient vouloir se rompre; "Hisse les voiles!" dit le capitaine, "Hisse les voiles"! Puis, en moins de deux minutes, nous sentimes les raides balancements du vaisseau emporté au loin sur la houle furieuse. Nous étions sur les eaux du majestueux lac Supérieur.

Nous voguâmes tout le reste de la journée, la nuit et le lendemain avec bon vent. Il en fut ainsi jusque vers les six heures. Puis, tout-à-coup, nous vîmes le ciel se couvrir d'un voile épais et plombé, et, en peu d'instants, une obscurité livide fit place à la lumière du jour, allant toujours en augmentant. Du côté de l'Ouest, un énorme et menaçant nuage s'avançait lentement sillonné par de vives éclaires, et paraissait porter la grêle dans ses flancs.

Tous, nous regardions arriver ce sombre amas de noires vapeurs avec l'anxiété et l'attention du marin qui, de l'œil, suit dans l'espace, l'ennemi qui doit décider de son sort. Quant à moi, j'admirais le balancement superbe des mâts qui, courbant leurs têtes jusqu'au niveau de l'eau, semblaient jouer avec l'onde, puis se relevaient au milieu des éclaires pour se replonger encore. En ce moment, le tonnerre éclata en coups redoublés. Ses détonations précipitées comme des éclats de bombes résonnaient à la fois sur tous les points de l'horizon. Soudain, une immense éclair vint refléter ses millions de rayons sur toutes les parties de notre vaisseau. La foudre venait de tomber, avec un fracas effroyable, sur l'onde, à dix pas de nous, peut-être. Un frisson, mais un frisson comme celui de la mort, parcourut un instant toutes les parties de mon corps, car je pensais que ce terrible coup de foudre était un avertissement de la part de Dieu de nous préparer au voyage éternel, aussi, mes regards s'élévèrent-ils naturellement vers le ciel comme pour l'implore. L'onde en furie battait les flancs de notre vaisseau avec une force considérable. L'on aurait dit que tous les mauvais génies s'étaient réunis pour conjurer notre perte tant la tempête mettait d'acharnement dans ses assauts sur le navire. Cependant, au milieu de cet épouvantable tumulte, nous entendîmes ces mots consolateurs: terre, terre.

Le pilote, qui pendant tout le temps de la tempête, s'était tenu attaché au mât de beaupré, venait d'apercevoir, à la lueur rapide d'une éclaire, les îles Milons ou aux Bariboux. Nous allions nous fendre sur les rochers qui bordent cette île quand, par une manoeuvre qui certainement devrait beaucoup ajouter à la renommée du Capitaine White, il nous tira de la position si périlleuse dans laquelle nous étions engagés. Depuis quelque temps, le capitaine avait entièrement perdu son calcul, vû la rapidité avec laquelle nous vogions sur l'eau durant cette terrible nuit.

Il nous fallut cependant mettre à cap pour se maintenir au vent. La secousse que nous ressentions à bord était si forte que nous ne pûmes tenir plus longtemps debout. On aurait dit que nous avions tous pris une forte dose d'émétique tant que nous étions malade, le Chevalier même qui, plusieurs fois, avait passé l'Océan, ne nous en cédait certainement pas. Le roulis qui parfois était si fort passait à plus de dix pieds au-dessus du bâtiment et parvint à nous enlever deux superbes vaches que nous avions sur le pont, une perte des plus irréparables pour nous; vers le matin, à l'aube du jour, l'atmosphère commença à s'éclaircir, et le vent diminua de beaucoup sans néanmoins faire disparaître tout danger, la vague portant toujours notre vaisseau vers les rochers assez rapprochés de nous.

Par une providence toute particulière, le vent varia de quelques points, ce qui nous permit, en courant la bordée, de nous éloigner de terre de quelques lieues. Puis, nous pûmes faire porter toutes les voiles, et nous nous rendîmes très heureusement au Grand Portage dont j'avais si souvent entendu parler dans mon enfance par les voyageurs de mon village.

Vous pourrez, sans doute, vous imaginer le plaisir que j'éprouvai en mettant le pied sur terre. J'étais pourtant bien exempt des dangers de l'onde perfide, et cependant, en marchant, je ne pouvais m'empêcher de frapper, de temps à autre, les petits cailloux qui se rencontraient à la portée de mon pied; mon imagination avait été si frappée pendant la traversée que je croyais à chaque pas que je faisais, monter et descendre la vague, le bruit de la mer agitée résonnait continuellement à mes oreilles et je me sentais sans dessus-dessous, mais enfin, comme toutes les choses de l'imagination, l'illusion passa.

S: *Journal de M. Thomas Verchères de Boucherville dans ses voyages aux pays d'en haut, et durant la dernière guerre avec les Américains, 1812-1813*, dans *The Canadian Antiquarian and Numismatic Journal, published by the Numismatic an Antiquarian Society of Montreal, Chateau de Ramezay*, Montreal, C. A. Marchand, Printer to the Numismatic and Antiquarian Society, 38 St. Lambert Hill, Third Series, Vol. 3, Nos 1, 2, 3, and 4 [1900], pp. 4-7.

Fatigué et seul dans les bois*

Le 15 Novembre, M. McMurray me fit partir pour aller en *dorouine* — qui veut dire faire la traite avec les sauvages — à quarante lieues de notre fort à peu près. Je pris avec moi le nommé Clermont en qualité d'interprête, et cinq hommes pour porter les marchandises. Le lendemain, sur les quatres heures du matin, nous commencions notre course. Le lieux de notre destination était le Vichiosnosepinque, ce qui veut dire en langue Sauteuse: *deux rivieres.*

Toute la journée, nous avons marché, tantôt sous des bois épais, tantôt dans d'immenses prairies naturelles où quelque temps auparavant, le feu avait été mis. On peut facîlement se faire une idée de la mine que nous avions dans ces débris de végétaux calcinés. De temps à autre, je regardais mes hommes, et malgré la fatigue qui m'accablait et les douleurs que je ressentais dans les jambes, causées par la longueur de la marche, je ne pouvais m'empêcher de jeter de grands éclats de rire tant les figures étaient barbouillées et grotesques. C'était à se croire en compagnie d'autant de nègres.

A un moment donné, je manquai mon chien, mon fidèle et caressant compagnon. Je me retournai en l'appelant, mais au lieu de la grosse bête jaune que j'avais amenée avec moi, je vis un animal tellement noir que je ne pus croire que c'était là mon chien. Désireux de m'en assurer, je m'écriai Osmar! Osmar! Là, je vis que c'était bien lui, car, d'un bond il me sauta dans les reins avec une telle violence qu'il me fit faire un faux pas et je tombai par terre. Voilà ce que j'en eu de ma méprise!

Nous entrions dans une magnifique pointe recouverte de grands pins qui se trouvait détachée par un arpent ou deux d'une immense forêt. Il pouvait être alors cinq heures du soir, le soleil dardait encore ses rayons affaiblîs sur la cîme des arbres, la toile argentée du firmament était aussi pure que l'âme de la

Vierge. Pas une tache, pas un nuage ne tranchait sur cette belle voute des cieux. Cependant, le froid était intense, et venait à tire-d'aile avec la brise qui s'élevait du Nord.

J'étais harassé; je n'en pouvais plus, et il me fallait pourtant continuer ou demeurer seul dans cette épaisse forêt, pour ne pas nous laisser dévancer par l'autre société qui, dans ce cas, aurait pu traiter avant nous avec les sauvages. Dans une pareille situation je ne savais que faire. Cependant, je me décidai, non sans beaucoup d'hésitation, à rester en arrière. Je laissai donc partir mes hommes tout en leur recommandant bien de *blaiser* les arbres pour pouvoir reconnaître leur passage, le lendemain. Ce qu'ils me promirent bien de faire. Je gardai avec moi mon chien, un fusil et un poignard, en cas de surprise. Dès que mes gens furent parties, je me cherchai une place convenable pour y faire un campement. Celà fait, j'allumai un grand feu, et puis fis une bonne provision de branches sèches pour l'alimenter durant la nuit. Mes préparatifs finis, il pouvait être neuf heures du soir, et c'était le moment de penser à mon souper. Je mis au-dessus du feu un morceau d'orignal afin qu'il eût le temps de rôtir durant mon premier somme. Je m'enveloppai ensuite dans la couverte que j'avais eu la précaution d'apporter avec moi, et me couchai sur mon tas de branches comme sur un luxeux édredon. Mais, je ne pus, malgré tout, m'endormir: j'avais toujours l'oreille au guet, et à chaque frémissement des feuilles, occasionné par la froide brise, je mettais la main sur mon fusil.

Vers une heure après minuit, mon chien qui était couché à mes pieds se leva tout-à-coup, et demeura un instant immobile, les yeux du côté du bois, comme pour en percer les ténèbres, et se recoucha. Deux ou trois minutes plus tard, il se releva subitement laissant échapper, cette fois, un sourd grognement du fond de sa large poitrine; il fit plusieurs fois le tour de ma personne et vint se recoucher à la même place. J'étais inquiet, il me semblait que mon chien pressentait l'apparence de quelqu'ennemi, le rapprochement d'un danger certain. Je visitai mon fusil, épinglai la communication du canon avec l'amorce, puis fis l'inspection de mon poignard afin de m'assurer si la lame en était assez tranchante pour m'aider au besoin, et, satisfait de mon inspection, je me mis en devoir de faire une ascension précipitée dans un énorme pin. Mon pauvre chien tout ce temps me regardait d'un œil compatissant et semblait comprendre les préparatifs que je venais de faire en sa présence. Puis, lorsqu'il vit que je m'étais caché le mieux qu'il m'était possible dans les rameaux touffus, il songea fort naturellement à lui-même, et s'enfonça rapidement dans l'épaisseur du bois. Depuis quelques instants, il me semblait entendre un sourd craquement dans le lointain, puis le bruit se rapprocha de plus en plus de moi. Je n'avais pas peur, mais je tremblais de tous mes membres et les dents me claquaient dans la bouche. Enfin, à la lueur de la flamme de mon brasier, je crus apercevoir quelque chose de blanc s'avançant tranquillement à travers les sapins. Je pus distinguer une énorme tête d'animal: c'était rien moins qu'un ours blanc qui me venait faire visite. Sans attendre que je fus descendu de ma retraite aérienne pour venir lui offrir l'hospitalité de ma modeste table, il s'empressa de se servir lui-même, en prenant, avec sa large patte, mon souper tout entier et de tout le manger en un rien de temps, ce qui me déplut fort, va de soi. Peu s'en fallut que je lui envoyai un messager plombé lui demandant raison de sa grave impertinence! Mais, comme je vis que ce dangereux carnassier ne m'avait pas découvert dans ma cachette, je préférai le laisser partir sans entrer en querelle avec lui. Je pense que c'était là prendre le parti le plus sage! D'ailleurs, j'aurais eu tort certainement de lui en vouloir, car sa présence pour une raison dont je ne suis point encore absolument convaincu, m'avait tout-à-fait ôté ce vilain mal de jambes qui m'avait fait tant souffrir jusqu'à son imposante apparition. Cette bien peu agréable nuit qui me parût d'une longueur extraordinaire, eut pourtant une fin comme toute autre nuit et, avant longtemps, le soleil tout radieux, montant sensiblement au-dessus de l'horizon, répandait partout sa brillante lumière dont j'étais tout innondé, et m'appelait à quitter mon gît.

Je ne me fis pas prier deux fois pour descendre de mon lit improvisé, et fus bientôt en bas. Je ramassai mes effets à la hâte, car je ne savais pas trop si mon nocturne visiteur, réfugié gracieusement dans des alentours assez rapprochés, ne serait point tenté de revenir me donner une franche accolade avant mon départ, pour me remercier de l'excellent repas que je lui avais procuré! Il avait eu aussi l'extrême délicatesse de ne pas voir le morceau de viande sèche que j'avais enveloppé dans ma couverte et il pouvait bien avoir l'idée de retourner voir si j'étais toujours disposé à lui continuer mes politesses! J'en mangeai à la hâte une partie, car j'étais dévoré par la faim, et gardai le reste pour le soir, et puis me remis prestament en chemin suivi de mon bon et fidèle compagnon Osmar.

Mes gens, tel qu'ils me l'avaient promis, avaient très bien tracé le chemin au moyen de "blaises" faites à coups de hache, sur les troncs d'arbres, ou en coupant les bouts des branches, en la manière pratiquée par les sauvages.

Mon chien qui, en voyant maître Martin prendre congé de moi, était revenu se coucher au pied de l'arbre où je m'étais prestament retiré, me suivait pas à pas, et par ses joyeuses gambades, semblait vouloir me distraire de la terrible et profonde solitude dans laquelle je me trouvais. A dire vrai, il faut avoir passé par la chose pour se faire une simple idée du silence accablant qu'il fait dans ces immenses forêts. Je marchai ainsi toute la journée. La nuit était sur le point de tomber, et il ne me restait plus pour toute nourriture, que le maigre morceau de viande que j'avais gardé du matin. Je me sentais dans un grand épuisement et tout-à-fait démoralisé. En outre, l'idée de la maison paternelle, "home," se mit à me hanter d'une manière peu propre à me réjouir et reconforter. Pourquoi avais-je voulu me mettre dans une telle position? que j'avais été étourdi! A tout cela vint s'ajouter les ardeurs de la soif qui me consumait les entrailles, j'avais pourtant, faute d'eau, extrait le suc de plus d'une chopine de boutons de roses sauvages pour l'étancher, s'il était possible, mais sans succès aucun. Je souffrais le martyre, quoi donc! Soudain, je fus tiré de mon profond découragement par un coup de fusil entendu à une faible distance de moi ce qui me ranima prodigieusement. Mon sentiment de joie fit bientôt remplacé cependant, par celui de la crainte, hélas! Je n'ignorais pas que la cruelle tribu des "gros ventres" était en guerre avec celle avec laquelle nous traitions, et il pouvait bien arriver que je fus dans le voisinage d'un parti de ces hommes sanguinaires qui se seraient donnés volontiers le plaisir de me faire la chevelure (scalper) séance tenante, ou de m'entrainer prisonnier loin, très loin, dans leur pays complètement dépourvu de civilisation, sous prétexte d'adoption. L'une ou l'autre de ces deux perspectives me fit bientôt oublier le tourment de la soif que j'éprouvais avec autant d'intensité. Une seconde détonation se fit entendre, encore plus rapprochée de moi, et toutes mes craintes s'évanouirent lorsque j'entendis prononcer mon nom presqu'en même temps. Je n'ai guère honte de la mentionner, dans le moment, j'étais fou de joie. Je m'empressai de répondre en déchargeant, à mon tour, mon fusil, et quelques minutes après, je me trouvai en présence de mes hommes qui, soupçonnant bien la faim à laquelle j'étais en proie, étaient venus audevant de moi avec de l'orignal cuit. Ce seul met composait tout le banquet!

La première question que je leur posai, dès que je les aperçus, à quelque vingt pas de moi, fut de savoir s'il y avait de l'eau quelque part dans les environs, car je savais qu'il ne pouvait pas être question pour eux d'en apporter, cela ne se pratiquant jamais dans ces régions si pourvues de lacs, de ruisseaux et de rivières grandes et petites. On s'empressa de m'aviser de la présence tout auprès d'une source d'eau limpide. Je m'élançai en leur compagnie vers l'endroit désiré où j'eus l'incomparable satisfaction d'étancher cette soif brûlante qui me tourmentait depuis tant d'heures. Je vis le moment cependant, où je ne pourrais y arriver tant elle était intense. Nous établismes notre campement en ce même endroit, et pûmes prendre un repas plus copieux et varié que ses prédécesseurs ne l'avaient été. Le lendemain, aux premières heures du jour, nous quittâmes cet endroit pour nous rendre aux loges des sauvages et y arrivâmes sur les dix heures. Sans avoir éprouvé par moi-même l'hospitalité, ainsi que la bonhommie de ces sauvages, je n'aurais jamais pu y croire. Ils me reçurent comme l'un des leurs. Le grand chef me logea dans une de ses loges et m'accabla d'attentions. Son nom était Wacagobo, qui veut dire: "la grande pitié". Son visage respirait beaucoup de bonté; c'était le portrait de St. Charles Borromée. Je fus obligé de demeurer au milieu de cette tribu pendant près d'un mois, vû une inflammation que j'eue aux jambes causée par ma malencontreuse marche ci-haut rapportée.
S: id., ibid., pp. 13-20.

Des Dames sauvées et protégées*

Il faut dire qu'avant la bataille, il était parties plusieurs Dames d'officiers de la place où nous étions campés pour le bas du village Moravian et là y prendre un grand canot d'écorce qui devait les conduire à Oxford. La bataille perdue, nous nous rendîmes au même endroit d'où étaient parties ces Dames. Il y avait là un deuxième canot, la propriété de M. Larocque, ou M. Lacroix, tous deux négociants de Montréal. On était à finir de la *gommer*. Nous le louâmes afin de nous rendre aussi, par eau, jusqu'à Oxford où la navigation cesse tout-à-fait.

Sans perdre de temps nous prîmes place dans notre canot. Celui des Dames nous précédait d'à peu près une heure. La journée était sombre et fort désagréable. Le vent soufflait avec violence, accompagné de fréquentes ondées d'une pluie très froide. Nous étions en proie à une grande tristesse; tout tendait vers elle à vraie dire. La rivière "La Tranche" ou Thames que nous remontions est très étroite, et le fond tout hérisé de tronc d'arbres, ce qui en rend la navigation très dangereuse pour le canot d'écorce.

Je tâchai de connaître les noms des Dames qui nous précédaient, mais personne ne les connaissaient. Tout ce que l'on savait, c'est quelles étaient des femmes d'officiers prisonniers aux mains des Américains; d'Oxford, elles devaient se rendre à Toronto en waggon.

Graduellement nous nous étions rapprochés de leur canot, et nous n'en étions plus éloignés que d'a peu près une portée de fusil, lorsque soudain, des cris perçants parvinrent à nos oreilles, le canot venait de s'entre-ouvrir sur un tronc d'arbre caché sous l'eau et il commençait à faire eau de toutes parts; tout le monde était en face d'une mort presqu'inévitable. Les misérables lâches qui le conduisaient, au lieu de faire leur possible pour secourir ces pauvres Dames sur le point de se noyer, se sauvèrent à qui mieux mieux vers la plage qu'ils atteignirent en bien peu de temps; nous bouillions de colère et notre indignation était à son comble. Faisant des efforts surhumains pour ainsi dire, nous nous trouvâmes en un clin d'œil sur le lieu du désastre. Jamais je ne pourrai oublier les supplications d'une de ces malheureuses qui ne cessait de nous demander de sauver son jeune enfant qu'elle tenait dans les bras. C'est ce que je fis, et la mère aussi en arrivant auprès d'eux, et les plaçai tous les deux dans notre canot. M. Voyer en enleva une autre qui elle aussi fut déposée aux côtés de sa compagne. Il restait encore une de ces femmes à sauver, mais nous étions alors surchargés et en péril de couler bas par le plus léger mouvement de notre part. Inutile d'y penser, quoi faire, alors? Cette femme était douée d'un singulier courage, et ce fut celui-ci qui la sauva. A notre suggestion, elle se cramponna avec un admirable sang-froid au canot qui fut remorqué bientôt par nous jusqu'à terre. La reconnaissance que ces malheureuses dames nous montrèrent se comprend; inutile de la mentionner.

Cependant, rien des effets ne fut perdu, car le canot ne coula pas quoique assez rempli d'eau. Les hommes mirent une pièce à leur embarcation, et furent bientôt prêts et se rembarquert. Les Dames, quoique sauvées du naufrage, ne devaient point être exposées au danger d'une maladie certaine, et pour cela elles devaient avant de repartir faire sécher leurs habits mouillées, mais ces hommes grossiers et barbares jusqu'au bout, ne parurent pas s'apercevoir de rien et leur ordonnèrent de reprendre le canot sans délai.

Je ne pus m'empêcher de faire remarquer à M. Woolsey que nous devions les suivre de vue avec un tel équipage. Nous ne pouvions faire plus, parceque notre canot était trop petit pour nous contenir tous à la fois, et nous ne pouvions donc pas les presser de rester jusqu'à ce que leurs vêtements fussent asséchés, pour ensuite les faire monter avec nous. Ce monsieur me donna son adhésion et les deux autres compagnons aussi.

Le canot quitta environ une demie-heure avant le nôtre, mais il nous fut impossible de le rejoindre. Je pensai que l'on avait décidé de marcher toute la nuit, et de se mettre au plus vite possible hors des atteintes de l'ennemi qui poursuivait toujours vigoureusement les débris de nos troupes. Nous nous trouvions qu'à trois lieues, en ligne directe, de l'endroit où nous nous étions d'abord embarqués quoiqu'en ayant parcourues plus de sept, à raison des sinuosités de la rivière.

Il était alors dix heures du soir et on avisa qu'il était plus prudent pour nous de camper pour la nuit. Nous nous dirigeâmes alors du côté sud de la rivière à l'opposite du chemin que suivaient les américains. Il fut décidé que nous passerions le reste de la nuit sans faire de feu, afin de ne point attirer l'attention. Le silence le plus profond régnait partout. Nous nous préparions à prendre un repos bien nécessaire et bien mérité, lorsque l'écho nous apporta le bruit de coups de hâche. Nous tendîmes l'oreille quelques instants, le bruit avait cessé, mais pour recommencer tout aussitôt. J'avançai alors, avec précaution, dans la direction d'où venaient les coups. A ma grande surprise, je vis, au travers des grands arbres, à la faible lueur d'un petit feu, les hommes, nos devanciers. Je retournai immédiatement sur mes pas pour faire part de ma découverte à mes compagnons. M. Voyer seul était éveillé, et voulut bien revenir avec moi.

Nous trouvâmes ces hommes assis autour du feu, mais les Dames en étaient assez éloignées pour ne point en ressentir les bienfaisants effets. Elles étaient encore toutes mouillées, la nuit était passablement froide, le vent soufflait du Nord-Est. Leurs couvertures étaient mouillées aussi ainsi que leurs lits de camp. Dénuées de toute nourriture et dans un si pitoyable état, il était impossible de ne pas se sentir émus jusqu'aux larmes.

Nous fîmes d'amers reproches à ces êtres dépourvus de tout sentiment d'humanité, ajoutant en plus la menace de divulguer leur odieuse conduite, vis-à-vis de ces Dames qu'ils tenaient éloignées du feu. Ces pauvres femmes, ce petit enfant sur les genoux de sa mère, tous pleuraient à chaudes larmes. Cette infortunée mère n'avait pas plus que dix-neuf ans, le croyriez-vous; les autres Dames étaient un peu plus âgées.

M. Voyer leur fit un bon feu, au risque d'être surpris par l'ennemi très rapproché de la rivière. Ce feu ranima toutes ces infortunées, et avant de partir pour aller chercher à notre camp quelques provisions pour les réconforter, car elles n'en avaient plus depuis leur naufrage, j'étendis leur couvertures devant la flamme du foyer, afin de les assècher et par là leur assurer un tranquil repos pour le reste de la nuit. Nous retournâmes, M. Voyer et moi au campement. Je me hâtai de réveiller M. Woolsey qui avait soin de nos petites provisions, et lui racontai la triste et misérable conditon dans laquelle se trouvaient placées ces pauvres femmes. Comme c'était un homme rempli de compassion il en fut touché et s'offrit de nous accompagner dans notre retour vers elles. Sa santé étant d'une grande débilité, je ne le lui permis point. Il nous remis, avec empressement, un peu de vin de port, du sucre, du thé, du pain etc., et nous nous empressâmes de retourner vers elles. Sans exagération aucune, je puis assurer qu'elles nous accueillirent comme des sauveurs. Sans perdre de temps, nous leur fîmes bouillir de l'eau et elles purent prendre leur thé avec grand contentement. Les couvertures étant parfaitement assèchées elles purent s'en envelopper sans crainte pour goûter le repos dont elles avaient tant de besoin. Avant de les laisser toutefois, nous versâmes à chacune d'elles un bon verre de vin, afin de réchauffer leurs membres engourdis. Nous ayant donné mille témoignages de leur reconnaissance pour notre charité ainsi qu'elles l'appelait envers elles, nous prîmes congé de ces Dames pour toujours. Il était alors près de deux heures du matin, lorsque revenus, le repos nous fut possible pour quelques heures

Le lendemain matin, dès l'aube du jour, nous reprenions notre route, mais, en passant l'endroit où j'avais remarqué leur canot, la veille, je vis qu'il était déjà en marche. Ce ne devait pas être depuis longtemps, car le feu n'était pas encore éteint. Poursuivant toujours notre voyage, sur les deux heures le canot arriva à Oxford, petite place composée de quelques maisons seulement. J'appris là que ces Dames étaient dans l'une de ces maisons, nous ayant précédé d'environ une heure; tout à fait satisfais de cette nouvelle, je n'allai point leur faire visite.

S: *id., ibid.*, pp. 128-134.

PIERRE POINT
(1802-1896)

Pierre Point naît à Rocroy [département des Ardennes, dans le nord-est de la France] le 7 avril 1802. Il est ordonné prêtre en 1826. Il est ensuite chanoine de la cathédrale de Reims jusqu'en 1839, puis il entre chez les jésuites. Pendant le carême de 1843, alors qu'il prêche à Belle-Île-en-Mer [département du Morbihan, dans l'ouest de la France], il reçoit une lettre de son supérieur provincial qui le destine au Canada. Le 3 juin 1843, avec quelques confrères, il part du Havre sur le *Iowa*, paquebot américain. Le 12 juillet, il débarque à New York. Trois jours plus tard, en compagnie du père Jean-Pierre Choné, il quitte cette ville pour aller à Toronto où les attend le père Pierre Chazelle. Les deux compagnons sont au rendez-vous le 24 juillet. Le surlendemain, les trois pères se rendent à Détroit. Le 31, fête de saint Ignace, fondateur de leur ordre religieux, ils sont à Sandwich [Windsor]. Le père Point y est supérieur local jusqu'en 1859. Tandis que ses confrères apprennent les langues, puis vont en mission dans la région, il s'occupe surtout de la paroisse et de l'établissement de treize écoles canadiennes-françaises dans les comtés de Kent et d'Essex. Le 30 avril 1852, à la suite de ses démarches auprès des Dames du Sacré-Cœur, quatre religieuses de cette congrégation arrivent à Sandwich; le dimanche suivant, elles ouvrent un pensionnat (niveau secondaire) pour les jeunes filles. Le 10 février 1856, c'est un collège classique qui s'ouvre avec soixante externes et vingt-six pensionnaires; les jésuites manquant de sujets, la direction en sera confiée à un père basilien. Le 20 décembre 1859, à la demande de Mgr Pierre-Adolphe Pinsoneault, qui disait n'avoir rien à leur reprocher, les jésuites quittaient la paroisse et le collège; l'évêque regretta bientôt sa décision, mais les jésuites refusèrent de revenir à Sandwich. De 1861 à 1872, le père Pierre Point est supérieur de la résidence de Québec; il est ensuite directeur spirituel au collège Sainte-Marie [Montréal] jusqu'au moment où il y décède, en 1896.

Le père Félix Martin, premier éditeur des *Lettres des nouvelles missions du Canada, 1843-1852,* [Montréal ? Québec?, lithographie, vers 1857], 264 p., n'a publié que quatre des nombreuses lettres du père Pierre Point. Le père fait l'éloge de la grande foi de ses paroissiens, s'en prend au protestantisme qui répand l'erreur chez les Amérindiens, que gâte aussi le voisinage peu exemplaire de certains blancs. Il décrit le Canadien français, lui trouve des qualités, mais déplore le peu d'intérêt qu'il accorde à l'éducation. Il regrette que l'industrie soit peu développée. Au fil des années, le père apprend à connaître et à estimer les protestants. — Le père Pierre Point est aussi l'auteur d'une «Histoire de Sandwich»; elle n'a pas encore été publiée.

Nous avons emprunté les pièces qui suivent à la seconde édition des *Lettres des nouvelles missions du Canada, 1843-1852,* que le père Lorenzo Cadieux a publiée avec commentaires et annotations en 1973, à Montréal (les Éditions Bellarmin) et à Paris (Maisonneuve et Larose). — Nous reproduisons ce texte tel quel, mais sans les annotations.

Un accueil hostile à l'île Walpole*

[..] il est à une douzaine de lieues d'ici sur le lac Sainte-Claire une île appelée Walpole ou l'île du sud digne d'attirer le zèle des missionnaires de la Compagnie. Là se trouvent un grand nombre de Sauvages, auxquels le gouvernement se propose d'adjoindre tous ceux qui sont épars dans le pays. On nous a dit dès notre arrivée, que depuis longtems les ministres anglicans et méthodistes faisaient de vains efforts pour s'y établir, et que les sauvages n'en voulaient pas. Dernièrement on disait qu'ils ont encore le désir de se convertir à la prière des Français; que cependant ennuyés d'attendre, ils viennent de consentir à recevoir un ministre et une école qui leur étaient offerts, que déjà le gouvernement avait autorisé la construction du temple, du presbytère et de l'école; mais que les choses n'étaient pas tellement arrêtées que l'on ne pût les faire changer. Sur cet avis, nous nous hâtames d'envoyer le P. du Ranquet sur les lieux. Il partit avec le F. Jennesseaux le 17 avril. J'attendais sa première lettre avec impatience, afin de vous faire part de ses premiers essais auprès des sauvages, essais bien importans et qui devaient nous donner une idée de la facilité ou de la difficulté de convertir ces infortunés. Cette première lettre arriva enfin. Le P. du Ranquet, au 22 avril, était encore sur le bord de la rivière Sainte-Claire, attendant le moment d'entrer dans l'île, prenant des renseignements sur cette mission, et recevant l'hospitalité du Capitaine Keating, qui a inspection et beaucoup d'influence sur toute la contrée. Sa femme est une sauvagesse convertie, très bonne chrétienne, et sa mère a beaucoup de zèle pour la conversion des sauvages. Le Capitaine est anglican, il avait obtenu à la place d'un ministre méthodiste destiné à demeurer dans l'île, un ministre anglican qui déjà en avait pris possession. Cependant il paraissait devoir être favorable à la mission catholique. On avait dit au Père du Ranquet que les plus grands obstacles au succès étaient les mauvaises dispositions des Sauvages, gâtés par leurs rapports avec les blancs, ivrognes, jongleurs, sorciers, etc. Comptant sur le secours du ciel, il pénétra dans l'île, d'où il m'écrivit une 2e lettre. Elle m'arriva le soir du 30 avril; le P. Choné était parti avec notre jeune interprète, le matin même de ce jour pour aller le rejoindre. Dans cette lettre, le P. du Ranquet annonçait qu'il était encore campé à la belle étoile et qu'il n'avait pu rien faire jusque-là. Il préparait les voies, en visitant les cabanes dans lesquelles il trouvait bien de la froideur. Il faut observer que le gouvernement anglais interdit l'entrée de l'île à tous les blancs, et qu'il faut pour y résider une autorisation spéciale que du reste le Capitaine s'était chargé d'obtenir pour nous. Le 3 mai, je reçus à la fois 2 lettres, l'une du 26 avril, l'autre du 30, dans lesquelles le P. du Ranquet me faisait part du peu de succès de ses premières tentatives. Il s'était décidé à élever une petite chapelle en toile; elle s'était faite comme par enchantement sous la main du F. Jennesseaux en moins de 10 heures. Le lendemain, dimanche, un bon nombre de sauvages devaient s'y rendre; on espérait beaucoup, mais dès le matin on vint dire au Père que, pendant la nuit, avait circulé partout la défense d'assister à la prière du prêtre, et l'ordre d'aller à celle du ministre. Un seul sauvage eut le courage de se rendre à la chapelle catholique; au surplus, les autres ne furent pas plus zélés à aller entendre le *Preacher*. Ces sauvages manifestent la plus opiniâtre résistance à tout prosélytisme. Ils ont déclaré qu'ils se contenteraient de l'école protestante pour leurs enfants, qu'ils les laisseraient libres d'embrasser la prière du ministre; que pour eux ils persisteraient dans les usages de leurs pères. Quoiqu'il en soit, le Père du Ranquet persévérait à espérer contre toute espérance, ne comptant plus rien sur les hommes.

S: *Lettres des nouvelles missions du Canada, 1843-1852*, éditées avec commentaires et annotations par Lorenzo Cadieux, lettre 3, pp. 165-166, par. 18.

La visite de l'Enfant Jésus*

[...], voulez-vous connaître le caractère canadien-français? Venez avec moi, allons faire ensemble la visite de l'Enfant Jésus. C'est une coutume établie ici, depuis un temps immémorial, que le Pasteur au commencement de chaque année visite en l'honneur de l'Enfant Jésus tous les coins de sa grande paroisse, toutes les familles indistinctement, les riches et les pauvres, les saints et les pêcheurs; il cherche les brebis égarées, il distribue ses avis et ses libéralités, tandis que le maître de la maison remet aux marguilliers qui accompagnent le prêtre une petite offrande à l'Enfant Jésus; l'un donne de l'avoine, un autre du blé, celui-ci un scheling celui-là une piastre, etc. C'est un des plus beaux usages que j'ai vus dans le Canada; cela se passe le mieux du monde. Soyez-en vous même témoin; entrons dans cette petite maison de bois, bien modeste en dehors, très propre en dedans (excepté celles des pauvres gens, les maisons canadiennes ont cuisine, salon à tapis et deux cabinets à coucher). Pour recevoir le Père, on a lavé le plancher et blanchi les murs; on a fait un bon feu au poêle et à la cheminée, et pour faire bonne mine, la mère escortée de tous ses enfants se présente pour recevoir la visite. - Bonjour, mes amis, bonjour, mes enfants. - bonjour, mon Père, bonjour, mon Père. - Comment ça va-t-il? - ben'alerte; et, de votre part, disent le père et la mère. Et la conversation s'engage sans façon. - Y a-t-il eu des maladies cette année? - pas ben ben, grâce au bon Dieu. - Ces enfants disent-ils leurs prières? - Et tous les petits viennent tour à tour dire leur Pater; les uns montrent leur médaille de l'année dernière suspendue à leur cou; une autre l'a prêtée à son papa, pour qu'il ne vire pas sous le canot dans le lac; un autre dit: Avez-vous une petite médaille, mon Père? - En voici encore une, mon enfant, que vous envoient les petits enfants français de France; mais il faut chanter un cantique, et alors un enfant de 4, 7 ou 10 ans, se met à chanter d'une voix chevrotante ou glapissante un couplet que lui a appris sa mère. Et la médaille est aussitôt donnée et suspendue au cou; c'est le plus précieux ornement. - Avez-vous des enfants pour la première communion? - en v'la une, en v'la deux, qui sont après à apprendre le cathéchîme. - Pauvre gens, quel dommage que vous soyiez si loin de l'église. - C'est ben de valeur, et ben pire quand i mouille et qui vente, on a ben ben de la misère pour s'embarquer en charrette dans des méchants chemins de même. - Êtes-vous contents de votre maître d'école? - On a un ben bon maître, c'est un grand esprit, je vous assure! c'est un français de France. Il lit le latin comme le français, c'est tarrible... les enfants apprennent, c'est superbe! Alors le Père donne ses avis, fait ses remontrances, bénit les images et la maison si elle ne l'a pas été déjà, il mange un petit croquant, s'il veut, et boit le verre d'eau claire. Pendant ce temps, le maître de la maison charge sur son dos le minot d'avoine ou de blé, qui est derrière la porte, et va le jeter dans la charrette de l'Enfant Jésus; quelquefois le tout petit enfant vient avec joie apporter le petit sou qu'il a obtenu de sa mère pour le petit Jésus. Voilà, mon R. Père, le tableau naïf de cette visite; voilà les expressions, les façons des bons canadiens, rarement les enfants se montrent sauvages. Pourtant l'autre jour, comme j'entrais dans une maison, une grosse face se prit à faire la grimace, prélude de cris terribles qui écorchèrent bientôt les oreilles. «Vois-tu, lui dit la mère, vois-tu la messe (le Père); je te l'avais bien dit, y va t'battre.» Je ne fis guère compliment à la mère de l'éducation qu'elle donnait à son enfant. Je sortis bientôt et l'enfant s'appàisa. Néanmoins, cela est rare, et généralement on inspire de la confiance pour le Père; les enfants ont même de belles qualités, malheureusement elles ne sont pas développées. Le plus grand vice du pays est l'ignorance et la négligence pour l'école. Cette année nous avons continuellement travaillé à secouer cette apathie, et, grâces à Dieu, nous sommes parvenus à établir dix bonnes écoles catholiques, qui commencent à se fournir d'écoliers.

S: ibid., lettre 43, pp. 473-474, par. 3.

PIERRE CHAZELLE
(1789-1845)

Pierre Chazelle naît à Saint-Just-en-bas (ou à Montbrison?) le 12 janvier (ou le 12 février?) 1789. Il fait ses études classiques et théologiques au séminaire de Montbrison [département de la Loire, dans le Massif central de la France]; il est ordonné prêtre le 14 juin 1812 (ou en 1814?). Il enseigne les lettres, la philosophie, la théologie au séminaire de Montbrison. En 1816, il est curé de Moingt, puis aumônier militaire dans le 28ᵉ d'infanterie de la légion du Gard (1817) et à l'École royale et militaire de La Flèche [département de la Sarthe, dans l'ouest du Bassin parisien] (1819). Le 1ᵉʳ mars 1822, il entre chez les jésuites à Montrouge, près de Paris. Six mois plus tard, il est professeur de théologie dogmatique au scolasticat des jésuites à Paris. En 1823, il est au collège de Montmorillon [département de la Vienne, dans l'ouest de la France], comme ministre, assistant, puis recteur. En 1828, le gouvernement français fait fermer toutes les maisons d'éducation des jésuites. Le père Chazelle travaille dans les paroisses jusqu'à la révolution de juillet 1830, qui oblige les jésuites à quitter la France. Nommé supérieur des missions jésuites en Amérique du Nord, le père Chazelle part pour les États-Unis le 19 novembre et arrive à la Nouvelle-Orléans en février 1831. En avril, avec un confrère, il se rend au Kentucky, auprès de Mgr Flaget, évêque de Barstown, qui avait demandé des jésuites en 1828; cet évêque le nomme directeur du St Mary's Seminary, fondé vers 1819. En 1839, à l'invitation de Mgr Lartigue, le père Chazelle prêche la première retraite sacerdotale du diocèse de Montréal. En 1841, il est de passage à Rome au moment où Mgr Ignace Bourget, évêque de Montréal, s'y trouve pour demander au père Jean-Philippe Roothaan, général de la Compagnie de Jésus, des éducateurs pour fonder un collège et des missionnaires pour les Amérindiens. Le général nomme le père Chazelle supérieur des jésuites du Canada et le charge de recruter des confrères. Le 24 avril 1842, le père part du Havre avec huit confrères (cinq prêtres et trois frères coadjuteurs). Le 31 mai, le groupe est à Montréal. En juillet, le père Chazelle est curé de Laprairie; il prêche aussi des retraites et fait du travail comme aumônier militaire. À l'automne, invité par Mgr Michael Power, il prêche une retraite aux prêtres du diocèse de Toronto. Le soir du 30 juillet 1843, il arrive à Sandwich avec les pères Pierre Point et Jean-Pierre Choné. Le lendemain, fête de saint Ignace de Loyola, fondateur de la Compagnie de Jésus (approuvée en 1540), les pères commencent leur ministère à la paroisse de l'Assomption, où avaient œuvré leurs confrères du dix-septième siècle qui l'avaient appelée l'Assomption des Hurons. Le 31 juillet 1844, à la suite d'une demande faite par Mgr Power, le père Roothaan divise la mission jésuite du Canada en deux sections; le père Pierre Chazelle devient supérieur de la mission du Haut-Canada, et le père Félix Martin, supérieur de celle du Bas-Canada. Le 18 août 1845, le père Chazelle quitte Sandwich pour se rendre à Sault-Sainte-Marie; en passant par Green Bay [Wisconsin], il est atteint par une fièvre inflammatoire qui cause sa mort le 4 septembre. Il est enterré par deux prêtres dans le cimetière catholique de la paroisse, près du Rapide des Pères.

En insérant sept lettres et un récit de conversion du père Chazelle dans la première édition des *Lettres des nouvelles missions du Canada, 1843-1852*, le père Félix Martin a montré qu'il savait reconnaître les bons écrivains. Le père Chazelle est un humaniste curieux et sensible. Il aimait les Amérindiens, s'intéressait à leurs mœurs et coutumes, et beaucoup à leurs discours. Le prédicateur qu'il était admirait les orateurs amérindiens; ayant eu à les affronter, il avait remarqué chez eux leur intelligence, leur talent oratoire, la gravité et la chaleur de leur parole, leurs gestes naturels, l'absence d'hésitation et de digression, leurs propos sensés, jamais ridicules ni insultants. Il ne connaissait pas suffisamment leur langue pour évaluer les qualités de leur élocution; aussi s'en remettait-il sur ce point au père Dominique du Ranquet, qui lui servait de traducteur et l'avait ainsi aidé à utiliser dans ses discours la rhétorique et l'éloquence imagée des Amérindiens. Il reconnaissait à ces derniers des qualités d'esprit et de cœur et une culture qu'il valait la peine de conserver; il croyait qu'il ne fallait pas faire de ces Amérindiens des Européens, mais plutôt simplement des chrétiens fervents et heureux.

Nous avons emprunté les pièces qui suivent à la seconde édition des *Lettres des nouvelles missions du Canada, 1843-1852,* que le père Lorenzo Cadieux a publiée avec commentaires et annotations en 1973, à Montréal (les Éditions Bellarmin) et à Paris (Maisonneuve et Larose). — Nous reproduisons ce texte tel quel, mais sans les annotations.

Description géographique de l'île Walpole*

Notre première entreprise pour la conversion des sauvages a été celle de l'île Walpole. Cette île est une des six que forme la rivière St. Clair en se déchargeant dans le lac du même nom. Elle a environ deux lieues et demie de long et une lieue et demie de large. Sa position l'a fait appeler aussi l'île du Sud. Les autres îles sont moins considérables. Elles appartiennent à l'île du Michigan. Il y a plus de 40 ans que le gouvernement anglais acheta celle-ci pour les sauvages. Le sol en est très riche et des arbres de toute espèce y forment une belle forêt. Mais traversée autrefois et sur plusieurs points, par des courans d'eau, dont le fond s'est graduellement exhaussé, elle a maintenant des prairies, grandes et petites, toutes surchargées de végétation. En les contemplant, on y voit, au centre le cours d'un fleuve dont les joncs seuls sont apperçus; et là en effet se trouve un petit ruisseau qui grossit à l'époque des pluies et quand les eaux du fleuve viennent à monter. Les Canadiens appellent ces prairies des Coulées. Il est par conséquent inutile de parler d'endroits humides et marécageux. Mais il faut dire que l'île Walpole n'est pas un séjour aussi malsain qu'on pourrait le croire. Voici sans doute la raison principale de cette salubrité. L'eau du lac Huron est si transparente qu'un morceau de papier blanc, dit-on, est parfaitement visible à 100 pieds de profondeur. Or cette eau arrive ici dans presque toute sa pureté.

Dans l'endroit où le P. du Ranquet campa pour la première fois, il eut beaucoup à souffrir de l'humidité du sol. Le 2e et le 3e campement ne furent pas meilleurs. Mais à présent nous habitons la partie de l'île la plus élevée, la plus saine et la plus agréable. Notre camp est à un petit 1/4 d'heure de l'endroit où la rivière St. Clair, commençant à se diviser, envoie à l'Est une partie de ses eaux, par ce qu'on appelle le Chenal écarté, large comme un fleuve d'Europe, limpide comme un ruisseau des montagnes.

La rive, de cette branche de la rivière St. Clair, haute de 15 pieds, est couverte d'arbustes. Elle présentait autrefois le front d'une épaisse forêt de chênes; mais aujourd'hui les arbres qui restent paraissent comme ceux d'un verger. Seulement à l'extrémité ils forment un petit bosquet très touffu: c'est la Pointe-aux-chênes. Là on voit à l'ouest le fleuve, large de plus d'une demie lieue, descendre, se diviser encore, et former une autre île, la plus grande après la nôtre. Sur la rive opposée il y a de belles

446

maisons et des usines qui témoignent de l'activité et de l'industrie des Américains; tandis que le côté Canadien n'offre rien de semblable!

En descendant la rivière St. Clair, si vos regards se portent un peu loin, à la gauche, vous apercevez au milieu d'une masse de verdure, un point blanc: c'est notre tente. De plus près on découvre la petite chapelle provisoire surmontée d'une croix. Cet endroit est cher aux sauvages. Il fut jadis couvert de cabanes. Nous seuls l'habitons maintenant. L'on y voit un de ces monticules, ou tombeau de guerriers que les Indiens élevaient sur les champs de bataille. La cabane de joncs, où je dormis la première fois que je vins dans l'île, était comme adossée à ce petit mont funéraire, sur le sommet duquel les années ont fait croitre un chêne et des arbrisseaux. Non loin est un champ des morts tout récent. J'y ai distingué une douzaine de tombes, couvertes de pièces de bois, de gazon et de fleurs de la forêt; leur forme m'a donné l'idée d'un berceau renversé.

S: *Lettres des nouvelles missions du Canada, 1843-1852*, éditées avec commentaires et annotations par Lorenzo Cadieux, lettre 10, pp. 215-217, par. 3-5.

L'affrontement de deux cultures à l'île Walpole*

[Discours d'Ojaouanon] «Mon frère, tes frères ici séants, les chefs et les anciens t'interrogent. D'où viens-tu? Qui t'envoie, toi qui arrives?

Mon frère, lorsque tu parleras, tu seras écouté par tes frères ici séans. Tout ce que tu penses, tu le diras. Aussi longtemps que le bruit de ta voix se fera entendre, pas un seul d'entre nous ne prononcera un mot. Et c'est là aussi la manière dont tu te comporteras toi-même, pendant qu'on t'adressera la parole. Tout à l'heure aussitôt que le son de ta voix ne sera plus entendu, ce jeune chef qui est là assis te parlera. Puis moi peut-être j'aurai encore quelque chose à te dire.

Tu arrives, mon frère, pensant que tu nous enseigneras la Sagesse. Mais ne crois pas que les sauvages soient des fous. Ils possèdent les connaissances dont ils ont besoin. Le Grand-Esprit ne les a pas laissés dans l'ignorance: il leur a fait de grands dons; il leur a accordé la Sagesse.

Mon frère, il n'est pas loin d'ici le Grand-Esprit, il est ici; il nous voit tous; il nous voit assemblés dans ce lieu; il voit au dedans de nous-mêmes; il entend ce que nous disons. Je sais le voir moi *homme* (sauvage) et je conserve soigneusement les coutumes que je tiens de mon ancien (le premier sauvage) pour me souvenir de lui et pour obtenir ses bénédictions.

Mon frère, le Grand-Esprit a créé toutes choses; il a créé le ciel qui est en haut et la terre sur laquelle nous habitons; il a créé tout ce qui est grand et tout ce qui est petit.

Lorsqu'il créa la terre pour qu'elle fut la demeure de tous les hommes, il fit deux grands pays et les sépara par la grande eau. De ce côté où le soleil se lève il y a une grande île. Celui qui a fait tout a fait cela. Or dans la grande île, vers le soleil levant, ton ancien à toi, homme à la peau blanche, fut jeté par le Grand-Esprit, et ici, mon ancien à moi, homme à la peau rouge, fut jeté par le Grand-Esprit.

Mon frère, nous ne nous ressemblons point; notre sang n'est pas le même et nos langages aussi ne se ressemblent aucunement. Il y a encore des hommes qui ne ressemblent ni à toi, ni à moi: les hommes qui ont la peau noire. Qui est-ce qui a établi ces différences? Le Grand-Esprit les a établies dès le commencement, lui qui a fait toutes choses, selon sa volonté. Tu le vois bien par conséquent, il faut que nous ayons aussi chacun notre manière de penser au Grand-Esprit et de lui parler; il y a différentes manières de chercher le jour (le ciel).

Toi, homme à chapeau, tu avais reçu de ton ancien une manière de chercher le jour que le Grand-Esprit lui avait donnée. Tu l'as perdue, tu l'as rejetée. Et moi, homme sauvage, j'ai reçu de mon ancien une manière toute différente de chercher le jour. Dans sa bonté pour mon ancien, le Grand-Esprit lui fit ce don précieux. Mon ancien me l'a laissé et je le laisserai à mes enfants.

C'est par là, mon frère, que je sais parler au Grand-Esprit. C'est par là que je reçois ses bénédictions, la santé, la force, une pêche abondante, le succès de la chasse et la beauté de mon champ de maïs. C'est aussi par là que j'obtiens du Grand-Esprit de voir autour de mon feu, des enfans qui grandissent et qui se portent bien.

Mon frère, tu as peut-être eu cette pensée: ils sont bien bêtes; ils ne connaissent que ce qu'ils voient ouvrant les yeux; ils marchent sans intelligence. Je te le dis, tu pourrais te tromper grandement.

Moi, homme sauvage, je sais que le Grand-Esprit nous a donné tout ce que nous avons: les yeux pour voir, les oreilles pour entendre et notre esprit pour penser à lui et pour connaître les choses qu'il a créées. Je sais qu'il est ici, je sais qu'il est ailleurs, qu'il est partout. Je sais qu'il nous voit jusqu'au fond du cœur, je sais que nous devons faire sa volonté. Le sauvage connaît bien ces vérités et beaucoup d'autres; elles sont présentes à son esprit partout où il va

Ce n'est pas dans les livres, mon frère, que j'ai appris ce que je sais. Le Grand-Esprit a enseigné mon ancien et mon ancien m'a parlé de ce que le Grand-Esprit lui avait dit. Je suis heureux d'avoir eu ces enseignements. Je les conserve dans mon cœur, et jamais je n'y renoncerai.

Mon frère, je ne suis peut-être pas si ignorant que tu penses des choses que tu vas enseignant partout. Le Grand-Esprit avait établi l'ordre dans ton île comme dans la mienne. Il avait fait de grands dons à ton ancien. Mais tu n'as pas su profiter de ces avantages précieux et tu as rejeté les bénédictions de ton ancien. C'est pour cela sans doute que le Grand-Esprit a envoyé son fils à l'homme blanc; mais l'homme blanc l'a chassé.

Mon frère, si le fils du Grand-Esprit était venu sur la terre pour nous, hommes à la peau rouge, est-ce qu'il n'aurait pas paru dans notre île? Est-ce qu'il ne nous aurait pas laissé les coutumes que nous devons suivre? Il ne l'a pas fait parce que cela n'était pas nécessaire, parce que nous n'avons pas méprisé les coutumes de notre ancien. Les bénédictions qu'il nous a laissées, nous les avons gardées avec soin et nous les garderons toujours.

D'ailleurs, mon frère, il y a longtems que ce qu'on raconte du fils du Grand-Esprit est arrivé dans ton île. Or si sa volonté eût été de nous instruire, nous aurait-il laissé dans l'ignorance et dans le malheur, nous, qui ne l'avons jamais vu et qui ne lui avons jamais fait aucun mal?

L'homme à chapeau est sorti de son île; il a traversé la grande eau, il est arrivé sur notre terre; il a parcouru nos forêts et nos lacs, et il nous a poursuivis partout pour nous enlever ce qui nous appartenait. Et voici qu'aujourd'hui sa race s'est multipliée dans notre grande île et qu'elle y a établie ses coutumes. Mais nous... nous sommes devenus fugitifs, misérables et presque anéantis.

Le sauvage autrefois ne connaissait pas l'ivresse; c'est toi, homme à chapeau, qui m'as versé l'eau de feu.

Ainsi l'homme qui habite au-delà de la grande eau n'est pas venu chez nous pour nous apporter des bénédictions, mais des malheurs. Comment pourrions-nous donc croire les choses qu'il vient nous annoncer?

Dis-moi, mon frère, si j'allais, moi, dans ton île, parler contre la prière et chercher à te faire recevoir mes pratiques, est-ce que tu m'écouterais? Laisse-moi donc les bénédictions de mon ancien, je les aime et je ne veux pas les abandonner.

Il est vrai que parmi nos frères du même sang, il y en a qui les ont abandonnées. Mais ce n'est pas une raison pour nous. Au contraire nous devons conserver plus précieusement ce que nos ancêtres nous ont laissé en héritage.

Donc, mon frère, ne te flatte point que nous changerons. Non, jamais, moi, homme sauvage, je n'oublierai le Grand-Esprit par qui toutes choses existent. Je sais ce qu'il m'a donné, et je le conserverai avec soin. Je nourris mon feu, il ne s'éteindra point.

Cette détermination n'est pas d'aujourd'hui: depuis longtems elle existe. Les priants sont autour de nous, et même des Robes-Noires ont passé. Mais notre résolution est inébranlable.

Tu vois donc bien clairement, mon frère, que nous ne voulons pas prendre la prière et qu'en restant parmi nous, tu ne pourrais jamais obtenir ce que tu désires. Sans doute tu renonceras à ton projet».

Tel fut le discours d'Ojaouanon, chef des guerriers, remplissant les fonctions d'orateur du conseil. Il se levait et parlait pendant deux, trois ou quatre minutes, puis l'interprète Georges-Henri Mongotas, placé à sa droite, se levait et parlait en anglais. Voici la réponse, faite en anglais, et traduite de la même manière par Mongotas.

[Discours du père Chazelle]. «Mon frère, tu as parlé et je t'ai écouté avec la plus grande attention. Je désirais beaucoup voir les sauvages, mes frères, les chefs et les vieillards de cette île; je désirais beaucoup les entendre et leur parler à mon tour. C'est donc avec une grande joie que je les vois aujourd'hui assemblés ici, et que par ta voix, mon frère, leurs pensées et leurs sentimens me sont manifestés. Écoutez, hommes sauvages, mes frères, je vais aussi vous faire connaître ce que je pense et ce que je désire. Je ne vous cacherai pas ce qu'il y a dans mon cœur. Je suis heureux d'avoir pour interprète ce frère qui est à mes côtés et que vous aimez à entendre. Mon frère, la première chose que j'ai à te dire, la voici: je vais parler pour moi et en même tems pour celui qui est là, assis près de moi [le père du Ranquet]. Ce que je dirai, lui aussi le dira: les pensées et les sentimens de l'un et de l'autre sont les mêmes. Écoute et comprends-moi.

Il est mon fils, mais d'une manière différente que cela ordinairement parmi les hommes. Je n'ai point de femme, ni d'enfants et je n'en aurai jamais. J'ai renoncé à cela comme à beaucoup d'autres choses, afin d'être plus libre, allant de tous côtés faire connaître le Grand-Esprit et travaillant au salut des hommes. Cette robe noire est le signe de ma consécration au Grand-Esprit. Je n'ai des biens de la terre que ce qu'on me donne pour mes besoins et pour venir au secours des pauvres et des misérables. Ce jeune homme est en tout cela absolument comme moi, mais, à cause de son âge, il a besoin de l'expérience du vieillard. Il me consulte et m'obéit; c'est une obligation qu'il a contractée en présence du Grand-Esprit. Donc s'il avait dit ou fait quelque chose qui ne fut pas bien, je le condamnerais et il se soumettrait volontairement à mon jugement. Je suis son père.

La seconde chose que je suis pressé de vous dire, avant toutes les autres, parce qu'elle est là, et qu'elle fait palpiter mon cœur; c'est que j'aime surtout, mes frères sauvages. Oui je les aime, et je les aime beaucoup. Il y a longtems que je pense à leur misère, je la connais mieux à présent, et la tendre compassion qu'elle m'inspire est bien grande. De toute l'ardeur de mon âme, je voudrais pouvoir les soulager, ces pauvres indiens, mes frères, auxquels les hommes de ma race, les blancs, on fait beaucoup de mal. Le Grand-Esprit qui m'entend sait bien que je ne mens point.

Une troisième chose, mon frère, que je dois te dire et que j'aime à te dire en commençant, c'est que tu as beaucoup parlé du Grand-Esprit et que tu en as bien parlé. Oh que tu m'as fait plaisir! Oui, mon frère sauvage, tu connais le Grand-Esprit et tu connais beaucoup de choses qui sont la vérité. Tu connais le Grand-Esprit mieux que ne le connaissaient les peuples de ma Grande île avant qu'ils ne devinssent priants. Parmi ces peuples il y en a eu deux célèbres pour leur Sagesse: on les appelait les Grecs et les Romains. Eh bien! Ils étaient par rapport au Grand-Esprit, plus ignorans que les sauvages; toi, mon frère; tu es plus sage qu'ils ne l'ont été avant de prendre la prière.

Maintenant, mon frère, je vais répondre à tes questions — «D'où viens-tu?» — Je suis né de l'autre côté de la grande eau. Depuis assez longtems j'habite dans cette grande île, où nous sommes, et, non loin d'ici est l'endroit d'où je viens — «Qui t'envoie, toi qui arrives?» — Au nom du Grand-Esprit j'arrive: c'est lui qui m'envoie. Cette dernière réponse a besoin d'être expliquée. Avec grand plaisir je vais le faire, mais auparavant je ne crains pas de te dire une chose qui m'est arrivée et qui me donne de la joie.

Mon frère, j'ai été dans beaucoup de pays et j'ai vu beaucoup d'hommes, soit de l'autre côté de la grande eau, soit de ce côté-ci. J'ai rencontré des hommes de toutes les couleurs et de différens noms sur les bords des grands fleuves et des grands lacs qui sont dans cette île immense. Or, mon frère, partout j'ai remarqué que très souvent les hommes ne s'accordaient point dans leurs pensées et dans leurs desseins. Mais partout aussi j'ai vu que, lorsqu'ils voulaient être raisonnables et qu'ils examinaient bien les choses, ils finissaient presque toujours par s'accorder.

Aussi, après avoir trouvé des personnes qui semblaient me faire la guerre, j'ai ordinairement vu les mêmes personnes changer entièrement et devenir amies. Par conséquent, mon frère, je ne suis pas surpris de l'opposition que je rencontre dans les Indiens de cette petite île: toujours une semblable opposition a eu lieu de la part de ceux à qui l'on a porté la prière.

Ecoutez, mes frères sauvages, écoutez bien ce que moi, Robe-Noire, je vous annonce et ce que je vous demande au nom du Grand-Esprit qui m'envoie, et en présence de qui nous sommes ici assemblés. Je ne viens pas vous dire: embrassez la prière; mais je vous dis: voici la prière; apprenez à la connaître, cherchez à vous instruire.

Mon frère, tu connais mieux le Grand-Esprit que mes ancêtres, je te l'ai dit. Mais tu ne le connais pas assez; tu ne le connais pas comme il veut être connu; tu ne le connais pas, parce que tu ne connais pas Jésus-Christ son Fils, qu'il a envoyé pour instruire tous les hommes, pour sauver tous les hommes. Tu ne connais pas Jésus parce que tu ne connais pas la prière.

Mon frère, Jésus a établi la prière, et dans la prière il a renfermé tout ce qu'il a enseigné et tout ce qu'il a fait pour notre instruction et pour notre bonheur. La prière renferme la véritable sagesse, la véritable manière de chercher le jour. La prière nous donne les véritables bénédictions que le Grand-Esprit a destinées à tous les peuples de la terre.

Il y a, mon frère, dans la prière, une grande chose, une chose qui est pour l'esprit de tous les hommes la plus belle lumière, et pour le cœur de tous les hommes le plus doux plaisir. Je te dirai en deux mots, ce que c'est; puisse le Grand-Esprit te le faire bien comprendre! Lui seul enseigne ces vérités. Eh bien! mon frère, cette grande chose qui se trouve dans la prière, c'est l'amour, l'amour sans bornes du Grand-Esprit pour les hommes de toutes les couleurs et de toutes les langues, à qui il a envoyé son fils parce qu'ils étaient tous coupables et malheureux.

Tu ne connais pas, mon frère, l'histoire de la famille humaine. Tu ne connais pas l'histoire de mon ancien, ni même celle de ton ancien, tu ne la connais pas, parce que tu ne connais pas la prière. Ecoute, je vais t'en dire quelque chose. Toi et moi nous avons eu le même père. Il y eut au commencement un seul homme que le Grand-Esprit avait créé, et de lui nous descendons tous; quelque soit notre couleur et notre langage. Voilà notre ancien à nous tous, hommes qui habitons la terre. Le Grand-Esprit lui avait donné des bénédictions abondantes. Mais il les rejeta: il fit le mal, et le Grand-Esprit justement irrité, le punit: il devint ignorant et sujet à la mort, aux maladies, à toutes les souffrances. Ses enfans, les anciens des nations furent encore plus ignorans et plus misérables que lui; ils ne nous ont laissé qu'un héritage de malédiction.

Maintenant, mon frère, apprends l'histoire du fils du Grand-Esprit, Jésus. Il y a 1844 ans qu'il descendit du Ciel et se fit homme pour devenir le frère et le sauveur des hommes de toutes les couleurs. Sa Mère fut toujours Vierge: il n'eut point de père parmi les hommes. Né dans une étable, il resta pauvre toute sa vie. Partout où il passa il fit beaucoup de bien, et il enseigna la Sagesse par ses actions aussi bien que par ses paroles. Mais plusieurs hommes ne voulurent pas l'écouter, et il s'en trouva même qui le persécutèrent cruellement. A la fin, ces hommes, poussés par le mauvais Esprit, se saisirent de lui, l'attachèrent à une croix et tirèrent de son coeur la dernière goutte de sang. On le mit dans un tombeau; mais le troisième jour, comme il l'avait annoncé, il se leva vivant une seconde fois, pour ne plus mourir. Alors il assembla ses amis les Robes-Noires et leur dit: «Allez, enseignez toutes les Nations, baptisez-les; établissez la prière». Puis il les bénit et il monta au Ciel, où il est là-haut, aussi puissant que son Père. Un jour, et ce jour approche, il descendra sur les nuages, plus beau que le soleil, au milieu d'une multitude d'esprits célestes. Tous les Anciens des peuples, tous les peuples sortis de leurs tombeaux le verront venir tous dans un même lieu assemblés. Il fera alors le partage des bons et des méchans, et du côté des méchans il mettra tous ceux qui n'auront pas voulu recevoir la prière. Puis il prendra avec lui les bons et remontera au Ciel pour toujours; mais les autres, il les jettera dans un grand feu, qui ne s'éteindra jamais.

Voilà, mon frère, ce que la prière enseigne. Elle enseigne encore beaucoup de choses pour plaire au Grand-Esprit et pour aller au Ciel. Je te les ferai connaître avec le temps, mais j'en ai dit assez pour te faire désirer et connaître la prière que je t'apporte.

Tu as dit, mon frère, que la manière de chercher le jour ne doit pas être la même pour tous les hommes, parce que tous n'ont pas la même peau, la même couleur. Je réponds: Est-ce que la couleur de la peau rouge, blanche ou noire, établit des différences entre les esprits des hommes? Tu vois bien qu'il serait tout à fait stupide celui qui penserait cela. Or c'est par notre esprit que nous connaissons le Grand-Esprit et la manière d'obtenir ses faveurs. Ne parle donc pas du corps de l'homme, quand il s'agit uniquement de son esprit que le Grand-Esprit a créé à son image et à sa ressemblance.

Mon frère, tu as demandé pourquoi le fils du Grand-Esprit n'avait pas paru dans ta grande île. Voici ma réponse: le fils du Grand-Esprit n'a paru que dans un petit coin de la mienne. Mais les premières Robes-Noires, qui l'ont vu et qui l'ont vu vivant une seconde fois, après qu'il fut sorti du tombeau, ont parcouru les Nations pour le faire connaître, et les Nations ont cru les Robes-Noires. Tous les priants de ma grande île ne l'ont pas vu, mais ils ont cru les Robes-Noires. De même aussi, tous les priants de ta grande île ne l'ont pas vu, mais ils ont cru les Robes-Noires. Est-ce que tu penserais que tous ceux qui ont pris la prière, hommes blancs, noirs et rouges n'ont été que des fous? Mon frère, fais comme eux, et tu posséderas la sagesse.

Tu dis encore, mon frère, une chose à laquelle je dois répondre. «Il est trop tard: la prière aurait dû nous être annoncée plutôt». C'est là ta pensée. Mais, mon frère, la pensée du Grand-Esprit n'est pas comme la nôtre. Elle est trop haute pour que nous puissions l'atteindre, trop étendue pour que nous puissions la mesurer. Est-ce que le Grand-Esprit n'est pas le maître de faire ce qu'il lui plaît? Ni toi ni moi n'oserons lui dire: tu n'agis pas bien, fais autrement. Puisque notre Ancien et ses enfans l'avaient offensé; il a dû les punir et les laisser dans la misère. Combien de tems doit durer le châtiment pour chaque nation? Nous n'en savons rien. Mais ce qu'il y a de certain, c'est que la lumière que le fils du Grand-Esprit a apportée, en se faisant homme, ne s'est répandue dans mon île que par degrés; elle fait de même dans la tienne.

Mon frère, la Prière est le soleil qui éclaire les esprits des hommes. Or le soleil n'éclaire pas tous les hommes à la fois. Comprends les choses telles qu'elles sont, telles que le Grand-Esprit les a faites. La terre n'est pas plate, elle [est] ronde; par conséquent le soleil ne l'éclaire pas toute en même tems. Ainsi pendant que nous sommes ici en plein jour, il y a des pays où les hommes sont au milieu des ténèbres de la nuit. Lorsque le soleil se lève dans un endroit, il se couche dans un autre. De plus, les jours ne sont pas partout de la même durée: il y a des pays où ils sont très longs, et il y en a où ils sont très courts. Eh bien! tel est le soleil de la prière. Il s'est levé d'abord sur un pays, puis sur un autre, puis sur un autre encore, et de cette manière il a continué sa course et il la continuera, jusqu'à ce qu'il ait éclairé le globe de la terre. Les rayons que distribue ce soleil des esprits ne sont point égaux pour les peuples; ils sont selon la volonté toute puissante du Grand-Esprit qui fait briller la lumière. Mais il est une chose que nous savons bien. C'est que, si après avoir éclairé une nation il disparaît, il ne disparaît que parce que cette nation insensée et criminelle lui préfère la nuit de l'ignorance et des misères humaines. Réponds-moi à présent, mon frère; quand le soleil se lève, lui diras-tu: pourquoi n'est-tu pas venu plutôt? C'est trop tard. Diras-tu à la nuit? C'est toi que j'aime, je veux rester enseveli dans tes ténèbres.

Mon frère, il y a plus de trois cents ans que le soleil de la Prière s'est levé sur ta grande île, et plus de deux cents ans qu'il s'est levé sur les bords de ces lacs. Tes ancêtres l'ont vu; des milliers d'Indiens se sont réjouis et ont marché à sa lumière. Mais un grand nombre ont été assez insensés pour lui dire: retires-toi; et il a caché une partie de ses rayons. Aujourd'hui, mon frère, voici qu'il sort du nuage, et qu'il répand autour de toi la plus belle lumière, la chaleur, la vie. Toi qui as de l'esprit, tu ne parleras pas comme un fou, et tu ne diras pas: «il est trop tard je ne veux que les ténèbres et le froid de la nuit.»

Je t'ai entendu, mon frère, te plaindre des hommes de ma grande île, qui sont venus dans la tienne. Je te dirai ma pensée, sans détour. Beaucoup de ces hommes à chapeaux ont été tels que tu les représentes; ils ne sont venus que pour prendre tes pelleteries, tes biens, tes terres; ils ont fait le mal. Je les condamne, le Grand-Esprit les a condamnés. Mais, mon frère, tous n'ont pas été injustes et méchants, et il y en a qui n'ont abordé tes rivages et pénétré dans tes forêts que pour te faire du bien. Pourquoi ces hommes à chapeau, appelés les Robes-Noires, ont-ils quitté leur beau pays, leurs belles maisons, et sont-ils venus errer dans ces sombres forêts, privés de toutes les choses de la terre auxquelles ils étaient habitués, de toutes celles qu'ils aimaient? Les Robes-Noires n'ont traversé la grande eau que pour t'apporter les richesses du Ciel. Aussi la plupart de tes pères ont reçu les Robes-Noires, ont écouté et cru les

Robes-Noires; ils ont embrassé la prière. Mon frère, souviens-toi de cela; souviens-toi de tes pères qui ont été priants. Moi je me souviens des miens qui ont été les premières Robes-Noires de ce pays, et je te dis: vivons ensemble, ne faisons qu'une famille; le Grand-Esprit nous bénira; nous serons heureux».

Après ce discours, il y eut quelques minutes de silence. Puis trois ou quatre vieillards semblèrent se consulter. Mais bientôt, le Grand-Chef, Pétrokijic, se leva et parla ainsi:

[Discours du Grand-Chef Pétrokijic] «Mon frère, tu vas donc errant partout visitant les hommes et publiant les bénédictions que tu as reçues du Grand-Esprit qui nous a tous créés, et, après bien des courses, tu viens me visiter dans mon île, conduit par cette pensée: je veux les aller voir au lieu de leur misère.

Mon frère, je le sais, beaucoup d'hommes ont écouté les paroles que tu as dites; ils ont changé leurs coutumes; ils ne parlent plus au Grand-Esprit comme auparavant, il[s] te suivent là où tu marches.

Mais tes frères, qui sont ici séants, n'ont pas pensé et ne pensent pas qu'ils doivent abandonner les bénédictions de leur Ancien, pour prendre celle que toi, homme à chapeau, tiens du Grand-Esprit et que tu viens leur apporter.

Mon frère, tu vas publiant qu'il n'y a qu'une manière de chercher le jour qui est le même pour tous les peuples. Je ne le sais pas, moi; et cependant il faudrait que je susse ce que demande le Grand-Esprit qui a fait et qui règle toutes choses. Mon frère, la pensée du Grand-Esprit est bien au-dessus de la nôtre. Quelquefois nous nous trompons grandement, nos cœurs nous rendent quelquefois tout à fait stupides.

Mon frère, si à mon Ancien, quand il fut créé par le Grand-Esprit, cette parole eut été dite: un jour tu recevras la visite de l'homme à chapeau, et les bénédictions que je lui ai accordées deviendront tes bénédictions; tu renonceras alors à celles que je t'accorde maintenant - mes frères ici séans répondraient à ton appel.

Mais nous n'avons pas entendu un mot de cela; mon Ancien ne m'a rien laissé qui fasse connaître que telle est la volonté du Grand-Esprit. Si donc nous allions accepter tout de suite ce que tu proposes, nous agirions sans sagesse et le Grand-Esprit ne serait pas content. Je ne veux pas renoncer aux bénédictions qu'il a accordées à mon Ancien. Tous mes frères ici séants pensent comme moi, et si je les interroge, ils répondront tous comme moi. (Cri d'approbation).

Mon frère, j'aime les bénédictions de mon Ancien. Assurément je les aime beaucoup et je veux les conserver avec soin. C'est ainsi que mon feu est allumé et qu'il continuera à faire monter sa fumée dans les airs.

Il est tout à fait privé de raison; ce qu'il a sous les yeux, à peine il le voit. C'est là peut-être, mon frère, ce que tu penses de moi, Mais tu pourrais te tromper étrangement. Aussi bien que toi, moi homme sauvage, je connais le Grand-Esprit, je sais qu'il m'a créé, qu'il a créé toutes choses, qu'il gouverne toutes choses; je sais que nous devons nous appliquer à lui plaire. Cette science, le Grand-Esprit lui-même l'a enseignée à mon Ancien.

C'est lui, mon frère, c'est le Grand-Esprit qui nous a donné tout ce que nous avons. Il nous a donné nos yeux, dont nous nous servons pour nous voir les uns les autres; nos oreilles dont nous nous servons pour entendre ce que nous disons dans nos conversations et nos conseils; notre langue dont nous nous servons pour communiquer nos pensées; et notre esprit enfin dont nous nous servons pour nous souvenir de celui qui nous a créés, et pour savoir comment nous devons nous faire du bien les uns aux autres.

Tu vois donc, mon frère, que je ne suis pas aussi ignorant que tu l'as peut-être pensé. Le Grand-Esprit m'a instruit. Il m'a accordé beaucoup d'autres dons. Tu n'as pas reçu tout ce que j'ai reçu: mes bénédictions sont différentes des tiennes.

Mon frère, le Grand-Esprit qui a fait toutes les choses qui existent, les a faites avec une variété infinie, elles ne se ressemblent pas entièrement. Les arbres sont de tant d'espèces différentes, et les plantes sont encore plus différentes entr'elles. Que de différences il y a dans les écorces des arbres, dans les feuilles, dans tout ce que nous voyons! Nous aussi hommes de différens noms, nous ne nous ressemblons point. Moi, je n'ai pas la même peau que toi, et je ne parle pas la même langue que tu parles. C'est bien certainement le Grand-Esprit qui a mis ces innombrables différences dans toutes les choses qu'il a créées, son dessein n'a donc pas été par conséquent que nous n'eussions tous qu'une seule et même manière de chercher le jour. Moi, j'ai une façon toute spéciale de chercher le jour qu'il m'a donnée, toi tu as la tienne qu'il t'a aussi donnée, et il en est de même de toutes les nations.

Moi, Sauvage, je vais levant l'écorce des arbres et je me construis une cabane. Je vais aussi cherchant des remèdes dans les plantes si variées que le Grand-Esprit fait naître de la terre.

J'ai trouvé celles que je connais et que je veux; je les ai fait bouillir dans l'eau; j'ai bu et j'ai cessé d'être malade. Le Grand-Esprit a enseigné cette science à mon ancien. Il lui a communiqué beaucoup d'autres connaissances. Elles sont grandes les bénédictions qu'il a reçues; nous ne voulons pas y renoncer.

Mon frère, toi aussi tu avais reçu de bien grandes bénédictions de ton Ancien; mais je crois que tu ne les a pas gardées fidèlement, et voilà sans doute pourquoi le Grand-Esprit a envoyé son fils, qui est venu t'apporter de nouvelles bénédictions. Cependant tu n'as pas voulu le croire: tu l'as haï, tu l'as maltraité, tu l'as fait mourir.

Mais, moi, homme sauvage, je n'ai pas eu besoin de sa visite, parce que j'ai gardé les bénédictions de mon Ancien. Aussi il n'est pas venu dans ma grande île. Jamais aucun de nous n'a entendu dire qu'il ait paru quelque part pour enseigner la Sagesse.

Là-bas dans cette grande île, d'où tu viens, on me l'a dit: les vivants ont été bien bêtes, et j'ai vu moi-même des choses qui le prouvent. J'ai vu des dessins représentant le bœuf, le cheval, le chat, d'autres animaux, et des morceaux de bois, qui étaient pris pour des esprits. Tes ancêtres parlaient à ces animaux comme s'ils étaient le Grand-Esprit. C'est là, je pense, ce qui a engagé le Grand-Esprit à t'envoyer son Fils. Il ne me l'a point envoyé à moi, à moi, homme sauvage. Oh! s'il était venu dans mon île, s'il s'était montré à moi, je l'aurais bien reçu, j'aurais été trop heureux.

Maintenant, tel que je suis, mon frère, ne me plains point. Je suis content parce que je garde ce que mon Ancien m'a laissé; je le garde et j'y tiens de tout mon cœur. Pourquoi donc irais-je te dire: donnes-moi tes bénédictions? Si j'allais, moi, dans ton pays parler comme tu parles dans le mien, que penserais-tu? Sans doute tu sentirais se réveiller dans ton cœur l'attachement à tes bénédictions. Eh bien! c'est ce que j'éprouve en ce moment lorsque tu viens me dire: accepte les bénédictions de celui par qui nous vivons tous.

D'ailleurs, mon frère, nos manières de chercher le jour, nos pratiques ne sont pas si opposées que tu crois. Tu parles au Grand-Esprit, tu chantes et tu as des fêtes en son honneur, et moi aussi je lui parle, je chante et j'ai des fêtes pour lui plaire, pour obtenir les biens qu'il donne. Si quelqu'un est malade, je sais comme toi que lui seul peut chasser la maladie; je m'adresse à lui et je lui demande qu'il agisse avec la médecine; il m'écoute et le malade est guéri.

Je vois devant moi, dans la cabane de la Prière, des portraits, des représentations. Tu t'en sers pour te rappeler le Grand-Esprit et pour t'aider à lui parler. Et moi aussi j'ai des images, des représentations. Tu t'en sers pour te rappeler le Grand-Esprit et pour t'aider à lui parler. Et moi aussi j'ai des images, des représentations, dont je me sers pour me faire penser au Grand-Esprit et pour m'aider à lui parler. Mais moi, je ne fais pas usage, comme toi, de choses nouvellement créées, tels que le papier et l'encre. C'est de l'arbre et de son écorce que je tire mes représentations. Ainsi j'ai dans mon île, une science et des usages que tu ne dois pas condamner, parce que le Grand-Esprit me les a donnés et que je m'en sers pour faire sa volonté.

Il est vrai qu'un grand nombre d'hommes de tous les pays ont écouté ta parole. Je regarde du côté où le soleil se lève et du côté où il se couche, je regarde de tous les côtés, et je vois que partout tu as fait disparaître les coutumes anciennes. En vérité, ils sont bien nombreux les changemens que tu as opérés dans le monde, je les contemple et j'en suis étonné. La plupart des nations ont rejeté les bénédictions de leurs Anciens.

Et voilà donc, mon frère, ce que tu viens me demander à moi aussi, voilà ce que tu me réserves! Après avoir voyagé au loin, de tous côtés, tu arrives à moi, dans cette très petite île où je suis. Tu ne voudrais donc pas m'y laisser jouir en paix des bénédictions de mon Ancien? Donc bientôt il ne m'en resterait pas même le souvenir. Non, cela ne se peut; à mon Ancien je reste fidèle. Ici au moins le feu qu'il m'a laissé vivra pour moi et pour mes enfants. Ainsi, mon frère, n'aie aucun souci à mon égard; cesse de t'occuper de mon sort, et laisse-moi vivre en paix, dans ma petite île, dans ma pauvre demeure.

Mon frère, j'ai déjà donné avis à ce frère, qui est là assis et je lui ai dit: ne bâtis point ta cabane dans mon île. Cependant regarde et vois ce qu'il a fait. Sans égard pour ma parole, il a coupé les arbres, il s'est emparé de cet emplacement; il a persisté dans son dessein. Eh bien! de nouveau, je lui dis et je te le dis à toi, je dis, et tous ces vieillards disent: cesse de travailler à ta cabane et ne t'obstine point à vouloir habiter dans cette île.

Encore un mot, mon frère; après avoir entendu ce que tu as dit; il n'est personne ici qui soit porté à te mépriser, comme un homme changeant de dessein sans de bonnes raisons. Au contraire tu seras loué de tout le monde.Mais si tu persistes dans ta résolution, je ne sais ce qui peut arriver. Quelquefois un orage survient tout à coup et sans bruit: il apporte le tonnerre, la pluie et la grêle: on ne peut lui résister. J'espère, mon frère, qu'aucun malheur n'arrivera et que tu te conformeras à ce que je demande».

J'avais, au commencement de la séance, fait mettre du tabac sur les bancs. Presque tous les sauvages en avaient pris; mais ce qui est, je crois, assez extraordinaire, personne n'avait fumé. Je les invitai à prendre le calumet, et je leur dis qu'il devait y avoir un moment de repos. Ceci parut leur faire plaisir, ensuite m'adressant au Grand-Chef, je commençai:

«Mon frère, je te remercie de ce que tu as bien voulu me parler et de ce que tu ne m'as point caché ce que tu penses. De plus il y a dans ce que tu as dit plusieurs choses qui m'ont fait grand plaisir, et je t'en remercie beaucoup. Je vais faire comme toi: je ne te cacherai pas ce qu'il y a dans mon cœur, et j'espère que, si tu n'approuves pas tout ce que j'aurai dit, il est au moins une chose que tu ne pourras me refuser. Je la ferai connaître à la fin de mon discours.

Toi, mon frère, aussi bien que le frère qui a parlé le premier, tu as dit du Grand-Esprit beaucoup de choses qui sont la vérité. Cela a grandement réjoui mon cœur. Oui, il a créé le ciel et la terre, le Grand-Esprit, il a créé toutes choses, il gouverne toutes choses en maître absolu, il est partout et il voit tout, même ce qu'il y a de plus caché au fond du cœur des hommes. Oui, nous devons nous souvenir de lui, lui parler, en particulier et en public. Oui, nous devons chercher à connaître sa volonté, et, quand nous l'avons connue, nous devons la faire. Ces grandes vérités, tu les connais, tu les publies, mais ce n'est pas assez il faut les mettre en pratique.

Eh bien! mon frère, tu vas les mettre en pratique à présent, si tu fais ce que je vais te demander. D'abord je te conjure de te bien rappeler que le Grand-Esprit est ici et que son regard pénètre dans l'endroit le plus secret de ton cœur et du mien. Je te conjure, en second lieu, de ne pas oublier que le Grand-Esprit nous a mis ensemble, aujourd'hui, pour que nous cherchions à bien connaître ce qu'il veut et pour que nous le fassions. Enfin, je te conjure de t'unir à moi, et de lui demander comme moi, qu'il nous donne en abondance la lumière des esprits, qui est la vérité, qui est la sagesse.

Mon frère, tu crois que tout ce que nous avons, c'est le Grand-Esprit qui nous l'a donné, et que lui seul peut nous accorder la santé et les autres biens de la vie. Tu ne te trompes point. Mais il y a d'autres biens qui sont plus précieux et que le Grand-Esprit n'accorde qu'à ceux qui les préfèrent à tous les biens de la terre et qui les lui demandent de tout leur cœur, selon la manière qu'il a donnée comme la seule véritable.

Ces biens, mon frère, ne sont pas pour cette vie présente, qui est si courte; ils sont pour la vie qui vient après la mort et qui ne finira jamais. Si c'est là ce que tu appelles *chercher le jour*, eh bien! cherchons le jour, avant toute autre chose et plus que toute autre chose. Les hommes blancs, rouges et noirs ne songent guère malheureusement à chercher le jour. Soyons, nous, mon frère, soyons plus raisonnables, plus sages. Cherchons le jour selon la manière que le Grand-Esprit a donnée et qui est la Prière.

Mais tu dis, toi, qu'il y a différentes manières que le Grand-Esprit a données pour les différens peuples. Mon frère, en cela tu es grandement dans l'erreur; mais je n'en suis pas surpris. Ecoute.

Tu te rappelles ce que je disais tout à l'heure; tous les peuples de mon île ont été plus ignorans que toi; ils avaient en effet des animaux et des statues de bois ou de pierre auxquelles ils parlaient comme au Grand-Esprit. Mais aussitôt qu'ils eurent pris la prière, ils connurent le Grand-Esprit beaucoup mieux que tu ne le connais, et depuis ce tems-là, ils savent qu'il n'y a qu'une seule manière de chercher le jour. Auparavant ils parlaient absolument comme tu parles toi-même aujourd'hui.

Mon frère, il y a environ seize cents ans que mes ancêtres à moi embrassèrent la Prière. Que disaient-ils alors aux Robes-Noires? Ils parlaient comme tu parles. Donc je ne suis pas surpris de ton langage. Mais si tu ne le changeais point, j'en serais bien surpris. Car en effet pourquoi ne ferais-tu pas ce qu'ont fait mes ancêtres et presque tous les peuples de la terre? Je le répète: Est-ce que tu penses que tous les Priants ne sont que des fous? Jamais tu ne pourras t'arrêter un instant à une telle pensée.

Mon frère, pour rejeter la Prière, tu as répété ce qu'avait dit l'Orateur qui a parlé tout à l'heure. Je ne te répéterai pas mes réponses, ni je n'ajouterai pas des raisons nouvelles pour montrer que tes objections ne signifient rien. Mon discours serait trop long, car il y a des choses que tu n'as pas entendues et qu'il faut que tu saches.

D'abord, mon frère, ne t'imagines pas que, parce que tu connais le Grand-Esprit et que tu sais quelque chose de ce qu'il y a dans la Prière, tu connais la Prière. Si tu comprenais ce que signifient ces images qui sont ici, tu te garderais bien de penser qu'il y a peu de différences entre la Prière et tes coutumes. Mon frère, la différence qui existe entre la Prière et tes coutumes est comme celle qui existe entre le ciel et la terre, entre le jour et la nuit.

Tu as entendu, mon frère, ce que j'ai dit de Jésus. Or quand on a la Prière, c'est Jésus, c'est le fils du Grand-Esprit fait homme qui nous enseigne lui-même la sagesse, en se faisant connaître, en se faisant voir. Oui, il se fait voir lui-même, non aux yeux du corps, mais aux yeux de l'esprit. Oh! qu'il est heureux le Priant, à qui le fils du Grand-Esprit se fait voir et sur lequel il verse toutes les bénédictions du Ciel!

Mon frère, tu as dit: si le fils du Grand-Esprit était venu, je l'aurais bien reçu, moi; cela prouve que tu es bon et que tu comprends bien ce qu'il faut faire. Mais, mon frère, es-tu bien sûr que le fils du Grand-Esprit ne vient pas à présent te visiter dans ton île? Je te dis, moi Robe-Noire, qu'il vient chez toi comme il est venu chez toutes les nations. Si tu objectes que tu n'en sais rien, que tu n'es pas sûr que je dise la vérité, voici ma réponse. Comment pourras-tu le savoir, si tu ne cherches pas à le savoir? Donc, cherche à connaître la vérité; fais-toi instruire à l'exemple de tous les peuples de la terre; ne ferme pas les yeux quand le soleil se lève, et tu verras la lumière des esprits, tu verras Jésus le fils du Grand-Esprit fait homme, tu auras les seules bénédictions pour lesquelles nous avons été créés.

Mon frère, tu m'as demandé ce qu'on dirait dans mon île, si tu allais prêcher les coutumes. Je réponds qu'on te laisserait parler et qu'on serait bien aise de te voir et de t'entendre. Or c'est ce que je demande. Ou plutôt je demande beaucoup moins que cela; car je demande seulement que tu ne sois pas fâché, si je demeure dans cette petite île, pour parler à ceux qui voudront venir me voir, m'écouter.

S: *ibid.*, lettre 13, pp. 254-269, par. 3-30.

JEAN-PIERRE CHONÉ
(1808-1878)

Jean-Pierre Choné naît à Lecourt (ou à Secourt?), dans le diocèse de Metz, en France, le 11 (ou le 4) août 1808. Il étudie au Petit et au Grand Séminaire de Metz [département de la Moselle, dans le nord-est de la France]. En 1832, il est ordonné prêtre. Il enseigne durant cinq ans, fait du ministère pendant un an, puis se rend à Rome pour demander son entrée chez les jésuites. Il fait son noviciat en Suisse, deux ans de théologie à Vals [département de l'Ardèche, dans le sud de la France], puis séjourne à la résidence de Bourges [département du Cher, dans le sud du Bassin parisien]. Le 3 juin 1843, avec quelques confrères, dont le père Pierre Point, il s'embarque sur le *Iowa*, paquebot américain; le 12 juillet, le père Pierre Point et lui débarquent à New York. Trois jours plus tard, les deux compagnons quittent cette ville pour aller rejoindre le père Pierre Chazelle à Toronto. Le 24 juillet, ils sont au rendez-vous. Le surlendemain, les trois pères se rendent à Détroit; le soir du 30, ils arrivent à Sandwich [Windsor]. Le lendemain, 31 juillet, fête de leur fondateur, saint Ignace de Loyola, ils commencent leur ministère à la paroisse de l'Assomption de la Pointe de Montréal du Détroit. Le père Choné passe l'hiver à Sandwich. À la fin de mai ou au début de juin 1844, il est à l'île Walpole; l'abbé Jean-Baptiste Proulx vient le chercher le 1er juillet et l'emmène à la mission de Sainte-Croix [Wikwemikong, dans l'île Manitouline], qu'il visite depuis 1837. Le 8 juillet 1844, les deux missionnaires arrivent à l'île. Le père Choné y exerce son ministère jusqu'à l'été de 1848. En juillet de cette même année, il va s'installer (le 22) avec le père Nicolas Frémiot et le frère coadjuteur Frédéric de Pooter à la mission de Rivière-aux-Tourtes [Pigeon River, une quarantaine de milles au sud de Thunder Bay]. En juillet 1849, pour se rapprocher du poste de la Compagnie de la baie d'Hudson, le père Choné et ses confrères vont fonder la mission de l'Immaculée-Conception à trois milles en amont du fort William sur la rivière Kaministiquia. Le père Choné y travaille jusqu'en 1860. Cette année-là, il retourne à Wikwemikong; il y décède le 14 décembre 1878.

Le père Félix Martin a inséré neuf lettres du père Jean-Pierre Choné dans la première édition des *Lettres des nouvelles missions du Canada, 1843-1852*. On y trouve plusieurs récits de voyages qui donnent une excellente idée des conditions dans lesquelles les missionnaires de l'époque se déplaçaient pendant les différentes saisons de l'année. Homme de caractère et de vision en plus d'être entreprenant, le père propose toutes sortes de projets pour améliorer le sort des Amérindiens. Il aperçoit d'abord leur indigence et leurs faiblesses, puis, avec les années, il se met à les admirer; il croit qu'ils peuvent s'élever au-dessus des blancs et il affirme que, «de toutes les races que le péché a jetées dans l'erreur», ils sont ceux qui se rapprochent le plus de la vérité. Ils croient en Dieu, ils ont une loi morale qui ne se différencie guère de celle du décalogue mosaïque, et «des usages qui ont force de loi et qu'ils observent avec une fidélité inviolable». On les appelle *sauvages*, mais ils ne vivent pas comme des brutes, «ni même à la façon de l'homme naturel de Jean-Jacques Rousseau».

Nous avons emprunté les pièces qui suivent à la seconde édition des *Lettres des nouvelles missions du Canada, 1843-1852,* que le père Lorenzo Cadieux a publiée avec commentaires et annotations en 1973, à Montréal (les Éditions Bellarmin) et à Paris (Maisonneuve et Larose). — Nous reproduisons ce texte tel quel, mais sans les annotations.

Des chemins de glace et de neige*

Nos chemins ici sont de glace et de neige: on a aux pieds des souliers sauvages, c'est-à-dire de peau de chevreuil, et, au lieu de bas, une ceinture de laine dont on enveloppe les jambes et les pieds. Notre voiture est une planche de 6 à 7 pieds de longueur sur 12 à 15 pouces de largeur, recourbée en avant en forme de chaperon assez élégant. C'est sur cette voiture que le missionnaire charge sa chapelle, son lit qui consiste en une couverture de laine avec une peau de buffle, ses provisions et celle de son équipage. On y attache deux ou trois chiens; et, quand tout est prêt pour le départ, le voyageur marche en avant et trace au milieu des neiges le chemin à ses coursiers. Si l'on part de bon matin on peut faire ainsi dix, douze ou quinze lieues par jour. Après qu'on a fait six ou sept lieues, c'est-à-dire vers dix ou onze heures [du] matin, on fait halte sur la glace pour prendre son repas, ou, si l'on veut avoir quelque chose de chaud pour manger, on va sur le rivage faire du feu. Nous ne l'avons fait qu'une fois: nous avions marché dans l'eau depuis six heures du matin par une pluie battante et avec un vent contraire, ce qui devait continuer le reste du jour. Mais comment faire du feu par un temps de grosse pluie et avec du bois mouillé? Avec une allumette chimique vous allumez l'écorce de bouleau, puis vous trouvez toujours quelque vieux cèdre qui a succombé depuis longtemps sous le poids des années, vous faites jouer la hache, et bientôt vous avez un bon feu, en dépit de la pluie et de la neige qui sert de foyer. Après le repas, on se remet en route jusqu'à l'approche de la nuit; et alors on se retire de nouveau sur le rivage pour y camper. Quand on est deux, l'un s'arme de la hache pour faire du bois, l'autre armé d'une raquette, en guise de pelle, fait une place de six à sept pieds carrés, en jetant la neige. Bientôt deux jeunes sapins tombent sous les coups de la hache, et leurs branches fournissent un matelas sur lequel on étend la peau de buffle; les branches d'un troisième sapin formeront un abri du côté du vent. Cependant un bûcher s'allume près du lit, des tronçons d'arbres sont là amassés pour entretenir le feu durant toute la nuit. Tout étant ainsi préparé, on décharge les provisions, on donne à manger aux coursiers, on change de chaussure et on fait chaudière. Le souper fini, on fait la prière, et le missionnaire, pendant que son compagnon s'apprête à dormir, récite son bréviaire à la clarté du foyer et fait ses autres exercices spirituels du soir; puis il s'enveloppe de sa couverture et dort à son tour, jusqu'à ce que le feu s'éteigne. Alors réveillé par le froid, il charge de nouveau le bûcher et se remet à dormir; ces petits intervalles de sommeil ont lieu ordinairement deux ou trois fois la nuit. Il arriva une fois que le feu prit aux branches de sapin qui environnaient notre campement; mon compagnon, réveillé en sursaut par le pétillement des branches enflammées, prit l'alarme et, craignant que l'incendie ne se communiquât aux branches qui nous mettaient à l'abri du vent, il se mit à jeter dehors tous nos effets; mais il fut quitte pour la peur et pour la peine de rapporter dans le campement les effets qu'il avait jetés. Est-ce pénible, me demanderez-vous, de camper ainsi en plein air et au milieu des neiges? Pas du tout; quelquefois même, sur le point de me coucher dans mon lit, je regrette le campement de la forêt. Toute la peine est de le faire et même assez souvent, quand on est bien fatigué de la marche, cette petite occupation délasse.

Ce qu'il y a de pénible dans ces sortes de voyages, c'est la marche, surtout sur la glace quand il n'y a pas de neige ou que la neige est aussi dure que la glace. Pauvres pieds! il y a huit jours que je suis de retour de mon excursion, et ils sont encore enflés. Quand on est ainsi fatigué, quel supplice de se remettre en marche le matin! à peine peut-on se tenir debout, et cependant on a devant soi une journée de 12 à 15 lieues, et puis le lendemain encore, et ainsi les jours suivans. Un jour que nous avions encore quelques lieues à faire avant d'arriver à l'endroit destiné au campement, j'étais si fatigué que je ne pouvais plus avancer; à peine pouvais-je supporter la douleur des pieds qui étaient comme meurtris par la glace. Je me mis alors à raconter à mon compagnon le trait de ce philosophe qui, pour ne pas démentir sa stoïque indifférence, s'écriait dans les douleurs d'une maladie aiguë: Ô douleur! tu n'es cependant pas un mal. Il faut que je fasse comme lui, ajoutai-je en riant, et je me mis à marcher de nouveau à grands pas l'espace d'un quart d'heure. Mais j'oubliai bientôt ma philosophie, et je recommençai à me traîner comme auparavant. En revenant de St-Joseph, après deux jours de marche, nous sommes arrivés au village de Chichigwaning; j'étais si fatigué, j'avais si mal aux pieds que je pus à peine dire ce qui me restait de mon bréviaire. Impossible de dire matines pour le lendemain. J'étendis ma peau de buffle sur ma natte, et je m'endormis en faisant mon examen. Le matin je ne pus dire que deux nocturnes avant de partir, je récitai le troisième en chemin, le mieux qu'il me fut possible. Le soir au campement j'en étais à Laudes que je commençai à 8 heures. Heureusement je me trouvais beaucoup mieux que dans la maison du sauvage, quoique nous eussions fait 15 lieues dans la journée, et, avant de prendre mon repos, je pus m'acquitter sans beaucoup de peine de tous mes exercices de piété. C'est ainsi que Dieu prend pitié de nous au milieu de nos courses et que bien souvent il nous rend nos forces au moment où nous sommes le plus accablés par la fatigue. Un jour que nous fîmes au moins 17 lieues pour aller camper à un endroit où se trouvaient encore toutes dressées les perches d'une loge de sauvages, je me foulai le poignet en tombant sur la glace; l'enflure ne manqua pas à paraître, et la douleur vint encore augmenter la fatigue. Le lendemain, quand nous passâmes dans un village, le chef me proposa de me faire le remède des sauvages. J'y consentis. Aussitôt il développe ses instrumens de chirurgie; ce sont de petits morceaux de pierres aiguës, semblables aux pierres à fusil, et une corne. Avec les pierres le sauvage me fait des incisions sur la partie malade, y applique la corne, puis la bouche, en aspirant de toute la force de ses poumons pour tirer le sang. Après une première opération. — faut-il encore faire une fois, me demanda-t-il? — Si tu penses que ce soit bon, lui dis-je, je le veux bien. Et le voilà à l'œuvre une seconde fois; puis il mit sur la plaie la médecine sauvage. C'est une espèce de bois réduit en poudre. — Cela te fait-il mal? Un peu lui dis-je. — C'est bon, quand la plaie sera sèche, tu n'auras plus mal. En effet, le lendemain l'enflure avait disparu. Il faut ajouter toutefois qu'aujourd'hui même, j'ai la main encore raide et que je ne puis guère m'en servir.

Voilà, mon Révérend Père, notre manière de voyager en hiver; si elle a ses inconvénients, vous avouerez qu'elle a aussi ses avantages. Quand on veut partir, on n'est pas obligé d'aller retenir sa place longtemps d'avance, on part quand on est prêt, sans être exposé à manquer la voiture. Sur la route, on s'arrête quand on veut, et quand on est arrivé, on n'est pas obligé de passer au bureau pour payer sa place, ni d'examiner si on a eu bien soin de la malle etc. On est en pleine sécurité sur les bagages du voyage, et de plus on est toujours servi comme on le désire, puisque chaque voyageur fait sa cuisine comme il l'entend.

S: *Lettres des nouvelles missions du Canada, 1843-1852*, éditées avec commentaires et annotations par Lorenzo Cadieux, lettre 19, pp. 320-323, par. 5-6.

Le jeûne amérindien*

C'est à la lune de février que nos sauvages commencent à jeûner. Les enfants eux-mêmes ne doivent pas manger avant le coucher du soleil, et ils sont astreints à jeûner ainsi, jusqu'à ce qu'ils aient dans leur sommeil des rêves favorables. Ils rendent compte à leurs pères des rêves qu'ils ont eus, et quand ces songes ne sont pas favorables, ils doivent les rejeter en se raclant la langue et en jetant au feu l'épiderme ainsi arrachée. Si les songes sont favorables, le jeûne cesse pour les enfants. Quant aux hommes avancés en âge, ils jeûnent quelquefois jusqu'à neuf jours consécutifs sans boire ni manger, excepté le cinquième jour où ils se désaltèrent le palais en prenant un peu d'eau dans laquelle ils ont délayé une terre grasse et blanche. Ce jeûne rigoureux ne les empêche pas de travailler, ils chassent et vaquent à leurs occupations ordinaires comme dans un autre temps. La raison pour laquelle ils jeûnent à cette époque, c'est qu'alors les Manitous, qui ont dormi tout l'hiver, se réveillent avec la nature ou plutôt leur réveil est la cause de celui de la nature, et ils veulent entrer en communication avec ces Manitous qui gouvernent le monde par le moyen des songes. On voit évidemment sous cette fiction la grande raison du jeûne des chrétiens. Au retour de la belle saison, les passions se réveillent dans l'homme avec la nature, et c'est alors que nous avons un plus grand besoin de dompter la chair pour rendre l'esprit plus libre et pour vivre saintement. Quarante jours sont destinés à ce premier jeûne des sauvages, non pas qu'ils se croyent obligés de jeûner pendant toute la quarantaine, mais parce que, hors de ce temps, le jeûne, selon eux, n'aurait plus son efficacité. Ils ont encore un autre jeûne vers le milieu de l'été, à l'époque où les semences sont déjà assez grandes pour parvenir à la hauteur du genou, comme me le montrait un bon vieillard qui m'en a instruit. Le but de ce jeûne est d'obtenir des Manitous une vie heureuse exempte de maladies, une bonne chasse, une récolte abondante. Ce jeûne, comme vous voyez, ressemble beaucoup à notre jeûne des quatre-temps. J'ajouterai un fait attesté par tous les sauvages, c'est que tous ceux qui ont la vie la plus longue et la constitution la plus forte, ce sont précisément ceux qui se sont habitués à jeûner dès leur premier âge, et qui observent la pratique du jeûne avec le plus de régularité.

S: *ibid.*, lettre 19, pp. 325-326, par. 9.

JOSEPH JENNESSEAUX
(1810-1884)

Joseph Jennesseaux naît à Reims [département de la Marne, dans le Bassin parisien] le 12 avril 1810. Il apprend le métier de menuisier à Paris, puis entre chez les jésuites en 1831. Frère coadjuteur, il aide les pères dans leurs travaux manuels ou domestiques. Il est l'un des trois frères coadjuteurs qui font partie du premier groupe de jésuites qui partent du Havre le 24 avril 1842 et arrivent à Montréal le 31 mai suivant, sous la conduite du père Pierre Chazelle. Peu de temps après son arrivée, il se rend, avec le père Dominique Chardon du Ranquet, chez les Sulpiciens d'Oka, pour y apprendre la langue algonquine. Le 14 mai 1843, avec le père du Ranquet et l'abbé Hippolyte Moreau, prêtre séculier, il part pour le Témiscamingue où cet abbé est missionnaire auprès des Amérindiens et des blancs depuis 1840. Le 30 août, les trois missionnaires sont de retour à Montréal. Peu de temps après, le frère Jennesseaux monte à Sandwich avec le père du Ranquet. Tous deux continuent à étudier l'algonquin pendant l'hiver de 1843-1844. À la fin d'avril de cette dernière année, ils se rendent à l'île Walpole. Ils y travaillent de concert jusqu'en 1850, puis, la vie des catholiques y étant devenue difficile au point que les chrétiens se dispersent, les deux missionnaires quittent l'île Walpole pour Wikwemikong, sur l'île Manitouline. Le frère Jennesseaux y dirige l'école jusqu'à sa mort, le 29 juin 1884. — Sa biographie a été écrite par le père Alphonse Gauthier et publiée dans *Héros dans l'ombre, mais héros quand même*, Sudbury, la Société historique du Nouvel-Ontario [sic] (collège du Sacré-Cœur), «Documents historiques», 32, 1956, pp. 20-32: «Il fut grand... sans bruit! Joseph Jennesseaux, s.j., 1810-1884».

Le père Félix Martin a inséré trois lettres du frère Joseph Jennesseaux dans la première édition des *Lettres des nouvelles missions du Canada, 1843-1852*. Elles contiennent des renseignements que ne renferment pas les lettres des pères. Le frère Jennesseaux est le seul à décrire les circonstances dans lesquelles l'église et la résidence des jésuites furent incendiées sur l'île Walpole; il fait aussi le compte détaillé des pertes encourues. Nous lui devons une description précise de la procession très solennelle de la Fête-Dieu, à trois reposoirs, au printemps de

1846, à l'île Walpole. Il décrit avec précision les vêtements des Amérindiens et des Amérindiennes, la cuisine «sauvage», la nourriture des missionnaires, les bâtiments qu'il construit. Il énumère ses occupations: cuisinier, sacristain, responsable de l'entretien de la maison et de l'église, maître d'école, dentiste ou arracheur de dents, bûcheron, charpentier, menuisier, architecte et constructeur d'église. Il vit dans la pauvreté, mais il est heureux. Certains passages de ses lettres révèlent l'homme spirituel.

Nous avons emprunté la pièce qui suit à la seconde édition des *Lettres des nouvelles missions du Canada, 1843-1852,* que le père Lorenzo Cadieux a publiée avec commentaires et annotations en 1973, à Montréal (les Éditions Bellarmin) et à Paris (Maisonneuve et Larose). — Nous reproduisons ce texte tel quel, mais sans les annotations.

Les vêtements des Amérindiens*

Pendant l'été, ils n'ont en général pour tout vêtement que ce qu'ils appellent brayettes; tous le portent. C'est une ceinture à laquelle sont attachées deux bandes d'étoffe pendantes l'une derrière, l'autre devant; à quoi ils ajoutent une chemise d'indienne si sale qu'on n'en peut discerner la couleur et, de plus, souvent pourrie et à moitié déchirée. Pour beaucoup, laver son linge, le raccommoder, le changer sont choses inconnu[e]s. Les plus propres portent de plus une sorte de pantalon qui couvrent les jambes; s'ils n'ont pas les pieds nus, ce qui leur est ordinaire, ils les ont couverts de chaussons faits de peaux d'orignal; ils préparent eux-mêmes la peau, en découpent les pièces avec des nerfs d'animaux; c'est souvent aux pieds qu'ils mettent le plus de luxe. Leur coiffure est un grand mouchoir qu'ils nouent à la tête, découvert par le haut et entouré de plumes quand ils peuvent en avoir; leurs grands cheveux noirs sont partagés en plusieurs tresses faites avec soin et auxquelles ils attachent toute espèce de petits objets: plumes, sonnettes, etc. Ils font de même aux pendants d'oreilles qui ne sont souvent qu'un fil de fer ou une corde mince, plusieurs aussi ont un anneau pendu au nez.

Les femmes sont plus décemment vêtues; elles se roulent depuis la ceinture jusqu'aux genoux une pièce d'étoffe qui fait une fois et demie le tour du corps, elles portent de grandes guêtres appelées mitas et assez semblables à celles qu'on portait autrefois dans certaines campagnes de France. C'est là qu'est le luxe de la sauvagesse, les rubans et les perles y sont prodigués ainsi qu'à leurs souliers qui du reste sont comme ceux des hommes. Elles portent en outre une blouse d'indienne qui descend jusqu'au-dessus des genoux, puis une sorte de pèlerine garnie de petites rondelles de métal argenté, des colliers le plus qu'elles peuvent. À leurs longs cheveux noirs soigneusement tressés, elles attachent un ample ruban qui flotte sur leurs épaules. Voilà une sauvagesse dans son grand costume. Elle le complète en s'enveloppant d'une couverture [de] lit ou, si elle est riche, d'une pièce de drap bleu ou rouge.

S: Lettres des nouvelles missions du Canada, 1843-1852, éditées avec commentaires et annotations par Lorenzo Cadieux, lettre 6, pp. 179-180, par. 6-7.

JEAN JAFFRÉ
(1800-1861)

Jean Jaffré naît à Sainte-Anne-d'Aurey [département du Morbihan, dans l'ouest de la France] le 25 septembre 1800. Il entre chez les jésuites à Montrouge, en banlieue de Paris, le 28 septembre 1819; il est ordonné prêtre vers 1830. Il fait du ministère en France, puis exprime son désir de devenir missionnaire en Amérique. Pour le préparer, on l'envoie passer deux ans au collège de Stonyhurst [Clitheroe, Lancashire, England]. En octobre 1844, il arrive à Sandwich sans avoir été annoncé; étant donné sa connaissance de la langue anglaise, il va s'occuper des anglophones que ne peuvent rejoindre ses confrères unilingues francophones. En 1847, il réussit à convaincre les catholiques de construire une église à Chatham en se faisant aider par les protestants qui sont plus riches qu'eux; c'est un succès. En 1852, le père Jaffré fait de Chatham sa résidence principale, mais ne cesse pas de desservir les postes des environs. En 1857, il est nommé curé de la paroisse de Chatham et supérieur d'un père qui lui est adjoint pour desservir les stations voisines. Trois ans plus tard, afin de lui donner quelque repos, on l'envoie à New York. Il demande à faire du ministère auprès des malades d'un grand hôpital de cette ville, le Blackwell's Island. Il y contracte une fièvre maligne; elle l'entraîne dans la mort le 10 mai 1861.

Le père Félix Martin a incorporé trois lettres du père Jean Jaffré dans la première édition des *Lettres des nouvelles missions du Canada, 1843-1852*. Toutes trois sont destinées au provincial de Paris. La première informe le père Ambroise Rubillon de la mort du père Pierre Chazelle, supérieur des jésuites du Haut-Canada, le 4 septembre 1845 à la Baye [Green Bay, Wisconsin]. La deuxième est une demande d'aide au même provincial. Le père Jaffré décrit la situation difficile dans laquelle se trouvent les catholiques du Haut-Canada, dispersés, pauvres et privés des sacrements, faute d'un nombre suffisant de prêtres — il en faudrait une centaine dans le grand diocèse de Toronto; ils ne sont que douze auxquels s'ajoutent un nombre moindre de jésuites —, tandis que les Épiscopaliens, les Presbytériens, les Méthodistes, les Baptistes ne manquent ni de ministres, ni d'argent, ni d'institutions. La troisième lettre du père Jaffré, adressée au père Frédéric Studer, nouveau provincial de Paris, est une sorte de rapport sur la situation et les travaux des pères de Sandwich; les résultats sont bons, mais ils pourraient être meilleurs dans la région s'ils s'y trouvaient plus de missionnaires capables de parler l'anglais.

Nous avons emprunté la pièce qui suit à la seconde édition des *Lettres des nouvelles missions du Canada, 1843-1852,* que le père Lorenzo Cadieux a publiée avec commentaires et annotations en 1973, à Montréal (les Éditions Bellarmin) et à Paris (Maisonneuve et Larose). — Nous reproduisons ce texte tel quel, mais sans les annotations.

Les ouvriers du chemin de fer*

[...], J'attends beaucoup des ouvriers du chemin de fer qui se fait dans notre voisinage. La plupart sont des Irlandais Catholiques, c'est-à-dire de nouveaux paroissiens confiés à ma charge, et non pas les plus faciles à desservir, car ils sont beaucoup disséminés. Je vais parmi eux quand ils ont des malades, j'y vais en outre à certaines époques pour leur procurer à tous l'avantage de la Messe, de l'instruction et de la confession. Dans ces circonstances, une de leurs cabanes devient une chapelle. Elle n'est faite que de grosses planches jointes ensemble par quelques clous de manière à laisser large passage à l'air; elle n'a ordinairement qu'une vingtaine de pieds de long sur quinze de large, et une douzaine de haut avec un toit en planches très escarpé, ce qui est un très petit espace pour une douzaine de personnes qui s'y logent la nuit et y prennent leur repas le jour. Cependant j'éprouve toujours du plaisir à me trouver parmi ces bonnes gens: 1^0 à cause du grand respect qu'il[s] montrent au prêtre, et à cause de l'esprit de foi dont ils sont généralement animés. Il n'y a guère de difficultés à les réunir sur semaine, soit pour écouter un sermon, soit pour assister au Divin Sacrifice, soit pour se confesser. Dès qu'ils savent que le prêtre est parmi eux, et les demande, ils sont toujours prêts à accourir. L'unique embarras est au sujet du w[h]isky, des jurements et des querelles, si l'on peut triompher sur ces points, tout est gagné, on a de suite d'excellents chrétiens; 2^0 une autre raison pour laquelle j'aime à les visiter, c'est qu'on peut toujours faire parmi eux des quêtes pour les besoins des paroisses, ils jouissent à cet égard d'une réputation bien méritée partout où ils vont. Aucun d'entr'eux ne donne beaucoup, parce qu'aucun d'entre eux n'est bien riche, mais chacun donne quelque chose, et toutes ces fractions mises ensemble forment souvent un total assez considérable. Ceux même qui n'ont rien en mains, ou pour avoir trop bu, ou pour être trop nouvellement arrivés, ceux-là même donnent souvent quelque chose à prendre sur leurs gages futurs, et les protestants du chantier s'abstiennent difficilement de suivre l'exemple des autres. Tels sont les Irlandais jusque dans cette dernière classe; ils peuvent avoir de grands défauts, être grands ivrognes; ils peuvent être dans la misère, mais toujours ils seront amis des prêtres, toujours ils montreront un Cœur catholique, toujours ils contribueront volontiers à bâtir les églises. Et pour le fait, combien d'églises n'ont-ils pas bâti, sans êtres riches, sur le continent d'Amérique! ce fut avec leur assistance que nos Pères de New York en bâtirent une belle, il y a peu d'années, dans le voisinage de cette ville. Espérons que mes quêtes parmi eux ne seront pas moins heureuses, car mes besoins sont grands, ce n'est pas seulement à Chatham que je bâtis; j'ai encore une autre église nouvelle à Maidston[e], dans laquelle on célèbre déjà les saints offices, mais où il n'y a encore presqu'aucun ornement intérieur, ni argent pour se les procurer.

S: *Lettres des nouvelles missions du Canada, 1843-1852*, éditées avec commentaires et annotations par Lorenzo Cadieux, lettre 89, pp. 852-853, par. 3.

JOSEPH-URBAIN HANIPAUX
(1805-1872)

Joseph-Urbain Hanipaux naît à Donjeux (ou à Saint-Georges de Dougueux), dans le diocèse de Langres [département de la Haute-Marne, dans le sud-est du Bassin parisien] le 3 mai 1805. Il étudie la théologie au séminaire de Langres[?], est ordonné prêtre, devient vicaire puis curé. Le 21 janvier 1837, il entre dans la Compagnie de Jésus et demande d'être missionnaire chez les Amérindiens. Le 24 avril 1842, il fait partie du groupe du père Pierre Chazelle qui part du Havre et arrive à Monréal le 31 mai suivant. De juin 1842 à 1845, il fait du ministère à Montréal et à Laprairie, prêche avec succès dans diverses paroisses du diocèse de Montréal. Il est ensuite missionnaire à Wikwemikong (1846-1847), à Sault-Sainte-Marie (1848), puis de nouveau à Wikwemikong (1849-1871). En 1871, malade, il descend à Québec; il y décède le 12 mars 1872. — Une brève biographie du père a été publiée par l'abbé P. Servais, directeur du Collège de l'Immaculée-Conception à Saint-Dizier [département de la Haute-Marne], sous le titre *Le R. P. Hanipaux, jésuite, notice biographique*, Langres, Imprimerie Frimin Dangien, 1873, 76 p.

Le père Félix Martin a rendu un bel hommage au père Joseph-Urbain Hanipaux en incorporant seize lettres de lui dans la première édition des *Lettres des nouvelles missions du Canada, 1843-1852*. Ces lettres contiennent de nombreuses descriptions et plusieurs récits de voyages et d'excursions apostoliques. Ce sont les récits de missionnaires que le père juge les plus utiles; pour lui, parler de la géographie et des saisons du pays, ce n'est que de l'accidentel qui expose le narrateur à des redites fastidieuses. Il préfère raconter les travaux des missionnaires à ses confrères européens qui veulent venir au Canada ou qui pourraient le désirer s'ils connaissaient tout le bien qu'on peut y faire. Ce faisant, il a deux intentions: éclairer les candidats sur la vie qu'ils auront à mener, afin qu'ils ne regrettent pas leur choix; et susciter des vocations missionnaires qui seront fondées sur un véritable appel de Dieu. Il parle donc de sa mission, de la situation du missionnaire, de ses peines et de ses consolations, de la difficulté de convertir les infidèles, de l'aide que l'on peut leur apporter à la fois sur le plan matériel et sur le plan spirituel, de la concurrence que font aux missionnaires catholiques les pasteurs protestants et les ministres de diverses sectes.

Nous avons emprunté les pièces qui suivent à la seconde édition des *Lettres des nouvelles missions du Canada, 1843-1852,* que le père Lorenzo Cadieux a publiée avec commentaires et annotations en 1973, à Montréal (les Éditions Bellarmin) et à Paris (Maisonneuve et Larose). — Nous reproduisons ce texte tel quel, mais sans les annotations.

La confection du sucre d'érable*

Ici, depuis deux mois, nos sauvages ont été occupés dans les bois à recueillir et à faire le sucre d'érable; ils reviennent chargés d'une récolte extraordinaire. Le seul village de Sainte-Croix, qui se compose de 80 à 100 familles, a recueilli 80,000 livres de sucre. Ce serait bien précieux pour eux si, au lieu de le changer presque pour rien, ils pouvaient le vendre à sa juste valeur. Les commerçants auxquels ils ont affaire prétendent, il est vrai, leur acheter le sucre à huit ou neuf sous la livre; mais, quand il s'agit de payer, au lieu d'argent, ils donnent des étoffes qu'ils évaluent à leur gré, de sorte qu'en dernier résultat, c'est à peine si le sauvage reçoit trois ou quatre sous pour une livre de sucre. Cependant, pour faire ce sucre, il a eu des peines excessives, il a été pendant deux mois presque continuellement dans la neige et dans le feu. Nos sauvages sont d'abord dans la neige pour recueillir l'eau qui coule goutte à goutte des entailles qu'ils ont faites aux arbres. Sous ces coupures ils déposent de petites tasses en écorce qu'ils ont en grand nombre, et ils sont toujours en course pour voir si ces tasses sont remplies, et pour les verser ensuite dans de grandes cuves. Cette eau une fois recueillie, il faut la faire bouillir et la résoudre presque entièrement en vapeur. Un tonneau d'eau donne peut-être une livre de sucre, et il faut réduire cette eau, jusqu'à ce que la livre de sucre reste seule; et quand elle est ainsi réduite, il faut la battre pour la réduire en morceaux solides. Pour faire bouillir cette eau et la résoudre en vapeur, ils entretiennent continuellement une grande fournaise; au-dessus, à la hauteur de sept ou huit pieds, sont de grosses poutres semblables à celles qui soutiennent le plafond d'un étage; de ces poutres descendent des crochets auxquels sont suspendues les chaudières qui contiennent l'eau. Quoique ces crochets et les liens qui attachent les chaudières soient en bois et au-dessus de la fournaise, ils ne brûlent pas, parce que les chaudières sont accolées les unes aux autres et empêchent la flamme d'atteindre le bois qui les suspend. Mais souvent, ils se dessèchent et se rompent par l'excès de la chaleur, et il faut les renouveler de temps en temps. Assurément il ne fait pas froid autour de la fournaise; et, cependant, le sauvage passe là ses six semaines à attiser le feu, à verser l'eau dans les chaudières, à en tirer le résidu. Malgré toutes ces peines, ces bons sauvages sont contents quand ils ont fait beaucoup de sucre. C'est le seul objet de commerce qu'ils aient, si l'on excepte le poisson que quelques-uns vendent aux marchands. Ils ont dû faire un grand sacrifice quand, pour mieux vivre dans la prière, ils sont venus s'établir dans ce village où ils n'ont pas la chasse. Aussi c'est une des raisons qu'ils font valoir quand ils implorent la pitié de la société de la Propagation de la foi pour être aidés à bâtir une église. Notre pauvre petite chapelle en bois, couverte en écorces, est près de tomber en ruines.

S: *Lettres des nouvelles missions du Canada, 1843-1852*, éditées avec commentaires et annotations par Lorenzo Cadieux, lettre 20, pp. 331-332, par. 4.

Consolations et peines*

Mon Révérend Père,

Pax Christi

Je n'ai pas pu vous écrire plus tôt, malgré tout mon désir; comme je suis seul depuis la veille du mois de mai, les soins continuels que réclament nos chers sauvages ont absorbé tous mes momens. Nous avons fait le mois de Marie, comme je vous l'avais annoncé; j'ai prêché tous les jours à un auditoire nombreux, et le temps m'ayant manqué pour écrire toutes mes instructions, j'ai dû souvent improviser au risque de faire de temps en temps quelques fautes de langage qui ont excité l'hilarité de mes auditeurs. Mais n'importe; toujours j'ai été compris et écouté avec intérêt. Tous nos sauvages ont prié avec ferveur pendant ce mois de bénédictions et le plus grand nombre a voulu communier en l'honneur de Marie. Nous avons fait une neuvaine préparatoire à la fête de la Pentecôte, et le jour de cette solennité, près de 150 personnes ont eu le bonheur de s'approcher de la sainte table.

Est venue ensuite la solennité de la Fête-Dieu. Pendant l'octave il y a eu exposition du Saint Sacrement à la messe, et à vêpres le soir; tous les jours, les sauvages sont venus en grand nombre et avec joie à ces saints offices. Mais rien n'a égalé l'auguste cérémonie de la procession du Saint Sacrement qui s'est faite ici deux fois avec une pompe que pourraient nous envier plusieurs grandes paroisses de la France et du Canada. Notre Seigneur Jésus Christ a véritablement triomphé dans les bois de l'île Manitouline, sur le lac Huron, comme il triomphe dans les parties les plus religieuses de la terre. Pendant les jours qui ont précédé la fête, nos sauvages ont fait, avec un travail incroyable, tout autour de leur long village, un superbe chemin planté d'arbres sur les deux côtés. Le jeudi au matin, plus de 80 drapeaux flottaient à la cime des plus hauts sapins pour annoncer le passage prochain du Roi du Ciel. Onze reposoirs étaient dressés de distance en distance sur toute la longueur du chemin que devait parcourir la procession; ils étaient tous faits avec une adresse qu'on ne soupçonnerait pas chez des sauvages. La cérémonie devait durer assez longtems; c'est pourquoi je ne la fis qu'après-midi, la messe solennelle étant déjà longue par elle-même. Voici l'ordre de cette procession: elle était ouverte par la Croix portée par un Sauvage en aube; à ses côtés marchaient deux acolytes aussi en aubes. Après la croix, venait la belle bannière blanche des femmes, lesquelles suivaient sur deux rangs et en bon ordre. Venait ensuite la bannière rouge des hommes portée par un sauvage en aube; puis quatorze petits sauvages couronnés de fleurs, et portant pendus à leurs cous de jolis petits paniers d'écorce. Ils se retournaient de temps en temps vers le Saint Sacrement pour lui offrir des fleurs, et leurs mouvements étaient réglés par un sauvage en surplis, qui donnait le signal avec un claquoir. Deux autres sauvages, un petit étendard à la main, faisaient l'office de maîtres de cérémonies et circulaient çà et là pour maintenir partout le bon ordre. Après les enfans qui jetaient des fleurs, venait le Très Saint Sacrement sous un dais à dentelle soutenu par quatre colonnes de couleur jaune et porté par quatre chefs sauvages. Quatre autres chefs escortaient le dais avec de grands flambeaux à la main. Suivaient immédiatement sur deux rangs dix-huit chefs ou notables portant des étendards avec inscription. Une trentaine de guerriers étaient sous les armes et marchaient sur les deux côtés du Saint Sacrement; à chaque reposoir, ils faisaient deux décharges de leurs fusils, l'une en y arrivant, l'autre après la bénédiction. Deux officiers sauvages, le sabre nu à la main, et la tête ceinte de deux branches d'arbre bien feuillées, en guise de casque, commandaient cette troupe de guerriers. Entre les rangs, immédiatement après le Saint Sacrement était le premier chœur de chantres, le second vers l'extrémité de la procession, près des hommes qui n'ayant point de fonctions, marchaient les derniers. De temps en temps, un chef criait de toutes ses forces en langue sauvage: Béni soit celui qui vient au nom du Seigneur! Nous te saluons, Fils de David, vrai Dieu qui visite notre terre. Hosanna au plus haut des cieux! Et tous répétaient à haute voix: Hosanna, Hosanna!!! Voilà, mon R. Père, l'ordre de nos deux processions qui durèrent chacune trois heures. Tous ceux qui furent témoins de ce grand spectacle religieux, Catholiques, Protestants, Infidèles, et ils étaient en grand nombre, tous furent ravis d'admiration, et nos fidèles, plusieurs jours après, en parlaient encore avec enthousiasme. Et moi aussi, assurément, je tressaillais de joie en voyant Notre Seigneur présent dans le Saint Sacrement recevoir les honneurs du triomphe dans l'île aux forêts, dans ces pays si reculés, sur les bords du lac Huron. Cette grande octave fut immédiatement suivie de l'aimable fête du Sacré-Cœur de Jésus. Je regrettais qu'elle ne fût pas d'obligation; mais nos sauvages se sont déterminés eux-mêmes à fêter ce beau jour, un bon nombre d'entre eux ont voulu faire la sainte communion.

A ces travaux si consolants pour un missionnaire viennent aussi se mêler de temps en temps quelques peines. Des marchands étant venus au printemps dans notre île pour acheter le sucre des indigènes, et ayant apporté avec eux des boissons enivrantes, cinq de nos chrétiens tombèrent dans le piège tendu à leur faiblesse et s'enivrèrent plusieurs fois. Leur faute était grave et publique, leur pénitence devait l'être aussi: le dimanche avant l'Ascension, en présence des fidèles assemblés, j'ai interdit aux coupables l'entrée de l'église pendant un mois. En leur infligeant cette pénitence, je montrai une tristesse profonde et j'annonçai que pendant tout ce mois nous ferions des prières publiques pour leur conversion. Ce coup leur a été très sensible; et dès le lendemain, l'un deux me conjura de lui permettre d'entrer dans l'église le jour de l'Ascension pour demander pardon à tous les fidèles du scandale qu'il leur avait donné. Je le lui permis. Le jour de l'Ascension, au moment où j'allais à l'autel pour commencer la messe, ce pécheur pénitent entre dans l'église, vient se mettre à genoux près du marchepied du Sanctuaire; puis se levant pour se faire mieux entendre de tous, il confesse son péché publiquement et, avec les signes d'un repentir sincère, promet de n'y plus retomber à l'avenir, et demande à tous les fidèles le secours de leurs prières: mais ajoute-t-il, qu'il me soit accordé d'entrer dans l'Eglise de Dieu; il est trop pénible pour moi d'en être chassé. Je dis alors à tous qu'il y avait lieu d'espérer que Dieu pardonnait à ce pauvre pécheur, et qu'après cette réparation publique du scandale donné, nous devions aussi lui pardonner. Il lui fut donc permis de rester dans l'église. Les autres coupables ont aussi témoigné beaucoup de repentir de leur faute et se sont confessés bien des fois pendant ce mois de pénitence; l'un deux surtout paraissait accablé par la douleur. Toutefois pour l'exemple des autres et pour prévenir les rechutes, je les ai laissés accomplir leur pénitence jusqu'au terme fixé.

Le jour où je jetai cet interdit, tous les chefs se rassemblèrent pour se concerter entr'eux et chercher les moyens d'empêcher à l'avenir de pareils désordres; ils tinrent coup sur coup trois sessions. Voici en substance le résultat de leur délibération qui a été publiée le dimanche dans l'octave de l'Ascension, au sortir de la Grand'messe: «Nous, chefs de la tribu, nous avons choisi douze surveillants; lorsqu'une barque viendra aborder près du village, on sonnera le tocsin. Les surveillants qui seront présents se réuniront et iront à la rencontre de la barque. Ils diront à ceux qui la conduisent: Avez-vous de l'eau de feu? S'ils disent, oui; on leur dira de la part de tous les chefs du pays: retournez chez vous. S'ils disent, nous n'avons pas d'eau de feu; on leur dira: Eh bien, entrez; mais vous êtes avertis de la part de tous nos chefs que si l'on apprend que vous avez donné à quelqu'un de l'eau de feu, tous les habitans du pays se rassembleront pour jeter dans le lac tout ce qui vous appartiendra. De plus, si quelque sauvage s'enivre, en quelque temps que ce soit, les surveillans réunis iront faire la perquisition de l'eau de feu, et si l'on en trouve dans sa cabane, on lui dira: Sauvage, notre frère, si tu recommences encore, nous te déclarons que, malgré la peine que cela nous fait, nous te dénoncerons au grand chef de Menitouani, afin que tu n'aies plus de part aux présents.»

Depuis que ce décret a été porté, nos sauvages tiennent à son exécution. Cependant une barque ayant abordé dernièrement près du village, nos surveillans ne purent se faire comprendre des deux Anglais qui la conduisaient, et ces malheureux marchands firent entrer dans leur barque une sauvagesse d'une assez mauvaise conduite et l'enivrèrent. Le bruit s'en étant répandu, le lendemain on sonne le tocsin, et je vais moi-même à la barque avec les surveillans. Je fais sortir la malheureuse femme de la barque, et elle avoue devant les marchands qu'elle a été enivrée avec de l'eau de feu. Nous sommons donc ces marchands de partir le jour même, et nous leur donnons jusqu'à midi pour terminer leurs affaires. Ils se récrient et protestent qu'ils ne peuvent partir ce jour-là. Vous partirez cependant, et ce soir vous ne serez plus ici. En effet, après-midi, ils s'éloignaient du rivage et allaient porter dans d'autres pays leur eau de feu.

Voilà, mon R. Père, nos consolations et nos peines, priez donc pour moi et pour nos sauvages, afin que nous glorifiions le Dieu des miséricordes.

Hanipaux, S.J.

S: *Lettres des nouvelles missions du Canada, 1843-1852*, éditées avec commentaires et annotations par Lorenzo Cadieux, lettre 22, pp. 336-340, par. 1-5.

DOMINIQUE CHARDON DU RANQUET
(1813-1900)

Dominique Chardon du Ranquet naît à Chalut [département du Puy-de-Dôme, dans le Massif central de la France] le 20 janvier 1813. Il étudie trois ans au Collège universitaire de Clermont, puis continue ses études chez les jésuites de Saint-Acheul [département de la Somme, dans le Bassin parisien] et de Billom [département du Puy-de-Dôme]. Le 9 octobre 1838, il entre au noviciat des jésuites de Saint-Acheul et est ordonné prêtre en 1842. Le 24 avril de cette dernière année, il part du Havre avec le groupe de recrues que le père Pierre Chazelle emmène au Canada. Il arrive à Montréal le 31 mai; en juillet, avec le frère Joseph Jennesseaux, il se rend chez les Sulpiciens de Oka pour y étudier la langue algonquine. Les deux jésuites y passent l'hiver. Le 14 mai 1843, pour leur initiation à la vie missionnaire, ils accompagnent l'abbé Hippolyte Moreau, prêtre séculier qui monte au Témiscamingue où il est missionnaire depuis 1840 auprès des Amérindiens et des blancs. Le 30 août 1843, les missionnaires sont de retour à Montréal. Les deux jésuites y passent quelque temps, puis montent à Sandwich; l'hiver durant, ils continuent d'étudier l'algonquin. À la fin d'avril 1844, ils partent pour l'île Walpole. Ils travaillent d'arrache-pied pour se faire accepter des Amérindiens de l'île; les difficultés et les menaces se faisant de plus en plus nombreuses avec les années, les deux missionnaires sont rappelés à Sandwich par leurs supérieurs en 1850, puis assignés la même année au poste de Wikwemikong, dans l'île Manitouline. De 1852 à 1877, le père du Ranquet réside à la mission de Fort William, sauf, peut-être, un séjour qu'il aurait fait à Sault-Sainte-Marie en 1859...[?]. En 1877, il est nommé supérieur à Wikwemikong, et c'est là qu'il décède le 19 décembre 1900.

Le père Félix Martin n'a consigné que deux lettres du père Dominique Chardon du Ranquet dans la première édition des *Lettres des nouvelles missions du Canada, 1843-1852*. Le père du Ranquet, contrairement à ses confrères, écrivait rarement des lettres; à un supérieur majeur qui s'en étonnait, il répondit tout bonnement: «Hélas!, mon révérend Père, je suis pour les lettres comme le rocher dont parle saint Ignace dans sa lettre sur l'obéissance, rocher qui n'eût pu être ébranlé par les efforts réunis d'un grand nombre d'hommes.» Cependant, intéressé par la linguistique, il a beaucoup écrit comme traducteur soit de textes amérindiens (dont des contes) en français, soit de textes français ou latins (dont des hymnes liturgiques) en sauteux, langue qu'il connaissait très bien. La plupart de ses travaux sont restés manuscrits, sauf une traduction de l'*Histoire sainte* du chanoine Schmidt. De plus, il tenait un journal où s'accumulaient, entre autres, des notes de toutes sortes sur les langues algonquines et les croyances, mœurs et coutumes des Amérindiens. — Une thèse de maîtrise ès arts a été faite à l'Université McGill par Yvette Majerus et publiée sous le titre *Le Journal du père Dominique du Ranquet, S.J.*, Sudbury, Université de Sudbury, La Société historique du Nouvel-Ontario [*sic*], «Documents historiques», 49-50, 1967, 57 p. Elle ne porte que sur une partie du journal du père: celle qui va de 1853 à 1877.

Nous avons emprunté la pièce qui suit à la seconde édition des *Lettres des nouvelles missions du Canada, 1843-1852,* que le père Lorenzo Cadieux a publiée avec commentaires et annotations en 1973, à Montréal (les Éditions Bellarmin) et à Paris (Maisonneuve et Larose). — Nous reproduisons ce texte tel quel, mais sans les annotations.

La conversion du chef Ataghewinini*
Mon Révérend Père,

Pax Christi
La foi parmi nos Indiens ne se propage guères par l'effet de la prédication sur des masses; elle s'étend peu à peu d'un membre d'une famille aux autres membres, d'une famille à une autre; et souvent le premier favorisé du don de la foi dit des choses admirables de la première action de la grâce sur son cœur. Le Père Chazelle était extrêmement avide de ces récits dans lesquels nos néophytes exposent avec l'abandon des enfants les voies de Dieu dans leur conversion. Combien de fois, en lui servant d'interprète, j'ai admiré ce trait de son zèle! Dans le courant de l'été qui précéda sa mort, il avait fait venir des bords les plus éloignés du lac Huron, pour visiter les sauvages de l'île Walpole, un chef Sauteux dont les exemples et les leçons paraissaient avoir laissé une profonde impression dans la tribu de Port-Sarnia, pendant le séjour qu'il y fit il y a quelques années. Ce chef paraît même avoir été l'instrument principal de

la divine Providence dans la conversion des premiers sauvages baptisés par le Père Chazelle en 1844. Maintenant, dans une petite île à l'est de la grande Manitouline et près de Penitankoushine, il est le soutien de la foi dans son village, et préside à la prière; comme l'âge lui a ôté son ancienne vigueur, le Père Choné vient d'établir son fils catéchiste. Le nom du vieillard est Ataghewinini. L'histoire de sa conversion présente un de ces traits dont j'ai parlé; il la raconta devant moi au Père Chazelle qui fut si frappé qu'il voulut aussitôt l'avoir par écrit; il me chargea de ce travail, je le donne aujourd'hui tel que je viens de le retrouver dans mes papiers:

«Anciennement je faisais comme les sauvages; je prenais part à toutes leurs jongleries. J'ai été à la guerre, je me suis battu; je n'avais jamais peur. Si quelqu'un me défiait, je me battais avec lui. Je ne connaissais pas la prière; mais quand je voyais des Blancs mal faire, je ne craignais pas de les reprendre.

«Une fois, au temps où mon fils était grand comme cela, (il met la main à la hauteur de la ceinture) je tombai malade; toutes les médecines et jongleries sauvages furent employées pour me guérir; mais loin de là, je sentais toujours le mal augmenter. Enfin il me sembla que j'allais mourir; j'étais étendu sur ma natte sans mouvement, je respirais à peine, mon haleine était courte, pressée, convulsive. Voilà que je meurs, pensai-je bien décidément. Ma femme était assise dans la cabane; je fis un dernier effort, je lui parlai, je lui dis: Voilà que je meurs, je ne vivrai plus; eh! bien n'importe, toi tu vivras et notre enfant aussi vivra; tu ne seras pas trop malheureuse, notre fils peut déjà t'aider, il aura soin de toi. Elle me répondit rien; je lui dis: couvre-moi la tête, je vais mourir.

«Tandis que j'étais ainsi étendu, les yeux couverts, tout à coup, assurément je ne dormais pas, ce n'était point un songe ordinaire, je vis un chemin qui montait droit au ciel; je me trouvai au pied de ce chemin; ma cabane disparut, je ne sentais plus aucun mal. Je me dis: oh! je monterai par là! Je me mis donc à marcher, et je continuai ainsi longtemps. Enfin je laissai la terre bien loin au-dessous de moi; je ne distinguais plus les hommes, ni leurs habitations, ni les arbres. Après avoir marché longtemps encore, je ne vis plus qu'un rond qui alla toujours en diminuant. J'aperçus de loin deux hommes qui descendaient, je reconnus que c'était deux Français; en me voyant, ils dirent: «Oh, oh! voici un sauvage! Où vas-tu donc? ajoutèrent-ils. — Je vais en haut, répondis-je. — C'est bien, mon frère, dit l'un deux; monte,

monte toujours, on ne voit guères de sauvages monter par ce chemin; courage! Il tenait une planche et quelqu'outil; je compris qu'il était chargé de réparer le chemin. Ainsi nous nous croisâmes; ils descendaient vers la terre. Cette rencontre me réjouit et m'encouragea; je m'élevai longtemps encore. Déjà la terre avait entièrement disparu; je voyais devant moi un jour de plus en plus brillant; ce n'était pas celui du soleil. En ce moment l'esprit de Dieu tomba sur ma tête: garde-toi, me dit-il, de détourner la vue, tu vas voir quelque chose de terrible. En effet, j'aperçois, semblable à un arbre tombé et penché vers un abîme, une branche de chemin qui s'éloignait à la gauche; je ne pouvais en voir qu'un bout; au-delà, ce n'était que ténèbres. Je vis se pressant sur le chemin un grand nombre d'hommes et de femmes; ils se succédaient rapidement, et disparaissaient perdus et précipités sans doute dans les ténèbres. Je fus saisi d'horreur à la vue de leur malheur et d'une si affreuse nuit. Lorsque je levai les yeux vers le chemin que je suivais, oh! qu'il me parut beau et brillant! Je me hâtai, montant toujours. La lumière que je voyais devant moi devint peu à peu si brillante, qu'enfin je ne pus absolument y fixer les yeux; je fus contraint de m'arrêter. Je découvris pourtant bien loin au-dessus de moi, au centre de la lumière, une porte; et en même temps j'entendis une voix, celle de celui qui gardait cette porte. — Prétends-tu arriver jusqu'ici? s'écria-t-il. — Eh! oui, répondis-je, c'est pour cela que j'ai quitté la terre et que je marche depuis si longtemps. — Non, tu n'entreras pas, car rien de souillé ne passe au-delà de cette porte; va donc d'abord te purifier; rejette tout ce qu'il y a en toi de souillé, retourne sur tes pas, descends de nouveau vers la terre; tu y trouveras la prière, la prière Catholique (du Français). C'est par la prière que tu deviendras pur, alors tu seras digne d'entrer par cette porte.»

«Ces paroles ne me troublèrent pas, elles me remplirent d'espérance et de courage; je sentais combien j'étais indigne d'avancer au-delà; je vis mon âme toute couverte de la souillure de mes méchantes actions. J'obéis à la voix, je retournai sur mes pas. Je descendis rapidement; je vis de nouveau le chemin couvert de ténèbres, je le passai. Enfin bien loin encore la terre m'apparut comme un point noir; à mesure que j'approchais il devenait plus grand, de la forme d'un disque, d'une boule; enfin je distinguai les eaux, les terres, les forêts, les plaines, enfin le pavillon planté près des cabanes. Les wigwams, les sauvages que je voyais par le dessus de la tête, paraissaient comme de petits insectes ronds et plats qui rampent sur la terre. Les formes devenaient de plus en plus distinctes; enfin je reconnus les hommes; je mis le pied sur la terre, le chemin disparut, je me retrouvai dans mon wigwam, étendu comme j'étais avant; mais mon cœur était plein de joie. Je parlai à ma femme: — «Oh! que j'ai été loin! lui dis-je; le Grand-Esprit nous a fait grande charité: je ne mourrai pas, je vivrai. - Qu'est-ce donc? me dit-elle. — Va bien vite, répliquai-je, avertir les chefs et les anciens de notre tribu; dis-leur: Le malade désire vous voir tous réunis dans sa cabane».

«Les chefs et les anciens avertis remplirent bientôt ma cabane. Chacun en entrant me tendait la main en me disant: Bonjour, et allait prendre sa place autour du wigwam; ils se tenaient là assis en silence comme ils font lorsqu'ils se préparent à faire la jonglerie pour un malade. — Mes chefs, et vous, Anciens, je vous ai fait avertir; ce n'est pas que j'aie rien à vous demander, c'est seulement pour vous dire ma résolution. J'ai été bien loin, j'ai été vers le ciel; ce n'était pas dans le sommeil, il me semble; peut-être ai-je perdu connaissance. Je ne saurais dire combien ce que j'ai vu est beau; mais, j'ai entendu cette parole: Fais-toi chrétien, et je veux me faire chrétien. Voilà ce que j'avais à vous dire; dites-moi à votre tour ce que vous pensez. — Oh! dirent-ils, garde-toi de faire ce que tu viens de dire. Autrefois des sauvages s'étaient faits chrétiens; l'un deux mourut; il s'éleva en effet vers le Ciel; mais arrivé à la porte, il rencontra le Messager du Grand-Esprit qui lui dit: Que viens-tu chercher ici? l'homme à la peau blanche entre seul ici; pour toi, peau rouge, j'ai préparé un autre chemin. Ce sauvage avait pourtant été chrétien; il revint à la vie et il dit aux sauvages: Le Grand-Esprit ne veut pas que nous, Sauvages, nous soyons chrétiens; il a sur nous des desseins tout différents. Garde-toi donc, me dirent les chefs, garde-toi de prendre la Prière; ne renonce pas aux bénédictions que le Grand-Esprit prépare à notre race. — Mais, répondis-je, j'ai entendu la voix du Grand-Esprit, et il m'a dit: Fais-toi chrétien, et tu entreras au ciel.

«Les vieillards redoublèrent leurs murmures et les signes de l'horreur que leur inspirait ma résolution. Je désespérai de les vaincre, d'obtenir leur approbation: Eh! bien, leur dis-je, je ne prendrai pas la prière; peut-être en effet ce qui m'est arrivé n'est-il qu'un songe. J'envoyai chercher de l'eau de feu; ils burent tous un peu et se retirèrent.

«Je guéris, je continuai à suivre les pratiques sauvages; j'oubliai entièrement la vision que j'avais eue et la pensée de me faire chrétien. Quatre ans se passèrent ainsi. Vers l'automne de la troisième année, je tombai dans une profonde tristesse; moi-même je n'en connaissais pas la cause; je changeais de camp, je voyageais, mais la tristesse me suivait partout. J'allais à la chasse, et je revenais bientôt à mon wigwam, et je restais là; la conversation avec ma famille ne me consolait pas. Tous ceux qui me voyaient avaient compassion de moi; tous les sauvages savaient ma tristesse. A peine pouvais-je prendre quelque nourriture. Cet état dura tout l'hiver. Au temps où l'on fait le sucre, j'étais avec ma femme dans le bois; nous venions d'y faire notre cabane à sucre. Un jour, j'allai au poste anglais pour acheter quelques provisions; les officiers m'offrirent de l'eau de feu; le soir je retournai au bois presque ivre. A une certaine distance, fatigué, ne pouvant plus marcher, je me couchai dans la neige; deux Français cherchèrent à me décider à marcher encore. Transporté dans ma cabane, je devins extrêmement malade, en quelques jours je me trouvai presque expirant. Les anciens furent appelés; ils vinrent avec le Chichigwa; ils suspendirent dans ma cabane leurs sacs de médecine, me firent les chants et cérémonies accoutumées; je n'éprouvai aucun soulagement. Etendu sans mouvement et respirant à peine, je fis signe à une femme de me couvrir le front; elle le fit et je n'attendais que la mort.

«Tout à coup je sens, comme une goutte tombée du ciel dans mon cœur, le souvenir de la vision que j'avais eue quatre ans auparavant, je me rappelai tout ce que j'avais vu et entendu. Oh! me dis-je à moi-même, voilà que je meurs; mais que vais-je devenir? Je n'irai point au ciel; je n'ai pas fait ce que le Grand-Esprit m'a commandé, je lui ai désobéi. Serait-il encore temps? Le baptême me serait-il accordé à moi si méchant? Oh, si je pouvais encore!

«Dans la cabane se trouvait une sauvagesse mariée à un Français. Je fis un effort et je pus lui dire: Crois-tu que si je faisais avertir le Français, il voulût me donner le baptême? Ne dira-t-il pas: il a été trop méchant. — Oh! sans doute, dit la sauvagesse, le Français viendra, il te baptisera. — Va donc, lui dis-je, avertir N., mon beau-frère, il ira parler au Français. Mon beau-frère entra bientôt, il confirma l'espérance donnée par la sauvagesse. Il manquait de souliers pour le voyage, je lui donnai les miens: il partit. Que le temps jusqu'à son retour me parut long! N'arrive-t-il pas? disais-je sans cesse à ceux qui se trouvaient auprès de moi. Enfin, le voici, il entre: «As-tu vu le Français? Viendra-t-il? lui dis-je aussitôt. — J'ai vu le Français, répondit le sauvage; j'ai vu aussi A. (l'agent anglais), ils se sont parlé; ils ont dit: il ne faut pas baptiser ce malade, ce mauvais sauvage: il demande le baptême parce qu'il est malade; s'il guérit, il retournera à toutes ses jongleries». Cette nouvelle heurta rudement mon cœur; je perdis tout ce que l'espérance m'avait donné de consolation; et, tourmenté des plus tristes pensées, je voyais déjà mon dernier moment. Que mon sort est affreux! me disais-je à moi-même; que vais-je devenir? J'entrai dans l'agonie, on jeta un voile sur mes yeux. C'était à l'entrée de la nuit. Tout à coup m'apparut tout proche un homme; il avait une robe de toile parfaitement blanche, et sur la tête un bonnet élevé qui se divisait en deux pointes. Lorsque je vis depuis Mgr l'Évêque MacDonnald: voilà bien, me dis-je aussitôt, la coëffure que j'ai vue. Il était élevé au-dessus de terre, d'une très belle taille, il avait les mains jointes. Il m'adressa ces mots: «Oh que vous êtes méchants, tous tant que vous êtes! Vous ne feriez pas même charité à un enfant de 4 ans: tu as demandé le baptême, et personne qui ait eu pitié de toi. Il n'y a que le Grand-Esprit qui fasse charité; il t'a aimé, il voit les bonnes pensées de ton cœur, il voit ton repentir, il voit que tu rejettes tout le mal qui est dans ton cœur; rien ne lui est impossible; demain à midi lorsque tu verras le soleil par le haut de ta cabane; déjà tu seras chrétien». L'homme qui me parlait disparut aussitôt; je sentis dans mon cœur une grande joie, je ne souffrais plus. Je me découvris le visage et je dis à ma femme: «Le Grand-Esprit nous fait charité; demain je serai baptisé». Sa mère qui était assise auprès d'elle dit alors: «Oh! voilà qu'il n'a plus sa raison». — Je n'ai pas perdu la raison, lui dis-je; vous verrez demain la vérité de ce que je vous annonce.

«Je me couvris encore le visage; le personnage que j'avais vu m'apparut encore. Il tenait posé sur un plat un cierge. S'étant abaissé vers moi, il le posa sur ma poitrine; mon cœur fut aussitôt délivré de toute tristesse et de tout mal. L'homme disparut me laissant consolé, plein de joie. J'entrai dans un sommeil paisible; il ne me restait de la maladie que la faiblesse, et dans mon cœur si longtemps triste un point, comme une marque et un souvenir de la miséricorde de Dieu; il y est encore et y restera toujours.

«Dès que le jour parut, je demandai s'il n'arrivait personne; et souvent je répétais la même question. Personne ne viendra me répondait-on. Enfin les chiens se mettent à aboyer; on lève la toile qui servait de porte à mon wigwam: ce sont deux Français qui viennent en toute hâte; ils entrent. «Mon frère, dit le premier, nous avons appris que tu étais malade, et que tu demandais le baptême; nous arrivons pour te parler de la prière et pour te baptiser». Ils prièrent longtemps; ils avaient un livre à la main. Il[s] me parlèrent de la prière; enfin ils montrèrent l'eau qu'ils portaient dans une fiole. Je m'assis et l'un deux la versa sur mon front. — Repose-toi, me dit-il alors; et comme, me penchant en arrière, je retombais sur ma natte, je vis à travers le toit du wigwam le soleil qui brilla dans mes yeux: — «Voyez, dis-je alors aux sauvages, si j'ai dit vrai hier quand je vous ai annoncé qu'au moment où le soleil passerait au-dessus de notre cabane, je serais Chrétien». Comme j'étais content! Tout le reste de la journée se passa dans ces transports de la joie de mon cœur.

«La nuit qui suivit mon baptême, j'eus dans mon sommeil une autre vision. Il me sembla que le wigwam était rempli de jongleurs, de tous les insignes de la jonglerie: le *Chichigwa*, les sacs en peau de loutre ou de castor, etc. Les vieillards étaient assis autour de moi; ils chantaient pour ma guérison comme s'ils eussent pu l'obtenir par leurs jongleries. J'éprouvais la plus grande horreur pour tout ce que je voyais et entendais dans ma cabane; mais, au-dessus, la voix d'une foule innombrable répondit à celle des jongleurs, et me fit tressaillir de joie tant elle était belle, et tant devaient être beaux ceux qui la faisaient entendre. Elle disait, s'adressant au chef des jongleurs: «Non, ce n'est pas toi qui l'as guéri; il m'appartient: c'est moi qui lui ai fait Charité; il est à moi, il ne t'appartient pas, il ne t'appartiendra jamais; et quand même tu le verrais tomber encore, ne crois pas qu'il t'appartienne, je lui ferai encore charité».

«Alors descendirent quatre de ces anges dont j'avais entendu la voix; ils ressemblaient à de jeunes enfants ils étaient couverts jusqu'aux pieds d'une robe blanche, ils avaient des ailes, ils tenaient chacun un flambeau allumé; ils se placèrent debout à chaque coin de mon lit. Ils me regardaient avec un sourire aimable; ils firent le signe de la croix. Je ne pouvais arrêter la vue sur eux, ils étaient trop beaux.

«Quelques jours après mon baptême, on vint me chercher de la part de A*** (l'agent anglais), et quelques sauvages voulaient m'assister dans ma maladie; mais, j'étais guéri et les forces me revenaient chaque jour. Arrivé chez A***, je ne craignis pas de me plaindre du retard qu'il avait mis à mon baptême. — Pourquoi, lui dis-je, es-tu avare du baptême pour un sauvage? Ne sais-tu pas que le Grand-Esprit appelle aussi les sauvages à la prière?

«Ma conversion fut le signal de celle de ma tribu: tous étaient frappés du changement que le baptême avait produit en moi. Ma parole était puissante. Lorsque Mgr MacDonnald vint visiter notre île, je lui racontai tout ce qui m'était arrivé. — Le Grand-Esprit t'a fait charité, me dit-il; il faut que tu travailles pour le Grand-Esprit et pour tes frères! — Ainsi j'ai fait, ne désirant d'autre récompense que celle que donne le Grand-Esprit. J'ai ouvert le sentier; que les Robes-Noires viennent maintenant».

Tel est, mon R. Père, le récit que nous a fait de sa conversion le bon vieillard Ataghewinini.

Je suis avec respect, en union de vos saints sacrifices, etc.

D[ominique] du Ranquet, S.J.

S: *Lettres des nouvelles missions du Canada, 1843-1852*, éditées avec commentaires et annotations par Lorenzo Cadieux, lettre 30, pp. 378-385, par. 1-15.

JEAN-BAPTISTE MENET
(1793-1869)

Jean-Baptiste Menet naît à Nantes (ou à Vigneux, près de Nantes) [Département de la Loire-Atlantique, dans l'ouest de la France] le 6 mars 1793. En 1815, il entre dans la Compagnie de Jésus en Russie. Cinq ans plus tard (1820?), il revient en France, étudie la théologie (1820-1824?), est ordonné prêtre (1823?), étudie la spiritualité durant un an (1825?), enseigne la littérature française, et l'histoire ecclésiastique (1825-1834); de 1834 à 1845, il enseigne le droit canonique en Galicie [ancienne province de l'empire d'Autriche, divisée aujourd'hui entre la Pologne et la Russie]. En 1845, il demande les missions du Canada et arrive à Sandwich cette même année; l'année suivante, il va résider au Sault-Sainte-Marie et y demeure jusqu'en 1860. De cette dernière année à 1864, il est à New York. De 1864 à 1868, il est de nouveau à Sault-Sainte-Marie. Il se retire ensuite à Québec et y meurt le 24 juin 1869.

Le père Félix Martin a inséré cinq lettres du père Jean-Baptiste Menet dans la première édition des *Lettres des nouvelles missions du Canada, 1843-1852*. Les quatre premières sont de l'année 1847. Comme leurs contenus s'enchaînent, elles forment en quelque sorte une suite sur l'histoire et la situation du Sault-Sainte-Marie. Le père rappelle d'abord à son destinataire que cette mission est chargée des souvenirs qu'ont laissés les jésuites des dix-septième et dix-huitième siècles. Les nombreux changements qui ont eu lieu depuis cette époque forcent à prévoir un avenir difficile. Le père fait l'histoire de la localité depuis sa cession à l'Angleterre en 1763 jusqu'au passage de la rive sud aux Américains à la suite de la guerre anglo-américaine de 1812-1814. Durant l'hiver, Sault-Sainte-Marie est isolé à cause des froids rigoureux; durant l'été, la chaleur est étouffante. Une population flottante, composée en partie d'Américains à la moralité peu rassurante, a une influence mauvaise sur la population stable des deux rives (environ 1 500 personnes). Le père entrevoit l'extinction des Amérindiens, malgré les efforts considérables déployés par l'Église catholique, qui domine dans la ville grâce à la division des sectes protestantes. La cinquième lettre du père, le 12 juillet 1850, est une sorte de synthèse des quatre premières: le père décrit les lieux, la population, les hivers, la fertilité du sol; il parle des partis politiques, vante l'ingéniosité des Américains, compare le Sault à «un port de mer, où aborde tout le monde».

Nous avons emprunté la pièce qui suit à la seconde édition des *Lettres des nouvelles missions du Canada, 1843-1852,* que le père Lorenzo Cadieux a publiée avec commentaires et annotations en 1973, à Montréal (les Éditions Bellarmin) et à Paris (Maisonneuve et Larose). — Nous reproduisons ce texte tel quel, mais sans les annotations.

Sault-Sainte-Marie en 1847*

Le Sault-Ste-Marie était un poste avancé des Français dans le Nord du nouveau monde; comme le reste du Canada, il passa en 1763 au pouvoir des Anglais par un traité qui n'eut jamais été fait sous Louis XIV. Les deux rives du Sault, ainsi que du grand Lac, restèrent en possession de la Grande-Bretagne jusqu'à la guerre de 1812 à 1814. Depuis les arrangements faits à la suite de cette guerre, l'Angleterre n'a plus que la rive septentrionale; l'autre appartient à l'Union américaine, à partir du Sault jusqu'au grand Portage qui sert aujourd'hui de limite entre les deux pays. Le Sault-Sainte-Marie a paru si important au gouvernement américain qu'il en a fait une réserve militaire. Cette réserve comprend une étendue de six milles carrés, de manière que toutes les terres défrichées et les édifices construits par des particuliers sur ce terrain n'appartiennent pas en réalité à ces particuliers, mais au département de la guerre qui peut s'en emparer quand il voudra. Cependant il n'est personne qui craigne pour sa propriété, parce que dans le cas que quelqu'un fût dépossédé, il y aurait indemnité. Plusieurs familles ont réclamé et réclament peut-être encore la propriété du Sault: elles fondent leurs droits sur une cession faite par les sauvages; mais, il est aisé de prévoir ce qu'il en sera de toute réclamation de ce genre faite ou à faire. C'est venir trop tard et avoir affaire à trop forte partie. Notre Compagnie et, à son défaut, l'Eglise catholique, au nom de laquelle elle possédait et possède tout ce qu'elle acquiert, pourrait être fondée autant et mieux que personne à faire valoir ses prétentions sur une propriété assez considérable qu'elle avait au Sault-Ste-Marie. Cette propriété, à l'Est de l'ancien fort, avait été cédée par les sauvages, alors seuls maîtres du pays, à la mission, avant qu'aucune autre cession eût été faite par eux. Là était le cimetière, l'église, et la maison des Pères, comme on parle encore aujourd'hui, même en nommant les prêtres séculiers qui nous ont remplacés par intervalles.

La population du Sault-Sainte-Marie habite les deux bords de la belle et large rivière formée par la Chute sur un espace d'une lieue. A cette distance, le courant rencontre l'île au Sucre, ainsi nommée du grand nombre d'érables qui croissent sur son sol et d'où l'on tire sur la fin de l'hiver du sirop et du sucre en quantité. La Chute proprement dite est presque aussi souvent et beaucoup mieux nommée le Rapide que le Sault, car elle n'est guère qu'une descente très rapide, composée de petites chutes successives. La dernière qui est la plus considérable est le Sault-Ste-Marie; c'est en bas de cette chute que, durant la belle saison, soir et matin, et souvent toute la journée, une foule de pêcheurs avec leurs canots d'écorce vont à la puise: c'est le mot du pays. Ils ne font en effet que plonger et retirer un filet fait en entonnoir. Le poisson abonde dans tous les lacs américains, mais surtout ici; on y pêche le saumon, la truite, l'esturgeon, le doré, et avant tout le poisson blanc dont il se fait un grand commerce. En hiver, on prend aussi beaucoup de poissons, en faisant des trous de distance en distance dans la glace et en y passant des rets. Souvent aussi on pêche au dard: c'est une sorte de trident; le dardillon du milieu est un hameçon. Le pêcheur se tient au bord d'un trou et attend qu'un poisson vienne; rarement il manque son coup. Vers la fin de l'hiver dernier, on m'apporta une truite de 16 livres. Celui qui m'en fit présent en avait dardé la même nuit une autre de 32 livres.

Ce sont aussi d'habiles rameurs que la plupart des gens du Sault, et d'excellents guides sur les lacs. On les demande souvent et de préférence à tout autre pour naviguer sur le lac Supérieur. Comme ils connaissent le génie aventureux et téméraire des Américains, ils mettent ordinairement pour condition qu'ils seront maîtres de s'arrêter ou de partir quand bon leur semblera, et non pas quand il plaira à ceux qui les engagent. Ceux-ci, ne connaissant rien pour la plupart à la navigation, ni à l'inconstance de la température sur le lac, sont intrépides pour aller toujours en avant et s'exposer au danger; mais au moment du péril le courage leur manque, et ils ne trouvent leur salut que dans l'habileté de ces pauvres canadiens ou métis qu'ils ont à leurs gages. Quoique le lit du Rapide soit tout rempli d'énormes blocs de pierres, qui gisent çà et là à fleur d'eau et au-dessus de l'eau depuis des siècles, l'on voit souvent les pêcheurs du Sault monter et descendre à travers ces dangereux écueils dans leurs légers canots avec une prestesse qui tient du prodige. La truite, objet de leurs recherches, ne s'en tirerait pas mieux. Pour d'autres que pour ces pêcheurs le Sault-Sainte-Marie est vraiment un passage périlleux; il s'en trouve pourtant parmi les Américains qui osent parfois s'y hasarder, car que ne tente pas cette nation dans sa pétulante jeunesse? Et puis, laisser croire que d'autres, des sauvages même, seraient plus habiles qu'eux, ce serait un opprobre. Cet été dernier, neuf d'entre eux se sont avisés de descendre en barque le capricieux Rapide; mais ils ont payé cher leur témérité. Tout le monde était descendu sur la grève comme pour assister à un spectacle et semblait impatient de les voir paraître sur l'avant-scène. Dans la foule se trouvaient des personnes pour qui cette attente était pénible; c'étaient des sœurs, des mères, des épouses. Déjà un, deux, trois rapides avaient été heureusement franchis. La barque filant entre les rochers semblait se jouer de tous les écueils. Sa première apparition entre les îlots qui bordent le principal courant fit palpiter tous les cœurs de joie, de crainte, d'espérance; il y eut quelques battements de mains, quelques *vivat*[s]; ils furent courts. Arrivée à l'endroit où la chute est plus considérable, la barque surchargée à l'arrière, heurte contre un roc, perd son gouvernail, et, prêtant le flanc à la violence des flots, chavire et plonge avec son équipage dans le gouffre. Les cris de désespoir s'élèvent du rivage; on les croit tous perdus. Cependant des têtes, des bras apparaissent çà et là, et disparaissent soudain pour reparaître encore. Des canots volent à leur secours, cinq sont sauvés. Un sixième roulant au fond de l'abîme est aperçu par un puiseur.Celui-ci, avec une présence d'esprit admirable, saisit son dard, le lance au fond de l'eau et, plus heureux que s'il eût eu envie d'en retirer un poisson, il accroche le naufragé par l'habit sans le blesser et l'amène sur le rivage. Il fut longtemps regardé comme mort; mais enfin, il donna signe de vie; huit jours après, il était guéri. Les cadavres des trois qu'on ne put sauver ne furent retrouvés que deux ou trois semaines après ce funeste accident, mais loin de la chute.

S: *Lettres des nouvelles missions du Canada, 1843-1852*, éditées avec commentaires et annotations par Lorenzo Cadieux, lettre 36, pp. [405]-408, par. 1-3.

AUGUSTE KOHLER
(1821-1871)

Auguste Kholer naît à Colmar [département du Haut-Rhin, dans l'est de la France] le 10 août 1821. Il entre dans la Compagnie de Jésus le 19 juillet 1842. En 1845, il traverse aux États-Unis pour y terminer ses études théologiques, vraisemblablement à l'université jésuite de Georgetown [Washington, D.C.], car c'est de là qu'il part pour aller rejoindre le père Clément Boulanger, supérieur de la mission New York-Canada, à l'été de 1847. Le 6 juillet, les deux pères s'embarquent sur un bateau à vapeur qui les emmène à Albany; ils prennent ensuite le train pour Buffalo, passent par Rochester, puis s'embarquent de nouveau sur un bateau à vapeur qu'ils quittent à Détroit; ils traversent ensuite la rivière, puis se rendent, par terre, à Sandwich. Le père Kohler y demeure quelques jours, puis, le 26 juillet, il continue son voyage sur un bateau à vapeur qui remonte la rivière Sainte-Claire [St. Clair] et l'emmène au Sault-Sainte-Marie. Le père y passe quelques jours, puis se rend à Wikwemikong. En 1848, il remplace le père Hanipaux à Sault-Sainte-Marie. En 1852, c'est de la mission de l'Immaculée-Conception qu'il écrit. En 1855 (ou en 1859?), il retourne à Wikwemikong. En 1865, il est à Rivière-au-Désert [Garden River] et y demeure peut-être jusqu'en 1869 [?], date à laquelle cette résidence fut suspendue. Rappelé à New York par son supérieur, le père périt le 14 octobre 1871, dans le naufrage du *Coburn* qui sombre sous les coups d'une violente tempête au milieu du lac Huron, plus précisément sur les récifs de la pointe Gap, au nord de la péninsule Bruce [Bruce Peninsula, Ontario].

Le père Félix Martin a inséré cinq lettres du père Auguste Kohler dans la première édition des *Lettres des nouvelles missions du Canada, 1843-1852*. Le père Kohler est un esprit curieux qui ouvre grand les yeux et se plaît à faire des commentaires sur ce qu'il voit. Il compare le pittoresque de l'Amérique à celui de ses Vosges alsaciennes et juge que la grande nature américaine n'a rien du gigantesque de sa patrie. Il s'intéresse beaucoup aux personnes qu'il rencontre. Il juge sévèrement les protestants et les voyageurs canadiens. Il aide les Amérindiens à se garder des mauvais exemples et des ruses des blancs. Il croit que leur sort a été «fixé par la vente d'une grande partie de leurs terres et par l'assurance de posséder à perpétuité, sur la foi d'un traité fait avec le gouvernement britannique, certaines localités, qu'ils se sont réservées». Leur avenir est en danger. Les jésuites doivent s'occuper d'eux immédiatement, sous peine de se faire le reproche de les avoir laissés se perdre ou s'abâtardir.

Nous avons emprunté la pièce qui suit à la seconde édition des *Lettres des nouvelles missions du Canada, 1843-1852,* que le père Lorenzo Cadieux a publiée avec commentaires et annotations en 1973, à Montréal (les Éditions Bellarmin) et à Paris (Maisonneuve et Larose). — Nous reproduisons ce texte tel quel, mais sans les annotations.

Gachkiwang [dans l'île Saint-Joseph] et sa population*

Ce village donnait autrefois quelque espérance de s'agrandir; mais, depuis l'établissement des Mines de Bruce, situées à 12 milles au-delà, il semble devoir bientôt se réduire à rien. Ses habitants ne vivent guère que de la pêche et se trouvent, pour ainsi dire, sous la domination de quelques philosophes du village, descendant, probablement, de Cadets de famille qui, après avoir perdu leur bien en France ou dans le Bas-Canada, seront venus autrefois chercher fortune au milieu des Sauvages au service de quelque Compagnie de pel[l]eterie. La pluspart des habitants de Gachkiwang sont métifs et, comme tout ce qui est sauvage, ne songent guère au lendemain. Le manque d'industrie, comme le défaut de persévérance, chez des gens qui vont bâtir sur toutes les rives, commencent des fermes et ne finissent jamais rien, est en partie cause de la perte de ce village. Les chefs de familles qui le composent sont presque tous d'anciens voyageurs, employés autrefois par la Compagnie de la Baie d'Hudson pour *courir la dérouine* au milieu des sauvages, c'est-à-dire pour les guetter lorsqu'ils sont à la chasse ou qu'ils en reviennent, afin d'obtenir d'eux, souvent à vil prix, leurs pelleteries. Le sauvage cache d'ordinaire ses pelleteries et paye de ruse ceux qui le trompent. La politique des commerçants qui ont affaire à lui est de le tenir constamment en dette de manière à le forcer à chasser pour obtenir ce dont il a besoin. Le sauvage sait tout cela, aussi ne veut-il pas payer les dettes qu'il n'a pas contractées dans l'année courante. Il a souvent raison d'en agir ainsi, vu le prix exhorbitant auquel seulement on lui livre des objects de première nécessité. Pour le faire donc parler et lui donner de la confiance, les voyageurs ne sont pas plutôt arrivés dans la loge qu'ils lui donnent des boissons fortes. L'eau de feu est la clef de la cache. Dès qu'un sauvage, quelque taciturne qu'il soit, a un filet dans la tête, il ne garde plus de secret et devient d'une loquacité étrange. Il en est tels auxquels on n'entendra jamais dire un mot de français ou d'anglais quand ils sont sobres, qui semblent même ne comprendre aucune de ces langues, et qu'on est fort surpris d'entendre parler français ou anglais, de préférence à leur propre langue, quand ils sont entrain. Les plus honnêtes voyageurs ne cherchent qu'à rendre un sauvage un peu gaillard pour lui faire payer ses dettes, mais plusieurs (grand coquins qui ont laissé le bon Dieu, disent-ils, au Montréal avant de s'en venir ici) ne se contentent pas de si peu. Une fois que la cache est connue, ils enivrent les sauvages pour les mettre hors de combat et trafiquent à leur propre compte les peaux qu'ils ont volées. Après 20 et 30 ans passés au milieu des sauvages; après des mariages, à la façon du pays, les voyageurs en ont contracté toutes les habitudes: un laisser-aller, un défaut d'ordre qui fait que grand nombre d'entre eux ne parviennent à rien ramasser pour leurs vieux jours. Quelquefois, lorsque leur engagement est achevé, ils se trouvent avoir entre leurs mains de quatre à cinq mille francs en argent; mais plusieurs dépensent cette somme avec la même rapidité et de la même façon que les matelots gaspillent leurs gages dans les ports de mer, après un voyage de long cours. Malgré tous leurs défauts, il est rare de trouver des voyageurs canadiens qui n'aient pas conservé la foi. Ils ne deviennent entièrement mauvais qu'au service des Américains. C'est dans les États-Unis qu'ils deviennent indifférents et impies à moins qu'ils ne se trouvent entourés d'une population en bonne partie catholique. Aussi, sous ce rapport, si le Canada venait à être annexé aux États-Unis, il serait à craindre qu'on ne vît disparaître chez beaucoup de personnes cette belle franchise et cette simplicité de la foi qui font encore le plus bel ornement de ce peuple, à moins que Saint Joseph ne nous fît sentir son patronage et qu'il voulût toujours protéger la Nouvelle-France comme Marie protège d'une façon si miraculeuse notre vieille patrie. Il se trouve ordinairement à Gachkiwang, hors des temps des grandes pêches, près d'une centaine de personnes; la plupart voyent avec plaisir approcher l'époque où ils reçoivent la visite du prêtre, ils sont attentifs à ses instructions et participent presque tous régulièrement aux sacrements. La pointe de l'Ile où se trouve placé ce village est rocailleuse. A quelque distance de là pourtant, la terre est bonne et les légumes du pays viennent aussi beaux que dans les terrains bien cultivés de l'Europe. A l'exception de certains endroits bas, où on pourrait faire de magnifiques prairies, le pourtour de l'Ile Saint-Joseph est aride jusqu'à une certaine distance de l'eau; on y voit beaucoup de galets, ce qui est assez particulier à toutes les îles du lac Huron qui, comme elle, ne présentent pas l'aspect de formation granitique. On trouve auprès de *Gachkiwang* surtout grand nombre d'agglomérations fort curieuses dans lesquelles le jaspe entre en grande abondance; j'en ai vu d'aussi rouge que du sang.

S: *Lettres des nouvelles missions du Canada, 1843-1852*, éditées avec commentaires et annotations par Lorenzo Cadieux, lettre 73, pp. 691-693, par. 9.

NICOLAS FRÉMIOT
(1818-1854)

Nicolas Frémiot naît à Bellefontaine [département des Vosges, dans l'est de la France] le 5 octobre 1818. Il entre chez les jésuites en 1841, reçoit le sous-diaconat en septembre 1846 et l'ordination sacerdole en 1847. Il arrive au Canada la même année et réside à Laprairie jusqu'au 20 mai 1848. Ce jour-là, il part pour Sandwich; il y arrive à une date que nous ignorons, mais il est certes à cet endroit dès le 24 juin, car il date de ce jour une lettre écrite à Sandwich. C'est là qu'il apprend du père Pierre Point que ses supérieurs l'ont choisi pour aller fonder avec le père Jean-Pierre Choné la mission de la Rivière-aux-Tourtres [Pigeon River]. Le mardi de la Pentecôte de 1848, il part pour le Sault-Sainte-Marie avec le père Nicolas Point. Le dimanche 16 juillet, pour se rendre à la Rivière-aux-Tourtres, il quitte le Sault, avec le père Jean-Pierre Choné et le frère Frédéric de Pooter, «sur le seul bâtiment à vapeur qui, depuis plus d'un an, voyage sur le lac Supérieur». Le mercredi, 19 juillet, à midi, les trois confrères débarquent à Prince's Bay et passent la nuit dehors sous la pluie; le lendemain, 20 juillet 1848, ils partent dans la «berge» du père Choné avec un métis qui les conduit à la Rivière-aux-Tourtres, cinq ou six lieues plus loin, à l'extrémité ouest du lac Supérieur et près de la frontière américaine. Le père Frémiot passe la plus grande partie de l'année à étudier la langue des Sauteux, puis, le 20 juillet 1849, les trois compagnons abandonnent la Rivière-aux-Tourtres et vont fonder la mission de l'Immaculée-Conception, sur la rivière Kaministiquia [Kaministikwia], à environ deux milles au sud-ouest du fort William [Thunder Bay], un fort de la Compagnie de la baie d'Hudson où les jésuites pourront plus facilement s'approvisionner. Le 3 décembre 1851, il sait qu'il a été choisi pour aller au lac Nipigon au cours de l'hiver qui commence; le 19 mars 1852, il fait rapport au père Clément Boulanger, son supérieur en Amérique, au sujet du projet de fondation d'une mission au lac Nipigon. Le 12 juin 1852, il part pour le Sault-Sainte-Marie où l'appelle son supérieur. À la fin de juin, il est envoyé à Wikwemikong. En 1854, lors d'une excursion apostolique à Mississaging [village indien à deux milles à l'ouest de Blind River], en prenant un bain dans la rivière Mississagi, il s'éloigne trop de ses compagnons, perd pied et disparaît sous l'eau. C'est le 4 juillet; on ne retrouve son corps que plusieurs jours plus tard et on le transporte à Wikwemikong. — Sur le séjour et le travail du père Nicolas Frémiot à l'Immaculée-Conception, il existe un excellent article d'Elizabeth Arthur, «Le Père Frémiot à Thunder Bay, de 1848 à 1852», *Revue d'histoire de l'Amérique française*, vol. 25, nº 2, septembre 1971, pp. [205]-223.

Le père Félix Martin a incorporé dix-neuf lettres du père Nicolas Frémiot dans la première édition des *Lettres des nouvelles missions du Canada*. Le littéraire qu'il était avait sans doute apprécié non seulement le contenu considérable et important des nombreuses lettres du missionnaire, mais aussi la qualité de leur écriture. Le père Frémiot laisse facilement parler son cœur en toute franchise. Romantique, il ne se cache pas pour pleurer sur son sort ni sur celui des Amérindiens qu'il essaie de défendre contre leurs exploiteurs, gouvernements ou simples individus. Comme le père Auguste Kohler, son compatriote des Vosges françaises, il s'étonne de la beauté de la grande nature ontarienne et rejoint Dieu à travers elle. C'est cet amour de la nature qui explique la présence dans ses lettres de nombreux récits de voyages: d'hiver, de printemps, d'été et d'automne; c'est du même amour que sourd la chaleur de son écriture.

Nous avons emprunté les pièces qui suivent à la seconde édition des *Lettres des nouvelles missions du Canada, 1843-1852*, que le père Lorenzo Cadieux a publiée avec commentaires et annotations en 1973, à Montréal (les Éditions Bellarmin) et à Paris (Maisonneuve et Larose). — Nous reproduisons ce texte tel quel, mais sans les annotations.

La chute Niagara en 1848*

Pour se rendre de Toronto à Buffalo, il faut passer près des fameuses chutes de Niagara. J'y arrivai le samedi vers midi et, grâce au dimanche, j'y séjournai 48 heures. J'eus donc le temps de voir à l'aise cette merveille de la nature. Je dis mon office et célébrai la messe deux fois au bruit de cette double cataracte de 160 pieds de haut. Et ce ne fut pas sans un intérêt marqué que je lus ces paroles d'un répons du jour: «*Multitudo sonitus aquarum, alleluia, alleluia, alleluia... Vidit et commota est terra*.» C'est qu'en effet la terre tremble sur le rivage; ce n'est point une hyperbole ou une imagination. On éprouve, quand on s'arrête sur ses bords, je ne sais quel frémissement; mais ce qui rend la chose plus sensible, c'est que dans les maisons, les verres vacillent sur la table, et que des portes et des fenêtres sont dans une agitation perpétuelle. Depuis quelques années, une chapelle catholique s'élève en face de la chute du côté canadien; elle est principalement pour les Irlandais. M. Car[r]oll, curé de Niagara, y vient dire la messe tous les trois dimanches, et j'avais appris à Toronto qu'il devait s'y trouver le dimanche où j'y séjournerais. Nous visitâmes ensemble un pont de fer en construction à un mille au-dessous de la cataracte. En attendant qu'il offre passage aux visiteurs, il permet de traverser à deux, au moyen d'un siège suspendu par des roulettes et entraîné par son propre poids jusqu'au milieu de la rivière, et, de là, hissé à l'autre bord par un système de poulies. Ce ne fut pas par cette voie aérienne que je visitai le bord américain, mais par les canots qui le traversent au pied même de la chute, au milieu des vapeurs qui retombent après s'être élevées, comme une poudre d'argent, bien au-dessus de son niveau. Par un interminable escalier, ou bien par un double char qui le longe, et dont une partie s'élève par le poids de l'autre qui descend, on arrive à Manchester, ville américaine assise au bord de la petite chute et qui doit son nom à ses nombreuses manufactures, mises en activité par la Niagara. Là se trouve un magnifique hôtel de cinq cents chambres pour les visiteurs qui affluent à ce spectacle toujours ancien et toujours nouveau; car plus on le contemple, plus on y découvre de merveilles. Si j'étais peintre, j'essaierais de vous rendre ce blanc de neige, ce vert foncé et ces teintes jaunâtres qui nuançaient le tableau; vous verriez l'arc-en-ciel briller des plus vives couleurs au fond des eaux, en face de l'île d'Iris, qui partage la chute en deux parties. Mais je laisse à quelque artiste le soin de vous décrire toutes ces beautés que tant d'autres déjà se sont essayés à reproduire. Un des plus grands sujets de curiosité, c'est de pénétrer derrière la grande chute en fer à cheval, ou du moins derrière une partie où le roc est miné, tandis qu'au-delà il reste perpendiculaire. M. Caroll m'avait fait grand-peur de cette visite. Il l'avait tentée, disait-il et ne s'était pas senti la force d'aller jusqu'au bout: «J'aurais mieux aimé, ajoutait-il, me trouver au milieu de Paris dans les trois jours de février, que de descendre de nouveau dans ce gouffre». Mais comme, de son propre aveu, il n'y avait aucun danger, je résolus de faire ce que de simples femmes n'hésitent pas à entreprendre. Il faut commencer par se déshabiller de la tête aux pieds; puis on met un caleçon qui descend jusqu'aux talons, et un gilet à manches en laine rouge; ensuite on vous affuble d'une longue robe en toile gommée qu'on serre avec une corde autour des reins; un capuchon protège la tête, et de gros souliers vous arment les pieds contre le sable et les cailloux. Un guide à peu près dans le même accoutrement descend avec vous un escalier assez long, puis, s'avançant près du rocher, vous donne la main lorsqu'on approche de la chute. Je m'attendais à quelque chose de terrible, je n'en vis point. Il est vai que c'est un vacarme affreux, que l'eau vous fouette de toutes parts avec violence, tellement qu'il est presque impossible d'ouvrir les yeux; mais, après tout, ce n'est que de l'eau qui tombe, et vous avez au moins l'avantage de prendre un excellent bain. Au retour de cette expédition, on se hâta de me faire signer le registre des visiteurs, et l'on me gratifia d'une pancarte en bonne et due forme qui fera foi aux plus incrédules de mon courage à contempler une des plus rares merveilles de la nature.

S: *Lettres des nouvelles missions du Canada, 1843-1852*, éditées avec commentaires et annotations par Lorenzo Cadieux, lettre 47, pp. 507-509, par. 5.

Un belge vigoureux*

Avant-hier soir, le Frère de Pooter, qui est bien ce *fortissimus belga* que demandait saint François Xavier, mais qui, pour faire plus de besogne, oublie parfois les règles de la prudence, se vit étendu, comme pour les premières vêpres de la Saint-Laurent, sinon sur un gril embrasé, du moins sur un lit de douleur. Il équar[r]issait un arbre, à deux ou trois minutes de la maison, avec une de ces grandes haches, si dangereuses dans des mains peu exercées; et il n'avait pas eu la précaution de mettre le bois entre son corps et la hache. Déjà, une première fois, un nœud avait fait rejaillir le redoutable instrument du côté de sa jambe; bientôt, le même accident se réitère, mais cette fois, le coup porte, et le fer pénètre dans le genou à peu près jusqu'à l'os. Le pauvre frère se traîne comme il peut jusqu'au logis, perdant son sang et faisant des efforts extraordinaires pour ne pas tomber en faiblesse. Heureusement j'étais à quelques pas de là, faisant le catéchisme devant l'église, et je pus l'entendre m'appeler. J'accours: «Mon Père, me dit-il, je crois bien que je me suis donné le coup mortel.» Je n'en crus rien; mais il fallait un prompt remède, et je ne le connaissais pas. Je fais signe aux femmes d'appeler un sauvage et un métis qui travaillaient à quatre ou cinq minutes de distance. Ces femmes, à la vue de la plaie, se mettent à pousser les cris les plus lamentables. Cependant je donne du linge au frère qui me demande de l'eau mêlée de sel et vinaigre. Mais déjà nos hommes arrivent tous deux à la fois. «*Assêma, assêma*» (du tabac, du tabac), s'écrie le sauvage, et, aussitôt, il en pile un rouleau et l'étend sur la plaie. Le remède est violent, mais il est efficace. Hier matin, on y en substitua un autre non moins énergique, et ce ne fut que le soir qu'on le remplaça par un autre extrêmement doux. Jusque-là ce n'étaient que comme des préludes pour étancher le sang et purifier la plaie. Ce matin seulement, on a appliqué le premier remède directement curatif, qui sera suivi d'une série d'autres semblables, et qui est, je crois, de l'épinette rouge.

Le frère ne dormit que hier, un peu le matin, et presque toute l'après-midi après avoir souffert, environ deux heures, des douleurs très aiguës, occasionnées par son nouveau remède. Maintenant, je crois qu'il n'a plus à redouter de grandes souffrances, mais il n'est pas guéri, et il ne le sera peut-être pas avant deux mois; c'est justement l'époque où ses services nous seraient plus nécessaires.

Au commencement, le frère semblait découragé, il n'avait point de confiance en tous ces remèdes; je crois que la douleur entrait pour beaucoup dans cette défiance. Mais enfin, j'ai fini par lui persuader que, pour ces sortes de blessures extérieures, les sauvages sont tout aussi habiles que personne; qu'une expérience fréquente les a instruits, et qu'en particulier, ceux qui lui administrent ces remèdes ont déjà guéri des plaies semblables et même plus dangereuses. Seulement, il est une chose dont personne ne s'avisa sur le moment, ce qui paraît d'autant plus étrange que la plupart de ceux qui étaient présents l'avait ou pratiquée ou du moins vu pratiquer: c'était de recoudre aussitôt la plaie. La guérison sera plus lente, mais elle n'en aura pas moins lieu: plusieurs ont l'expérience de cas pareils.

Ainsi, mon Révérend Père, cette petite cabane, qui, tour à tour ou tout à la fois, nous servait de chapelle, de cellule, de parloir, de cuisine, de réfectoire et dortoir, elle est encore devenue une triste infirmerie; et voilà deux jours que notre malade me sert la messe de son lit. Moi-même, qui ne sait rien faire, me voilà mis à l'improviste dans la nécessité de tout faire. Jusqu'ici, n'ayant que moi à nourrir, ma cuisine a été facile, mais quand les deux sauvages qui travaillent à nous bâtir une maison vont reprendre leurs travaux interrompus par notre accident, il faudra bien que je me fasse aider. Heureusem[en]t, il y a une sauvagesse, veuve d'un ancien commis, vieille, mais ingambe, qui s'entend un peu au ménage.

S: *Lettres des nouvelles missions du Canada, 1843-1852*, éditées avec commentaires et annotations par Lorenzo Cadieux, lettre 51, pp. 534-535, par. 3-5.

Une tradition désuète*

C'est un usage parmi les Otchipowais, lorsque quelqu'un vient à mourir, de l'enterrer avec tout ce qu'il a de plus beau, et d'abandonner au premier occupant le reste de ce qui a été à son usage? Pendant l'absence du Père Choné, j'enterrai une femme et un petit enfant. Un sauvage avait donné une couverture pour mettre sur le cercueil de ce dernier. Après l'enterrem[en]t, un métis, qui venait de faire le métier de fossoyeur, voulut reporter à son maître cette couverture abandonnée. «Oh! non, mon frère, je t'en prie, n'apporte pas cela chez moi». Il la porte dans la loge où restait la mère de l'enfant; même refus. «Que voulez-vous donc que j'en fasse?» s'écrie-t-il indigné, et il la jette par terre. Une petite fille d'une autre famille s'en empara.

Même scène après l'enterrement de la femme. Comme elle avait été longtemps malade, bien des choses avaient été à son usage. Son mari, qui avait trois petites malles dans sa loge, renverse tout pêle-mêle, et va se retirer ailleurs sans songer à son avenir ni à celui de ses enfants. Sur ces entrefaites arrive le même métis dont j'ai parlé plus haut; il cherche à faire comprendre au sauvage qu'il ne doit pas ainsi abandonner les objets qui lui appartiennent. Celui-ci répond qu'il lui est impossible de garder chez lui ce qui a été à l'usage d'un mort; cependant; pressé par les instances du métis, «Eh bien! dit-il, veux-tu allons trouver notre Père, et je ferai ce qu'il me dira.» Ils arrivent en effet, et le métis m'expose les craintes du sauvage. Je fais répondre à celui-ci qu'il doit être sans appréhension aucune, qu'il ne lui arrivera rien de fâcheux, s'il conserve ce qu'il possède, ce qui a été à l'usage de sa femme, qu'il n'est obligé de rien abandonner; au contraire, qu'il ferait mal, s'il perdait ainsi ce que le Grand-Esprit lui a donné pour l'aider à vivre, lui et ses enfants. Que si les sauvages ont fait ainsi jusqu'alors, ils n'ont pas péché; c'était faute d'instruction, c'était un signe de deuil poussé à l'excès; que telle n'est pas la volonté du Grand-Esprit par rapport aux Priants, eux à qui la mort ne ravit pas leurs proches pour toujours, mais ne fait que leur ouvrir l'entrée d'une vie meilleure où l'on se réunira pour ne plus se quitter jamais. Que les Priants des Vieux pays aiment à conserver quelque chose qui ait appartenu à leurs parents défunts; qu'on voit quelquefois, entre des frères, de ces combats excités par la tendresse, chacun voulant avoir tel petit objet qui lui rappellera le souvenir d'un père ou d'une mère chérie.

Puis, je pris de là occasion de lui parler de ses devoirs envers ses enfants. Car quelques jours auparavant, sa belle-mère m'avait dit: «Mon Père, je te remercie grandement de tout ce que tu as fait pour ma fille, je ne crains plus de la voir mourir; elle est trop bien préparée. Mais je crains pour moi qui vais lui survivre, pour ses petits enfants dont je resterai chargée; car c'est la coutume parmi les sauvages que, quand la femme est morte, le mari ne regarde plus les enfants. — Sois sans inquiétude, lui dis-je, c'est la coutume parmi les infidèles, soit; mais parmi vous, qui êtes Priants, il n'en sera plus ainsi. Un père reste toujours père de ses enfants; et si la mère meurt, il le devient doublement. On les instruira bien là-dessus, ne crains pas». Voilà pourquoi je parlai un peu à ce veuf désolé de ses obligations de père, et, Dieu merci, il s'en acquitte à merveille. Je le consolai ensuite, en lui représentant combien il avait été favorisé du Grand-Esprit, puisque sa femme avait rendu le dernier soupir entre les mains d'une Robe-Noire, et dans les meilleures dispositions qu'on put désirer.

Il s'en alla bien content, ramassa tous ses effets et les porta dans la nouvelle loge qu'on lui avait préparée. Nul doute que son exemple ne soit imité désormais, car ces restes de superstitions n'étaient qu'un pur effet de l'ignorance dans ces braves gens, dotés, il faut le dire, de la meilleure volonté du monde.

S: *Lettres des nouvelles missions du Canada, 1843-1852*, éditées avec commentaires et annotations par Lorenzo Cadieux, lettre 55, pp. 553-555, par. 11-14.

Gêne et réserve amérindiennes*

Ce qu'il y a de curieux, c'est que la plupart de ces sauvages aimeraient mieux souffrir et jeûner que de demander, du moins directement. Il semble que le sauvage, au moins dans ses habitudes natives, ait honte d'avouer aucun besoin. Il aime à être secouru, mais fier de son indépendance personnelle, il veut être deviné ou compris à demi-mot. Si on lui donne, rarement il dira merci, ou, s'il le dit, le mot dont il se sert, ne rabaisse en rien son indépendance: *migouetch*, «voilà qui est bien»; comme s'il vous disait: «Tu n'as fait que ce qui était juste et raisonnable». Vous fait-il une visite? Son premier soin est de regarder où s'asseoir. Et pour ceci, je l'avoue, il faut bien le lui passer: c'est une habitude qui résulte nécessairement de son genre d'habitation. Il n'est pas facile de se tenir debout dans les loges: tout naturellement donc, en entrant quelque part, la première chose à faire, même avant d'ouvrir la bouche, c'est de pourvoir à se caser. Quand il est assis, s'il vous voit occupé, il gardera le silence jusqu'à ce que vous l'interrogiez. Laissez-le respirer un peu; ou, si vous lui parlez, que ce soit de choses indifférentes. Par-dessus tout, prenez bien garde de vouloir connaître trop tôt le motif de sa visite, ou de lui formuler à ce sujet une question un peu précise. Vous pouvez compter d'avance que vous n'aurez point de réponse catégorique. De quel droit vouloir connaître ainsi sa pensée avant qu'il lui plaise de vous la découvrir? Est-il votre esclave pour vous obéir ainsi à la minute? Vous auriez l'air de vouloir pénétrer de vive force dans le sanctuaire de son âme, et il veut que vous sachiez que c'est de son bon vouloir qu'il vous y donne accès. De plus, il aurait honte d'articuler directement une demande, il lui en coûterait trop de confesser ingénument un besoin; il faut que la suite de la conversation amène comme nécessairement la chose, qu'il trouve l'art de se faire deviner ou prévenir, en sorte qu'il n'ait plus qu'à dire oui ou non. Il faut attendre une nouvelle génération pour voir disparaître cette habitude. Pour les enfants, il est facile d'en tirer parti, et déjà quelques femmes ne font plus difficulté de demander ce qui leur est nécessaire.

J'ai remarqué dans les sauvagesses une particularité qui leur fait honneur: leur réserve, je dirai presque leur timidité en présence des hommes, s'empreint par la grâce du christianisme d'un caractère tout religieux par rapport à la personne du prêtre. Si une femme a besoin de venir trouver la Robe-Noire dans sa maison, presque jamais elle n'entrera seule; elle a soin de se faire accompagner d'une autre femme ou tout au moins d'un enfant. Et cela d'elle-même, sans qu'on ait besoin de lui rien dire à ce sujet. Je n'ai vu que quelques vieilles venir seules, et encore bien rarement. De même, si elle passe par un chemin où se trouve le prêtre, elle ne manquera pas de prendre le large à une distance fort respectueuse. Les filles poussent encore plus loin la réserve, et presque toujours je les ai vu ainsi faire des détours très considérables par respect pour la Robe-Noire.

S: *Lettres des nouvelles missions du Canada, 1843-1852*, éditées avec commentaires et annotations par Lorenzo Cadieux, lettre 58, pp. 568-570, par. 8-9.

Les Amérindiens réclament leurs droits*

Mon Révérend Père Supérieur,

Pax Christi

Je vais vous parler aujourd'hui d'un rayon d'espérance qui s'est levé naguères sur notre mission. Vous n'ignorez pas que, depuis longtemps, nos sauvages espèrent le paiement de leurs terres. Au printemps dernier, une nouvelle députation des Sauteux se rendit à Montréal pour réclamer près du Gouverneur lui-même un acte de justice qu'on a jusqu'ici différé de leur rendre. La presse Canadienne a publié leur éloquente supplique. Grâce à l'obligeance de M. MacKensie, je l'ai lu[e] en anglais dans le *Montreal Gazette* du 9 juillet. Comme cette pièce remarquable ne vous sera peut-être pas tombée sous la main, j'ai pensé que Votre Révérence ne serait pas fâchée d'en voir ici la traduction.

«A Son Excellence le très Honorable Jacques, Comte d'Elgin et Kincardie, Chevalier du Très Ancien et Très Noble Ordre du Chardon, Gouverneur Général de l'Amérique Anglaise du Nord, etc, etc.»

«Père, — Écoute la voix d'un peuple qui n'est plus aujourd'hui que les débris d'une nation autrefois nombreuse et puissante, d'une nation qui déployait des camps sur une vaste étendue du pays, tandis que les tiens étaient resserrés dans d'étroites limites; de cette nation, dont, par le passé, les *Souverains Anglais* recherchèrent l'alliance.»

Père — Lorsque tes Enfants Blancs mirent le pied dans cette contrée, ils ne vinrent pas pousser le cri de guerre, ni chercher à nous ravir nos terres. Ils nous dirent qu'ils venaient à nous en amis, pour fumer avec nous le calumet de paix; ils recherchèrent notre amitié, nous devînmes frères, et leurs ennemis furent les nôtres. A cette époque, nous étions puissants et forts, tandis qu'ils étaient faibles et en petit nombre. Et cependant, usâmes-nous de notre supériorité pour les opprimer ou pour leur nuire? Non. Il est vrai qu'ils ne tentèrent point de faire ce qui s'est fait de nos jours; il est vrai qu'ils ne nous dirent point qu'un temps viendrait où tu en aurais l'envie.

Père — Les hivers ont succédé aux hivers, et tu es devenu un grand peuple, tandis que nous, nous avons fondu comme la neige sous un soleil d'Avril. Notre force est anéantie, la mort a moissonné nos innombrables guerriers, nos forêts gisent sans honneur; tu nous as dispersés sous les coups de ta verge, tu nous as traqués de toutes parts comme des bêtes fauves, tu as ravagé les plus belles de nos terres, et, tel qu'un gigantesque ennemi, tu viens nous dire: de gré ou de force, vous sortirez du milieu de ces rochers et de ces déserts; j'en ai maintenant besoin! J'en ai besoin pour enrichir mes Enfants Blancs, tandis que, vous autres, vous serez refoulés au fond des antres et des cavernes comme des chiens affamés, pour y attendre le trépas. Oui, Père, nos tombeaux mêmes, tes Enfants Blancs les ont ouverts pour dire aux morts: Désormais, il n'y a plus de place pour vous!

Père — Était-ce pour cela que nous te tendîmes tout d'abord une main amie? que nous t'ouvrîmes nos wigwams pour y étendre ta couverture? Était-ce pour cela que nous devînmes volontairement les enfants de notre commune Mère, la Reine? Était-ce pour cela que nous servîmes si longtemps les *Souverains d'Angleterre?* Que le sang des Peaux-Rouges ruisselât sur la poussière dans ces mêmes forêts qu'ils avaient arrosées du sang des animaux, et cela, non pour leurs propres querelles, mais pour les querelles de ces Princes?

Père — Trois ans se sont écoulés depuis que tes Enfants Blancs, les Mineurs, vinrent pour la première fois parmi nous, et s'emparèrent de nos terres. Ils nous dirent qu'ils en recevraient le paiement, mais qu'ils voulaient d'abord en connaître la valeur. Cette réponse nous satisfit pour le moment. Mais, comme ils continuaient à prétendre des droits sur nos terres et à les occuper, nous conçûmes de l'inquiétude, et nous envoyâmes quelques-uns de nos chefs à Montréal pour te voir. Tu nous promis que justice nous serait faite. Un ans se passe, et nulle apparence de traité. Nouvelle députation, même réponse. Enfin, l'automne dernier, nous envoyâmes de nouveaux députés, et maintenant, non plus que par le passé, rien n'indique qu'un traité se prépare.

Père — Nous commençons à craindre que tes belles paroles ne prennent pas naissance dans le cœur, et qu'elles n'aient de vie que sur les lèvres. Ce sont comme ces arbres de belle apparence, à l'ombre desquels il est doux de se reposer un instant et d'ouvrir son cœur à l'espérance, mais on ne peut s'abandonner pour jamais aux charmes de leur ombrage; ils ne donnent point de fruit.

Père — Nous sommes hommes ainsi que toi, nous avons des membres humains, nous portons des cœurs d'hommes dans nos poitrines, et nous sentons, nous savons que ce pays est le nôtre. Il n'est pas jusqu'aux plus faibles, jusqu'aux plus timides animaux de la forêt, qui, poussés à bout par le chasseur, ne se retournent pour se défendre, bien qu'assurés d'une perte certaine.

Père — Ne nous précipite pas dans l'abîme du désespoir. On nous dit que tu as des lois pour garder et protéger la propriété de tes Enfants Blancs, mais tu n'en as fait aucune pour protéger les droits de tes Enfants Rouges. Tu as présumé peut-être que la *Peau-Rouge* suffirait à se défendre elle-même contre la rapacité de son mauvais frère à la pâle figure.

Père — L'été dernier, tu fis convoquer un Conseil. Quand nous apprîmes que telle était ton intention, nos cœurs se réjouirent, car nous nous flattions que tu avais dessein de traiter avec nous pour l'achat de nos terres. Quand nous vîmes qu'il n'en était pas même fait mention, notre désappointement fut grand. Mais notre étonnement fut à son comble, quant tu nous demandas de quel droit nous réclamions ces terres. Quoi! nous demander de quel droit nous les réclamons!! Mais ces terres, où sont nos pères, où nos ayeux reposent ensevelis, tu dois le savoir comme toute Peau-Rouge le sait; longtemps, bien longtemps avant que tes Enfants Blancs eussent traversé les eaux du soleil levant pour nous visiter, le Grand-Esprit les avait créées et nous y avait établis, les donnant à ses Enfants-Rouges comme leur héritage.

Père — Peux-tu prétendre à cette terre? Si cela est, en vertu de quel droit? Nous l'as-tu ravi par la conquête? Non, car lorsqu'ils mirent le pied parmi nous, tes enfants étaient faibles et peu nombreux et le cri de guerre des Otchippouais jeta l'épouvante dans le cœur de la *Pâle-Figure*. Mais tu ne vins pas à nous en ennemi; tu nous visitas sous le symbole de l'amitié, tu vécus comme notre hôte, et tes enfants furent traités comme nos frères. L'as-tu achetée de nous cette terre? ou te l'avons-nous livrée? Si cela est, quand? comment? et où sont les traités?

Père — Tes Enfants Blancs nous disent que le *Grand Couteau* abuse et trompe les Peaux-Rouges, lorsqu'il achète leurs terres; ils nous disent que toi seul est bon et juste. Mais où est ta justice, si tu permets à tes Enfants de ravager nos terres, et de nous arracher de leur sein contre notre gré? Où est ta bonté ou ta justice, si tu t'empares de nos terres sans notre consentement? Cet injuste, ce perfide Grand-Couteau, bien qu'il ait plus d'une fois gravement fait tort aux Peaux-Rouges, n'a cependant jamais fait ce que tu fais maintenant, jamais il n'a pris aux Peaux-Rouges un morceau de terre sans qu'il y eût au moins quelque espèce de traité conclu et acquisition faite.

Père — Chaque année, nous voyons les Peaux-Rouges de l'autre côté du Lac se rendre à la Pointe pour y recevoir le paiement que leur doit le Grand-Couteau pour le bord Sud, et nos cœurs deviennent malades car nous ne pouvons ne pas voir le contraste de cette conduite du Grand-Couteau avec la tienne, *toi qui es notre père*.

Père— Quand le Grand-Esprit forma ces terres, il les peupla en même temps d'une grande quantité d'animaux, dont la chair et la peau suffirent abondamment aux besoins des Peaux-Rouges pour la nourriture et le vêtement. Alors ils parcouraient en maîtres les forêts, ignorant la fatigue et libres du besoin; alors ils étaient étrangers aux misères et à la dégradation que la Pâle Figure a depuis introduites parmi nous; car maintenant, de quelque côté que nous tournions les yeux, nous ne voyons que détresse, pauvreté et douleur.

Père — Le Grand-Esprit, dans sa bonté, prévoyant qu'un temps viendrait où les forêts et les lacs cesseraient de fournir leurs produits accoutumés, plaça ces mines dans nos terres, afin que les générations futures de ses Enfants Rouges pussent trouver par là de nouveaux moyens de subsistance. Aide-nous donc à remplir ce dessein du Grand-Esprit, et mets-nous en état de recueillir le fruit de ses largesses, dans une aussi ample mesure que les Peaux-Rouges de l'autre côté du Lac. Obtiens-nous cet avantage, et nos cœurs se dilateront; car nous sentirons que nous sommes encore une nation.

Père — Tu ne peux nous dépouiller de ces terres; le guerrier au bras vigoureux et au cœur brave ne fera jamais tort à un loyal ami, à un frère.

Père — Ces paroles que nous t'adressons, elles vivent dans les cœurs de tout notre peuple, et ils te conjurent instamment de convoquer, aussitôt que possible, un Conseil de notre nation, pour entrer en négociation avec nous au sujet de nos terres, afin qu'il n'existe aucune mésintelligence entre tes Enfans Rouges et tes Enfants Blancs».

Suivent les signatures des principaux Chefs des Otchippouais au nom de la nation.

Voici la réponse du Gouverneur:

«Mes Enfants,

Soyez assurés que je prends le plus vif intérêt à votre bonheur, et je ne puis réfléchir sans un profond sentiment d'estime et d'admiration aux fidèles services de mes Enfants Rouges, au puissant et généreux concours qu'ils prêtèrent à mes Enfants Blancs durant la guerre.

Les terres qu'on vous a prises, et pour lesquelles vous portez plainte, furent vendues avant que je prisse en main le Gouvernement de cette Province. J'userai de tous les moyens en mon pouvoir, pour que nulle injustice ne vous soit faite. En même temps, permettez-moi de vous donner un avis; retournez chez vous, et laissez M. MacDonnell, votre ami, prendre soin ici de vos intérêts».

J'ignore à quelle vente le Gouverneur fait allusion; aucune terre, que je sache, n'a été vendue, du moins sur le lac Supérieur. Ce qui vient d'arriver en est une nouvelle preuve; c'est sans doute aussi le résultat des éloquentes réclamations des Sauteux.

Le samedi, 22 septembre on vit débarquer, sur les rochers arides de Spar Island, trois envoyés du Gouvernement, MM. Vidal, Anderson et Sommerville: ils avaient avec eux huit rameurs qui devaient les conduire au Fort-William, au Pic, à Michipikoton, et ensuite chez d'autres Sauteux, à 200 milles au-delà du Sault-Sainte-Marie, du côté de Pénétangouchine. Ils se reposèrent le Dimanche sur cette plage déserte, et le lundi après-midi, ils passèrent à l'Immaculée-Conception, se rendant au Fort. Dès que les sauvages reçurent avis que c'étaient les envoyés du Gouvernement, il aurait fallu les voir courir au Fort: une troupe d'élèves ne courent pas plus joyeux en récréation au sortir d'une longue étude; une brigade de pompiers ne court pas plus vite, au bruit du tocsin, pour éteindre l'incendie. Ils n'ont plus ni ventre ni oreilles; il en est qui arrivent justement de voyage, ils ne prennent pas même le temps de manger. En vain leur dit-on que ces Messieurs ne manqueront pas de prendre un peu de repos. C'est inutile, tout part; il ne reste plus un seul homme ici. Je me décidai moi-même à aller au Fort pour voir ce qui se passait, et faire connaissance avec ces Messieurs. Mais, comme je m'y étais bien attendu, il ne fut question de rien ce jour-là. Seulement M. Anderson demanda au chef le tracé de leurs terres, et indiqua la séance pour le lendemain à 10 heures. «Mon Père, les jeunes gens ont faim,» lui dit le chef, et on leur donna du lard avec une grande quantité de tabac. Ils en profitèrent aussitôt, car il y eut une fumerie ou Conseil, qui se prolongea bien avant dans la nuit.

On tint séance deux jours de suite, depuis 10 heures du matin jusqu'à 7 heures du soir, sauf le temps du dîner, environ une heure et demie. Une chose remarquable, c'est que ces Messieurs, bien que mangeant à la table du bourgeois, M. MacKenzie, n'ont cependant pas profité de sa maison pour dormir; ils passaient la nuit sous la tente, dans la cour du Fort. C'est toujours ainsi qu'en use le Capitaine Anderson, disent les sauvages! c'est, il faut l'avouer, une belle leçon aux Missionnaires de se faire tout à tous, pour les gagner tous à Jésus-Christ.

J'assistai aux séances comme simple spectateur, et j'acceptai l'offre de M. MacKenzie de partager le dîner de ces Messieurs. Je puis donc, comme témoin oculaire, vous tracer fidèlement la physionomie de l'Assemblée. M. Vidal occupe le fauteuil du milieu, et écrit tout ce qui se dit de part et d'autre. Le Capitaine Anderson siège à sa droite. Il parle anglais, français et sauvage, tandis que ses deux collègues ne parlent qu'anglais. C'est lui qui propose aux sauvages les questions du Gouvernement et interprète leurs réponses. Derrière lui se trouve un de ses rameurs, Piter Bell, jeune homme du Sault-Sainte-Marie, qu'il interroge lorsqu'il est dans le doute. M. Sommerville, assis à gauche de M. Vidal, a son bureau à part et ne paraît guères s'occuper de la séance.

En face de ces Messieurs, sur des chaises ou fauteuils, sont assis nos deux chefs. Joseph, *La peau de chat*, est à la première ligne. Il est habillé comme les blancs, ainsi que tous nos sauvages. C'est un homme d'environ 40 ans, grand et bien fait de sa personne, à la voix vibrante et sonore. Sa fougue éloquente, sa véhémente impétuosité l'ont fait choisir pour chef par les sauvages. Il ne lui manque qu'une âme plus fortement trempée dans la vie et les vertus chrétiennes. L'autre chef est un vieillard septuagénaire qu'on appelle *L'illinois*. C'est tout simplement un de ces Chefs de pelleteries, établis par la Compagnie de la Baie d'Hudson. Il en reçoit tous les ans deux habits, dont l'un est rouge, galonné et garni de boutons en métal. C'est ce qui lui a fait donner le surnom de *Miskouakkonayè* (rouge habillé). Il y a un certain nombre d'années qu'un Ministre Baptiste du Sault le plongea dans la rivière avec quelques membres de sa famille. C'est là tout ce qu'on lui a appris de la religion, car il ne sait absolument rien. Ce vieillard, que les sauvages veulent bien considérer comme Chef, mais qui n'a pas la principale autorité, porte aujourd'hui, comme bien vous le pensez, son habit d'ordonnance. M. Sommerville passe la première partie de la séance à le dessiner sous ce plaisant costume, rehaussé encore par son grand calumet qu'il repose sur la cuisse en le soutenant de la main. Pauvre calumet! que de mal n'eut-il pas à t'allumer! Pendant plus d'un grand quart d'heure, il fit jouer le briquet au muet sourire de l'assistance. Derrière les Chefs, tout autour de la salle, les sauvages sont assis par terre, adossés contre le mur.

On commence par faire l'appel nominal, d'après une liste composée la veille par M. MacKenzie. On passe les métis sous silence, car ils n'ont pas la parole dans ces sortes d'assemblées. Est-ce politique? Et craindrait-on que, plus instruits que les sauvages, ils ne sussent mieux défendre leurs droits? Je laisse à Votre Révérence à se prononcer là-dessus.

Ces préliminaires achevés, on commence la longue série de questions que ces Messieurs viennent adresser aux sauvages de la part du Gouvernement. «Quelle est votre origine? votre nom? sont-ce là vos Chefs? lequel occupe le premier rang? — Joseph, la peau de Chat, répondent les sauvages. — Quelle est la forme, l'étendue, la qualité de vos terres? Quels sont les animaux qui les habitent? Voulez-vous vendre vos terres? Quelle est l'estimation que vous en faites? — Outre une réserve sur les deux bords de la rivière où nous habitons, nous demandons trente piastres par tête, y compris les femmes et les enfants, chaque année jusqu'à la fin du monde, et cela en argent, non en marchandises. De plus, nous demandons, aux frais du Gouvernem[en]t, un maître d'école, un médecin, un forgeron, un menuisier, un fermier et un surintendant pour rendre la justice».

Avant de clore cette première journée, le Capitaine Anderson dit aux sauvages: «Il est deux choses qui ne nous font pas plaisir et que ne verra pas non plus de bon œil, à ce que nous pensons, notre Père qui est à Montréal. La première, c'est qu'il ne connaît point, c'est qu'il n'a pas approuvé celui des deux chefs auxquels vous donnez la préférence. La seconde, c'est que vous demandez un trop haut prix pour vos terres. Voyez de l'autre côté du Lac, ce que fait le Grand-Couteau. Les sauvages ne sont payés que pendant vingt-cinq ans, et encore beaucoup moins, chaque année, que vous ne demandez vous-mêmes. Et vous, ce serait jusqu'à la fin du monde! et trente piastres par tête!... De plus, le Grand-Couteau, une fois le terme du paiement expiré, chasse les sauvages au delà du Mississipi; vous, au contraire, vous resterez ici à jamais, paisibles possesseurs de vos terres. Enfin, de l'argent vous serait plus nuisible qu'utile; voyez ce qui se passe à la Pointe. Les sauvages donnent une piastre, même jusqu'à une couverture, pour un verre d'eau mélangée d'un peu de w[h]isky; la même chose arriverait ici. Il vous sera bien plus avantageux d'avoir des vêtements pour vous couvrir. Réfléchissez donc cette nuit à ces deux points, et si, demain, vous persistez dans les mêmes sentiments, cela sera écrit. Maintenant, c'est un conseil d'ami que nous vous donnons, car nous ne pensons pas que le Grand Chef, qui est à Montréal, vous accorde tout ce que vous avez demandé».

Le lendemain, après la messe, Joseph, La peau de Chat, vient me dire que l'Anglais le craint et veut le destituer, mais qu'il va de ce pas faire rayer lui-même son nom. «Mon enfant, lui dis-je, l'Anglais ne te craint pas, l'Anglais ne craint aucun sauvage. L'Anglais ne veut pas non plus, il ne peut pas te destituer. Ce sont les sauvages qui t'ont choisi pour chef, tu le seras tant qu'ils te maintiendront. S'ils répondent comme hier, ce sera une affaire finie; il n'en sera plus question. Seulement l'Anglais n'a pas ta prière; l'Habit-Rouge, lui, a la prière de l'Anglais, voilà pourquoi l'Anglais serait bien aise de le voir le premier Chef. Ne crains donc rien, et garde-toi de faire rayer ton nom; tu perdrais tout. Si tu ne veux plus être chef, tu le diras plus tard, et les sauvages en choisiront un autre. Mais ce n'est pas aujourd'hui le moment. — C'est moi seul que je perds,» répond-il, et il part pour le Fort.

Les sauvages témoins de cette entrevue avaient pris leurs mesures pour élire un autre chef en cas qu'il fît un coup de tête en pleine assemblée. Mais, apparemment, la réflexion le prit en chemin; car, sans parler de sa démission, il se contenta de dire fort sagement à ce sujet: «Ni le Grand-Chef qui est à Montréal, ni la Reine, ne prétendent rien changer aux élections des sauvages, ni influencer en rien leurs délibérations». Cette déclaration fut écrite. Quant aux prix des terres, il n'en fut plus question ce jour-là.

Dans l'après-midi, de ridicules personnalités nous rendirent témoins d'une scène assez plaisante. La Peau de Chat dit au Capitaine Anderson qu'il a entendu sur son compte des bruits fort peu rassurants, mais auxquels néanmoins il n'ajoute pas foi, à savoir qu'il ne vient que pour contre-quarrer M. MacDonell (du Sault-Sainte-Marie), lequel devait apporter l'argent cet été, etc, etc. Interrogé de qui il tient ces bruits, il montre et nomme deux jeunes gens du Sault qui accompagnent ces Messieurs en qualité de rameurs. Ceux-ci, interpellés, déclarent qu'ils n'ont fait que répéter ce qu'ils avaient entendu. Le Capitaine Anderson répond qu'il n'est pas ennemi de M. MacDonell, qu'il lui a donné la main à telle et telle époque, et il montre à Joseph je ne sais quel papier, qu'il dit être signé de plusieurs Robes-Noires (il voulait sans doute parler de quelques ministres protestants). Le dîner, qui survint alors fort à propos, mit heureusement fin à cette petite scène peu agréable pour le Capitaine.

Lorsqu'on fut réuni de nouveau, l'Habit-Rouge ou le vieux Chef prit pour la première fois la parole. Il débuta en ces termes: «Mon Père, je ne sais ce que je veux dire: je n'ai plus d'esprit, je te ressemble, je suis bien vieux.» Après cet exorde insinuant, notre Nestor sauvage remonte, je crois, jusqu'au déluge, ou peut-être au-delà; puis, descendant de proche en proche, il en vient à l'apparition des blancs sur cette terre et aux choses merveilleuses que le sauvage vit alors pour la première fois. «Ce n'est pas toi, Anglais, qui vins le premier; on te connaît à peine; nous l'appelons *Ouêmitikôji*, Français, celui qui nous visita d'abord». Quant à la péroraison du discours, je vous avoue qu'elle s'est enfuie de ma mémoire; je n'en retrouve que quelques fragments incomplets. Il était tard et les sauvages, dont l'appétit commençait à se faire sentir, s'ennuyaient de ces longueurs homériques. Un des gendres de l'orateur alla même jusqu'à lui dire: «C'est assez, beau-père.» — «Patience, répliqua l'autre, je ne gâterai rien». Enfin, un autre de ses gendres, assis à ses côtés, et qui parfois inspirait charitablement sa mémoire en défaut, lui coula doucement à l'oreille que c'était bien, et aussitôt le docile orateur, ayant prononcé la formule: «C'est là tout ce que j'avais à dire,» s'assit et se tut.

Alors le Capitaine Anderson se lève à son tour pour faire le discours de clôture. Il loue la prudence et l'habileté que les sauvages ont fait paraître dans la présente délibération. «Les sauvages de Nipigong, ajouta-t-il, ceux du Pic et de Michipikoton seront pareillement interrogés: le gouverneur verra vos réponses et les leurs, et réglera tout dans sa sagesse. Vous recevrez probablement des nouvelles cet hiver, et, au printemps, de nouveaux députés vous apporteront le Traité bien en règle». Puis, il les exhorta fortement à embrasser la civilisation des blancs, à s'adonner à l'agriculture, à l'instruction. Sous peu vos forêts seront sans gibier; il n'y aura plus de ressource pour le sauvage que dans l'agriculture... Écoutez votre Robe-Noire, ne faites pas tort à votre Bourgeois, car le Grand-Esprit voit tout; mais surtout méditez souvent la vie éternelle».

Après cette édifiante péroraison, l'on se donna la poignée de main d'adieu, et l'on se quitta bons amis.

Le lendemain matin, avant le départ de ces Messieurs, nos sauvages allèrent de nouveau les saluer. Comme on leur répéta qu'ils n'obtiendraient pas tout ce qu'ils avaient demandé: «Eh bien, dirent-ils, rayez le médecin, le menuisier, le forgeron, le fermier et le surintendant; nous ne réservons que le maître d'école». Je viens seulement d'apprendre cette concession, et j'en ai été aussi surpris que peu satisfait. Je crois qu'elle est à pure perte. Les sauvages pensaient, par là, obtenir leurs 30 piastres par tête, en bon argent. Mais M. Anderson m'avait déjà dit en particulier qu'ils n'auraient pas cette somme et surtout pas d'argent.

Je fis observer au Capitaine que, si l'on obligeait les sauvages d'aller chercher leur paiement loin d'ici, par exemple au Sault, c'était les mettre dans l'impossibilité de cultiver jamais beaucoup. «Ils seront payés ici même, me répondit-il».

Tel est, mon Révérend Père, le récit de cet événement mémorable pour notre Mission. Voilà donc nos pauvres sauvages à la veille de recevoir, non une fortune toute faite qui les dispense de travailler ainsi que quelques-uns se l'imaginaient bonnement, mais quelques faibles secours qui, du moins, les aideront à s'habiller. Car ici, la difficulté n'est pas de vivre, mais de se vêtir. La culture et la pêche fourniront une nourriture suffisante; mais le vêtement, il en coûte davantage de se le procurer, par la raison que la Compagnie de [la] Baie d'Hudson a jusqu'ici le monopole des fourrures, et par conséquent du commerce.

S: *Lettres des nouvelles missions du Canada, 1843-1852*, éditées avec commentaires et annotations par Lorenzo Cadieux, lettre 62, pp. 588-597, par. 1-35.

La construction d'une maison ontarienne*

Vous serez peut-être curieux mon Révérend Père, de savoir comment on s'y prend pour faire une maison dans ce pays. La chose est d'une extrême simplicité. On s'en va choisir un endroit bien garni de beaux sapins. On en abat un certain nombre, on les ébranche et on brûle tous les débris. L'emplacement de la maison se trouve ainsi déblayé. Cela fait, on couche par terre quatre pièces de bois formant un parallélogramme; ce sont les fondements de l'édifice. Puis, sur ce premier lit, on superpose d'autres bois qui se lient les uns aux autres par une entaille faite aux quatre angles. Bientôt les murs sont élevés à la hauteur de cinq, six pieds; c'est tout ce qu'il leur faut, car c'est la hauteur de la porte; quelques fois même elle est plus basse; sur les murs de côté, on plante deux poteaux qui soutiennent le faîte; sur le faîte reposent deux sapins fendus en deux, et, par le bas chevillés au mur ou simplement appuyés contre une latte qui s'adapte tout autour en guise de corniche. On achève ensuite la partie supérieure des murs latéraux; on coupe ou l'on scie la porte et les fenêtres, puis on enduit de glaise mêlée de sable le toit aussi bien que les murs. S'il fait très froid, on n'enduit les murs qu'après avoir fait la cheminée, et à l'intérieur seulement. Quand on a eu soin de lever des écorces au printemps, on en pose sur le toit ainsi garni de terre; sinon, on se contente du manteau de neige dont l'hiver couvre cette toiture, jusqu'à ce qu'au printemps la pluie s'infiltrant peu à peu déblaie le ciment et inonde le logis.

Mais venons à la cheminée, comment s'y prendre? Point de briques, pas même de pierres, excepté les rochers ou les cailloux du rivage. Vos architectes, vos maçons d'Europe seraient peut-être embarrassés; nos Canadiens, nos métis et même nos Sauvages ne le sont pas. On commence par planter en terre quatre perches de la hauteur de la cheminée, car on a eu soin de laisser dans le toit un vide assez considérable, qui ne sera rempli qu'après la cheminée faite; ces quatres perches sont liées ensemble par des barres transversales distantes d'un demi-pied l'une de l'autre, ce qui forme une espèce d'échelle pyramidale. Tel est le squelette de la cheminée. Pour la garnir, on enferme de la glaise mêlée de sable dans un petit rouleau de foin qu'on presse, qu'on manie jusqu'à ce que la glaise le compénètre et res[s]orte de toutes parts. Ce rouleau ainsi préparé se pose sur les échelons et se rejoint par le bas. Un second vient s'accoler au premier, puis un troisième au second, et ainsi toute la cheminée s'élève, unie, solide et compacte. Quand il fait froid, on y fait un peu de feu pendant le travail non seulement pour ne pas avoir les mains gelées, mais encore pour que le ciment puisse sécher et se durcir peu à peu: s'il gelait, il tomberait ensuite par la chaleur. Ces cheminées sont très dures et très solides. C'est aussi de la sorte qu'on fait les fours, et ils durent jusqu'à des dix et quinze ans. Le f. de Pooter en a déjà fait deux, un à la Rivière aux Tourtres, et l'autre à l'Immaculée-Conception.

Ainsi vous le voyez, mon Révérend Père, avec une hache, une tarrière, et tout au plus une scie, on peut se bâtir une maison assez vite, et à bon compte. Pour le plancher, dont je n'ai encore rien dit, des bois fendus comme ceux de la toiture, un peu mieux polis seulement et mieux unis, en font tous les frais. Ces maisons sont très chaudes si l'on a besoin de bien entretenir le feu. Il est d'ordinaire très ardent; huit à dix bûches de sapin sec, de trois pieds de long, dressées contre la cheminée et brûlant ensemble, voilà bien de quoi chasser le froid. D'où vient donc que notre presbytère était si glacial, malgré un poële tout rouge? C'est que, sans parler des nombreuses crevasses, le toit n'était pas garni de terre: il n'y avait que des écorces sur les bois juxtaposés, et la bise savait bien s'y frayer mille chemins pour nous assaillir. Un sauvage va y appliquer le remède et, de plus, faire une cheminée, heureux de pouvoir ainsi s'abriter cet hiver.

S: *Lettres des nouvelles missions du Canada, 1843-1852*, éditées avec commentaires et annotations par Lorenzo Cadieux, lettre 64, pp. 605-607, par. 6-8.

L'église de Sainte-Croix*

En passant à la Rivière-au-désert, à trois lieues en bas du Sault-Sainte-Marie, j'avais admiré la jolie chapelle que le Père Kohler achevait d'y construire. En arrivant à Sainte-Croix, un monument plus grandiose frappa mes regards et captiva toute mon attention; je veux parler de cette vaste et magnifique église en pierres, bâtie uniquement par les Sauvages, et qui attestera aux nations les plus reculées ce que peut la véritable religion de Jésus-Christ pour la civilisation, et le bonheur de l'humanité. Elle forme une croix de cent pieds de long, sur quarante de large et soixante dans les bras. Au fond du Sanctuaire, un tableau transparent perce les nuages: c'est l'apparition de la croix à un Sauvage infidèle. On le voit, dans son antique accoutrement indien, frappé de stupeur à la vue de cette croix lumineuse, soutenue par des Anges; devant lui repose son calumet encore tout fumant, et, non loin de là, apparaît son canot sur le rivage. C'est une création du Père Nicolas Point, Supérieur de cette mission. Mais non content d'être peintre, il s'est encore improvisé sculpteur. Il a fait un double tabernacle, tournant et rentrant, l'un pour le Saint Ciboire et l'autre pour l'Ostensoir, et sur la façade vous voyez symétriquement étalé les trois principaux emblèmes de l'amour de Notre Seigneur dans l'Eucharistie; je veux dire, l'Agneau comme immolé, gardant le livre aux sept sceaux, le Pellican nourrissant ses petits de son sang, et le phénix trouvant une vie nouvelle dans les flammes du sacrifice.

A partir des bras de la croix, trois degrés vous mettent au niveau du Chœur, au-delà duquel, trois autres degrés couronnés de la balustrade, vous introduisent dans le Sanctuaire. Devant les deux sacristies, surmontées de tribunes, qui avoisinent le Sanctuaire, se trouve deux confessionnaux; et devant ceux-ci, dans le sens de la longueur du chœur, quatre bancs de chaque côté disposés en amphithéâtre, et réservés aux Chefs, aux chantres et aux enfants de chœur.

En tête de la nef, se trouve du côté de l'Epître, vis-à-vis l'autel de leur patronne, les jeunes filles de la Congrégation de la Sainte Vierge, et, du côté, de l'Evangile, vis-à-vis l'autel de Saint Joseph, les jeunes gens de la Congrégation de Saint-Michel. Le Maître et la maîtresse d'école surveillent respectivement ces Congréganistes, ainsi que les petits enfants placés dans l'intérieur et sur les degrés des chapelles. Dans le reste de la nef, un Suisse et des bedeaux maintiennent le bon ordre. Aux deux côtés du vestibule, se trouvent deux espèces de chapelles; dans l'une, vous voyez le baptistère, et, dans l'autre, tout ce qui tient au culte funèbre. Sur le vestibule s'élève un joli clocher, dont la base carrée soutient une colonnade octogone surmontée d'un dôme avec une flèche et une grande croix de douze pieds. La croix, la flèche et le dôme supérieur sont recouverts en fer-blanc, et projettent au loin sur les flots le religieux éclat dont ils brillent.

Voilà, nos Révérends Pères et nos Très Chers Frères, une grossière esquisse de l'église de Sainte-Croix que le pinceau du R.P. Supérieur est destiné à embellir encore.

S: *Lettres des nouvelles missions du Canada, 1843-1852*, éditées avec commentaires et annotations par Lorenzo Cadieux, lettre 88, pp. 843-844, par. 3-4.

LUC CAVENG
(1806-1862)

Luc Caveng naît à Tavetsh [en Suisse] le 25 mars 1806. Il entre dans la Compagnie de Jésus en 1830. Il arrive en Amérique en 1847. Le 27 juin, il part de New York avec le père Bernard Fristch [né à Amberg, en Bavière, le 15 février 1812, il entre chez les jésuites en 1840, arrive en Amérique en 1847, meurt à Arlon, en Belgique, le 2 mai 1891] et le frère Fidèle Joset [né à Courfaivre, Berne, en Suisse, il entre chez les jésuites en 1822, arrive en Amérique en 1847, meurt à New York, le 12 janvier 1852]. À la demande de Mgr Michael Power, évêque de Toronto, leur destination est la région de Kitchener-Waterlo où des émigrants allemands, en partie catholiques, se sont établis vers 1827. Les missionnaires s'installent à Sainte-Agathe [St. Agatha] de Wilmot, canton organisé en 1825. En 1851, il y a cinq pères et trois frères en résidence à Wilmot; ils bâtissent alors une seconde résidence à New Germany où va loger une partie de la communauté. En 1856, les jésuites de Wilmot sont rappelés en Europe, à la suite du remplacement de la province jésuite de Suisse par celle d'Allemagne. Le père Luc Caveng décède à Buffalo le 27 mars 1862.

Le père Félix Martin n'a inséré qu'une seule lettre du père Luc Caveng dans la première édition des *Lettres des nouvelles missions du Canada*. Elle est importante parce qu'elle est la seule du volume qui renseigne sur la région de Kitchener-Waterloo au milieu du dix-neuvième siècle. Le père Caveng fait d'abord un bref récit du voyage des pères de New York à Wilmot, puis rédige ensuite un très long compte rendu des activités des missionnaires, de leurs excursions apostoliques dans les villages environnants — la Nouvelle-Allemagne [New Germany], Preston, Queens-bush, etc., — depuis leur arrivée jusqu'au 1er février 1848, date de sa lettre. Il décrit le pays et sa population, la fertilité du sol qui a enrichi rapidement même les immigrants pauvres, la situation des catholiques, les mœurs et coutumes des habitants — ils sont venus d'Irlande, d'Alsace, de Lorraine, de Bavière, de Souabe, de Hesse, etc., — l'accueil qu'ils ont fait aux missionnaires quand ceux-ci sont arrivés à Wilmot, accueil qui, au moment où le père rédige sa lettre, menace de se gâter à la suite d'attaques faites par le rédacteur d'un journal qui n'a pas digéré les succès des pères.

Nous avons emprunté la pièce qui suit à la seconde édition des *Lettres des nouvelles missions du Canada, 1843-1852,* que le père Lorenzo Cadieux a publiée avec commentaires et annotations en 1973, à Montréal (les Éditions Bellarmin) et à Paris (Maisonneuve et Larose). — Nous reproduisons ce texte tel quel, mais sans les annotations.

Une mission allemande*

Ce fut le 27 juin de l'année dernière que je partis de New-Yorck avec mes deux compagnons, le Père Fritsch et le F. Joset, pour aller prendre soin de la mission allemande que Mgr de Toronto a bien voulu nous confier. Nous nous arrêtâmes trois jours à l'ancienne Yorck, aujourd'hui Toronto, où Mgr nous donna une généreuse hospitalité et nous instruisit de tout ce qui concerne la mission. Enfin, le 3 juillet vers dix heures du soir, nous arrivâmes à la chapelle de Ste-Agathe de Wilmot que nous saluâmes par ces paroles du Psalmiste: *«C'est ici le lieu de mon repos! c'est ici que j'habiterai!»*

Le dimanche suivant, nous revêtîmes l'habit de la Compagnie que nous avions apporté de New-Yorck, nous chantâmes une messe solennelle et nous fîmes une courte allocution au peuple. Ces pauvres gens, privés depuis longtemps des secours religieux, ne pouvaient retenir leurs larmes, tant ils étaient transportés de joie. Après les Vêpres, je réunis les chefs de famille qui me demandèrent avec beaucoup d'instances si nous devions séjourner parmi eux et ce qu'il nous fallait pour notre entretien. Quand ils virent que nous répondions affirmativement sur le premier point et que, pour le second, nous nous contentions du strict nécessaire, tous les cœurs s'épanouirent, et l'on promit de subvenir à tous nos besoins. En attendant qu'on eut pu nous bâtir quelque chose de mieux, on nous offrit l'école, seule habitation que l'on pût mettre à notre disposition. C'est une maison construite avec des troncs d'arbres, unis entre eux avec des lattes et de la terre ainsi que cela se pratique dans ce pays; elle contient, outre la salle d'école, une assez pauvre chambre, divisée en deux par une cloison de planches, le tout sans cave ni cuisine. Comme nous nous attendions à quelque chose de plus misérable encore, nous nous montrâmes satisfaits. Ces bonnes gens nous quittèrent donc fort heureux, et en promettant de pourvoir ultérieurement à tout, sous la seule condition de nous voir demeurer parmi eux.

Quel n'est pas notre étonnement, trois jours après, de voir une vingtaine d'hommes à l'ouvrage, les uns traînant des troncs d'arbres, et les autres apportant des planches; ceux-ci faisant l'office de charpentiers, et ceux-là celui de maçons; en un mot, on nous construit une cuisine assez grande pour pouvoir nous servir en même temps de réfectoire. On nous achète un fourneau en fonte avec sa batterie de cuisine; et, sans nous en prévenir, les femmes, conseillées par le maître d'école, nous montent trois lits; les unes fournissent les matelas, d'autres le linge et les couvertures. Il était touchant de voir la joie avec laquelle tous travaillaient pour nous et combien ils se montraient généreux. Il y a un petit enclos, dépendant de notre chapelle, qui est réservé aux missionnaires; nous voulions y planter des pommes de terre et des légumes de toute espèce, mais ces braves gens nous ont assuré que c'était une précaution inutile, nous répétant qu'ils nous fourniraient abondamment tout ce qui serait nécessaire à notre entretien. Et en effet, ils nous apportaient, de tous côtés, de la viande de porc, fort commune ici, du pain de froment et mille autres choses.

Il y avait à peine trois jours que nous étions arrivés et, déjà, de la *Nouvelle-Allemagne*, colonie située à 15 milles de notre résidence et renfermant trois mille catholiques, il venait une voiture pour emmener au moins l'un de nous. Nous nous contentâmes de promettre à ces bons Allemands de les visiter souvent, et ils retournèrent chez eux. Mais voilà que le surlendemain ils reviennent de nouveau avec une voiture pour nous chercher, en sorte que les habitants de Wilmot craignaient déjà de nous voir émigrer vers une population plus riche et plus nombreuse. Comment aurions-nous pu nous y déterminer, puisqu'ils faisaient tout ce qui dépendait d'eux pour nous contenter? C'est ainsi que le second dimanche de notre arrivée, jour où l'on fit la dédicace de la chapelle, les jeunes filles profitèrent d'un moment que nous étions sortis pour joncher toute notre maison de roses et d'autres fleurs; quant à la chapelle, à défaut de draperies et de tapis, on avait orné les murailles et le sol de branchages et de fleurs. Quoique construite en bois, cette chapelle, qui a 78 pieds de long sur 38 de large, ne manque pas d'apparence; mais, nous sommes totalement dénués d'ornements: nous n'avons absolument que ceux que nous avons apportés de Paris. La chapelle de la Nouvelle-Allemagne est fort petite et ressemble à la cabane du plus pauvre colon. Les deux autres chapelles qui se trouvent dans notre mission ne sont pas plus belles, en sorte que celle de Wilmot a quelque droit au nom d'église qu'on lui donne, d'autant plus qu'elle est ornée d'un petit clocher qui attend une cloche. Dans la Nouvelle-Allemagne, on s'occupe de bâtir une église, quoique la dépense paraisse au-dessus des ressources des habitants. Dès ma première visite, j'avais réuni les hommes pour leur proposer l'entreprise, et le lendemain ils travaillaient déjà à niveler la colline sur laquelle doit être élevée l'église. D'après le plan qu'ils ont dressé, elle aura 66 pieds de long et 50 de large. En général, ces braves gens s'empressent de faire tout ce que nous leur proposons, quand même cela paraîtrait au-dessus de leurs forces; mais il faut notre présence pour entretenir leur ardeur, qui, sans cela, disparaît assez vite et fait place à la confusion de la tour de Babel. Nous avons besoin d'ailleurs d'user de beaucoup de prudence et de ménagements pour ne pas décourager ces volontés encore peu affermies dans le bien.

Le pays que nous habitons est situé entre le 43e et le 44e degré de latitude Nord. C'est une immense plaine qui s'étend du lac Huron au lac Ontario; elle n'est arrosée que par un petit nombre de rivières et de ruisseaux. En 1820, cette plaine était encore une épaisse forêt peuplée de sauvages, mais en 1827, les émigrants, trop pauvres pour vivre aux Etats-Unis et y acheter des terres, commencèrent à remonter jusqu'à cette forêt, à s'y construire des cabanes, ou même à s'y établir sous des tentes et à semer du froment dans les parties qu'ils défrichaient en abattant et brûlant les arbres. Plusieurs se firent ainsi une propriété de 300 à 1000 arpents, pour l'acquisition desquels ils n'avaient à donner au trésor qu'un prix fort modique, et encore un délai leur était-il accordé pour le paiement. Aux premiers émigrants s'en joignirent de nouveaux, de jour en jour plus nombreux, en sorte que ce sol fertile compte aujourd'hui plusieurs centaines de milliers d'habitants venus d'Irlande, d'Alsace, de Lorraine, de Bavière, de Souabe, de Hesse, etc.; et tel qui n'avait pas un sou à son arrivée possède aujourd'hui des champs, des bœufs, des chevaux et vend chaque année de trois à six cents *Bushel[s]* de froment (Le *bushel* pèse 60 livres). On ne voit dans la misère que les gens paresseux, négligents ou dissipateurs. Toutefois la plupart de nos Allemands ont beaucoup de dettes, qui viennent de la nécessité de tout acheter lorsqu'ils s'établissent et du prix exhorbitant de la main-d'œuvre et des objets de commerce. Ainsi, par exemple, la journée d'un charpentier se paie une piastre ou 4 francs de Suisse. Au reste, ceux qui sont fixés ici depuis longtemps acquittent leurs dettes et augmentent même leurs terres en défrichant chaque année quelque nouvelle partie de la forêt. Voici comment se font ces défrichements: on abat les arbres qu'on réunit dans un même lieu en les faisant traîner par des bœufs, et l'on en construit un grand bûcher auquel on met le feu; ce nouveau champ est aussitôt labouré et ensemencé et, l'été suivant, une abondante moisson du meilleur froment vient dédommager largement des peines que l'on s'est données. L'horizon est étendu, quoique borné encore par des forêts; le climat est sain et tempéré, et, malgré la longueur de l'hiver qui est quelquefois très rigoureux, il tombe ici peu de neige. Dès le 25 novembre, nous avons eu de la glace dans le calice en disant la messe. Dans l'été, la chaleur va jusqu'à 30 degrés Réaumur, en sorte que les melons de tout genre réussissent sans peine; peut-être tenterons-nous d'acclimater la vigne. On tire le sucre d'une espèce d'érable dont on fait cuire la sève qui est fort abondante; il n'est guères de famille qui, au commencement du printemps, ne fabrique ainsi dans sa forêt de trois à quatre cents livres de ce sucre qui est fort commun ici, car l'arbre qui le produit est grand et beau, et se rencontre de tous côtés.

Tout le monde ici exerce une admirable hospitalité, même dans le voisinage des auberges, et les nouveaux arrivés ne souffrent nulle part de la faim. Lorsqu'on a trouvé un terrain convenable pour s'y fixer, on est toujours aidé par les voisins à se construire une habitation. Aussi arrive-t-il souvent que les branches d'arbres sur lesquelles les oiseaux chantaient encore le matin forment le soir une chaumière qui servira d'abri à toute une famille.

S: *Lettres des nouvelles missions du Canada, 1843-1852*, éditées avec commentaires et annotations par Lorenzo Cadieux, lettre 42, pp. [455]-459, par. 1-6.

JEAN VÉRONEAU
(1813-1859)

Jean Véroneau naît à Le Perrier [département de la Vendée, dans l'ouest de la France] le 20 mars 1813. Il entre dans la Compagnie de Jésus, comme frère coadjuteur, le 30 avril 1842. Le 1er décembre 1846, il arrive à la mission de Sainte-Croix [Wikwemikong], dont le supérieur est le père Jean-Pierre Choné depuis 1844. Le frère Véroneau est le premier frère coadjuteur affecté à cette mission. Il y accomplit diverses tâches; jardinier, forgeron, armurier, maréchal, menuisier, bûcheron, cuisinier, etc. Il enseigne aux Amérindiens divers métiers, dont ceux de forgeron, de charron, de menuisier et de charpentier. Il construit une résidence pour les pères Choné et Joseph-Urbain Hanipaux et une petite chapelle, qui remplace le hangar en écorce où les missionnaires exerçaient leurs fonctions religieuses. En 1848, le père Nicolas Point remplace le père Jean-Pierre Choné comme supérieur. En 1849, il commence la construction d'une église dont il est l'architecte; le frère Véroneau dirige les travaux. La construction est achevée en 1852. Le 19 juillet 1857, le frère Véroneau va soigner ses rhumatismes au collège Sainte-Marie de Montréal. En 1858, il retourne à Wikwemikong, mais, le 25 juillet 1859, souffrant de plus en plus, il quitte de nouveau la mission pour le collège Sainte-Marie; il y décède le 3 août suivant. — Sa biographie a été écrite par le père Alphonse Gauthier et publiée dans *Héros dans l'ombre, mais héros quand même*, Sudbury, la Société historique du Nouvel-Ontario [sic] (collège du Sacré-Cœur), «Documents historiques», 32, 1956, pp.13-19: «L'Homme aux cent métiers, Jean Véroneau, s.j., 1813-1859».

Le père Félix Martin n'a inséré qu'une seule lettre du frère coadjuteur Jean Véroneau dans la première édition des *Lettres des nouvelles missions du Canada, 1843-1852*. Cette lettre a deux destinataires: aux frères coadjuteurs jésuites de Saint-Acheul [faubourg d'Amiens, département de la Somme, dans le Bassin parisien] à qui il envoie sa lettre, le frère Véroneau ne s'adresse que dans le premier paragraphe; dans tous les autres, y compris la salutation finale, c'est à sa mère qu'il s'adresse, car toute cette partie de la lettre est une copie conforme de celle que le frère Véroneau a fait tenir à sa mère. Pourquoi? parce que le temps lui a manqué, écrit-il, pour en composer une différente à l'intention de ses confrères. Il se dit heureux dans sa vocation. Il travaille beaucoup chaque jour, mais quand il voit la vie dure et courageuse que mènent les commerçants de fourrures pour accumuler des pièces de monnaie, il se dit qu'il serait honteux de ne pas manifester autant d'ardeur pour aider les missionnaires à conduire les Amérindiens sur les chemins du Paradis. Il n'a que des louanges à l'endroit des Amérindiens convertis: à Sainte-Croix comme dans toutes les missions, «ils forment une belle communauté chrétienne».

Nous avons emprunté la pièce qui suit à la seconde édition des *Lettres des nouvelles missions du Canada, 1843-1852,* que le père Lorenzo Cadieux a publiée avec commentaires et annotations en 1973, à Montréal (les Éditions Bellarmin) et à Paris (Maisonneuve et Larose). — Nous reproduisons ce texte tel quel, mais sans les annotations.

Un frère heureux dans sa vocation*

Jusqu'ici, ma bien chère mère, je n'ai pas lieu de me repentir du choix de ma sainte vocation. Je suis bien loin de vous, il est vrai, et je travaille beaucoup tous les jours; mais ce travail et cette absence, quoiqu'il en coûte à la nature, je les aime parce qu'ils glorifient Dieu. Voulez-vous savoir où je suis et ce que je fais? Je fais à peu près tous les métiers; je suis jardinier, forgeron, armurier, maréchal, menuisier, bûcheron, etc., et surtout cuisinier; mais un cuisinier qui a besoin de savoir tout cela pour faire bouillir la marmite des pauvres Pères. Que je suis heureux, quand ils reviennent de leurs excursions lointaines d'avoir à leur offrir, avec bon feu et bon visage, un bon plat de patates, de citrouille ou de navets; oh! alors, comme je suis content! A propos de citrouilles et de navets, j'ai pesé, ces jours derniers, deux individus de cette espèce qui sont venus dans notre jardin; devinez combien ils pesaient chacun? La citrouille pesait cinquante livres, bon poids, le navet quatorze livres et demi[e]; mais aussi je les avais semés dans une bonne terre vierge qui nous produit ces beaux fruits sans engrais. Avec de pareilles ressources, vous voyez que nous ne sommes pas si malheureux que vous pouviez le croire. Maintenant pour le lieu que j'habite, je dirais presque qu'il est situé aux antipodes de nos marais de la Vendée, c'est dans une île, la Reine du grand lac américain, dont les eaux ont été bien des fois sillonnées par les barques des premiers apôtres de l'Amérique, et même rougies de leur sang. Tout près d'ici ont été martyrisés le Père Lallemant et le Père de

Brébeuf; nous avons à la maison un bâton qui a été coupé sur leur tombe par le Père Chazelle. Hélas! ce bon Père, lui aussi, il est mort au milieu de ses courses apostoliques; il n'a pas enduré le martyre, si ce n'est celui du zèle qui le dévorait, mais Notre Seigneur qui permet toute chose a voulu que, jusqu'à son dernier soupir, de bonnes âmes aient été aux petits soins pour lui. Voici comment s'appelle notre île: c'est la grande Manitouline, et le nom de notre réduction est Sainte-Croix. Si vous voulez que je vous parle Chippewais ou sauvage, je vous dirai qu'elle s'appelle Wikwemikong: vous comprenez, n'est-ce pas? Cela signifie baie du Castor, parce que, avant l'arrivée des Européens, ces quadrupèdes y faisaient leur séjour; aujourd'hui, pour les trouver, il faut aller les chercher hors de l'île. Vous savez que c'est la beauté de leur fourrure, qui donne aux commerçants le courage de s'enfoncer dans les forêts de l'Amérique du Nord, aux risques de mille dangers pour leur vie. Mon Dieu, me suis-je dit bien des fois quand je me sentais peu de cœur au travail: et toi religieux, pour aider ces bons missionnaires qui tous les jours arrachent des âmes à l'enfer, tu ne ferais pas ce que font les marchands de ce bas monde pour quelques pièces de monnaie? Ces réflexions me donnaient du courage.

S: *Lettres des nouvelles missions du Canada, 1843-1852*, éditées avec commentaires et annotations par Lorenzo Cadieux, lettre 54, pp. 545-546, par. 2.

JOSEPH DURTHALLER
(1820-1885)

Joseph Durthaller naît à Altkirch [département du Haut-Rhin, dans l'est de la France] le 28 novembre 1820. Il entre dans la Compagnie de Jésus en 1844. Il arrive au Canada en 1849, monte à Sandwich; il y apprend du père Pierre Point qu'il doit se rendre immédiatement à l'île Walpole pour y étudier, sous la direction du père Dominique du Ranquet, l'anglais et le sauteux. Quand il débarque en face de l'île, le frère Jennesseaux vient le chercher. Un pénible spectacle s'offre à ses yeux: les restes de l'église, de la maison du missionnaire et de la maison d'école que les missionnaires avaient construites avec beaucoup de peines et que des Amérindiens viennent d'incendier pendant l'absence du père du Ranquet et du frère Jennesseaux. Quelques mois plus tard, le père Durthaller est atteint d'une fièvre qu'il a contractée à la suite d'imprudences qu'il a commises en visitant des cholériques sur la rive américaine, puis il part pour Sandwich où l'attend, en septembre 1849, le père Clément Boulanger, supérieur de la mission New York-Canada. Ce supérieur assigne alors le père Joseph Durthaller à la mission du Sault-Saint-Louis [Caughnawaga ou Kahnawake]; le père y est accueilli par celui qui en est le curé depuis 1819, l'abbé Jacques Marcoux (1791-1855), qui lui enseigne les langues iroquoise et anglaise. Le père Durthaller occupe ensuite divers postes au Canada et aux États-Unis. Il décède à New York le 3 mai 1885.

Le père Félix Martin n'a inséré qu'une lettre du père Joseph Durthaller dans la première édition des *Lettres des nouvelles missions du Canada, 1843-1852*. Le père Durthaller décrit brièvement la situation difficile dans laquelle se trouvent les missionnaires de l'île, puisque la majorité des habitants ne veulent pas qu'ils s'y installent. Il fait aussi un portrait peu élogieux des Amérindiens de l'endroit. Selon lui, «les obstacles au succès de cette mission, ce ne sont pas seulement les menées sourdes du ministre anglican qui fait croire à ces pauvres Indiens que, s'ils embrassent le catholicisme, la Reine ne leur fera plus de présents; c'est bien plus encore la paresse et les autres vices auxquels ces insulaires sont sujets et surtout leur passion pour le w[h]isky. Il ne se passe pas de semaine qu'il n'y ait des festins dans l'île, et c'est le w[h]isky qui en fait presque tous les frais.»

Nous avons emprunté la pièce qui suit à la seconde édition des *Lettres des nouvelles missions du Canada, 1843-1852,* que le père Lorenzo Cadieux a publiée avec commentaires et annotations en 1973, à Montréal (les Éditions Bellarmin) et à Paris (Maisonneuve et Larose). — Nous reproduisons ce texte tel quel, mais sans les annotations.

Un grand buveur de whisky*

Parmi les grands buveurs de w[h]isky se trouve le vieux grand Chef Gijè Ogima. Je crois que, s'il y avait concours, il obtiendrait facilement le premier prix. Je l'ai vu moi-même quelquefois dans le plus triste état, cherchant le chemin de sa maison et ne le trouvant pas. Un jour, le frère Jennesseaux lui demanda pourquoi il ne se faisait pas priant. Cette question embarassa assez le pauvre vieux; cependant pour légitimer son infidélité, il se mit à lui raconter l'histoire suivante. «Vois-tu, dit-il, je conserve les usages de nos anciens, parce que je ne veux pas avoir le sort d'une pauvre sauvagesse qui a embrassé ta prière et qui, pendant de longues années, a prié comme toi. Après sa mort, elle alla frapper à la porte du ciel des blancs, bien sûre qu'on l'y recevrait et qu'elle y serait heureuse pour toujours. Mais elle fut bien trompée. A peine celui qui garde le ciel se fut-il aperçu qu'elle était sauvagesse, qu'il referma la porte, en lui disant: le ciel des blancs n'est pas pour les hommes et femmes à couleur. La pauvrette ne savait que devenir. Enfin, la pensée lui vint d'aller frapper à la porte du ciel des sauvages; mais là encore elle fut repoussée, parce qu'elle avait été priante. Depuis ce temps, elle erre d'une porte à l'autre, priant, suppliant qu'on veuille bien lui ouvrir; mais ses prières restent et resteront toujours sans succès. Et c'est-là, ajouta le vieux Chef, le sort de tous ceux qui se font priants». Il dit cela en souriant, de manière à bien faire comprendre qu'il n'ajoutait pas grande foi à son conte. La véritable raison de sa persévérance dans l'infidélité, il la gardait au fond de son cœur. Aussi sa passion pour le w[h]isky le réduit-elle, ainsi que toute sa famille, à la dernière misère. A chaque instant, il vient chez le Père, pour lui demander un objet, tantôt un autre. Un jour, il vint demander de la farine. Comme le Père lui répondit qu'il ne pouvait pas lui en donner, puisqu'il était lui-même dans la misère depuis qu'on lui avait tout brûlé, il se mit à lui faire une demande assez plaisante. «Eh bien, dit-il, puisque tu n'as pas de farine, donne-moi au moins ton chapeau français. J'ai été dernièrement malade et les chefs de l'île m'ont assuré que je ne le serais plus jamais, si je portais chapeau français». Le Père ne put s'empêcher de rire; le vieux Chef s'en aperçut et il se retira assez mécontent. Cette manie de demander, de mendier est presque commune à tous les sauvages infidèles, aux grands comme aux petits. La première chose qu'ils font quand ils entrent dans votre cabane, c'est d'examiner s'il n'y a pas quelque part du pain ou de la viande, et, s'ils en aperçoivent, ils ne manquent pas de vous en demander. Il ne faut pas s'en étonner, car leur extrême paresse les prive souvent des choses les plus nécessaires à la vie. Les quelques familles catholiques qui se trouvent dans l'île ne sont plus sujettes à cette honteuse habitude. Elles cultivent toutes leur champ, de sorte qu'elles récoltent assez de froment et de blé d'Inde pour vivre honnêtement pendant toute l'année; elles cherchent aussi à se rapprocher des blancs dans leur habillement. Les jeunes gens travaillent et ne s'épargnent aucune peine pour remplacer leur chemise et leurs indécentes mitasses par la redingotte et le pantalon. Il y en a déjà plusieurs que l'on distingue à peine, les Dimanches, des jeunes Canadiens et Irlandais.

S: *Lettres des nouvelles missions du Canada, 1843-1852*, éditées avec commentaires et annotations par Lorenzo Cadieux, lettre 61, pp. 585-586, par. 3.

NICOLAS POINT
(1799-1868)

Nicolas Point naît à Rocroy [Département des Ardennes, dans le nord-est de la France] le 10 avril 1799. En 1812, à la suite de la mort de son père, il s'engage comme garçon de peine ou scribe chez un avocat, puis au bureau du trésorier de l'armée, afin d'aider sa mère qui a une nombreuse famille à soutenir. De 1817 à 1823, il étudie, puis enseigne au collège jésuite de Saint-Acheul [quartier d'Amiens, département de la Somme, dans le Bassin parisien]. Le 20 septembre 1823, il entre au noviciat des jésuites à Montrouge [en banlieue de Paris]; sept mois plus tard, il en sort pour cause de maladie, puis y rentre et prononce ses vœux le 9 mars 1828. Il commence ensuite ses études théologiques à l'abbaye de Saint-Acheul. À la suite de la Révolution de juillet 1830, il doit se réfugier en Suisse; il continue ses études à Brigg [en Suisse], puis est ordonné prêtre à Sion [en Suisse] le 20 mars 1831. Il est ensuite surveillant au collège de Fribourg [en Suisse]; chassé comme ses confrères, il s'exile en Espagne, d'où il est forcé de partir. Il rentre en France et étudie la spiritualité à Saint-Acheul (1834-1835). Le 18 octobre 1835, il s'embarque au Havre et arrive à New York le 13 décembre; en juin [?] 1836, il se rend au collège Sainte-Marie, au Kentucky, et y enseigne le français. En décembre, il est envoyé en Louisiane et, entente prise avec l'évêque, le père fonde le collège Saint-Charles à Grand Coteau en 1837. En 1840, il abandonne le poste de recteur de ce collège et devient missionnaire pendant huit mois à Westport, peuplé de Canadiens, de Métis et d'Amérindiens. Du 10 mai 1841 à 1847, avec le père De Smet, il est missionnaire dans les Rocheuses du nord-ouest américain. En 1846, il reçoit l'ordre de se rendre dans le Haut-Canada. En 1847-1848, il réside à Sandwich [Windsor], où son frère Pierre est supérieur. En 1848, il est nommé supérieur de la mission de Sainte-Croix [Wikwemikong]. Il y construit une très belle église en pierre; commencée en 1849, elle est inaugurée en 1852. En 1855, il retourne à Sandwich. En 1859, il devient assistant du père maître des novices au Sault-au-Récollet [Montréal]; il remanie son journal du nord-ouest américain et en fait un manuscrit en plusieurs volumes, dont le principal titre est «Souvenirs des Montagnes Rocheuses». En 1865, il est envoyé à la résidence de Québec dont son frère

Pierre est supérieur; le 3 juillet 1868, il décède et ses funérailles ont lieu le 6 juillet. Les membres du clergé qui l'avaient en haute estime insistent pour qu'on l'inhume dans la crypte de la cathédrale. — Il existe une «Vie du P. [Nicolas] Point», par son frère Pierre, mais elle est encore à l'état de manuscrit. Le jésuite Léon Pouliot a utilisé cet ouvrage et le journal du père Nicolas Point pour rédiger une biographie de ce dernier sous le titre «Le Père Nicolas Point (1799-1868), collaborateur du P. De Smet dans les montagnes Rocheuses et missionnaire en Ontario», pp. 25-38, dans *Jean Nicolet. Nicolas Point. Toronto*, Sudbury, la Société historique du Nouvel-Ontario [*sic*], Collège du Sacré-Cœur, Sudbury, Ontario, 1947, 48[1] p.

Le père Félix Martin n'a inséré que deux lettres du père Nicolas Point dans la première édition des *Lettres des nouvelles missions du Canada, 1843-1852*. La première commence par le récit d'un pèlerinage sur les lieux où furent mis à mort les pères Jean de Brébeuf et Gabriel Lalemant en 1649; elle se continue par le récit des affrontements pas toujours édifiants du jésuite de Wikwemikong et du ministre anglican de Manitowaning. La seconde lettre est un compte rendu de la situation: les institutions protestantes grandissent plus rapidement que celles des catholiques, mais les jésuites restent optimistes.

Nous avons emprunté la pièce qui suit à la seconde édition des *Lettres des nouvelles missions du Canada, 1843-1852,* que le père Lorenzo Cadieux a publiée avec commentaires et annotations en 1973, à Montréal (les Éditions Bellarmin) et à Paris (Maisonneuve et Larose). — Nous reproduisons ce texte tel quel, mais sans les annotations.

Une corvée amérindienne*

C'est pour seconder un ordre de chose bien désirable pour le bien des âmes dont Dieu nous a confié le soin que nous nous hâtons d'achever le grand moyen qui doit surnaturaliser tous les autres; malgré bien des contretemps, nous avons enfin mis le comble à notre église, qui est l'œuvre presqu'exclusive de nos Indiens conduits par nos Frères; encore quelques jours de beau temps, après, nous verrons avec plaisir les travaux s'avancer.

Voici quelques petits détails qui donneront la mesure de l'ouvrage fait et des vertus mises... en action. Pour le seul ciment de la maçonnerie, il n'a pas fallu moins de 3000 barils de sable transportés par nos petits écoliers, dont presque toute la récompense a consisté en quelques bons points; pour cela, que de voyages, que de gouttes de sueur à sacrifier! Un jour, elle coulait bien cette sueur, et le temps fut si peu favorable qu'il s'ensuivit des rhumes, dont l'ennemi de l'œuvre voulut profiter, mais les paresseux n'ayant pas été épargnés plus que les autres, le grand argument tomba et l'opinion qui est restée, c'est que ceux qui ont le plus sué, en travaillant, sont ceux qui se portent le mieux et qui sont le plus contents. Il y eut des exemples de grand courage jusque chez les plus petits. L'un deux, qui n'avait pas cinq ans, voulait aussi nous payer de sa personne, pria sa mère de lui faire un maskimoute, espèce de panier souple dont l'anse occupe l'espace compris entre le front et les épaules du porteur; un de ses camarades le lui mit sur le dos avec la valeur d'une bouteille de sable; pour arriver au terme de son voyage, il fallait faire en grimpant plus de 500 pas, c'était beaucoup avec un tel fardeau. Cependant, les nerfs tendus et tout le corps en avant, il était sur le point d'arriver, quand le devant emportant le derrière, tout le système fit la culbute; malheureusement le vaisseau ne fermait pas hermétiquement, de là comme Perrette, *Pleurez, mes yeux*, et les yeux de pleurer si amèrement que pour y faire revenir la joie, il ne fallut rien moins que l'assurance que pas un grain de son trésor ne s'était perdu, vu que son bon ange avait tout compté. Le frère aîné de ce petit sauvage se faisait un jeu de faire le même chemin avec une planche de douze pieds sur l'épaule, leurs petites sœurs, (car toute la famille y compris père et mère se ressemble) eurent encore leur part dans ce transport, mais en quoi elles se distinguèrent davantage, ce fut à tresser des guirlandes d'immortelles pour l'ornement de l'église, occupation du reste partagée par les plus petites écolières, en sorte qu'il y en aurait de quoi festonner tout le Chœur. Au lieu de guirlandes, les Congréganistes ont fait des fleurs, mais si semblables à celles qui nous sont venues de Paris que, vues à distance, il faudrait presque des yeux parisiens pour leur donner le dessous. Les couleurs tranchantes sont toujours du goût des Sauvages; cependant, lorsque la forme l'emporte sur le reste, décidément elle commence par fixer l'attention des plus habiles. La coopération des jeunes gens consistent à servir les maçons ou à transporter des pierres; ils en ont transporté avec les hommes non employés à la maçonnerie jusqu'à cent trente-huit mille pieds cubes. Les huit maçons étaient chefs ou fils de chefs, ou personnages marquants; le maître maçon, chef ottawa, était toujours le premier et le dernier à l'ouvrage, ce qui ne l'empêchait pas d'être encore le plus assidu à tous les offices de l'église, et plusieurs fois, après la prière du soir, on l'a vu rapportant sur ses épaules le bois qui devait alimenter son foyer. Le plus vieux de nos chefs, n'ayant plus la force de monter à l'échelle, se faisait monter sur les murailles, comme saint Paul s'en faisait descendre, et, une fois hissé à la hauteur de l'ouvrage, il servait les travailleurs avec plus d'attention que tous les autres, dans l'espérance qu'étant si près de son dernier jour, Dieu, pour le récompenser d'avoir contribué à lui bâtir une belle maison, ne lui refuserait pas une petite place dans son royaume. L'ouvrage fini, il tombe malade, et, quelques jours après, reçut l'extrême-onction; plusieurs fois il répéta que, si c'était la volonté de Dieu, il était content de mourir, maintenant qu'il voyait l'église presque achevée; mais le mieux qui se déclara dans son état nous fait espérer, qu'avant de mourir, il pourra jouir encore quelque temps du fruit de son dévouement.

S: *Lettres des nouvelles missions du Canada, 1843-1852*, éditées avec commentaires et annotations par Lorenzo Cadieux, lettre 80, pp. 770-772, par. 3-4.

JEAN-NICOLAS LAVERLOCHÈRE
(1811 ou 1812-1884)

Jean-Nicolas Laverlochère naît à Saint-Georges d'Espéranche [département de l'Isère, dans le sud-est de la France] le 5 décembre 1811 (ou le 6 décembre 1812?). Il pratique d'abord le métier de cordonnier, puis il entre comme frère coadjuteur chez les oblats, à Marseille, le 26 novembre 1836. L'année suivante, il prononce ses vœux et devient sacristain à Aix-en-Provence [département des Bouches-du-Rhône, dans le sud-est de la France]. Admis à se préparer pour le sacerdoce, il suit des cours privés, puis étudie la philosophie au grand séminaire de Marseille. Le 31 octobre 1840, il commence son noviciat de scolastique. Le 1er novembre 1841, il fait sa profession perpétuelle. Il commence sa théologie en France (1842-1843), puis la continue et termine à Longueuil tout en étudiant la langue algonquine. Le 5 mai 1844, il est ordonné prêtre à l'Acadie [Québec]. Le 14 mai suivant, il part pour sa première mission au Témiscamingue; il fait ce voyage annuellement par la suite et se rend jusqu'à Moose Factory en 1847 et jusqu'à Albany en 1848, sur les bords de la baie de James. En 1851, sur le chemin de retour, il est atteint de paralysie. Il réside ensuite à Longueuil (1843-1848) et à Saint-Pierre-Apôtre de Montréal (1848-1853). En 1850 et 1853-1856, il prêche en France. Il réside ensuite à Maniwaki (1856-1863), Plattsburg [New York] (1863-1868) et Témiskamingue (1868-1884). Il décède à Ville-Marie [Québec] le 4 décembre 1884. — Il existe deux biographies de lui: A[lexandre] Soulerin, *Le Père Laverlochère, missionnaire oblat de Marie-Immaculée, apôtre de la baie d'Hudson*, Paris, Delhomme et Briguet, [1895], 284 p.; Gaston Carrière, *Missionnaire sans toit. Le père Jean-Nicolas Laverlochère, o.m.i., (1811-1884)*. Montréal, Rayonnement, 1963, 148 p.

Nous avons emprunté les pièces qui suivent à l'ouvrage suivant: *Mission de la baie d'Hudson. Lettre du R. P. Laverlochère à Mgr l'Évêque de Bytwon. Lac des Deux[-]Montagnes, 24 novembre 1848*, [Montréal?], [s.é.], [1848?], pp. 1-34. — Il s'agit du récit du voyage apostolique du père Laverlochère en 1848. S'il se présente sous forme de lettre, c'est que Mgr Guigues, nouvel évêque de Bytown, avait demandé au missionnaire de lui faire un rapport de son voyage. Le père part du lac des Deux-

Montagnes le 4 mai 1848. Quinze jours plus tard, il est à Témiskaming. Le 5 juin, il embarque dans un canot de marchand voyageur de la baie d'Hudson pour se rendre à Moose Factory. Six jours plus tard, il arrive à Abbitibbi, qu'il quitte le 14 juin. Le 21 du même mois, il entre au fort de Moose. Le 5 juillet, il s'embarque sur une goélette qui part pour le fort Albany; il y passe vingt-sept jours, revient à Albany et part pour le fort Abbittibbi le 28 août. Peu après son retour, il adresse sa relation de voyage à Mgr Guigues; elle fait état d'une misère humaine tellement profonde et générale en milieu améridien que le père Laverlochère considère ce territoire de mission comme le plus triste qui puisse exister. Les nombreux exemples qu'il donne de cette misère qu'augmentent un climat rigoureux et un sol désertique confirment son jugement.

Une scène pénible*

C'était le soir d'une journée très-orageuse, où nous avions été constamment ballotés sur un vaste lac, nous arrivâmes, accablés de faim et de fatigue, dans un lieu où nous espérions prendre un peu de nourriture et de repos. Il y avait à peine quelques instants que nous étions débarqués, lorsque nous entendimes un petit canot se diriger vers nous. Il était dix heures du soir, le vent qui soufflait toujours avec violence, soulevait des vagues furieuses. Surpris que quelqu'un osât ainsi braver les dangers de la tempête à une heure aussi avancée, je vais au bord de l'eau et j'aperçois une femme et une jeune enfant de dix à onze ans, luttant péniblement contre les vagues. «Pourquoi vous exposer de la sorte à périr?» leur demandai-je. «Hélas! mon père, me répondit la femme, nous t'amenons ma sœur, il y a trois mois que son mari est mort de misère. Elle était déjà malade, et depuis ce temps là, elle n'a pu ni chasser ni tendre ses filets. Sa maladie a augmenté d'un jour à l'autre, il y a longtemps qu'elle n'a rien à manger, que quelques fruits sauvages. Elle sent qu'elle va mourir, et quand, ce matin, elle a appris que tu étais passé, elle nous a tant prié de la conduire auprès de toi, que nous avons bravé la tempête et la faim, car nous n'avons rien mangé depuis hier.» Tandis que celle-ci me parlait, la malade, couchée dans le canot, fit entendre une plainte, et leva la tête pour me laisser voir, à la clarté de la flamme, son visage pâle et décharné. Je la fis transporter auprès de ma tente, et je fus heureux de partager entre elle et ses conductrices, mon modeste souper. «Tu ne saurais croire, mon père, me dit la malade, tout ce que nous avons souffert cette année; il n'y a presque pas de chasse; les *chantiers* ont tout détruit, et les eaux sont si hautes que nous ne pouvons presque point prendre de poissons. Je sais que si j'avais suffisamment à manger, je me porterais mieux. Oh! je suis cependant heureuse de t'avoir rencontré!... Entends ma confession, je te prie, et puis je mourrai contente.» Je confessai en effet, ces deux infortunées et avant l'aurore, j'offris l'adorable sacrifice, toutes les deux y communièrent, avec une piété touchante. Ce trait, Mgr., tout à la fois si beau et si affligeant, si consolant et si pénible, empreint de tant d'infortunes et d'une sublime résignation, n'est malheureusement pas rare. Il s'est renouvelé bien des fois sous mes yeux, durant le cours de cette année. Hélas! je frissonne encore en pensant que j'en ai vu disputer à des chiens quelques restes de poissons gâtés, et de pelures de pommes de terre, que l'on venait de jeter!..., Mgr. si notre devise, à nous est d'Evangéliser les pauvres, certes, nous sommes bien tous dans notre vocation, car le 19 20e. de votre diocèse en est réduit là. Je crois cependant que le Missionnaire des Sauvages peut spécialement s'appliquer ces paroles de la vérité éternelle: *Evangelizare pauperibus misit mé!*

S: *Mission de la baie d'Hudson. Lettre du R. P. Laverlochère à Mgr l'Évêque de Bytown. Lac des Deux Montagnes, 24 novembre 1848*, [Montréal?, s.é., 1848?], pp. 2-4.

L'Abbittibbi, rivière dangereuse*

Le 21 du même mois, nous arrivâmes au fort de Moose. Nos nageurs étaient si courageux et la rivière si rapide, qu'en six jours, nous parcourûmes un espace de plus de 450 milles de pays d'un aspect vraiment mélancolique. Les grandes pluies, qui étaient survenus quelques jours auparavant, avaient extraordinairement grossi cette rivière. Les chemins de portages étaient innondés. Trois fois, dans la même journée, nous fûmes en danger d'être ensevelis sous des éboulements terribles. Une fois entre autres que, grimpant une côte, j'avais saisi un jeune arbrisseau, je sentis tout à coup la terre glisser sous mes pieds, et je fus amené jusqu'au bord du précipice, tenant toujours le jeune arbre à brassée. Si cette énorme masse de terre, avait glissé deux pas de plus, je tombais, avec mon support dans la rivière. Les Sauvages, qui étaient déjà plus de deux cents pas au dessus de ce courant, avec le canot, et qui voyaient l'éboulement me charrier vers la rivière, durent me regarder comme perdu.

Cette rivière est sans contredit l'une des plus dangereuses de toutes celles de l'Amérique du nord, n'étant qu'une suite de précipices, de chûtes et de battures. Elle n'est navigable que pour les canots d'écorse et encore faut-il avoir un guide très-expérimenté pour ne pas être, à tout instant, en danger de périr. Quoique le lac, où elle prend sa source, soit très-poissonneux, elle ne paraît cependant pas l'être du tout. Aussi loin que la vue peu s'étendre, on n'aperçoit partout qu'une immense forêt de bois de bouleau, de trembles et de pins rabougris. Le terrain serait fertile en certains endroits, si l'extrême apreté du climat ne le condamnait à une stérilité éternelle. J'ai découvers dans plusieurs places, sur les bords de cette rivière, des veines ferruneuses, qui doivent être considérables, car elles faisaient incliner fortement vers elles l'aiguille aimantée. Rien cependant, en fait de minerai ne m'a paru plus commun que le mica et le gypse ou *platre de Paris*. Je remarquai également, sur un terrain d'alluvion, quantité de crustacés réduits à un état de pétrification complète. J'ai aussi rencontré quelques brins de végétation réduits au même état. Je ne crois pas me tromper en attribuant cette métamorphose à la vapeur nitreuse dont l'atmosphère est saturée, dans toutes les contrées de la baie. Je regretai de ce que, n'ayant point de canot a moi, je ne pouvais emporter quelques-uns de ces objets curieux pour la minéralogie. Le feu allumé par des voyageurs Indiens a consumé une vaste étendue de forêts où les ours et les lièvres, ressource unique de l'Indien dans ces lieux, étaient très-abondants. Ce qui a réduit ces pauvres peuples à une extrême détresse.

S: *ibid.*, pp. 7-9.

Un fait merveilleux*

A propos d'incendie, je ne puis passer sous silence, un accident qui nous arriva l'année dernière, et qui nous a donné, cette année-ci, lieu d'admirer et de bénir la bonté divine. Voici le fait: lors de notre retour du fort de Moose, nous nous trouvâmes tout à coup investis, de toute part, par un incendie effroyable, qui s'étendait a plus de 25 lieues à la ronde, dans une forêt sans limites de bois résineux, dans un portage de trois milles de long, à plus de 250 milles de toute habitation. Nous passâmes nos effets, les plus indispensables à travers une grêle de feu, qui tombait sur nous du haut des arbres embrasés, et nous vîmmes nous réfugier à l'extrémité du portage, dans une petite anse de 3 à 4 arpents. Là nous eûmes, durant toute la nuit, le spectacle le plus affreux qu'il soit possible d'imaginer. Qu'on se figure, Mgr. une fumée épaisse et noire, traversée par d'horribles tourbillons de flamme, le craquement des arbres calcinés, tombant avec fracas, à côté de nous, l'activité d'un feu qui avait déjà envahi le bois de derive, situé à cinq ou six pas de nous, en un mot, une atmosphère embrasée, qui menaçait à tout instant de nous suffoquer; et l'on aura une idée juste, bien que légère, de ce qui se passait autour de nous, durant toute la nuit. Tandis que, blotti dans un petit espace, ménagé par la Providence, nous remettions entre ses mains, la garde de notre vie. Il faut pourtant que je vous le dise, Mgr et mon père, au milieu des dangers qui nous environnaient de tous côtés, j'étais calme et tranquille, j'éprouvai même un contentement indéfinissable. Voyant autour de moi de pauvres Sauvages, si heureux de posséder la *Robe-noire*, je me disais: 'Si mes jours doivent se terminer ici, je vous bénis, ô mon Dieu! et si, dans ce moment, il m'étais donné, par un miracle de votre toute-puissance de me trouver au sein d'une famille que je chéris plus que moi-même, d'y mener une vie douce et tranquille, mais pour cela, abandonner nos chers Indiens, dans un danger pareil; vous savez quel choix j'ai fait d'avance!...

Mais le Dieu en qui nous avions mis notre espérance ne nous fit pas défaut. Les montagnes de feu que nous avions vu venir sur nous, avec tant de fureur, s'arrêtèrent tout à coup. Le terrible élément ne toucha pas à un douzaine d'arbres, sous lesquels nous nous étions abrités. Si cette lettre venait jamais à tomber entre les mains de certain *esprits forts*, ils riraient sans doute de la simplicité avec laquelle je raconte ce fait; mais, outre que ce n'est pas pour eux que je le relate ce fait, tout merveilleux qu'il paraisse, n'en est pas moins un fait, et un fait constant; or il n'y a rien de plus opiniatre qu'un fait. Nous avons vu cette année ces arbres encore verts; ils semblent être demeurés là pour attester la protection divine sur nous. Tout le reste, à plus de 25 lieues à la ronde, ne présente plus qu'un vaste champs de ruines. Les indiens qui m'avaient accompagné l'année dernière et qui se trouvaient encore avec moi cette année-ci, furent les premiers à en faire la remarque, ainsi que plusieurs protestants. On n'aperçoit sur cette lave, d'autre végétation, que quelques plantes corymbifères ressemblant assez à la *verge d'or*, mais à fleur couleur de rose. J'ai vu souvent les Sauvages en faire une décoction qu'ils disent être un excellent febrifuge. De tous les remèdes dont les Indiens font usage, je n'en connais point de plus universel ni de plus efficace que la décoction de feuilles de cèdres. Ils s'en servent contre la pleurisie par un bain de vapeur, contre l'hydropisie et la fièvre en la prenant comme médecine, contre les maux de dents, en s'en gargarisant la bouche, enfin contre le scorbut en en respirant la vapeur. J'en ai fait moi-même plusieurs fois l'expérience, contre cette dernière maladie, très-fréquente parmi ceux qui habitent les bords de la Baie, où l'air est rempli de vapeurs méphitiques, et j'en ai toujours ressenti l'heureux effet.

S: *ibid.*, pp. 9-10.

La mission la plus triste au monde*

Trois semaines s'étaient déjà écoulées depuis que j'étais au fort de Moose; lorsqu'une goëlette, venant de celui d'Albany, me fournit l'occasion d'aller visiter ce poste, situé environ 140 milles plus au nord, et vers lequel mon cœur, plus encore que ma boussole, se dirigeait sans cesse; parce que j'avais appris que j'y trouverais un grand nombre de Sauvages, venus des postes circonvoisins, outre ceux de cette place, qui est dit-on, l'une des plus populeuses de la Baie. Je m'embarquais, le 5 juillet, sur cette mer orageuse et couverte de glaces. A peine étions nous sortis de la rivière de Moose, que nous fûmes arrêtés par un vent contraire, qui nous retint à la même place, durant trois jours. Nous profitâmes de ce contre-temps pour descendre à terre. Nous n'aperçûmes partout qu'un terrain plat marécageux et aride, périodiquement baigné par la marée qui monte très-haute dans ces endroits. Rien absolument ne vint distraire notre âme de cette mélancolie dont elle est comme accablée, lorsqu'on parcourt, pour la première fois, ces contrées désolées. Nous n'aperçumes ni gibier dans les airs, ni bêtes fauves sur la terre. Quelques petites baleines blanches, et quelques loups-marins furent les seuls habitants des eaux, qui se montrassent à nous, durant toute la traversée. Je n'essaierai point Mgr. de vous dépeindre ce qu'éprouve l'âme d'un Missionnaire, qui explore pour la première fois ces tristes parages. Tout ce qui frappe ses regards n'est propre qu'à le jeter dans une tristesse indicible; il n'est donc pas surprenant que ses lettres n'en soient quelques fois empreintes. Cette mission au reste, la plus triste qui existe, doit avoir un caractère qui lui est propre. Celles du levant, de Constantinople, des îles de l'archipel, de Syrie, de l'Egypte etc. conservent encore quelques restes de leur ancienne splendeur. Et toutes ces contrées, quelques dégradées qu'elle soient, ne laissent pas néanmoins de représenter au Missionnaire quelques restes des richesses, de l'industrie et de la magnificence, de leurs

premiers habitants. Les îles même de l'Océanie et du Japon, toutes barbares qu'elles sont offrent aussi quelques encouragements et quelques espoir à la persévérance du Missionnaire. Là se trouvent de nombreuses peuplades, réunis en corps de nations, un sol fertile, un climat tempéré. Mais dans les missions de la Baie, il n'en est pas de même. Elles n'offrent partout que des forêts sans limites d'un bois rabougri. Un terrain marécageux et stérile, un ciel sombre et grisâtre, et une mer glacée. Eparse çà et là, sur une étendue immense de pays, une multitude de familles indigènes, dont l'aspect dégoûtant dénote la dégradation et la misère la plus profonde. Le silence de mort qui règne sur ses champs de ruines, n'est interrompu que par des hurlements des ours et des loups, auxquels les Indiens déclarent une guerre, où bien des fois ils sont vaincus et cruellement déchirés; et par les cris plaintifs, des oiseaux passagers. Pardonnez, Mgr., cette longue digression où je n'ai pourtant fait qu'esquisser quelques traits d'un tableau mille fois plus effrayant encore. Tout ce que je pourrais en dire n'en donnerait jamais qu'une faible idée.
S: ibid., pp. 13-15.

La rivière Albany et ses maringouins*

La rivière d'Albany, qui coule de l'ouest à l'est, prend sa source dans le *lac Sale*, à 700 milles de la Baie James où elle se décharge. Elle serait, sans contredit, l'une des plus belles de toutes celles qui affluent dans la Baie, ayant un cours de 300 milles sans aucun *rapide* considérable; mais ses nombreuses *battures* ne permettent d'y naviguer qu'avec des canots de moyenne grandeur. Son eau est limpide et bonne au goût, mais elle ne paraît pas être poissonneuse. Ses bords sont bas et marécageux, depuis son embouchure jusqu'à la Chûte à Martin, 300 milles dans les profondeurs. J'en puis dire autant de toute la côte ouest des deux Baies; car, depuis les bords de la mer jusqu'à 100 lieues de distance dans les forêts, on ne marche que sur un terrain tremblant, ayant de l'eau jusqu'à mi-jambes. On n'aperçoit aucun vestige de bois franc; ce ne sont partout que des aunes et des arbrisseaux résineux, de chétive apparence. Dans ces tristes marais, pullulent des maringouins ou moucherons, dont la piqûre vénimeuse cause une douleur cuisante. Ils sont et plus nombreux et plus gros que ceux que j'avais vus jusque-là, dans les forêts du Canada. Dès que notre goëlette entra dans la rivière, elle en fut littéralement couverte. Tout ce que j'avais vu jusque là, en fait de moucherons, me parut alors

une vraie bagatelle. Le ciel en était obscurci comme d'un nuage. Je doute qu'ils fussent ni plus nombreux ni plus cruels, lorsque le Seigneur les envoya, sous les ordres de Moyse, visiter le roi Pharaon. Du moins leur visite ne fut pas aussi longue. Pour se défendre de leurs impitoyables aiguillons, les Sauvages ne trouvent pas d'autre expédient que de se graisser le corps avec de l'huile de poisson pourri, qui répand une odeur infecte; et les animaux domestiques du fort, pour s'en garantir, se jettent à la nage, et passent la journée dans un îlot, au milieu de la rivière. Quoi que j'eusse la précaution, pour célébrer les Saints Mystères, de m'entourer d'un nuage de fumée, comme dans une charbonnière; mon visage et mes mains en étaient tellement couverts que les nappes d'autel étaient toujours tachées par le sang qui coulait des piqûres. Ils ont plus d'une fois, durant le service divin, éteint les cierges, en venant s'accumuler dessus. On peut juger d'après cet aperçu, ce que la nature doit avoir à souffrir de la part de ces petits tyrans ailés. Ils ont la vie tellement dure que nous sommes obligés de faire du feu, autant pour réchauffer nos membres engourdis par le froid, que pour nous délivrer de leurs importunités.
S: ibid., pp. 16-17.

JOSEPH-EUGÈNE-BRUNO GUIGUES
(1805-1874)

Joseph-Eugène-Bruno Guigues naît au hameau de La Garde, commune de Gap [département des Hautes-Alpes, dans le sud-est de la France] le 26 août 1805. Il commence ses études à Gap, les continue au petit séminaire de Forcalquier, puis entre au noviciat des oblats à Notre-Dame-du-Laus [département des Hautes-Alpes] le 2 août 1821. Il fait profession le 4 novembre 1823 à Aix-en-Provence [département des Bouches-du-Rhône, dans le sud-est de la France]. Il complète ses études théologiques dans cette ville, puis devient professeur de philosophie (1827-1828) et économe (1827-1829) au grand séminaire de Marseille. Le 31 mai 1828, il est ordonné prêtre par Mgr Charles-Fortuné de Mazenod, évêque de Marseille. Nommé maître des novices à Saint-Just [près de Marseille], il doit démissionner pour cause de maladie et va résider à Notre-Dame-du-Laus et à Aix-en-Provence. En 1834, il devient premier supérieur et curé d'office à Notre-Dame de l'Osier [département de l'Isère, dans le sud-est de la France]. En 1844, il est nommé visiteur (supérieur extraordinaire) des oblats du Canada. Il quitte Marseille le 10 juin et arrive à Longueuil [Québec] le 18 août 1844; il s'occupe de l'organisation de sa congrégation qui travaille au Canada depuis 1841. Le 9 juillet 1847, il est nommé premier évêque du nouveau diocèse de Bytown [Ottawa]. Il va améliorer son anglais en séjournant dans la paroisse de Saint-Colomban [près de Saint-Jérôme, Québec]. Le 30 juillet 1848, il est sacré évêque dans la cathédrale de Bytown par Mgr Rémi Gaulin, évêque de Kingston. En 1851, il est remplacé comme visiteur des oblats du Canada. De 1856 à 1864, Mgr Guigues est provincial des oblats du Canada. Le 3 septembre 1849, il fonde une société de colonisation et en assume la présidence. En 1848, il ouvre un collège et un grand séminaire à Bytwon. En juin 1850, il se rend auprès du Pape à Rome, passe en France et revient à Bytown en novembre. Le 8 décembre 1853, il institue l'œuvre de la Propagation de la Foi dans son diocèse. En 1856, un nouveau collège est bâti sur l'emplacement actuel de l'Université d'Ottawa. Le 24 septembre 1862, Mgr Guigues établit dans son diocèse l'œuvre du denier de saint Pierre. En 1870, il se rend à Rome pour le concile du Vatican. Le 8 février 1874, il décède à Ottawa.

Pendant les vingt-six années de son épiscopat, Mgr Guigues a publié un nombre considérable de mandements, de lettres pastorales et de circulaires. Ces textes sont écrits dans une langue vigoureuse, correcte et simple qui dénote la grande lucidité d'esprit de l'épistolier, tandis que leur contenu donne à voir la force de caractère de l'évêque, le cœur qu'il mettait à sa tâche ainsi que ses dons d'organisateur, d'administrateur, d'éducateur et de littérateur. — Le père Gaston Carrière, o.m.i., a fait un excellent compte rendu de la vie et de l'œuvre du Mgr Guigues dans son *Histoire documentaire de la congrégation des missionnaires oblats de Marie-Immaculée dans l'est du Canada. 1re partie: de l'arrivée au Canada à la mort du fondateur (184[1]-1861)*, tome 1, Ottawa, Éditions de l'Université d'Ottawa, 1957, pp. [287]-369.

Nous avons emprunté les pièces qui suivent à un recueil qui réunit une grande partie des mandements, lettres pastorales et circulaires dans un ordre chronologique qui permet de voir l'évêque de Bytown à l'œuvre au fil du temps. Ce recueil est répertorié dans la bibliothèque de l'Université d'Ottawa sous le titre *Mandement d'entrée dans son diocèse, 1er août 1848*, [Mandements, lettres pastorales et circulaires, 1848-1873], [s.l.], [s.é.], [s.d.], 274 p.

Mandement d'entrée dans son diocèse

En prenant possession de Notre diocèse. Nous éprouvons N. T. C. Frères; le besoin de vous faire entendre Notre voix pour vous exposer Nos pensées et Nos vœux.

Grâce à la vigilante sollicitude du S. Pontife, la Foi catholique prend, tous les jours, possession de nouvelles terres et y fait sentir le bienfait de la céleste hiérarchie. Ce n'est point assez que des hommes à qui Dieu donne une âme ardente et un dévouement sans borne, appellent à la lumière ceux qui sont dans l'ombre de la mort, ou pénètrent les peuples de l'esprit vivifiant de la charité, elle veut encore que ceux à qui J. C. a imposé le devoir de gouverner dans l'Eglise, soient établis pour confirmer leurs œuvres par leur autorité et pourvoir à tous les besoins. Aussi l'œil du catholique contemple-t-il avec bonheur, ces siéges nombreux qui s'élèvent d'une manière si admirable, dans toutes les parties du globe que la Foi catholique éclaire de ses rayons.

L'Amérique qui, grâce aux sages institutions qui la régissent, semble destinée à rivaliser avec ces contrées que le catholicisme couvre de son ombre protectrice depuis plusieurs siècles, pouvait-elle échapper à l'œil toujours attentif du Chef suprême. Les nombreux enfants de l'émigration pénètrent en foule dans ces contrées où les pas de l'homme n'avaient pas encore retenti, et l'on y voit s'élever, comme par enchantement, ces colonies qui apportent leurs bras et leur industrie: mais voilà que déjà des évêques les y ont précédés et déploient à leurs yeux, sur cette terre libre à toutes les croyances, cet étendard sacré et vénérable qui convie tous les peuples à la civilisation et à la charité. Le S. Pontife n'a point laissé inaperçue cette vaste étendue de terre que la grande rivière arrose de ses eaux et qui unit les contrées les plus éloignées et encore sauvages du nord, aux terres riches et civilisées du Bas-Canada, comme pour donner aux enfants du Canada et de l'Irlande la facilité de prendre possession de ces immenses terres à qui leurs sueurs donneront une abondante fécondité. Déjà, il est vrai, le zèle de ces grands et vertueux pontifes qui perpétuent, sur le siége de Québec, la vertu et le dévouement, avaient soutenu ces prêtres qui, aux prix des plus grands sacrifices, allaient porter aux pauvres sauvages le pain de vie. Déjà aussi, le pieux pontife qui est à la tête du diocèse de Montréal, et dont le zèle toujours actif est à la hauteur de tous les besoins avait fait sentir les effets de sa charité à ces missions naissantes. Grâce à sa sollicitude, elles prenaient, tous les jours, un nouveau développement. Ce n'était point encore assez pour des âmes généreuses, qui, en accomplissant les plus grandes œuvres ne croient jamais faire assez; ils appelaient du secours, pour les aider à porter le poids de responsabilité qui pesait sur eux.

Et c'est sur Nous que sa Sainteté a daigné jeter les yeux; Nous que des engagements sacrés avaient voué à la solitude et au recueillement ou à l'exercice d'un ministère de secours et d'appui pour ceux à qui cette charge a été confié. Cette voix du S. Pontife Nous a effrayé, sans Nous confondre; car, confiant en celui qui Nous appelle, Nous suivons sa voix et Nous accomplirons son œuvre. Déjà Notre courage se relève et Nous sentons que la foi et une volonté ferme peuvent tout. Unissez-vous à Nous, N. T. C. F., car votre salut et votre bonheur sont déjà le terme de tous Nos vœux. Chaque jour, Nos prières montent vers le ciel pour ces enfants qui Nous sont donnés, votre bonheur fera Notre bonheur, votre joie Notre félicité. Vos âmes Nous seront chères comme la Nôtre. Unissez-vous donc à Nous pour que Dieu bénisse, en même temps, et le pasteur et le troupeau et bénisse aussi les œuvres que l'intérêt de sa gloire et le bien de vos âmes reclament.

Déjà plusieurs prêtres y consacrent leurs sueurs et leurs travaux. Apôtres généreux, ils sont allés des premiers planter le drapeau de la foi sur ces terres nouvelles. Déjà de nombreuses missions se sont formées autour d'eux, et leur cœur se réjouit, en voyant ces enfants qu'ils ont engendrés ou soutenus dans la foi. Mais bientôt leur zèle ne pourra suffire à tous les besoins, car tous les jours des jeunes gens du Canada quittent leur familles et viennent s'établir sur ces terres que leurs sueurs ont déjà préparées. D'autres plus nombreux les suivront bientôt et y porteront, comme eux, leur foi, leur politesse et leur industrie. Nous les y accueillerons avec joie, et toujours Nous soutiendrons leur courage par des secours religieux. Depuis que, quittant Notre patrie, il Nous a été donné de ranimer la foi d'un peuple avide de Nous écouter, et que Nous avons trouvé dans le Clergé Canadien qui Nous a accueilli et Nous a si souvent convié à venir partager ses travaux, tant de politesse, d'aménité et de véritable zèle, le Canada est devenu Notre seconde patrie et Nous lui avons consacré tous Nos travaux: comment dès lors tout ce qui l'intéresse ne Nous intéresserait-il-pas? Nous seconderons donc de tous Nos efforts les prêtres déjà dévoués à cette œuvre de salut et accueillerons avec reconnaissance toutes heureuses inspirations qui contribueront au bien de vos âmes et à la prospérité de vos intérêts temporels.

Et vous aussi, généreux enfants de l'Irlande, comptez sur Notre appui et sur Notre tendre sollicitude. Votre nom a toujours résonné à Nos oreilles comme un nom d'une suave harmonie. Votre foi si ferme et si héroïque qui ne sait plier sous aucune tribulation votre ardent prosélytisme qui attire dans toutes les parties du globe où vos souffrances vous ont jetés, des enfants du catholicisme, votre générosité, qui au milieu de la pauvreté et de l'indigence, trouve encore l'obole qui élève des temples et des autels et soutient le prêtre, vous ont rendus depuis long-temps, chers à Notre cœur. Ces prêtres vous les trouverez sur ces terres où vous avez cherché un asile et où de nouveaux émigrants, trouveront comme vous un refuge, et quand il ne Nous sera pas donné de les former Nous les appellerons des terres éloignées.

Enfants du Canada et de l'Irlande que je nomme en particulier, mais qui ne formez cependant que la même famille puisque vous êtes catholiques, que jamais le moindre nuage n'affaiblisse cette charité mutuelle dont vos cœurs doivent être remplis!

N'êtes-vous pas frères? N'êtes-vous pas héritiers des mêmes promesses? Ne participez-vous pas à la même table? N'êtes-vous pas unis par les liens les plus forts, ceux de la Foi! Ne vous voit-on pas placés des premiers par votre courage, votre intrépidité, et votre attachement aux intérêts catholiques, parmi les peuples les plus dévoués aux intérêts de la Foi.

Etendez aussi ce même esprit de charité sur ceux qui ne sont pas catholiques comme vous; s'ils n'ont pas la même Foi que vous, ils sont citoyens de la même patrie, leurs sueurs fécondent la même terre, leurs enfants reçoivent quelquefois la même éducation. L'étendard de la Religion porte gravé l'olivier de la paix, puisse-t-il abriter toujours les enfants du même sol, et les réunir, un jour, tous dans la même Foi.

Gardez aussi, comme un dépôt sacré, ces vertus morales qui attirent les bénédictions de Dieu et la prospérité temporelle. La Providence vous confie une grande mission; votre nombre est encore petit, mais voilà que des terres les plus éloignées, arrivent tous les jours de nouveaux enfants. Si vous avez en horreur le vice de l'impureté, ils l'éviteront comme vous, si vous êtes religieux ils se feront gloire de marcher sur vos traces, si vous êtes tempérans ils fuiront aussi ces excès qui avilissent l'homme et dégradent le chrétien: et puisque, en ce moment, de si nobles efforts sont faits dans les diocèses qui avoisinent celui de Bytown, comment ne mettrions-nous pas tout en œuvre pour établir ou fortifier la Société de tempérance? le bien de vos âmes, celui de vos familles, votre fortune, votre bonheur présent comme votre bonheur à venir; le présent et l'avenir de tous ceux qui peupleront ces terres y est intéressé.

Nous Nous ferons un devoir de maintenir toutes les œuvres de zèle qui déjà, dans les diverses missions, ont reçu une heureuse impulsion, et Nous y établirons toutes celles que le bien de vos âmes réclamera. Pour accomplir cette œuvre ce n'est point sur Nos forces que Nous comptons, mais sur la grâce de notre Dieu, sur l'appui des prêtres qui travaillent déjà parmi vous avec zèle et dévouement, sur le secours de ceux qui Nous sont unis par les liens les plus doux. Vous connaissez leurs œuvres; plusieurs d'entre eux ont déjà travaillé dans la ville de Bytown, d'autres au milieu des bois où ils ont suivi les jeunes gens des chantiers, d'autres enfin jusqu'aux extrémités de cet immense diocèse pour chercher le pauvre sauvage qui demande un prêtre. Ces mêmes travaux Nous les ferons par eux, car Nous serons toujours heureux de penser que ces missions rudes et difficiles sont accomplies par des frères qui Nous édifient par leurs vertus et Nous rendent participants de leur mérites, et quand il Nous sera donné de les suivre, Nous Nous rappellerons avec bonheur que la pensée qui a encouragé Nos premiers pas dans le ministère apostolique a été le désir de courir au secours des âmes les plus abandonnées.

S: *Mandement d'entrée dans son diocèse, 1er Août 1848*. [Mandements, lettres pastorales et circulaires, 1848-1873], pp. 1-6.

Lettre pastorale à l'occasion de son départ pour l'Europe

Avant de partir pour l'Europe et d'aller Nous jeter aux pieds du Souverain Pontife, Nous sentons N. T. C. F., le besoin de vous faire connaître les grands motifs qui Nous déterminent à entreprendre ce long voyage.

Les premiers pasteurs de chaque diocèse comme les brebis qui leur sont confiées ont besoin de réchauffer de temps en temps leur zèle et leur ardeur pour les intérêts sacrés de la religion. Or est-il un seul lieu sur la terre où il leur soit donné de puiser avec plus d'avantage, la force et le courage qui leur sont nécessaires, que dans celui dans lequel ils peuvent vénérer le tombeau des apôtres et les cendres de ces âmes héroïques qui, après dix-huit siècles, redisent encore d'une manière éloquente, leurs travaux, leurs prédications et surtout leur mort glorieuse. Les premiers pasteurs ont aussi à porter aux pieds du Souverain Pontife la connaissance des sentiments qui animent les populations qui leur sont confiées et Nous sommes heureux d'avoir à lui porter Nous-même l'expression de la vénération et de l'amour des catholiques du Canada. Si les enfants qui sont autour de lui le méconnaissent, ceux qui sont éloignés compensent par leur amour et leur fidélité, l'injustice de ceux qu'il a comblés de bienfaits. Nous y allons pour dire au Pontife Suprême qu'il est pour nous dans l'exil aussi vénérable que lorsqu'il était sur le trône; ce qui nous attache à lui ce n'est ni l'éclat ni la gloire extérieure, mais les prérogatives dont Jésus-Christ l'a revêtu. Pierre au fond des prisons et Léon X au faîte de la gloire sont également les dépositaires de la puissance de Jésus-Christ, et cette puissance spirituelle et immortelle ne doit jamais périr.

Lorsqu'il n'y a pas encore deux ans le Pontife Pie IX après avoir été salué du nom de grand, de glorieux, et avoir vu des arcs de triomphe s'élever, des fleurs, des couronnes semées sur tous ses pas, sentit tout-à-coup son trône ébranlé et se vit forcer de quitter Rome sous un vêtement emprunté, les ennemis du catholicisme battirent des mains et s'écrièrent: le Pape est tombé, sa puissance temporelle est anéantie; et portant plus loin encore leurs prévisions, ils diront d'un air de triomphe: le catholicisme est tombé avec lui, et s'ensevelit dans le tombeau d'où il ne se relèvera plus. Lorsque l'hiver arrive et que l'arbre qui domine nos forêts se dépouille de ses fruits, de ses feuilles, l'insensé s'écrie aussi: cet arbre, le roi des forêts, est mort: mais que le printemps arrive, que le soleil le réchauffe et bientôt sa sève vivifiera tout, l'engourdissement lui a rendu sa force et sa première vigueur. La persécution loin d'affaiblir la puissance du Pontife, ne fera que l'épurer comme l'or dans la fournaise et la rendre plus forte. Une secte que l'erreur a enfantée rentre, à la vue seule du glaive qui brille ou de l'échafaud qui se dresse, dans le néant d'où la passion et l'intérêt l'avait fait sortir, mais pour le Chef de l'Eglise une nouvelle épreuve n'est qu'une épreuve de plus ajoutée à dix-huit siècles de combats et de triomphes.

Aussi combien de symptômes de vie et d'espérance semblent briller à l'horizon même pour assurer le pouvoir temporel du Souverain Pontife! Déjà les armées catholiques oubliant cet esprit de rivalité et de jalousie qui sépare les nations, se sont unies pour revendiquer à Rome les droits du Pontife et aussi, puis-je le dire, leurs propres droits, car qu'on ne cherche pas à vous faire illusion, N. T. C. F., ce n'est point comme on l'a répété souvent en mentant à l'évidence des faits, pour opprimer un peuple, pour le priver de ses droits que les catholiques du monde entier se sont ébranlés, mais c'est plutôt pour soutenir leurs propres droits inconnus et outragés. Qui a fait cette Rome où les monuments catholiques le disputent à ceux de l'ancienne Rome? Qui est-ce qui a élevé les temples, chefs-d'œuvre religieux qui couvrent son enceinte? Qui soutenait le Pontife et même donnait au souverain temporel le moyen de soutenir sa puissance et sa dignité? - N'était-ce pas les catholiques du monde entier, n'était-ce pas leurs dons, leurs offrandes qui découlaient sur Rome de toutes les parties du globe? N'était-ce pas la main triomphante et glorieuse d'un des héros du catholicisme qui avait, il y a plus de dix siècles, fixé la royauté entre les mains du Chef de l'Eglise et donné par là à Rome la puissance, la gloire et la durée, au moment où cette ville s'effaçait de la carte des nations; n'ont-ils donc pas le droit de vouloir leur chef suprême maître de ce qu'ils lui ont donné et dans une position indépendante? Le peuple de Rome, Nous le disons avec confiance, a droit comme tous les peuples à une sage liberté et peut aussi à juste titre réclamer de son souverain le bien-être, l'aisance et une sorte de félicité temporelle dont Dieu a mis le désir et l'espérance dans le cœur de ceux qu'il a placés sur la terre, mais les catholiques ont droit aussi à ce que leur Chef soit respecté et ne soit point à la merci d'une faction qui croit défendre les intérêts de la liberté par la persécution et qui se croit intelligente et forte parce qu'elle peut chasser des religieuses, piller des églises et emprisonner des prêtres.

Tout semble présager que le Souverain Pontife reprendra son siége à Rome, mais je le répète, lors même que l'ingratitude et l'injustice le lui arracheraient encore, n'oublions pas que notre foi et notre attachement au Chef suprême de l'Eglise doit s'élever au-dessus des trônes et des couronnes temporelles. Pierre dans les fers, les Pontifes des trois premiers siècles errant dans les catacombes, Pie VII trainé en exil et en prison pour ne pas correspondre aux volontés d'un monarque tout puissant, n'en sont pas moins les Chefs de l'Eglise, les représentants de Jésus-Christ, ni moins glorieux aux yeux des catholiques. On pourra encore chasser le Pontife de Rome, jeter sur ses épaules un manteau de pourpre et placer une couronne d'épines à la place de la tiare, il n'en sera que plus semblable à Jésus-Christ, plus digne de notre vénération et son autorité n'en sera pas moins puissante sur les cœurs, car le principe de l'obéissance est toujours le même, la soumission reste dès lors inébranlable.

Car, N. T. C. F., la puissance spirituelle dont le Saint Pontife est revêtu, ne vient-elle pas de Dieu? N'est-ce pas lui qui l'a donnée, non pas à l'homme, à son génie, à sa science, mais à sa qualité de Chef des catholiques? L'Eglise est un corps, il faut donc une tête, au navire le gouvernail est nécessaire, un troupeau réclame un pasteur pour le conduire, au royaume, un roi doit présider à ses destinées, un édifice comment subsisterait-il sans fondement? Jésus-Christ, il est vrai, est la pierre angulaire, le pasteur souverain, le roi immortel, à lui seul gloire, honneur dans tous les siècles, mais l'Eglise est une société visible, puisque c'est à elle que Jésus-Christ dit d'avoir recours pour juger les différends. *Quod si non audierit eos, dic Ecclesiæ, si autem Ecclesiam non audierit sit tibi sicut ethnicus et publicanus* (Matth. 18. 17). Pour la conduire il faut donc un chef qui, sous la direction du Chef invisible, préside à ses destinées. Aussi Jésus-Christ lui-même a-t-il choisi Pierre et ses successeurs pour ce glorieux ministère. *En vérité, en vérité, je vous le dis, vous êtes pierre et sur cette pierre je bâtirai mon église et les portes de l'enfer ne prévaudront point contre elle.* Dix-huit siècles ont passés, les puissances de la terre, les ennemis du catholicisme ont essayé d'ébranler cette pierre, mais leurs armes se sont brisées, celles de ceux qui viendront après s'useront de même, car jamais *les portes de l'enfer ne prévaudront contre elle* (Matth. 16. 18). Les jugements, les décrets qui émanent de la puissance de Pierre, ces décrets, ceux de ses successeurs doivent toujours être ratifiés dans le ciel. *A toi je donnerai les clefs du royaume du ciel, ce que tu lieras sur la terre sera lié dans le ciel, ce que tu délieras sur la terre sera délié dans le ciel.* Que les hommes cherchent à diminuer, à abaisser sa puissance, la promesse de Jésus-Christ restera toujours et désespérera leur malice....... Ce ne sera pas seulement les simples fidèles que Pierre sera chargé de conduire, ce sera les pasteurs eux-mêmes. Pierre trois fois a dit à Jésus-Christ qu'il l'aimait et Jésus-Christ lui a dit: *Pasce oves meas.* (Jean 21. 15). Il a pour mission de gouverner les pasteurs eux-mêmes, les prêtres, les évêques, les agneaux et les mères: pasteurs à l'égard des fidèles et brebis à l'égard du premier pasteur. Quel sera le motif de cette soumission et de cette dépendance, Jésus-Christ nous le dit encore: *Pierre voilà que Satan a tenté de te passer au crible comme le froment, mais j'ai prié pour que ta foi ne défaille point et lorsque tu seras relevé de ta chute, va confirmer tes frères.* Quand Jésus-Christ parle à Pierre, il lui parle comme au chef de cette Eglise qui toujours doit durer, qui toujours doit être présente, qui doit toujours voir sa doctrine inconnue, calomniée, mais contre laquelle les puissances de l'enfer ne prévaudront pas, le pouvoir dont Jésus-Christ a revêtu Pierre doit donc passer à ses successeurs et durer comme l'Eglise jusqu'à la fin des temps.

Voilà, N. T. C. F., le principe de votre soumission et de la Nôtre au Chef suprême, la prière de Jésus-Christ, ses promesses, sa puissance qui ne vient point de l'homme mais de Dieu et que les temps loin d'ébranler raffirment toujours.

Dès les premiers siècles, on en appelle au successeur de Pierre pour terminer les différends et calmer les orages qui s'élevaient autour de l'Eglise, les génies les plus élevés, les conciles formés des Evêques de toutes les parties du globe dont ils viennent attester la croyance, une multitude d'âmes généreuses qui ont versé leur sang pour la foi, s'accordent tous pour répéter: Pierre vit dans ses successeurs. Le siége de Rome ne peut être jugé par personne. Celui qui n'amasse pas avec le successeur de St. Pierre disperse, c'est le disciple de l'antéchrist (S. Jer. ep. 14). C'est Pierre et ses successeurs que Jésus-Christ a placés au sommet de l'arche (St. Athanase). Toujours le même cri d'amour et de vénération s'est fait entendre, et ceux qui ont contesté cette puissance ont été de suite retranchés de l'Eglise selon le conseil de Jésus-Christ: s'il n'écoute pas l'Eglise qu'il soit pour toi comme un paien et un publicain. C'est ainsi que dans tous les temps cette autorité du Chef de l'Eglise a été bénie, saluée, vénérée, mais ce qui doit frapper surtout tout esprit réfléchi c'est que loin de s'affaiblir le temps lui donne une nouvelle force. Fût-il jamais une époque où elle ait été si universellement reconnue que dans le siècle présent? Dans d'autres temps chaque nation semblait revendiquer quelque droit, quelque privilége, et en ce moment il n'y a pour tous les catholiques de toutes les nations qu'un seul droit, qu'un seul privilége de reconnu, c'est celui du Pontife Suprême. Je vous en parle en ce moment et tous les Evêques du Canada redisent la même chose à leurs peuples, les Evêques des Etats-Unis terminent leurs glorieuses assemblées en soumettant leurs décrets et le fruit de leurs veilles à son examen. L'Eglise de France libre des chaines qu'on avait couvertes d'or pour dissimuler par cet éclat la servitude qu'elles imposaient ne veut d'autre liberté que celle qui lui vient du Pontife. L'Irlande dont les blessures profondes semblent rendre la foi plus vive et plus éclatante en appelle sans cesse à ses décisions. L'Angleterre compte dans son sein déjà plusieurs Pontifes qui ne tiennent que de lui leur mission. L'Espagne, l'Italie, la Pologne, les églises d'Allemagne, d'Asie, celles qui s'élèvent dans les nouvelles iles épurées par les persécutions en essuyant leurs larmes et pansant leurs blessures portent leurs regards vers Rome et attendent de son Pontife le secours et la lumière. Ah! qu'elle est forte, qu'elle est puissante cette voix qui s'est élevée depuis dix-huit siècles de toutes les parties du globe et de toutes les poitrines catholiques! Quelques voix faibles, isolées et discordantes peuvent-elles en affaiblir la force et l'éclat? - Qu'il est brillant ce soleil dont le temps n'affaiblit point l'éclat et dont les flots de lumières inondent sans cesse ceux qui croient l'obscurcir en lançant la boue pour en affaiblir la clarté. Pour nous, N. T. C. F., soyons toujours fiers de marcher à sa lumière et de tenir fortement à cette mère de toutes les églises que les tempêtes pourront bien un moment ébranler, mais jamais ne renverseront, car elle a la parole de Jésus-Christ:

porta inferi non præevalebunt adversus eam.

Nous Nous estimons donc heureux, N. T. C. F., Nous le répétons avec confiance, en Nous rendant aux pieds du Pontife de pouvoir ajouter l'expression de votre amour à celui du monde entier, et de lui dire votre attachement et le mien au centre de l'unité catholique que la distance des lieux loin d'affaiblir semble rendre plus vif et plus ferme.

Pendant que durera Notre voyage Nous vous en conjurons, N. T. C. F., ne perdez pas de vue que c'est pour vous et pour les intérêts du diocèses que Nous l'avons entrepris. Gardez fidèlement les engagements que vous avez contractés dans les diverses associations où vous êtes entrés et qui sont l'âme de la piété. Maintenez la tempérance qui fait la force de l'homme et la consolation du chrétien. Que dans toutes les familles on adresse quelque prière pour Nous chaque jour, ainsi qu'aux réunions des diverses confréries. Pour Nous, N. T. C. F., Nous vous aurons présents partout, aux autels de l'Archiconfrérie de N. D. des Victoires, au sanctuaire de Lorette, aux tombeaux des apôtres et des martyrs, dans les églises où l'on garde précisément les cendres de ces vierges, de ces confesseurs qui sont les patrons des diverses églises du diocèse. Nous demanderons pour vous la foi, le zèle et les vertus qui font les vrais chrétiens. Nous solliciterons même pour vous les grâces temporelles qu'il entre dans les desseins de Dieu de vous accorder, afin que ces années de souffrances et de misères qui pèsent depuis si longtemps sur ce pays disparaissent et que des jours plus heureux se lèvent sur le Canada.

S: *ibid.*, pp. 29-37.

ÉLISABETH BRUYÈRE
(1818-1876)

Élisabeth Bruyère naît à l'Assomption [Québec] le 19 mars 1818. Le 18 novembre 1824, son père, Charles Bruguier, meurt et sa mère, Sophie Mercier, va s'installer à Montréal (1827?). Élisabeth étudie dans une école des Sœurs de la Congrégation de Notre-Dame. Le 10 janvier 1826, sa mère épouse Louis Êtu et le couple quitte Montréal pour demeurer à l'Assomption (1826-1831?), puis à Saint-Esprit (1831-1834?) et ensuite, sur une ferme de Rawdon [Québec] (1834-?). Élisabeth poursuit ses études en allant résider chez un cousin maternel, Charles-Thomas (ou François?) Caron, le curé de la paroisse de Saint-Esprit, qui se charge de son éducation. En 1834, elle enseigne à l'école du rang, et l'année suivante (1835), à l'école du village. En 1836 [?], l'abbé Caron, qui est maintenant curé de Saint-Vincent-de-Paul [près de Montréal], la fait venir pour enseigner dans sa paroisse; Élisabeth y demeure jusqu'en 1839. Le 4 juin de cette même année, elle entre dans la communauté des Sœurs de la Charité, dites Sœurs Grises; on la charge de l'éducation et du soin d'une quarantaine d'orphelines. Le 18 mai 1840, elle prend l'habit; le 31 mai 1841, elle fait profession. Le 5 février 1845, bien qu'elle ne soit âgée que de vingt-sept ans et ne compte que quatre années de profession, elle est choisie par les administratrices de sa communauté comme supérieure fondatrice de l'Hôpital Général de Bytown. Le 8 février, elle signe son acceptation; le 12, elle reçoit son obédience de la part de Mgr Ignace Bourget, évêque de Montréal. Le mercredi 19 février, elle part pour Bytown avec trois religieuses, une postulante, une aspirante et une fille de service, qui prennent place dans deux traîneaux sous la conduite du père Pierre-Antoine-Adrien Telmon, curé de Bytown depuis 1844. En arrivant à la rivière Gatineau, le groupe est surpris de voir qu'une soixantaine de voitures «chargées de monde» les attendent pour les escorter jusqu'à Bytown. À cinq heures moins quart, le jeudi 20 février 1845, les religieuses sont à Bytown. On les conduit à l'église pour un salut au Saint-Sacrement, puis au presbytère où viennent les saluer ceux qui les ont accompagnées à l'église. Le 3 mars suivant, les religieuses ouvrent leurs écoles française et anglaise. Le 10 mai, elles reçoivent leur premier patient dans leur hôtel-Dieu. En 1847-

1848, les religieuses soignent plus de 600 malades du typhus; environ 475 guérissent. En 1848, elles ouvrent un pensionnat à Saint-André [St Andrews West, près de Cornwall] et, le 1er septembre 1849, un pensionnat à Bytown. En Ontario, au Québec et dans l'état de New York, une vingtaine d'autres maisons seront ouvertes sous l'administration de Mère Bruyère, laquelle se prolongera jusqu'à son décès, à Ottawa, le 5 avril 1876. — Sur la vie de Mère Bruyère, on peut lire Sœur Paul-Émile (Louise Guay), *Mère Élisabeth Bruyère et son œuvre. Les Sœurs Grises de la croix*, tome 1: *Mouvement général, 1845-1876*, préface de Son Éminence le Cardinal Rodrigue Villeneuve, Ottawa, Maison-Mère [*sic*] des Sœurs Grises de la Croix, 1945, 409 p.; Émilien Lamirande, *Élisabeth Bruyère (1818-1876), fondatrice des Sœurs de la Charité d'Ottawa (Sœurs Grises)*, Montréal, Bellarmin, 1992, 802 p.

Les Archives générales des Sœurs de la Charité d'Ottawa possèdent plus de 1 600 lettres de Mère Élisabeth Bruyère. Selon son dernier biographe, «le tiers, environ, des lettres de Mère Bruyère qui ont été retracées sont adressées à des sœurs de sa congrégation, environ 240 à Mgr Guigues, plus de 200 à des Sœurs Grises de Montréal et environ 125 à des Oblats»; la correspondance conservée comprend aussi plus de 3 000 lettres qui concernent Mère Bruyère ou lui sont adressées. Depuis 1989, nous pouvons lire une partie des lettres d'Élisabeth Bruyère dans une édition scientifique que nous devons à l'universitaire Jeanne d'Arc Lortie, sœur de la Charité d'Ottawa. Ces lettres renseignent sur la vie quotidienne de femmes qui ont peiné durement pour fonder et maintenir des institutions sociales qui ont contribué à la vie de l'Église catholique et de la population de Bytown, puis d'Ottawa, à un moment difficile de l'histoire de la ville et de ses collectivités francophones et anglophones.

Nous avons emprunté les pièces qui suivent aux deux premiers volumes de *Lettres d'Élisabeth Bruyère*, présentées par Jeanne d'Arc Lortie, vol. 1: *1839-1849*, Montréal, Éditions Paulines, 1989, 523 p.; vol. 2: 1850-1856, 1992, 484 p. [Il est à souhaiter que sœur Lortie puisse continuer la publication, si bien entreprise, des lettres de Mère Bruyère.]

Lettre 18. [Aux Sœurs Grises de Montréal, à la Rivière-Rouge]

Hôpital Gén[éra]l de Bytown,
[le] 6 avril 1845

Mes très chères et bien-aimées Sœurs,

Je suis si contente de trouver le moyen de vous faire parvenir une lettre, j'ai tant de choses à vous dire, que je ne sais pas par quel article commencer. Il s'est passé tant de choses depuis votre départ que si moi-même je n'en avais été témoin, je croirais le monde renversé... Je suis persuadée que nos chères Sœurs de Mont[réa]l vous diront en détail, les événements les plus marquants; quant à moi, je me bornerai à parler de notre nouvel établissement. Comme on vous l'écrira, je ne devais pas avoir l'honneur de partager l'héritage de la terre promise de Bytown; au contraire, je n'en avais aucune idée, aucun désir, en un seul mot (comme me disait autrefois ma petite Sr Lafrance) j'étais trop lâche. Mais Ô Providence Divine! Voilà que, tout à coup, celle qui devait ce semble, soutenir, et assurer le succès de cette œuvre si bien commencée, la voilà, dis-je frappée et arrêtée par le Tout-Puissant, comme le fut autrefois l'Apôtre des Indes, au moment où il se flattait d'entrer dans la Chine. Cette bonne Mère Beaubien avait été choisie pour Sup[érieu]re. Mais le 11 janvier au matin, après la lecture du point de méditation, elle fut attaquée de paralysie dans tout le côté gauche, et depuis ce temps sa maladie n'a offert que des symptômes alarmants pour ses nouvelles filles (mes Srs Thibodeau, Charlebois et Rodriguez) et pour toute la com[munau]té qui la regrette sincèrement. - Trois semaines après ce terrible coup M[onsei]g[neu]r jugea à propos de faire procéder à une nouvelle élection. Sans autre explication (car il serait trop long de vous donner tous les détails) ma Sr Fréchette fut élue pour remplacer notre bonne Mère Beaubien. Mais la chère bonne Sœur avec sa prudence et sagesse ordinaire décida d'après les avis de ce qu'il y a de plus respectable dans le clergé régulier que le bon Dieu ne l'appelait pas à la fondation de Bytown et refusa humblement. Au reste, elle ne perd pas courage et espère aller fonder quand ce sera du côté du Sud. En attendant, elle fonde à la place que ma bien chère Sr Valade lui a assignée: *Auprès de la commode.* -

Vous pensez bien quel fut l'embarras des conseillères, pour choisir une autre sup[érieu]re. Personne n'aimait à s'offrir pour remplir cette place, excepté ma Sr Deschamps. S'il y avait eu une Sœur pour la remplacer je pense qu'elle y serait allée. Le 2 février notre Mère me demanda si je ne voudrais pas me sacrifier pour quelque temps, pour aider nos Sœurs de Bytown, Je répondis qu[e] oui pourvu que j'y fusse comme simple Sœur et qu'on s'obligeât de me rappeler au terme expiré. Le Conseil me nomma sup[érieu]re le 5 du susdit mois, et après mille et mille souffrances intérieures j'acceptai le 8 du courant du même mois pour trois ans. Toutes nos jeunes Sœurs étaient dans la plus grande surprise car deux ou trois seulement se doutaient que ce fut moi. Le R.P. Telmon, curé de Bytown s'empressa de nous venir chercher et le départ fut fixé au 18 février. Le 15 nous fûmes communier à l'autel de l'Archiconfrérie et nous reçûmes les mêmes honneurs que vous y reçûtes vous-même. Le R.P. Telmon qui s'était empressé de venir nous chercher, y prêcha un sermon des plus touchants. Il fit un portrait attendrissant de la misère spirituelle et corporelle des pauvres de Bytown. Il raconta que depuis dix mois il invoquait Marie à son autel pour avoir quelques pauvres Sœurs Grises et que les ayant obtenues, il venait la remercier et la prier de nous prendre sous sa protection. Ce Rév[éren]d Père remercia aussi les citoyens de Montréal de la générosité qu'ils nous ont montrée en nous fournissant les moyens de faire un bazar et en nous gratifiant de beaucoup d'aumônes. Rien ne fut oublié dans ce discours. Ce R. Père s'en acquitta en bon Français. Après le sermon il vint avec un cierge allumé, faire un acte de consécration de nos personnes à la très Sainte Vierge. Il composait lui-même ce qu'il disait. Toutes les personnes qui remplissaient l'église ne pouvaient s'empêcher de pleurer tant étaient touchantes ses expressions. Après la cérémonie nous fûmes prendre le déjeuner chez M[a]d[am]e Gamelin, ensuite nous allâmes visiter toutes les Communautés commençant par les Sœurs du Bon-Pasteur. Nous étions accompagnées de notre Mère seulement et d'une postulante pour le noviciat de Bytown. Son nom est Devlin, dite Sr St-Patrice, en l'honneur de Mgr Phelan. Marie Jones était aussi à la messe avec Josephte Végnier vu que nous les amenions avec nous. Au jour indiqué, 19 février, nous montâmes dans deux stages pour y faire le trajet. Je ne vous parle pas de notre séparation, de nos adieux. Vous connaissez mieux que personne ce qu'il en coûte pour se séparer, et du déchirement de cœur que l'on ressent à en parler. Nous arrivâmes le 20 à Bytown, après avoir marché toute la nuit. Nous y avons reçu plus d'honneur que nous n'en désirions. Nous avons été très bien logées au presbytère du R.P. Telmon, jusqu'au 10 mars, après lequel nous avons pris possession du couvent provisoire. Nous avons commencé les écoles françaises et anglaises le trois du même mois avec cent enfants; maintenant nous en avons 114. C'est maintenant que je puis dire à ma Sr Lafrance que mes petites filles sont aussi bonnes que les siennes. Quoique dans un pays civilisé, les enfants sont plongés dans une ignorance complète de la doctrine chrétienne; nous avons beaucoup de peine à les instruire; mais le bon Dieu nous dédommage bien de nos peines car les enfants nous montrent les meilleures dispositions. Elles écoutent avec respect nos instructions et s'empressent de les mettre en pratique. La vanité est ici à son comble; toutes les femmes et les filles vont nu-cou, ou n'ont qu'une légère mousseline pour se couvrir. Eh bien! maintenant nos écolières sont des modèles de modestie et de piété dans l'église. Presque toutes nos enfants avaient un jardin de fleurs artificielles, autour du visage; après que nous leur avons fait connaître le ridicule de ces fades parures, elles ont toutes apporté leurs jolies fleurs musquées pour en faire don à l'autel de la très Sainte Vierge. Les pauvres surtout sont ravis de joie de nous voir les visiter avec intérêt. Hier, cinq du courant, ma Sr St-Joseph (autrefois Sr Charlebois) est allée demander quelque service au mari d'une bonne femme de la ville. Eh bien! tant cette dame était contente, elle ne se possédait pas de joie, et n'était pas assez maîtresse d'elle-même pour se contenir. Nous soignons les jeunes gens des chantiers qui sont par mille dans les environs; en même temps que nous soignons leurs corps nous avons le bonheur de les faire confesser, et nous leur procurons par là la guérison spirituelle, mille fois plus précieuse que la corporelle. Les femmes des plus honnêtes citoyens nous demandent comme une grâce que nous leur fassions l'école du soir; malheureusement nous n'avons pas le temps de nous charger de cette bonne œuvre... Priez, mes bonnes Sœurs, pour nous autres; nous ne vous oublions pas aux litanies de la D[ivine] Providence et tous les soirs après la prière, comme à Montréal, nous disons le *Souvenez-vous* pour vous autres.

Je voudrais bien écrire à chacune de vous, mais mes occupations ne me le permettent pas; recevez ma bonne volonté, et croyez à la sincérité des sentiments de respectueuse affection que j'ai pour vous toutes. Oui, mes biens bonnes et chères Sœurs, je vous aime et vous chéris tendrement, et je sens pour vous un attachement que je ne puis définir.

Les Sœurs de Bytown, après la maladie de ma Sr Assistante, et avant ma nomination, ont fait une pétition qu'elles ont présentée au Conseil pour demander une plus grande union que celle qui existe actuellement. Je ne puis vous donner tous les détails; mais comme Monseigneur de Montréal a cela entre les mains, et qu'on prendra du temps pour en délibérer mûrement, si vous vous sentez portées à en faire autant, vous pourriez en écrire à Monseigneur ou à notre Mère. Je pense que nous obtiendrons l'union sur le modèle de St-Sulpice. Monseigneur m'a écrit et me dit de prier et de faire prier à ce sujet, et (que nous le gagnerons et puis bien d'autres choses) ce sont ses expressions.

Mgr Provencher est pour vous un bon Père, vous en faites beaucoup de louanges, et je suis persuadée qu'il le mérite. Tout ce que vous dites de bon de votre Père, nous le disons du nôtre; le R.P. Telmon est un second Père Sattin, c'est tout dire; il partage avec nous tout ce qu'il a et oublie ses propres intérêts pour s'occuper des nôtres. Nous sommes logées très petitement, et nous avons les moyens de pratiquer la sainte pauvreté; cependant nous faisons très peu de chose en comparaison de vous autres... Plusieurs personnes respectables s'intéressent à nous et nous procurent le nécessaire. Mgr Phelan nous aime comme ses enfants et prend soin de nous en vrai père.

Ma Sr Ste-Croix m'a écrit; elle a eu la bonté de me dire quelque chose de vos lettres, qu'elles ont reçues ces jours derniers. Rien ne m'a tant touchée, ainsi que mes compagnes. Nous avons pris de fortes résolutions de ne plus nous ennuyer et d'être aussi régulières que vous autres; afin de persévérer je réclame de nouveau le secours de vos s[ain]tes prières, puisque l'union fait la force. Votre assistance nous sera d'un grand secours auprès de Dieu. Je vous embrasse toutes quatre, dans les S[acré]s-C[œurs] de Jésus et de Marie, aussi tendrement et aussi affectueusement que possible; mes chères compagnes s'unissent à moi. Elles voudraient bien vous écrire mais elles n'ont pas le temps; les écoles, le soin des malades à domicile absorbent tous nos moments, pour faire notre ouvrage nous travaillons la nuit. Adieu, Adieu bonnes Sœurs Valade, Lagrave, St-Joseph et Lafrance. Adieu... Mes profonds respects, s'il vous plaît, à votre saint Père et Seigneur, et à tous vos dignes missionnaires. Les petites images ci-incluses nous ont été données par notre Père Quiblier. Je pense que vous les prendrez sans répugnance.

Nous avons une petite, petite chapelle; quand le prêtre est à l'autel, il reste assez de place derrière lui pour faire la révérence, puis c'est tout. Nous avons la Ste Messe tous les jeudis en attendant qu'il y ait assez de Pères à Bytown pour la dire tous les jours.

Marie Jones a pris l'habit de postulante le dix mars dernier; elle porte le nom de Sr St-Pierre en considération du R.P. Telmon qui porte ce nom.

Bon soir il s'en va neuf heures, il me faut aller dans notre petit dortoir où les lits sont si serrés, qu'on ne peut pas passer entre; mais on monte par le pied. Encore une fois, adieu.

Votre indigne mais toute dévouée Sœur,

Sr Bruyère

S: *Lettres d'Élisabeth Bruyère*, présentées par Jeanne d'Arc Lortie, vol. 1: *1839-1849*, pp. 115-122.

Lettre 26. [À Mère Elizabeth McMullen, Supérieure de l'Hôpital Général des Sœurs Grises, à Montréal]

Hôpital Général de Bytown,
[le] 26 mai 1845

Ma très chère Mère,

Nous avons reçu avec un sensible plaisir toutes les lettres que nos chères bonnes Sœurs ont eu la charité de nous écrire, mais à ma grande mortification, il m'est impossible de répondre cette fois-ci à leurs tendres et affectueux souvenirs; ce sera pour la prochaine occasion. Veuillez me permettre de remercier ici, en général, toutes les chères Sœurs qui s'acquittent avec tant de zèle et de charité, des commissions multiples, que nous ne cessons de vous envoyer, il semble que je devrais commencer par vous remercier, ma bonne Mère, mais je crois que vous regarderez ces remerciements comme faits à vous-même, puisque rien ne se fait que par votre permission... Au reste, je vous prie de croire que nous vous sommes toutes très reconnaissantes...

Nous sommes entrées en retraite le 17 courant et sorties le 24. Nous avons bien pensé aux retraites et retraitantes de Montréal... Je n'aime pas en dire plus long là-dessus, car ça me brise le cœur. Si je ne vous dépeins pas mes ennuis, non plus que les sentiments qui agitent sans cesse mon pauvre cœur, c'est que je puis en venir là sans verser des torrents de larmes, ce qui afflige sensiblement mes bonnes compagnes; pour leur épargner ce surcroît d'affliction (car nous en avons assez d'autres) je me raidis contre moi-même à force de me faire violence je me contiens assez bien; elles s'en aperçoivent pourtant quelquefois... Nous avons eu 5 sermons durant notre retraite, les deux premiers étaient doux comme du miel et je commençais à croire que notre nouveau Père nous voulait trop ménager, mais je n'ai pas été longtemps dans cette erreur; il nous en a donné trois qui ne coûtaient qu'à prendre, sur la charité, l'obéissance et les rapports extérieurs avec le prochain, et puis un sixième sur l'union avec Dieu. Il nous a branché plus que je ne m'y attendais. Cependant il a fait comme notre cher Père Larré, il nous a donné des moyens de pratiquer avec joie et amour, les sublimes vertus qu'il nous prêchait.

Le temps de notre retraite a été un temps de deuil pour nos malades; à toutes les heures et demi-heures du jour nous entendions sonner la cloche, pour nous demander; tous s'en retournaient peinés de n'avoir pu voir la grande Sœur, c'est ainsi qu'on appelle ma Sr Thibodeau. Notre Père comme les autres s'est mêlé de nous déranger quoiqu'il eut strictement ordonné de laisser de côté tout soin temporel pour ne penser qu'à nous-mêmes. Le second jour de notre retraite on est venu lui apporter un jeune mulâtre de 15 ans de Laprairie, lequel s'était laissé tomber un gros mât et une barre de fer sur le cou et l'estomac, en voyageant sur les b[a]rges. Ce pauvre enfant était dans le délire, rendant le sang par le nez et les oreilles, sans argent et sans ami. Notre Père lui administra le sacrement de l'extrême-onction, et pour ne pas nous déranger, il le confia aux soins d'une pauvre famille qui le fit coucher sur une si étroite paillasse qu'il n'y avait que la tête et les épaules dessus. Vous pensez bien que le bon cœur de notre Père souffrait terriblement à la vue de tant de misère; il se détermina donc de venir consulter ma Sr Thibo[deau] pendant la récréation du soir; elle prescrivit ce qu'il fallait faire et ce fut nos Sœurs Rivet et St-Pierre accompagnées de notre Père qui furent administrer les remèdes au malade. Oh! ma Mère c'était touchant!!... Il était plus de huit heures et demie du soir quand elles furent de retour; elles vinrent me prier de recevoir ce pauvre homme dans l'hôpital, qu'elles en auraient bien soin et que l'école n'en souffrirait pas. Je leur dis d'aller chercher ce pauvre misérable; elles ne se le firent pas dire deux fois, elles préparèrent en un instant le lit pour le malade; la couchette était au grenier, démontée, point de paillasse emplie, mais c'était joli de voir ces bonnes enfants s'empresser de voler au secours de ce pauvre, l'une descendait la couchette, l'autre etc., etc. Adeline voulait absolument lui donner son oreiller (cette fille est un trésor pour nous sous tous les rapports, ainsi je ne puis assez vous remercier), donc le jeune homme fut admis dans l'hôpital le soir même, au grand contentement du bon P. Telmon; pendant le temps que dura notre retraite nous allâmes chacune notre tour visiter le malade pendant nos récréations. Ce pauvre jeune homme jurait, tempêtait dans son délire et quand nous étions avec lui il était calme et disait qu'il se sentait plus patient que quand nous n'y étions pas; il nous demandait toujours, il nous appelait ses mères et baisait nos mains. Il a eu le bonheur de retrouver son bon sens, d'être administré (je vous ai dit plus haut qu'il l'avait été mais je me suis trompée il ne s'était que confessé) il a demandé au sortir de son délire d'être reçu du s[ain]t scapulaire, et il nommait la Sainte Vierge la bonne Mère; dans le moment que je vous écris, il est à l'agonie, et ne verra probablement pas la journée de demain.

Nous avons une vieille de quatre-vingts ans passés, elle a encore son vieux qu'elle aime beaucoup, il lui en coûte d'en être séparée. Tout le temps que nos avons mis à l'épouiller, son vieux a été obligé de demeurer dans l'appartement voisin du sien; cette bonne vieille est en enfance et à chaque instant elle criait: Mon vieux es-tu là? — Oui ma vieille. La vieille est un peu sourde et le vieux aussi; quand la vieille n'entendait pas le cri du vieux, elle criait de toutes ses forces: Jacco, es-tu là, Ô mon vieux, Oh!... Tiens-toi donc tranquille ma vieille, s'écriait à son tour le vieux, et puis pour faire répondre le vieux il fallait l'en avertir, en lui criant dans les oreilles. C'était vraiment comique à voir. Quand notre vieille se vit nette, ce qu'il ne lui est pas arrivé depuis très longtemps et qu'on lui eut mis un bonnet d'Adeline, elle ne se possédait pas de joie, elle nous baisait chacune notre tour et disait: c'est pour le coup que mon vieux va me trouver jolie. Nous avons beaucoup ri avec notre chère vieille et son vieux; elle est parfois un peu méchante et nous donne joliment de la peine mais aussitôt ses saillies passées elle est bonne comme un agneau.

Nous avons eu un petit nègre pendant quinze jours, il était atteint d'une maladie propre aux Nègres (mal de Nègres). Le docteur lui a conseillé d'aller à Montréal se faire soigner à l'Hôpital anglais car, disait le D[octeu]r à ma Sr Thi[bodeau], vous ne pourrez le guérir avant deux ans, et vous n'avez pas le moyen de le garder; le pauvre enfant ne s'est pas fait prier, mais il avait du chagrin de partir et il nous faisait pitié; il nous a remerciées avec affection et disait qu'il se souviendrait partout des Sœurs Grises de Bytown, que sa propre mère ne lui en aurait pas plus fait, et que quand il serait guéri il viendrait nous voir. Le Docteur lui avait ordonné la diète et le pauvre enfant s'ennuyait de ne point manger (car il était friand et mangeait beaucoup); il était laid à faire peur et quand il était seul, il passait sa jolie figure par la fenêtre et appelait la première femme qui passait «Aye! Madame, voulez-vous m'apporter un morceau de pain avec du fromage et puis un petit morceau de sucre, j'aime bien cela». Tous les enfants se rassemblaient autour de la maison et chacun apportait son morceau, et mon nègre faisait bonne chère et il disait à ma Sœur Thi[bodeau] qu'il n'avait presque rien pris. Nous avons bien ri quand nous avons su cette histoire; nous l'avons un peu grondé et il n'y a plus retourné. Le Docteur protestant est toujours dans l'admiration quand il voit ma Sr T[hibodeau] soigner les plaies, approcher des malades quand ils ont de l'odeur; il voudrait tout faire pour elle quand il se trouve avec elle dans l'hôpital; il s'intéresse beaucoup à nous, il a averti l'Apothicaire de Bytown de nous vendre les remèdes à très bon marché et il nous fournit lui-même plusieurs choses pour rien. Aujourd'hui notre Père a vu un Capitaine protestant qui lui a dit qu'il fallait encourager notre hôpital et notre école, que nous avions droit de toucher du Gouvernement une allouance de 9/ [shillings] chaque enfant; nous en avons cent quarante; si la chose est vraie, cela nous ferait une jolie somme.

Aujourd'hui aussi, un riche protestant a trouvé sur sa terre un enfant de deux ans, au milieu de ses champs avec les cochons et les vaches; ce M[onsieu]r a demandé à Mr Bareille, de nous demander de recevoir ce misérable enfant dont le père est protestant, la mère catholique, laquelle est partie avec un mé-chant homme pour les États. Mr B[areille] lui a dit que nous n'avions pas le moyen de nous charger de cet enfant, mais notre Père lui a fait dire de nous l'envoyer, qu'il n'avait pas le temps de me venir consulter mais qu'il savait très bien que nous partagerions notre pain avec cet orphelin. Ainsi nous l'attendons demain, 27 mai. Je crois que nous pouvons nous charger de cet enfant car la providence ne se fait pas attendre, à mesure que nous multiplions nos bonnes œuvres, le bon Dieu multiplie les aumônes. C'est une chose remarquable, particulièrement quand nous recevons un pauvre. Le jour que nous avons reçu Pierre Éthier, une dame a donné à Sr St-Patrice, 5 piastres en argent, un cochon et tout le terrain nécessaire pour agrandir l'école; le même jour une Irlandaise apporta des œufs, du savon; un autre, etc. etc. Je n'en finirais jamais si j'entreprenais de vous faire tous les détails.

Notre Père a établi une association de Dames de Charité; nous ne nous en mêlons pas plus que si elle n'existait pas. Mme Aumond est sup[érieu]re, Mme Bareille assistante, et Mme Massé trésorière. Toutes les Dames canadiennes se rassembleront vendredi prochain, jour du Sacré-Cœur pour que notre Père leur explique ce que c'est que cette association. Les Dames sont partout des dames, vous pouvez penser qu'il en coûte à notre Père de la peine et fatigue, mais il a le don de notre Père Supérieur, il se fait aimer et respecter des dames, il finit par tout obtenir. Les Dames protestantes veulent bien contribuer entr'elles à nous faire passer des aumônes, mais elles ne veulent pas se mêler avec toutes les Dames canadiennes, elles sont trop grandes dames.

Notre Père se donne mille peines pour nous; pendant notre retraite tout en pensant au spirituel, il a marché deux jours avec le P. Dandurand pour nous acheter du bois pour bâtir une allonge de quarante pi[eds] sur trente et agrandir l'école qui est beaucoup trop petite. Il en a eu beaucoup de présents surtout de la part des protestants. Le Mr McKay de Sr St-Joseph en a donné beaucoup. Les ouvriers ont fait une assemblée entr'eux pour nous bâtir eux-mêmes pour rien; ils sont tous bien portés pour nous. Ceux qui n'ont pas d'enfants à nous envoyer pour l'école, disent qu'ils seront bien heureux d'être assistés de nous dans leurs maladies, comme cela tous veulent contribuer. Que nos chères Sœurs n'aient aucune peine de nous voir faire l'école; c'était le moyen nécessaire dont Dieu voulait se servir pour nous faire pénétrer dans Bytown. C'est avec les secours que nous procure l'école que nous avons pu commencer l'hôpital et c'est par le moyen des enfants que nous nous faisons aimer des parents, et que nous faisons le bien. Si nous étions pour nous seules nous aurions pu faire quelques épargnes, mais le *point sublime de notre sainte Règle, d'entretenir et de nourrir autant de pauvres que serons capables,* nous absorbe tout et nous en sommes contentes, et par la miséricorde de Dieu, notre hôpital dans peu de temps sera sur un aussi bon pied que nos écoles; le commencement est petit, misérable et coûteux à celles qui sont accoutumées de soigner les pauvres dans l'abondance, mais l'avenir se montre sous un aspect encourageant; il y aura beaucoup de peine, je le conçois et nous n'atteindrons pas le but de nos désirs sans payer un grand tribut; mais quelqu'il soit, tout passe et nous nous en consolons dans la pensée que nous n'avons pas affaire à un Maître ingrat et impitoyable, au contraire...

J'ai la tête si remplie que j'ai omis de vous parler plus tôt de cette chère Sr Hainault; je n'ai pas besoin de vous dire si nous avons été peinées en apprenant la nouvelle de sa mort, qui nous a toujours surpris[es] quoique nous nous y attendions. Nous avons envoyé à la sacristie une copie de la recommandation que vous nous avez envoyée et nous en avons mis une dans notre chapelle. Nous avons fait la communion pour Monsieur Garnier et pour la bonne maman de notre cher Père Larré; ma bonne Mère et je vous prie de ne pas laisser voir cette lettre à notre bon Père car il aura droit de penser que je fais comme le pharisien...

2 juin

J'ai été obligé de cesser d'écrire à cause de la fatigue. J'avais commencé ma lettre un jour que j'avais pris médecine, et les occupations que j'ai eues depuis m'ont empêchée de continuer mon triste et ennuyeux griffonnage. Je ne sais où j'ai la tête de vous écrire si longuement, vous dont le temps est si précieux ainsi que le mien, car nous avons beaucoup de fatigues et d'ouvrages qui nous occupent sans cesse. Les malades surtout nous donnent matière d'exercer notre zèle et notre patience... L'enfant dont je vous ai parlé ci-devant est arrivé vendredi dernier, jour du Sacré Cœur. C'est une jolie et charmante petite fille qui nous désennuie beaucoup dans nos moments de loisir. C'est notre Père qui nous l'a apportée, nous lui avons dit qu'il ressemblait à s[ain]t Vincent de Paul. Le P. Brunet est un second Mr Aoutin, très charitable et aussi zélé. Il court après les jeunes gens des chantiers comme le Bon Pasteur après les brebis perdues, et quand il en rencontre de blessées ou estropiées, il les appelle ses chers enfants et il nous les amène lui-même pour que nous les pansions et que nous les soignions. Si notre Père n'y mettait obstacle, il nous amènerait tous les misérables et les gueux de la ville.

Les Dames se sont assemblées jeudi dernier et hier au soir, pour l'association de Charité. Les Dames protestantes se sont jointes aux Canadiennes malgré l'opposition de certaines petites Dames. Le P. Dandurand parlait anglais aux Dames protestantes, il leur contait des histoires et leur parlait d'une manière gaie en sorte que les Dames avaient beaucoup de plaisir, et les

Canadiennes, pour avoir eu le R. P. Telmon n'y ont rien perdu de ce côté-là, de sorte que les choses ont très bien été; il y a une présidente et une trésorière parmi les Dames protestantes mais tout doit revenir entre les mains des principales présidente et trésorière Mesdames Aumond et Massé. Toutes les rues et quartiers de la ville sont divisés entre les Dames. Dans la Haute Ville une Dame protestante avec une catholique pour faire la quête tous les mois; les Dames catholiques feront la visite des malades, s'informeront de la conduite des pauvres pour savoir s'ils méritent d'être assistés ou non, et elles feront la quête dans les quartiers qui leur sont assignés. Les Dames protestantes ont demandé d'être exemptes de visiter les malades, ce qui leur a été accordé sans peine, pourvu que nous ayons leurs aumônes. C'est la dame d'un avocat qui est présidente parmi les protestantes. Il y a une maison proche du couvent appartenant à un *sellier* qui n'a qu'un enfant, là sera le dépôt des hardes que les Dames ramasseront. Les couturières se rassembleront dans cette maison pour coudre les hardes des pauvres sous la direction des Sœurs; il y a une présidente parmi les couturières pour les rassembler quand il en sera temps et les faire travailler sous la direction des Sœurs. L'argent des quêtes sera remis aux Sœurs par la première trésorière pour être employé comme nous le jugerons à propos. Les femmes qui ne peuvent nous donner de l'argent pour aumône nous ont offert leurs services pour l'hôpital; plusieurs sont venues veiller les malades, ce qui nous rend beaucoup service, d'autres nous ont demandé de la couture. J'ai donné tous les morceaux d'indienne que nous avions pour en faire des couvre-pieds pour l'hôpital. À propos de couvre-pieds, je me recommande aux charités de nos chères Sœurs pour des morceaux d'indienne, quand ce serait du vieux c'est tout de même; nous n'avons que des couvertes blanches pour couvrir les lits...

Notre jeune Irlandaise [Mary Meloney] décline tous les jours, nous la gardons dans le couvent parce que nous sommes plus à même de lui rendre les services que requiert sa triste situation. Le mulâtre dont je vous ai parlé au commencement de ma lettre n'est pas mort et le D[octeu]r ne sait qu'en dire peut-être en reviendra-t-il...

Mr Burke protestant, notre voisin, lequel a deux enfants à notre école et plusieurs nièces, a offert au R. P. Telmon de nous donner à soigner les émigrés malades, qu'il est en possession d'une somme d'argent, donnée par le gouvernement pour cela avec cette condition, *de prendre le meilleur marché possible.* Il est possesseur de quatre lits qu'il nous remettra si nous nous chargeons de cette œuvre, il n'y a encore rien de décidé; je vous prie de me faire dire ce que je pourrais demander pour chaque malade, ou plutôt venez ma chère Mère vous-même, que vous nous rendriez service! Si vous voyiez comme je suis empêtrée, vous vous hâteriez de venir à notre secours. Je gâte tout ici et il ne faut rien moins qu'une main très habile pour manier les affaires de Bytown, et c'est ce dont je suis dépourvue; il est vrai que notre Père nous est d'un grand secours, je ne fais rien sans ses conseils, dans ce qui est de son ressort; mais il y a beaucoup de choses pour lesquelles il me faut les conseils d'une mère. Ainsi si vous ne voulez pas que je ternisse à jamais le nom des Sœurs Grises, il faut bien vous dépêcher de venir mettre l'ordre ici. Quel moyen donc employer pour vous faire venir? Oh! si vous saviez avec quelle ardeur je vous désire et mes chères compagnes la même chose!...

Nous avons reçu aujourd'hui 7 écolières nouvelles dont cinq payent une piastre par mois et trois d'elles sont protestantes. Les protestants commencent à nous envoyer leurs enfants. Ma Sr St-Patrice s'acquitte de son école au grand contentement de ma Sr Rodriguez. Cette dernière est très aimée des enfants; depuis quinze jours qu'elle n'a pu assister à l'école, toutes les petites Anglaises et Irlandaises lui ont écrit chacune une lettre pour lui témoigner leur amitié pour elle et leur ennui. J'espère qu'elle ne sera pas longtemps sans retourner à l'école ang[lai]se car elle a beaucoup de mieux et elle a hâte de reprendre sa besogne...

Ma Sr St-Patrice est chanceuse pour les présents en cochons, c'est le cinquième qu'elle reçoit; samedi dernier elle en reçu un d'un Irlandais qui avait entendu dire qu'elle recevait les cochons avec plaisir. Sr St-Pierre reçoit des poules mais rarement autre chose, au lieu que Sr St-Patrice reçoit plusieurs fois par semaine du beurre, des œufs, du lait etc. etc. Elle a reçu aussi des habillements pour notre petite fille; le premier jour que nous avons reçu cette dernière, plusieurs personnes sont venues la voir et comme elle était nu-pieds, les unes lui achetaient des bas et souliers, les autres lui donnaient des robes, jupons, tabliers, bonnets etc. etc. Ma Sr St-Joseph passe pour une fameuse jardinière. Elle passe aussi pour une fille qui s'entend bien dans les affaires; rien d'aussi drôles que les compliments... Je n'en finirais pas si je vous contais tous les tours de finesse qu'elle joue aux personnes à qui elle a affaire; et vous ririez beaucoup...

Notre Père se fait attraper quelquefois, mais il en rit toujours, il nous dit quelquefois que si toutes les Sœurs Grises de Montréal nous ressemblent il en a une triste idée; qu'il voit bien que la Mère McMullen l'a attrapé, car elle nous vantait comme de la bonne marchandise, et puisque nous ne valons rien, ainsi vous voyez ma chère Mère que vous avez besoin de venir réparer votre renommée car nous l'avons un peu ternie...

Le P. Dandurand a été faire la mission dans une congrégation éloignée de 8 milles de By[town]. Les Irlandais du lieu lui ont montré des oies, des dindes et des poules qu'ils engraissent pour nous les apporter cet automne. Plusieurs de ces personnes viennent à la messe à By[town] exprès pour nous voir, et ils désignent Sr St-Pierre sous le nom de vieille Sœur parce qu'ils la voyent toujours devant avec les enfants. Pour nouvelle extraordinaire j'ai à vous apprendre que Mademoiselle Hagan entrera au noviciat de By[town] cette semaine, c'est une jeune fille de 16 ans aussi bien prise que Sr Normand, d'un bon et charmant caractère, d'une bonne famille et de plus très instruite en anglais; elle parle le français comme ma Sr St-Patrice et lit assez bien en français; elle est à notre école depuis deux mois. C'est la fille du P. Dand[urand] vous devez avoir entendu parler de sa délicatesse de conscience... Eh bien! je vous assure qu'il fallait qu'elle eut une bonne vocation pour persévérer dans son désir, car le petit Père a employé le vert et le sec pour l'éprouver; il désirait lui-même que nous l'eussions pour postulante, et je crois que nous la devons à ses prières car il n'y avait aucune apparence que nous dussions l'avoir un jour. Je priais et je faisais prier pour elle, et je n'avais rien qui me fit espérer son entrée. Le P. D[andurand] le savait et il ne voulait pas me le dire. C'est lui-même qui a demandé son entrée, et vous pouvez penser ma chère Mère si nous avons été contentes. Elle n'est pas riche mais son instruction y supplée; elle a acheté tout ce que nous lui avons demandé; elle donnera deux piastres de pension par mois et dix-sept louis à sa profession si elle persévère. Les parents n'ont su qu'elle voulait se faire religieuse que le jour que nous lui avons envoyé sa réponse; ils ont été très peinés mais ils sont fervents chrétiens et maintenant ils en bénissent le Seigneur. Son frère qui a déjà porté nos lettres chez nous à Montréal est bien fâché, il lui a dit qu'il achèterait un habillement de soie pour sa sœur et qu'elle n'aurait rien; elle lui a répondu qu'on ne portait pas de soie chez les Sœurs Grises; en voilà bien assez ma chère Mère pour vous ennuyer, pardonnez-moi je vous prie, mais en grâce ne montrez cette lettre ou plutôt ce contrat à personne. Mon amour-propre a été assez piqué d'apprendre que mes lettres s'étaient promenées; j'aurais pourtant dû m'y attendre, mais je n'y pensais pas. Si vous voulez ne plus recevoir de lettres de moi, vous n'avez qu'à les montrer, mais je vous avoue que je serai plus punie que vous, car je m'ennuie beaucoup quand je suis plusieurs jours sans vous écrire.

Je vous remercie infiniment pour le contenu de la lettre de Sr Ste-Croix à Sr Thibodeau. Cette bonne Sœur paye cher la réputation célèbre qu'elle s'est acquise, dans Bytown, de guérir de tous maux; à part de ses exercices elle n'a pas un moment de loisir. Un Monsieur surtout lui donne du trouble, elle est obligée de le visiter plusieurs fois par jour, pour le faire manger et lui faire prendre des remèdes; il ne veut plus voir le Docteur, ce dernier cependant continue de le visiter comme ami, il prescrit les remèdes à ma Sr Thi[bodeau] et celle-ci lui fait prendre. Toutes les personnes qui vont voir ce malade sont surpris de voir l'indifférente réception qu'il leur fait, mais quand ma Sr T[hibodeau] entre chez lui, il rit et il la regarde avec contentement, quand elle est sur son départ il se chagrine et elle est obligée de lui promettre qu'elle retournera le voir... J'écrirai à la prochaine occasion à ma bonne Mère Beaubien, je vous prie de vouloir bien avoir la bonté de lui dire que je ne l'oublie pas, je pense très souvent à elle, surtout en faisant prier les enfants. Je me recommande à ses prières et je la prie de me pardonner si je ne lui écris pas...

Voulez-vous me permettre de demander ici aux charitables commissionnaires de nous acheter 2 rames de bon et beau papier à écrire pour revendre aux enfants, 4 douzaines de syllabaires anglais de chez les Frères, les bons Frères lesquels je salue très respectueusement, je me propose de leur écrire bientôt... 2 douzaines de Psautiers. Josephte a emporté un passe-partout, je la prie de nous l'envoyer ainsi que ma tabatière; et puis mon couvert que j'avais donné à une fille pour écurer elle ne me l'a pas remis, je vous assure que je voudrais bien l'avoir, je m'en servirais bien pour nos pauvres.

Le P. Dandurand a reçu une lettre d'une cousine qui est chez les Sœurs du Bon Pasteur, mais il n'était pas content, disait-il, parce qu'il n'en avait pas encore reçu de sa fille Cinq-Mars. Au même moment de ses plaintes voilà qu'il reçoit une lettre de sa chère fille. Oh! quel bonheur! Lui qui connaissait ce [dont] elle était capable avant son entrée, et recevoir une aussi jolie lettre, il n'en revenait pas, il m'a montré ses deux lettres et m'a dit qu'il préférait celle de Sr Cinq-Mars à cause de la simplicité du style; il m'a demandé si c'était bien elle qui l'avait écrite; je lui ai dit que je reconnaissais son style et son écriture, il était content et il m'a dit qu'il trouvait la vocation de cette jeune fille extraordinaire, que le bon Dieu la récompensait pour la bonne conduite qu'elle avait tenue dans une mission qu'il avait faite...

Notre petite fille est un vrai bijou, nous l'aimons beaucoup; quand notre Père vient, elle le tire par la soutane et lui fait mille gentillesses, aussi il l'aime beaucoup, d'autant plus qu'il l'a retirée de la plus profonde misère. Deux dames qui n'ont pas de petites filles ont demandé de la prendre avant que nous l'eussions vue. C'était jeudi dernier, 29 mai, notre Père leur a répondu qu'il ne la leur donnerait pas, qu'elle irait où il n'y avait pas d'enfants mais qu'elles la feraient vivre. Ces deux dames ont déjà donné plusieurs articles pour habiller notre petite.

Si je m'écoutais je pourrais encore remplir deux feuilles de ce large papier, mais il faut que j'aie pitié de vous ma bonne Mère, car vraiment il faut que vous soyez bien indulgente, si vous ne vous impatientez pas d'une semblable histoire...

Je me recommande aux saintes prières de toutes nos chères Sœurs particulièrement pour la réussite des entreprises de notre Père. Nos plus profonds respects à Sa Grandeur Monseigneur de Montréal, à notre Père Supérieur, à tous nos Pères du Séminaire en particulier à notre cher Père Larré, que j'espère voir cet été.

Ma santé est meilleure que vous ne sauriez penser, il y a aujourd'hui huit jours que j'ai commencé à me purger et je suis si bien que je reprends l'école aujourd'hui, 3 juin.

Adieu ma bonne Mère, je vous attends tous les jours ainsi que mes compagnes. Je crois que si nous avons le bonheur de vous voir à B[ytown], nous le devrons à nos chères bonnes Sœurs, mais non à vous, pardon ma bonne Mère. Adieu.

J'ai hâte d'écrire à notre chère Maîtresse ainsi qu'à nos autres Sœurs.

Votre toute dévouée fille,

Sœur É. Bruyère

S: ibid., vol. 1: *1839-1849*, pp. 147-160.

Lettre 46. [Aux Sœurs Grises de Montréal, à St Boniface, Rivière Rouge]

Hôpital Général de Bytown,
[le] 10 mars 1851

Mes bien-aimés Sœurs,

J'ai reçu votre lettre si ardemment attendue, le six du courant, laquelle était datée du 7 de janvier dernier. Vous ne sauriez croire l'effet qu'ont produit parmis nous les détails de votre voyage, depuis St-Paul jusqu'à St-Boniface. Pauvres Sœurs! Que de misères n'avez-vous pas essuyées! Quelle est bonne la main bienfaisante qui vous a soutenues; mais avec quelle rigueur ne vous a-t-elle pas traitées? Enfin, la volonté divine s'est accomplie et nous ne pouvons qu'adorer ses décrets en silence, et le remercier de qu'il lui plaît d'ordonner pour notre bien, et celui des autres. Ma Sr Fisette nous a dépeint d'une manière bien touchante les émotions réciproques que chacune ressentait en se voyant réunies après tant de peines et de souffrances. En entendant ce récit, vos missionnaires d'ici paraissent bien affec-tées, mais elles ne montraient pas un grand courage, nous avons ri d'elles; Sr Hagan a répondu que si elle était rendue, elle aurait autant de courage que les autres. Vous pensez bien que l'avan-cée de cette bonne enfant n'a pas portée à terre, et qu'on le lui a fait payer cher; Sr Youville se dit aussi missionnaire pour la Rivière-Rouge.

Si le bon Dieu nous envoie des sujets, certainement que vous aurez des filles parmi nous; cela prendra du temps car nous sommes à court en sujets et nous n'avons pas de chance avec ceux qui nous viennent du Bas-Canada. Notre seul espoir est dans nos élèves du pensionnat. Nous en avons une qui a dix mois de noviciat, une autre est à la veille d'entrer, et plusieurs autres demandent leur entrée; ma petite sœur est du nombre, celles-là sont canadiennes. Nous avons deux jeunes demoiselles écossaises qui nous viennent de notre pensionnat de St-André; elles nous paient la même pension que si elles étaient pension-naires, et nous leur enseignons toutes les branches qui sont enseignées aux pensionnaires, et cependant, elles sont à toutes choses comme les autres, lorsqu'elles ont donné un temps suffisant à leur classe. C'est ma Sr St-Pierre qui dirige les novices depuis le mois d'août dernier; ma Sr Rodriguez étant toujours malade. Mes Srs Phelan, Curran et Shanly sont à St-André; Sr

Youville est revenue dans le mois de janvier dernier, elle était toujours malade, c'est ce qui m'a obligée d'envoyer sa sœur à sa place. Sr Rodriguez est à St-André à ce moment; le changement d'air lui fait du bien; elle est allée chez nos Sœurs de la Maison mère qui étaient encore toutes chaudes, elles sortaient de retraite, à l'occasion d'une visite pastorale faite par Monseigneur de Montréal. Il y a eu plusieurs petits changements de réforme; je ne puis tous les énumérer, puisque notre Mère Coutlée ne m'en a pas écrit.

Mgr Guigues est de retour de son voyage d'Europe depuis le 22 novembre, accompagné des bénédictions de Pie IX, et d'un calice en vermeil que Sa Sainteté a consacré sur la demande que lui en a fait Monseigneur, disant Elle-Même la Ste Messe avec, en présence de Mgr Guigues. Nous n'avons pas été oubliées auprès du S[ain]t-Père. Notre saint Évêque a demandé une indulgence plénière pour ses filles; cette indulgence est attachée à nos Christs, c'est notre chapelain qui a le pouvoir de nous les appliquer par un rescrit signé du S[ain]t-Père. Les malades gagnent une indulgence plénière en baisant nos croix; vous pensez bien que nous sommes très heureuses de ce bienfait inestimable.

L'orgue que Mr Casavant devait nous faire est fini et sera béni le jour de la fête de s[ain]t Joseph, il sera placé dans la chapelle provisoire qui doit nous servir jusqu'à ce que nous puissions bâtir celle qui est sur le plan. J'ai vu avec plaisir que vous aviez fait le sacrifice de deux sœurs pour une mission; il faut bien nous prêter et faire tout le bien que l'on peut, c'est notre vocation de faire des missions, je le vois tous les jours. Je crois bien que si notre Mère d'Youville était de ce temps-ci, elle ferait comme nous. Prions bien fort pour que nous ayons de bons sujets; c'est notre intérêt.

Le R.P. Aubert vous a écrit au mois de décembre dernier, ce bon Père vous porte beaucoup d'intérêt et parle très souvent de vous toutes; il reste à trois lieues de Bytown, dans une paroisse qu'on appelle Gloucester. Il y a là une maison des Révérends Pères; je pense qu'il est là pour apprendre l'anglais. Il est, dit-on[,] pour le Diocèse de Bytown. J'ai entendu dire qu'il devait y avoir une maison des Révérends Pères aux Allumettes, diocèse de M. Plamondon et de Sr Chénier... vous vous en souvenez je pense...

Le R.P. Allard auquel j'ai fait les compliments de «maman Valade» se recommande à vos prières, et prend beaucoup de part à tout ce qui vous intéresse; il a paru bien sensible aux misères que vous avez éprouvées durant votre voyage; il vous présente ses respects.

Toutes mes Sœurs se joignent à moi pour vous embrasser de tout notre cœur, et vous dire que nous désirons toutes ne faire qu'un cœur et qu'une âme avec vous. Prions les unes pour les autres, afin que nous conservions l'esprit de notre Vénérable Mère, et que nous avancions de plus en plus dans la vertu de charité et d'humilité dont Elle nous a donné un si bel exemple. Pour moi, je me recommande de nouveau à vos saintes prières et vous prie de me croire bien affectueusement en Jésus et Marie,

Votre toute dévouée Sœur,
Sœur Bruyère Supérieure

S: ibid., vol. 2, *1850-1856*, pp. 138-141.

BIBLIOGRAPHIE
Quelques éditions des œuvres citées

[BONNEFOUX de CAMINEL, Jean-Baptiste de], *Voyage au Canada dans le nord de l'Amerique septentrionale, fait depuis l'an 1751 à 1761 par J. C. B.*, [édité par Henri-Raymond Casgrain], Québec, Imprimerie Léger Brousseau, 1887, 255 p. [ICMH-00853]; *Travels in New France by J. C. B.*, prepared by Pennsylvania Historical Survey (Frontier Forts and Trails Survey), Division of Community Service Projects, Work Projects Administration, edited by Sylvester K. Stevens, Donald H. Kent and Emma Edith Woods, Harrisburg, The Pennsylvania Historical Commission, Commonwealth of Pennsylvania, Department of Public Instruction, 1941, xiv, 167 p.; *Voyage au Canada fait depuis l'an 1751 à 1761 par J.-C. B.*, préface de Claude Manceron, Paris, Aubier Montaigne, 1978, 190[1] p.

[BOUCHERVILLE, Thomas Verchères de], «Journal de M. Thomas Verchères de Boucherville dans ses voyages aux pays d'en haut, et durant la dernière guerre avec les Américains, 1812-1813», dans *The Canadian Antiquarian and Numismatic Journal, published by the Numismatic and Antiquarian Society of Montreal, Chateau de Ramezay*, Montreal, C. A. Marchand, Printer to the Numismatic and Antiquarian Society, 38 St. Lambert Hill, Third Series, Vol. 3, Nos 1, 2, 3, and 4 [1900], pp. 1-167; «Journal of Thomas Verchères de Boucherville», in *War on the Detroit: the Chronicles of Thomas Verchères de Boucherville and the Capitulation by an Ohio Volunteer*, edited by Milo Milton Quaife, secretary of the Burton historical collection, Chicago, the Lakeside Press, R. R. Donnelley & Sons Co., «The Lakeside Classics», Christmas 1940, xxvi, 347 p.

[BRUYÈRE, Élisabeth], *Lettres d'Élisabeth Bruyère*, présentées par Jeanne d'Arc Lortie, vol. 1: *1839-1849*, Montréal, Éditions Paulines, 1989, 523 p.; vol. 2: *1850-1856*, 1992, 484 p.

DUFAUX, François-Xavier, [Lettres de François-Xavier Dufaux à Mgr Jean-François Hubert], dans *The Windsor Border Region. Canada Southernmost Frontier*, a collection of documents edited with an introduction by Ernest J. Lajeunesse, Toronto, University of Toronto Press, The Champlain Society for the Government of Ontario, «Ontario Series», 4, 1960, pp. 294-306.

GUIGUES, Jos[eph] Eugène Bruno, *Mandement d'entrée dans son diocèse, 1er Août 1848*. [Mandements, lettres pastorales et circulaires, 1848-1873], [s. l., s. é., s. d.], [2], 49, [26], 48-86, [11], 90-274 p. [ICMH-43256-51601]

[JÉSUITES DU DIX-NEUVIÈME SIÈCLE], *Lettres des nouvelles missions du Canada, 1843-1852*, éditées avec commentaires et annotations par Lorenzo Cadieux, Montréal, les Éditions Bellarmin, et Paris, Maisonneuve et Larose, 1973, 951 p.

LAVERLOCHÈRE, Jean-Nicolas, *Mission de la baie d'Hudson. Lettre du R. P. Laverlochère à Mgr l'Évêque de Bytown. Lac des Deux[-]Montagnes, 24 novembre 1848*, [Montréal?, s.é., 1848?], pp. 1-34. [ICMH-38751]

[PERRAULT, Jean-Baptiste], dans Louis-P[hilippe] Cormier, *Jean-Baptiste Perrault, marchand voyageur parti de Montréal le 28e jour de mai 1783*, Montréal, Boréal Express, 1978, 170 p.

PLESSIS, Joseph-Octave, «Journal de la Mission de 1816», dans *Journal des visites pastorales de 1815 et 1816 par Monseigneur Joseph-Octave Plessis, évêque de Québec*, publié par Mgr Henri Têtu, prélat de la Maison de Sa Sainteté, Québec, Imprimerie franciscaine missionnaire, 1903, 205 pp. («Journal de la Mission de 1815»), et 75 pp. («Journal de la Mission de 1816», pp.1-72, suivi de la table des matières du livre entier, pp. 73-75).

POUCHOT, Pierre, *Mémoires sur la dernière guerre de l'Amérique septentrionale entre la France et l'Angleterre. Suivis d'Observations, dont plusieurs sont relatives au théâtre actuel de la guerre, & de nouveaux détails sur les mœurs & les usages des Sauvages, avec des cartes topographiques*. Par M. Pouchot, Chevalier de l'Ordre Royal & Militaire de St. Louis, ancien Capitaine au Régiment de Béarn, Commandant des forts de Niagara & de Lévis, en Canada, 3 tomes, Yverdon [Suisse], [s.é.], 1781, xlj, 184[10], 308 et 379 p. [ICMH-39395-39398]

Sources biographiques

Les éditions des œuvres citées plus haut (paragraphe précédent)
Les archives des jésuites du Canada français (Saint-Jérôme, Québec)

BERNARD, M., *Bibliographie des missionnaires oblats de Marie Immaculée*, tome 1: *écrits des missionnaires oblats, 1816-1915*, Liège, H. Dessain, imprimeur-éditeur, rue Trappe, 7, 1922, 147 p.

CARRIÈRE, Gaston, *Dictionnaire biographique des Oblats de Marie-Immaculée au Canada*, 3 vol., Ottawa, Éditions de l'Université d'Ottawa, 1976, 1977, 1979, 350, 429, 485 p.

CARRIÈRE, Gaston, *Histoire documentaire de la congrégation des missionnaires Oblats de Marie-Immaculée dans l'est du Canada*, 1re partie: *de l'arrivée au Canada à la mort du fondateur, (1841-1861)*, tome 1, Ottawa, Éditions de l'Université d'Ottawa, 1957, 378 p.; t. 2, 1959, 344 p.

CHOQUETTE, Robert, *L'Église catholique dans l'Ontario français du dix-neuvième siècle*, Ottawa, Éditions de l'Université d'Ottawa, «Cahiers d'histoire», 13, 1984, 365 p.

Dictionnaire biographique du Canada, vol. 3: *de 1741 à 1770*, sous la direction de Francess G. Halpenny, 1974, xlv, 842 p.; vol. 4: *de 1771 à 1800*, lxiii, 980 p.; vol. 5: *de 1801 à 1820*, xxx, 1136 p.; vol. 6: *de 1821 à 1835*, xxx, 1047 p.; vol. 7: *de 1836 à 1850*, xxxiii, 1166 p.; vol. 8: *de 1851 à 1860*, xlv, 1243 p.; vol. 9: *de 1861 à 1870*, xiii, 1057 p.; vol. 10: *de 1871 à 1880*, sous la direction de Marc La Terreur, Francess G. Halpenny et André Vachon, xxxii, 894 p.; vol. 11: *de 1881 à 1890*, sous la direction de Francess G. Halpenny et Jean Hamelin, xx, 1192 p.; vol. 12: *de 1891 à 1900*, xxx, 1403 p.; vol. 13: *de 1901 à 1910*, sous la direction de Ramsay Cook et Jean Hamelin, xxi, 1396 p.

Dictionnaire de l'Amérique française. Francophonie nord-américaine hors Québec, par Charles Dufresne, Jacques Grimard, André Lapierre, Pierre Savard et Gaétan Vallières, Ottawa, les Presses de l'Université d'Ottawa, 1988, [iv], 386 p.

Dictionnaire des auteurs de langue française en Amérique du Nord, par Réginald Hamel, John Hare et Paul Wyczynski, Montréal, Éditions Fides, 1989, xxvi, 1364 p.

Dictionnaire des œuvres littéraires du Québec, vol. 1: *des origines à 1900*, sous la direction de Maurice Lemire, avec la collaboration de Jacques Blais, Nive Voisine et Jean Du Berger, Montréal, Fides, 1978, lxvi, 918 p.; 2e édition revue, corrigée et mise à jour, 1980, lxvi, 927 p.

GAUTHIER, Alphonse, *Héros dans l'ombre, mais héros quand même*, Sudbury, la Société historique du Nouvel Ontario (Collège du Sacré-Cœur), «Documents historiques», 32, 1956, pp. 13-19: «L'homme aux cent métiers, Jean Véroneau, s.j., 1813-1859»; pp. 20-32: «Il fut grand...sans bruit! Joseph Jennesseaux, s.j., 1810-1884».

LAMIRANDE, Émilien, *Élisabeth Bruyère (1818-1876), fondatrice des Sœurs de la Charité d'Ottawa (Sœurs Grises)*, Montréal, Bellarmin, 1992, 802 p.

LECOMPTE, Édouard, *Les Jésuites du Canada au XIXe siècle, 1842-1872*, Montréal, Imprimerie du «Messager», 1920, 333 p.

LE JEUNE, L[ouis], *Dictionnaire général de biographie, histoire, littérature, agriculture, commerce, industrie et des arts, sciences, mœurs, coutumes, institutions politiques et religieuses du Canada*, 2 vol., Ottawa, Université d'Ottawa, 1931, viii, 862 et [iv], 827[2] p.

MAJERUS, Yvette, *Le Journal du père Dominique du Ranquet, s.j.*, Sudbury, La Société historique du Nouvel Ontario (Université de Sudbury), «Documents historiques», n°s 49-50, 1967, 57 p.

NABARRA, Alain, David HAAVISTO et Marilee MUCHA, *Les Pays d'en haut, 1620-1900, explorateurs, voyageurs, missionnaires dans le nord-ouest de l'Ontario*; chronologie, anthologie, bibliographie, Thunder Bay, Information Nord-Ouest, 1980, [vi], 196[vi] p.

PAUL-ÉMILE [Louise Guay], *Mère Élisabeth Bruyère et son œuvre. Les Sœurs Grises de la croix*, tome 1: *Mouvement général, 1845-1876*, préface de Son Éminence le Cardinal Rodrigue Villeneuve, Ottawa, Maison-Mère des Sœurs Grises de la Croix, 1945, 409 p.

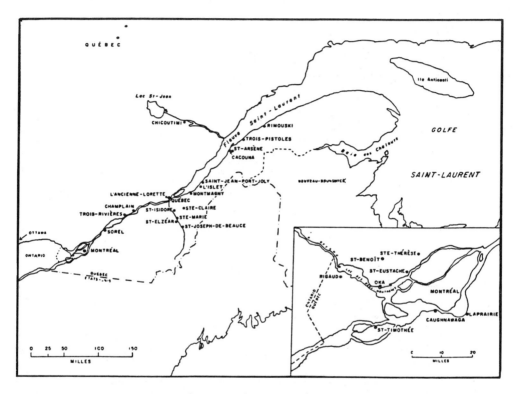

Laboratoire de Cartographie, Département de Géographie
Université Laurentienne de Sudbury, 1973

Lettres des nouvelles missions du Canada, 1843-1852, éditées
avec commentaires et annotations de Lorenzo Cadieux, s.j.,
Montréal, les Éditions Bellarmin et Paris, Maisonneuve et Larose,
1973, p. [15].

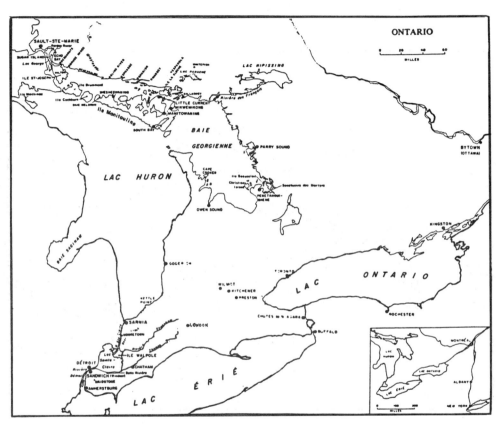

Laboratoire de Cartographie, Département de Géographie
Université Laurentienne de Sudbury, 1973

Lettres des nouvelles missions du Canada, 1843-1852, éditées avec commentaires et annotations de Lorenzo Cadieux, s.j., Montréal, les Éditions Bellarmin et Paris, Maisonneuve et Larose, 1973, p. [16].

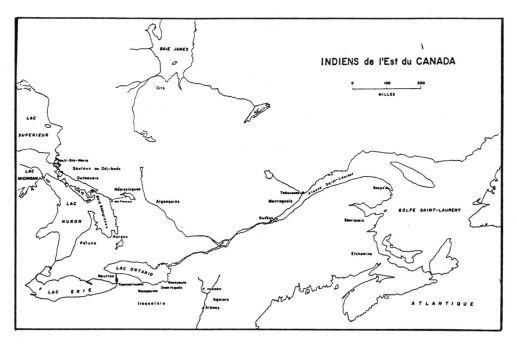

INDIENS de l'Est du CANADA

Laboratoire de Cartographie, Département de Géographie
Université Laurentienne de Sudbury, 1973

Lettres des nouvelles missions du Canada, 1843-1852, éditées avec commentaires et annotations de Lorenzo Cadieux, s.j., Montréal, les Éditions Bellarmin et Paris, Maisonneuve et Larose, 1973, p. [35].

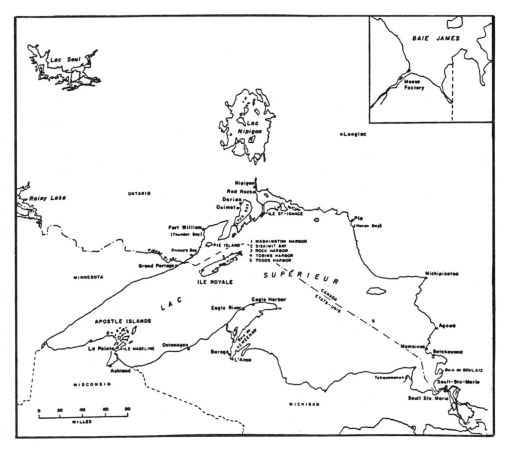

Laboratoire de Cartographie, Département de Géographie
Université Laurentienne de Sudbury, 1973

Lettres des nouvelles missions du Canada, 1843-1852, éditées
avec commentaires et annotations de Lorenzo Cadieux, s.j.,
Montréal, les Éditions Bellarmin et Paris, Maisonneuve et Larose,
1973, p. [36].

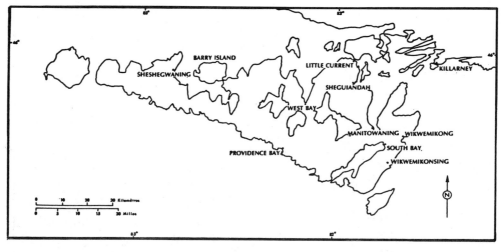

Carte de l'Île Manitouline

Les Robes noires à l'Île du Manitou, 1853-1870, par Lorenzo Cadieux, s.j. [et] Robert Toupin, s.j., Sudbury, Société historique du Nouvel-Ontario, 1982, p [40].

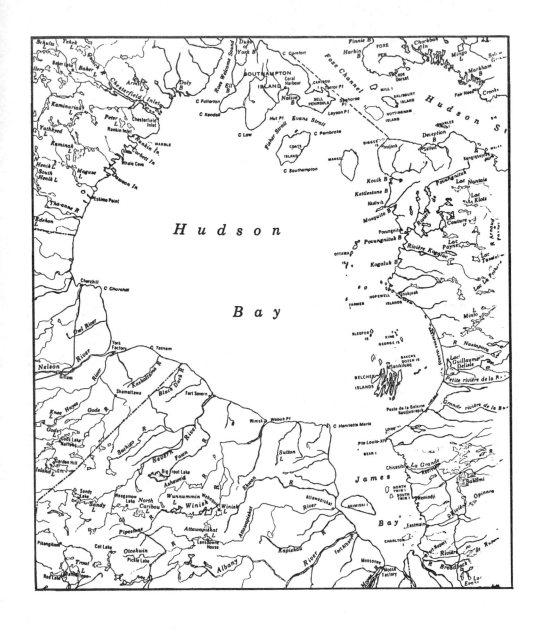

The Canadian Encyclopedia, second edition, Edmonton, Hurtig Publishers, 1988, Vol. 2, p. 1020.

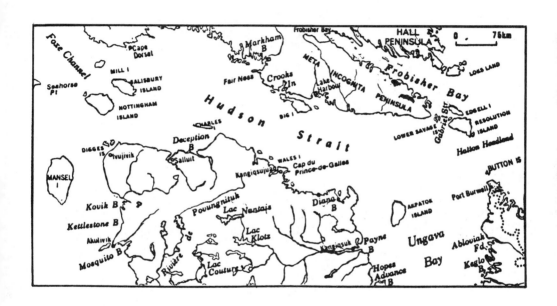

The Canadian Encyclopedia, second edition, Edmonton, Hurtig
Publishers, 1988, Vol. 2, p. 1021.

TABLE DES MATIÈRES

Achevé d'imprimer en décembre 1997 chez

VEILLEUX
IMPRESSION À DEMANDE INC.

à Boucherville, Québec